고등 수학 문제 해결의 **길잡이**

풍산자
유형기본서
수학 II

쉽고 정확한 문제 분석은 **자신감**으로
유형 집중 학습은 **실력**으로 보답하는 **풍산자**입니다.

언제나 현재에 집중할 수 있다면 반드시 행복해진다.
- 파올로 코엘료 -

문제의 핵심을 알려주는 유형 학습 비법서

풍산자
유형기본서

간결하고 개념 학습에
효과적인
개념 설명

풍산자식 해결 전략과
방법을 제시하는
대표유형

유사/변형/실력 3단계로
유형을 정복하는
핵심 문제

교재 활용
로드맵

문제 해결을 위한
응용력을 길러주는
상위권 도약 문제

배운 유형을
스스로 점검하는
실전 연습 문제

모든 유형을 학습할 수 있는 필수유형	필수유형별 대표 예제와 자세한 풀이, 풍산자식 해결 전략
유형을 정복하기 위한 풍부한 문제	수준별 3단계로 문제를 제시한 체계적인 학습
유형 학습 점검을 통한 실전 문제 연습	시험별 잘 나오는 유형과 중요 문제로 구성된 실전 연습 문제

풍산자

유형기본서

수학Ⅱ

구성과 특징

1 개념과 유형이 일목요연하게 정리
2 유형별 문항 학습으로 실전에 강함
3 친절하고 명쾌한 설명으로 혼자서도 학습 가능

개념

1 수학의 기본 개념을 구조적으로 정리
2 개념 확립에 도움이 되는 확인 문제
3 실전 적용에 활용 가능한 내용
4 학습할 개념의 바탕이 되는 이전 개념
5 원리, 심화 개념, 공식 등 연구

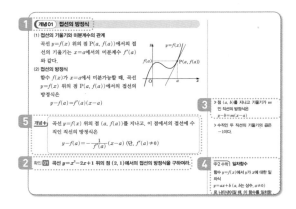

대표 유형

1 반드시 알아할 유형을 필수유형과 발전유형으로 제시
2 문제 해결을 위한 핵심 전략
3 단계별 해결 방법 확인
4 풀이 과정에 적용된 개념, 원리, 방법 등을 바로 확인
5 연관 개념, 문제 풀이 비법, 보충 설명 등 제공

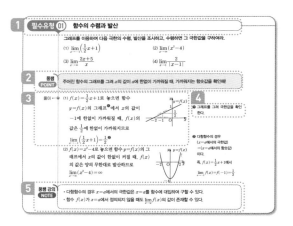

유사/변형/실력

1 대표유형보다 낮은 난이도, 동일 출제 원리를 담은 문제
2 대표유형과 동일 난이도, 동일 출제 원리를 담은 문제
3 대표유형과 동일 난이도이지만 표현 방법을 바꾼 문제
4 대표유형과 동일 출제 원리이지만 응용개념을 담은 문제

기출 수능/평가원/교육청 기출문제

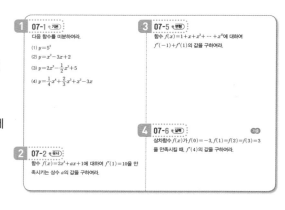

실전 연습

1 각 중단원별로 반드시 풀어야 할 문제를 수록하여 시험에 대비

<u>서술형</u>✏ 서술형으로 출제 가능성이 높은 문항

기출 수능/평가원/교육청 기출문제

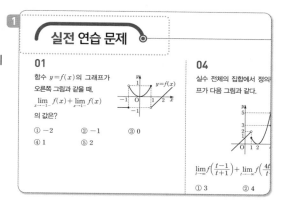

상위권 도약

1 각 중단원별로 상위권 실력을 완성할 수 있도록 난이도가 높은 문제를 구성

기출 수능/평가원/교육청 기출문제

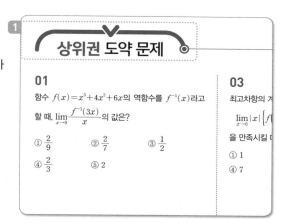

정답과 풀이

1 문제를 해결하는 데 필요한 핵심 아이디어
2 답을 구하는 데 필요한 단계적 사고 과정
3 주어진 문제를 해결하는 데 필요한 확장 원리, 개념, 공식
4 실전에 도움이 되는 다양한 풀이

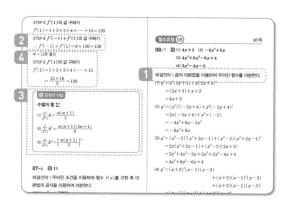

차례

I

함수의 극한과 연속

II

미분

III

적분

01

함수의 극한

01 함수의 극한

개념01 함수의 수렴과 발산

(1) **함수의 수렴**: 함수 $f(x)$에서 x의 값이 a가 아니면서 a에 한없이 가까워질 때, $f(x)$의 값이 일정한 값 L에 한없이 가까워지면 함수 $f(x)$는 L에 수렴한다고 한다. 이때 L을 $x=a$에서의 함수 $f(x)$의 극한값 또는 극한이라 하고 기호로 다음과 같이 나타낸다.

$$\lim_{x \to a} f(x) = L \ \text{또는} \ x \longrightarrow a \text{일 때},\ f(x) \longrightarrow L$$

(2) **함수의 발산**: 함수 $f(x)$가 수렴하지 않을 때, 함수 $f(x)$는 발산한다고 한다. 함수 $f(x)$에서 x의 값이 a가 아니면서 a에 한없이 가까워질 때

① $f(x)$의 값이 한없이 커지면 함수 $f(x)$는 양의 무한대로 발산한다고 하고 기호로 다음과 같이 나타낸다.

$$\lim_{x \to a} f(x) = \infty \ \text{또는} \ x \longrightarrow a \text{일 때} \ f(x) \longrightarrow \infty$$

② $f(x)$의 값이 음수이면서 그 절댓값이 한없이 커지면 함수 $f(x)$는 음의 무한대로 발산한다고 하고 기호로 다음과 같이 나타낸다.

$$\lim_{x \to a} f(x) = -\infty \ \text{또는} \ x \longrightarrow a \text{일 때} \ f(x) \longrightarrow -\infty$$

> $x \longrightarrow a$는 $x \ne a$이면서 x의 값이 a에 한없이 가까워짐을 뜻한다.

> 기호 lim는 극한을 뜻하는 'limit'의 약자로 '리미트'라고 읽는다.

> ∞는 한없이 커지는 상태를 나타내고 '무한대'라고 읽는다. ∞는 어떤 숫자 값을 나타내지 않는다.

> 함수의 수렴과 발산은 $x \longrightarrow \infty$, $x \longrightarrow -\infty$인 경우에도 정의할 수 있다.

확인 01 다음 극한의 수렴, 발산을 조사하고, 수렴하면 그 극한값을 구하여라.

(1) $\displaystyle\lim_{x \to 9} \sqrt{x}$ (2) $\displaystyle\lim_{x \to 3}(x+3)$ (3) $\displaystyle\lim_{x \to 0} 4$ (4) $\displaystyle\lim_{x \to 0} \frac{1}{|x|}$

개념02 좌극한과 우극한

(1) **좌극한과 우극한**: 함수 $f(x)$에서

① $x \longrightarrow a-$일 때, $f(x)$의 값이 일정한 값 L에 한없이 가까워지면 L을 $x=a$에서의 함수 $f(x)$의 좌극한이라 하고 기호로 다음과 같이 나타낸다.

$$\lim_{x \to a-} f(x) = L \ \text{또는} \ x \longrightarrow a- \text{일 때} \ f(x) \longrightarrow L$$

② $x \longrightarrow a+$일 때, $f(x)$의 값이 일정한 값 L에 한없이 가까워지면 L을 $x=a$에서의 함수 $f(x)$의 우극한이라 하고 기호로 다음과 같이 나타낸다.

$$\lim_{x \to a+} f(x) = L \ \text{또는} \ x \longrightarrow a+ \text{일 때} \ f(x) \longrightarrow L$$

(2) **함수의 극한값의 존재**: 함수 $f(x)$의 $x=a$에서의 우극한과 좌극한이 모두 존재하고 그 값이 L로 같으면 극한값 $\displaystyle\lim_{x \to a} f(x)$가 존재한다. 또, 그 역도 성립한다. 즉,

$$\lim_{x \to a-} f(x) = \lim_{x \to a+} f(x) = L \Longleftrightarrow \lim_{x \to a} f(x) = L$$

> x의 값이
> ① a보다 작으면서 a에 한없이 가까워지는 것을 $x \longrightarrow a-$와 같이 나타낸다.
> ② a보다 크면서 a에 한없이 가까워지는 것을 $x \longrightarrow a+$와 같이 나타낸다.

확인 02 다음 극한값을 구하여라.

(1) $f(x) = \begin{cases} -x+1 & (x<0) \\ x & (x \ge 0) \end{cases}$ 일 때, $\displaystyle\lim_{x \to 0+} f(x)$

(2) $g(x) = \begin{cases} x+1 & (x<1) \\ x-1 & (x \ge 1) \end{cases}$ 일 때, $\displaystyle\lim_{x \to 1-} g(x)$

고1 수학 필요충분조건

명제 $p \longrightarrow q$에 대하여 $p \Longrightarrow q$이고 $q \Longrightarrow p$일 때, 이것을 p는 q이기 위한 필요충분조건이라 하고, 기호로 $p \Longleftrightarrow q$와 같이 나타낸다. 이때 q도 p이기 위한 필요충분조건이다.

개념 03 함수의 극한에 대한 성질

두 함수 $f(x)$, $g(x)$에 대하여 $\lim\limits_{x \to a} f(x) = \alpha$, $\lim\limits_{x \to a} g(x) = \beta$ (α, β는 실수)일 때

(1) $\lim\limits_{x \to a} kf(x) = k \lim\limits_{x \to a} f(x) = k\alpha$ (단, k는 상수)

(2) $\lim\limits_{x \to a} \{f(x) \pm g(x)\} = \lim\limits_{x \to a} f(x) \pm \lim\limits_{x \to a} g(x) = \alpha \pm \beta$ (복부호동순)

(3) $\lim\limits_{x \to a} f(x)g(x) = \lim\limits_{x \to a} f(x) \times \lim\limits_{x \to a} g(x) = \alpha\beta$

(4) $\lim\limits_{x \to a} \dfrac{f(x)}{g(x)} = \dfrac{\lim\limits_{x \to a} f(x)}{\lim\limits_{x \to a} g(x)} = \dfrac{\alpha}{\beta}$ (단, $g(x) \neq 0$, $\beta \neq 0$)

▶주의 함수의 극한에 대한 성질은 $x = a$에서 함수 $f(x)$, $g(x)$의 극한값이 존재할 때만 성립한다.

확인 03 $\lim\limits_{x \to 1} f(x) = 2$, $\lim\limits_{x \to 1} g(x) = 1$일 때, 다음 극한값을 구하여라.

(1) $\lim\limits_{x \to 1} \{f(x) + g(x)\}$ (2) $\lim\limits_{x \to 1} f(x)g(x)$

확인 04 다음 극한값을 구하여라.

(1) $\lim\limits_{x \to 2} (x^2 + x - 2)$ (2) $\lim\limits_{x \to 0} \dfrac{x+2}{3x-1}$

▶ 함수의 극한에 대한 성질은
$x \longrightarrow \infty$, $x \longrightarrow -\infty$,
$x \longrightarrow a-$, $x \longrightarrow a+$
일 때도 성립한다.

▶ 함수의 극한값의 계산

(1) $\dfrac{0}{0}$ 꼴: 분모, 분자가 모두 다항식이면 분모, 분자를 각각 인수분해하여 약분하고, 분모, 분자 중 무리식이 있으면 근호가 있는 부분을 유리화한다.

(2) $\dfrac{\infty}{\infty}$ 꼴: 분모의 최고차항으로 분자, 분모를 각각 나눈다.

(3) $\infty - \infty$ 꼴: 다항식은 최고차항으로 묶고, 무리식을 포함한 경우에는 근호가 있는 부분을 유리화한다.

(4) $\infty \times 0$ 꼴: $\dfrac{0}{0}$, $\dfrac{\infty}{\infty}$, $\infty \times k$, $\dfrac{k}{\infty}$ (k는 상수) 꼴로 변형한다.

개념 04 미정계수의 결정

두 함수 $f(x)$, $g(x)$에 대하여 $\lim\limits_{x \to a} \dfrac{f(x)}{g(x)} = L$ (L은 실수)일 때

(1) $\lim\limits_{x \to a} g(x) = 0$이면 $\lim\limits_{x \to a} f(x) = 0$

(2) $L \neq 0$이고 $\lim\limits_{x \to a} f(x) = 0$이면 $\lim\limits_{x \to a} g(x) = 0$

확인 05 다음 등식을 만족시키는 상수 a의 값을 구하여라.

(1) $\lim\limits_{x \to 1} \dfrac{2x+a}{x-1} = 2$ (2) $\lim\limits_{x \to 3} \dfrac{3x-9}{x+a} = 3$

개념 05 함수의 극한의 대소 관계

두 함수 $f(x)$, $g(x)$에 대하여 $\lim\limits_{x \to a} f(x) = L$, $\lim\limits_{x \to a} g(x) = M$ (L, M은 실수)일 때, a에 가까운 모든 실수 x에 대하여

(1) $f(x) \leq g(x)$이면 $L \leq M$

(2) 함수 $h(x)$에 대하여 $f(x) \leq h(x) \leq g(x)$이고 $L = M$이면
$\lim\limits_{x \to a} h(x) = L$

▶주의 $f(x) < g(x)$일 때, 반드시 $\lim\limits_{x \to a} f(x) < \lim\limits_{x \to a} g(x)$인 것은 아니다.

확인 06 모든 실수 x에 대하여 함수 $f(x)$가 $-2x \leq f(x) \leq x^2 + 1$을 만족시킬 때, $\lim\limits_{x \to -1} f(x)$의 값을 구하여라.

▶ 함수의 극한의 대소 관계는
$x \longrightarrow \infty$, $x \longrightarrow -\infty$,
$x \longrightarrow a-$, $x \longrightarrow a+$일 때도
성립한다.

그래프를 이용하여 다음 극한의 수렴, 발산을 조사하고, 수렴하면 그 극한값을 구하여라.

(1) $\lim\limits_{x \to -1}\left(\dfrac{1}{2}x+1\right)$

(2) $\lim\limits_{x \to \infty}(x^2-4)$

(3) $\lim\limits_{x \to \infty}\dfrac{2x+5}{x}$

(4) $\lim\limits_{x \to 1}\dfrac{2}{|x-1|}$

풍쌤 POINT

주어진 함수의 그래프를 그려 x의 값이 a에 한없이 가까워질 때, 가까워지는 함숫값을 확인해!

풀이

(1) $f(x)=\dfrac{1}{2}x+1$로 놓으면 함수 $y=f(x)$의 그래프❶에서 x의 값이 -1에 한없이 가까워질 때, $f(x)$의 값은 $\dfrac{1}{2}$에 한없이 가까워지므로

$$\lim\limits_{x \to -1}\left(\dfrac{1}{2}x+1\right)=\dfrac{1}{2}\ ❷$$

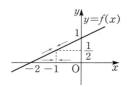

❶ 그래프를 그려 극한값을 확인한다.

(2) $f(x)=x^2-4$로 놓으면 함수 $y=f(x)$의 그래프에서 x의 값이 한없이 커질 때, $f(x)$의 값은 양의 무한대로 발산하므로

$$\lim\limits_{x \to \infty}(x^2-4)=\infty$$

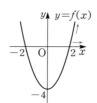

❷ 다항함수의 경우
($x=a$에서의 극한값)
$=(x=a$에서의 함숫값)
이다.

즉, $f(x)=\dfrac{1}{2}x+1$에서

$$\lim\limits_{x \to -1}f(x)=f(-1)=\dfrac{1}{2}$$

(3) $f(x)=\dfrac{2x+5}{x}=\dfrac{5}{x}+2$로 놓으면 함수 $y=f(x)$의 그래프에서 x의 값이 한없이 커질 때, $f(x)$의 값이 2에 한없이 가까워지므로

$$\lim\limits_{x \to \infty}\dfrac{2x+5}{x}=2$$

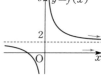

(4) $f(x)=\dfrac{2}{|x-1|}$로 놓으면 함수 $y=f(x)$의 그래프❸에서 x의 값이 1에 한없이 가까워질 때, $f(x)$의 값은 양의 무한대로 발산하므로

$$\lim\limits_{x \to 1}\dfrac{2}{|x-1|}=\infty$$

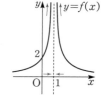

❸ $x<1$인 경우와 $x>1$인 경우로 나누어 그래프를 그린다.

답 (1) $\dfrac{1}{2}$　(2) 발산(∞)　(3) 2　(4) 발산(∞)

풍쌤 강의 NOTE

• 다항함수의 경우 $x=a$에서의 극한값은 $x=a$를 함수에 대입하여 구할 수 있다.
• 함수 $f(x)$가 $x=a$에서 정의되지 않을 때도 $\lim\limits_{x \to a}f(x)$의 값이 존재할 수 있다.

01-1 (유사)

그래프를 이용하여 다음 극한의 수렴, 발산을 조사하고, 수렴하면 그 극한값을 구하여라.

(1) $\lim_{x \to -2} (x^2 - 3x + 2)$

(2) $\lim_{x \to 3} \sqrt{3x - 1}$

(3) $\lim_{x \to \infty} (3x + 4)$

(4) $\lim_{x \to -2} \dfrac{x+2}{x+1}$

01-2 (유사)

그래프를 이용하여 다음 극한의 수렴, 발산을 조사하고, 수렴하면 그 극한값을 구하여라.

(1) $\lim_{x \to \infty} \dfrac{3-x}{x}$

(2) $\lim_{x \to 3} \dfrac{1}{|x-3|}$

(3) $\lim_{x \to -1} \left\{ -\dfrac{5}{(x+1)^2} \right\}$

01-3 (변형)

$\lim_{x \to 1} \dfrac{1-2x}{x} + \lim_{x \to \infty} \dfrac{1-2x}{x}$ 의 값을 구하여라.

01-4 (변형)

다음 |보기| 중 극한값이 존재하는 것만을 있는 대로 골라라.

┌─ 보기 ┐

ㄱ. $\lim_{x \to 3} (x^2 - 9)$

ㄴ. $\lim_{x \to \infty} (3x - 1)$

ㄷ. $\lim_{x \to \infty} \dfrac{3}{x-1}$

ㄹ. $\lim_{x \to 3} \sqrt{2x - 1}$

01-5 (변형)

다음 중 옳은 것은?

① $\lim_{x \to 3} \dfrac{2+x}{4} = 1$

② $\lim_{x \to 0} 3 = 0$

③ $\lim_{x \to -2} \sqrt{2x + 8} = 2$

④ $\lim_{x \to 4} \dfrac{2x^2 - 5}{x+5} = 5$

⑤ $\lim_{x \to 2} (x-2)(x+3) = 1$

01-6 (실력)

$\lim_{x \to 2} (x^2 + ax + b) = -1$, $\lim_{x \to -1} (x^2 + bx + a) = -6$

일 때, 두 상수 a, b에 대하여 ab의 값을 구하여라.

함수 $y=f(x)$의 그래프가 오른쪽 그림과 같을 때, 다음을 구하여라.

(1) $f(1)$ (2) $\lim\limits_{x \to 1-} f(x)$ (3) $\lim\limits_{x \to 1+} f(x)$

(4) $\lim\limits_{x \to -1-} f(x)$ (5) $\lim\limits_{x \to -1+} f(x)$

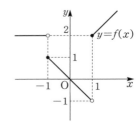

풍쌤 POINT

$x=a$에서 좌극한은 $x<a$일 때, 우극한은 $x>a$일 때만 조사하면 돼!

그래프에서 x의 값이 a에 한없이 가까워질 때, y의 값이 어떤 값에 한없이 가까워지는지 확인해 봐!

풀이

(1) 함수 $y=f(x)$의 그래프가 점 $(1, 2)$를 지나므로

$f(1)=2$ ❶

❶ 그래프에서 색칠된 점은 지나고 색칠되지 않은 점은 지나지 않는다.

(2) x가 1보다 작은 작은 값을 가지면서 1에 한없이 가까워질 때, $f(x)$의 값은 -1에 한없이 가까워지므로 $\lim\limits_{x \to 1-} f(x)=-1$

(3) x가 1보다 큰 값을 가지면서 1에 한없이 가까워질 때, $f(x)$의 값은 2에 한없이 가까워지므로 $\lim\limits_{x \to 1+} f(x)=2$

(4) x가 -1보다 작은 값을 가지면서 -1에 한없이 가까워질 때, $f(x)$의 값은 2이므로

$\lim\limits_{x \to -1-} f(x)=2$

(5) x가 -1보다 큰 값을 가지면서 -1에 한없이 가까워질 때, $f(x)$의 값은 1에 한없이 가까워지므로 $\lim\limits_{x \to -1+} f(x)=1$

目 (1) 2   (2) -1 (3) 2   (4) 2   (5) 1

풍쌤 강의 NOTE

• $x \longrightarrow a-$이면 그래프에서 $x<a$의 범위에서 함숫값의 변화를 살펴본다.

• $x \longrightarrow a+$이면 그래프에서 $x>a$의 범위에서 함숫값의 변화를 살펴본다.

• 함수의 극한값은 함숫값과 다를 수 있음에 유의한다.

02-1 (유사)

함수 $y=f(x)$의 그래프가 오른쪽 그림과 같을 때, 다음을 구하여라.

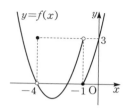

(1) $f(-1)$

(2) $\lim\limits_{x \to -1-} f(x)$

(3) $\lim\limits_{x \to -1+} f(x)$

(4) $\lim\limits_{x \to -4-} f(x)$

(5) $\lim\limits_{x \to -4+} f(x)$

02-2 (변형)

함수 $f(x)=\begin{cases} -x^2+2 & (x \neq 1) \\ 2 & (x=1) \end{cases}$ 에 대하여

$\lim\limits_{x \to 1-} f(x) + \lim\limits_{x \to 1+} f(x)$의 값을 구하여라.

02-3 (변형)　(기출)

$-2 \leq x \leq 2$에서 정의된 함수 $y=f(x)$의 그래프가 다음 그림과 같다.

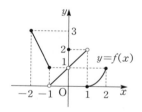

$\lim\limits_{x \to 1-} f(x) + \lim\limits_{x \to -1+} f(x)$의 값을 구하여라.

02-4 (변형)

함수 $f(x)=\begin{cases} ax-3 & (x<2) \\ x^2+x-a & (x \geq 2) \end{cases}$ 에 대하여

$\lim\limits_{x \to 2-} f(x) = \lim\limits_{x \to 2+} f(x)$일 때, 상수 a의 값을 구하여라.

02-5 (변형)

다음 극한값을 구하여라.

(단, $[x]$는 x보다 크지 않은 최대의 정수이다.)

(1) $\lim\limits_{x \to 0-} [x]$　　　　(2) $\lim\limits_{x \to 0+} [x]$

(3) $\lim\limits_{x \to 1-} [2-x]$　　　(4) $\lim\limits_{x \to 1+} [2-x]$

02-6 (실력)

함수 $f(x)=\dfrac{x+1}{|x+1|}$에 대하여 $\lim\limits_{x \to -1-} f(x)=a$,

$\lim\limits_{x \to -1+} f(x)=b$라고 할 때, $a-b$의 값을 구하여라.

다음 물음에 답하여라.

(1) 함수 $y=f(x)$의 그래프가 오른쪽 그림과 같을 때, $\lim\limits_{x\to 0}f(x)$의 값

을 구하여라.

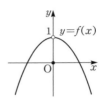

(2) 함수 $f(x)=\begin{cases} -x+2 & (x<1) \\ kx-1 & (x\geq 1) \end{cases}$에 대하여 $\lim\limits_{x\to 1}f(x)$의 값이 존재

하도록 하는 상수 k의 값을 구하여라.

(3) 함수 $f(x)=\dfrac{|x|}{x}$에 대하여 $x=0$에서의 극한을 조사하여라.

풍쌤 POINT 극한을 조사할 때는 그래프를 그려 좌극한과 우극한이 같은지 살펴봐!

풀이

(1) $\lim\limits_{x\to 0-}f(x)=1$, $\lim\limits_{x\to 0+}f(x)=1$

즉, $\lim\limits_{x\to 0-}f(x)=\lim\limits_{x\to 0+}f(x)$❶이므로

$\lim\limits_{x\to 0}f(x)=1$

❶ $x=0$의 좌우에서 점 $(0, 1)$로
한없이 가까워진다.

(2) $\lim\limits_{x\to 1-}f(x)=\lim\limits_{x\to 1-}(-x+2)=1$

$\lim\limits_{x\to 1+}f(x)=\lim\limits_{x\to 1+}(kx-1)=k-1$

$\lim\limits_{x\to 1}f(x)$의 값이 존재하려면 $\lim\limits_{x\to 1-}f(x)=\lim\limits_{x\to 1+}f(x)$이어야

하므로

$1=k-1$ $\therefore k=2$

(3) $x<0$일 때, $|x|=-x$❷이므로 $\lim\limits_{x\to 0-}\dfrac{|x|}{x}=\lim\limits_{x\to 0-}\dfrac{-x}{x}=-1$

❷ $|x|=\begin{cases} -x & (x<0) \\ x & (x\geq 0) \end{cases}$

$x>0$일 때, $|x|=x$이므로 $\lim\limits_{x\to 0+}\dfrac{|x|}{x}=\lim\limits_{x\to 0+}\dfrac{x}{x}=1$

따라서 $\lim\limits_{x\to 0-}\dfrac{|x|}{x}\neq\lim\limits_{x\to 0+}\dfrac{|x|}{x}$이므로 $\lim\limits_{x\to 0}\dfrac{|x|}{x}$의 값이 존재

하지 않는다.

답 (1) 1 (2) 2 (3) 존재하지 않는다.

풍쌤 강의 NOTE $y=f(x)$에 대하여 $x=a$에서의 극한값이 존재하는지 확인하기 위해서는

(1) 좌극한 $\lim\limits_{x\to a-}f(x)$ (2) 우극한 $\lim\limits_{x\to a+}f(x)$

를 조사해야 한다. 이때 두 값이 같으면 $x=a$에서 극한값이 존재한다.

03-1 유사

함수 $y=f(x)$가 오른쪽 그림과 같을 때, $\lim\limits_{x \to 2} f(x)$의 값을 구하여라.

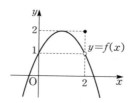

03-4 변형

함수 $f(x)=[x]$일 때, $x=2$에서의 극한을 조사하여라. (단, $[x]$는 x보다 크지 않은 최대의 정수이다.)

03-2 유사

함수 $f(x)=\begin{cases} (x-k)^2 & (x<-1) \\ -3x+k & (x\geq -1) \end{cases}$에 대하여 $\lim\limits_{x \to -1} f(x)$의 값이 존재하기 위한 모든 실수 k의 값의 합을 구하여라.

03-5 변형

함수 $f(x)=\begin{cases} -3x+a & (x<-1) \\ x^2-a & (x\geq -1) \end{cases}$에 대하여 $\lim\limits_{x \to -1} f(x)=b$일 때, 두 상수 a, b에 대하여 a^2+b^2의 값을 구하여라.

03-3 유사

다음 극한을 조사하여라.

(1) $\lim\limits_{x \to 1} |x-1|$

(2) $\lim\limits_{x \to 1} \dfrac{x-1}{|x-1|}$

(3) $\lim\limits_{x \to 0} x|x|$

03-6 실력

함수 $f(x)=\begin{cases} -x & (x<0) \\ x^2-4x+2 & (0\leq x<4) \\ -2 & (x\geq 4) \end{cases}$에 대하여 $\lim\limits_{x \to a} f(x)$의 값은 존재하지 않지만 $\lim\limits_{x \to a} |f(x)|$의 값은 존재할 때, 상수 a의 값을 구하여라.

두 함수 $y=f(x)$, $y=g(x)$의 그래프가 오른쪽 그림과 같을 때, 다음 극한값을 구하여라.

(1) $\lim\limits_{x \to 0-} f(g(x))$

(2) $\lim\limits_{x \to 0+} f(g(x))$

(3) $\lim\limits_{x \to 1-} f(g(x))$

(4) $\lim\limits_{x \to 1+} f(g(x))$

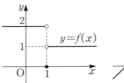 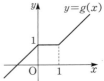

풍쌤 POINT

합성함수의 극한에서는 x의 값의 변화에 따른 함숫값의 변화를 조사해야 돼!

$\lim\limits_{x \to a+} f(g(x))$의 값은 $g(x)=t$로 치환하고

① t의 위쪽에서 t에 가까워지면 $g(x) \longrightarrow t+$,

② t의 아래쪽에서 t에 가까워지면 $g(x) \longrightarrow t-$로 구분하여 극한값을 구해야 해.

풀이

(1) $g(x)=t$라고 하면 $y=g(x)$의 그래프에서 $x \longrightarrow 0-$일 때, $t \longrightarrow 1-$❶이므로

$\lim\limits_{x \to 0-} f(g(x)) = \lim\limits_{t \to 1-} f(t) = 2$

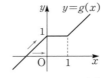

❶ $x \longrightarrow 0-$이면 $g(x)$의 값이 1보다 작으면서 1에 한없이 가까워진다.

(2) $g(x)=t$라고 하면 $y=g(x)$의 그래프에서 $x \longrightarrow 0+$일 때, $t=1$❷이므로

$\lim\limits_{x \to 0+} f(g(x)) = f(1) = 0$

❷ $x \longrightarrow 0+$이면 $g(x)=1$로 변함이 없다.

(3) $g(x)=t$라고 하면 $y=g(x)$의 그래프에서 $x \longrightarrow 1-$일 때, $t=1$이므로

$\lim\limits_{x \to 1-} f(g(x)) = f(1) = 0$

(4) $g(x)=t$라고 하면 $y=g(x)$의 그래프에서 $x \longrightarrow 1+$일 때, $t \longrightarrow 1+$❸이므로

$\lim\limits_{x \to 1+} f(g(x)) = \lim\limits_{t \to 1+} f(t) = 1$

❸ $x \longrightarrow 1+$이면 $g(x)$의 값이 1보다 크면서 1에 한없이 가까워진다.

目 (1) 2 (2) 0 (3) 0 (4) 1

풍쌤 강의 NOTE

$\lim\limits_{x \to a+} f(g(x))$의 값은 $g(x)=t$로 치환하여 t의 값의 변화를 확인해야 한다.

① $x \longrightarrow a+$일 때 $t \longrightarrow b+$이면 $\lim\limits_{x \to a+} f(g(x)) = \lim\limits_{t \to b+} f(t)$

② $x \longrightarrow a+$일 때 $t \longrightarrow b-$이면 $\lim\limits_{x \to a+} f(g(x)) = \lim\limits_{t \to b-} f(t)$

③ $x \longrightarrow a+$일 때 $t=b$이면 $\lim\limits_{x \to a+} f(g(x)) = f(b)$

04-1 ⊙ 유사

두 함수 $y=f(x)$, $y=g(x)$의 그래프가 다음 그림과
같을 때, 극한값을 구하여라.

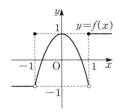 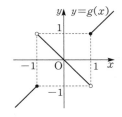

(1) $\lim\limits_{x \to 1+} f(g(x))$ (2) $\lim\limits_{x \to 1-} f(g(x))$

(3) $\lim\limits_{x \to -1-} g(f(x))$ (4) $\lim\limits_{x \to -1+} g(f(x))$

04-2 ⊙ 변형   기출

정의역이 $\{x \,|\, 0 \le x \le 4\}$인 함수 $y=f(x)$의 그래프가
다음 그림과 같을 때, $\lim\limits_{x \to 0+} f(f(x)) + \lim\limits_{x \to 2+} f(f(x))$
의 값을 구하여라.

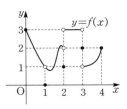

04-3 ⊙ 변형

함수 $f(x)=x^2-2x$에 대하여
$\lim\limits_{x \to 1} f(x-2) + \lim\limits_{x \to 3} f(-x)$의 값을 구하여라.

04-4 ⊙ 변형

두 함수 $f(x)=\begin{cases} -2x+6 & (x<a) \\ 2x-a & (x \ge a) \end{cases}$, $g(x)=x^2$에 대

하여 $\lim\limits_{x \to a} g(f(x))$의 값이 존재할 때, 상수 a의 값을
모두 구하여라.

04-5 ⊙ 변형

함수 $f(x)=\begin{cases} \dfrac{2}{x-2} & (x<1) \\ x^2-6x+6 & (x \ge 1) \end{cases}$에 대하여

$\lim\limits_{x \to 1+} f(f(x))$의 값을 구하여라.

04-6 ⊙ 실력

함수 $y=f(x)$의 그래프가
오른쪽 그림과 같을 때,
$\lim\limits_{x \to 1} \{f(x)-f(-x)\}$의
값을 구하여라.

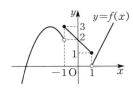

다음 물음에 답하여라.

(1) 두 함수 $f(x)$, $g(x)$에 대하여 $\lim\limits_{x \to a} f(x) = 2$, $\lim\limits_{x \to a} \{f(x) + 2g(x)\} = 4$일 때,

$\lim\limits_{x \to a} \{3f(x) - g(x)\}$의 값을 구하여라.

(2) 함수 $f(x)$에 대하여 $\lim\limits_{x \to 0} \dfrac{f(x)}{x} = 3$일 때, $\lim\limits_{x \to 0} \dfrac{3x^2 - 2f(x)}{2x^2 + f(x)}$의 값을 구하여라.

(3) 두 함수 $f(x)$, $g(x)$에 대하여 $\lim\limits_{x \to \infty} f(x) = \infty$, $\lim\limits_{x \to \infty} \{f(x) - g(x)\} = 1$일 때,

$\lim\limits_{x \to \infty} \dfrac{f(x) + g(x)}{2f(x) - 3g(x)}$의 값을 구하여라.

풍쌤 POINT 주어진 극한값을 이용할 수 있도록 값을 구해야 하는 식을 변형해야 해!

풀이

(1) STEP1 $\lim\limits_{x \to a} g(x)$의 값 구하기

$$\lim_{x \to a} 2g(x) = \lim_{x \to a} \{f(x) + 2g(x) - f(x)\}$$
$$= \lim_{x \to a} \{f(x) + 2g(x)\} - \lim_{x \to a} f(x) \text{❶}$$
$$= 4 - 2 = 2$$
$$\therefore \lim_{x \to a} g(x) = 1$$

STEP2 $\lim\limits_{x \to a} \{3f(x) - g(x)\}$의 값 구하기

$$\therefore \lim_{x \to a} \{3f(x) - g(x)\} = 3 \times 2 - 1 = 5$$

❶ $\lim\limits_{x \to a} \{f(x) + 2g(x)\}$,
$\lim\limits_{x \to a} f(x)$가 수렴하므로
$\lim\limits_{x \to a} \{f(x) + 2g(x) - f(x)\}$
$= \lim\limits_{x \to a} \{f(x) + 2g(x)\}$
$\qquad\qquad + \lim\limits_{x \to a} f(x)$

(2) $\lim\limits_{x \to 0} \dfrac{3x^2 - 2f(x)}{2x^2 + f(x)} = \lim\limits_{x \to 0} \dfrac{3x - \dfrac{2f(x)}{x} \text{❷}}{2x + \dfrac{f(x)}{x}} = \dfrac{0 - 2 \times 3}{0 + 3} = -2$

❷ $x \to 0$일 때, $2x$, $3x$, $\dfrac{f(x)}{x}$
가 모두 극한값을 가지므로 각각의 극한값을 대입하여 계산한다.

(3) $\lim\limits_{x \to \infty} \dfrac{f(x) + g(x)}{2f(x) - 3g(x)} = \lim\limits_{x \to \infty} \dfrac{-\{f(x) - g(x)\} + 2f(x)}{3\{f(x) - g(x)\} - f(x)}$

$$= \lim_{x \to \infty} \dfrac{\dfrac{-\{f(x) - g(x)\}}{f(x)} + 2}{\dfrac{3\{f(x) - g(x)\}}{f(x)} - 1} \text{❸}$$
$$= -2$$

❸ $\lim\limits_{x \to \infty} \{f(x) - g(x)\} = 1$,
$\lim\limits_{x \to \infty} f(x) = \infty$이므로
$\lim\limits_{x \to \infty} \dfrac{f(x) - g(x)}{f(x)} = 0$

답 (1) 5 (2) -2 (3) -2

풍쌤 강의 NOTE
• 함수의 극한에 대한 성질을 이용할 때는 각 극한값이 수렴한다는 조건이 필요하다.

• $\lim\limits_{x \to a} f(x) = \pm\infty$이면 $\lim\limits_{x \to \infty} \dfrac{1}{f(x)} = 0$임을 이용한다.

05-1 ◉ 유사

두 함수 $f(x)$, $g(x)$에 대하여 $\lim\limits_{x \to 2} f(x) = 4$,

$\lim\limits_{x \to 2} \{3g(x) - f(x)\} = 2$일 때, 다음 극한값을 구하여라.

(1) $\lim\limits_{x \to 2} \dfrac{f(x)}{g(x)}$

(2) $\lim\limits_{x \to 2} \dfrac{2f(x) + 3g(x)}{4g(x) - 3f(x)}$

05-2 ◉ 유사

함수 $f(x)$에 대하여 $\lim\limits_{x \to 0} \dfrac{f(x)}{x} = 1$일 때, 다음 극한값을 구하여라.

(1) $\lim\limits_{x \to 0} \dfrac{2x + 4f(x)}{5x - 2f(x)}$

(2) $\lim\limits_{x \to 0} \dfrac{3x^2 - 5f(x)}{2x^2 + f(x)}$

05-3 ◉ 유사 　　　기출

두 함수 $f(x)$, $g(x)$가 $\lim\limits_{x \to \infty} \{2f(x) - 3g(x)\} = 1$,

$\lim\limits_{x \to \infty} g(x) = \infty$를 만족시킬 때, $\lim\limits_{x \to \infty} \dfrac{4f(x) + g(x)}{3f(x) - g(x)}$

의 값을 구하여라.

05-4 ◉ 변형

함수 $f(x)$에 대하여 $\lim\limits_{x \to 4} (x - 2)f(x) = 4$일 때, $\lim\limits_{x \to 4} (x^2 - 2x)\{f(x)\}^2$의 값을 구하여라.

05-5 ◉ 변형

함수 $f(x)$에 대하여 $\lim\limits_{x \to \infty} \dfrac{3f(x)}{x^2} = 2$일 때,

$\lim\limits_{x \to \infty} \dfrac{4f(x) + 2x^2}{f(x) - 2x + 1}$의 값을 구하여라.

05-6 ◉ 실력

두 함수 $f(x)$, $g(x)$가 다음 조건을 만족시킨다.

> (가) $f(x)\{2g(x) - 3\} = 2x\{g(x) + 3\}$
> (나) $\lim\limits_{x \to 0} g(x) = 3$

이때 $\lim\limits_{x \to 0} \dfrac{f(x)g(x) + 3x^2 - 2x}{f(x) - 2x}$의 값을 구하여라.

다음 극한값을 구하여라.

(1) $\displaystyle\lim_{x\to0}\dfrac{2x^2+x}{x}$

(2) $\displaystyle\lim_{x\to1}\dfrac{x-1}{x^2+x-2}$

(3) $\displaystyle\lim_{x\to4}\dfrac{x-4}{\sqrt{x}-2}$

(4) $\displaystyle\lim_{x\to3}\dfrac{\sqrt{x^2-5}-2}{x-3}$

풍쌤 POINT

분모 또는 분자를 인수분해하면 분모, 분자를 약분할 수 있게 돼!

무리식이 있더라도 무리식을 없애기 위하여 분모, 분자에 각각 적절한 무리식을 곱하면 분모, 분자를 약분할 수 있는 형태가 될 거야!

풀이

(1) 분자를 인수분해하면

$$\lim_{x\to0}\frac{2x^2+x}{x}=\lim_{x\to0}\frac{x(2x+1)}{x}$$
$$=\lim_{x\to0}(2x+1)=1$$

(2) 분모를 인수분해하면

$$\lim_{x\to1}\frac{x-1}{x^2+x-2}=\lim_{x\to1}\frac{x-1}{(x-1)(x+2)}$$
$$=\lim_{x\to1}\frac{1}{x+2}=\frac{1}{3}$$

(3) 분모, 분자에 각각 $\sqrt{x}+2$를 곱하면❶

$$\lim_{x\to4}\frac{x-4}{\sqrt{x}-2}=\lim_{x\to4}\frac{(x-4)(\sqrt{x}+2)}{x-4}$$
$$=\lim_{x\to4}(\sqrt{x}+2)=4$$

(4) 분모, 분자에 각각 $\sqrt{x^2-5}+2$를 곱하면❷

$$\lim_{x\to3}\frac{\sqrt{x^2-5}-2}{x-3}=\lim_{x\to3}\frac{x^2-9}{(x-3)(\sqrt{x^2-5}+2)}$$
$$=\lim_{x\to3}\frac{x+3}{\sqrt{x^2-5}+2}$$
$$=\frac{6}{4}=\frac{3}{2}$$

❶ 분모의 무리식을 없애기 위하여 분모, 분자에 각각 $\sqrt{x}+2$를 곱한다.

❷ 분자의 무리식을 없애기 위하여 분모, 분자에 각각 $\sqrt{x^2-5}+2$를 곱한다.

📋 (1) 1 (2) $\dfrac{1}{3}$ (3) 4 (4) $\dfrac{3}{2}$

풍쌤 강의 NOTE

• $\dfrac{0}{0}$ 꼴에서 분모, 분자가 모두 다항식인 경우 분모 또는 분자를 인수분해하면 분모, 분자가 모두 $x-a$를 인수로 가지므로 약분할 수 있다.

• 무리식이 포함된 경우 분모, 분자에 각각 무리식을 없애기 위한 적절한 무리식을 곱하면 분모, 분자를 약분할 수 있게 된다.

06-1 ◉ 유사

다음 극한값을 구하여라.

(1) $\lim\limits_{x \to 0} \dfrac{2x^4 - 3x^3 + 5x^2}{x^2}$

(2) $\lim\limits_{x \to -1} \dfrac{x^2 - 7x - 8}{x + 1}$

(3) $\lim\limits_{x \to 1} \dfrac{x^2 - 4x + 3}{x^3 - x^2}$

(4) $\lim\limits_{x \to -1} \dfrac{x^3 + 2x^2 - x - 2}{x^2 + x}$

06-2 ◉ 유사

다음 극한값을 구하여라.

(1) $\lim\limits_{x \to 1} \dfrac{\sqrt{x} - 1}{x - 1}$

(2) $\lim\limits_{x \to 1} \dfrac{x - 1}{\sqrt{x + 3} - 2}$

(3) $\lim\limits_{x \to 3} \dfrac{x^2 - 9}{\sqrt{2x + 3} - 3}$

(4) $\lim\limits_{x \to 1} \dfrac{\sqrt{x + 8} - 3}{x^2 - 1}$

06-3 ◉ 변형   기출

$\lim\limits_{x \to 3} \dfrac{x^3 - 3x^2}{\sqrt{4x - 3} - \sqrt{2x + 3}}$ 의 값을 구하여라.

06-4 ◉ 변형

$\lim\limits_{x \to 0} \dfrac{\sqrt{2 - x} - \sqrt{2 + x}}{\sqrt{3 + x} - \sqrt{3 - x}}$ 의 값을 구하여라.

06-5 ◉ 변형

$\lim\limits_{x \to a} \dfrac{x^3 - a^3}{x - a} = 12$일 때, $\lim\limits_{x \to a} \dfrac{x^3 - ax^2 - 4a^2x + 4a^3}{x^2 - a^2}$의

값을 구하여라. (단, a는 음의 상수이다.)

06-6 ◉ 실력

$\lim\limits_{x \to a} \dfrac{3(x^2 - a^2)}{x\sqrt{x} - a\sqrt{a}} = 8$이고 다항함수 $f(x)$에 대하여

$\lim\limits_{x \to a} \dfrac{x^3 - a^3}{(x^2 - a^2)f(x)} = 3$일 때, $f(a)$의 값을 구하여라.

(단, a는 상수이다.)

다음 극한값을 구하여라.

(1) $\lim\limits_{x\to\infty}\dfrac{3x}{x-2}$

(2) $\lim\limits_{x\to\infty}\dfrac{x-2}{3x^2-x}$

(3) $\lim\limits_{x\to\infty}\dfrac{\sqrt{1+x^2}-1}{x}$

(4) $\lim\limits_{x\to-\infty}\dfrac{3x-2}{\sqrt{x^2-3x}}$

풍쌤
POINT

분모의 최고차항으로 분모, 분자를 각각 나눠 봐!

분모의 차수와 분자의 차수를 비교하면 극한값을 쉽게 구할 수 있는 경우가 있어!

풀이 (1) 분모, 분자를 분모의 최고차항 x로 각각 나누면

$$\lim_{x\to\infty}\frac{3x}{x-2}=\lim_{x\to\infty}\frac{3}{1-\dfrac{2}{x}}=3\ ❶$$

❶ $\lim\limits_{x\to\infty}\dfrac{3}{1-\dfrac{2}{x}}=\dfrac{3}{1-0}=3$

(2) 분모, 분자를 분모의 최고차항 x^2으로 각각 나누면

$$\lim_{x\to\infty}\frac{x-2}{3x^2-x}=\lim_{x\to\infty}\frac{\dfrac{1}{x}-\dfrac{2}{x^2}}{3-\dfrac{1}{x}}=0\ ❷$$

❷ $\lim\limits_{x\to\infty}\dfrac{\dfrac{1}{x}-\dfrac{2}{x^2}}{3-\dfrac{1}{x}}=\dfrac{0-0}{3-0}=0$

(3) 분모, 분자를 분모의 최고차항 x로 각각 나누면

$$\lim_{x\to\infty}\frac{\sqrt{1+x^2}-1}{x}=\lim_{x\to\infty}\frac{\sqrt{\dfrac{1}{x^2}+1}\,^❸-\dfrac{1}{x}}{1}=1$$

❸ $\dfrac{\sqrt{1+x^2}}{x}=\sqrt{\dfrac{1+x^2}{x^2}}$
$\quad=\sqrt{\dfrac{1}{x^2}+1}$

(4) STEP1 $x=-t$로 치환하기

$x=-t$라고 하면 $x\longrightarrow-\infty$일 때, $t\longrightarrow\infty$이므로

$$\lim_{x\to-\infty}\frac{3x-2}{\sqrt{x^2-3x}}=\lim_{t\to\infty}\frac{-3t-2}{\sqrt{t^2+3t}}\ ❹$$

❹ $\dfrac{3\times(-t)-2}{\sqrt{(-t)^2-3\times(-t)}}$
$\quad=\dfrac{-3t-2}{\sqrt{t^2+3t}}$

STEP2 극한값 구하기

이 식의 분모, 분자를 분모의 최고차항 t ❺로 각각 나누면

❺ $\sqrt{t^2}=t$

$$\lim_{t\to\infty}\frac{-3t-2}{\sqrt{t^2+3t}}=\lim_{t\to\infty}\frac{-3-\dfrac{2}{t}}{\sqrt{1+\dfrac{3}{t}}}=-3$$

답 (1) 3 (2) 0 (3) 1 (4) -3

풍쌤 강의
NOTE

• $\dfrac{\infty}{\infty}$ 꼴의 극한은 분모, 분자를 분모의 최고차항으로 각각 나누어 생각한다.

• (분모의 차수)>(분자의 차수) ➡ 극한값은 0

  (분모의 차수)<(분자의 차수) ➡ ∞ 또는 $-\infty$

• $x\longrightarrow-\infty$일 때, $x=-t$로 치환하여 $t\longrightarrow\infty$ 꼴로 고쳐서 생각한다.

07-1 ◉ 유사

다음 극한값을 구하여라.

(1) $\lim\limits_{x \to \infty} \dfrac{2x-4}{x^2+2}$

(2) $\lim\limits_{x \to \infty} \dfrac{3x^2-2x+1}{2x^2+3x-2}$

(3) $\lim\limits_{x \to \infty} \dfrac{4x^3+2x^2-2}{x^3-2x+1}$

(4) $\lim\limits_{x \to \infty} \dfrac{8x^2-3}{2x^3-3x+1}$

07-2 ◉ 유사

다음 극한값을 구하여라.

(1) $\lim\limits_{x \to \infty} \dfrac{\sqrt{x^2+2}+\sqrt{4x^2-2}}{3x-2}$

(2) $\lim\limits_{x \to \infty} \dfrac{\sqrt{x^2-2x-3}+5x}{\sqrt{9x^2+3}-x}$

(3) $\lim\limits_{x \to -\infty} \dfrac{2x}{\sqrt{x^2-1}+1}$

07-3 ◉ 변형

다음 |보기| 중 극한값이 존재하는 것만 있는 대로 골라라.

┌─ 보기 ┐

ㄱ. $\lim\limits_{x \to \infty} \dfrac{x^3-3x+2}{x^2-3x+2}$

ㄴ. $\lim\limits_{x \to \infty} \dfrac{x-3}{x^2+2x-3}$

ㄷ. $\lim\limits_{x \to \infty} \dfrac{2x^3-3x+1}{x^3+2x^2-3}$

ㄹ. $\lim\limits_{x \to -\infty} \dfrac{x^2-3x-4}{2x^2-x-1}$

└────────────┘

07-4 ◉ 변형   기출

두 상수 a, b에 대하여

$$\lim_{x \to \infty} \frac{ax^2}{x^2-1}=2, \quad \lim_{x \to 1} \frac{a(x-1)}{x^2-1}=b$$

일 때, $a+b$의 값을 구하여라.

07-5 ◉ 변형

$\lim\limits_{x \to -\infty} \dfrac{2x-3}{\sqrt{x^2-2x}+\sqrt{x^2+2x}}$ 의 값을 구하여라.

07-6 ◉ 실력

$\lim\limits_{x \to \infty} \dfrac{f(x)}{x}$ 의 값이 존재할 때,

$\lim\limits_{x \to \infty} \dfrac{4x^2-2f(x)}{3f(x)+x^2+x\sqrt{x^2+f(x)}}$ 의 값을 구하여라.

다음 극한을 조사하여라.

(1) $\lim\limits_{x \to \infty}(x^3 - 3x^2)$

(2) $\lim\limits_{x \to \infty}(\sqrt{x^2 + 2x} - x)$

(3) $\lim\limits_{x \to 0}\dfrac{1}{x}\left(\dfrac{4}{x+2} - 2\right)$

(4) $\lim\limits_{x \to \infty}x\left(\dfrac{\sqrt{x+1}}{\sqrt{x-1}} - 1\right)$

풍쌤 POINT

주어진 식을 공통인수로 묶기, 유리화, 통분 등을 이용하여 극한값을 구할 수 있는 형태로 변형해 봐!

풀이

(1) $\lim\limits_{x \to \infty}(x^3 - 3x^2) = \lim\limits_{x \to \infty}x^3\left(1 - \dfrac{3}{x}\right) = \infty$ ❶

(2) $\lim\limits_{x \to \infty}(\sqrt{x^2 + 2x} - x)$

$= \lim\limits_{x \to \infty}\dfrac{(\sqrt{x^2+2x} - x)(\sqrt{x^2+2x} + x)}{\sqrt{x^2+2x} + x}$ ❷

$= \lim\limits_{x \to \infty}\dfrac{2x}{\sqrt{x^2+2x} + x}$

$= \lim\limits_{x \to \infty}\dfrac{2}{\sqrt{1 + \dfrac{2}{x}} + 1} = 1$

(3) $\lim\limits_{x \to 0}\dfrac{1}{x}\left(\dfrac{4}{x+2} - 2\right)$ ❸ $= \lim\limits_{x \to 0}\left\{\dfrac{1}{x} \times \dfrac{4 - 2(x+2)}{x+2}\right\}$

$= \lim\limits_{x \to 0}\left(\dfrac{1}{x} \times \dfrac{-2x}{x+2}\right)$

$= \lim\limits_{x \to 0}\dfrac{-2}{x+2} = -1$

(4) $\lim\limits_{x \to \infty}x\left(\dfrac{\sqrt{x+1}}{\sqrt{x-1}} - 1\right)$

$= \lim\limits_{x \to \infty}\left(x \times \dfrac{\sqrt{x+1} - \sqrt{x-1}}{\sqrt{x-1}}\right)$ ❹

$= \lim\limits_{x \to \infty}\left\{x \times \dfrac{2}{(\sqrt{x-1})(\sqrt{x+1} + \sqrt{x-1})}\right\}$

$= \lim\limits_{x \to \infty}\dfrac{2x}{\sqrt{x^2-1} + x - 1}$

$= \lim\limits_{x \to \infty}\dfrac{2}{\sqrt{1 - \dfrac{1}{x^2}} + 1 - \dfrac{1}{x}} = 1$

❶ $\lim\limits_{x \to \infty}x^3 = \infty$이므로 괄호 안의 식의 극한값이 양수인지, 음수인지에 따라 양의 무한대 또는 음의 무한대로 발산한다.

❷ 분모를 1로 생각하고 분모, 분자에 $\sqrt{x^2+2x} + x$를 각각 곱한다.

❸ 괄호 안의 식을 통분한다.

❹ $\dfrac{(\sqrt{x+1} - \sqrt{x-1})(\sqrt{x+1} + \sqrt{x-1})}{\sqrt{x-1}(\sqrt{x+1} + \sqrt{x-1})}$

$= \dfrac{x+1 - (x-1)}{\sqrt{x-1}(\sqrt{x+1} + \sqrt{x-1})}$

$= \dfrac{2}{\sqrt{x-1}(\sqrt{x+1} + \sqrt{x-1})}$

답 (1) 발산(∞)   (2) 1   (3) −1   (4) 1

풍쌤 강의 NOTE

• ∞ − ∞ 꼴의 극한이

① 다항식으로 이루어진 경우 최고차항으로 묶어 해결한다.

② 무리식으로 이루어진 경우 분모, 분자에 적절한 무리식을 각각 곱하여 $\dfrac{\infty}{\infty}$ 꼴로 변형한다.

• ∞ × 0 꼴은 식을 정리한 후 약분하면 극한값을 구할 수 있다.

08-1 ⊙ 유사

다음 극한을 조사하여라.

(1) $\lim\limits_{x\to\infty}(2x^2-3x-5)$

(2) $\lim\limits_{x\to\infty}(\sqrt{x^2+4x}-x)$

(3) $\lim\limits_{x\to\infty}(x-\sqrt{x^2-3x})$

(4) $\lim\limits_{x\to\infty}(\sqrt{x^2+2x}-\sqrt{x^2-2x})$

08-2 ⊙ 유사

다음 극한값을 구하여라.

(1) $\lim\limits_{x\to0}\dfrac{1}{x}\left(\dfrac{1}{x+2}-\dfrac{1}{2}\right)$

(2) $\lim\limits_{x\to0}\dfrac{1}{x}\left\{1-\dfrac{4}{(x-2)^2}\right\}$

(3) $\lim\limits_{x\to\infty}x\left(1-\dfrac{\sqrt{x-4}}{\sqrt{x}}\right)$

(4) $\lim\limits_{x\to\infty}x^2\left(1-\dfrac{x}{\sqrt{x^2+2}}\right)$

08-3 ⊙ 변형

$\lim\limits_{x\to-\infty}(\sqrt{x^2+2x+1}+x)$의 값을 구하여라.

08-4 ⊙ 변형

$A=\lim\limits_{x\to\infty}\dfrac{1}{\sqrt{x^2-2x}-x}$,

$B=\lim\limits_{x\to-\infty}(\sqrt{x^2-5x+3}+x)$,

$C=\lim\limits_{x\to0}\dfrac{1}{x}\left\{1-\dfrac{1}{(x+1)^2}\right\}$일 때, A, B, C의 대소 관계를 나타내어라.

08-5 ⊙ 변형

함수 $f(x)=x^2-2x+3$에 대하여
$\lim\limits_{x\to\infty}x^2\left\{f\left(\dfrac{2}{x}+2\right)-f(2)\right\}^2$의 값을 구하여라.

08-6 ⊙ 실력　기출

함수 $f(x)=a(x-1)^2+1$에 대하여
$\lim\limits_{x\to\infty}\{\sqrt{f(-x)}-\sqrt{f(x)}\}=6$일 때, 양수 a의 값을 구하여라.

다음 물음에 답하여라.

(1) $\lim\limits_{x \to 2} \dfrac{ax^3+x+b}{x-2}=4$일 때, 두 상수 a, b의 값을 각각 구하여라.

(2) $\lim\limits_{x \to 1} \dfrac{a\sqrt{x}-b}{x-1}=3$일 때, 두 상수 a, b의 값을 각각 구하여라.

풍쌤 POINT

극한값이 존재하는 조건을 이용하여 a, b의 관계식을 구해 봐!

$\dfrac{\infty}{\infty}$ 또는 $\dfrac{0}{0}$ 꼴이므로 해당 유형의 풀이 방법을 이용하면 돼!

풀이

(1) **STEP1** a, b의 관계식 구하기

$x \longrightarrow 2$일 때, (분모) $\longrightarrow 0$이고 극한값이 존재하므로

(분자) $\longrightarrow 0$이다.

즉, $\lim\limits_{x \to 2}(ax^3+x+b)=0$이므로 $8a+2+b=0$

$\therefore b=-8a-2$

STEP2 a, b의 값 구하기

$b=-8a-2$를 주어진 식에 대입하면

$$\lim\limits_{x \to 2} \dfrac{ax^3+x+b}{x-2}=\lim\limits_{x \to 2}\dfrac{ax^3+x-8a-2}{x-2}$$
$$=\lim\limits_{x \to 2}\dfrac{(x-2)(ax^2+2ax+4a+1)}{x-2} \text{❶}$$
$$=\lim\limits_{x \to 2}(ax^2+2ax+4a+1)=12a+1=4$$

$\therefore a=\dfrac{1}{4}$, $b=-4$

❶ 분모의 극한값이 0이므로 분자도 $x-2$를 인수로 갖는다.

(2) **STEP1** a, b의 관계식 구하기

$x \longrightarrow 1$일 때, (분모) $\longrightarrow 0$이고 극한값이 존재하므로

(분자) $\longrightarrow 0$이다.

즉, $\lim\limits_{x \to 1}(a\sqrt{x}-b)=0$이므로 $a-b=0$ $\quad \therefore a=b$

STEP2 a, b의 값 구하기

$b=a$를 주어진 식에 대입하면

$$\lim\limits_{x \to 1} \dfrac{a\sqrt{x}-b}{x-1}=\lim\limits_{x \to 1}\dfrac{a\sqrt{x}-a}{x-1}=\lim\limits_{x \to 1}\dfrac{a(\sqrt{x}-1)}{x-1}$$
$$=\lim\limits_{x \to 1}\dfrac{a}{\sqrt{x}+1} \text{❷} =\dfrac{a}{2}=3$$

$\therefore a=6$, $b=6$

❷ $\dfrac{a(\sqrt{x}-1)}{x-1}$
$=\dfrac{a(\sqrt{x}-1)(\sqrt{x}+1)}{(x-1)(\sqrt{x}+1)}$
$=\dfrac{a(x-1)}{(x-1)(\sqrt{x}+1)}$
$=\dfrac{a}{\sqrt{x}+1}$

답 (1) $a=\dfrac{1}{4}$, $b=-4$ (2) $a=6$, $b=6$

풍쌤 강의 NOTE

$x \longrightarrow a$일 때, 극한값이 존재하고 (분모) $\longrightarrow 0$이면 (분자) $\longrightarrow 0$이다.

09-1 (유사)

다음 등식이 성립하도록 하는 두 상수 a, b의 값을 각각 구하여라.

(1) $\lim\limits_{x \to 0} \dfrac{2x+a}{x} = 2$

(2) $\lim\limits_{x \to -2} \dfrac{x^2+ax-8}{x+2} = -6$

(3) $\lim\limits_{x \to 1} \dfrac{x^2+ax+b}{x-1} = 4$

(4) $\lim\limits_{x \to 2} \dfrac{x^2+x+a}{x-2} = b$

09-2 (유사)

다음 등식이 성립하도록 하는 두 상수 a, b의 값을 각각 구하여라.

(1) $\lim\limits_{x \to 1} \dfrac{a\sqrt{x+1}-b}{x-1} = \sqrt{2}$

(2) $\lim\limits_{x \to 2} \dfrac{\sqrt{x+a}-b}{x-2} = \dfrac{1}{4}$

(3) $\lim\limits_{x \to 4} \dfrac{\sqrt{x+a}-b}{\sqrt{x}-2} = \dfrac{2}{3}$

(4) $\lim\limits_{x \to 2} \dfrac{\sqrt{2x^2+a}-b}{x-2} = \dfrac{4}{3}$

09-3 (변형) (기출)

두 상수 a, b에 대하여 $\lim\limits_{x \to -2} \dfrac{x+2}{\sqrt{x+a}-b} = 6$일 때, $a+b$의 값을 구하여라.

09-4 (변형)

$\lim\limits_{x \to \infty} \dfrac{ax^2-bx+4}{2x-1} = 2$, $\lim\limits_{x \to 2} \dfrac{c(x-2)}{x^2-4} = 2$일 때, 세 상수 a, b, c에 대하여 $a^2+b^2+c^2$의 값을 구하여라.

09-5 (변형)

$\lim\limits_{x \to 2} \dfrac{\sqrt{3x-a}-\sqrt{x+2}}{\sqrt{2x+1}-\sqrt{x+3}} = b$일 때, a^2b^2의 값을 구하여라. (단, a는 상수이다.)

09-6 (실력)

$\lim\limits_{x \to \infty} \dfrac{ax^2+bx+c}{x^2+x-2} = \lim\limits_{x \to 1} \dfrac{ax^2+bx+c}{x^2+x-2} = 3$을 만족시키는 세 상수 a, b, c에 대하여 $4a+2b+c$의 값을 구하여라.

다음 물음에 답하여라.

(1) 최고차항의 계수가 1인 이차식 $f(x)$가 $\lim\limits_{x \to 1} \dfrac{f(x)}{x-1} = -2$를 만족시킬 때, $\lim\limits_{x \to 3} \dfrac{f(x)}{x-3}$ 의 값을 구하여라.

(2) 다항함수 $f(x)$가 $\lim\limits_{x \to \infty} \dfrac{f(x)}{x+2} = 2$, $\lim\limits_{x \to 1} f(x) = 5$를 만족시킬 때, $f(3)$의 값을 구하여라.

풍쌤 POINT

$\dfrac{0}{0}$ 꼴의 극한값이 존재하고 (분모) $\longrightarrow$ 0이면 (분자) $\longrightarrow$ 0이야!

$x \longrightarrow \infty$인 경우 0이 아닌 극한값이 존재하면 최고차항의 계수를 비교해 봐!

풀이

(1) **STEP1** $f(x)$ 구하기

$\lim\limits_{x \to 1} \dfrac{f(x)}{x-1} = -2$에서 $f(1) = 0$❶이므로

$f(x) = (x-1)(x+k)$ (k는 상수)로 놓을 수 있다.❷

$\therefore \lim\limits_{x \to 1} \dfrac{f(x)}{x-1} = \lim\limits_{x \to 1} \dfrac{(x-1)(x+k)}{x-1} = \lim\limits_{x \to 1} (x+k) = 1+k$

즉, $1+k = -2$이므로 $k = -3$

$\therefore f(x) = (x-1)(x-3)$

STEP2 $\lim\limits_{x \to 3} \dfrac{f(x)}{x-3}$의 값 구하기

$\therefore \lim\limits_{x \to 3} \dfrac{f(x)}{x-3} = \lim\limits_{x \to 3} \dfrac{(x-1)(x-3)}{x-3} = \lim\limits_{x \to 3} (x-1) = 2$

(2) **STEP1** $f(x)$ 구하기

$\lim\limits_{x \to \infty} \dfrac{f(x)}{x+2} = 2$에서 $f(x)$는 최고차항의 계수가 2인 일차식이

므로 $f(x) = 2x + k$ (k는 상수)로 놓을 수 있다.

$\therefore \lim\limits_{x \to 1} f(x) = \lim\limits_{x \to 1} (2x+k) = 2+k$❸

즉, $2+k = 5$이므로 $k = 3$

STEP2 $f(3)$의 값 구하기

따라서 $f(x) = 2x+3$이므로 $f(3) = 2 \times 3 + 3 = 9$

❶ $x \longrightarrow 1$일 때, (분모) $\longrightarrow$ 0이고 극한값이 존재하므로 (분자) $\longrightarrow$ 0이다.

❷ $f(1) = 0$이고 최고차항의 계수가 1인 이차식이므로 $f(x) = (x-1)(x+k)$

❸ $x \longrightarrow \infty$일 때, 극한값이 존재하므로 (분모의 차수)=(분자의 차수)=1 이고 극한값이 2이므로 $f(x)$ 는 최고차항의 계수가 2인 일차식이다.

답 (1) 2 (2) 9

풍쌤 강의 NOTE

• $\lim\limits_{x \to a} \dfrac{f(x)}{x-a}$의 극한값이 존재하는 경우 $f(x)$는 $x-a$를 인수로 갖는다.

• 두 다항함수 $f(x)$, $g(x)$에 대하여 $\lim\limits_{x \to \infty} \dfrac{f(x)}{g(x)} = k$ (k는 0이 아닌 실수)이면 $f(x)$와 $g(x)$의 차 수가 같고 $f(x)$의 최고차항의 계수는 $g(x)$의 최고차항의 계수의 k배이다.

10-1 ⦿유사

최고차항의 계수가 1인 이차식 $f(x)$가

$\lim\limits_{x \to 3} \dfrac{f(x)}{x-3} = 6$을 만족시킬 때, $\lim\limits_{x \to -3} \dfrac{f(x)}{x+3}$의 값을

구하여라.

10-2 ⦿유사 기출

다항함수 $f(x)$가 다음 조건을 만족시킨다.

> (가) $\lim\limits_{x \to \infty} \dfrac{f(x)}{x^2} = 2$
>
> (나) $\lim\limits_{x \to 0} \dfrac{f(x)}{x} = 3$

$f(2)$의 값을 구하여라.

10-3 ⦿변형

최고차항의 계수가 1인 이차함수 $f(x)$가

$$\lim\limits_{x \to a} \dfrac{f(x)-(2x-2a)}{f(x)+(2x-2a)} = \dfrac{2}{3}$$

를 만족시킨다. 방정식 $f(x)=0$의 두 근을 α, β라고

할 때, $(\alpha - \beta)^2$의 값을 구하여라.

10-4 ⦿변형

삼차함수 $f(x)$가

$$\lim\limits_{x \to 1} \dfrac{f(x)}{x-1} = -2, \ \lim\limits_{x \to 2} \dfrac{f(x)}{x-2} = 1$$

을 만족시킬 때, $\lim\limits_{x \to 3} \dfrac{f(x)}{x-3}$의 값을 구하여라.

10-5 ⦿변형

다항함수 $f(x)$가

$$\lim\limits_{x \to \infty} \dfrac{f(x)-x^3}{x^2+3x} = 2, \ \lim\limits_{x \to -2} \dfrac{f(x)}{x+2} = 3$$

을 만족시킬 때, $f(-1)$의 값을 구하여라.

10-6 ⦿실력

다항함수 $f(x)$가 $\lim\limits_{x \to 1} \dfrac{f(x)}{x^2-1} = 3$을 만족시키고

$\lim\limits_{x \to 1} \dfrac{f(x)-(ax+b)}{(x-1)^2}$의 극한값이 존재할 때, 두 상

수 a, b에 대하여 $a-b$의 값을 구하여라.

다음 물음에 답하여라.

(1) 함수 $f(x)$가 모든 실수 x에 대하여 $2x-8 \leq f(x) \leq x^2-2x-4$를 만족시킬 때,

$\displaystyle\lim_{x \to 2} f(x)$의 값을 구하여라.

(2) 함수 $f(x)$가 5보다 큰 실수 x에 대하여 $\dfrac{3x-1}{x+2} < f(x) < \dfrac{3x^2-2x-1}{x^2+x+2}$을 만족시킬 때,

$\displaystyle\lim_{x \to \infty} f(x)$의 값을 구하여라.

(3) 임의의 양수 x에 대하여 함수 $f(x)$가 $3x+1 < f(x) < 3x+4$를 만족시킬 때,

$\displaystyle\lim_{x \to \infty} \dfrac{\{f(x)\}^2}{3x^2+1}$의 값을 구하여라.

풍쌤 POINT

부등식의 양 끝의 함수의 극한을 이용해서 $f(x)$의 극한을 구해!
이때 부등식에 극한이 추가되면 '<'가 '≤'으로 바뀌어.

풀이

(1) 함수의 극한의 대소 관계에 의하여

$$\lim_{x \to 2}(2x-8) \leq \lim_{x \to 2} f(x) \leq \lim_{x \to 2}(x^2-2x-4)$$

이때 $\displaystyle\lim_{x \to 2}(2x-8)=-4$, $\displaystyle\lim_{x \to 2}(x^2-2x-4)=-4$이므로

$$\lim_{x \to 2} f(x) = -4$$

(2) 함수의 극한의 대소 관계에 의하여

$$\lim_{x \to \infty} \frac{3x-1}{x+2} \leq \lim_{x \to \infty} f(x) \leq \lim_{x \to \infty} \frac{3x^2-2x-1}{x^2+x+2} ❶$$

이때 $\displaystyle\lim_{x \to \infty} \frac{3x-1}{x+2}=3$, $\displaystyle\lim_{x \to \infty} \frac{3x^2-2x-1}{x^2+x+2}=3$이므로

$$\lim_{x \to \infty} f(x) = 3$$

(3) $3x+1 < f(x) < 3x+4$의 각 변을 제곱하면

$$(3x+1)^2 < \{f(x)\}^2 < (3x+4)^2$$

$3x^2+1 > 0$이므로 각 변을 $3x^2+1$로 나누면

$$\frac{(3x+1)^2}{3x^2+1} < \frac{\{f(x)\}^2}{3x^2+1} < \frac{(3x+4)^2}{3x^2+1}$$

이때 $\displaystyle\lim_{x \to \infty} \frac{(3x+1)^2}{3x^2+1}=3$ ❷, $\displaystyle\lim_{x \to \infty} \frac{(3x+4)^2}{3x^2+1}=3$이므로 함수의

극한의 대소 관계에 의하여 $\displaystyle\lim_{x \to \infty} \frac{\{f(x)\}^2}{3x^2+1}=3$

❶ 문제에서는 등호가 없는 부등식이였지만 극한값은 등호를 포함한다.

❷ $\displaystyle\lim_{x \to \infty} \frac{(3x+1)^2}{3x^2+1}$

$$= \lim_{x \to \infty} \frac{9x^2+6x+1}{3x^2+1}$$

$$= \lim_{x \to \infty} \frac{9+\dfrac{6}{x}+\dfrac{1}{x^2}}{3+\dfrac{1}{x^2}}=3$$

답 (1) -4　(2) 3　(3) 3

풍쌤 강의 NOTE

$f(x) < g(x)$인 경우 반드시 $\displaystyle\lim_{x \to a} f(x) < \lim_{x \to a} g(x)$인 것은 아니다. $\displaystyle\lim_{x \to a} f(x) = \lim_{x \to a} g(x)$처럼 극한

값이 같아질 수 있으므로 이에 주의해야 한다.

11-1 ⊙유사

함수 $f(x)$가 모든 실수 x에 대하여

$$-x^2-4x-1 \leq f(x) \leq 2x+8$$

을 만족시킬 때, $\lim\limits_{x \to -3} f(x)$의 값을 구하여라.

11-2 ⊙유사

함수 $f(x)$가 모든 실수 x에 대하여

$$\frac{x^2-2x+2}{2x^2+1} < f(x) < \frac{x^2-2x+3}{2x^2+1}$$

를 만족시킬 때, $\lim\limits_{x \to \infty} f(x)$의 값을 구하여라.

11-3 ⊙유사

실수 전체에서 정의된 함수 $f(x)$가 양수 x에 대하여

$x+1 < f(x) < x+2$를 만족시킬 때, $\lim\limits_{x \to \infty} \dfrac{\{f(x)\}^2}{x^2+2}$

의 값을 구하여라.

11-4 ⊙변형

함수 $f(x)$가 모든 실수 x에 대하여

$$3x^2-1 \leq (x^2+2)f(x) \leq 3x^2+2$$

를 만족시킬 때, $\lim\limits_{x \to \infty} f(x)$의 값을 구하여라.

11-5 ⊙변형 | 기출

다항함수 $f(x)$는 양의 실수 x에 대하여 다음 조건을 만족시킨다.

(가) $2x^2-5x \leq f(x) \leq 2x^2+2$

(나) $\lim\limits_{x \to 1} \dfrac{f(x)}{x^2+2x-3} = \dfrac{1}{4}$

$f(3)$의 값을 구하여라.

11-6 ⊙실력

함수 $y=g(x)$의 그래프가 다음 그림과 같을 때,

$x \geq 1$에서 $g\left(1 + \dfrac{x}{1+x}\right) < f(x) < g\left(2 + \dfrac{1}{1+x}\right)$을

만족시키는 함수 $f(x)$에 대하여 $\lim\limits_{x \to \infty} f(x)$의 값을 구하여라.

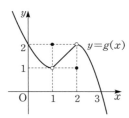

오른쪽 그림과 같이 함수 $y=\dfrac{1}{4}x^2+1$의 그래프 위에 두 점 $A(2, 2)$ 와 $P(x, y)$ $(x>2)$가 있다. 점 P에서 직선 $y=2$에 내린 수선의 발 을 Q라고 할 때, $\displaystyle\lim_{x \to 2+} \dfrac{\overline{AQ}}{\overline{PQ}}$의 값을 구하여라.

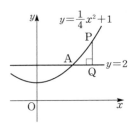

풍쌤 POINT

문제를 푸는 데 이용되는 길이를 한 문자에 대한 식으로 표현하면 돼!
구하는 식에서 좌극한, 우극한을 잘 살펴야 해!

풀이

STEP1 **점 P, Q의 좌표를 x에 대한 식으로 나타내기**

점 P의 좌표는 $P\left(x, \dfrac{1}{4}x^2+1\right)$이고 점 Q는 점 P와 x좌표가 같 고 점 $A(2, 2)$와 y좌표가 같으므로

$Q(x, 2)$❶

STEP2 **$\overline{PQ}$, $\overline{AQ}$의 길이를 x에 대한 식으로 나타내기**

$\therefore \overline{PQ}=\left(\dfrac{1}{4}x^2+1\right)-2=\dfrac{1}{4}x^2-1$, $\overline{AQ}=x-2$❷

STEP3 **극한값 구하기**

$$\begin{aligned}
\therefore \lim_{x \to 2+} \frac{\overline{AQ}}{\overline{PQ}} &= \lim_{x \to 2+} \frac{x-2}{\dfrac{1}{4}x^2-1} \\
&= \lim_{x \to 2+} \frac{4(x-2)}{x^2-4} \\
&= \lim_{x \to 2+} \frac{4(x-2)}{(x-2)(x+2)} \\
&= \lim_{x \to 2+} \frac{4}{x+2}=1
\end{aligned}$$

❶ 점 Q의 좌표를 구할 때, 점 P 와의 공통점과 점 A와의 공통 점을 살펴본다.

❷ $\overline{PQ}$의 길이는 (점 P의 y좌표)−(점 Q의 y좌표) 이고 $\overline{AQ}$의 길이는 (점 Q의 x좌표)−(점 A의 x좌표) 이다.

답 1

풍쌤 강의 NOTE

• 주어진 조건에 맞게 한 문자에 대한 식을 세우는 문제이다.

• 그래프, 도형과 관련된 비율, 비례식, 분수식 등이 자주 등장하여 $\dfrac{0}{0}$ 꼴, $\dfrac{\infty}{\infty}$ 꼴인 경우가 많다.

12-1 ⦿유사

오른쪽 그림과 같이 함수 $y=\sqrt{3x-3}$의 그래프 위에 두 점 A$(4, 3)$, P$(x, y)(x>4)$가 있다. 점 P에서 직선 $y=3$에 내린 수선의 발을 Q라고 할 때, $\lim\limits_{x\to 4+}\dfrac{\overline{PQ}}{\overline{AQ}}$의 값을 구하여라.

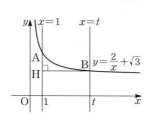

12-2 ⦿유사

⦿기출

곡선 $y=\dfrac{2}{x}+\sqrt{3}\,(x>0)$과 두 직선 $x=1$, $x=t$의 교점을 각각 A, B라 하고, 점 B에서 직선 $x=1$에 내린 수선의 발을 H라고 하자. 이때 $\lim\limits_{t\to 1}\dfrac{\overline{AH}}{\overline{BH}}$의 값을 구하여라.

(단, $t>1$)

12-3 ⦿변형

⦿기출

곡선 $y=\sqrt{x}$ 위의 점 P$(t, \sqrt{t})(t>4)$에서 직선 $y=\dfrac{1}{2}x$에 내린 수선의 발을 H라고 하자. $\lim\limits_{t\to\infty}\dfrac{\overline{OH}^2}{\overline{OP}^2}$의 값을 구하여라.

(단, O는 원점이다.)

12-4 ⦿변형

오른쪽 그림과 같이 점 $(0, 4)$에서 원 $x^2+(y-r)^2=r^2$에 그은 접선이 x축과 만나는 점을 A$(a, 0)$이라고 할 때, $\lim\limits_{r\to 0+}\dfrac{a^2}{r^2}$의 값을 구하여라. (단, $a>0$, $r>0$)

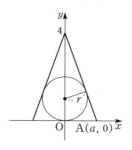

12-5 ⦿변형

오른쪽 그림과 같이 직선 $y=-2x+5$ 위의 점 A(x, y)에서 x축에 내린 수선의 발을 P, y축에 내린 수선의 발을 Q라고 할 때, 삼각형 OPQ의 넓이를 $S(x)$라고 하자. 이때 $\lim\limits_{x\to 0+}\dfrac{S(x)}{x}$의 값을 구하여라.

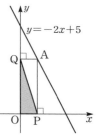

(단, O는 원점이고 점 A는 제1사분면 위에 있다.)

12-6 ⦿실력

오른쪽 그림과 같이 곡선 $y=x^2$과 원점 O를 지나는 직선 $y=mx$의 원점이 아닌 교점을 점 P라고 하자. 점 P에서 x축에 내린 수선의 발을 P'이라고 할 때, 선분 OP'의 중점 Q'과 x좌표가 같은 곡선 $y=x^2$ 위의 점 Q에 대하여 $\lim\limits_{m\to\infty}\dfrac{\overline{PQ}}{\overline{OQ}}$의 값을 구하여라.

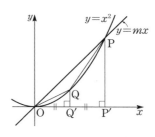

함수의 극한에 대한 참과 거짓
자주 보는 문제지만 자주 헷갈리는 문제
풍산자와 함께 완벽 대비하자.

함수의 극한에 대한 참, 거짓은 흐름대로 파악하면 조금은 편한 문제가 된다.
익숙해지면 편해지는 풍산자식 참, 거짓을 확인하는 흐름!!

함수의 극한에 대한 성질은
$x \longrightarrow a$뿐만 아니라 $x \longrightarrow \infty$,
$x \longrightarrow -\infty$일 때도 성립해.
그런데 $x \longrightarrow -\infty$인 경우는
$-x = t$로 치환하여 $t \longrightarrow \infty$로
생각해야 해.

> 두 함수 $f(x)$, $g(x)$에 대하여 $\lim_{x \to a} f(x) = \alpha$, $\lim_{x \to a} g(x) = \beta$ (α, β는 실수)일 때
>
> ① $\lim_{x \to a} kf(x) = k \lim_{x \to a} f(x) = k\alpha$ (단, k는 상수)
>
> ② $\lim_{x \to a} \{f(x) \pm g(x)\} = \lim_{x \to a} f(x) \pm \lim_{x \to a} g(x) = \alpha \pm \beta$ (복부호동순)
>
> ③ $\lim_{x \to a} f(x)g(x) = \lim_{x \to a} f(x) \times \lim_{x \to a} g(x) = \alpha\beta$
>
> ④ $\lim_{x \to a} \dfrac{f(x)}{g(x)} = \dfrac{\lim\limits_{x \to a} f(x)}{\lim\limits_{x \to a} g(x)} = \dfrac{\alpha}{\beta}$ (단, $g(x) \neq 0$, $\beta \neq 0$)

예시 1 참인 명제

두 함수 $f(x)$, $g(x)$에 대하여 다음 명제의 참, 거짓을 판단하여라.

(1) $\lim_{x \to a} f(x)$, $\lim_{x \to a} \{f(x) + g(x)\}$의 값이 모두 존재하면 $\lim_{x \to a} g(x)$의 값이 존재한다.

(2) $\lim_{x \to a} f(x)$, $\lim_{x \to a} f(x)g(x)$의 값이 모두 존재하면 $\lim_{x \to a} g(x)$의 값이 존재한다. (단, $\lim_{x \to a} f(x) \neq 0$)

(3) $\lim_{x \to \infty} f(x)$, $\lim_{x \to \infty} \dfrac{g(x)}{f(x)}$의 값이 모두 존재하면 $\lim_{x \to \infty} g(x)$의 값이 존재한다.

풍산자 풀이 흐름

❶ (주어진 식)=$h(x)$ 꼴로 나타내기

❷ 구하는 식을 $h(x)$를 이용하여 나타내기

❸ ❷에서 나타낸 식의 함수의 극한에 대한 성질 확인

(1) ❶ $\lim_{x \to a} f(x) = \alpha$, $\lim_{x \to a} \{f(x) + g(x)\} = \beta$, $f(x) + g(x) = h(x)$로 놓으면

$g(x) = h(x) - f(x)$

❷ 성질 ②에 의하여

$\lim_{x \to a} g(x) = \lim_{x \to a} \{h(x) - f(x)\} = \lim_{x \to a} h(x) - \lim_{x \to a} f(x) = \beta - \alpha$

❸ $\lim_{x \to a} g(x)$의 값이 존재한다. (참)

(2) ❶ $\lim_{x \to a} f(x) = \alpha$, $\lim_{x \to a} f(x)g(x) = \beta$, $f(x)g(x) = h(x)$로 놓으면 $g(x) = \dfrac{h(x)}{f(x)}$

❷ 성질 ④에 의하여 $\lim_{x \to a} g(x) = \lim_{x \to a} \dfrac{h(x)}{f(x)} = \dfrac{\lim\limits_{x \to a} h(x)}{\lim\limits_{x \to a} f(x)} = \dfrac{\beta}{\alpha}$

❸ 이때 $\lim_{x \to a} f(x) \neq 0$이므로 $\lim_{x \to a} g(x)$의 값이 존재한다. (참)

분모의 극한값이 0이면 함수의
극한값이 존재하지 않아. 따라서
반드시 분모의 극한값이 0이 아
니라는 조건이 있어야 참이 될
수 있어.

(3) ❶ $\lim_{x \to \infty} f(x) = \alpha$, $\lim_{x \to \infty} \dfrac{g(x)}{f(x)} = \beta$, $\dfrac{g(x)}{f(x)} = h(x)$로 놓으면 $g(x) = h(x)f(x)$

❷ 성질 ③에 의하여

$$\lim_{x \to \infty} g(x) = \lim_{x \to \infty} h(x)f(x) = \lim_{x \to \infty} h(x) \times \lim_{x \to \infty} f(x) = \beta \times \alpha = \alpha\beta$$

❸ $\displaystyle\lim_{x \to \infty} g(x)$의 값이 존재한다. (참)

$x \longrightarrow \infty$인 경우에도 $x \longrightarrow a$와 동일하게 해결하면 돼!

예시 2 거짓인 명제

두 함수 $f(x)$, $g(x)$에 대하여 다음 명제의 참, 거짓을 판단하여라.

(1) $\displaystyle\lim_{x \to a} f(x)$와 $\displaystyle\lim_{x \to a} \frac{f(x)}{g(x)}$의 값이 모두 존재하면 $\displaystyle\lim_{x \to a} g(x)$의 값이 존재한다.

(2) $\displaystyle\lim_{x \to \infty} f(x)$와 $\displaystyle\lim_{x \to \infty} f(x)g(x)$의 값이 모두 존재하면 $\displaystyle\lim_{x \to \infty} g(x)$의 값이 존재한다.

(3) $\displaystyle\lim_{x \to a} f(x) = \infty$, $\displaystyle\lim_{x \to a} g(x) = \infty$이면 $\displaystyle\lim_{x \to a} \{f(x) - g(x)\} = 0$이다.

---

(1) [반례] **❶** $f(x) = x$, $g(x) = \dfrac{1}{x}$이면

❷ $\displaystyle\lim_{x \to 0} f(x) = 0$, $\displaystyle\lim_{x \to 0} \frac{f(x)}{g(x)} = \lim_{x \to 0} x^2 = 0$

❸ $\displaystyle\lim_{x \to 0+} g(x) = \infty$, $\displaystyle\lim_{x \to 0-} g(x) = -\infty$이므로 $\displaystyle\lim_{x \to a} g(x)$의 값이 존재하지 않는다. (거짓)

(2) [반례] **❶** $f(x) = \dfrac{1}{x^2}$, $g(x) = x$이면

❷ $\displaystyle\lim_{x \to \infty} f(x) = 0$, $\displaystyle\lim_{x \to \infty} f(x)g(x) = \lim_{x \to \infty} \frac{1}{x} = 0$

❸ $\displaystyle\lim_{x \to \infty} g(x) = \infty$이므로 $\displaystyle\lim_{x \to \infty} g(x)$의 값은 존재하지 않는다. (거짓)

(3) [반례] **❶** $f(x) = \dfrac{2}{x}$, $g(x) = \dfrac{1}{x}$이면

❷ $\displaystyle\lim_{x \to 0} f(x) = \infty$, $\displaystyle\lim_{x \to 0} g(x) = \infty$

❸ $\displaystyle\lim_{x \to 0} \{f(x) - g(x)\} = \lim_{x \to 0} \frac{1}{x} = \infty$이므로 $\displaystyle\lim_{x \to 0} \{f(x) - g(x)\}$의 값이 존재하지 않는다. (거짓)

✅ **확인**

정답과 풀이 23쪽

1. 두 함수 $f(x)$, $g(x)$에 대하여 다음 명제의 참, 거짓을 판단하여라.

(1) $\displaystyle\lim_{x \to a} \{f(x) + g(x)\}$와 $\displaystyle\lim_{x \to a} \{f(x) - g(x)\}$의 값이 모두 존재하면 $\displaystyle\lim_{x \to a} f(x)$의 값이 존재한다.

(2) $\displaystyle\lim_{x \to 0} \frac{f(x)}{x} = k$ (k는 실수)이면 $\displaystyle\lim_{x \to 0} f(x) = 0$이다.

(3) $f(x) < g(x)$이면 $\displaystyle\lim_{x \to \infty} f(x) < \lim_{x \to \infty} g(x)$이다.

풍산자 풀이 흐름

❶ 주어진 조건에 맞고, 구하는 조건에 맞지 않는 함수 설정하기

❷ 주어진 조건을 만족시키는지 확인하기

❸ 구하는 값이 아님을 확인하여 거짓임을 판별하기

(1)은 다음과 같이 알아볼 수도 있어.

❶ $\displaystyle\lim_{x \to a} f(x) = \alpha$,

$\displaystyle\lim_{x \to a} \frac{f(x)}{g(x)} = \beta$

$\dfrac{f(x)}{g(x)} = h(x)$라고 하면

$g(x) = \dfrac{f(x)}{h(x)}$

❷ 성질 ④에 의하여

$\displaystyle\lim_{x \to a} g(x) = \lim_{x \to a} \frac{f(x)}{h(x)}$

$= \dfrac{\alpha}{\beta}$

❸ 이때 $\beta = 0$이면 $\displaystyle\lim_{x \to a} g(x)$는 발산하므로 극한값이 존재하지 않는다. (거짓)

실전 연습 문제

01

함수 $y=f(x)$의 그래프가 오른쪽 그림과 같을 때,

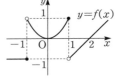

$$\lim_{x \to -1-} f(x) + \lim_{x \to 1-} f(x)$$

의 값은?

① -2
② -1
③ 0
④ 1
⑤ 2

02 서술형 ✏️

실수 전체의 집합에서 정의된 두 함수 $f(x)$, $g(x)$에 대하여

$x<0$일 때 $f(x)+g(x)=x^2-2x+4$,

$x \geq 0$일 때 $f(x)-g(x)=x^2+6$

이다. $\lim_{x \to 0} f(x)$의 값이 존재하고

$\lim_{x \to 0-} g(x) - \lim_{x \to 0+} g(x) = 2$일 때, $\lim_{x \to 0} f(x)$의 값을 구하여라.

03

함수 $f(x)=\begin{cases} 1-x & (|x| \geq 1) \\ 1-x^2 & (|x| < 1) \end{cases}$ 에 대하여 $\lim_{x \to a} f(x)$

의 값이 존재하지 않을 때, 상수 a의 값을 구하여라.

04   기출

실수 전체의 집합에서 정의된 함수 $y=f(x)$의 그래프가 다음 그림과 같다.

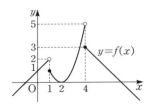

$$\lim_{t \to \infty} f\left(\frac{t-1}{t+1}\right) + \lim_{t \to -\infty} f\left(\frac{4t-1}{t+1}\right)$$의 값은?

① 3
② 4
③ 5
④ 6
⑤ 7

05

두 함수 $y=f(x)$, $y=g(x)$의 그래프가 아래 그림과 같을 때, 다음 |보기| 중 극한값이 존재하는 것만을 있는 대로 고른 것은?

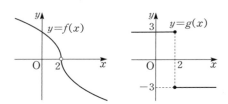

┤보기├
ㄱ. $\lim_{x \to 2} \{f(x)-g(x)\}$
ㄴ. $\lim_{x \to 2} \{f(x)+g(-x)\}$
ㄷ. $\lim_{x \to 2} [\{f(x)\}^2 + \{g(x)\}^2]$
ㄹ. $\lim_{x \to 2} \{f(x)g(x)\}$

① ㄱ, ㄴ
② ㄴ, ㄷ
③ ㄷ, ㄹ
④ ㄱ, ㄴ, ㄷ
⑤ ㄴ, ㄷ, ㄹ

06

함수 $f(x)$에 대하여 $\lim\limits_{x \to 1} \dfrac{f(x)-f(1)}{x^2-1}=2$일 때,

$\lim\limits_{x \to 1} \dfrac{f(x)-f(1)}{x-1}$ 의 값을 구하여라.

07

두 상수 a, b에 대하여

$$\lim_{x \to \infty} \frac{ax^2+1}{x^2+1}=3, \quad \lim_{x \to 2} \frac{a(x-2)}{x^2-4}=b$$

일 때, $a+b$의 값은?

① 3   ② $\dfrac{13}{4}$ ③ $\dfrac{7}{2}$

④ $\dfrac{15}{4}$ ⑤ 4

08 서술형 ✏

$\lim\limits_{x \to a} \dfrac{x^3-a^3}{x^2-a^2}=9$이고

$\lim\limits_{x \to \infty} (\sqrt{x^2-2bx}-\sqrt{x^2-2ax})=13$일 때,

$\lim\limits_{x \to 1} \dfrac{x^2+ax+b}{x-1}$ 의 값을 구하여라.

(단, a, b는 상수이다.)

09

$\lim\limits_{x \to 1} \dfrac{\sqrt{x+a}-2}{x-1}=b$일 때, 두 상수 a, b에 대하여 $a+4b$의 값은?

① 2   ② 4   ③ 6

④ 8   ⑤ 10

10 서술형 ✏

$\lim\limits_{x \to \infty} \{\sqrt{4x^2+4x+3}-(ax+b)\}=0$을 만족시키는

두 상수 a, b에 대하여

$$\lim_{x \to \infty} x\{\sqrt{4x^2+4x+3}-(ax+b)\}=\frac{q}{p}$$

일 때, p^2+q^2의 값을 구하여라.

(단, p, q는 서로소인 자연수이다.)

11

삼차함수 $f(x)$가 다음 조건을 만족시킬 때, $f(3)$의 값을 구하여라.

(가) $\lim\limits_{x \to -1} \dfrac{f(x)}{x+1}=-3$

(나) $\lim\limits_{x \to 2} \dfrac{f(x)}{x-2}=12$

12

이차함수 $f(x)$가

$$\lim_{x \to -1} \frac{f(x)}{x^2+2x+3}=1, \quad \lim_{x \to 3} \frac{f(x)}{x-3}=5$$

를 만족시킬 때, $f(7)$의 값을 구하여라.

13 <kbd>기출</kbd>

다항함수 $f(x)$가

$$\lim_{x \to \infty} \frac{f(x)-x^3}{5x^2}=2, \quad \lim_{x \to -1} \frac{f(x)}{x+1}=-8$$

을 만족시킬 때, $f(2)$의 값을 구하여라.

14

$x>1$인 모든 실수 x에 대하여

$$2x^2+3x-1<(x^2-1)f(x)<2x^2+3x+1$$

을 만족시킬 때, $\lim_{x \to \infty} f(x)$의 값을 구하여라.

15 <kbd>기출</kbd>

오른쪽 그림과 같이 좌표평면 위에 중심이 $(0, 2)$이고 반지름의 길이가 2인 원이 있다. 양수 t에 대하여 점 $P(t, 0)$과 원의 중심을 지나는 직선이 원과 만나는 두 점 중에서 점 P에 가까운 점을 Q, 나머지 한 점을 R라고 하자. $\lim_{t \to 0+} \dfrac{\overline{PQ} \times \overline{PR}}{\overline{OP}^2 - \overline{PQ}^2}$의 값은?

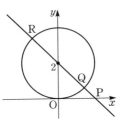

(단, O는 원점이다.)

① 1   ② 2   ③ 3
④ 4   ⑤ 5

16 <kbd>서술형 /</kbd>

함수 $y=x^2 \ (x>0)$의 그래프 위의 한 점 G를 무게중심으로 하고 두 점 B, C가 x축 위에 있는 정삼각형 ABC에 대하여 점 G의 x좌표가 a일 때, 삼각형 ABC의 넓이를 $S(a)$라고 하자.

$\lim_{a \to \sqrt{3}} \dfrac{S(a)-27a}{a^2-3}=\dfrac{q}{p}\sqrt{3}$일 때, $p+q$의 값을 구하여라. (단, p, q는 서로소인 자연수이다.)

17

함수 $y=|x^2-2|$의 그래프가 직선 $y=t \ (t$는 실수)와 만나는 점의 개수를 $f(t)$라고 하자.

$g(a)=\lim_{t \to a+} \{f(t)-f(a)\}$일 때, $g(0)+g(2)$의 값을 구하여라.

01

함수 $f(x)=x^3+4x^2+6x$의 역함수를 $f^{-1}(x)$라고

할 때, $\lim\limits_{x\to0}\dfrac{f^{-1}(3x)}{x}$의 값은?

① $\dfrac{2}{9}$ ② $\dfrac{2}{7}$ ③ $\dfrac{1}{2}$

④ $\dfrac{2}{3}$ ⑤ 2

02

$\lim\limits_{x\to a}\dfrac{[x]^2-2x}{[-2x]}$의 값이 존재할 때, 정수 a의 값은?

(단, $[x]$는 x보다 크지 않은 최대의 정수이다.)

① -3 ② -2 ③ -1

④ 0 ⑤ 1

03

기출

최고차항의 계수가 1인 이차함수 $f(x)$가

$$\lim\limits_{x\to0}|x|\left\{f\left(\dfrac{1}{x}\right)-f\left(-\dfrac{1}{x}\right)\right\}=a,\ \lim\limits_{x\to\infty}f\left(\dfrac{1}{x}\right)=3$$

을 만족시킬 때, $f(2)$의 값은? (단, a는 상수이다.)

① 1 ② 3 ③ 5

④ 7 ⑤ 9

04

함수 $f(x)=\dfrac{1}{2}x+2$에 대하여 $\lim\limits_{x\to1}[f(x)]$의 값을 구

하여라. (단, $[x]$는 x보다 크지 않은 최대의 정수이다.)

05

다항함수 $f(x)$가 $x>0$에서 $\lim\limits_{x\to\infty}\left[\dfrac{f(x)}{x}\right]^2=9$를 만족시킬 때, $\lim\limits_{x\to\infty}\dfrac{f(x)}{x}$의 값으로 가능한 모든 값의 합은? (단, $[x]$는 x보다 크지 않은 최대의 정수이다.)

① 0   ② 1   ③ 2
④ 3   ⑤ 4

06

원 $x^2+y^2=1$ 위의 두 점 $A(-1,0)$, $P(\alpha,\beta)$에 대하여 점 P를 원점에 대하여 대칭이동한 점을 Q, y축에 대하여 대칭이동한 점을 R라고 하자. 삼각형 APQ의 넓이를 $S(\alpha)$, 삼각형 APR의 넓이를 $T(\alpha)$라고 할 때, $\lim\limits_{\alpha\to1-}\dfrac{S(\alpha)\times T(\alpha)}{1-\alpha}$의 값을 구하여라.

(단, 점 P는 제1사분면 위의 점이다.)

07

x가 양수일 때, x보다 작은 자연수 중에서 소수의 개수를 $f(x)$라 하고, 함수 $g(x)$를

$$g(x)=\begin{cases} f(x) & (x>2f(x)) \\ \dfrac{1}{f(x)} & (x\le 2f(x)) \end{cases}$$

라고 하자. 예를 들어 $f\left(\dfrac{7}{2}\right)=2$이고 $\dfrac{7}{2}<2f\left(\dfrac{7}{2}\right)$이므로 $g\left(\dfrac{7}{2}\right)=\dfrac{1}{2}$이다. $\lim\limits_{x\to8+}g(x)=\alpha$, $\lim\limits_{x\to8-}g(x)=\beta$라고 할 때, $\dfrac{\alpha}{\beta}$의 값을 구하여라.

02

함수의 연속

02 함수의 연속

개념 01 함수의 연속과 불연속

(1) **함수의 연속**: 함수 $f(x)$가 실수 a에 대하여 다음 조건을 모두 만족시킬 때, 함수 $f(x)$는 $x=a$에서 연속이라고 한다.

  ① 함수 $f(x)$가 $x=a$에서 정의되어 있다.
    즉, 함숫값 $f(a)$가 존재한다.
  ② 극한값 $\lim\limits_{x\to a} f(x)$가 존재한다.
  ③ $\lim\limits_{x\to a} f(x)=f(a)$

> 함수 $f(x)$가 $x=a$에서 연속이라는 것은 함수 $y=f(x)$의 그래프가 $x=a$에서 연결되어 있다는 것이다.

(2) **함수의 불연속**: 함수 $f(x)$가 $x=a$에서 연속이 아닐 때, $f(x)$는 $x=a$에서 불연속이라고 한다.

확인 01 다음 함수가 $x=0$에서 연속인지 불연속인지 조사하여라.

  (1) $y=x+1$ (2) $y=\dfrac{1}{x}$ (3) $y=|x|$

> 함수 $f(x)$가 $x=a$에서 불연속인 경우
> ①
> ➡ $f(a)$의 값이 정의되어 있지 않다.
> ②
> ➡ 극한값 $\lim\limits_{x\to a} f(x)$가 존재하지 않는다.
> ③
> ➡ $x=a$에서 함숫값과 극한값이 다르다. 즉,
> $\lim\limits_{x\to a} f(x)\ne f(a)$

개념 02 연속함수

(1) **구간**: 두 실수 a, b $(a<b)$에 대하여 다음 표와 같이 각 집합을 구간이라 하고 각 구간을 기호로 나타낸다.

	닫힌구간	열린구간	반닫힌 구간 또는 반열린 구간	
집합	$\{x\|a\le x\le b\}$	$\{x\|a<x<b\}$	$\{x\|a\le x<b\}$	$\{x\|a<x\le b\}$
기호	$[a, b]$	(a, b)	$[a, b)$	$(a, b]$
수직선	●—● $a\ b\ x$	○—○ $a\ b\ x$	●—○ $a\ b\ x$	○—● $a\ b\ x$

실수 a에 대하여 집합 $\{x|x\le a\}$, $\{x|x<a\}$, $\{x|x\ge a\}$, $\{x|x>a\}$도 각각 구간이고, 이들을 각각 기호 $(-\infty, a]$, $(-\infty, a)$, $[a, \infty)$, (a, ∞)로 나타낸다.

(2) **연속함수**: 함수 $f(x)$가 어떤 구간에 속하는 모든 실수 x에서 연속일 때, 함수 $f(x)$는 그 구간에서 연속이라 하고, 그 구간에서 연속인 함수를 그 구간에서 연속함수라고 한다.

확인 02 다음 실수의 집합을 구간의 기호로 나타내어라.

  (1) $\{x|-1\le x\le 2\}$ (2) $\{x|2<x<4\}$
  (3) $\{x|0<x\le 4\}$ (4) $\{x|x\ge 3\}$

확인 03 다음 함수가 연속인 구간을 구하여라.

  (1) $f(x)=x^2$ (2) $f(x)=\sqrt{x-2}$ (3) $f(x)=\dfrac{1}{x-1}$

> 함수 $f(x)$가
> ① 열린구간 (a, b)에서 연속
> ② $\lim\limits_{x\to a+} f(x)=f(a)$,
> $\lim\limits_{x\to b-} f(x)=f(b)$
> 일 때, 함수 $f(x)$는 닫힌구간 $[a, b]$에서 연속이다.

개념 03 연속함수의 성질

(1) 두 함수 $f(x)$, $g(x)$가 $x=a$에서 연속이면 다음 함수도 $x=a$에서 연속이다.

  ① $cf(x)$ (단, c는 상수)   ② $f(x)+g(x)$, $f(x)-g(x)$

  ③ $f(x)g(x)$ ④ $\dfrac{f(x)}{g(x)}$ (단, $g(a) \neq 0$)

(2) 두 함수 $f(x)$, $g(x)$가 어떤 구간에서 연속이면 그 구간에서 함수

  $f(x)+g(x)$, $f(x)-g(x)$, $f(x)g(x)$, $\dfrac{f(x)}{g(x)}$ $(g(x) \neq 0)$도 모두 연속

이다.

> ▶ 다항함수는 모든 실수 x에 대하여 연속이다.

확인 04 두 함수 $f(x)=x-1$, $g(x)=x^2-1$에 대하여 다음 |보기| 중 실수 전체의 집합에서 연속인 함수만을 있는 대로 골라라.

> ┤보기├
>
> ㄱ. $f(x)-g(x)$ ㄴ. $f(x)g(x)$ ㄷ. $\dfrac{g(x)}{f(x)}$

개념 04 최대·최소 정리

함수 $f(x)$가 닫힌구간 $[a, b]$에서 연속이면 $f(x)$는 이 구간에서 반드시 최댓값과 최솟값을 갖는다.

> ▶ **주의** 함수 $f(x)$가 연속이 아니면 닫힌구간에서도 최댓값과 최솟값을 갖지 않을 수 있으므로 최대·최소 정리는 연속함수에 대하여 성립함에 주의한다.

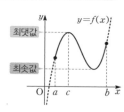

확인 05 주어진 구간에서 다음 함수 $f(x)$의 최댓값과 최솟값을 각각 구하여라.

  (1) $f(x)=x^2-4x$ $[1, 4]$ (2) $f(x)=\dfrac{2}{x+1}$ $[1, 3]$

개념 05 사잇값의 정리

함수 $f(x)$가 닫힌구간 $[a, b]$에서 연속이고 $f(a) \neq f(b)$일 때, $f(a)$와 $f(b)$ 사이의 임의의 값 k에 대하여 $f(c)=k$를 만족시키는 c가 열린구간 (a, b)에 적어도 하나 존재한다.

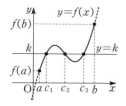

高1 수학 제한된 범위에서 이차함수의 최대·최소

$\alpha \leq x \leq \beta$에서 이차함수 $f(x)=a(x-p)^2+q$의 최대·최소

① $\alpha \leq p \leq \beta$이면 $f(\alpha)$, $f(\beta)$, q 중 가장 큰 값이 최댓값, 가장 작은 값이 최솟값이다.

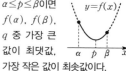

② $p < \alpha$ 또는 $p > \beta$이면 $f(\alpha)$, $f(\beta)$ 중 큰 값이 최댓값, 작은 값이 최솟값이다.

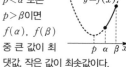

확인 06 다음은 함수 $f(x)=x^2$에 대하여 $f(c)=\sqrt{5}$인 c가 열린구간 $(2, 3)$에 적어도 하나 존재함을 증명한 것이다. ㈎, ㈏, ㈐에 알맞은 것을 써넣어라.

> 함수 $f(x)=x^2$은 모든 실수에서 ⃞㈎⃞ 이므로 닫힌구간 $[2, 3]$에서도 ⃞㈏⃞ 이다. 또, $f(2) \neq f(3)$이고 $f(2) < \sqrt{5} < f(3)$이므로 ⃞㈐⃞ 에 의하여 $f(c)=\sqrt{5}$인 c가 열린구간 $(2, 3)$에 적어도 하나 존재한다.

다음 함수 $f(x)$가 $x=1$에서 연속인지 불연속인지 조사하여라.

(1) $f(x)=x-1$

(2) $f(x)=\dfrac{1}{x-1}$

(3) $f(x)=\begin{cases} x+2 & (x<1) \\ 2x-1 & (x\geq1) \end{cases}$

(4) $f(x)=\begin{cases} \dfrac{x^2-1}{x-1} & (x\neq1) \\ 1 & (x=1) \end{cases}$

풍쌤 POINT

함수 $f(x)$가 $x=a$에서 연속이려면 다음 세 조건을 만족시켜야 해.

① 함수 $f(x)$가 $x=a$에서 정의되어 있어. ← 함숫값 존재

② 극한값 $\displaystyle\lim_{x\to a}f(x)$가 존재해. ← 극한값 존재

③ $\displaystyle\lim_{x\to a}f(x)=f(a)$ ← (극한값)=(함숫값)

풀이

(1) $f(1)=1-1=0$이므로 함숫값이 존재한다.

$\displaystyle\lim_{x\to1}f(x)=0$이므로 $x=1$에서 극한값이 존재한다. **❶**

따라서 $\displaystyle\lim_{x\to1}f(x)=f(1)=0$이므로 함수 $f(x)$는 $x=1$에서 연속이다.

❶ $\displaystyle\lim_{x\to1}f(x)=\lim_{x\to1}(x-1)$
$=1-1=0$

(2) $x=1$일 때, 함숫값이 존재하지 않는다.

따라서 함수 $f(x)$는 $x=1$에서 불연속이다.

(3) $f(1)=2-1=1$이므로 함숫값이 존재한다.

$\displaystyle\lim_{x\to1-}f(x)=\lim_{x\to1-}(x+2)=3$, $\displaystyle\lim_{x\to1+}f(x)=\lim_{x\to1+}(2x-1)=1$

즉, $\displaystyle\lim_{x\to1-}f(x)\neq\lim_{x\to1+}f(x)$이므로 $x=1$에서 극한값이 존재하지 않는다.

따라서 함수 $f(x)$는 $x=1$에서 불연속이다.

(4) $f(1)=1$이므로 함숫값이 존재한다.

$\displaystyle\lim_{x\to1}f(x)=\lim_{x\to1}\dfrac{x^2-1}{x-1}=\lim_{x\to1}(x+1)=2$ **❷**

따라서 $f(1)\neq\displaystyle\lim_{x\to1}f(x)$이므로 함수 $f(x)$는 $x=1$에서 불연속이다.

❷ $\dfrac{x^2-1}{x-1}=\dfrac{(x-1)(x+1)}{x-1}$
$=x+1$

답 (1) 연속 (2) 불연속 (3) 불연속 (4) 불연속

풍쌤 강의 NOTE

· 함수가 $\dfrac{f(x)}{x-a}$ 꼴로 주어지는 경우 분모가 0이 되는 x의 값, 즉 $x=a$에서 연속과 불연속을 조사한다.

· $f(x)=\begin{cases} g(x) & (x<a) \\ h(x) & (x\geq a) \end{cases}$ 와 같이 범위에 따라 다른 함수식으로 정의되는 경우 x의 값의 범위가 나누어지는 경계, 즉 $x=a$에서 연속과 불연속을 조사한다.

01-1 ◉ 유사

다음 함수 $f(x)$가 $x=0$에서 연속인지 불연속인지 조사하여라.

(1) $f(x)=x^2+x$

(2) $f(x)=\sqrt{x+3}$

(3) $f(x)=\dfrac{|x|}{x}$

(4) $f(x)=\begin{cases} \dfrac{x^2+x}{x} & (x\neq0) \\ 1 & (x=0) \end{cases}$

01-2 ◉ 변형 　　　　　　　　　기출

함수 $f(x)$가 $x=2$에서 연속이고 $\lim\limits_{x\to2-}f(x)=a+2$, $\lim\limits_{x\to2+}f(x)=3a-2$를 만족시킬 때, $a+f(2)$의 값을 구하여라. (단, a는 상수이다.)

01-3 ◉ 변형

함수 $f(x)=\begin{cases} x-2 & (|x|\geq2) \\ x^2-4 & (|x|<2) \end{cases}$가 $x=-2$, $x=2$에서 연속인지 불연속인지 조사하여라.

01-4 ◉ 변형

함수 $f(x)=\begin{cases} 2x+5 & (x\neq1) \\ a & (x=1) \end{cases}$가 $x=1$에서 연속일 때, 상수 a의 값을 구하여라.

01-5 ◉ 변형

함수 $f(x)=\dfrac{1}{x-\dfrac{6}{x}}$이 불연속이 되도록 하는 x의 값의 개수를 구하여라.

01-6 ◉ 실력

함수 $f(x)$가 $x=1$, $x=2$에서 연속이고 열린구간 $(1, 2)$에서 $f(x)=x-10$이다.
$\lim\limits_{x\to1-}f(x)=a^2-2a-3$, $\lim\limits_{x\to2+}f(x)=a^2-5a+7$
을 만족시킬 때, 상수 a의 값을 구하여라.

함수 $y=f(x)$의 그래프가 오른쪽 그림과 같을 때, 열린구간 $(-1, 4)$에서 함수 $f(x)$의 극한값이 존재하지 않는 x의 값의 개수를 a, $f(x)$가 불연속이 되는 x의 값의 개수를 b라고 할 때, a, b의 값을 각각 구하여라.

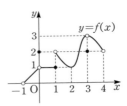

풍쌤 POINT 함수 $y=f(x)$의 그래프가 끊어져 있는 점을 확인해 봐!

풀이

STEP1 함수 $f(x)$의 극한값이 존재하지 않거나 불연속이 될 수 있는 점 찾기

주어진 함수 $y=f(x)$의 그래프에서 그래프가 끊어진 점에서 극한값이 존재하지 않거나 불연속이므로 $x=0$, $x=1$, $x=3$일 때를 조사한다.

STEP2 $x=0$에서 극한값, 연속 조사하기

$f(0)=2$이므로 함숫값이 존재한다.

$\lim\limits_{x \to 0-} f(x) = \lim\limits_{x \to 0+} f(x) = 1$이므로 극한값이 존재한다. **❶**

이때 $\lim\limits_{x \to 0} f(x) \neq f(0)$이므로 함수 $f(x)$는 $x=0$에서 불연속이다.

> **❶** 좌극한과 우극한이 같으면 극한값이 존재한다.

STEP3 $x=1$에서 극한값, 연속 조사하기

$f(1)=1$이므로 함숫값이 존재한다.

$\lim\limits_{x \to 1-} f(x) = 1$, $\lim\limits_{x \to 1+} f(x) = 2$이므로

$\lim\limits_{x \to 1-} f(x) \neq \lim\limits_{x \to 1+} f(x)$ **❷**

즉, $\lim\limits_{x \to 1} f(x)$의 값이 존재하지 않으므로 함수 $f(x)$는 $x=1$에서 불연속이다.

> **❷** 좌극한과 우극한이 다르면 극한값이 존재하지 않는다.

STEP4 $x=3$에서 극한값, 연속 조사하기

$f(3)=2$이므로 함숫값이 존재한다.

$\lim\limits_{x \to 3-} f(x) = \lim\limits_{x \to 3+} f(x) = 3$이므로 극한값이 존재한다.

이때 $\lim\limits_{x \to 3} f(x) \neq f(3)$이므로 함수 $f(x)$는 $x=3$에서 불연속이다.

STEP5 a, b의 값 구하기

따라서 극한값이 존재하지 않는 x의 값은 1의 1개이고, 불연속이 되는 x의 값은 0, 1, 3의 3개이므로

$a=1$, $b=3$

🔖 $a=1$, $b=3$

풍쌤 강의 NOTE
- 함수의 그래프를 이용하여 연속성을 조사할 때는 끊어지지 않고 연결되어 있는지를 확인한다.
- 함수의 그래프를 이용하여 극한값의 존재를 조사할 때는 끊어진 부분의 x의 값을 찾고 좌극한과 우극한이 같은지 비교한다.

02-1 _{유사}

함수 $y=f(x)$의 그래프가 오른쪽 그림과 같다. 열린 구간 $(-2, 2)$에서 함수 $f(x)$의 극한값이 존재하지 않는 x의 값의 개수를 a, $f(x)$가 불연속이 되는 x의 값의 개수를 b라고 할 때, ab의 값을 구하여라.

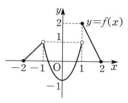

02-2 _{변형} _{기출}

$0 < x < 4$에서 정의된 함수 $y=f(x)$의 그래프가 오른쪽 그림과 같을 때, 다음 |보기|에서 옳은 것만을 있는 대로 골라라.

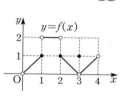

┤보기├
ㄱ. $\lim\limits_{x \to 3} f(x) = 1$
ㄴ. $x=1$에서 함수 $f(x)$의 극한값은 존재하지 않는다.
ㄷ. 함수 $f(x)$는 3개의 점에서 불연속이다.

02-3 _{변형}

함수 $y=f(x)$의 그래프가 오른쪽 그림과 같을 때, 다음 |보기|에서 옳은 것만을 있는 대로 골라라.

┤보기├
ㄱ. $x=1$에서 함숫값이 정의되어 있지 않다.
ㄴ. $\lim\limits_{x \to 1} f(x)$의 값은 존재하지 않는다.
ㄷ. 함수 $f(x)$는 $x=1$에서 연속이다.

02-4 _{변형}

함수 $y=f(x)$, $y=g(x)$의 그래프가 다음 그림과 같을 때, $f(x)$ 또는 $g(x)$는 불연속이지만 함수 $f(x)g(x)$는 연속인 x의 값을 모두 구하여라.

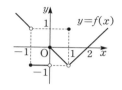 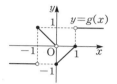

02-5 _{변형}

두 함수 $y=f(x)$, $y=g(x)$의 그래프가 다음 그림과 같을 때, $x=2$에서 함수 $f(x)g(x)$의 연속성을 조사하여라.

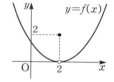 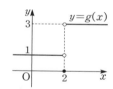

02-6 _{실력}

$-3 < x \leq 4$에서 정의된 함수 $y=f(x)$의 그래프가 오른쪽 그림과 같을 때, 다음 |보기|에서 옳은 것만을 있는 대로 골라라.

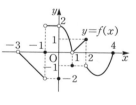

┤보기├
ㄱ. $\lim\limits_{x \to -1} |f(x)|$의 값이 존재한다.
ㄴ. 함수 $f(x)$는 $x=0$에서 연속이다.
ㄷ. 함수 $|f(x)|$는 $x=1$에서 연속이다.
ㄹ. 함수 $\{f(x)\}^2$은 $x=2$에서 연속이다.

함수 $y=f(x)$의 그래프가 오른쪽 그림과 같을 때, 다음 물음에 답하여라.

(1) 함수 $f(f(x))$가 $x=0$에서 연속인지 불연속인지 조사하여라.

(2) 함수 $f(f(x))$가 $x=1$에서 연속인지 불연속인지 조사하여라.

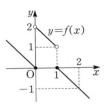

풍쌤 POINT

합성함수의 극한값을 구할 때는 함숫값의 변화에도 신경 써야 돼!

함수의 극한값과 함숫값의 대소 관계를 자세히 관찰해 봐!

풀이

(1) **STEP1** $f(f(0))$의 값 구하기

$f(0)=0$이므로 $f(f(0))=f(0)=0$

STEP2 $\lim\limits_{x\to 0-}f(f(x))$, $\lim\limits_{x\to 0+}f(f(x))$의 값 구하기

$f(x)=t$라고 하면 $x\longrightarrow 0-$일 때, $t\longrightarrow 0+$이므로

$\lim\limits_{x\to 0-}f(f(x))=\lim\limits_{t\to 0+}f(t)=2$

$x\longrightarrow 0+$일 때, $t\longrightarrow 2-$이므로

$\lim\limits_{x\to 0+}f(f(x))=\lim\limits_{t\to 2-}f(t)=-1$

STEP3 $x=0$에서 연속 조사하기

즉, $\lim\limits_{x\to 0-}f(f(x))\neq\lim\limits_{x\to 0+}f(f(x))$이므로 극한값이 존재하지 않는다. ❶

따라서 함수 $f(f(x))$는 $x=0$에서 불연속이다.

❶ 합성함수의 극한값을 구할 때는 $f(f(x))$의 좌극한과 우극한을 각각 구한다.

(2) **STEP1** $f(f(1))$의 값 구하기

$f(1)=0$이므로 $f(f(1))=f(0)=0$

STEP2 $\lim\limits_{x\to 1-}f(f(x))$, $\lim\limits_{x\to 1+}f(f(x))$의 값 구하기

$f(x)=t$라고 하면 $x\longrightarrow 1-$일 때, $t\longrightarrow 1+$이므로

$\lim\limits_{x\to 1-}f(f(x))=\lim\limits_{t\to 1+}f(t)=0$

$x\longrightarrow 1+$일 때, $t\longrightarrow 0-$이므로

$\lim\limits_{x\to 1+}f(f(x))=\lim\limits_{t\to 0-}f(t)=0$

STEP3 $x=1$에서 연속 조사하기

$\therefore \lim\limits_{x\to 1}f(f(x))=0$

따라서 $\lim\limits_{x\to 1}f(f(x))=f(f(1))=0$이므로 함수 $f(f(x))$는 $x=1$에서 연속이다. ❷

❷ $x=1$에서 $f(x)$는 불연속이지만 $f(f(x))$는 연속이다.

답 (1) 불연속 (2) 연속

풍쌤 강의 NOTE

• 어떤 함수의 불연속인 점도 다른 함수와 합성하여 연속인 점이 될 수 있다.

• 불연속함수도 합성하여 연속함수가 될 수 있다.

03-1 유사

함수 $y=f(x)$의 그래프가 오른쪽 그림과 같을 때, 다음 물음에 답하여라.

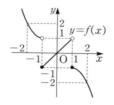

(1) 함수 $f(f(x))$가 $x=-1$에서 연속인지 불연속인지 조사하여라.

(2) 함수 $f(f(x))$가 $x=1$에서 연속인지 불연속인지 조사하여라.

03-2 변형

두 함수 $f(x)=\dfrac{1}{x-1}$, $g(x)=x^2-3$에 대하여 함수 $(f\circ g)(x)$가 불연속인 x의 값을 모두 구하여라.

03-3 변형

두 함수 $y=f(x)$, $y=g(x)$의 그래프가 다음 그림과 같을 때, 함수 $f(g(x))$가 불연속인 x의 값을 모두 구하여라.

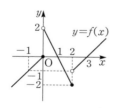 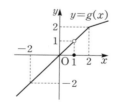

03-4 변형 기출

함수 $y=f(x)$의 그래프가 오른쪽 그림과 같을 때, 다음 |보기|에서 옳은 것만을 있는 대로 골라라.

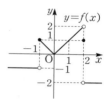

┤보기├

ㄱ. $\displaystyle\lim_{x\to-1+}f(x)=1$

ㄴ. $\displaystyle\lim_{x\to2}f(x)f(x-3)=2$

ㄷ. 함수 $(f\circ f)(x)$는 $x=-1$에서 연속이다.

03-5 변형

함수 $f(x)=\begin{cases} x^2-2x+3 & (x\neq2) \\ 1 & (x=2) \end{cases}$과 합성함수 $(g\circ f)(x)$가 실수 전체의 집합에서 연속이 되도록 하는 최고차항의 계수가 1인 이차함수 $g(x)$에 대하여 $g(x)=0$의 두 근의 합을 구하여라.

03-6 실력

함수 $y=f(x)$의 그래프가 오른쪽 그림과 같을 때, 함수 $(f\circ f)(x)$가 불연속이 되는 모든 x의 값을 구하여라.

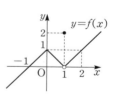

다음 물음에 답하여라.

(1) 함수 $f(x) = \begin{cases} x^2 & (x < a) \\ x+2 & (x \geq a) \end{cases}$ 가 $x = a$에서 연속일 때, 상수 a의 값을 모두 구하여라.

(2) 함수 $f(x) = \begin{cases} x^2 - ax & (x < 2) \\ -x+a & (x \geq 2) \end{cases}$ 가 실수 전체의 집합에서 연속일 때, 상수 a의 값을 구하여라.

풍쌤 POINT

$\lim\limits_{x \to a-} f(x) = \lim\limits_{x \to a+} f(x) = f(a)$인지 확인해!

좌극한, 우극한, 함숫값이 모두 같으면 함수 $f(x)$는 $x = a$에서 연속이야!

풀이

(1) STEP 1 $x = a$에서 연속일 조건 확인하기

함수 $f(x)$가 $x = a$에서 연속이므로

$\lim\limits_{x \to a-} f(x) = \lim\limits_{x \to a+} f(x) = f(a)$이어야 한다.

STEP 2 a의 값 구하기

$\lim\limits_{x \to a-} f(x) = \lim\limits_{x \to a-} x^2 = a^2$, $\lim\limits_{x \to a+} f(x) = \lim\limits_{x \to a+} (x+2) = a+2$,

$f(a) = a+2$

따라서 $a^2 = a+2$이므로 $a^2 - a - 2 = 0$

$(a+1)(a-2) = 0$ $\therefore a = -1$ 또는 $a = 2$

(2) STEP 1 실수 전체의 집합에서 연속일 조건 확인하기

함수 $y = x^2 - ax$는 구간 $(-\infty, 2)$에서 연속❶이고 함수 $y = -x+a$는 구간 $[2, \infty)$에서 연속이므로 함수 $y = f(x)$가 실수 전체의 집합에서 연속이려면 $x = 2$에서 연속이면 된다.❷

따라서 $\lim\limits_{x \to 2-} f(x) = \lim\limits_{x \to 2+} f(x) = f(2)$이어야 한다.

STEP 2 a의 값 구하기

$\lim\limits_{x \to 2-} f(x) = \lim\limits_{x \to 2-} (x^2 - ax) = 4 - 2a$

$\lim\limits_{x \to 2+} f(x) = \lim\limits_{x \to 2+} (-x+a) = -2+a$

$f(2) = -2+a$

따라서 $4 - 2a = -2 + a$이므로 $3a = 6$

$\therefore a = 2$

❶ 다항함수는 모든 실수에서 항상 연속이다.

❷ 구간의 경계에서 극한값과 함숫값을 비교한다.

답 (1) $-1, 2$ (2) 2

풍쌤 강의 NOTE

· $\lim\limits_{x \to a-} f(x) = \lim\limits_{x \to a+} f(x) = f(a)$와 같이 극한값과 함숫값이 같아지도록 등식을 세워 미정계수를 구한다.

· 다항함수는 실수 전체의 집합에서 연속이므로 구간의 경계에서 연속성을 조사하여 연속이 되도록 미정계수를 정한다.

04-1 ◉유사

함수 $f(x) = \begin{cases} x^2 + x & (x < a) \\ ax + 3 & (x \geq a) \end{cases}$ 이 $x = a$에서 연속일 때, 상수 a의 값을 구하여라.

04-4 ◉변형

함수 $f(x) = \begin{cases} x^2 - 2x + 4 & (|x| \geq 1) \\ ax + b & (|x| < 1) \end{cases}$ 가 실수 전체의 집합에서 연속일 때, 두 상수 a, b에 대하여 $a^2 + b^2$의 값을 구하여라.

04-2 ◉유사

함수 $f(x) = \begin{cases} x^2 - 2x + a & (x \leq -1 \text{ 또는 } x \geq 2) \\ bx + 1 & (-1 < x < 2) \end{cases}$ 이 구간 $(-\infty, \infty)$에서 연속일 때, $f(1) + f(3)$의 값을 구하여라. (단, a, b는 상수이다.)

04-5 ◉실력

두 함수 $f(x) = \begin{cases} x^2 - 2x & (|x| < 1) \\ -x + 2 & (|x| \geq 1) \end{cases}$, $g(x) = x^2 + k$ 에 대하여 함수 $f(x)g(x)$가 모든 실수 x에서 연속이 되도록 하는 상수 k의 값을 구하여라.

04-3 ◉변형

함수 $f(x) = \begin{cases} x - 2 & (x < a) \\ \sqrt{2x + k} & (x \geq a) \end{cases}$ 가 $x = a$에서 연속이 되도록 하는 실수 a가 한 개일 때, 상수 k의 값을 구하여라.

04-6 ◉변형   기출

함수 $f(x)$는 모든 실수 x에 대하여 $f(x+2) = f(x)$ 를 만족시키고

$$f(x) = \begin{cases} ax + 1 & (-1 \leq x < 0) \\ 3x^2 + 2ax + b & (0 \leq x < 1) \end{cases}$$

이다. 함수 $f(x)$가 실수 전체의 집합에서 연속일 때, 두 상수 a, b에 대하여 $a + b$의 값을 구하여라.

다음 물음에 답하여라.

(1) 함수 $f(x)=\begin{cases} \dfrac{\sqrt{x+3}-2}{x-1} & (x\neq 1) \\ a & (x=1) \end{cases}$ 가 $x=1$에서 연속이 되도록 하는 상수 a의 값을 구

하여라.

(2) 함수 $f(x)=\begin{cases} \dfrac{x^2+ax-6}{x-2} & (x\neq 2) \\ b & (x=2) \end{cases}$ 가 모든 실수 x에 대하여 연속이 되도록 하는 두

상수 a, b에 대하여 $a+b$의 값을 구하여라.

풍쌤
POINT

함수 $f(x)=\begin{cases} g(x) & (x\neq a) \\ k & (x=a) \end{cases}$ 가 $x=a$에서 연속이려면 $\lim\limits_{x\to a} g(x)=k$이어야 해!

풀이

(1) $\lim\limits_{x\to 1} \dfrac{\sqrt{x+3}-2}{x-1}=\lim\limits_{x\to 1}\dfrac{x-1}{(x-1)(\sqrt{x+3}+2)}$ ❶

$\qquad\qquad\qquad =\lim\limits_{x\to 1}\dfrac{1}{\sqrt{x+3}+2}=\dfrac{1}{4}$

❶ 분자를 유리화하기 위해 분모, 분자에 각각 $\sqrt{x+3}+2$를 곱한다.

함수 $f(x)$가 $x=1$에서 연속이 되려면 $\lim\limits_{x\to 1}f(x)=f(1)$이어

야 하므로 $a=\dfrac{1}{4}$

(2) **STEP1 모든 실수 x에 대하여 연속일 조건 확인하기**

함수 $f(x)$가 모든 실수 x에 대하여 연속이 되려면 $x=2$에서

연속이어야 한다. 즉, $\lim\limits_{x\to 2}f(x)=f(2)$이므로

$\lim\limits_{x\to 2}\dfrac{x^2+ax-6}{x-2}=b$

STEP2 $a+b$의 값 구하기

$x\longrightarrow 2$일 때, (분모) $\longrightarrow 0$이고 극한값이 존재하므로

$\lim\limits_{x\to 2}(x^2+ax-6)=0$, $2a-2=0$ $\qquad \therefore a=1$

$b=\lim\limits_{x\to 2}\dfrac{x^2+ax-6}{x-2}=\lim\limits_{x\to 2}\dfrac{x^2+x-6}{x-2}$

$\qquad =\lim\limits_{x\to 2}\dfrac{(x-2)(x+3)}{x-2}$

$\qquad =\lim\limits_{x\to 2}(x+3)=5$ ❷

$\therefore a+b=1+5=6$

❷ 분자를 인수분해하여 분모, 분자의 공통인수 $x-2$를 약분한다.

답 (1) $\dfrac{1}{4}$ (2) 6

풍쌤 강의
NOTE

• 분수 꼴이 포함된 함수의 경우 인수분해하여 약분한 후, 극한값을 구한다. 이때 무리식이 포함된 함수인 경우 분모, 분자에 적절한 무리식을 곱하면 인수분해가 가능한 식이 된다.

• $x=a$에서 연속이 되려면 $x=a$에서 극한값과 함숫값이 같아야 한다.

05-1 유사 기출

함수 $f(x) = \begin{cases} \dfrac{a\sqrt{x+2}+b}{x-2} & (x \ne 2) \\ 2 & (x=2) \end{cases}$ 가 $x=2$에서 연

속이 되도록 하는 두 상수 a, b에 대하여 $2a-b$의 값을 구하여라.

05-2 유사 기출

함수 $f(x) = \begin{cases} \dfrac{x^3-ax+1}{x-1} & (x \ne 1) \\ b & (x=1) \end{cases}$ 가 실수 전체의

집합에서 연속이 되도록 하는 두 상수 a, b에 대하여 $10a+b$의 값을 구하여라.

05-3 변형

함수 $f(x) = \begin{cases} \dfrac{x^2+ax}{x-2} & (x<2) \\ 2 & (x=2) \\ \dfrac{\sqrt{x^2+b}+c}{x-2} & (x>2) \end{cases}$ 가 $x=2$에서 연

속이 되도록 하는 상수 a, b, c에 대하여 abc의 값을 구하여라.

05-4 변형

함수 $f(x) = \begin{cases} \dfrac{x^3+ax+b}{(x+1)^2} & (x \ne -1) \\ c & (x=-1) \end{cases}$ 가 $x=-1$에

서 연속이 되도록 하는 세 상수 a, b, c에 대하여 $a-2b+c$의 값을 구하여라.

05-5 실력

최고차항의 계수가 1인 이차함수 $f(x)$에 대하여 모든 실수에서 연속인 함수 $g(x)$를

$$g(x) = \begin{cases} \dfrac{f(x)-4x^2}{x+1} & (x \ne -1) \\ k & (x=-1) \end{cases}$$ 로 정의하자. 이차

방정식 $f(x)=0$이 중근을 가질 때, $k+g(2)$의 값을 구하여라. (단, $k<10$)

05-6 실력

함수 $g(x) = \begin{cases} \dfrac{f(x)}{x^2-x-2} & (x \ne -1, \ x \ne 2) \\ 3 & (x=-1 \ \text{또는} \ x=2) \end{cases}$ 이

모든 실수에서 연속이 되도록 하는 최고차항의 계수가 1이고 차수가 가장 작은 다항함수 $f(x)$에 대하여 $f(3)$의 값을 구하여라.

다음 물음에 답하여라.

(1) 모든 실수 x에서 연속인 함수 $f(x)$가 $xf(x)=x^2+2x$를 만족시킬 때, $f(0)$의 값을 구하여라.

(2) 모든 실수 x에서 연속인 함수 $f(x)$가 $(x-2)f(x)=x^2+2x+a$를 만족시킬 때, $f(2)$의 값을 구하여라. (단, a는 상수이다.)

풍쌤 POINT

모든 실수 x에서 연속인 두 함수 $f(x)$, $g(x)$가 $(x-a)f(x)=g(x)$이면

$f(a)=\lim\limits_{x \to a} \dfrac{g(x)}{x-a}$ 를 만족해!

풀이

(1) $x \neq 0$일 때, $f(x)=\dfrac{x^2+2x}{x}=x+2$

함수 $f(x)$가 $x=0$에서 연속이므로

$f(0)=\lim\limits_{x \to 0} f(x)=\lim\limits_{x \to 0}(x+2)=2$ **❶**

(2) **STEP1** a의 값 구하기

$x \neq 2$일 때, $f(x)=\dfrac{x^2+2x+a}{x-2}$

함수 $f(x)$가 모든 실수 x에서 연속이므로 $x=2$에서도 연속이다.

$\therefore f(2)=\lim\limits_{x \to 2} f(x)=\lim\limits_{x \to 2} \dfrac{x^2+2x+a}{x-2}$

$x \longrightarrow 2$일 때, (분모) $\longrightarrow 0$이고 극한값이 존재하므로 (분자) $\longrightarrow 0$이다.

즉, $\lim\limits_{x \to 2}(x^2+2x+a)=0$이므로 $8+a=0$

$\therefore a=-8$

STEP2 $f(2)$의 값 구하기

$\therefore f(2)=\lim\limits_{x \to 2} f(x)=\lim\limits_{x \to 2} \dfrac{x^2+2x-8}{x-2}$

$\quad =\lim\limits_{x \to 2} \dfrac{(x-2)(x+4)}{x-2}$ **❷**

$\quad =\lim\limits_{x \to 2}(x+4)=6$

❶ $x \neq 0$일 때, $f(x)=x+2$이므로 $f(x)$ 대신 $x+2$를 대입한다.

❷ $x \neq 2$일 때,

$f(x)=\dfrac{x^2+2x-8}{x-2}$이므로

$f(x)$ 대신 $\dfrac{x^2+2x-8}{x-2}$을

대입한다.

답 (1) 2 (2) 6

풍쌤 강의 NOTE

$(x-a)f(x)=g(x)$이면 $f(x)=\begin{cases} \dfrac{g(x)}{x-a} & (x \neq a) \\ k & (x=a) \end{cases}$ (k는 상수)이므로 $f(x)$가 연속이면

$\lim\limits_{x \to a} \dfrac{g(x)}{x-a}=k$임을 이용한다.

06-1 (유사)

모든 실수 x에서 연속인 함수 $f(x)$가
$(x-1)f(x)=x^2+2x-3$을 만족시킬 때, $f(1)$의
값을 구하여라.

06-4 (변형)

$x=1$에서 연속인 함수 $f(x)$가
$(x^2-1)f(x)=\sqrt{x+8}+a$를 만족시킬 때, $f(1)$의
값을 구하여라. (단, a는 상수이다.)

06-2 (유사)

모든 실수 x에서 연속인 함수 $f(x)$가
$(x+2)f(x)=x^2+3x+a$를 만족시킬 때,
$a+f(-2)$의 값을 구하여라. (단, a는 상수이다.)

06-5 (변형)

열린구간 $(-4, 4)$에서 연속인 함수 $f(x)$가
$(\sqrt{4+x}-\sqrt{4-x})f(x)=x^2+16x+k$를 만족시킬
때, $k+f(0)$의 값을 구하여라. (단, k는 상수이다.)

06-3 (변형)

$x>0$인 모든 실수 x에서 연속인 함수 $f(x)$가
$(\sqrt{x}-3)f(x)=x-9$를 만족시킬 때, $f(4)+f(9)$
의 값을 구하여라.

06-6 (실력)

모든 실수 x에서 연속인 함수 $f(x)$가
$(x-1)f(x)=x^2+ax+b$, $f(1)=3$을 만족시킬 때,
두 상수 a, b에 대하여 ab의 값을 구하여라.

실수 전체의 집합에서 정의된 두 함수 $f(x)$, $g(x)$가 $x=a$에서 연속일 때, 다음 |보기| 중 $x=a$에서 항상 연속인 함수만을 있는 대로 골라라.

|보기|

ㄱ. $f(x)g(x)$ ㄴ. $\dfrac{g(x)}{f(x)+g(x)}$ ㄷ. $f(x)-g(x)$ ㄹ. $g(f(x))$

풍쌤 POINT

두 함수 $f(x)$, $g(x)$가 $x=a$에서 연속이면 다음 함수도 $x=a$에서 연속이야!

① $cf(x)$ (단, c는 상수) ② $f(x)\pm g(x)$ ③ $f(x)g(x)$ ④ $\dfrac{f(x)}{g(x)}$ (단, $g(a)\neq 0$)

풀이

STEP1 ㄱ의 연속 조사하기

ㄱ. $\displaystyle\lim_{x\to a}f(x)g(x)=\lim_{x\to a}f(x)\times\lim_{x\to a}g(x)=f(a)g(a)$ ❶이므로

함수 $f(x)g(x)$는 $x=a$에서 연속이다.

STEP2 ㄴ의 연속 조사하기

ㄴ. [반례] $f(x)=x^2$, $g(x)=-2x+1$이면 두 함수 $f(x)$, $g(x)$

는 $x=1$에서 연속이다.

그런데 함수 $\dfrac{g(x)}{f(x)+g(x)}=\dfrac{-2x+1}{(x-1)^2}$은 $x=1$에서 함숫값

이 정의되지 않으므로 $x=1$에서 불연속이다. ❷

STEP3 ㄷ의 연속 조사하기

ㄷ. $\displaystyle\lim_{x\to a}\{f(x)-g(x)\}=\lim_{x\to a}f(x)-\lim_{x\to a}g(x)=f(a)-g(a)$

이므로 함수 $f(x)-g(x)$는 $x=a$에서 연속이다.

STEP4 ㄹ의 연속 조사하기

ㄹ. [반례] $f(x)=(x-1)^2$, $g(x)=\begin{cases}1 & (x\neq 0)\\ -1 & (x=0)\end{cases}$ 이면 함수

$f(x)$, $g(x)$는 $x=1$에서 연속이다.

그런데 $g(f(1))=g(0)=-1$,

$\displaystyle\lim_{x\to 1}g(f(x))=\lim_{x\to 0+}g(x)=1$이므로

$g(f(1))\neq\displaystyle\lim_{x\to 1}g(f(x))$

따라서 함수 $g(f(x))$는 $x=1$에서 불연속이다. ❸

따라서 $x=a$에서 항상 연속인 함수는 ㄱ, ㄷ이다.

❶ $f(x)$, $g(x)$가 $x=a$에서 연속
이므로
$\displaystyle\lim_{x\to a}f(x)=f(a)$,
$\displaystyle\lim_{x\to a}g(x)=g(a)$

❷ $f(a)=-g(a)$일 때, 함수
$\dfrac{g(x)}{f(x)+g(x)}$는 $x=a$에서
함숫값이 정의되지 않으므로
함수 $\dfrac{g(x)}{f(x)+g(x)}$는 $x=a$
에서 불연속이다.

❸ 함수 $g(f(x))$가 $x=a$에서 연
속이려면
$\displaystyle\lim_{x\to a}g(f(x))=g(f(a))$이어
야 한다.
즉, 함수 $g(x)$는 $x=f(a)$에
서 연속이어야 한다는 조건이
필요하므로 함수 $g(f(x))$는
$x=a$에서 항상 연속이라고 할
수 없다.

답 ㄱ, ㄷ

풍쌤 강의 NOTE

연속인 두 함수 $f(x)$, $g(x)$가 주어지면 두 함수의 합, 차, 곱의 함수는 연속이지만 분수 형태나 합성
함수 형태의 함수는 불연속일 수 있으므로 주의한다.

① 항상 연속인 함수: $f(x)\pm g(x)$, $f(x)g(x)$

② 불연속일 수 있는 함수: $\dfrac{f(x)}{g(x)}$, $f(g(x))$, $g(f(x))$

07-1 유사

함수 $f(x)$가 $x=a$에서 연속일 때, 다음 함수 중 $x=a$에서 항상 연속이라고 할 수 <u>없는</u> 것은?

(단, $f(a) \neq 0$)

① $y=f(x)\{f(x)-4\}$　② $y=\dfrac{a}{f(x)}$

③ $y=f(f(x))$　　　④ $y=ax^2+f(x)$

⑤ $y=|f(x)|$

07-2 변형

두 함수 $f(x)=x^2-4$, $g(x)=x^2-3x-4$에 대하여 다음 함수가 연속인 구간을 구하여라.

(1) $\{f(x)\}^2 g(x)$

(2) $\dfrac{f(x)}{g(x)}$

(3) $\dfrac{1}{f(x)-g(x)}$

07-3 변형

함수 $y=f(x)$의 그래프가 오른쪽 그림과 같고 $g(x)=x^2-x$일 때, 다음 |보기| 중 $x=-1$에서 연속인 함수만을 있는 대로 골라라.

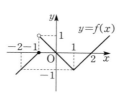

┌─|보기|─────────────────┐

ㄱ. $f(x)+g(x)$　　　ㄴ. $f(x)g(-x)$

ㄷ. $\dfrac{f(x)}{g(x)}$　　　ㄹ. $g(f(x))$

└────────────────────────┘

07-4 변형

두 함수 $f(x)$, $g(x)$가 $f(x)=\begin{cases} x+2 & (x<1) \\ -x+a & (x \geq 1) \end{cases}$, $g(x)=x-2$일 때, 함수 $\dfrac{f(x)}{g(x)}$가 $x=1$에서 연속이 되도록 하는 상수 a의 값을 구하여라.

07-5 변형

두 함수 $f(x)=x^2-9x+20$, $g(x)=x^2-6x+8$에 대하여 함수 $\dfrac{g(x)}{f(x)}$가 $x=a$에서 불연속이 되도록 하는 모든 상수 a의 값의 합을 구하여라.

07-6 변형

두 함수 $f(x)=x-1$, $g(x)=x^2+4x+k$에 대하여 함수 $\dfrac{f(x)}{g(x)}$가 구간 $(-\infty, \infty)$에서 연속일 때, 정수 k의 최솟값을 구하여라.

주어진 구간에서 다음 함수 $f(x)$의 최댓값과 최솟값을 각각 구하여라.

(1) $f(x) = \sqrt{2x-3}$ $[2, 6]$

(2) $f(x) = -x^2 + 4x - 7$ $(1, 4)$

풍쌤 POINT

함수 $f(x)$가 닫힌구간 $[a, b]$에서 연속이면 $f(x)$는 이 구간에서 반드시 최댓값과 최솟값을 가지니까 함수 $f(x)$와 닫힌구간이 주어졌을 때, 함수 $f(x)$가 닫힌구간에서 연속인지 먼저 확인해야 해! 연속이 아닌 함수가 주어지거나 닫힌구간이 아닌 구간이 주어지더라도 최댓값과 최솟값이 존재할 수 있으니까 반드시 확인해 봐.

풀이

(1) 함수 $f(x) = \sqrt{2x-3}$은 닫힌구간 $[2, 6]$에서 연속이므로 최대 · 최소 정리에 의하여 닫힌구간 $[2, 6]$에서 최댓값과 최솟값을 모두 갖고 이 구간에서 함수 $y = f(x)$의 그래프는 오른쪽 그림과 같다.

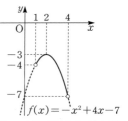

따라서 함수 $f(x)$는 $x = 6$에서 최댓값 3, $x = 2$에서 최솟값 1 을 갖는다.

(2) $f(x) = -x^2 + 4x - 7$
$\qquad = -(x-2)^2 - 3$

이므로 함수 $f(x)$는 열린구간 $(1, 4)$에서 연속이고 이 구간에서 함수 $y = f(x)$의 그래프는 오른쪽 그림과 같다.

따라서 함수 $f(x)$는 $x = 2$에서 최댓값 -3을 갖지만 최솟값은 갖지 않는다.❶

❶ $x = 4$를 구간이 포함하지 않으므로 $f(x)$는 최솟값을 갖지 않는다.

답 (1) 최댓값: 3, 최솟값: 1 (2) 최댓값: -3, 최솟값: 없다.

풍쌤 강의 NOTE

닫힌구간이 아니거나 연속이 아닌 함수인 경우에 최댓값 또는 최솟값이 존재하지 않을 수 있다.

최댓값은 없다.

최솟값은 없다.

최댓값, 최솟값은 없다.

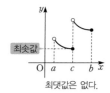
최댓값은 없다.

08-1 ⊙유사

주어진 구간에서 다음 함수 $f(x)$의 최댓값과 최솟값을 각각 구하여라.

(1) $f(x)=\sqrt{2x-4}$ $[2, 4]$

(2) $f(x)=1-\sqrt{x+2}$ $[2, 7]$

08-2 ⊙유사

주어진 구간에서 다음 함수 $f(x)$의 최댓값과 최솟값을 각각 구하여라.

(1) $f(x)=x^2+2x-1$ $[-2, 1]$

(2) $f(x)=\dfrac{2x+4}{x+1}$ $[-4, -2]$

(3) $f(x)=\dfrac{4}{x-2}$ $(2, 4]$

08-3 ⊙변형

주어진 구간에서 다음 함수 $f(x)$의 최댓값과 최솟값을 각각 구하여라.

(1) $f(x)=|x|$ $[-1, 2]$

(2) $f(x)=|x^2-2|$ $[-1, 2]$

08-4 ⊙변형

함수 $y=f(x)$의 그래프가 오른쪽 그림과 같을 때, 다음 주어진 구간에서 함수 $f(x)$의 최댓값과 최솟값을 각각 구하여라.

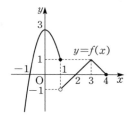

(1) $[-1, 1]$

(2) $(1, 4]$

08-5 ⊙변형

두 함수 $f(x)=\dfrac{2}{x-5}$, $g(x)=2x+1$에 대하여 닫힌구간 $[-1, 1]$에서 다음 함수의 최댓값과 최솟값을 각각 구하여라.

(1) $f(g(x))$

(2) $g(f(x))$

08-6 ⊙실력

닫힌구간 $[a, b]$에서 두 함수 $f(x)=\dfrac{k}{x+1}$, $g(x)=\sqrt{2x-1}$의 최댓값이 3, 최솟값이 1일 때, 세 상수 a, b, k에 대하여 $a+b+k$의 값을 구하여라.

다음 물음에 답하여라.

(1) 함수 $f(x)=x^3-3x^2+4$에 대하여 $f(c)=2$를 만족시키는 c가 열린구간 $(2, 3)$에 적어도 하나 존재함을 보여라.

(2) 방정식 $x^3+2x-6=0$이 열린구간 $(1, 2)$에서 적어도 하나의 실근을 가짐을 보여라.

(3) 방정식 $x^2-2x+a=0$이 열린구간 $(-1, 1)$에서 적어도 하나의 실근을 갖도록 하는 상수 a의 값의 범위를 구하여라.

풍쌤 POINT

함수 $f(x)$가 닫힌구간 $[a, b]$에서 연속이고 $f(a)\neq f(b)$이면 $f(a)$와 $f(b)$ 사이에 있는 임의의 값 k에 대하여 $f(c)=k$인 c가 a와 b 사이에 적어도 하나 존재해!

풀이

(1) $f(x)$가 다항함수이므로 닫힌구간 $[2, 3]$에서 연속이다.

$f(2)=0$, $f(3)=4$, 즉 $f(2)\neq f(3)$이고 $f(2)<2<f(3)$이므로 사잇값의 정리에 의하여 $f(c)=2$인 c가 열린구간 $(2, 3)$에 적어도 하나 존재한다.

(2) $f(x)=x^3+2x-6$으로 놓으면 함수 $f(x)$는 다항함수이므로 닫힌구간 $[1, 2]$에서 연속이다.

$f(1)=-3<0$, $f(2)=6>0$이므로 사잇값의 정리에 의하여 방정식 $f(x)=0$은 열린구간 $(1, 2)$에서 적어도 하나의 실근을 갖는다.❶

❶ $f(1)<0<f(2)$이므로 $f(1)$과 $f(2)$ 사이에 있는 0에 대하여 $f(x)=0$인 x의 값이 존재한다.

(3) **STEP1 사잇값의 정리 조건 확인하기**

$f(x)=x^2-2x+a$로 놓으면 함수 $f(x)$는 다항함수이므로 닫힌구간 $[-1, 1]$에서 연속이다.

STEP2 a의 값의 범위 구하기

이때 $f(-1)=a+3$, $f(1)=a-1$이고 사잇값의 정리에 의하여 방정식 $f(x)=0$이 열린구간 $(-1, 1)$에서 적어도 하나의 실근을 가지려면

$f(-1)f(1)<0$이어야 하므로

$(a+3)(a-1)<0$ ∴ $-3<a<1$

답 (1) 풀이 참조 (2) 풀이 참조 (3) $-3<a<1$

풍쌤 강의 NOTE

함수 $f(x)$가 닫힌구간 $[a, b]$에서 연속이고 $f(a)$와 $f(b)$의 부호가 서로 다르면, 즉 $f(a)f(b)<0$이면 방정식 $f(x)=0$은 열린구간 (a, b)에서 적어도 하나의 실근을 갖는다.

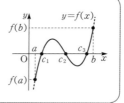

09-1 유사

방정식 $-x^3+2x=0$이 열린구간 $(-2, -1)$에서 적어도 하나의 실근을 가짐을 보여라.

09-2 유사

방정식 $x^4-2x^3+ax-2=0$이 열린구간 $(1, 2)$에서 적어도 하나의 실근을 갖도록 하는 상수 a의 값의 범위를 구하여라.

09-3 변형   기출

두 함수 $f(x)=x^5+x^3-3x^2+k$, $g(x)=x^3-5x^2+3$에 대하여 열린구간 $(1, 2)$에서 방정식 $f(x)=g(x)$가 적어도 하나의 실근을 갖도록 하는 정수 k의 개수를 구하여라.

09-4 변형

방정식 $x^3-3x-9=0$은 하나의 실근을 갖는다. 이 방정식의 실근이 열린구간 $(n, n+1)$에 존재할 때, 자연수 n의 값을 구하여라.

09-5 변형

방정식 $x^3-3x^2+4x+3=0$이 오직 하나의 실근을 가질 때, 다음 중 이 방정식의 실근이 존재하는 구간은?

① $(-2, -1)$ ② $(-1, 0)$ ③ $(0, 1)$
④ $(1, 2)$ ⑤ $(2, 3)$

09-6 변형

다항함수 $f(x)$에 대하여
$$f(-1)=a^2-4a+3, \; f(2)=a^2-a-6$$
이다. 방정식 $f(x)=0$이 중근이 아닌 오직 하나의 실근을 가질 때, 이 실근이 열린구간 $(-1, 2)$에 존재하도록 하는 a의 값의 범위가 $\alpha<a<\beta$일 때, $\alpha+\beta$의 값을 구하여라.

다음 물음에 답하여라.

(1) 연속함수 $f(x)$에 대하여 $f(0)f(2)<0$, $f(3)f(4)<0$일 때, 방정식 $f(x)=0$은 적어 도 몇 개의 실근을 갖는지 구하여라.

(2) 연속함수 $f(x)$에 대하여 $f(-2)=-2$, $f(-1)=2$, $f(0)=4$, $f(1)=-2$, $f(2)=4$, $f(3)=6$일 때, 방정식 $f(x)=0$은 적어도 n개의 실근을 갖는다. 이때 n의 값을 구하여 라.

풍쌤 POINT

사잇값의 정리를 이용하여 실근의 개수를 구할 때는 함숫값의 부호만 파악하면 돼!

풀이

(1) 함수 $f(x)$는 모든 실수 x에서 연속이고
$f(0)f(2)<0$, $f(3)f(4)<0$이므로 사잇값의 정리에 의하여
방정식 $f(x)=0$은 열린구간 $(0, 2)$, $(3, 4)$에서 각각 적어도
하나의 실근을 갖는다.
따라서 방정식 $f(x)=0$은 적어도 2개의 실근을 갖는다.

(2) **STEP1 사잇값의 정리의 조건 확인하기**
함수 $f(x)$는 모든 실수 x에서 연속이고
$f(-2)=-2<0$, $f(-1)=2>0$이므로 사잇값의 정리에 의
하여 방정식 $f(x)=0$은 열린구간 $(-2, -1)$에서 적어도 하
나의 실근을 갖는다.
또, $f(0)=4>0$, $f(1)=-2<0$이므로 사잇값의 정리에 의
하여 방정식 $f(x)=0$은 열린구간 $(0, 1)$에서 적어도 하나의
실근을 갖는다.
마찬가지로 $f(1)=-2<0$, $f(2)=4>0$이므로 사잇값의 정
리에 의하여 방정식 $f(x)=0$은 열린구간 $(1, 2)$에서 적어도
하나의 실근을 갖는다.

STEP2 n의 값 구하기
따라서 방정식 $f(x)=0$은 적어도 3개의 실근을 갖는다. ❶
$\therefore n=3$

❶ 곱해서 음수가 되는 두 함숫값 의 쌍의 개수가 실근의 최소 개 수와 같다.

📖 (1) 2개 (2) 3

풍쌤 강의 NOTE

함숫값의 부호가 구간의 양 끝 점에서 달라지면 해당 구간에서 적어도 하나의 실근을 갖는다.

10-1 ⦿유사

연속함수 $f(x)$에 대하여 $f(-1)=1, f(0)=2,$ $f(1)=-2, f(2)=-1, f(3)=1$일 때, 열린구간 $(-1, 3)$에서 방정식 $f(x)=0$은 적어도 몇 개의 실근을 갖는지 구하여라.

10-2 ⦿변형

연속함수 $f(x)$가 모든 실수 x에 대하여 $f(x)=-f(-x)$를 만족시키고 $f(1)f(2)<0,$ $f(2)f(3)<0$일 때, 방정식 $f(x)=0$은 적어도 몇 개의 실근을 갖는지 구하여라.

10-3 ⦿변형

연속함수 $f(x)$에 대하여 함수 $y=f(x)$의 그래프가 네 점 $(0, 1), (1, 0), (2, 6), (4, 14)$를 지날 때, 두 함수 $y=f(x)$와 $y=x^2$의 그래프는 열린구간 $(0, 4)$에서 적어도 몇 개의 교점을 갖는지 구하여라.

10-4 ⦿변형

닫힌구간 $[0, 3]$에서 연속인 두 함수 $f(x), g(x)$가 다음 조건을 만족시킨다.

> (가) $f(0)>0, f(0)f(1)>0, f(1)f(2)<0,$
> $f(2)f(3)<0$
> (나) $g(0)<0, g(1)>0, g(2)<0, g(3)<0$

열린구간 $(0, 3)$에서 방정식 $f(x)=0$은 적어도 a개의 실근을 갖고, 방정식 $f(x)g(x)=0$은 적어도 b개의 실근을 가질 때, $a+b$의 값을 구하여라.

10-5 ⦿실력

다항함수 $f(x)$가 다음 조건을 모두 만족시킬 때, 방정식 $f(x)=0$은 닫힌구간 $[-3, 1]$에서 적어도 몇 개의 실근을 갖는지 구하여라.

> (가) $\lim_{x \to 1} \dfrac{f(x)}{x-1}=\dfrac{1}{2}$
> (나) $\lim_{x \to -3} \dfrac{f(x)}{x+3}=\dfrac{1}{2}$

실전 연습 문제

01 기출

두 함수 $f(x)=\begin{cases}(x-1)^2 & (x\neq1)\\ 1 & (x=1)\end{cases}$, $g(x)=2x+k$

에 대하여 함수 $f(x)g(x)$가 실수 전체의 집합에서
연속이 되도록 하는 상수 k의 값은?

① -2 ② -1 ③ 0

④ 1 ⑤ 2

02

함수 $f(x)=\begin{cases}-1 & (x\leq-1)\\ x & (-1<x<1)\\ 1 & (x\geq1)\end{cases}$ 일 때, 다음 |보기|

에서 옳은 것만을 있는 대로 고른 것은?

┤보기├
ㄱ. $\displaystyle\lim_{x\to1-}\{f(x)+f(-x)\}=0$
ㄴ. 함수 $f(x)+f(-x)$는 $x=1$에서 연속이다.
ㄷ. 함수 $f(x)+f(-x)$는 실수 전체의 집합에서
　　연속이다.

① ㄱ   ② ㄱ, ㄴ   ③ ㄱ, ㄷ

④ ㄴ, ㄷ   ⑤ ㄱ, ㄴ, ㄷ

03 기출

함수 $y=f(x)$의 그래프가 오른쪽
그림과 같다. 일차함수 $g(x)$에 대
하여 $g(0)=\displaystyle\lim_{x\to1-}f(x)$이고
$f(x)g(x)$가 실수 전체의 집합에
서 연속일 때, $g(-1)$의 값은?

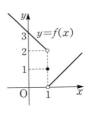

① 0 ② 2 ③ 4

④ 6 ⑤ 8

04 기출

두 함수 $f(x)=\begin{cases}3x+a & (x<1)\\ x^2-x+2a & (x\geq1)\end{cases}$,

$g(x)=x^2+ax+3$에 대하여 합성함수 $(g\circ f)(x)$
가 실수 전체의 집합에서 연속이 되도록 하는 모든 상
수 a의 값의 합은?

① $\dfrac{7}{4}$ ② $\dfrac{15}{8}$ ③ 2

④ $\dfrac{17}{8}$ ⑤ $\dfrac{9}{4}$

05 서술형✎

두 함수 $y=f(x)$, $y=g(x)$의 그래프가 다음 그림과
같다. 함수 $(g\circ f)(x)$가 불연속인 점의 개수를 a, 불
연속인 점 중에서 극한값이 존재하는 점의 개수를 b라
고 할 때, $a+b$의 값을 구하여라.

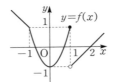 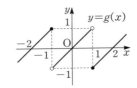

06

함수 $f(x)=\begin{cases} x^2+b & (x<-1) \\ ax+2 & (x\geq-1) \end{cases}$ 가 $x=-1$에서 연속

이 되도록 하는 두 상수 a, b에 대하여 $a+b$의 값은?

① 1   ② 2   ③ 3

④ 4   ⑤ 5

07

함수 $f(x)=\begin{cases} -2x-2 & (x<a) \\ -x^2+6 & (x\geq a) \end{cases}$ 이 $x=a$에서 연속이

되도록 하는 실수 a의 값을 모두 구하면? (정답 2개)

① -4 ② -2 ③ 0

④ 2   ⑤ 4

08

기출

함수 $f(x)=\begin{cases} x(x-2) & (x\leq1) \\ x(x-2)+16 & (x>1) \end{cases}$ 에 대하여 함수

$f(x)\{f(x)-a\}$가 실수 전체의 집합에서 연속이 되

도록 하는 상수 a의 값은?

① 10   ② 12   ③ 14

④ 16   ⑤ 18

09 서술형 ✎

함수 $f(x)=\begin{cases} 2x+c & (x\leq-2) \\ ax+2 & (-2<x<1) \\ x^2-b & (x\geq1) \end{cases}$ 가 실수 전체의

집합에서 연속일 때, 세 상수 a, b, c에 대하여

$3a+b+c$의 값을 구하여라.

10

함수 $f(x)=x^2+x+k$에 대하여 함수 $g(x)$를

$g(x)=\begin{cases} f(x+1) & (x\leq0) \\ f(x) & (x>0) \end{cases}$ 라고 하자. 함수 $\{g(x)\}^2$

이 $x=0$에서 연속일 때, 상수 k의 값은?

① -2 ② -1 ③ 0

④ 1   ⑤ 2

11

함수 $f(x)=\begin{cases} \dfrac{x^2+ax+3}{x+1} & (x\neq-1) \\ b & (x=-1) \end{cases}$ 가 $x=-1$에

서 연속이 되도록 하는 두 상수 a, b에 대하여 a^2+b^2

의 값은?

① 8   ② 13   ③ 17

④ 20   ⑤ 25

12

모든 실수 x에서 연속인 함수 $f(x)$가
$(x^2-1)f(x)=x^3-2x^2-x+2$를 만족시킬 때, $f(-1)f(1)$의 값을 구하여라.

13 기출

원 $x^2+y^2=t^2$과 직선 $y=1$이 만나는 점의 개수를 $f(t)$라고 하자. 함수 $(x+k)f(x)$가 구간 $(0, \infty)$에서 연속일 때, $f(1)+k$의 값은? (단, k는 상수이다.)

① -2 ② -1 ③ 0
④ 1 ⑤ 2

14

다음 함수 중에서 닫힌구간 $[-2, 2]$에서 최대 · 최소 정리의 역이 성립하지 않음을 보이는 예로 알맞은 것은?

① $f(x)=x^2+2x-1$ ② $f(x)=\dfrac{1}{x}$

③ $f(x)=\sqrt{x+3}$ ④ $f(x)=|x+1|$

⑤ $f(x)=\begin{cases} -x-1 & (x<0) \\ x^2-2x+2 & (x\geq 0) \end{cases}$

15 서술형 ✏

모든 실수 x에서 연속인 함수 $f(x)$에 대하여 $f(0)=1$, $f(1)=a^2-2a-5$, $f(2)=-1$이다. 열린구간 $(0, 1)$과 열린구간 $(1, 2)$에 대하여 두 함수 $y=f(x)$, $y=x^2-3x$의 그래프가 각 구간에서 적어도 하나의 교점을 갖도록 하는 실수 a의 값의 범위를 구하여라.

16 기출

P 역을 출발하여 Q 역에 도착한 기차가 있다. 세 지점 A, B, C를 차례로 통과할 때의 속력은 각각 시속 100 km, 시속 130 km, 시속 80 km이었다. 다음 중 각 구간에서의 기차의 속력에 대한 설명으로 옳은 것은?

```
P      A    B          C  Q
●──────●────●──────────●──●
```

① 구간 AB에서 시속 110 km인 지점이 적어도 두 곳 있었다.
② 구간 AB에서 시속 140 km인 지점이 적어도 한 곳 있었다.
③ 구간 AC에서 시속 110 km인 지점이 적어도 두 곳 있었다.
④ 구간 BC에서 시속 90 km인 지점이 적어도 세 곳 있었다.
⑤ 구간 BC에서 시속 110 km인 지점이 적어도 두 곳 있었다.

상위권 도약 문제

01 [기출]

이차함수 $f(x)$가 다음 조건을 만족시킨다.

> (가) 함수 $\dfrac{x}{f(x)}$는 $x=1$, $x=2$에서 불연속이다.
>
> (나) $\displaystyle\lim_{x \to 2}\dfrac{f(x)}{x-2}=4$

$f(4)$의 값을 구하여라.

02

함수 $f(x)$는 모든 실수 x에 대하여 $f(x)=f(x+4)$ 를 만족시키고 $f(x)=\begin{cases} x^2+ax & (-2 \le x < 1) \\ -3x+b & (1 \le x \le 2) \end{cases}$ 이다. 함수 $f(x)$가 실수 전체의 집합에서 연속일 때, 두 상수 a, b에 대하여 $a+b+f(b-7)$의 값을 구하여라.

03

두 함수 $f(x)=\begin{cases} ax+5 & (x<3) \\ x-4 & (x \ge 3) \end{cases}$, $g(x)=x^2+bx-6$ 에 대하여 $a=k_1$이거나 $b=k_2$이면 함수 $f(x)g(x)$ 가 $x=3$에서 연속이다. 이때 $k_1^2+k_2^2$의 값을 구하여라. (단, a, b는 상수이다.)

04 [기출]

함수 $f(x)=\begin{cases} x+1 & (x \le 0) \\ -\dfrac{1}{2}x+7 & (x>0) \end{cases}$ 에 대하여 함수 $f(x)f(x-a)$가 $x=a$에서 연속이 되도록 하는 모든 실수 a의 값의 합을 구하여라.

05

기출

닫힌구간 $[-1, 2]$에서 정의된 함수 $y=f(x)$의 그래프가 다음 그림과 같다.

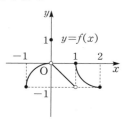

닫힌구간 $[-1, 2]$에서 두 함수 $g(x)$, $h(x)$를

$$g(x)=\frac{f(x)+|f(x)|}{2}, \; h(x)=\frac{f(x)-|f(x)|}{2}$$

로 정의할 때, |보기|에서 옳은 것만을 있는 대로 골라라.

|보기|

ㄱ. $\lim\limits_{x \to 1} h(x)$는 존재한다.

ㄴ. 함수 $(h \circ g)(x)$는 닫힌구간 $[-1, 2]$에서 연속이다.

ㄷ. $\lim\limits_{x \to 0}(g \circ h)(x)=(g \circ h)(0)$

06

기출

2가 아닌 양수 a에 대하여 함수

$$f(x)=\begin{cases} (x-a)^2 & (x \le a) \\ (x-2)(x-a) & (x > a) \end{cases}$$

가 다음 조건을 만족시킬 때, $f(3a)$의 값은?

㉮ $f(c)=0$인 c가 0과 $1+\dfrac{a}{2}$ 사이에 적어도 하나 존재한다.

㉯ 세 점

$$\left(2, f(2)\right), \left(a, f(a)\right), \left(1+\frac{a}{2}, f\left(1+\frac{a}{2}\right)\right)$$

를 꼭짓점으로 하는 삼각형의 넓이는 $\dfrac{1}{8}$이다.

① 2   ② 4   ③ 8
④ 16   ⑤ 32

07

다항함수 $f(x)$에 대하여

$$f(0)=-2, \; f(1)=3, \; f(2)=4, \; f(3)=2$$

가 성립할 때, 방정식 $f(2x-1)-2x=0$의 실근의 최소 개수를 구하여라.

03

미분계수와 도함수

03 미분계수와 도함수

개념 01 평균변화율

(1) 평균변화율: 함수 $y=f(x)$에서 x의 값이 a에서 b까지 변할 때, 평균변화율은
$$\frac{\Delta y}{\Delta x}=\frac{f(b)-f(a)}{b-a}=\frac{f(a+\Delta x)-f(a)}{\Delta x}$$

(2) 평균변화율의 기하적 의미

평균변화율은 두 점 $P(a, f(a))$, $Q(b, f(b))$를 지나는 직선 PQ의 기울기와 같다.

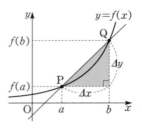

> Δ는 차를 뜻하는 'Difference'의 첫 글자 D에 해당하는 그리스 문자로 'delta(델타)'라고 읽는다.

> Δx는 x의 증분을 나타내는 기호이다.

확인 01 다음 함수의 주어진 구간에서 평균변화율을 구하여라.

(1) $f(x)=2x+3$ $[2, 3]$ (2) $f(x)=x^2$ $[-1, 2]$

개념 02 미분계수

(1) 미분계수(순간변화율)

① 함수 $y=f(x)$에서 x의 값이 a에서 $a+\Delta x$까지 변할 때의 평균변화율 $\frac{\Delta y}{\Delta x}=\frac{f(a+\Delta x)-f(a)}{\Delta x}$에 대하여 $\Delta x \longrightarrow 0$일 때, 극한값이 존재하면 $x=a$에서 함수 $y=f(x)$가 미분가능하다고 하며, 이때 이 극한값을 미분계수 또는 순간변화율이라고 한다.

② 함수 $y=f(x)$의 $x=a$에서의 미분계수(또는 순간변화율) $f'(a)$는
$$f'(a)=\lim_{\Delta x\to 0}\frac{f(a+\Delta x)-f(a)}{\Delta x}=\lim_{h\to 0}\frac{f(a+h)-f(a)}{h}$$
$$=\lim_{x\to a}\frac{f(x)-f(a)}{x-a}$$

(2) 미분계수의 기하적 의미

함수 $y=f(x)$의 $x=a$에서의 미분계수 $f'(a)$는 곡선 $y=f(x)$ 위의 점 $(a, f(a))$에서의 접선의 기울기와 같다.

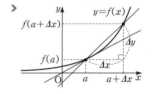

확인 02 다음 함수의 주어진 x의 값에서의 미분계수를 구하여라.

(1) $f(x)=3x-1$, $x=2$ (2) $f(x)=x^2$, $x=3$

개념 03 미분가능성과 연속성

(1) 미분가능성과 연속성

함수 $f(x)$가 $x=a$에서 미분가능하면 $f(x)$는 $x=a$에서 연속이다.
그러나 그 역은 성립하지 않는다.

> 미분가능하지 않은 경우

함수 $y=f(x)$가 $x=a$에서 불연속이면 $x=a$에서 미분가능하지 않다.

(2) 함수 $f(x)$가 $x=a$에서 미분가능하면

　① $x=a$에서 연속이므로 $\lim\limits_{x \to a} f(x)=f(a)$

　② 미분계수 $f'(a)$가 존재하므로

$$\lim_{h \to 0+} \frac{f(a+h)-f(a)}{h}=\lim_{h \to 0-} \frac{f(a+h)-f(a)}{h}$$

확인 03 함수 $f(x)=|x-1|$에 대하여 다음 물음에 답하여라.

　(1) 함수 $f(x)$의 $x=1$에서의 연속성을 조사하여라.

　(2) 함수 $f(x)$의 $x=1$에서의 미분가능성을 조사하여라.

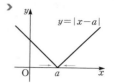

함수 $f(x)=|x|$는 $x=a$에서 연속이지만 우미분계수와 좌미분계수가 다르므로 $x=a$에서 미분가능하지 않다.

개념 04　도함수

(1) 도함수

　① 함수 $y=f(x)$가 정의역에 속하는 모든 x의 값에서 미분가능할 때, 각각의 x의 값에 미분계수 $f'(x)$를 대응시키는 함수 $f': x \longrightarrow f'(x)$를 $f(x)$의 도함수라고 한다. 즉,

$$f'(x)=\lim_{\Delta x \to 0} \frac{f(x+\Delta x)-f(x)}{\Delta x}$$

　② $f'(x)$를 y', $\dfrac{dy}{dx}$, $\dfrac{d}{dx}f(x)$ 등의 기호로 나타내고 함수 $f(x)$에서 도함수 $f'(x)$를 구하는 것을 $f(x)$를 x에 대하여 미분한다고 한다.

(2) 함수 $y=x^n$ (n은 양의 정수)의 도함수

　① $y=x^n$ ($n \geq 2$인 정수) ➡ $y'=nx^{n-1}$

　② $y=x$ ➡ $y'=1$

　③ $y=c$ (c는 상수) ➡ $y'=0$

확인 04 다음 함수를 미분하여라.

　(1) $y=-2x$　　　　　　　(2) $y=x^2$

　(3) $y=3x^7$　　　　　　　(4) $y=-1$

$f'(x)$를 다음과 같이 나타낼 수 있다.

$$f'(x)=\lim_{t \to x} \frac{f(t)-f(x)}{t-x}$$
$$=\lim_{h \to 0} \frac{f(x+h)-f(x)}{h}$$

$\dfrac{dy}{dx}$는 y를 x에 대하여 미분한다는 것을 뜻하고 '디와이 디엑스'라고 읽는다.

개념 05　함수의 미분법

(1) 함수의 실수배, 합, 차의 미분법

　두 함수 $f(x)$, $g(x)$가 미분가능할 때

　① $\{cf(x)\}'=cf'(x)$ (단, c는 상수이다.)

　② $\{f(x) \pm g(x)\}'=f'(x) \pm g'(x)$ (복부호동순)

(2) 함수의 곱의 미분법

　두 함수 $f(x)$, $g(x)$가 미분가능할 때

　① $\{f(x)g(x)\}'=f'(x)g(x)+f(x)g'(x)$

　② $[\{f(x)\}^n]'=n\{f(x)\}^{n-1}f'(x)$ (단, n은 양의 정수이다.)

확인 05 다음 함수를 미분하여라.

　(1) $y=x^2+3x$　　　　　　(2) $y=5x^3+4x^2-2x+3$

　(3) $y=(x+1)(x+2)$　　　　(4) $y=(2x+1)(x^3+x)$

다음 물음에 답하여라.

(1) 함수 $f(x)=x^2-2x-3$에 대하여 x의 값이 0에서 a까지 변할 때의 평균변화율이 1일 때, 상수 a의 값을 구하여라.

(2) 함수 $f(x)=x^2$에 대하여 x의 값이 2에서 $2+h$까지 변할 때의 평균변화율이 6일 때, 상수 h의 값을 구하여라.

(3) 함수 $f(x)=x^2+2x$에 대하여 x의 값이 -1에서 2까지 변할 때의 평균변화율과 $x=a$에서의 미분계수가 같을 때, 상수 a의 값을 구하여라.

풍쌤 POINT

함수 $y=f(x)$에서 x의 값이 a에서 b까지 변할 때, 평균변화율은

$$\frac{\Delta y}{\Delta x}=\frac{f(b)-f(a)}{b-a}=\frac{f(a+\Delta x)-f(a)}{\Delta x} \text{ (단, } \Delta x=b-a)$$

함수 $y=f(x)$의 $x=a$에서의 미분계수는

$$f'(a)=\lim_{\Delta x \to 0}\frac{f(a+\Delta x)-f(a)}{\Delta x}=\lim_{x \to a}\frac{f(x)-f(a)}{x-a}$$

풀이

(1) x의 값이 0에서 a까지 변할 때의 함수 $f(x)$의 평균변화율은

$$\frac{f(a)-f(0)}{a-0}^{\text{❶}}=\frac{(a^2-2a-3)-(-3)}{a}=\frac{a^2-2a}{a}=a-2$$

따라서 $a-2=1$이므로 $a=3$

(2) x의 값이 2에서 $2+h$까지 변할 때의 함수 $f(x)$의 평균변화율은 $\dfrac{f(2+h)-f(2)}{(2+h)-2}=\dfrac{(2+h)^2-2^2}{h}=\dfrac{h^2+4h}{h}=h+4$

따라서 $h+4=6$이므로 $h=2$

(3) x의 값이 -1에서 2까지 변할 때의 함수 $f(x)$의 평균변화율은

$$\frac{f(2)-f(-1)}{2-(-1)}=\frac{8-(-1)}{3}=3$$

함수 $f(x)$의 $x=a$에서의 미분계수는

$$f'(a)=\lim_{h \to 0}\frac{f(a+h)-f(a)}{h}^{\text{❷}}$$

$$=\lim_{h \to 0}\frac{\{(a+h)^2+2(a+h)\}-(a^2+2a)}{h}$$

$$=\lim_{h \to 0}\frac{2ah+h^2+2h}{h}=\lim_{h \to 0}(2a+h+2)=2a+2^{\text{❸}}$$

따라서 $2a+2=3$이므로 $a=\dfrac{1}{2}$

답 (1) 3 (2) 2 (3) $\dfrac{1}{2}$

❶ x의 값이 0에서 a까지 변할 때, y의 값은 $f(0)$에서 $f(a)$까지 변한다.

❷ 미분계수는 평균변화율의 극한값이다.

❸ $\dfrac{0}{0}$ 꼴의 극한은 인수분해하여 약분한 후 극한값을 구한다.

풍쌤 강의 NOTE

함수 $y=f(x)$에 대하여 x의 값이 a에서 $a+\Delta x$까지 변할 때의 평균변화율은 $\dfrac{\Delta y}{\Delta x}=\dfrac{f(a+\Delta x)-f(a)}{\Delta x}$이고, 이때 $\Delta x \longrightarrow 0$이면 $x=a$에서의 순간변화율이다.

01-1 (유사)

함수 $f(x)=-x^2+2x+1$에 대하여 x의 값이 a에서 2까지 변할 때의 평균변화율이 2일 때, 상수 a의 값을 구하여라.

01-2 (유사)

함수 $f(x)=x^2+2x+3$에 대하여 x의 값이 0에서 $0+h$까지 변할 때의 평균변화율이 4일 때, 상수 h의 값을 구하여라.

01-3 (유사)

함수 $f(x)=x^2-4x+2$에 대하여 x의 값이 1에서 5까지 변할 때의 평균변화율과 $x=a$에서의 미분계수가 같을 때, 상수 a의 값을 구하여라.

01-4 (변형) 기출

함수 $f(x)=x(x+1)(x-2)$에서 x의 값이 -2에서 0까지 변할 때의 평균변화율과 x의 값이 0에서 a까지 변할 때의 평균변화율이 같을 때, 양수 a의 값을 구하여라.

01-5 (변형)

함수 $f(x)=x^2-3x+1$에 대하여 x의 값이 a에서 b까지 변할 때의 평균변화율과 $x=2$에서의 순간변화율이 같을 때, $a+b$의 값을 구하여라.

(단, a, b는 상수이다.)

01-6 (실력)

함수 $f(x)=ax^2+4x$에 대하여 x의 값이 $-a$에서 $2a$까지 변할 때의 평균변화율과 $x=a-1$에서의 미분계수가 같을 때, 양수 a의 값을 구하여라.

다음 물음에 답하여라.

(1) 곡선 $y = x^2 - 2x + 4$ 위의 점 $(-1, 7)$에서의 접선의 기울기를 구하여라.

(2) 함수 $f(x)$에 대하여 x의 값이 1에서 3까지 변할 때의 평균변화율이 5일 때, 두 점 $A(1, f(1))$, $B(3, f(3))$을 지나는 직선 AB의 기울기를 구하여라.

풍쌤 POINT

함수 $y = f(x)$에서 x의 값이 a에서 b까지 변할 때, 평균변화율은 곡선 $y = f(x)$ 위의 두 점 $A(a, f(a))$, $B(b, f(b))$를 잇는 직선 AB의 기울기야!

함수 $y = f(x)$의 $x = a$에서의 미분계수 $f'(a)$는 곡선 $y = f(x)$ 위의 점 $(a, f(a))$에서의 접선의 기울기야!

풀이

(1) $f(x) = x^2 - 2x + 4$로 놓으면 점 $(-1, 7)$에서의 접선의 기울기는 $f'(-1)$과 같으므로

$$\begin{aligned} f'(-1) &= \lim_{x \to -1} \frac{f(x) - f(-1)}{x - (-1)} \\ &= \lim_{x \to -1} \frac{(x^2 - 2x + 4) - 7}{x + 1} \\ &= \lim_{x \to -1} \frac{x^2 - 2x - 3}{x + 1} \\ &= \lim_{x \to -1} \frac{(x + 1)(x - 3)}{x + 1} ❶ \\ &= \lim_{x \to -1} (x - 3) \\ &= -4 \end{aligned}$$

❶ $\frac{0}{0}$ 꼴의 극한은 인수분해하여 약분한 후 극한값을 구한다.

(2) x의 값이 1에서 3까지 변할 때의 함수 $f(x)$의 평균변화율은 두 점 $A(1, f(1))$, $B(3, f(3))$을 지나는 직선 AB의 기울기❷와 같다.

따라서 직선 AB의 기울기는 5이다.

❷ 기울기는 $\frac{(y의 증가량)}{(x의 증가량)}$이다.

답 (1) -4 (2) 5

풍쌤 강의 NOTE

• 두 점 $(a, f(a))$, $(b, f(b))$를 이은 직선의 기울기를 평균변화율이라고 한다.

• 점 $(a, f(a))$에서의 접선의 기울기를 미분계수 또는 순간변화율이라고 한다.

02-1 유사

곡선 $y=-x^2+x+3$ 위의 다음 점에서의 접선의 기울기를 구하여라.

(1) $(-1,\ 1)$

(2) $(1,\ 3)$

02-2 변형

함수 $f(x)$에 대하여 두 점 $(1,\ f(1)),\ (2,\ f(2))$를 지나는 직선의 기울기가 -1, 두 점 $(2,\ f(2))$, $(3,\ f(3))$을 지나는 직선의 기울기가 3일 때, x의 값이 1에서 3까지 변할 때의 평균변화율을 구하여라.

02-3 변형

오른쪽 그림에서 이차함수 $y=f(x)$의 그래프의 꼭짓점의 x좌표는 1이다. 직선 AB의 기울기가 1일 때, x의 값이 -3에서 -1까지 변할 때의 함수 $f(x)$의 평균변화율을 구하여라.

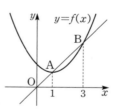

02-4 변형

곡선 $y=f(x)$ 위의 점 $(2,\ 2)$에서의 접선의 기울기가 3일 때, $\displaystyle\lim_{x\to 2}\dfrac{\{f(x)\}^2-2f(x)}{x-2}$ 의 값을 구하여라.

02-5 변형

함수 $y=f(x)$의 그래프가 오른쪽 그림과 같을 때, 세 수 $\dfrac{f(3)-f(1)}{3-1}$, $f'(1)$, $f'(3)$의 대소 관계를 비교하여라.

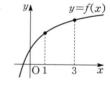

02-6 실력

함수 $y=f(x)$의 그래프는 오른쪽 그림과 같다. 함수 $f(x)$의 역함수를 $g(x)$라고 할 때, x의 값이 b에서 c까지 변할 때의 함수 $g(x)$의 평균변화율을 $a,\ b,\ c,\ d$를 사용하여 나타내어라.

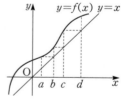

미분가능한 함수 $f(x)$에 대하여 다음을 구하여라.

(1) $f'(a)=2$일 때, $\lim\limits_{h \to 0} \dfrac{f(a+2h)-f(a)}{h}$ 의 값

(2) $f'(1)=-1$일 때, $\lim\limits_{h \to 0} \dfrac{f(1+4h)-f(1+2h)}{h}$ 의 값

(3) $f'(2)=3$일 때, $\lim\limits_{h \to 0} \dfrac{f(2+h)-f(2)}{2h}$ 의 값

(4) $f'(1)=2$이고 $\lim\limits_{h \to 0} \dfrac{f(1+ah)-f(1)}{h}=6$일 때, 상수 a의 값

풍쌤 POINT

$f'(a)$가 존재할 때, $\lim\limits_{h \to 0} \dfrac{f(a+h)-f(a)}{h}=f'(a)$임을 이용할 수 있도록 식을 변형해 봐!

풀이

(1) $\lim\limits_{h \to 0} \dfrac{f(a+2h)-f(a)}{h} = 2\lim\limits_{h \to 0} \dfrac{f(a+2h)-f(a)}{2h}$ **❶**

$\qquad\qquad\qquad\qquad = 2f'(a)=4$

> **❶** $f(a+2h)$의 $2h$를 분모에도 똑같이 만들어 주기 위해 분모, 분자에 2를 곱한다.

(2) $\lim\limits_{h \to 0} \dfrac{f(1+4h)-f(1+2h)}{h}$

$= \lim\limits_{h \to 0} \dfrac{f(1+4h)-f(1)-f(1+2h)+f(1)}{h}$ **❷**

$= \lim\limits_{h \to 0} \dfrac{f(1+4h)-f(1)}{h} - \lim\limits_{h \to 0} \dfrac{f(1+2h)-f(1)}{h}$

$= 4\lim\limits_{h \to 0} \dfrac{f(1+4h)-f(1)}{4h} - 2\lim\limits_{h \to 0} \dfrac{f(1+2h)-f(1)}{2h}$

$= 4f'(1)-2f'(1)=2f'(1)=-2$

> **❷** $f(1)$을 빼고 다시 더하여 식의 값이 변하지 않도록 한다.

(3) $\lim\limits_{h \to 0} \dfrac{f(2+h)-f(2)}{2h} = \dfrac{1}{2}\lim\limits_{h \to 0} \dfrac{f(2+h)-f(2)}{h}$

$\qquad\qquad\qquad\qquad = \dfrac{1}{2}f'(2)=\dfrac{3}{2}$

(4) $\lim\limits_{h \to 0} \dfrac{f(1+ah)-f(1)}{h} = \lim\limits_{h \to 0} \dfrac{f(1+ah)-f(1)}{ah} \times a$

$\qquad\qquad\qquad\qquad = af'(1)=2a$

즉, $2a=6$이므로 $a=3$

답 (1) 4　(2) -2　(3) $\dfrac{3}{2}$　(4) 3

풍쌤 강의 NOTE

$\lim\limits_{h \to 0} \dfrac{f(a+h)-f(a)}{h}=f'(a)$일 때, $\lim\limits_{\bigstar \to 0} \dfrac{f(a+\bigstar)-f(a)}{\bigstar}$에서 $\bigstar$가 서로 같도록 만들어 주어야 한다.

03-1 ◉유사

미분가능한 함수 $f(x)$에 대하여 $f'(a)=1$일 때, 다음 극한값을 구하여라.

(1) $\displaystyle\lim_{h\to 0}\frac{f(a-3h)-f(a)}{h}$

(2) $\displaystyle\lim_{h\to 0}\frac{f(a+3h)-f(a)}{2h}$

(3) $\displaystyle\lim_{h\to 0}\frac{f(a+h^3)-f(a)}{h}$

03-2 ◉유사

미분가능한 함수 $f(x)$에 대하여 $f'(4)=3$일 때, 다음 극한값을 구하여라.

(1) $\displaystyle\lim_{h\to 0}\frac{f(4+h)-f(4-h)}{h}$

(2) $\displaystyle\lim_{h\to 0}\frac{f(4+3h)-f(4-2h)}{h}$

(3) $\displaystyle\lim_{h\to 0}\frac{f(4+2h)-f(4-5h)}{3h}$

03-3 ◉유사

미분가능한 함수 $f(x)$에 대하여 $f'(3)=-2$이고 $\displaystyle\lim_{h\to 0}\frac{f(3+ah)-f(3)}{h}=8$일 때, 상수 a의 값을 구하여라.

03-4 ◉변형

함수 $f(x)$에 대하여 x의 값이 1에서 $1+h$까지 변할 때의 y의 증분 Δy는 $\Delta y=h^3+4h^2-2h$이다. $f'(1)$의 값을 구하여라.

03-5 ◉변형

다항함수 $f(x)$에 대하여 $f(a)=1$, $f'(a)=-2$일 때, $\displaystyle\lim_{h\to 0}\frac{1}{h}\left\{\frac{1}{f(a+h)}-\frac{1}{f(a)}\right\}$의 값을 구하여라.

03-6 ◉실력

미분가능한 함수 $f(x)$에 대하여 $f'(a)=5$일 때, $\displaystyle\lim_{t\to\infty}t\left\{f\left(a+\frac{2}{t}\right)-f\left(a-\frac{2}{t}\right)\right\}$의 값을 구하여라.

미분계수의 정의를 이용한 극한값의 계산: $\lim\limits_{x\to a}\dfrac{f(x)-f(a)}{x-a}$

다항함수 $f(x)$에 대하여 다음을 구하여라.

(1) $f(1)=3$, $f'(1)=5$일 때, $\lim\limits_{x\to 1}\dfrac{f(x)-xf(1)}{x-1}$의 값

(2) $f'(1)=3$일 때, $\lim\limits_{x\to 1}\dfrac{f(x^3)-f(1)}{x-1}$의 값

(3) $f'(3)=1$일 때, $\lim\limits_{x\to 3}\dfrac{f(x)-f(3)}{\sqrt{x}-\sqrt{3}}$의 값

풍쌤 POINT

$\lim\limits_{x\to a}\dfrac{f(x)-f(a)}{x-a}=f'(a)$임을 이용할 수 있도록 식을 변형해 봐!

풀이

(1) $\lim\limits_{x\to 1}\dfrac{f(x)-xf(1)}{x-1}$

$=\lim\limits_{x\to 1}\dfrac{f(x)-f(1)+f(1)-xf(1)}{x-1}$ ❶

$=\lim\limits_{x\to 1}\dfrac{f(x)-f(1)}{x-1}+\lim\limits_{x\to 1}\dfrac{-f(1)(x-1)}{x-1}$

$=f'(1)-f(1)=2$

❶ $f(1)$을 빼고 다시 더하여 식의 값이 변하지 않도록 한다.

(2) $\lim\limits_{x\to 1}\dfrac{f(x^3)-f(1)}{x-1}$

$=\lim\limits_{x\to 1}\left\{\dfrac{f(x^3)-f(1)}{(x-1)(x^2+x+1)}\times(x^2+x+1)\right\}$ ❷

$=\lim\limits_{x\to 1}\dfrac{f(x^3)-f(1)}{x^3-1}\times\lim\limits_{x\to 1}(x^2+x+1)$

$=f'(1)\times 3=9$

❷ 분모를 x^3-1로 만들기 위하여 분모, 분자에 x^2+x+1을 곱한다.

(3) $\lim\limits_{x\to 3}\dfrac{f(x)-f(3)}{\sqrt{x}-\sqrt{3}}$

$=\lim\limits_{x\to 3}\left\{\dfrac{f(x)-f(3)}{(\sqrt{x}-\sqrt{3})(\sqrt{x}+\sqrt{3})}\times(\sqrt{x}+\sqrt{3})\right\}$ ❸

$=\lim\limits_{x\to 3}\dfrac{f(x)-f(3)}{x-3}\times\lim\limits_{x\to 3}(\sqrt{x}+\sqrt{3})$

$=f'(3)\times 2\sqrt{3}=2\sqrt{3}$

❸ 분모, 분자에 $\sqrt{x}+\sqrt{3}$을 곱하여 분모를 유리화한다.

답 (1) 2 (2) 9 (3) $2\sqrt{3}$

풍쌤 강의 NOTE

$\lim\limits_{x\to a}\dfrac{f(x)-f(a)}{x-a}=f'(a)$일 때, $\lim\limits_{\bullet\to\blacksquare}\dfrac{f(\bullet)-f(\blacksquare)}{\bullet-\blacksquare}=f'(\blacksquare)$에서

■는 ■끼리, ●는 ●끼리 같도록 만들어 주어야 한다.

04-1 ⊙유사

함수 $f(x)$에 대하여 $f(2)=-1$, $f'(2)=4$일 때, 다음 극한값을 구하여라.

(1) $\displaystyle\lim_{x\to 2}\frac{f(x)-f(2)}{x^2-4}$

(2) $\displaystyle\lim_{x\to 2}\frac{2f(x)-xf(2)}{x^2-4}$

(3) $\displaystyle\lim_{x\to 2}\frac{f(x)-f(2)}{\sqrt{x}-\sqrt{2}}$

04-2 ⊙유사

함수 $f(x)$에 대하여 $f(3)=2$, $f'(3)=8$, $f(9)=4$, $f'(9)=1$일 때, 다음 극한값을 구하여라.

(1) $\displaystyle\lim_{x\to 2}\frac{f(x+1)-f(3)}{x^2-4}$

(2) $\displaystyle\lim_{x\to 3}\frac{f(x^2)-f(9)}{x-3}$

(3) $\displaystyle\lim_{x\to 3}\frac{x^2 f(9)-9f(x^2)}{x-3}$

04-3 ⊙변형   기출

다항함수 $f(x)$에 대하여 $f(1)=0$, $f'(1)=7$일 때, $\displaystyle\lim_{x\to 1}\frac{(x^2+2)f(x)}{x-1}$의 값을 구하여라.

04-4 ⊙변형

다항함수 $f(x)$에 대하여 $f(-1)=0$, $f'(-1)=9$일 때, $\displaystyle\lim_{x\to -1}\frac{f(x)}{x^2+5x+4}$의 값을 구하여라.

04-5 ⊙변형

다항함수 $f(x)$에 대하여

$$\lim_{x\to 1}\frac{f(x^2)-f(1)}{f(x)-f(1)}+\lim_{x\to 1}\frac{f(x^3)-f(1)}{f(x)-f(1)}$$

의 값을 구하여라.

04-6 ⊙실력   기출

양의 실수 전체의 집합에서 증가하는 함수 $f(x)$가 $x=1$에서 미분가능하다. 1보다 큰 모든 실수 a에 대하여 점 $(1, f(1))$과 점 $(a, f(a))$ 사이의 거리가 a^2-1일 때, $f'(1)$의 값을 구하여라.

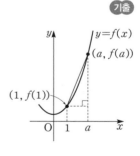

다음 물음에 답하여라.

(1) 미분가능한 함수 $f(x)$가 모든 실수 x, y에 대하여 $f(x+y)=f(x)+f(y)-1$을 만족시키고 $f'(2)=2$일 때, $f'(0)$의 값을 구하여라.

(2) 미분가능한 함수 $f(x)$가 모든 실수 x, y에 대하여 $f(x+y)=f(x)+f(y)$를 만족시키고 $f'(0)=1$일 때, $f'(1)$의 값을 구하여라.

풍쌤 POINT

주어진 식에 $x=0$, $y=0$을 대입하여 $f(0)$의 값을 먼저 구하고 미분계수의 정의를 이용한 식에 주어진 관계식을 대입해 봐!

풀이

(1) **STEP1 $f(0)$의 값 구하기**

$x=0$, $y=0$을 $f(x+y)=f(x)+f(y)-1$에 대입하면

$f(0)=f(0)+f(0)-1$　　∴ $f(0)=1$

STEP2 $f'(0)$의 값 구하기

$$f'(2)=\lim_{h \to 0}\frac{f(2+h)-f(2)}{h}$$
$$=\lim_{h \to 0}\frac{\{f(2)+f(h)-1\}^{❶}-f(2)}{h}$$
$$=\lim_{h \to 0}\frac{f(h)-1}{h}$$
$$=\lim_{h \to 0}\frac{f(0+h)-f(0)}{h}^{❷}=f'(0)$$

이므로 $f'(0)=2$

❶ $f(x+y)=f(x)+f(y)-1$에 $x=2$, $y=h$를 대입한다.

❷ $f(h)=f(h+0)$이고 $f(0)=1$이므로 $f(h)-1=f(0+h)-f(0)$이다.

(2) **STEP1 $f(0)$의 값 구하기**

$x=0$, $y=0$을 $f(x+y)=f(x)+f(y)$에 대입하면

$f(0)=f(0)+f(0)$　　∴ $f(0)=0$

STEP2 $f'(1)$의 값 구하기

$$f'(1)=\lim_{h \to 0}\frac{f(1+h)-f(1)}{h}$$
$$=\lim_{h \to 0}\frac{\{f(1)+f(h)\}^{❸}-f(1)}{h}$$
$$=\lim_{h \to 0}\frac{f(h)}{h}=\lim_{h \to 0}\frac{f(0+h)-f(0)}{h}$$
$$=f'(0)$$

이므로 $f'(1)=2$

❸ $f(x+y)=f(x)+f(y)$에 $x=1$, $y=h$를 대입한다.

답 (1) 2　(2) 1

풍쌤 강의 NOTE

• 주어진 식의 x, y에 적당한 수를 대입하여 필요한 함숫값을 구한다.

• $f'(a)=\lim_{h \to 0}\dfrac{f(a+h)-f(a)}{h}$에서 $f(a+h)$에 주어진 관계식을 대입하여 $f'(a)$의 값을 구한다.

05-1 유사

미분가능한 함수 $f(x)$가 모든 실수 x, y에 대하여
$f(x+y)=f(x)+f(y)+3$을 만족시키고
$f'(-1)=-2$일 때, $f'(0)$의 값을 구하여라.

05-2 유사

미분가능한 함수 $f(x)$가 모든 실수 x, y에 대하여
$f(x+y)=f(x)+f(y)$를 만족시키고 $f'(1)=4$일
때, $f'(3)$의 값을 구하여라.

05-3 변형

미분가능한 함수 $f(x)$가 모든 실수 x, y에 대하여
$f(x+y)=f(x)+f(y)+xy$를 만족시키고 $f'(1)=3$
일 때, $f'(2)$의 값을 구하여라.

05-4 변형

미분가능한 함수 $f(x)$가 모든 실수 x, y에 대하여
$f(x)>0$이고 $f(x+y)=2f(x)f(y)$를 만족시킨다.
$f'(0)=4$일 때, $\dfrac{f'(3)}{f(3)}$의 값을 구하여라.

05-5 변형

미분가능한 함수 $f(x)$가 모든 실수 x, y에 대하여
$f(x+y)=f(x)+f(y)+2xy(x+y)+2$를 만족시
키고 $f'(1)=5$일 때, $f'(2)$의 값을 구하여라.

05-6 실력 　기출

다항함수 $f(x)$는 모든 실수 x, y에 대하여
$f(x+y)=f(x)+f(y)+2xy-1$을 만족시킨다.
$\displaystyle\lim_{x\to1}\dfrac{f(x)-f'(x)}{x^2-1}=14$일 때, $f'(0)$의 값을 구하여
라.

다음 물음에 답하여라.

(1) 함수 $f(x)=|x-2|$에 대하여 $x=2$에서의 연속성과 미분가능성을 조사하여라.

(2) 함수 $f(x)=\begin{cases} 3x-1 & (x<1) \\ x^2+x & (x\geq1) \end{cases}$에 대하여 $x=1$에서의 연속성과 미분가능성을 조사하여라.

풍쌤 POINT

$\lim\limits_{x\to a} f(x)=f(a)$이면 함수 $f(x)$는 $x=a$에서 연속이고

$\lim\limits_{x\to a}\dfrac{f(x)-f(a)}{x-a}$가 존재하면 함수 $f(x)$가 $x=a$에서 미분가능해!

풀이

(1) STEP1 연속성 조사하기

$f(2)=0$이고 $\lim\limits_{x\to2}f(x)=\lim\limits_{x\to2}|x-2|=0$이므로

$\lim\limits_{x\to2}f(x)=f(2)$

즉, 함수 $f(x)$는 $x=2$에서 연속이다.

STEP2 미분가능성 조사하기

$\lim\limits_{x\to2-}\dfrac{f(x)-f(2)}{x-2}=\lim\limits_{x\to2-}\dfrac{-(x-2)}{x-2}=-1$ **❶**

$\lim\limits_{x\to2+}\dfrac{f(x)-f(2)}{x-2}=\lim\limits_{x\to2+}\dfrac{x-2}{x-2}=1$

따라서 $f'(2)$의 값이 존재하지 않으므로 **❷** 함수 $f(x)$는 $x=2$에서 미분가능하지 않다.

❶ $f(x)=|x-2|$는 $x\to2-$일 때, $f(x)=-(x-2)$이고 $x\to2+$일 때, $f(x)=x-2$이다.

❷ (좌미분계수)$\neq$(우미분계수)이므로 $f'(2)$의 값이 존재하지 않는다.

(2) STEP1 연속성 조사하기

$f(1)=2$

$\lim\limits_{x\to1-}f(x)=\lim\limits_{x\to1-}(3x-1)=2$,

$\lim\limits_{x\to1+}f(x)=\lim\limits_{x\to1+}(x^2+x)=2$이므로

$\lim\limits_{x\to1-}f(x)=\lim\limits_{x\to1+}f(x)=2 \quad \therefore \lim\limits_{x\to1}f(x)=f(1)$

따라서 함수 $f(x)$는 $x=1$에서 연속이다.

STEP2 미분가능성 조사하기

$\lim\limits_{x\to1-}\dfrac{f(x)-f(1)}{x-1}=\lim\limits_{x\to1-}\dfrac{(3x-1)-2}{x-1}=\lim\limits_{x\to1-}\dfrac{3(x-1)}{x-1}=3$

$\lim\limits_{x\to1+}\dfrac{f(x)-f(1)}{x-1}=\lim\limits_{x\to1+}\dfrac{(x^2+x)-2}{x-1}=\lim\limits_{x\to1+}(x+2)$ **❸** $=3$

즉, $f'(1)=3$ **❹**이므로 함수 $f(x)$는 $x=1$에서 미분가능하다.

❸ $\lim\limits_{x\to1+}\dfrac{x^2+x-2}{x-1}=\lim\limits_{x\to1+}\dfrac{(x+2)(x-1)}{x-1}=\lim\limits_{x\to1+}(x+2)$

❹ (좌미분계수)=(우미분계수)이므로 $f'(1)=3$이다.

답 (1) 연속이지만 미분가능하지 않다. (2) 연속이고 미분가능하다.

풍쌤 강의 NOTE

• 미분가능하면 (좌미분계수)=(우미분계수), 즉 $f'(a)$의 값이 존재한다.

• 미분가능하지 않은 점은 불연속이거나 첨점(뾰족점)이다.

06-1 🔵유사

다음 함수의 $x=1$에서의 연속성과 미분가능성을 조사하여라.

(1) $f(x)=x|x-1|$

(2) $f(x)=(x-1)+|x-1|$

06-2 🔵유사

다음 |보기에서 $x=0$에서 연속이지만 미분가능하지 않은 함수만을 있는 대로 골라라.

┌─|보기|────────────────────────┐
ㄱ. $f(x)=|x|$

ㄴ. $f(x)=|x|^2$

ㄷ. $f(x)=1+\dfrac{2}{x}$

ㄹ. $f(x)=\begin{cases} 3x+1 & (x<0) \\ (x+1)^2 & (x\geq0) \end{cases}$
└────────────────────────────────┘

06-3 🔵유사

함수 $y=f(x)$의 그래프가 다음 그림과 같을 때, 열린구간 $(-4,5)$에서 함수 $f(x)$가 불연속인 점은 m개, 미분가능하지 않은 점은 n개이다. 이때 $m+n$의 값을 구하여라.

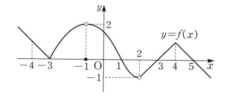

06-4 🔵변형

함수 $y=f(x)$의 그래프가 오른쪽 그림과 같을 때, 열린구간 $(-2,4)$에서 함수 $f(x)$에 대한 다음 설명 중 옳지 <u>않은</u> 것은?

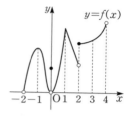

① $f'(3)>0$이다.

② $\lim\limits_{x\to0}f(x)$의 값이 존재한다.

③ $f'(x)=0$인 점은 2개이다.

④ 함수 $f(x)$가 불연속인 점은 2개이다.

⑤ 함수 $f(x)$가 미분가능하지 않은 점은 3개이다.

06-5 🔵실력

함수 $y=f(x)$의 그래프가 다음과 같다.

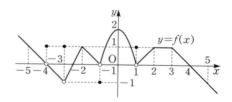

$-5<k<5$인 정수 k에 대하여 $\lim\limits_{x\to k}f(x)=f(k)$를 만족시키는 k의 값의 집합을 A라 하고, $\lim\limits_{x\to k}\dfrac{f(x)-f(k)}{x-k}$의 값이 존재하는 k의 값의 집합을 B라고 할 때, 집합 $A-B$의 원소의 개수를 구하여라.

다음 물음에 답하여라.

(1) 함수 $f(x) = -\dfrac{1}{3}x^3 + \dfrac{1}{2}x^2 + x - 1$에 대하여 $f'(3)$의 값을 구하여라.

(2) 함수 $f(x) = 2x^4 + ax^2 + 3$에 대하여 $f'(1) = 0$일 때, 상수 a의 값을 구하여라.

(3) 함수 $f(x) = x^2 - ax + b$에 대하여 $f(1) = 1$, $f'(2) = 1$일 때, 상수 a, b의 값을 구하여라.

풍쌤 POINT

$y = x^n$ (n은 자연수) $\Rightarrow$ $y' = nx^{n-1}$

$y = c$ (c는 상수) $\Rightarrow$ $y' = 0$

$y = cf(x)$ (c는 상수) $\Rightarrow$ $y' = cf'(x)$

$y = f(x) \pm g(x)$ $\Rightarrow$ $y' = f'(x) \pm g'(x)$ (복부호동순)

풀이

(1) $f'(x) = \left(-\dfrac{1}{3}x^3 + \dfrac{1}{2}x^2 + x - 1\right)'$ ❶

$\qquad = -\dfrac{1}{3}(x^3)' + \dfrac{1}{2}(x^2)' + (x)' - (1)'$ ❷

$\qquad = -\dfrac{1}{3} \times 3x^2 + \dfrac{1}{2} \times 2x + 1 - 0$

$\qquad = -x^2 + x + 1$

$\therefore f'(3) = -3^2 + 3 + 1 = -5$

(2) $f'(x) = (2x^4 + ax^2 + 3)'$

$\qquad = 2(x^4)' + a(x^2)' + (3)'$

$\qquad = 2 \times 4x^3 + a \times 2x + 0$

$\qquad = 8x^3 + 2ax$

$f'(1) = 0$이므로

$8 + 2a = 0$ $\therefore a = -4$

(3) $f'(x) = (x^2 - ax + b)'$

$\qquad = (x^2)' - a(x)' + (b)'$

$\qquad = 2x - a$

$f(1) = 1$이므로 $1 - a + b = 1$, $a = b$

$f'(2) = 1$이므로 $4 - a = 1$

$\therefore a = 3$, $b = 3$

❶ 함수의 합, 차의 미분법은 세 개 이상의 함수에서도 성립한다.

❷ $y = c$ (c는 상수)이면 $y' = 0$이다.

📋 (1) -5 (2) -4 (3) $a = 3$, $b = 3$

풍쌤 강의 NOTE

미분법의 공식을 이용하면 도함수의 정의를 이용하지 않아도 쉽게 도함수를 구할 수 있다.

07-1 기본

다음 함수를 미분하여라.

(1) $y=5^2$

(2) $y=x^2-3x+2$

(3) $y=2x^3-\dfrac{1}{2}x^2+5$

(4) $y=\dfrac{1}{4}x^4+\dfrac{2}{3}x^3+x^2-3x$

07-2 유사

함수 $f(x)=2x^3+ax+1$에 대하여 $f'(1)=10$을 만족시키는 상수 a의 값을 구하여라.

07-3 유사

함수 $f(x)=ax^2+bx+c$에 대하여
$f(1)=0$, $f'(0)=-3$, $f'(1)=1$일 때, $a-b+c$의 값을 구하여라. (단, a, b, c는 상수이다.)

07-4 변형

함수 $f(x)=1-x+x^2-x^3+\cdots+x^{10}$에 대하여 $\dfrac{f'(1)}{f(1)}$의 값을 구하여라.

07-5 변형

함수 $f(x)=1+x+x^2+\cdots+x^{15}$에 대하여 $f'(-1)+f'(1)$의 값을 구하여라.

07-6 실력 기출

삼차함수 $f(x)$가 $f(0)=-3$, $f(1)=f(2)=f(3)=3$을 만족시킬 때, $f'(4)$의 값을 구하여라.

다음 물음에 답하여라.

(1) 함수 $f(x)=(x-1)(x^2-2x+3)$에 대하여 $f'(1)$의 값을 구하여라.

(2) 함수 $f(x)=(x+1)(x-2)(x-3)$에 대하여 $f'(2)$의 값을 구하여라.

(3) 함수 $f(x)=(3x^2+ax)^3$에 대하여 $f'(1)=12$일 때, 상수 a의 값을 모두 구하여라.

풍쌤 POINT

$y=f(x)g(x) \quad \Rightarrow y'=f'(x)g(x)+f(x)g'(x)$

$y=f(x)g(x)h(x) \Rightarrow y'=f'(x)g(x)h(x)+f(x)g'(x)h(x)+f(x)g(x)h'(x)$

$y=\{f(x)\}^n \quad \Rightarrow y'=n\{f(x)\}^{n-1}f'(x)$

풀이

(1) STEP1 $f'(x)$ 구하기

$f'(x)=(x-1)'(x^2-2x+3)+(x-1)(x^2-2x+3)'$
$=(x^2-2x+3)+(x-1)(2x-2)$ ❶

STEP2 $f'(1)$의 값 구하기

$\therefore f'(1)=(1-2+3)+0=2$

(2) STEP1 $f'(x)$ 구하기

$f'(x)=(x+1)'(x-2)(x-3)+(x+1)(x-2)'(x-3)$
$\qquad +(x+1)(x-2)(x-3)'$
$=(x-2)(x-3)+(x+1)(x-3)+(x+1)(x-2)$

STEP2 $f'(2)$의 값 구하기

$\therefore f'(2)=0+(2+1)\times(2-3)+0=-3$ ❷

(3) STEP1 $f'(x)$ 구하기

$f'(x)=3(3x^2+ax)^2(3x^2+ax)'$
$=3(3x^2+ax)^2(6x+a)$

STEP2 $f'(1)$의 값 구하기

$\therefore f'(1)=3(3+a)^2(6+a)$
$=3(a^3+12a^2+45a+54)$

STEP3 a의 값 구하기

$f'(1)=12$이므로

$3(a^3+12a^2+45a+54)=12,\ a^3+12a^2+45a+54=4$

$a^3+12a^2+45a+50=0,\ (a+2)(a+5)^2=0$

$\therefore a=-2$ 또는 $a=-5$

❶ $f'(x)$의 식을 구하는 문제라면 이 식을 전개하여 정리해야 하지만 $f'(1)$의 값을 구하는 문제이므로 전개할 필요 없이 이 식에 $x=1$을 대입하면 된다.

❷ $f'(x)=(x-2)(x-3)$
$\qquad +(x+1)(x-3)$
$\qquad +(x+1)(x-2)$
에 $x=2$를 대입하면
$(x-2)(x-3)=0$,
$(x+1)(x-2)=0$

답 (1) 2 (2) -3 (3) $-2, -5$

풍쌤 강의 NOTE

• $y=\{f(x)\}^2$에 대하여 $y'=f'(x)f(x)+f(x)f'(x)$이므로 $y'=2f(x)f'(x)$이다.

• $y=\{f(x)\}^3$에 대하여 $y'=f'(x)f(x)f(x)+f(x)f'(x)f(x)+f(x)f(x)f'(x)$이므로 $y'=3\{f(x)\}^2f'(x)$이다.

08-1 기본
다음 함수를 미분하여라.

(1) $y=x(2x+3)$

(2) $y=x^2(-2x+4)$

(3) $y=(x^2-2)(x^2+2x-1)$

(4) $y=(x+2)(x-1)(x-3)$

08-2 유사
함수 $f(x)=(x^3+3)(x^2-1)$에 대하여 $f'(-1)$의 값을 구하여라.

08-3 유사
함수 $f(x)=(2x+a)^3$에 대하여 $f'(1)=f'(2)=6$일 때, $a+f'(0)$의 값을 구하여라. (단, a는 상수이다.)

08-4 변형
미분가능한 두 함수 $f(x)$, $g(x)$에 대하여 $g(x)=(x^2-2x)f(x)$이고 $f'(1)=3$일 때, $g'(1)$의 값을 구하여라.

08-5 변형 | 기출
다항함수 $f(x)$에 대하여 $g(x)=x^2f(x)$이고 $g'(3)=3$일 때, 곡선 $y=f(x)$ 위의 점 $(3, 2)$에서의 접선의 기울기가 a이다. a의 값을 구하여라.

08-6 실력 | 기출
최고차항의 계수가 1인 삼차함수 $f(x)$와 실수 a가 다음 조건을 만족시킬 때, $f'(a)$의 값을 구하여라.

> (가) $f(a)=f(2)=f(6)$
>
> (나) $f'(2)=-4$

다음 물음에 답하여라.

(1) 함수 $f(x)=x^3-2x^2+3x$에 대하여 $\displaystyle\lim_{h\to0}\dfrac{f(2+h)-f(2-h)}{h}$의 값을 구하여라.

(2) 함수 $f(x)=x^3-4x^2$에 대하여 $\displaystyle\lim_{x\to1}\dfrac{\{f(x)\}^2-\{f(1)\}^2}{x-1}$의 값을 구하여라.

풍쌤 POINT

미분계수의 정의를 이용하여 주어진 식을 $f'(a)$가 포함된 식으로 변형해 봐!
도함수 $f'(x)$를 구하여 $x=a$를 대입하면 $f'(a)$를 구할 수 있어!

풀이

(1) **STEP1** 극한식 변형하기

$\displaystyle\lim_{h\to0}\dfrac{f(2+h)-f(2-h)}{h}$

$=\displaystyle\lim_{h\to0}\dfrac{f(2+h)-f(2)+f(2)-f(2-h)}{h}$ ❶

$=\displaystyle\lim_{h\to0}\dfrac{f(2+h)-f(2)}{h}+\lim_{h\to0}\dfrac{f(2-h)-f(2)}{-h}$ ❷

$=f'(2)+f'(2)=2f'(2)$

STEP2 $f'(2)$의 값 구하기

$f'(x)=3x^2-4x+3$이므로

$f'(2)=12-8+3=7$

STEP3 극한값 구하기

$\therefore \displaystyle\lim_{h\to0}\dfrac{f(2+h)-f(2-h)}{h}=2f'(2)=14$

(2) **STEP1** 극한식 변형하기

$\displaystyle\lim_{x\to1}\dfrac{\{f(x)\}^2-\{f(1)\}^2}{x-1}$

$=\displaystyle\lim_{x\to1}\left[\{f(x)+f(1)\}\times\dfrac{f(x)-f(1)}{x-1}\right]$ ❸

$=2f(1)f'(1)$

STEP2 $f(1)$, $f'(1)$의 값 구하기

$f(1)=1-4=-3$이고

$f'(x)=3x^2-8x$이므로 $f'(1)=3-8=-5$

STEP3 극한값 구하기

$\therefore \displaystyle\lim_{x\to1}\dfrac{\{f(x)\}^2-\{f(1)\}^2}{x-1}=2f(1)f'(1)=30$

❶ 미분계수의 정의를 이용하기 위하여 $f(2)$를 빼고 더한다.

❷ $f(2-h)$의 $-h$를 분모에도 똑같이 만들기 위해 분모, 분자에 -1을 곱한다.

❸ $\{f(x)\}^2-\{f(1)\}^2$ $=\{f(x)+f(1)\}\{f(x)-f(1)\}$

답 (1) 14 (2) 30

풍쌤 강의 NOTE

미분계수 $f'(a)$는 다음과 같은 두 가지 꼴을 이용하여 구할 수 있다.

(1) $f'(a)=\displaystyle\lim_{h\to0}\dfrac{f(a+h)-f(a)}{h}$

(2) $f'(a)=\displaystyle\lim_{x\to a}\dfrac{f(x)-f(a)}{x-a}$

09-1 ⦿ 유사

함수 $f(x)=x^3-2x^2+4x$에 대하여 다음 극한값을 구하여라.

(1) $\lim\limits_{h \to 0} \dfrac{f(1+2h)-f(1-h)}{h}$

(2) $\lim\limits_{x \to 2} \dfrac{2f(x)-xf(2)}{x^2-4}$

09-2 ⦿ 유사

함수 $f(x)=(2x-3)^3$에 대하여 $\lim\limits_{x \to 3} \dfrac{3f(x)-xf(3)}{x-3}$의 값을 구하여라.

09-3 ⦿ 변형

두 함수 $f(x)=x+x^3+x^5$, $g(x)=x^2+x^4+x^6$에 대하여 $\lim\limits_{h \to 0} \dfrac{f(1+2h)-g(1-h)}{3h}$의 값을 구하여라.

09-4 ⦿ 변형

다항함수 $f(x)$에 대하여 $f(1)=1$, $f'(1)=2$이고 함수 $g(x)=x^2+3x$일 때,
$\lim\limits_{x \to 1} \dfrac{f(x)g(x)-f(1)g(1)}{x-1}$의 값을 구하여라.

09-5 ⦿ 변형

두 다항함수 $f(x)$, $g(x)$에 대하여 $h(x)=f(x)g(x)$이고 $h'(2)=0$, $\lim\limits_{x \to 2} \dfrac{f(x)-2}{x-2}=3$이다. $\lim\limits_{x \to 2} \dfrac{g(x)-4}{x-2}=a$일 때, a의 값을 구하여라.

09-6 ⦿ 실력

함수 $f(x)=(2x^2-3x)(x^2-x-2)$에 대하여
$\lim\limits_{n \to \infty} n\left\{f\left(-1+\dfrac{1}{n}\right)-f\left(-1-\dfrac{1}{n}\right)\right\}$의 값을 구하여라.

다음 물음에 답하여라.

(1) $\displaystyle\lim_{x \to -1}\frac{x^{12}-x-2}{x+1}$ 의 값을 구하여라.

(2) $\displaystyle\lim_{x \to 1}\frac{x^n+2x-3}{x-1}=10$ 을 만족시키는 자연수 n의 값을 구하여라.

풍쌤 POINT

주어진 식의 일부를 $f(x)$로 놓고 미분계수의 정의를 이용할 수 있도록 식을 변형해 봐!

풀이

(1) **STEP 1** $f(x)$ 정하기

$f(x)=x^{12}-x$로 놓으면

$f(-1)=1-(-1)=2$

$f'(x)=12x^{11}-1$

STEP 2 극한값 구하기

$\therefore \displaystyle\lim_{x \to -1}\frac{x^{12}-x-2}{x+1}^{①}=\lim_{x \to -1}\frac{f(x)-f(-1)}{x-(-1)}=f'(-1)$

$\qquad\qquad\qquad\qquad\qquad =-12-1=-13$

> ① 주어진 식에서 $x \to -1$이고 분모가 $x+1=x-(-1)$이므로 $f'(-1)$로 변형할 수 있음을 파악한다.

(2) **STEP 1** $f(x)$ 정하기

$f(x)=x^n+2x$로 놓으면

$f(1)=1+2=3$

$\therefore \displaystyle\lim_{x \to 1}\frac{x^n+2x-3}{x-1}=\lim_{x \to 1}\frac{f(x)-f(1)}{x-1}=f'(1)=10$

STEP 2 n의 값 구하기

이때 $f'(x)=nx^{n-1}+2$이므로

$f'(1)=n+2$

즉, $n+2=10$이므로 $n=8$

다른 풀이

$f(x)=x^n+2x-3$으로 놓으면 ②

$f(1)=1+2-3=0$

$\therefore \displaystyle\lim_{x \to 1}\frac{x^n+2x-3}{x-1}=\lim_{x \to 1}\frac{f(x)-f(1)}{x-1}=f'(1)=10$

이때 $f'(x)=nx^{n-1}+2$이므로

$f'(1)=n+2$

즉, $n+2=10$이므로 $n=8$

> ② $f(x)$를 다르게 놓아도 결과는 동일하다.

답 (1) -13 (2) 8

풍쌤 강의 NOTE

• 분자가 인수분해하기 힘든 복잡한 식이면 $f(x)$로 적절히 치환하여 $\displaystyle\lim_{x \to ■}\frac{f(x)-f(■)}{x-■}$ 꼴로 변형한다.

• $f(x)$로 치환하는 방법은 다양하므로 여러 가지 방법을 이용해 보도록 한다.

10-1 ⊙유사

다음 극한값을 구하여라.

(1) $\displaystyle\lim_{x \to 1}\frac{x^{10}-3x+2}{x-1}$

(2) $\displaystyle\lim_{x \to -1}\frac{x^{12}-x^8+2x^6+x^3-1}{x+1}$

(3) $\displaystyle\lim_{x \to 2}\frac{x^5-5x^3+8}{x-2}$

10-2 ⊙유사

다음을 만족시키는 자연수 n의 값을 구하여라.

(1) $\displaystyle\lim_{x \to 1}\frac{x^n+4x-5}{x-1}=6$

(2) $\displaystyle\lim_{x \to 1}\frac{x^n-6x^2+x+4}{x-1}=4$

(3) $\displaystyle\lim_{x \to -1}\frac{x^n+3x^4+x^3-1}{x+1}=0$

10-3 ⊙변형

$\displaystyle\lim_{x \to -1}\frac{x^{10}+x^8+x^6+x^4-4}{x+1}$ 의 값을 구하여라.

10-4 ⊙변형

$\displaystyle\lim_{x \to 1}\frac{x^{10}-x^7+x^4-x}{x-1}$ 의 값을 구하여라.

10-5 ⊙변형

$\displaystyle\lim_{x \to 1}\frac{x^n-kx+7}{x-1}=-5$일 때, 자연수 n과 상수 k에 대하여 $n+k$의 값을 구하여라.

10-6 ⊙실력

$\displaystyle\lim_{x \to 2}\frac{x^n-4x^2-4x+8}{x-2}=k$일 때, 자연수 n과 상수 k에 대하여 $n+k$의 값을 구하여라.

함수 $f(x)=\begin{cases} x^3+x^2+bx & (x<1) \\ ax^2+2 & (x\geq1) \end{cases}$ 가 $x=1$에서 미분가능할 때, 두 상수 a, b에 대하여 $a+b$

의 값을 구하여라.

풍쌤 POINT

함수 $f(x)$가 $x=a$에서 미분가능하면

① $x=a$에서 연속이고

② $x=a$에서 (좌미분계수)=(우미분계수)를 만족시켜야 해!

풀이

STEP1 함수 $f(x)$가 $x=1$에서 연속임을 이용하여 관계식 구하기

함수 $f(x)$가 $x=1$에서 미분가능하므로 $x=1$에서 연속이다.

즉, $\lim\limits_{x\to1-}f(x)=\lim\limits_{x\to1+}f(x)=f(1)$이므로

$\lim\limits_{x\to1-}f(x)=\lim\limits_{x\to1-}(x^3+x^2+bx)=2+b$,

$\lim\limits_{x\to1+}f(x)=\lim\limits_{x\to1+}(ax^2+2)=a+2$

에서 $2+b=a+2$ **❶**

$\therefore a=b$ ...... ㉠

❶ $\lim\limits_{x\to1-}f(x)=\lim\limits_{x\to1+}f(x)$
이므로 $2+b=a+2$

STEP2 함수 $f(x)$가 $x=1$에서 미분가능함을 이용하여 관계식 구하기

$f'(x)=\begin{cases} 3x^2+2x+b & (x<1) \\ 2ax & (x>1) \end{cases}$ 이고 **❷**

$x=1$에서 미분가능하므로 $\lim\limits_{x\to1-}f'(x)=\lim\limits_{x\to1+}f'(x)$이어야 한다.

$\lim\limits_{x\to1-}f'(x)=\lim\limits_{x\to1-}(3x^2+2x+b)=5+b$

$\lim\limits_{x\to1+}f'(x)=\lim\limits_{x\to1+}2ax=2a$

$\therefore 5+b=2a$ **❸** ...... ㉡

❷ 구간에 따라 다르게 정의된 함수 $f(x)$가 $x=1$에서 연속이더라도 $x=1$에서 미분가능하지 않을 수 있으므로 구간에서 등호를 빼서 나타낸다.

❸ $a=b$를 $5+b=2a$에 대입하면 $5+a=2a$, $a=5$

STEP3 $a+b$의 값을 구하기

㉠, ㉡을 연립하여 풀면

$a=5$, $b=5$

$\therefore a+b=5+5=10$

답 10

풍쌤 강의 NOTE

함수 $f(x)=\begin{cases} g(x) & (x<a) \\ h(x) & (x\geq a) \end{cases}$ 가 $x=a$에서 미분가능할 때

① $\lim\limits_{x\to a-}g(x)=\lim\limits_{x\to a+}h(x)$를 만족시키면 $x=a$에서 연속이다.

② $\lim\limits_{x\to a-}f'(x)=\lim\limits_{x\to a+}f'(x)$, 즉 $\lim\limits_{x\to a-}g'(x)=\lim\limits_{x\to a+}h'(x)$를 만족시키면 $x=a$에서 미분가능하다.

11-1 유사

함수 $f(x)=\begin{cases} 2x^2+ax+b & (x<2) \\ 3ax-6 & (x\ge2) \end{cases}$ 가 $x=2$에서 미분가능할 때, 두 상수 a, b에 대하여 $a+b$의 값을 구하여라.

11-2 유사

함수 $f(x)=\begin{cases} ax^2+8 & (x<-1) \\ x^3+bx+5a & (x\ge-1) \end{cases}$ 이 $x=-1$에서 미분가능할 때, $f(3)$의 값을 구하여라.

(단, a, b는 상수이다.)

11-3 변형   기출

함수 $f(x)$가 다음과 같다.

$$f(x)=\begin{cases} -3x+a & (x<-1) \\ x^3+bx^2+cx & (-1\le x<1) \\ -3x+d & (x\ge1) \end{cases}$$

함수 $f(x)$가 모든 실수 x에 대하여 미분가능하도록 네 실수 a, b, c, d의 값을 정할 때, $a+b+c+d$의 값을 구하여라.

11-4 변형

함수 $f(x)=\begin{cases} x^2+3 & (x<a) \\ x^3-x+b & (x\ge a) \end{cases}$ 이 $x=a$에서 미분가능할 때, 두 정수 a, b에 대하여 $f(a+b)$의 값을 구하여라.

11-5 변형

두 함수 $f(x)=x^2+ax+b$, $g(x)=\begin{cases} -x & (x<2) \\ x & (x\ge2) \end{cases}$ 에 대하여 함수 $f(x)g(x)$가 $x=2$에서 미분가능할 때, $a+b$의 값을 구하여라. (단, a, b는 상수이다.)

11-6 실력

함수 $f(x)=x^2+3x-5$에 대하여 함수 $g(x)$를 $g(x)=\begin{cases} f(2x-k) & (x<k) \\ f(x) & (x\ge k) \end{cases}$ 라고 하자. 함수 $g(x)$가 실수 전체의 집합에서 미분가능하도록 하는 실수 k의 값을 $-\dfrac{q}{p}$라고 할 때, p^2+q^2의 값을 구하여라.

(단, p, q는 서로소인 자연수이다.)

다음 물음에 답하여라.

(1) 함수 $f(x)=x^3+ax+b$가 $\lim\limits_{x \to 2}\dfrac{f(x)-1}{x-2}=4$를 만족시킬 때, 두 상수 a, b에 대하여

$a+b$의 값을 구하여라.

(2) 함수 $f(x)=x^3+ax^2+bx-2b$에 대하여 $f(1)=0$, $\lim\limits_{x \to -1}\dfrac{f(x)-f(-1)}{x+1}=2$일 때,

a^2+b^2의 값을 구하여라. (단, a, b는 상수이다.)

풍쌤 POINT

다항함수 $f(x)$에 대하여 $\lim\limits_{x \to a}\dfrac{f(x)-b}{x-a}=c$ (c는 상수) 이면 $f(a)=b$, $f'(a)=c$가 돼!

풀이

(1) **STEP1** $f(2)$의 값을 이용하여 관계식 구하기

$\lim\limits_{x \to 2}\dfrac{f(x)-1}{x-2}=4$이므로 $f(2)=1$ ❶

즉, $f(2)=8+2a+b=1$이므로

$b=-2a-7$ ······ ㉠

STEP2 미분계수를 이용하여 a의 값 구하기

$\lim\limits_{x \to 2}\dfrac{f(x)-1}{x-2}=\lim\limits_{x \to 2}\dfrac{f(x)-f(2)}{x-2}=f'(2)=4$이고

$f'(x)=3x^2+a$이므로 $f'(2)=12+a=4$ $\therefore a=-8$

STEP3 $a+b$의 값 구하기

이것을 ㉠에 대입하면 $b=9$ ❷

$\therefore a+b=-8+9=1$

(2) **STEP1** $f(1)=0$을 이용하여 관계식 구하기

$f(1)=1+a+b-2b=1+a-b=0$이므로

$b=a+1$ ······ ㉠

STEP2 미분계수를 이용하여 관계식 구하기

$f'(x)=3x^2+2ax+b$이고

$\lim\limits_{x \to -1}\dfrac{f(x)-f(-1)}{x+1}$ ❸ $=\lim\limits_{x \to -1}\dfrac{f(x)-f(-1)}{x-(-1)}$

$=f'(-1)=2$

이므로 $f'(-1)=3-2a+b=2$ ······ ㉡

STEP3 a^2+b^2의 값 구하기

㉠, ㉡을 연립하여 풀면 $a=2$, $b=3$

$\therefore a^2+b^2=2^2+3^2=13$

❶ $\lim\limits_{x \to 2}\dfrac{f(x)-1}{x-2}=4$에서

$x \longrightarrow 2$일 때,

(분모) $\longrightarrow 0$이고 극한값이 존재하므로 (분자) $\longrightarrow 0$이다.

즉, $\lim\limits_{x \to 2}\{f(x)-1\}=0$이므로

$f(2)-1=0$

❷ $b=-2 \times (-8)-7=9$

❸ 미분계수 $f'(x)$를 나타내는 식이다.

답 (1) 1 (2) 13

풍쌤 강의 NOTE

• 주어진 식에 미지수의 개수만큼 관계식을 만들고 연립방정식을 이용하여 미지수를 구한다.

• 극한값이 존재하고 (분모) $\longrightarrow 0$일 때, (분자) $\longrightarrow 0$이 됨을 이용한다.

12-1 ⊙유사   기출

함수 $f(x)=3x^2+ax+b$가 $\lim\limits_{h\to0}\dfrac{f(2+h)-4}{h}=3$

을 만족시킬 때, 두 상수 a, b에 대하여 a^2+b^2의 값을 구하여라.

12-2 ⊙유사

함수 $f(x)=x^3+ax^2+bx-3$에 대하여

$$\lim_{h\to0}\frac{f(1+h)-f(1)}{h}=3,$$

$$\lim_{h\to0}\frac{f(-1+h)-f(-1)}{h}=-16$$

이 성립할 때, $f(2)$의 값을 구하여라.

(단, a, b는 상수이다.)

12-3 ⊙변형

함수 $f(x)=x^3+ax^2+b$에 대하여 $f(-1)=8$,

$\lim\limits_{x\to-1}\dfrac{f(x)+xf(-1)}{x+1}=5$일 때, 두 상수 a, b에 대하여 ab의 값을 구하여라.

12-4 ⊙변형

함수 $f(x)=x^2+ax+b$에 대하여

$\lim\limits_{x\to1}\dfrac{f(x+1)-4}{x^2-1}=\dfrac{5}{2}$일 때, $f(-1)$의 값을 구하여라. (단, a, b는 상수이다.)

12-5 ⊙변형

삼차함수 $f(x)$에 대하여 $\lim\limits_{x\to1}\dfrac{f(x)}{x-1}=-1$,

$\lim\limits_{x\to2}\dfrac{f(x)}{x-2}=4$일 때, $f(0)$의 값을 구하여라.

12-6 ⊙실력

함수 $f(x)=ax^3+bx^2+cx+d$가 다음 조건을 모두 만족시킬 때, 네 상수 a, b, c, d에 대하여 $a+b+c+d$의 값을 구하여라.

> (가) $\lim\limits_{x\to\infty}\dfrac{f(x)}{x^2-2x+3}=2$
>
> (나) $\lim\limits_{x\to2}\dfrac{f(x)}{x-2}=10$

다음 물음에 답하여라.

(1) 곡선 $f(x)=2x^3-3x^2+ax+4$의 $x=1$인 점에서의 접선의 기울기가 6일 때, 상수 a의 값을 구하여라.

(2) 곡선 $f(x)=x^3+ax^2+bx$ 위의 점 $(1, 3)$에서의 접선의 기울기가 2일 때, $f(2)$의 값을 구하여라. (단, a, b는 상수이다.)

풍쌤 POINT

함수 $y=f(x)$의 그래프 위의 점 (a, b)에서의 접선의 기울기가 m이면 $f(a)=b$, $f'(a)=m$이야!

풀이

(1) STEP1 $f'(1)$의 값 구하기

$x=1$인 점에서의 접선의 기울기가 6이므로 **❶**

$f'(1)=6$

STEP2 a의 값 구하기

$f'(x)=6x^2-6x+a$이므로

$f'(1)=6-6+a=6$

$\therefore a=6$

❶ $x=a$인 점에서의 접선의 기울기는 $f'(a)$의 값과 같다.

(2) STEP1 곡선이 지나는 점의 좌표를 이용하여 관계식 구하기

곡선 $f(x)=x^3+ax^2+bx$가 점 $(1, 3)$을 지나므로 **❷**

$f(1)=1+a+b=3$

$\therefore a+b=2$ ...... ㉠

STEP2 접선의 기울기를 이용하여 관계식 구하기

점 $(1, 3)$에서의 접선의 기울기가 2이므로 **❸**

$f'(1)=2$

$f'(x)=3x^2+2ax+b$이므로

$f'(1)=3+2a+b=2$

$\therefore 2a+b=-1$ ...... ㉡

❷ $f(1)=3$이다.

❸ 점 (a, b)에서의 접선의 기울기가 c이면 $f'(a)=c$

STEP3 $f(2)$의 값 구하기

㉠, ㉡을 연립하여 풀면

$a=-3$, $b=5$

따라서 $f(x)=x^3-3x^2+5x$이므로

$f(2)=8-12+10=6$

답 (1) 6 (2) 6

풍쌤 강의 NOTE

그래프가 지나는 점의 좌표가 주어지면 $y=f(x)$에 대입하고, 접선의 기울기가 주어지면 $y=f'(x)$에 대입하여 관계식을 구한다.

13-1 유사

함수 $f(x)=x^3+2x^2+ax+b$의 그래프 위의 점 $(1, 2)$에서의 접선의 기울기가 6일 때, 두 상수 a, b에 대하여 a^2+b^2의 값을 구하여라.

13-2 변형

함수 $f(x)=x^2+ax+4$에 대하여 $y=f(x)$의 그래프 위의 점 $(1, 2)$에서의 접선의 기울기가 m일 때, $a+m$의 값을 구하여라. (단, a는 상수이다.)

13-3 변형

함수 $f(x)=x^2-4x+6$의 그래프 위의 점 (a, b)에서의 접선의 기울기가 6일 때, a, b의 값을 각각 구하여라.

13-4 변형 기출

다항함수 $f(x)$에 대하여 곡선 $y=f(x)$ 위의 점 $(2, 1)$에서의 접선의 기울기가 2이다. $g(x)=x^3f(x)$일 때, $g'(2)$의 값을 구하여라.

13-5 변형

함수 $f(x)=(2x+a)^2$과 다항함수 $g(x)$에 대하여 곡선 $y=f(x)g(x)$ 위의 $x=1$인 점에서의 접선의 기울기가 -4이다. $g(1)=1$, $g'(1)=1$일 때, 상수 a의 값을 구하여라.

13-6 실력

함수 $f(x)=-x^3+ax^2+bx+c$가 다음 조건을 모두 만족시킬 때, $f(2)$의 값을 구하여라.

(단, a, b, c는 상수이다.)

(가) $\lim\limits_{x \to 1} \dfrac{f(x)}{x-1}=-3$

(나) 함수 $y=f(x)$의 그래프 위의 점에서의 접선의 기울기는 $x=2$인 점에서 최대이다.

다음 물음에 답하여라.

(1) 이차함수 $f(x)$가 모든 실수 x에 대하여 $(x-1)f'(x)-f(x)=2x^2-4x$를 만족시키고 $f'(2)=2$일 때, $f'(1)$의 값을 구하여라.

(2) 다항함수 $f(x)$가 $f(x)=3x^2+2xf'(1)$을 만족시킬 때, $f'(3)$의 값을 구하여라.

풍쌤 POINT

모든 실수 x에 대하여 등식이 성립하면 x에 대한 항등식이야!

조건에 맞게 $f(x)$를 구성하고 $f(x)$, $f'(x)$를 주어진 관계식에 대입해 봐!

풀이

(1) $f(x)=ax^2+bx+c$ $(a \neq 0,\ a,\ b,\ c$는 상수$)$로 놓으면

$f'(x)=2ax+b$이므로 주어진 식에서

$(x-1)(2ax+b)-(ax^2+bx+c)=2x^2-4x$

$ax^2-2ax-(b+c)=2x^2-4x$ ∴ $a=2,\ b=-c$ ❶

$f'(2)=8+b=2$이므로 $b=-6$

즉, $f'(x)=4x-6$이므로 $f'(1)=4-6=-2$

(2) **STEP1 $f'(1)$의 값 구하기**

주어진 식의 양변을 x에 대하여 미분하면

$f'(x)=6x+2f'(1)$ ❷

양변에 $x=1$을 대입하면

$f'(1)=6+2f'(1)$ ∴ $f'(1)=-6$

STEP2 $f'(3)$의 값 구하기

따라서 $f'(x)=6x-12$이므로 ❸

$f'(3)=18-12=6$

다른 풀이

STEP1 $f(x)$를 구성하고 $f'(x)$ 구하기

$f(x)=3x^2+2xf'(1)$에서 우변의 차수가 2이므로

$f(x)$는 이차함수이다.

즉, $f(x)=3x^2+ax$ ❹로 놓으면 $f'(x)=6x+a$

STEP2 $f'(3)$의 값 구하기   → $f(x)=3x^2+2xf'(1)$

$f'(1)=6+a$이므로 주어진 식에서

$f(x)=3x^2+ax=3x^2+2(6+a)x$

이때 $a=12+2a$ ❺이므로 $a=-12$

따라서 $f'(x)=6x-12$이므로

$f'(3)=18-12=6$

❶ 양변의 동류항의 계수를 비교하면

$a=2,\ -2a=-4,\ b+c=0$
이다.

❷ $f(x)=3x^2+2xf'(1)$에서 x의 계수는 $2f'(1)$이다.

❸ $f'(x)=3x^2-12x$이다.

❹ 우변의 상수항이 0이므로 $f(x)$의 상수항도 0이다.

❺ 양변의 x의 계수를 비교하면 $a=12+2a$이다.

답 (1) -2 (2) 6

풍쌤 강의 NOTE

• 다항식 $f(x)$가 n차식이면 $f'(x)$는 $(n-1)$차식이다.

• $f(x)$가 이차식으로 주어진 경우 $f(x)=ax^2+bx+c$로 놓고 문제를 해결할 수 있다.

14-1 ◉유사

이차함수 $f(x)$가 모든 실수 x에 대하여
$(x-3)f'(x)=2f(x)+9x-11$을 만족시키고
$f'(-1)=7$일 때, $f'(3)$의 값을 구하여라.

14-2 ◉유사   기출

최고차항의 계수가 1인 다항함수 $f(x)$가
$f(x)f'(x)=2x^3-9x^2+5x+6$을 만족시킬 때,
$f(-3)$의 값을 구하여라.

14-3 ◉변형

모든 항의 계수가 정수인 함수 $f(x)$가 모든 실수 x에
대하여 $f(x)=2x^3-\{f'(1)\}^2x^2+3f(1)$을 만족시
킬 때, $f(1)-f'(1)$의 값을 구하여라.

14-4 ◉변형

이차함수 $f(x)$가 모든 실수 x에 대하여
$f(f'(x))=f'(f(x))$를 만족시키고 $f(4)=10$일
때, $f(2)$의 값을 구하여라.

14-5 ◉변형   기출

함수 $f(x)=ax^2+b$가 모든 실수 x에 대하여
$4f(x)=\{f'(x)\}^2+x^2+4$를 만족시킬 때, $f(2)$의
값을 구하여라. (단, a, b는 상수이다.)

14-6 ◉실력

다항함수 $f(x)$가 모든 실수 x에 대하여 $f(0)=1$이
고 $f'(x)\{f'(x)+2\}=8f(x)+8x+7$을 만족시킬
때, $f(x)$를 모두 구하여라.

다음 물음에 답하여라

(1) 다항식 x^8+ax^2+b가 $(x+1)^2$으로 나누어떨어질 때, 상수 a, b의 값을 각각 구하여라.

(2) 다항식 x^6-x+3을 $(x-1)^2$으로 나누었을 때의 나머지를 구하여라.

풍쌤 POINT

다항식 $f(x)$가 $(x-a)^2$으로 나누어떨어지면 $f(a)=0$, $f'(a)=0$이야!

다항식 $f(x)$를 $(x-a)^2$으로 나눌 때, 몫이 $Q(x)$, 나머지가 $R(x)$이면 $f(a)=R(a)$, $f'(a)=R'(a)$이지!

풀이

(1) **STEP1 나눗셈의 관계식 구하기**

x^8+ax^2+b를 $(x+1)^2$으로 나눈 몫을 $Q(x)$라고 하면

$x^8+ax^2+b=(x+1)^2Q(x)$ ······ ㉠

STEP2 a, b의 값 구하기

양변에 $x=-1$을 대입하면

$1+a+b=0$ ······ ㉡

㉠의 양변을 x에 대하여 미분하면

$8x^7+2ax=2(x+1)Q(x)+(x+1)^2Q'(x)$ ❶

양변에 $x=-1$을 대입하면

$-8-2a=0$ ∴ $a=-4$

이것을 ㉡에 대입하면 $b=3$

> ❶ 곱의 미분법을 이용한다.

(2) **STEP1 나눗셈의 관계식 구하기**

다항식 x^6-x+3을 $(x-1)^2$으로 나눈 몫을 $Q(x)$, 나머지를 $R(x)=ax+b$ (a, b는 상수)❷라고 하면

$x^6-x+3=(x-1)^2Q(x)+ax+b$ ······ ㉠

STEP2 나머지 구하기

양변에 $x=1$을 대입하면

$3=a+b$ ······ ㉡

㉠의 양변을 x에 대하여 미분하면

$6x^5-1=2(x-1)Q(x)+(x-1)^2Q'(x)+a$

양변에 $x=1$을 대입하면 $5=a$

이것을 ㉡에 대입하면 $b=-2$

∴ $R(x)=5x-2$

> ❷ 이차식 $(x-1)^2$으로 나누었으므로 나머지 $R(x)$는 일차식 이하이다.

답 (1) $a=-4$, $b=3$ (2) $5x-2$

풍쌤 강의 NOTE

• 다항식 $f(x)$를 $(x-a)^2$으로 나누면 나눗셈의 관계식 $f(x)=(x-a)^2Q(x)+R(x)$를 만들고 양변을 x에 대하여 미분한다.

• 이차식 $(x-a)^2$으로 나누면 나머지는 일차식 이하이므로 $ax+b$ (a, b는 상수)로 놓는다.

15-1 〔유사〕

다항식 $x^{10}+2x^7+ax+b$가 $(x+1)^2$으로 나누어떨어질 때, 두 상수 a, b에 대하여 a^2+b^2의 값을 구하여라.

15-4 〔변형〕

다항식 x^5+2ax^2+b를 $(x+1)^2$으로 나누었을 때의 나머지가 $13x+11$일 때, 두 상수 a, b에 대하여 a^2+b^2의 값을 구하여라.

15-2 〔유사〕

다항식 $x^{10}-3x+1$을 $(x-1)^2$으로 나누었을 때의 나머지를 $R(x)$라고 할 때, $R(2)$의 값을 구하여라.

15-5 〔변형〕

다항함수 $y=f(x)$의 그래프 위의 점 $(2, 5)$에서의 접선의 기울기가 20이다. $f(x)$를 $(x-2)^2$으로 나누었을 때의 나머지를 $R(x)$라고 할 때, $R(4)$의 값을 구하여라.

15-3 〔변형〕

다항식 x^5-5x+k가 $(x-a)^2$으로 나누어떨어질 때, 두 상수 a, k에 대하여 $a+k$의 값을 구하여라.

(단, $a>0$)

15-6 〔실력〕

자연수 n에 대하여 다항식 $x^n(x^2+ax+b)$를 $(x+2)^2$으로 나눈 나머지가 $(-2)^n(x+2)$일 때, 두 상수 a, b에 대하여 ab의 값을 구하여라.

평균변화율과 순간변화율의 기하적 의미

그래프만 주어졌을 때, 직선을 그어 주어진 값들을 확인하자.

평균변화율은 두 점을 지나는 직선의 기울기, 순간변화율은 한 점에서의 접선의 기울기이다.
주어진 그래프를 보며 두 가지 변화율의 특징을 알아보자.

평균변화율은 함수 $y=f(x)$의 그래프 위의 두 점 $(a, f(a))$, $(b, f(b))$를 지나는 직선과 같다.

미분계수(또는 순간변화율)는 곡선 $y=f(x)$ 위의 점 $(a, f(a))$에서의 접선의 기울기와 같다.

순간변화율은 h를 이용해서 나타내기도 해!

$$f'(a)=\lim_{h \to 0}\frac{f(a+h)-f(a)}{h}$$

---

1. 평균변화율: 함수 $y=f(x)$에서 x의 값이 a에서 b까지 변할 때, 평균변화율은

$$\frac{\Delta y}{\Delta x}=\frac{f(b)-f(a)}{b-a}=\frac{f(a+\Delta x)-f(a)}{\Delta x}$$

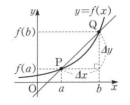

2. 순간변화율(미분계수): 함수 $y=f(x)$의 $x=a$에서의 미분계수(또는 순간변화율)는

$$f'(a)=\lim_{\Delta x \to 0}\frac{f(a+\Delta x)-f(a)}{\Delta x}$$
$$=\lim_{x \to a}\frac{f(x)-f(a)}{x-a}$$

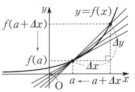

특강 ① 그래프가 아래로 볼록할 때

원점을 지나는 곡선 $y=f(x)$ 위의 세 점 $A(a, f(a))$, $B(b, f(b))$, $C(c, f(c))$에 대하여

(1) $\dfrac{f(b)-f(a)}{b-a}<\dfrac{f(c)-f(b)}{c-b}$

(2) $0<\dfrac{f(a)}{a}<\dfrac{f(b)}{b}<\dfrac{f(c)}{c}$

(3) $f'(a)<f'(b)<f'(c)$

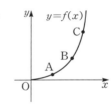

풍산자 풀이 흐름

❶ 주어진 식의 의미를 파악하여 그래프에 나타내기

❷ 그래프를 확인하여 대소 비교하기

(1) ❶ $\dfrac{f(b)-f(a)}{b-a}$ 는 두 점 A, B를 이은 직선의 기울기와 같고

$\dfrac{f(c)-f(b)}{c-b}$ 는 두 점 B, C를 이은 직선의 기울기와 같다.

❷ 오른쪽 그림에서 $(\overline{AB}의 기울기)<(\overline{BC}의 기울기)$이므로

$$\dfrac{f(b)-f(a)}{b-a}<\dfrac{f(c)-f(b)}{c-b}$$

$f(0)=0$

(2) ❶ $y=f(x)$의 그래프가 원점 O를 지나므로

$$\frac{f(a)}{a}=\frac{f(a)-f(0)}{a-0}, \ \frac{f(b)}{b}=\frac{f(b)-f(0)}{b-0}, \ \frac{f(c)}{c}=\frac{f(c)-f(0)}{c-0}$$

분모가 x좌표, 분자가 그 x좌표의 함숫값이면 평균변화율의 식으로 만들 수 있는지 확인해봐!

❷ 즉, $\dfrac{f(a)}{a}$ 는 원점 O와 점 A를 이은 직선의 기울기이며,

마찬가지로 $\dfrac{f(b)}{b}$, $\dfrac{f(c)}{c}$ 도 원점과 두 점 B, C를 각각 이은 직선의 기울기이다.

$$\therefore \ 0 < \frac{f(a)}{a} < \frac{f(b)}{b} < \frac{f(c)}{c}$$

(3) ❶ $f'(a)$, $f'(b)$, $f'(c)$는 각각 세 점 A, B, C에서의 접선
의 기울기이다.

   ❷ 오른쪽 그림에서 $f'(a) < f'(b) < f'(c)$

특강 ❷ 그래프가 위로 볼록할 때

원점을 지나는 곡선 $y=f(x)$ 위의 세 점
$A(a, f(a))$, $B(b, f(b))$, $C(c, f(c))$에 대하여

(1) $\dfrac{f(b)-f(a)}{b-a} > \dfrac{f(c)-f(b)}{c-b}$

(2) $0 < \dfrac{f(c)}{c} < \dfrac{f(b)}{b} < \dfrac{f(a)}{a}$

(3) $f'(c) < f'(b) < f'(a)$

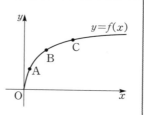

(1) 오른쪽 그림에서 ($\overline{AB}$의 기울기) $>$ ($\overline{BC}$의 기울기)이므
로 $\dfrac{f(b)-f(a)}{b-a} > \dfrac{f(c)-f(b)}{c-b}$

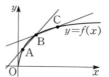

(2) $y=f(x)$의 그래프가 원점 O를 지나므로

$$\frac{f(a)}{a} = \frac{f(a)-f(0)}{a-0}, \ \frac{f(b)}{b} = \frac{f(b)-f(0)}{b-0},$$

$$\frac{f(c)}{c} = \frac{f(c)-f(0)}{c-0}$$

$$\therefore \ 0 < \frac{f(c)}{c} < \frac{f(b)}{b} < \frac{f(a)}{a}$$

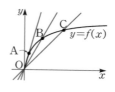

(3) $f'(a)$, $f'(b)$, $f'(c)$는 각각 세 점 A, B, C에서의 각각
의 접선의 기울기이므로 오른쪽 그림에서
$f'(c) < f'(b) < f'(a)$

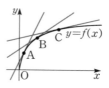

✔ **확인**

정답과 풀이 **77**쪽

1. 오른쪽 그림은 $x>0$에서 미분가능한 함수 $y=f(x)$의 그
래프와 직선 $y=x$를 나타낸 것이다. 두 점 $A(a, f(a))$,
$B(b, f(b))$에 대하여 다음 |보기에서 옳은 것만을 있는
대로 골라라.

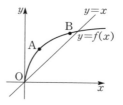

┤보기├
ㄱ. $\dfrac{f(a)}{a} > 1$ ㄴ. $f(b)-f(a) < b-a$

ㄷ. $f'(b) > 1$ ㄹ. $f\left(\dfrac{a+b}{2}\right) > \dfrac{f(a)+f(b)}{2}$

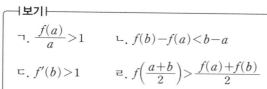

01

함수 $f(x)=2x^2+3x+1$에 대하여 x의 값이 -1에서 1까지 변할 때의 평균변화율과 $x=a$에서의 미분계수가 같을 때, 상수 a의 값은?

① $-\dfrac{1}{2}$ ② $-\dfrac{1}{4}$ ③ 0

④ $\dfrac{1}{4}$ ⑤ $\dfrac{1}{2}$

02

함수 $f(x)$에 대하여 두 점 $(0,\ f(0))$, $(2,\ f(2))$를 지나는 직선의 기울기가 2이고 두 점 $(2,\ f(2))$, $(4,\ f(4))$를 지나는 직선의 기울기가 4일 때, x의 값이 0에서 4까지 변할 때의 평균변화율은?

① $\dfrac{3}{2}$ ② 2 ③ $\dfrac{5}{2}$

④ 3 ⑤ $\dfrac{7}{2}$

03

오른쪽 그림은 미분가능한 두 함수 $y=f(x)$와 $y=x$의 그래프이다. $0<a<b$일 때, 다음 |보기|에서 옳은 것만을 있는 대로 골라라.

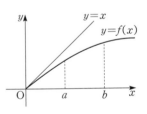

┌─|보기|───────────────
│ ㄱ. $\dfrac{f(a)}{a}<\dfrac{f(b)}{b}$
│ ㄴ. $f(b)-f(a)>b-a$
│ ㄷ. $f'(a)>f'(b)$
└──────────────────────

04

미분가능한 함수 $f(x)$에 대하여 $f'(2)=-3$이고
$$\lim_{h\to 0}\frac{f(2-2h)-f(2+h)+g(h)}{h}=2$$
일 때, $g'(0)$의 값을 구하여라.

05

다항함수 $f(x)$에 대하여 $f'(1)=2$일 때,
$$\lim_{x\to 1}\frac{f(x)-f(1)}{x^2-1}$$ 값을 구하여라.

06

미분가능한 함수 $f(x)$가 모든 실수 x, y에 대하여 $f(x+y)=f(x)+f(y)-2xy$를 만족시키고 $f'(2)=4$일 때, $f'(-2)+f'(-1)+f'(0)+f'(1)$의 값은?

① 24   ② 30   ③ 36
④ 42   ⑤ 48

07 `기출`

두 함수 $f(x)=|x|$, $g(x)=\begin{cases} -x-1 & (x<0) \\ 2x+1 & (x\geq0) \end{cases}$ 에 대하여 $x=0$에서 미분가능한 함수만을 다음 I보기I에서 있는 대로 고른 것은?

┌─I보기I─────────────────────────
ㄱ. $xf(x)$

ㄴ. $f(x)g(x)$

ㄷ. $|f(x)-g(x)|$
└──────────────────────────────

① ㄱ   ② ㄷ   ③ ㄱ, ㄴ

④ ㄴ, ㄷ   ⑤ ㄱ, ㄴ, ㄷ

08 `기출`

함수 $f(x)=x^3-x$에 대하여
$\displaystyle\lim_{h\to0}\frac{f(1+3h)-f(1)}{2h}$의 값은?

① 2   ② $\dfrac{5}{2}$ ③ 3

④ $\dfrac{7}{2}$ ⑤ 4

09 `기출`

함수 $f(x)=\begin{cases} 2x^2+ax+b & (x<2) \\ 5ax-12 & (x\geq2) \end{cases}$ 가 $x=2$에서 미분가능할 때, 두 상수 a, b에 대하여 a^2+b^2의 값을 구하여라.

10 서술형 ✎

함수 $f(x)=\begin{cases} 4-2x & (x<2) \\ x+a & (x\geq2) \end{cases}$ 에 대하여 함수 $g(x)$를
$g(x)=\begin{cases} (x^2-2x)f(x) & (x<2) \\ (ax+b)f(x) & (x\geq2) \end{cases}$ 로 정의할 때, 함수 $g(x)$는 $x=2$에서 미분가능하다. 0이 아닌 두 정수 a, b에 대하여 $a+b$의 값을 구하여라.

11 `기출`

함수 $f(x)=x|x|+|x-1|^3$에 대하여 $f'(0)+f'(1)$의 값은?

① -3 ② -1 ③ 1

④ 3   ⑤ 5

12

두 다항함수 $f(x)$, $g(x)$가 $\displaystyle\lim_{x\to1}\frac{f(x)-2}{x-1}=3$, $\displaystyle\lim_{x\to1}\frac{g(x)-1}{x-1}=4$를 만족시킬 때, 함수 $h(x)=f(x)g(x)$에 대하여 $h'(1)$의 값을 구하여라.

13

두 함수 $f(x)$, $g(x)$가 $f(2)=g(2)=1$, $f'(2)=4$, $g'(2)=3$일 때, $\lim\limits_{x\to 2}\dfrac{f(x)g(x)-1}{x-2}$의 값을 구하여라.

14

두 함수 $f(x)=x^3-3x^2+2$, $g(x)=2x^3-3x+1$에 대하여 $\lim\limits_{h\to 0}\dfrac{f(1+3h)-g(1-2h)}{h}$의 값은?

① -5 ② -3 ③ -1
④ 1 ⑤ 3

15

$\lim\limits_{x\to 1}\dfrac{x^n+3x-4}{x-1}=5$를 만족시키는 자연수 n의 값은?

① 1 ② 2 ③ 3
④ 4 ⑤ 5

16

함수 $f(x)=x^3+ax^2+bx-3$에 대하여 $\lim\limits_{x\to 1}\dfrac{f(x)+1}{x-1}=6$이 성립할 때, $f'(-1)$의 값은?

① -4 ② -2 ③ 0
④ 2 ⑤ 4

17 서술형✎

다항함수 $f(x)$가 다음 조건을 만족시킬 때, $f(2)$의 값을 구하여라.

> ㈎ 모든 실수 x에 대하여 $\{f'(x)\}^2=2f(x)+2$
> ㈏ $f'(0)=2$

18 서술형✎

다항식 $x^{10}+ax^9+b$를 $(x+1)^2$으로 나눈 나머지가 $8x+12$일 때, 이 다항식을 $x-1$로 나눈 나머지를 구하여라. (단, a, b는 상수이다.)

01

다항함수 $f(x)$가 모든 실수 x에 대하여
$f(x+1)-f(x)=f(x)-f(x-1)$을 만족시키고
$f'(1)=3$일 때, $f'(-1)$의 값은?

① 1   ② 2   ③ 3

④ 4   ⑤ 5

02

최고차항의 계수가 1이고 $f(1)=0$인 삼차함수 $f(x)$
가 $\lim\limits_{x\to 2}\dfrac{f(x)}{(x-2)\{f'(x)\}^2}=\dfrac{1}{3}$ 을 만족시킬 때, $f(3)$
의 값을 구하여라.

03

함수 $f(x)=\begin{cases}2x-3 & (x<1)\\ x^2 & (x\geq 1)\end{cases}$와 최고차항의 계수가 1
인 다항함수 $g(x)$에 대하여 함수 $f(x)g(x)$가 $x=1$
에서 미분가능할 때, 차수가 가장 작은 $g(x)$를 구하
여라.

04

함수 $f(x)=(x^2+ax+b)[x]$가 $x=2$에서 미분가
능할 때, 두 상수 a, b에 대하여 a^2+b^2의 값을 구하여
라. (단, $[x]$는 x보다 크지 않은 최대의 정수이다.)

05 [기출]

최고차항의 계수가 1인 다항함수 $f(x)$가 모든 실수 x에 대하여 $f(x)f'(x)=2x^3-12x^2+16x$를 만족시킬 때, $f(-1)f(1)$의 값을 구하여라.

06 [기출]

최고차항의 계수가 1이 아닌 다항함수 $f(x)$가 다음 조건을 만족시킬 때, $f'(1)$의 값을 구하여라.

(가) $\displaystyle\lim_{x\to\infty}\frac{\{f(x)\}^2-f(x^2)}{x^3f(x)}=4$

(나) $\displaystyle\lim_{x\to0}\frac{f'(x)}{x}=4$

07

다항함수 $f(x)$와 두 자연수 m, n이

$$\lim_{x\to\infty}\frac{f(x)}{x^m}=1,\ \lim_{x\to\infty}\frac{f'(x)}{x^{m-1}}=a,$$

$$\lim_{x\to0}\frac{f(x)}{x^n}=b,\ \lim_{x\to0}\frac{f'(x)}{x^{n-1}}=9$$

를 모두 만족시킨다. ab의 값이 최소일 때, $f(x)$를 구하여라.

08 [기출]

삼차함수 $f(x)=x^3-x^2-9x+1$에 대하여 함수 $g(x)$를 $g(x)=\begin{cases} f(2k-x) & (x<k) \\ f(x) & (x\geq k) \end{cases}$ 라고 하자.

함수 $g(x)$가 실수 전체의 집합에서 미분가능하도록 하는 모든 실수 k의 값의 합을 $\dfrac{q}{p}$라고 할 때, p^2+q^2의 값을 구하여라. (단, p와 q는 서로소인 자연수이다.)

04

도함수의 활용(1)

04 도함수의 활용(1)

개념01 접선의 방정식

(1) **접선의 기울기와 미분계수의 관계**

곡선 $y=f(x)$ 위의 점 $P(a, f(a))$에서의 접선의 기울기는 $x=a$에서의 미분계수 $f'(a)$와 같다.

(2) **접선의 방정식**

함수 $f(x)$가 $x=a$에서 미분가능할 때, 곡선 $y=f(x)$ 위의 점 $P(a, f(a))$에서의 접선의 방정식은

$$y-f(a)=f'(a)(x-a)$$

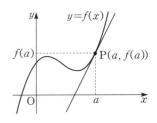

> 점 (a, b)를 지나고 기울기가 m인 직선의 방정식은
> $y-b=m(x-a)$

> 수직인 두 직선의 기울기의 곱은 -1이다.

개념+ 곡선 $y=f(x)$ 위의 점 $(a, f(a))$를 지나고, 이 점에서의 접선에 수직인 직선의 방정식은

$$y-f(a)=-\frac{1}{f'(a)}(x-a) \ (단, \ f'(a) \neq 0)$$

확인 01 곡선 $y=x^2-2x+1$ 위의 점 $(2, 1)$에서의 접선의 방정식을 구하여라.

> **中2 수학** 일차함수
>
> 함수 $y=f(x)$에서 y가 x에 대한 일차식
> $y=ax+b$ (a, b는 상수, $a \neq 0$)
> 로 나타내어질 때, 이 함수를 일차함수라고 한다.

개념02 접선의 방정식을 구하는 방법

(1) **곡선 $y=f(x)$ 위의 점 $P(a, f(a))$에서의 접선의 방정식**

(ⅰ) 접선의 기울기 $f'(a)$를 구한다.

(ⅱ) $f'(a)$를 $y-f(a)=f'(a)(x-a)$에 대입한다.

(2) **곡선 $y=f(x)$에 접하고 기울기가 m인 접선의 방정식**

(ⅰ) 접점의 좌표를 $(t, f(t))$라고 한다.

(ⅱ) $f'(t)=m$임을 이용하여 t의 값을 구한다.

(ⅲ) t의 값을 $y-f(t)=m(x-t)$에 대입한다.

(3) **곡선 $y=f(x)$ 밖의 한 점 (x_1, y_1)에서 곡선에 그은 접선의 방정식**

(ⅰ) 접점의 좌표를 $(t, f(t))$라고 한다.

(ⅱ) 접선의 기울기 $f'(t)$를 구한다.

(ⅲ) 직선 $y-f(t)=f'(t)(x-t)$가 점 (x_1, y_1)을 지남을 이용하여 t의 값을 구한다.

(ⅳ) t의 값을 $y-f(t)=f'(t)(x-t)$에 대입한다.

> 접점의 좌표가 주어지면 접선의 기울기를 구한다.

> 접선의 기울기가 주어지면 접점의 좌표를 구한다.

> 곡선 밖의 한 점이 주어지면 접점의 좌표를 구한다.

> 접선의 방정식을 구할 때는 주어진 점의 좌표를 곡선의 방정식에 대입하여 그 점이 곡선 위의 점인지 아닌지 확인한다.

확인 **02** 다음 물음에 답하여라.

(1) 곡선 $y=x^2-4x+1$에 접하고 기울기가 2인 접선의 방정식을 구하여라.

(2) 곡선 $y=-x^3+x+2$에 접하고 기울기가 -2인 접선의 방정식을 구하여라.

확인 **03** 다음 물음에 답하여라.

(1) 점 $(0, 1)$에서 곡선 $y=x^3-x+3$에 그은 접선의 방정식을 구하여라.

(2) 점 $(-1, -3)$에서 곡선 $y=x^2+2x-1$에 그은 접선의 방정식을 구하여라.

개념 03 **롤의 정리**

함수 $f(x)$가 닫힌구간 $[a, b]$에서 연속이고 열린구간 (a, b)에서 미분가능할 때, $f(a)=f(b)$이면
$$f'(c)=0 \ (a<c<b)$$
인 c가 적어도 하나 존재한다.

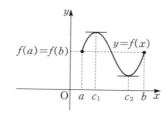

▶ 롤의 정리는 곡선 $y=f(x)$에서 $f(a)=f(b)$이면 x축과 평행한 접선을 갖는 점이 열린구간 (a, b)에 적어도 하나 존재함을 의미한다.

확인 **04** 다음 함수에 대하여 주어진 구간에서 롤의 정리를 만족시키는 상수 c의 값을 구하여라.

(1) $f(x)=x^2-8x$ $[0, 8]$

(2) $f(x)=x^4-2x^2+1$ $[-1, 1]$

개념 04 **평균값 정리**

함수 $f(x)$가 닫힌구간 $[a, b]$에서 연속이고 열린구간 (a, b)에서 미분가능하면
$$\frac{f(b)-f(a)}{b-a}=f'(c) \ (a<c<b)$$
인 c가 적어도 하나 존재한다.

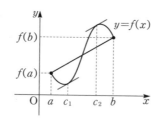

▶ 평균값 정리는 곡선 $y=f(x)$ 위의 두 점 $(a, f(a))$, $(b, f(b))$를 잇는 직선과 평행한 접선을 갖는 점이 열린구간 (a, b)에 적어도 하나 존재함을 의미한다.

확인 **05** 다음 함수에 대하여 주어진 구간에서 평균값 정리를 만족시키는 상수 c의 값을 구하여라.

(1) $f(x)=2x^2-4x+1$ $[1, 3]$

(2) $f(x)=x^3-3x^2+2x$ $[0, 3]$

다음 물음에 답하여라.

(1) 곡선 $y=x^3+ax^2+bx$ 위의 점 $(1, 5)$에서의 접선의 기울기가 1일 때, 두 상수 a, b의 값을 구하여라.

(2) 곡선 $y=x^2+2x+a$ 위의 점 $(b, 4)$에서의 접선의 기울기가 -2일 때, a, b의 값을 구하여라. (단, a는 상수이다.)

풍쌤 POINT

곡선 위의 점에서의 접선의 기울기는 곡선의 방정식을 미분한 다음 접점의 x좌표를 대입한 값이야.

풀이

(1) STEP1 $f(x)=x^3+ax^2+bx$로 놓고 $f'(x)$ 구하기

$f(x)=x^3+ax^2+bx$로 놓으면 $f'(x)=3x^2+2ax+b$

STEP2 a, b의 관계식 구하기

곡선 $y=f(x)$가 점 $(1, 5)$를 지나므로

$f(1)=1+a+b=5$ ❶

$\therefore a+b=4$ ······ ㉠

곡선 $y=f(x)$ 위의 점 $(1, 5)$에서의 접선의 기울기가 1이므로

$f'(1)=3+2a+b=1$

$\therefore 2a+b=-2$ ······ ㉡

STEP3 a, b의 값 구하기

㉠, ㉡을 연립하여 풀면

$a=-6$, $b=10$

> ❶ 곡선 $y=f(x)$ 위의 한 점의 좌표가 (p, q)이면 $q=f(p)$

(2) STEP1 $f(x)=x^2+2x+a$로 놓고 $f'(x)$ 구하기

$f(x)=x^2+2x+a$로 놓으면 $f'(x)=2x+2$

STEP2 b의 값 구하기

곡선 $y=f(x)$ 위의 점 $(b, 4)$에서의 접선의 기울기가 -2이므로

$f'(b)=2b+2=-2$ ❷

$2b=-4$ $\therefore b=-2$

STEP3 a의 값 구하기

곡선 $y=f(x)$는 점 $(-2, 4)$를 지나므로

$f(-2)=(-2)^2+2\times(-2)+a=4$

$\therefore a=4$

> ❷ 곡선 $y=f(x)$ 위의 점 (p, q)에서의 접선의 기울기는 $f'(p)$

🖪 (1) $a=-6$, $b=10$ (2) $a=4$, $b=-2$

풍쌤 강의 NOTE

곡선 $y=f(x)$ 위의 점 $(a, f(a))$에서의 접선의 기울기는 $x=a$에서의 미분계수 $f'(a)$와 같다.

01-1 ⊚유사

곡선 $y=x^3+ax^2+bx$ 위의 점 $(1, 2)$에서의 접선의 기울기가 -3일 때, 두 상수 a, b의 값을 구하여라.

01-2 ⊚유사

곡선 $y=-2x^2+3x+a$ 위의 점 $(b, -2)$에서의 접선의 기울기가 -1일 때, a, b의 값을 구하여라.

(단, a는 상수이다.)

01-3 ⊚변형

곡선 $y=f(x)$ 위의 점 $(2, f(2))$에서의 접선의 기울기가 3일 때, $\displaystyle\lim_{h\to 0}\frac{f(2+5h)-f(2)}{h}$의 값을 구하여라.

01-4 ⊚변형 　기출

곡선 $y=ax^2+bx+c$ 위의 두 점 $(-3, 2)$, $(1, 0)$에서의 접선이 평행할 때, 세 상수 a, b, c에 대하여 $a+2b+4c$의 값을 구하여라.

01-5 ⊚변형 　기출

곡선 $y=x^3-ax+b$ 위의 점 $(1, 1)$에서의 접선과 수직인 접선의 기울기가 $-\dfrac{1}{2}$이다. 두 상수 a, b에 대하여 $a+b$의 값을 구하여라.

01-6 ⊚실력

함수 $y=-\dfrac{1}{3}x^3+2x^2+x+5$의 그래프의 접선의 기울기의 최댓값을 M, 이때의 접점의 좌표를 (a, b)라고 하자. $a+b+M$의 값을 구하여라.

(단, M은 실수이다.)

필수유형 ⑫ 곡선 위의 점이 주어진 접선의 방정식

다음 물음에 답하여라.

(1) 곡선 $y=x^3-x^2+ax+2$ 위의 점 $(1, 3)$에서의 접선의 방정식이 $y=bx+c$일 때, 세 상수 a, b, c의 값을 구하여라.

(2) 곡선 $y=x^2+ax+1$ 위의 점 $(2, 1)$에서의 접선이 $(3, b)$를 지날 때, a, b의 값을 구하여라. (단, a는 상수이다.)

풍쌤 POINT

곡선 $y=f(x)$ 위의 한 점 $(a, f(a))$가 주어질 때

$y=f(x)$를 미분 ➡ 접선의 기울기 $f'(a)$ 구하기 ➡ 접선의 방정식 $y-f(a)=f'(a)(x-a)$ 만들기

풀이

(1) STEP1 **a의 값 구하기**

$f(x)=x^3-x^2+ax+2$로 놓으면 $f'(x)=3x^2-2x+a$

곡선 $y=f(x)$가 점 $(1, 3)$을 지나므로

$f(1)=1-1+a+2=3$ ∴ $a=1$

STEP2 **b, c의 값 구하기**

곡선 $y=f(x)$ 위의 점 $(1, 3)$에서의 접선의 기울기는

$f'(1)$❶$=3-2+1=2$

따라서 기울기가 2이고 점 $(1, 3)$을 지나는 접선의 방정식❷은

$y-3=2(x-1)$ ∴ $y=2x+1$

∴ $b=2$, $c=1$

❶ $x=1$에서의 접선의 기울기는 미분계수 $f'(1)$과 같다.

❷ 기울기가 2이므로 $y=2x+n$으로 놓고 점 $(1, 3)$의 좌표를 대입하면
$3=2+n$, $n=1$
∴ $y=2x+1$

(2) STEP1 **a의 값 구하기**

$f(x)=x^2+ax+1$로 놓으면 $f'(x)=2x+a$

곡선 $y=f(x)$가 점 $(2, 1)$을 지나므로

$f(2)=4+2a+1=1$ ∴ $a=-2$

STEP2 **b의 값 구하기**

곡선 $y=f(x)$ 위의 점 $(2, 1)$에서의 접선의 기울기는

$f'(2)=4-2=2$

따라서 기울기가 2이고 점 $(2, 1)$을 지나는 접선의 방정식은

$y-1=2(x-2)$ ∴ $y=2x-3$

이 직선이 점 $(3, b)$를 지나므로 $b=6-3=3$

답 (1) $a=1$, $b=2$, $c=1$ (2) $a=-2$, $b=3$

강의 NOTE

곡선 위의 점이 주어지면 곡선의 방정식의 도함수와 곡선 위의 점을 이용하여 접선의 기울기를 구한 다음 접선의 방정식을 구한다.

02-1 유사

곡선 $y=-2x^3+ax-3$ 위의 점 $(1, -1)$에서의 접선의 방정식이 $y=bx+c$일 때, 세 상수 a, b, c의 값을 구하여라.

02-2 유사 기출

곡선 $y=x^3-6x^2+6$ 위의 점 $(1, 1)$에서의 접선이 점 $(0, a)$를 지날 때, a의 값을 구하여라.

02-3 변형

곡선 $y=-x^3-2x^2+3$ 위의 점 $(-1, 2)$를 지나고 이 점에서의 접선과 수직인 직선의 방정식을 구하여라.

02-4 변형

곡선 $y=x^3-3x^2-6x+8$ 위의 두 점 $(1, 0)$, $(4, 0)$에서 각각 접선을 그을 때, 두 접선의 교점의 좌표를 구하여라.

02-5 변형 기출

곡선 $y=x^3-3x^2+2x+2$ 위의 점 $A(0, 2)$에서의 접선과 수직이고 점 A를 지나는 직선의 x절편을 구하여라.

02-6 실력

다항함수 $f(x)$에 대하여 $\lim\limits_{x \to 1} \dfrac{f(x)+1}{x-1}=3$이 성립할 때, 곡선 $y=f(x)$ 위의 점 $(1, f(1))$에서의 접선의 방정식은 $y=ax+b$이다. 두 상수 a, b에 대하여 ab의 값을 구하여라.

곡선 $y=-x^3+3x^2+x-7$ 위의 점 P$(2, -1)$에서의 접선이 이 곡선과 다시 만나는 점의 좌표를 구하여라.

풍쌤 POINT

곡선 $y=f(x)$ 위의 점 $(a, f(a))$에서의 접선 $y=g(x)$가 이 곡선과 다시 만나는 점의 x좌표는 방정식 $f(x)=g(x)$의 실근 중에서 $x \neq a$인 근이야.

풀이

STEP 1 $f(x)=-x^3+3x^2+x-7$로 놓고 $f'(x)$ 구하기

$f(x)=-x^3+3x^2+x-7$로 놓으면

$f'(x)=-3x^2+6x+1$

STEP 2 점 P$(2, -1)$에서의 접선의 방정식 구하기

곡선 $y=f(x)$ 위의 점 P$(2, -1)$에서의 접선의 기울기는

$f'(2)=-12+12+1=1$

이므로 점 P$(2, -1)$에서의 접선의 방정식은

$y-(-1)=x-2$

$\therefore y=x-3$

STEP 3 점 P$(2, -1)$에서의 접선이 이 곡선과 다시 만나는 점의 좌표 구하기

직선 $y=x-3$이 곡선 $y=-x^3+3x^2+x-7$과 만나는 점의 x좌표는

$x-3=-x^3+3x^2+x-7$에서

$x^3-3x^2+4=0$ **❶**

$(x+1)(x-2)^2=0$

$\therefore x=-1$ 또는 $x=2$ **❷**

$x=-1$을 $y=x-3$에 대입하면

$y=-1-3=-4$

따라서 구하는 점의 좌표는 $(-1, -4)$이다. **❸**

❶ 조립제법으로 좌변을 인수분해하면

$$\begin{array}{r|rrrr} -1 & 1 & -3 & 0 & 4 \\ & & -1 & 4 & -4 \\ \hline & 1 & -4 & 4 & 0 \end{array}$$

$(x+1)(x^2-4x+4)=0$

$\therefore (x+1)(x-2)^2=0$

❷ 접선과 곡선이 다시 만나는 점의 x좌표이므로 $x \neq 2$이다.

❸ 곡선 $y=-x^3+3x^2+x-7$과 접선 $y=x-3$은 다음 그림과 같다.

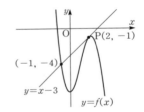

답 $(-1, -4)$

풍쌤 강의 NOTE

• 접선이 곡선과 만나는 점의 x좌표는 곡선과 접선의 방정식을 연립하여 얻은 방정식의 해와 같다.

• 삼차함수와 이 삼차함수의 그래프에 접하는 일차함수의 식을 연립하여 얻은 삼차방정식은 두 개의 실근을 가진다. 이때 둘 중 하나는 중근이고 이 중근이 접점의 x좌표가 되고 나머지 한 근이 곡선과 접선이 만나는 다른 한 점의 x좌표가 된다.

03-1 유사

곡선 $y=x^3-3x-4$ 위의 점 $P(-1, -2)$에서의 접선이 이 곡선과 다시 만나는 점의 좌표를 구하여라.

03-4 변형

기출

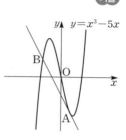

오른쪽 그림과 같이 곡선 $y=x^3-5x$ 위의 점 $A(1, -4)$에서의 접선이 점 A가 아닌 점 B에서 곡선과 만난다. 선분 AB의 길이를 구하여라.

03-2 유사

곡선 $y=-x^3+2x^2-1$ 위의 점 $A(2, -1)$에서의 접선이 이 곡선과 다시 만나는 점의 좌표를 (a, b)라고 할 때, $b-a$의 값을 구하여라.

03-5 변형

곡선 $y=x^3$ 위의 점 $P(1, 1)$에서의 접선이 x축과 만나는 점을 Q, 이 곡선과 다시 만나는 점을 R라고 할 때, $\overline{PQ} : \overline{QR}$의 값을 구하여라.

03-3 변형

곡선 $y=-x^3+2x^2-x+1$ 위의 점 $A(0, 1)$에서의 접선이 이 곡선과 다시 만나는 점을 B라고 할 때, 점 B에서의 접선의 방정식을 구하여라.

03-6 실력

자연수 n에 대하여 곡선 $y=x^3-nx^2+x$ 위의 점 $(1, 2-n)$에서의 접선이 이 곡선과 다시 만나는 점의 x좌표를 x_n이라고 할 때, $x_2+x_4+x_6+x_8+x_{10}$의 값을 구하여라.

곡선 $y=x^3-4x-5$에 접하고 직선 $y=-x-7$에 평행한 직선의 방정식이 $ax+y=b$일 때, 두 상수 a, b의 값을 구하여라.

풍쌤 POINT

곡선 $y=f(x)$의 접선의 기울기 m이 주어질 때
❶ 접점의 좌표를 $(t, f(t))$라고 해.
❷ $f'(t)=m$임을 이용하여 t의 값을 구해.
❸ ❷에서 구한 t의 값을 $y-f(t)=m(x-t)$에 대입해.

풀이

STEP1 접선의 기울기 구하기
직선 $y=-x-7$에 평행한 직선의 기울기는 -1이므로 기울기가 -1인 접선의 방정식을 구한다.❶

❶ 평행한 두 직선의 기울기는 같다.

STEP2 접점의 좌표를 (a, a^3-4a-5)라 하고 a의 값 구하기
$f(x)=x^3-4x-5$로 놓으면
$f'(x)=3x^2-4$
접점의 좌표를 (a, a^3-4a-5)라고 하면 접선의 기울기가 -1
이므로 $f'(a)=3a^2-4=-1$
$a^2=1$ $\therefore a=-1$ 또는 $a=1$

STEP3 a의 값을 대입하여 접선의 방정식 구하기
(ⅰ) $a=-1$일 때, 접점의 좌표는 $(-1, -2)$이므로 접선의 방정식은
$y-(-2)=-\{x-(-1)\}$ $\therefore y=-x-3$
(ⅱ) $a=1$일 때, 접점의 좌표는 $(1, -8)$이므로 접선의 방정식은
$y-(-8)=-(x-1)$ $\therefore y=-x-7$❷
따라서 곡선 $y=x^3-4x-5$에 접하고 직선 $y=-x-7$에 평행한
직선의 방정식은 $y=-x-3$, 즉 $x+y=-3$이므로
$a=1$, $b=-3$

❷ 곡선 $y=x^3-4x-5$와 접선 $y=-x-3$은 다음 그림과 같다.

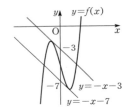

답 $a=1$, $b=-3$

풍쌤 강의 NOTE

• 접선의 기울기가 주어지면 접점의 좌표를 구한다.
• 두 직선 $y=mx+n$, $y=m'x+n'$이
① 서로 평행하면 두 직선의 기울기가 같다. ➡ $m=m'$
② 서로 수직이면 두 직선의 기울기의 곱이 -1이다. ➡ $mm'=-1$

04-1 유사

곡선 $y=x^2-x+2$에 접하고 직선 $y=-x+1$에 평행한 직선의 방정식이 $ax+y=b$일 때, 두 상수 a, b의 값을 구하여라.

04-2 변형

곡선 $y=x^3+2x^2+ax$가 직선 $y=3x+8$과 접할 때, 상수 a의 값을 구하여라.

04-3 변형

곡선 $y=x^2-6x+a$와 직선 $y=-4x+1$의 접점의 x좌표를 t라고 할 때, at의 값을 구하여라.

(단, a는 상수이다.)

04-4 변형

곡선 $y=-x^2+1$의 접선 중에서 곡선 위의 두 점 $A(-1, 0)$, $B(2, -3)$을 지나는 직선과 기울기가 같은 접선의 방정식을 구하여라.

04-5 변형

곡선 $y=x^3-2x+1$ 위의 점 $(-1, 2)$에서의 접선에 평행하고 곡선 $y=-x^2-7x$에 접하는 직선의 방정식은 $y=mx+n$이다. 두 상수 m, n에 대하여 $n-m$의 값을 구하여라.

04-6 실력

곡선 $y=-x^3+2x+2$에 접하고 직선 $x+y-5=0$에 평행한 두 직선 사이의 거리를 구하여라.

다음 물음에 답하여라.

(1) 곡선 $y=x^3-3x^2+4x+1$에 접하는 직선 중 x축의 양의 방향과 $45°$의 각을 이루는 접선의 방정식을 구하여라.

(2) 곡선 $y=-x^2$ 위의 점과 직선 $y=x+6$ 사이의 거리의 최솟값을 구하여라.

풍쌤 POINT

(1) 직선이 x축의 양의 방향과 이루는 각의 크기가 θ일 때, 직선의 기울기는 $\tan\theta$야!

(2) 직선과 평행한 접선의 접점에서 직선까지의 거리가 최솟값이야.

풀이

(1) **STEP1** 접점의 좌표를 $(a,\ a^3-3a^2+4a+1)$이라 하고 a의 값 구하기

$f(x)=x^3-3x^2+4x+1$로 놓으면 $f'(x)=3x^2-6x+4$

접점의 좌표를 $(a,\ a^3-3a^2+4a+1)$이라고 하면 접선의 기울기는 $\tan 45°=1$이므로 $f'(a)=3a^2-6a+4=1$

$a^2-2a+1=0,\ (a-1)^2=0$ ∴ $a=1$

STEP2 접선의 방정식 구하기

$a=1$일 때, 접점의 좌표는 $(1,\ 3)$❶이므로 접선의 방정식은

$y-3=x-1$ ∴ $y=x+2$

❶ $a=1$을 a^3-3a^2+4a+1에 대입하면 $1-3+4+1=3$이므로 접점의 좌표는 $(1,\ 3)$이다.

(2) **STEP1** 직선 $y=x+6$과 평행한 접선의 접점의 좌표 구하기

$f(x)=-x^2$으로 놓으면 $f'(x)=-2x$

직선 $y=x+6$과 평행한 곡선 $y=f(x)$의 접선의 접점의 좌표를 $(a,\ -a^2)$이라고 하면 접선의 기울기가 1이므로

$f'(a)=-2a=1$ ∴ $a=-\dfrac{1}{2}$

따라서 접점의 좌표는 $\left(-\dfrac{1}{2},\ -\dfrac{1}{4}\right)$이다.

STEP2 곡선 위의 점과 직선 사이의 거리의 최솟값 구하기

점 $\left(-\dfrac{1}{2},\ -\dfrac{1}{4}\right)$과 직선 $y=x+6$, 즉 $x-y+6=0$ 사이의 거리가 구하는 최솟값이므로❷

$$\dfrac{\left|-\dfrac{1}{2}+\dfrac{1}{4}+6\right|}{\sqrt{1^2+(-1)^2}}=\dfrac{23\sqrt{2}}{8}$$

❷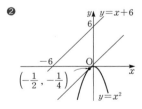

답 (1) $y=x+2$ (2) $\dfrac{23\sqrt{2}}{8}$

풍쌤 강의 NOTE

• 직선 $y=ax+b$에서 x축의 양의 방향과 이루는 각의 크기가 θ이면 $a=\tan\theta$이다.

• 주어진 직선과 평행한 접선의 접점의 좌표를 구하면 이 접점과 주어진 직선 사이의 거리가 구하는 최솟값이다.

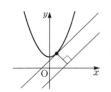

05-1 (유사)

곡선 $y=2x^3-5x$에 접하는 직선 중 x축의 양의 방향과 $45°$의 각을 이루는 접선의 방정식을 구하여라.

05-2 (유사)

곡선 $y=x^2$ 위의 점과 직선 $y=4x-10$ 사이의 거리의 최솟값을 구하여라.

05-3 (변형)

곡선 $y=x^3-6x^2+10x-12$의 접선 중에서 기울기가 최소인 접선의 방정식을 구하여라.

05-4 (변형)

곡선 $y=x^3+k$와 직선 $y=9x$가 제1사분면에서 접할 때, 상수 k의 값을 구하여라.

05-5 (변형)

곡선 $y=-2x^3-6x^2-3x+4$의 접선 중에서 기울기가 최대인 접선의 x절편을 구하여라.

05-6 (실력)

곡선 $y=x^2+5x+8$ 위의 임의의 점 P와 두 점 A$(2, -4)$, B$(-4, 2)$에 대하여 삼각형 ABP의 넓이의 최솟값을 구하여라.

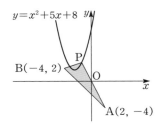

점 $(1, 2)$에서 곡선 $y=x^3-3x^2+x+1$에 그은 접선의 y절편을 구하여라.

풍쌤 POINT

곡선 $y=f(x)$ 밖의 한 점 (x_1, y_1)이 주어질 때

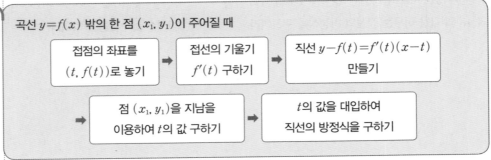

접점의 좌표를 $(t, f(t))$로 놓기 ➡ 접선의 기울기 $f'(t)$ 구하기 ➡ 직선 $y-f(t)=f'(t)(x-t)$ 만들기

➡ 점 (x_1, y_1)을 지남을 이용하여 t의 값 구하기 ➡ t의 값을 대입하여 직선의 방정식을 구하기

풀이

STEP1 $f(x)=x^3-3x^2+x+1$로 놓고 $f'(x)$ 구하기

$f(x)=x^3-3x^2+x+1$로 놓으면

$f'(x)=3x^2-6x+1$

STEP2 접점의 좌표를 (t, t^3-3t^2+t+1)이라 하고 접선의 방정식 세우기

접점의 좌표를 (t, t^3-3t^2+t+1)이라고 하면 이 점에서의 접선의 기울기는 $f'(t)=3t^2-6t+1$이므로 접선의 방정식은

$y-(t^3-3t^2+t+1)=(3t^2-6t+1)(x-t)$

$\therefore y=(3t^2-6t+1)x-2t^3+3t^2+1$ ...... ㉠

STEP3 t의 값 구하기

이 직선이 점 $(1, 2)$를 지나므로❶

$2=3t^2-6t+1-2t^3+3t^2+1$

$t^3-3t^2+3t=0$

$t(t^2-3t+3)=0$

$\therefore t=0$ $(\because t^2-3t+3>0)$❷

STEP4 접선의 y절편 구하기

$t=0$을 ㉠에 대입하면 $y=x+1$

따라서 구하는 접선의 y절편은 1이다.

❶ 점 $(1, 2)$는 곡선이 지나지 않지만 접선이 지나므로 $x=1$, $y=2$를 접선의 방정식에 대입한다.

❷ $t^2-3t+3=\left(t-\dfrac{3}{2}\right)^2+\dfrac{3}{4}>0$ 이므로 모든 실수 t에 대하여 양수이다.

답 1

풍쌤 강의 NOTE

• 주어진 점이 곡선 위의 점인지 곡선 밖의 점인지에 따라 문제 풀이가 달라진다.

• 곡선 밖의 한 점이 주어지면 접점의 좌표를 미지수로 놓고 그 점을 이용하여 접선의 방정식을 만들어야 한다.

• 곡선 밖의 점에서 곡선에 그은 접선은 한 개가 아니라 두 개 이상일 수도 있다.

06-1 유사

점 $(0, 9)$에서 곡선 $y=x^3-7$에 그은 접선의 y절편을 구하여라.

06-4 변형   기출

점 $(0, -4)$에서 곡선 $y=x^3-2$에 그은 접선이 x축과 만나는 점의 x좌표를 구하여라.

06-2 변형

점 $(1, 1)$에서 곡선 $y=x^2+x$에 그은 두 접선의 y절편의 합을 구하여라.

06-5 변형

점 $(2, 0)$에서 곡선 $y=\frac{1}{2}x^2+k$에 그은 두 접선이 서로 수직으로 만날 때, 상수 k의 값을 구하여라.

06-3 변형

점 $(0, 3)$에서 곡선 $y=x^3-3x^2+2$에 그은 두 접선의 기울기의 곱을 구하여라.

06-6 실력

점 $(0, a)$에서 곡선 $y=x^3+3x^2+2x$에 서로 다른 세 개의 접선을 그을 때, 세 접점의 x좌표의 합을 구하여라.

오른쪽 그림과 같이 점 $A(0, -4)$에서 곡선 $y=x^2+2x$에 그은 두 접선의 접점을 각각 B, C라고 할 때, 삼각형 ABC의 넓이를 구하여라.

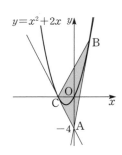

풍쌤 POINT

곡선 $y=f(x)$ 밖의 한 점 (x_1, y_1)이 주어지면 $x=t$인 점에서의 접선의 방정식을 구한 후 이 접선이 점 (x_1, y_1)을 지남을 이용하여 t의 값을 구해!

풀이

STEP1 $f(x)=x^2+2x$로 놓고 $f'(x)$ 구하기

$f(x)=x^2+2x$로 놓으면

$f'(x)=2x+2$

STEP2 접점의 좌표를 (t, t^2+2t)라 하고 접선의 방정식 세우기

접점의 좌표를 (t, t^2+2t)라고 하면 이 점에서의 접선의 기울기는 $f'(t)=2t+2$이므로 접선의 방정식은

$y-(t^2+2t)=(2t+2)(x-t)$

$\therefore y=(2t+2)x-t^2$ ······ ㉠

STEP3 t의 값 구하기

이 직선이 점 $A(0, -4)$를 지나므로

$-4=-t^2$

$t^2=4$

$\therefore t=-2$ 또는 $t=2$

STEP4 삼각형 ABC의 넓이 구하기

따라서 $B(2, 8)$, $C(-2, 0)$❶이므로

삼각형 ABC의 넓이는

$4 \times 12 - \left(\dfrac{1}{2} \times 2 \times 4 + \dfrac{1}{2} \times 2 \times 12 + \dfrac{1}{2} \times 4 \times 8\right) = 16$❷

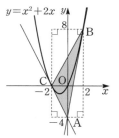

❶ $t=2$를 t^2+2t에 대입하면
$4+4=8$이므로 $B(2, 8)$
$t=-2$를 t^2+2t에 대입하면
$4-4=0$이므로 $C(-2, 0)$

❷ 직사각형의 넓이에서 세 개의 삼각형의 넓이를 빼면 삼각형 ABC의 넓이를 구할 수 있다.

답 16

풍쌤 강의 NOTE

곡선 밖의 한 점과 이 점에서 곡선에 그은 접선은 여러 개가 될 수 있다. 좌표평면에 곡선과 접선을 그려 문제를 이해해 본다.

07-1 유사

점 $A(1, -1)$에서 곡선 $y=x^2+2$에 그은 두 접선의 접점을 각각 B, C라고 할 때, 삼각형 ABC의 넓이를 구하여라.

07-4 변형

점 $A(a, 3)$에서 곡선 $y=x^2+5x-2$에 그은 두 접선의 접점을 각각 B, C라고 하자. 삼각형 ABC의 무게중심의 좌표가 $(5, 18)$일 때, a의 값을 구하여라.

07-2 변형

점 $A(0, -3)$에서 곡선 $y=x^2-2x+1$에 그은 두 접선의 접점을 각각 B, C라고 할 때, 선분 BC의 길이를 구하여라.

07-5 변형

점 $(0, 2)$에서 곡선 $y=x^3-4x$에 그은 접선이 곡선과 접하는 점을 A, 곡선과 만나는 점을 B라고 할 때, 선분 AB의 길이를 구하여라.

07-3 변형

원점 O에서 곡선 $y=x^2+1$에 그은 두 접선의 접점과 원점 O가 이루는 삼각형의 넓이를 구하여라.

07-6 실력

점 $(a, 1)$에서 곡선 $y=x^3-4x^2+1$에 그은 접선이 오직 한 개 존재할 때, 실수 a의 값의 범위는 $m<a<n$이다. 이때 mn의 값을 구하여라.

두 곡선 $y=x^3-2$, $y=2x^3-3x$가 한 점에서 공통인 접선을 가질 때, 공통인 접선의 방정식을 구하여라.

풍쌤 POINT

두 곡선 $y=f(x)$, $y=g(x)$가 점 (a, b)에서 공통인 접선을 가지면
① 점 (a, b)는 두 곡선 $y=f(x)$, $y=g(x)$ 위의 점이야. 즉, $f(a)=g(a)=b$가 성립해.
② 점 (a, b)에서 두 곡선 $y=f(x)$, $y=g(x)$에 그은 두 접선의 기울기가 같아. 즉, $f'(a)=g'(a)$ 가 성립하지.

풀이

STEP1 　$f(x)=x^3-2$, $g(x)=2x^3-3x$로 놓고 $f'(x)$, $g'(x)$ 구하기
$f(x)=x^3-2$, $g(x)=2x^3-3x$로 놓으면
$f'(x)=3x^2$, $g'(x)=6x^2-3$

STEP2 　두 곡선이 $x=t$인 점에서 공통인 접선을 갖는다고 하고 t의 값 구하기
두 곡선이 $x=t$인 점에서 공통인 접선을 갖는다고 하면
$f(t)=g(t)$에서 $t^3-2=2t^3-3t$
$t^3-3t+2=0$
$(t+2)(t-1)^2=0$
$\therefore t=-2$ 또는 $t=1$
$f'(t)=g'(t)$에서 $3t^2=6t^2-3$
$t^2=1$　　$\therefore t=-1$ 또는 $t=1$

STEP3 　공통인 접선의 방정식 구하기
따라서 $t=1$❶일 때, 즉 점 $(1, -1)$에서 공통인 접선을 갖고 접선의 기울기는 $f'(1)=g'(1)=3$이므로 공통인 접선의 방정식은
$y-(-1)=3(x-1)$
$\therefore y=3x-4$❷

❶ $f(t)=g(t)$, $f'(t)=g'(t)$를 동시에 만족시키는 t의 값을 구한다.
❷ 두 곡선 $y=x^3-2$, $y=2x^3-3x$와 공통인 접선은 다음 그림과 같다.

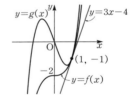

답 $y=3x-4$

풍쌤 강의 NOTE

두 곡선 $y=f(x)$, $y=g(x)$가 $x=a$인 점에서 공통인 접선을 가지면
① $x=a$인 점에서 두 곡선이 만난다. ➡ $f(a)=g(a)$
② $x=a$인 점에서의 두 곡선의 접선의 기울기가 같다. ➡ $f'(a)=g'(a)$

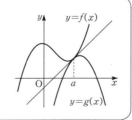

08-1 ◉ 유사

두 곡선 $y=x^3-x$, $y=-x^2+1$이 한 점에서 공통인 접선을 가질 때, 공통인 접선의 방정식을 구하여라.

08-2 ◉ 변형

두 곡선 $y=x^3+ax+2$와 $y=x^2+1$이 한 점에서 접할 때, 상수 a의 값을 구하여라.

08-3 ◉ 변형

곡선 $y=x^2$ 위의 점 $(-2, 4)$에서의 접선이 곡선 $y=x^3+ax-2$에 접할 때, 상수 a의 값을 구하여라.

08-4 ◉ 변형

두 곡선 $y=ax^3+6x$, $y=2x^2+bx$가 $x=3$인 점에서 공통인 접선을 가질 때, 두 상수 a, b에 대하여 ab의 값을 구하여라.

08-5 ◉ 변형

두 곡선 $y=x^2+ax+b$, $y=-x^2+c$가 점 $(1, 3)$에서 공통인 접선을 가질 때, 세 상수 a, b, c에 대하여 $a-b-c$의 값을 구하여라.

08-6 ◉ 실력

두 곡선 $y=x^3$, $y=-x^2+5x+k$가 제1사분면 위의 점 P에서 공통인 접선 $y=ax+b$를 가질 때, 세 상수 a, b, k에 대하여 $k-a+b$의 값을 구하여라.

두 곡선 $f(x)=-x^2+4$, $g(x)=ax^2$의 교점에서 각 곡선에 그은 접선이 서로 수직일 때, 상수 a의 값을 구하여라. (단, $a \neq 0$)

풍쌤 POINT

두 곡선 $y=f(x)$, $y=g(x)$의 교점에서 각 곡선에 그은 접선이 서로 수직이면
① 두 곡선의 교점의 x좌표를 t라고 하면 $f(t)=g(t)$ ← 함숫값이 같아.
② 두 접선이 서로 수직이므로 $f'(t)g'(t)=-1$ ← 기울기의 곱이 −1이야.

풀이

STEP1 $f'(x), g'(x)$ 구하기
$f(x)=-x^2+4$, $g(x)=ax^2$에서
$f'(x)=-2x$, $g'(x)=2ax$

STEP2 두 곡선의 교점의 x좌표를 t라 하고 관계식 구하기
두 곡선의 교점의 x좌표를 t라고 하면
$f(t)=g(t)$❶에서
$-t^2+4=at^2$　　　　　　　　　　　　…… ㉠

❶ $x=t$인 점에서의 함숫값이 같다.

STEP3 $x=t$인 점에서 각 곡선에 그은 접선이 서로 수직임을 이용하여 관계식 구하기
$x=t$인 점에서 각 곡선에 그은 접선이 서로 수직이므로
$f'(t)g'(t)=-1$❷에서
$-2t \times 2at=-1$, $4at^2=1$
$\therefore t^2=\dfrac{1}{4a}$　　　　　　　　　　…… ㉡

❷ $x=t$인 점에서의 두 접선의 기울기의 곱이 −1이다.

STEP4 a의 값 구하기
㉡을 ㉠에 대입하면
$-\dfrac{1}{4a}+4=\dfrac{1}{4}$, $\dfrac{1}{4a}=\dfrac{15}{4}$
$\therefore a=\dfrac{1}{15}$

답 $\dfrac{1}{15}$

풍쌤 강의 NOTE

• 각 곡선에 그은 접선이 서로 수직일 때, 두 접선의 기울기의 곱은 −1이다.
• 두 곡선 $y=f(x)$, $y=g(x)$에 대하여
① 두 곡선의 교점의 x좌표를 t라고 하면 $f(t)=g(t)$
② 두 곡선의 교점에서의 접선의 방정식은 각각
$y-f(t)=f'(t)(x-t)$, $y-g(t)=g'(t)(x-t)$

09-1 유사

두 곡선 $y=\dfrac{1}{3}x^3+1$, $y=-x^2+x+a$의 교점에서 각 곡선에 그은 접선이 서로 수직일 때, 상수 a의 값을 구하여라.

09-2 유사

두 곡선 $f(x)=x^2+4$, $g(x)=-3x^2+ax$의 교점에서 각 곡선에 그은 접선이 서로 수직일 때, 양수 a의 값을 구하여라.

09-3 변형

두 곡선 $y=x^3$, $y=ax^2+bx$가 점 $(1, 1)$에서 만나고, 이 점에서의 접선이 서로 수직일 때, 두 상수 a, b에 대하여 $a-b$의 값을 구하여라.

09-4 변형

두 곡선 $y=ax^3+b$, $y=x^2+cx$의 교점 $(-1, 0)$에서의 접선이 서로 수직일 때, 세 상수 a, b, c에 대하여 $90abc$의 값을 구하여라.

09-5 변형

두 곡선 $y=-x^2+2$, $y=ax^2+3x$의 교점에서 각 곡선에 그은 접선의 기울기를 각각 m_1, m_2라고 할 때, $m_1-m_2=1$이 성립한다고 한다. 이때 상수 a의 값을 구하여라.

09-6 실력

두 곡선 $y=f(x)$, $y=g(x)$가 점 $(2, k)$ $(k\neq0)$에서 만나고, 이 점에서의 접선은 서로 수직이다. 곡선 $y=f(x)g(x)$ 위의 점 $(2, k^2)$에서의 접선의 방정식이 $y=k^2$일 때, $f'(2)-g'(2)$의 값을 구하여라.

(단, $f'(2)<g'(2)$)

곡선 $y=x^3-2x^2+4$ 위의 점 $(1, 3)$에서의 접선과 x축 및 y축으로 둘러싸인 부분의 넓이를 구하여라.

풍쌤 POINT

곡선 $y=f(x)$ 위의 점 (a, b)에서의 접선을 좌표평면 위에 나타내면 삼각형이 나타나!
접선과 x축 및 y축과의 교점, 즉 x절편, y절편을 구하면 접선과 x축 및 y축으로 둘러싸인 삼각형의 넓이를 구할 수 있어!

풀이

STEP1 $f(x)=x^3-2x^2+4$로 놓고 $f'(x)$ 구하기

$f(x)=x^3-2x^2+4$로 놓으면

$f'(x)=3x^2-4x$

STEP2 점 $(1, 3)$에서의 접선의 방정식 구하기

$f'(1)=3-4=-1$이므로❶

점 $(1, 3)$에서의 접선의 방정식은

$y-3=-(x-1)$

$\therefore y=-x+4$

❶ 곡선 $y=f(x)$ 위의 점 $(1, 3)$에서의 접선의 기울기는 $f'(1)$

STEP3 삼각형의 넓이 구하기

이 접선의 x절편, y절편❷은 각각 4, 4이므로 접선과 x축 및 y축으로 둘러싸인 부분의 넓이는

$\dfrac{1}{2}\times4\times4=8$

❷ $y=-x+4$에 $y=0$, $x=0$을 각각 대입하면 x절편, y절편을 구할 수 있다.

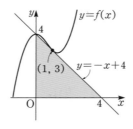

답 8

풍쌤 강의 NOTE

곡선 $y=f(x)$ 위의 점에서의 접선 $y=mx+n$과 x축 및 y축으로 둘러싸인 부분은 직각삼각형이므로 접선의 x절편, y절편을 각각 a, b $(a\neq0, b\neq0)$라고 할 때, 이 삼각형의 넓이는 $\dfrac{1}{2}|a||b|$이다.

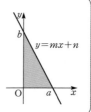

10-1 (유사)

곡선 $y=2x^3-4x+5$ 위의 점 $(1, 3)$에서의 접선과 x축 및 y축으로 둘러싸인 부분의 넓이를 구하여라.

10-2 (유사)

곡선 $y=3x^2-1$ 위의 점 $(1, 2)$에서의 접선과 직선 $y=2$ 및 y축으로 둘러싸인 부분의 넓이를 구하여라.

10-3 (변형)

함수 $f(x)=kx^4$의 그래프 위의 점 $(1, f(1))$에서의 접선과 x축 및 y축으로 둘러싸인 삼각형의 넓이가 18일 때, 양수 k의 값을 구하여라.

10-4 (변형)   기출

곡선 $y=2x^2-5x+a$ 위의 점 $(1, k)$에서의 접선과 x축 및 y축으로 둘러싸인 삼각형의 넓이가 $\frac{25}{2}$일 때, ak의 값을 구하여라. (단, a는 상수이고, $k>-1$이다.)

10-5 (변형)

두 함수 $f(x)=x^2-2x+2$, $g(x)=-x^2+6$의 그래프는 서로 다른 두 점에서 만난다. 이때 제1사분면 위에서 만나는 점을 P라 하고, 점 P에서 두 곡선에 그은 접선을 각각 l, m이라고 할 때, 두 직선 l, m과 x축으로 둘러싸인 부분의 넓이를 구하여라.

10-6 (실력)   기출

함수 $f(x)=\frac{1}{3}x^3-kx^2+1$ ($k>0$인 상수)의 그래프 위의 서로 다른 두 점 A, B에서의 접선 l, m의 기울기가 모두 $3k^2$이다. 곡선 $y=f(x)$에 접하고 x축에 평행한 두 직선과 접선 l, m으로 둘러싸인 도형의 넓이가 24일 때, k의 값을 구하여라.

다음 물음에 답하여라.

(1) 함수 $f(x)=x^2-2x+2$에 대하여 닫힌구간 $[0, 2]$에서 롤의 정리를 만족시키는 상수 c의 값을 구하여라.

(2) 함수 $f(x)=x^3-4x$에 대하여 닫힌구간 $[-2, 2]$에서 롤의 정리를 만족시키는 모든 상수 c의 값의 합을 구하여라.

풍쌤 POINT

롤의 정리를 만족시키는 상수 c의 값을 구할 때는 $f'(c)=0$인 c가 열린구간 (a, b)에 속하는지 반드시 확인해야 해!

풀이

(1) **STEP1 함수 $f(x)$가 롤의 정리를 만족시키는 것을 확인하기**

함수 $f(x)$가 닫힌구간 $[0, 2]$에서 연속이고 열린구간 $(0, 2)$에서 미분가능하며❶ $f(0)=f(2)=2$이므로 롤의 정리에 의하여 $f'(c)=0$ $(0<c<2)$인 c가 적어도 하나 존재한다.

❶ 다항함수는 실수 전체에서 연속이고 미분가능하다.

STEP2 c의 값 구하기

$f'(x)=2x-2$이므로
$f'(c)=2c-2=0$
$\therefore c=1$❷

❷ $c=1$은 $0<c<2$에 속한다.

(2) **STEP1 함수 $f(x)$가 롤의 정리를 만족시키는 것을 확인하기**

함수 $f(x)$가 닫힌구간 $[-2, 2]$에서 연속이고 열린구간 $(-2, 2)$에서 미분가능하며 $f(-2)=f(2)=0$이므로 롤의 정리에 의하여 $f'(c)=0$ $(-2<c<2)$인 c가 적어도 하나 존재한다.

STEP2 c의 값 구하기

$f'(x)=3x^2-4$이므로
$f'(c)=3c^2-4=0$에서 $c^2=\dfrac{4}{3}$
$\therefore c=-\dfrac{2\sqrt{3}}{3}$ 또는 $x=\dfrac{2\sqrt{3}}{3}$❸

❸ $c=-\dfrac{2\sqrt{3}}{3}$, $c=\dfrac{2\sqrt{3}}{3}$은 $-2<c<2$에 속한다.

따라서 모든 상수 c의 값의 합은 $-\dfrac{2\sqrt{3}}{3}+\dfrac{2\sqrt{3}}{3}=0$

冒 (1) 1 (2) 0

풍쌤 강의 NOTE

함수 $f(x)$가 닫힌구간 $[a, b]$에서 연속이고 열린구간 (a, b)에서 미분가능할 때, $f(a)=f(b)$이면
$$f'(c)=0 \ (a<c<b)$$
인 c가 적어도 하나 존재한다.

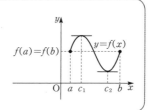

11-1 ⦿유사

함수 $f(x)=-2x^2+12x+3$에 대하여 닫힌구간 $[0, 6]$에서 롤의 정리를 만족시키는 상수 c의 값을 구하여라.

11-2 ⦿유사

함수 $f(x)=x^3-4x^2-x+5$에 대하여 닫힌구간 $[-1, 4]$에서 롤의 정리를 만족시키는 상수 c의 개수를 구하여라.

11-3 ⦿변형

다음 |보기|의 함수 중 닫힌구간 $[1, 3]$에서 롤의 정리가 성립하는 것만을 있는 대로 고른 것은?

> |보기|
> ㄱ. $f(x)=|x-2|$
> ㄴ. $f(x)=|(x-1)(x-3)|$
> ㄷ. $f(x)=4x-x^2$

① ㄷ   ② ㄱ, ㄴ   ③ ㄱ, ㄷ
④ ㄴ, ㄷ   ⑤ ㄱ, ㄴ, ㄷ

11-4 ⦿변형

함수 $f(x)=-x^2+kx$에 대하여 닫힌구간 $[2, 4]$에서 롤의 정리를 만족시키는 상수가 3일 때, 상수 k의 값을 구하여라.

11-5 ⦿변형

함수 $f(x)=kx-x^2$에 대하여 닫힌구간 $[1, 3]$에서 롤의 정리를 만족시키는 상수 c의 값을 구하여라.

(단, k는 상수이다.)

11-6 ⦿실력

함수 $f(x)=-2x^3-4x^2+8x+3$에 대하여 닫힌구간 $[-a, a]$에서 롤의 정리를 만족시키는 실수 c가 존재할 때, $a-c$의 값을 구하여라.

(단, a는 자연수이다.)

다음 물음에 답하여라.

(1) 함수 $f(x) = -x^2 + 4x - 2$에 대하여 닫힌구간 $[1, 4]$에서 평균값 정리를 만족시키는 상수 c의 값을 구하여라.

(2) 함수 $f(x) = -x^2 + 6x + 1$에 대하여 닫힌구간 $[1, k]$에서 평균값 정리를 만족시키는 상수가 2일 때, k의 값을 구하여라. (단, $k > 2$)

풍쌤 POINT 다항함수는 미분가능한 함수이므로 평균값 정리를 이용할 수 있어.

풀이

(1) STEP1 $f'(x)$ 구하기

$f(x) = -x^2 + 4x - 2$에서 $f'(x) = -2x + 4$

STEP2 c의 값 구하기

함수 $f(x)$는 닫힌구간 $[1, 4]$에서 연속이고 열린구간 $(1, 4)$에서 미분가능하므로 $\dfrac{f(4) - f(1)}{4 - 1}$❶$= f'(c)$ $(1 < c < 4)$인 c가 적어도 하나 존재한다.

즉, $\dfrac{-2 - 1}{4 - 1} = -2c + 4$에서 $c = \dfrac{5}{2}$❷

❶ $f(4) = -16 + 16 - 2 = -2$
$f(1) = -1 + 4 - 2 = 1$

❷ 구한 c의 값이 열린구간 $(1, 4)$에 속하는지 반드시 확인한다.

(2) STEP1 $f'(x)$ 구하기

$f(x) = -x^2 + 6x + 1$에서 $f'(x) = -2x + 6$

STEP2 k의 값 구하기

닫힌구간 $[1, k]$에서 평균값 정리를 만족시키는 상수가 2이므로

$$\frac{f(k) - f(1)}{k - 1} = f'(2)❸$$

$$\frac{(-k^2 + 6k + 1) - 6}{k - 1} = 2$$

$k^2 - 4k + 3 = 0$, $(k-1)(k-3) = 0$

$\therefore k = 3$❹ $(\because k > 2)$

❸ 평균값 정리는 곡선 $y = f(x)$ 위의 두 점 $(a, f(a))$, $(b, f(b))$를 잇는 직선과 평행한 접선을 갖는 점이 열린구간 (a, b)에 적어도 하나 존재함을 의미한다.

❹ 평균값의 정리를 만족시키는 상수 2가 닫힌구간 $[1, k]$에 속해야 하므로 $k > 2$이다.

답 (1) $\dfrac{5}{2}$ (2) 3

풍쌤 강의 NOTE

• 함수 $f(x)$가 닫힌구간 $[a, b]$에서 연속이고 열린구간 (a, b)에서 미분가능하면

$$\frac{f(b) - f(a)}{b - a} = f'(c) \quad (a < c < b)$$

인 c가 적어도 하나 존재한다.

• 평균값 정리에서 $f(a) = f(b)$인 경우가 롤의 정리이다.

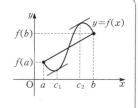

12-1 (유사)

함수 $f(x)=-x^2+5x+1$에 대하여 닫힌구간 $[1, k]$에서 평균값 정리를 만족시키는 상수가 4일 때, k의 값을 구하여라. (단, $k>4$)

12-2 (변형)

함수 $f(x)=x^3-x+2$에 대하여
$$f(3)-f(0)=3f'(c) \ (0<c<3)$$
를 만족시키는 상수 c의 값을 구하여라.

12-3 (변형)

함수 $f(x)=x^3+1$에 대하여 $\theta \ (0<\theta<1)$가
$$f(x+h)-f(x)=hf'(x+\theta h)$$
를 만족시킬 때, $\lim\limits_{h \to 0} \theta$의 값은? (단, $x>0$, $h>0$)

① $\dfrac{1}{5}$ ② $\dfrac{1}{4}$ ③ $\dfrac{1}{3}$

④ $\dfrac{1}{2}$ ⑤ 1

12-4 (변형)

함수 $f(x)=\dfrac{1}{2}x^2+ax+b \ (a, b$는 상수)에 대하여
$$f(x+h)=f(x)+hf'(x+\theta h) \ (0<\theta<1)$$
를 만족시키는 θ의 값을 구하여라. (단, $h>0$)

12-5 (변형)

모든 실수 x에 대하여 미분가능한 함수 $f(x)$가
$\lim\limits_{x \to \infty} f'(x)=1$을 만족시킬 때, 평균값 정리를 이용하여 $\lim\limits_{x \to \infty}\{f(x+2)-f(x-2)\}$의 값을 구하여라.

12-6 (실력)

다음 조건을 만족시키는 모든 함수 $f(x)$에 대하여 $f(1)$의 최댓값과 최솟값을 각각 M, m이라고 하자. $f(2)=4$일 때, $M+m$의 값을 구하여라.

> (가) 함수 $f(x)$는 닫힌구간 $[1, 2]$에서 연속이고 열린구간 $(1, 2)$에서 미분가능하다.
> (나) $1<t<2$인 모든 t에 대하여 $|f'(t)| \le 3$이다.

$^{+}$발전유형 ⓻ 그래프를 이용한 평균값 정리

함수 $y=f(x)$의 그래프가 오른쪽 그림과 같을 때, 닫힌구간 $[-1, 4]$에서 평균값 정리를 만족시키는 상수 c의 개수를 구하여라.

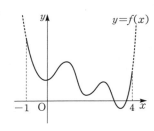

풍쌤 POINT

평균값 정리는 곡선 $y=f(x)$ 위의 두 점 $(a, f(a))$, $(b, f(b))$를 잇는 직선과 평행한 접선을 갖는 점이 열린구간 (a, b)에 적어도 하나 존재함을 의미해!

풀이

STEP1 상수 c 파악하기

닫힌구간 $[-1, 4]$에서 평균값 정리를 만족시키는 상수 c는 두 점 $(-1, f(-1))$, $(4, f(4))$를 잇는 직선의 기울기와 같은 미분계수를 갖는 점의 x좌표이다. ❶

STEP2 상수 c의 개수 구하기

다음 그림과 같이 두 점 $(-1, f(-1))$, $(4, f(4))$를 잇는 직선과 평행한 접선을 5개 그을 수 있으므로 구하는 상수 c의 개수는 5이다.

❶ 직선의 기울기와 미분계수가 같다는 것은 접선의 기울기가 같다는 것을 의미한다.

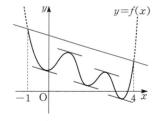

답 5

풍쌤 강의 NOTE

• $\dfrac{f(b)-f(a)}{b-a}=f'(c)$

➡ (두 점 $(a, f(a))$, $(b, f(b))$를 잇는 직선의 기울기)=(접점 c에서의 접선의 기울기)

• 평균값 정리를 만족시키는 상수 c의 개수는 정해진 구간의 양 끝 점을 잇는 직선과 평행한 함수 $y=f(x)$의 그래프의 접선의 개수이다.

13-1 ⊙유사

함수 $y=f(x)$의 그래프가 오른쪽 그림과 같을 때, 닫힌구간 $[a, b]$에서 평균값 정리를 만족시키는 상수 c의 개수를 구하여라.

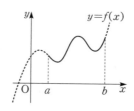

13-2 ⊙변형

함수 $y=-x|x|$에 대하여 닫힌구간 $[-2, 2]$에서 평균값 정리를 만족시키는 상수 c의 개수를 구하여라.

13-3 ⊙변형

함수

$$f(x)=\begin{cases} -x^2-2x+1 & (x<0) \\ x^2-2x+1 & (x\geq0) \end{cases}$$

에 대하여 닫힌구간 $[-2, 3]$에서 평균값 정리를 만족시키는 상수 c의 개수를 구하여라.

13-4 ⊙변형

다항함수 $y=f(x)$의 그래프가 다음 그림과 같을 때, 열린구간 (a, c)에서 평균값 정리를 만족시키는 실수 x는 p개, 열린구간 (a, b)에서 롤의 정리를 만족시키는 실수 x는 q개가 있다. 이때 $p+q$의 값을 구하여라.

(단, $a<0<b<c$)

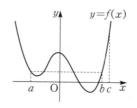

13-5 ⊙실력

실수 전체의 집합에서 정의된 |보기|의 함수 중 임의의 실수 a, b에 대하여

$$f(b)-f(a)\geq a-b \ (a<b)$$

를 만족시키는 것만을 있는 대로 고른 것은?

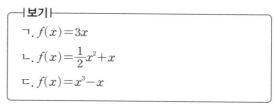

|보기|
ㄱ. $f(x)=3x$
ㄴ. $f(x)=\dfrac{1}{2}x^2+x$
ㄷ. $f(x)=x^3-x$

① ㄱ　　　　② ㄴ　　　　③ ㄱ, ㄷ
④ ㄴ, ㄷ　　　⑤ ㄱ, ㄴ, ㄷ

01

사차함수 $f(x)=x^4-4x^3+6x^2+4$의 그래프 위의 점 (a, b)에서의 접선의 기울기가 4일 때, a^2+b^2의 값은?

① 30 ② 35 ③ 40
④ 45 ⑤ 50

02

곡선 $y=x^3-x^2+ax+2$ 위의 점 $(1, 3)$에서의 접선의 방정식이 $y=bx+c$일 때, 세 상수 a, b, c에 대하여 $a+b-c$의 값은?

① 1 ② 2 ③ 3
④ 4 ⑤ 5

03

다항함수 $f(x)$에 대하여 $\lim\limits_{x \to 1} \dfrac{f(x)+1}{x-1}=4$가 성립할 때, 곡선 $y=f(x)$ 위의 점 $(1, f(1))$에서의 접선의 방정식을 $y=ax+b$라고 하자. 두 상수 a, b에 대하여 $a-b$의 값을 구하여라.

04 기출

두 곡선 $y=2x^2+6$, $y=-x^2$에 모두 접하고 기울기가 양수인 직선 l이 있다. 직선 l과 곡선 $y=2x^2+6$의 접점을 P, 직선 l과 곡선 $y=-x^2$의 접점을 Q라고 할 때, 선분 PQ의 길이는?

① $2\sqrt{31}$ ② $8\sqrt{2}$ ③ 12
④ $5\sqrt{6}$ ⑤ $3\sqrt{17}$

05 기출

함수 $f(x)$가 $f(x)=(x-3)^2$일 때, 함수 $g(x)$의 도함수가 $f(x)$이다. 곡선 $y=g(x)$ 위의 점 $(2, g(2))$에서의 접선의 y절편이 -5일 때, 이 접선의 x절편은?

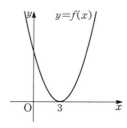

① 1 ② 2 ③ 3
④ 4 ⑤ 5

06 서술형 ✏

직선 $y=x+2$를 x축의 방향으로 k만큼 평행이동하면 곡선 $y=x^3-x^2+2$와 접한다고 한다. 이때 양수 k의 값을 구하여라.

07 기출

곡선 $y=x^3+1$ 위를 움직이는 점 $\mathrm{P}(t, t^3+1)$에서의 접선이 y축과 만나는 점을 Q, 점 P를 지나고 접선에 수직인 직선이 y축과 만나는 점을 R라고 한다. 삼각형 PQR의 넓이를 $S(t)$라고 할 때, $\lim\limits_{t \to 0} S(t)$의 값을 구하여라.

08 기출

원점을 지나고 곡선 $y=-x^3-x^2+x$에 접하는 모든 직선의 기울기의 합은?

① 2 ② $\dfrac{9}{4}$ ③ $\dfrac{5}{2}$

④ $\dfrac{11}{4}$ ⑤ 3

09

곡선 $y=x^3+ax^2+ax+3$과 직선 $y=x+3$이 접하도록 하는 모든 상수 a의 값의 곱은?

① 1 ② 2 ③ 3

④ 4 ⑤ 5

10 서술형 ✏

점 $\mathrm{P}(1, -3)$에서 곡선 $y=x^2+k\ (k \geq 0)$에 그은 두 접선의 접점을 각각 Q, R라고 하자. 삼각형 PQR의 무게중심의 좌표가 $(1, 5)$일 때, 상수 k의 값을 구하여라.

11 기출

곡선 $y=x^2-3x+3$ 위의 임의의 점과 원 $x^2+y^2=1$ 사이의 거리의 최솟값은?

① $\sqrt{2}-1$ ② $\sqrt{3}-1$ ③ $\sqrt{3}-\sqrt{2}$

④ 1 ⑤ $2\sqrt{2}-1$

12

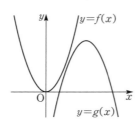

두 함수 $f(x)=x^2$과 $g(x)=-(x-3)^2+k$ $(k>0)$
에 대하여 곡선 $y=f(x)$ 위의 점 P(1, 1)에서의 접
선을 l이라고 하자. 직선 l에 곡선 $y=g(x)$가 접할
때의 접점을 Q, 곡선 $y=g(x)$와 x축이 만나는 두 점
을 각각 R, S라고 할 때, 삼각형 QRS의 넓이는?

① 1
② $\dfrac{7}{2}$
③ 3

④ $\dfrac{11}{2}$
⑤ 6

13 서술형 ✐

곡선 $y=-x^3+3x^2+4$에 접하는 직선 중에서 기울기
가 최대인 직선을 l이라고 하자. 직선 l과 x축 및 y축
으로 둘러싸인 부분의 넓이를 구하여라.

14

함수 $f(x)=x^2-(a+b)x+ab$에 대하여 닫힌구간
$[a, b]$에서 롤의 정리를 만족시키는 실수 c의 값은?

① $\dfrac{a+3b}{4}$
② $\dfrac{3a+b}{4}$
③ $\dfrac{2a+b}{4}$

④ $\dfrac{a+b}{2}$
⑤ $\dfrac{2a-b}{2}$

15

함수 $f(x)$에 대하여 $\dfrac{f(1)-f(-1)}{2}=f'(c)$인 상
수 c가 열린구간 $(-1, 1)$에 존재하는 함수인 것만을
ㅣ보기ㅣ에서 있는 대로 고른 것은?

┤보기├
ㄱ. $f(x)=x|x|$
ㄴ. $f(x)=\sqrt{(x+2)^2}$
ㄷ. $f(x)=-x^2+2|x|$

① ㄷ
② ㄱ, ㄴ
③ ㄱ, ㄷ

④ ㄴ, ㄷ
⑤ ㄱ, ㄴ, ㄷ

16

함수 $f(x)=x^2+ax+b$ (a, b는 상수)에 대하여
$$f(x+h)=f(x)+hf'(x+\theta h) \ (0<\theta<1)$$
를 만족시키는 θ의 값을 구하여라. (단, $h>0$)

상위권 도약 문제

01 `기출`

두 다항함수 $f(x)$, $g(x)$가 다음 두 조건을 모두 만족시킨다.

> (가) $g(x) = x^3 f(x) - 7$
>
> (나) $\lim\limits_{x \to 2} \dfrac{f(x) - g(x)}{x - 2} = 2$

곡선 $y = g(x)$ 위의 점 $(2, g(2))$에서의 접선의 방정식이 $y = ax + b$일 때, $a^2 + b^2$의 값을 구하여라.

(단, a, b는 상수이다.)

02

곡선 $y = x^2$ 위의 점 $(2, 4)$에서의 접선이 x축과 만나는 점을 $(a_1, 0)$, 점 $(a_1, a_1{}^2)$에서의 접선이 x축과 만나는 점을 $(a_2, 0)$, 점 $(a_2, a_2{}^2)$에서의 접선이 x축과 만나는 점을 $(a_3, 0)$, $\cdots$이라고 하자. 이와 같은 과정을 반복하여 곡선 $y = x^2$ 위의 점 $(a_n, a_n{}^2)$에서의 접선이 x축과 만나는 점을 $(a_{n+1}, 0)$이라고 할 때, a_{10}의 값은? (단, n은 자연수이다.)

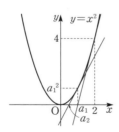

① $\left(\dfrac{1}{2}\right)^9$ ② $\left(\dfrac{1}{2}\right)^8$ ③ $\left(\dfrac{1}{2}\right)^7$

④ $\left(\dfrac{1}{2}\right)^6$ ⑤ $\left(\dfrac{1}{2}\right)^5$

03 `기출`

오른쪽 그림과 같이 곡선 $y = x^4$ 위의 점 $P(1, 1)$에서의 접선을 $y = g(x)$라고 하자. 점 $Q(t, t^4)$에서 점 P를 지나고 x축에 평행한 직선 위에 내린 수선의 발을 H라 하고, 선분 QH와 직선 $y = g(x)$가 만나는 점을 R라고 하자. 이때 $\lim\limits_{t \to 1} \dfrac{\overline{QR}}{\overline{RH}}$의 값은? (단, $t > 1$)

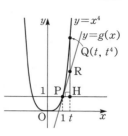

① 0 ② $\dfrac{1}{4}$ ③ $\dfrac{1}{2}$

④ $\dfrac{3}{4}$ ⑤ 1

04

오른쪽 그림과 같이 중심이 y축 위에 있는 원이 곡선 $y = x^4$과 점 $P(1, 1)$에서 접할 때, 원의 반지름의 길이는?

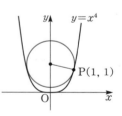

① $\dfrac{\sqrt{17}}{4}$ ② $\dfrac{3\sqrt{2}}{4}$ ③ $\dfrac{\sqrt{19}}{4}$

④ $\dfrac{\sqrt{5}}{2}$ ⑤ $\dfrac{\sqrt{21}}{4}$

05

다음 그림과 같이 삼차함수 $f(x)=-x^3+4x^2-3x$ 의 그래프 위의 점 $(a, f(a))$에서 기울기가 양수인 접선을 그어 x축과 만나는 점을 A, 점 B(3, 0)에서 접선을 그어 두 접선이 만나는 점을 C, 점 C에서 x축에 내린 수선의 발을 D라고 할 때, $\overline{AD}:\overline{DB}=3:1$ 이다. 이때 모든 a의 값의 곱을 구하여라.

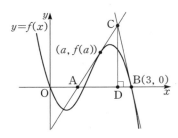

06

삼차함수 $f(x)=x^3+ax$가 있다. 곡선 $y=f(x)$ 위의 점 A$(-1, -1-a)$에서의 접선이 이 곡선과 만나는 다른 한 점을 B라고 하자. 또, 곡선 $y=f(x)$ 위의 점 B에서의 접선이 이 곡선과 만나는 점을 C라고 하자. 두 점 B, C의 x좌표를 b, c라고 할 때, $f(b)+f(c)=-80$을 만족시킨다. 상수 a의 값은?

① 8   ② 10   ③ 12
④ 14   ⑤ 16

07

곡선 $y=x^3+1$ 위의 점 $(1, 2)$에서의 접선을 l이라고 하자. 중심이 y축 위에 있는 원이 점 $(1, 2)$에서 직선 l에 접할 때, 이 원의 넓이는?

① $\dfrac{5}{9}\pi$ ② $\dfrac{8}{9}\pi$ ③ π
④ $\dfrac{10}{9}\pi$ ⑤ $\dfrac{13}{9}\pi$

05

도함수의 활용 (2)

05 도함수의 활용(2)

개념 01 함수의 증가와 감소

(1) 함수의 증가와 감소

함수 $f(x)$가 어떤 구간에 속하는 임의의 두 실수 x_1, x_2에 대하여

① $x_1 < x_2$일 때, $f(x_1) < f(x_2)$이면 함수 $f(x)$는 이 구간에서 증가한다고 한다.

② $x_1 < x_2$일 때, $f(x_1) > f(x_2)$이면 함수 $f(x)$는 이 구간에서 감소한다고 한다.

(2) 함수의 증가와 감소의 판정

함수 $f(x)$가 어떤 열린구간에서 미분가능하고, 이 구간에 속하는 모든 x에 대하여

① $f'(x) > 0$이면 함수 $f(x)$는 이 구간에서 증가한다.

② $f'(x) < 0$이면 함수 $f(x)$는 이 구간에서 감소한다.

> [예] 함수 $f(x) = x^3 - 3x^2$에 대하여 $f'(x) = 3x^2 - 6x = 3x(x-2)$
>
> $f'(x) = 0$에서 $x = 0$ 또는 $x = 2$

x	$\cdots$	0	$\cdots$	2	$\cdots$
$f'(x)$	+	0	−	0	+
$f(x)$	↗		↘		↗

> 따라서 함수 $f(x)$는 구간 $(-\infty, 0]$, $[2, \infty)$에서 증가하고 구간 $[0, 2]$에서 감소한다.

> ▶**참고** 함수 $f(x)$가 어떤 구간에서 미분가능하고 이 구간에서
>
> ① $f(x)$가 증가하면 $f'(x) \geq 0$
>
> ② $f(x)$가 감소하면 $f'(x) \leq 0$

확인 01 다음 함수의 증가와 감소를 조사하여라.

(1) $f(x) = -x^3 + 2x^2 + 4x - 2$

(2) $f(x) = x^4 - 2x^2 + 1$

> ▶ 함수 $f(x)$가 닫힌구간 $[a, b]$에서 연속이고 열린구간 (a, b)에서 미분가능할 때,
>
> ① 열린구간 (a, b)에서 $f'(x) > 0$이면 $f(x)$는 닫힌구간 $[a, b]$에서 증가한다.
>
> ② 열린구간 (a, b)에서 $f'(x) < 0$이면 $f(x)$는 닫힌구간 $[a, b]$에서 감소한다.

> ▶ 표에서 ↗는 증가, ↘는 감소를 의미한다.

개념 02 함수의 극대와 극소

함수 $f(x)$가 $x = a$를 포함하는 어떤 열린구간에 속하는 모든 x에 대하여

① $f(x) \leq f(a)$이면 함수 $f(x)$는 $x = a$에서 극대라 하고, $f(a)$를 극댓값이라고 한다.

② $f(x) \geq f(a)$이면 함수 $f(x)$는 $x = a$에서 극소라 하고, $f(a)$를 극솟값이라고 한다.

이때 극댓값과 극솟값을 통틀어 극값이라고 한다.

> ▶**참고** 함수 $f(x)$가 $x = a$에서 연속일 때
>
> ① $x = a$의 좌우에서 $f(x)$가 증가하다가 감소하면 함수 $f(x)$는 $x = a$에서 극대이다.
>
> ② $x = a$의 좌우에서 $f(x)$가 감소하다가 증가하면 함수 $f(x)$는 $x = a$에서 극소이다.

> ▶ 극댓값이 극솟값보다 작은 경우도 있다.

> ▶ 상수함수는 모든 실수에서 극값을 갖는다.

개념03 함수의 극대와 극소의 판정

(1) 극값과 미분계수

미분가능한 함수 $f(x)$가 $x=a$에서 극값을 가지면 $f'(a)=0$이다.

> **주의** 위의 성질의 역은 성립하지 않는다. 즉, $f'(a)=0$이라고 해서 $x=a$에서 극값을 갖는 것은 아니다. 예를 들어 $f(x)=x^3$이면 $f'(x)=3x^2$이므로 $f'(0)=0$이지만 $x=0$에서 극값을 갖지 않는다.

(2) 극대와 극소의 판정

미분가능한 함수 $f(x)$에 대하여 $f'(a)=0$이고 $x=a$의 좌우에서 $f'(x)$의 부호가

① 양$(+)$에서 음$(-)$으로 바뀌면 $f(x)$는 $x=a$에서 극대이고, 극댓값은 $f(a)$이다.

② 음$(-)$에서 양$(+)$으로 바뀌면 $f(x)$는 $x=a$에서 극소이고, 극솟값은 $f(a)$이다.

[예] 함수 $f(x)=\frac{1}{3}x^3-\frac{1}{2}x^2-6x+2$에 대하여 $f'(x)=x^2-x-6=(x+2)(x-3)$

$f'(x)=0$에서 $x=-2$ 또는 $x=3$

x	$\cdots$	-2	$\cdots$	3	$\cdots$
$f'(x)$	$+$	0	$-$	0	$+$
$f(x)$	↗	극대	↘	극소	↗

따라서 함수 $f(x)$는 $x=-2$에서 극대이고 극댓값은 $f(-2)=\frac{28}{3}$, $x=3$에서 극소이고 극솟값은 $f(3)=-\frac{23}{2}$이다.

확인 02 다음 함수의 극값을 구하여라.

(1) $f(x)=x^3-9x$

(2) $f(x)=-x^4+2x^2-4$

> 함수 $f(x)$에 대하여 $f'(a)$의 값이 존재하지 않아도 $x=a$에서 극값을 가질 수 있다.

> 미분가능한 함수 $f(x)$의 극값을 구할 때에는 $f'(x)=0$인 x의 값을 구하고, 그 값의 좌우에서 $f'(x)$의 부호를 조사한다.

개념04 함수의 그래프와 최대·최소

(1) 함수의 그래프

함수 $f(x)$의 증가와 감소, 극대와 극소, 좌표축과의 교점 등을 이용하여 $y=f(x)$의 그래프를 그릴 수 있다.

(2) 함수의 최댓값과 최솟값

함수 $f(x)$가 닫힌구간 $[a, b]$에서 연속일 때, 이 구간에서의 극값과 양 끝점에서의 함숫값 $f(a)$, $f(b)$ 중에서 가장 큰 값이 최댓값이고 가장 작은 값이 최솟값이다.

> **참고** 극댓값과 극솟값이 반드시 최댓값과 최솟값이 되는 것은 아니다.

확인 03 주어진 구간에서 다음 함수의 최댓값과 최솟값을 구하여라.

(1) $f(x)=-2x^3+6x-2$ $[0, 3]$

(2) $f(x)=x^4-2x^3+4$ $[-2, 2]$

> 닫힌구간 $[a, b]$에서 연속함수 $f(x)$의 극값이 오직 하나 존재할 때
> ① 극값이 극댓값이면 (최댓값)=(극댓값)
> ② 극값이 극솟값이면 (최솟값)=(극솟값)

다음 함수 $f(x)$의 증가와 감소를 조사하여라.

(1) $f(x) = 2x^3 - 6x - 5$

(2) $f(x) = -x^4 + 8x^2 - 3$

풍쌤 POINT

함수 $f(x)$의 증가, 감소를 조사하려면 $f'(x)$를 구해서 증감표를 작성하면 돼.

① $f(x)$가 증가하는 구간 ➡ $f'(x) \geq 0$인 구간

② $f(x)$가 감소하는 구간 ➡ $f'(x) \leq 0$인 구간

풀이

(1) **STEP1** $f'(x) = 0$의 해 구하기

$f(x) = 2x^3 - 6x - 5$에서 $f'(x) = 6x^2 - 6 = 6(x+1)(x-1)$ **①**

$f'(x) = 0$에서 $x = -1$ 또는 $x = 1$

①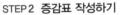
$y = f'(x)$

STEP2 증감표 작성하기

함수 $f(x)$의 증가와 감소를 표로 나타내면 다음과 같다.

x	$\cdots$	-1	$\cdots$	1	$\cdots$
$f'(x)$	$+$	0	$-$	0	$+$
$f(x)$	↗		↘		↗

STEP3 $f(x)$의 증가와 감소 조사하기

따라서 함수 $f(x)$는 구간 $(-\infty, -1]$, $[1, \infty)$에서 증가하고, 구간 $[-1, 1]$에서 감소한다. **②**

② 증가, 감소하는 구간은 $f'(x) = 0$인 점을 포함한다.

(2) **STEP1** $f'(x) = 0$의 해 구하기

$f(x) = -x^4 + 8x^2 - 3$에서

$f'(x) = -4x^3 + 16x = -4x(x+2)(x-2)$

$f'(x) = 0$에서 $x = -2$ 또는 $x = 0$ 또는 $x = 2$

STEP2 증감표 작성하기

함수 $f(x)$의 증가와 감소를 표로 나타내면 다음과 같다. **③**

x	$\cdots$	-2	$\cdots$	0	$\cdots$	2	$\cdots$
$f'(x)$	$+$	0	$-$	0	$+$	0	$-$
$f(x)$	↗		↘		↗		↘

③ $f'(-3) > 0$, $f'(-1) < 0$, $f'(1) > 0$, $f'(3) < 0$
이와 같이 구간에 속하는 임의의 값을 $f'(x)$에 대입하여 $f'(x)$의 부호를 파악할 수 있다.

STEP3 $f(x)$의 증가와 감소 조사하기

따라서 함수 $f(x)$는 구간 $(-\infty, -2]$, $[0, 2]$에서 증가하고, 구간 $[-2, 0]$, $[2, \infty)$에서 감소한다.

답 (1) 풀이 참조 (2) 풀이 참조

풍쌤 강의 NOTE

$f'(x)$의 부호는 $f'(x) = 0$을 만족시키는 x의 값을 기준으로 구간을 나누어 생각한다. 이때 $f'(x)$가 이차함수이면 그래프의 개형을 그려서, $f'(x)$가 삼차함수이면 각 구간에 속하는 간단한 수를 대입하여 부호를 파악한다.

01-1 유사

다음 함수 $f(x)$가 감소하는 구간을 구하여라.

(1) $f(x) = x^3 + 3x^2 - 9x + 1$

(2) $f(x) = -x^3 + x^2 - x$

01-2 유사

다음 함수 $f(x)$가 증가하는 구간을 구하여라.

(1) $f(x) = x^4 - 10x^2 + 5$

(2) $f(x) = -x^4 + 4x^3 - 2$

01-3 변형

함수 $f(x) = \dfrac{1}{3}x^3 - x^2 - 6x + \dfrac{1}{3}$이 감소하는 구간에 속하는 정수의 개수를 구하여라.

01-4 변형

함수 $f(x) = 3x^4 - 8x^3 - 6x^2 + 24x - 1$이 $x \geq a$에서 증가할 때, 실수 a의 최솟값을 구하여라.

01-5 변형

함수 $f(x) = 2x^3 + ax^2 + bx - 3$이 $x \leq -2$, $x \geq 1$에서 증가하고, $-2 \leq x \leq 1$에서 감소할 때, 두 상수 a, b에 대하여 $a + b$의 값을 구하여라.

01-6 변형

어느 과수원에서 생산하는 복숭아가 x상자일 때, 판매 이익을 y원이라고 하면 x, y 사이에는

$$y = -4x^3 + 300x^2 \ (0 < x < 75)$$

인 관계가 있다고 한다. 이때 판매 이익이 증가하는 x의 값의 범위를 구하여라.

함수 $f(x)=x^3+2ax^2+3ax$가 구간 $(-\infty, \infty)$에서 증가하도록 하는 실수 a의 값의 범위를 구하여라.

풍쌤 POINT

삼차함수 $f(x)$가 실수 전체의 집합에서 증가하려면 모든 실수 x에 대하여 이차부등식 $f'(x)\geq0$이 성립해야 해.

풀이

STEP1 $f'(x)$의 조건 구하기

$f(x)=x^3+2ax^2+3ax$에서

$f'(x)=3x^2+4ax+3a$

$f(x)$가 구간 $(-\infty, \infty)$에서 증가하려면 부등식

$f'(x)\geq0$, 즉 $3x^2+4ax+3a\geq0$

이 항상 성립해야 한다.❶

STEP2 a의 값의 범위 구하기

따라서 이차방정식 $3x^2+4ax+3a=0$의 판별식을 D라고 하면 이차항의 계수가 양수이므로❷

$\dfrac{D}{4}=(2a)^2-3\times3a\leq0$

$4a^2-9a\leq0,\ a(4a-9)\leq0$

$\therefore\ 0\leq a\leq\dfrac{9}{4}$

❶ $y=f'(x)$

❷ 이차부등식 $ax^2+bx+c\geq0$
이 항상 성립하려면
$a>0,\ b^2-4ac\leq0$

답 $0\leq a\leq\dfrac{9}{4}$

풍쌤 강의 NOTE

• 삼차함수 $f(x)$가 실수 전체의 집합에서

증가 ➡ $f'(x)\geq0$이 항상 성립 ➡ (최고차항의 계수)>0, ($f'(x)=0$의 판별식)≤0

감소 ➡ $f'(x)\leq0$이 항상 성립 ➡ (최고차항의 계수)<0, ($f'(x)=0$의 판별식)≤0

• 함수 $f(x)$가 증가한다. ➡ 임의의 실수 x_1, x_2에 대하여 $x_1<x_2$이면 $f(x_1)<f(x_2)$이다.

함수 $f(x)$가 감소한다. ➡ 임의의 실수 x_1, x_2에 대하여 $x_1<x_2$이면 $f(x_1)>f(x_2)$이다.

• 함수 $f(x)$의 역함수가 존재한다.

$\iff$ 함수 $f(x)$가 항상 증가하거나 항상 감소한다.

02-1 ◉ 유사

함수 $f(x) = -x^3 + ax^2 - 2ax$가 모든 실수 x에 대하여 감소하도록 하는 실수 a의 값의 범위를 구하여라.

02-2 ◉ 변형

함수 $f(x) = \dfrac{1}{3}x^3 - ax^2 + (a+6)x + 2$가 임의의 실수 x_1, x_2에 대하여 $x_1 < x_2$이면 $f(x_1) < f(x_2)$가 성립하도록 하는 정수 a의 개수를 구하여라.

02-3 ◉ 변형

실수 전체의 집합에서 정의된 함수 $f(x) = -x^3 + 4x^2 + ax - 3$의 역함수가 존재하도록 하는 정수 a의 최댓값을 구하여라.

02-4 ◉ 변형

함수 $f(x) = x^3 + kx^2 + (k+6)x + 4$가 다음 조건을 만족시킬 때, 실수 k의 최댓값과 최솟값의 합을 구하여라.

> (가) 공역과 치역이 같다.
> (나) $f(x_1) = f(x_2)$이면 $x_1 = x_2$이다.

02-5 ◉ 변형

삼차함수 $f(x) = (a+2)x^3 - 3x^2 + ax - 1$이 모든 실수 x에 대하여 감소하도록 하는 상수 a의 값의 범위를 구하여라.

02-6 ◉ 실력   기출

함수 $f(x) = x^3 + 6x^2 + 15|x - 2a| + 3$이 실수 전체의 집합에서 증가하도록 하는 실수 a의 최댓값을 구하여라.

함수 $f(x)=x^3-6x^2+kx+2$가 닫힌구간 $[-1,2]$에서 감소하도록 하는 실수 k의 값의 범위를 구하여라.

풍쌤 POINT

함수 $f(x)$가 닫힌구간 $[a,b]$에서 감소하면 $a \le x \le b$에서 $f'(x) \le 0$이어야 해.

즉, 주어진 구간에서 $f'(x)$의 최댓값이 0 이하이어야 해.

풀이

STEP1 $f'(x)$의 조건 구하기

$f(x)=x^3-6x^2+kx+2$에서

$f'(x)=3x^2-12x+k$

함수 $f(x)$가 닫힌구간 $[-1,2]$에서 감소하려면 이 구간에서

$f'(x)=3x^2-12x+k \le 0$ ...... ㉠

이어야 한다.

STEP2 주어진 구간에서 $f'(x)$의 최댓값 구하기

$f'(x)=3(x-2)^2+k-12$이므로

$-1 \le x \le 2$일 때, 함수 $f'(x)$는 $x=-1$에서 최댓값

$f'(-1)=k+15$❶

를 갖는다.

STEP3 k의 값의 범위 구하기

부등식 ㉠이 성립하려면 $-1 \le x \le 2$에서 $f'(x)$의 최댓값이 0보다 작거나 같아야 하므로

$k+15 \le 0$

$\therefore k \le -15$

❶ $\alpha \le x \le \beta$일 때, 이차함수 $y=a(x-p)^2+q$에서
① $\alpha < p < \beta$이면 $f(\alpha), f(\beta), f(p)$의 값 중에서 가장 큰 값이 최댓값, 가장 작은 값이 최솟값이다.
② $p \le \alpha$ 또는 $p \ge \beta$이면 $f(\alpha)$, $f(\beta)$의 값 중에서 큰 값이 최댓값, 작은 값이 최솟값이다.

답 $k \le -15$

풍쌤 강의 NOTE

• 주어진 구간에서 함수 $f(x)$가 증가하려면 그 구간에서 $(f'(x)$의 최솟값$) \ge 0$

• 주어진 구간에서 함수 $f(x)$가 감소하려면 그 구간에서 $(f'(x)$의 최댓값$) \le 0$

03-1 ⦿유사

함수 $f(x) = \dfrac{1}{3}x^3 - x^2 + (k+4)x$ 가 닫힌구간 $[0, 3]$ 에서 증가하도록 하는 실수 k의 최솟값을 구하여라.

03-2 ⦿유사

함수 $f(x) = x(x^2 + 2x + a)$ 가 닫힌구간 $[-2, 1]$ 에서 감소하도록 하는 실수 a의 최댓값을 구하여라.

03-3 ⦿유사

함수 $f(x) = -x^3 - 6x^2 + 2kx + 4$ 가 $x \geq 4$에서 감소하도록 하는 실수 k의 값의 범위를 구하여라.

03-4 ⦿변형

함수 $f(x) = x^3 + 2ax^2 + ax - 2$ 가 닫힌구간 $[-a, a]$ 에서 증가하도록 하는 양수 a의 최댓값을 구하여라.

03-5 ⦿변형

함수 $f(x) = -\dfrac{1}{3}x^3 + ax^2 - 1$이 $0 < x < 3$에서 증가하고, $x > 10$에서 감소하도록 하는 정수 a의 개수를 구하여라.

03-6 ⦿실력

함수 $f(x) = x^3 - ax^2 - (a+6)x - 3$이 닫힌구간 $[-1, 0]$에 속하는 임의의 두 실수 x_1, x_2에 대하여 $x_1 < x_2$이면 $f(x_1) > f(x_2)$를 만족시킬 때, 실수 a의 최댓값과 최솟값의 차를 구하여라.

미분가능한 함수 $f(x)$에 대하여 $y=f'(x)$의 그래프가 다음 그림과 같을 때, 함수 $f(x)$의 증가와 감소를 조사하여라.

(1)
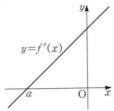

(2)
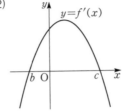

풍쌤 POINT

$y=f'(x)$의 그래프가 주어지면 x축을 기준으로 $f'(x) \geq 0$인 구간과 $f'(x) \leq 0$인 구간으로 나누어 생각해.

풀이

(1) **STEP1 그래프에서 $f'(x)$의 부호 판별하기**
$y=f'(x)$의 그래프에서❶
$x \geq a$이면 $f'(x) \geq 0$
$x \leq a$이면 $f'(x) \leq 0$
STEP2 $f(x)$의 증가와 감소 조사하기
따라서 함수 $f(x)$는 구간 $[a, \infty)$에서 증가하고, 구간 $(-\infty, a]$에서 감소한다.

❶

x	$\cdots$	a	$\cdots$
$f'(x)$	$-$	0	$+$
$f(x)$	$\searrow$		$\nearrow$

(2) **STEP1 그래프에서 $f'(x)$의 부호 판별하기**
$y=f'(x)$의 그래프에서❷
$b \leq x \leq c$이면 $f'(x) \geq 0$
$x \leq b$ 또는 $x \geq c$이면 $f'(x) \leq 0$
STEP2 $f(x)$의 증가와 감소 조사하기
따라서 함수 $f(x)$는 구간 $[b, c]$에서 증가하고, 구간 $(-\infty, b]$, $[c, \infty)$에서 감소한다.

❷

x	$\cdots$	b	$\cdots$	c	$\cdots$
$f'(x)$	$-$	0	$+$	0	$-$
$f(x)$	$\searrow$		$\nearrow$		$\searrow$

🔟 (1) 풀이 참조 (2) 풀이 참조

풍쌤 강의 NOTE

도함수 $y=f'(x)$의 그래프가
① x축의 위쪽에 위치하는 구간 ➡ $f'(x) \geq 0$ ➡ $f(x)$가 증가
② x축의 아래쪽에 위치하는 구간 ➡ $f'(x) \leq 0$ ➡ $f(x)$가 감소

04-1 ⦿유사

삼차함수 $f(x)$의 도함수 $f'(x)$와 사차함수 $g(x)$의 도함수 $g'(x)$에 대하여 $y=f'(x)$, $y=g'(x)$의 그래프가 다음 그림과 같을 때, 함수 $f(x)$, $g(x)$가 감소하는 구간을 구하여라.

(1) 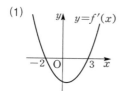 (2)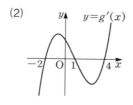

04-2 ⦿변형

함수 $f(x)$에 대하여 $y=f'(x)$의 그래프가 다음 그림과 같을 때, 함수 $f(x)$는 닫힌구간 $[a,\ b]$에서 감소한다. 이때 ab의 최솟값을 구하여라.

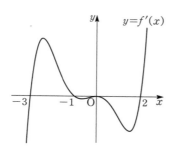

04-3 ⦿변형

두 함수 $f(x)$, $g(x)$의 도함수 $f'(x)$, $g'(x)$의 그래프가 다음 그림과 같다. $h(x)=f(x)-g(x)$라고 할 때, 함수 $h(x)$가 증가하는 구간을 구하여라.

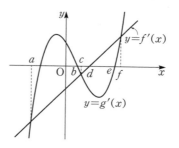

04-4 ⦿실력   기출

이차함수 $y=f(x)$의 그래프와 직선 $y=2$가 다음 그림과 같다.

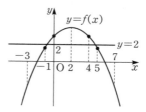

열린구간 $(-3,\ 7)$에서 부등식 $f'(x)\{f(x)-2\}\leq 0$을 만족시키는 정수 x의 개수를 구하여라.

(단, $f'(2)=0$)

다음 함수 $f(x)$가 $x=a$에서 극댓값 M을 가질 때, $a+M$의 값을 구하여라.

(1) $f(x)=x^3+6x^2+9x-1$　　　　(2) $f(x)=\dfrac{1}{2}x^4-2x^2+4$

풍쌤 POINT

함수 $f(x)$의 극값을 구하려면 $f'(x)=0$을 만족시키는 x의 값을 구해서 증감표를 만들고, 증감표를 이용하여 극대와 극소를 찾으면 돼!

풀이

(1) STEP1 $f'(x)=0$의 해 구하기

$f(x)=x^3+6x^2+9x-1$에서

$f'(x)=3x^2+12x+9=3(x+3)(x+1)$❶

$f'(x)=0$에서 $x=-3$ 또는 $x=-1$

STEP2 증감표 작성하기

함수 $f(x)$의 증가와 감소를 표로 나타내면 다음과 같다.

x	$\cdots$	-3	$\cdots$	-1	$\cdots$
$f'(x)$	$+$	0	$-$	0	$+$
$f(x)$	↗	극대	↘	극소	↗

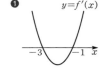

❶

$y=f'(x)$

STEP3 $a+M$의 값 구하기

따라서 함수 $f(x)$는 $x=-3$에서 극대이므로❷

$a=-3$, $M=f(-3)=-27+54-27-1=-1$

$\therefore a+M=-3+(-1)=-4$

(2) STEP1 $f'(x)=0$의 해 구하기

$f(x)=\dfrac{1}{2}x^4-2x^2+4$에서

$f'(x)=2x^3-4x=2x(x+\sqrt{2})(x-\sqrt{2})$

$f'(x)=0$에서 $x=-\sqrt{2}$ 또는 $x=0$ 또는 $x=\sqrt{2}$

STEP2 증감표 작성하기

함수 $f(x)$의 증가와 감소를 표로 나타내면 다음과 같다.

x	$\cdots$	$-\sqrt{2}$	$\cdots$	0	$\cdots$	$\sqrt{2}$	$\cdots$
$f'(x)$	$-$	0	$+$	0	$-$	0	$+$
$f(x)$	↘	극소	↗	극대	↘	극소	↗

STEP3 $a+M$의 값 구하기

따라서 함수 $f(x)$는 $x=0$에서 극대이므로❸

$a=0$, $M=f(0)=4$　　$\therefore a+M=0+4=4$

❷ 함수 $f(x)$는 $x=-1$에서 극소이므로 극솟값은
$$f(-1)=-1+6-9-1$$
$$=-5$$

❸ 함수 $f(x)$는 $x=-\sqrt{2}$, $x=\sqrt{2}$에서 극소이므로 극솟값은
$$f(-\sqrt{2})=f(\sqrt{2})$$
$$=\dfrac{1}{2}\times4-2\times2+4$$
$$=2$$

답 (1) -4 (2) 4

풍쌤 강의 NOTE

$f'(a)=0$이고 $x=a$의 좌우에서 $f'(x)$의 부호가 바뀌면 함수 $f(x)$는 $x=a$에서 극값 $f(a)$를 갖는다.

05-1 (유사)

함수 $f(x)=-2x^3+6x-5$는 $x=a$에서 극댓값 M, $x=b$에서 극솟값 N을 갖는다. 이때 $aM-bN$의 값을 구하여라.

05-2 (유사)

함수 $f(x)=\dfrac{1}{4}x^4-\dfrac{8}{3}x^3+6x^2+2$의 모든 극값의 합을 구하여라.

05-3 (변형)

다음 중 함수 $f(x)=\dfrac{1}{4}x^4+x^3+\dfrac{9}{8}x^2-1$에 대한 설명으로 옳지 <u>않은</u> 것은?

① $x\geq0$에서 증가한다.

② $x=-\dfrac{3}{2}$에서 극값을 갖는다.

③ 극솟값은 -1이다.

④ $y=f(x)$의 그래프는 x축과 서로 다른 두 점에서 만난다.

⑤ $y=f(x)$의 그래프는 모든 사분면을 지난다.

05-4 (변형)

함수 $f(x)=2x^3-9x^2+12x+1$이 $x=\alpha$, $x=\beta$에서 극값을 가질 때, 두 점 $(\alpha, f(\alpha))$, $(\beta, f(\beta))$를 지나는 직선의 방정식을 구하여라.

05-5 (변형)

어떤 전선에 전류를 흐르게 했을 때, t초 후에 이 전선을 지나는 전하량을 $Q(t)$라고 하면

$$Q(t)=t^3-5t^2+8t$$

이다. 이 전선을 지나는 전하량의 극솟값을 구하여라.

05-6 (실력)   기출

다음 그림과 같이 일차함수 $y=f(x)$의 그래프와 최고차항의 계수가 1인 사차함수 $y=g(x)$의 그래프는 x좌표가 -2, 1인 두 점에서 접한다.

함수 $h(x)=g(x)-f(x)$라고 할 때, $h(x)$의 극댓값을 구하여라.

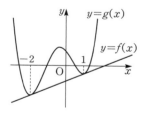

함수 $f(x)=x^3+ax^2+bx+3$이 $x=-2$에서 극댓값 7을 가질 때, 다음을 구하여라.

(1) 두 상수 a, b의 값

(2) 극솟값

풍쌤 POINT

미분가능한 함수 $f(x)$가 $x=a$에서 극값 b를 가지면
$$f'(a)=0, \ f(a)=b$$
임을 이용해.

풀이

(1) STEP1 **a, b에 대한 방정식 세우기**

$f(x)=x^3+ax^2+bx+3$에서 $f'(x)=3x^2+2ax+b$

함수 $f(x)$가 $x=-2$에서 극댓값 7을 가지므로

$f'(-2)=0, \ f(-2)=7$

$f'(-2)=12-4a+b=0$에서 $4a-b=12$ ······ ㉠

$f(-2)=-8+4a-2b+3=7$에서 $2a-b=6$ ······ ㉡

STEP2 **a, b의 값 구하기**

㉠, ㉡을 연립하여 풀면❶ $a=3$, $b=0$

❶ ㉠-㉡을 하면
$2a=6$ $\therefore a=3$
$a=3$을 ㉡에 대입하면 $b=0$

(2) STEP1 **$f'(x)=0$의 해 구하기**

$f(x)=x^3+3x^2+3$, $f'(x)=3x^2+6x=3x(x+2)$

이므로 $f'(x)=0$에서

$x=-2$ 또는 $x=0$❷

❷ $x=-2$에서 극대이므로 $x=0$
에서 극소임을 알 수 있다.

STEP2 **증감표 작성하기**

함수 $f(x)$의 증가와 감소를 표로 나타내면 다음과 같다.

x	$\cdots$	-2	$\cdots$	0	$\cdots$
$f'(x)$	$+$	0	$-$	0	$+$
$f(x)$	↗	극대	↘	극소	↗

STEP3 **극솟값 구하기**

따라서 함수 $f(x)$는 $x=0$에서 극소이므로 구하는 극솟값은

$f(0)=3$

답 (1) $a=3$, $b=0$ (2) 3

풍쌤 강의 NOTE

미분가능한 함수 $f(x)$에 대하여 $f'(a)=0$이라고 해서 $f(x)$가 $x=a$에서 극값을 갖는 것은 아니지만, $f(x)$가 $x=a$에서 극값을 가지면 반드시 $f'(a)=0$이다.

06-1 ⊙ 유사

함수 $f(x) = x^3 + ax^2 + bx + 1$이 $x = 1$에서 극솟값 -1을 가질 때, 극댓값을 구하여라.

(단, a, b는 상수이다.)

06-4 ⊙ 변형

함수 $f(x) = \begin{cases} x^3 + ax & (x < 0) \\ ax(x^2 - 12) & (x \geq 0) \end{cases}$ 의 극솟값이 -8

일 때, 양수 a의 값을 구하여라.

06-5 ⊙ 변형   기출

함수 $f(x) = -x^4 + 8a^2x^2 - 1$이 $x = b$와 $x = 2 - 2b$
에서 극대일 때, $a + b$의 값을 구하여라.

(단, a, b는 $a > 0$, $b > 1$인 상수이다.)

06-2 ⊙ 유사

함수 $f(x) = -2x^3 + ax^2 + bx + c$가 $x = -2$에서 극솟값을 갖고, $x = -1$에서 극댓값 2를 가질 때, 세 상수 a, b, c에 대하여 $a + b + c$의 값을 구하여라.

06-6 ⊙ 실력

함수 $f(x) = x^3 + ax^2 + bx + c$가 다음 조건을 만족시킬 때, 세 상수 a, b, c에 대하여 abc의 값을 구하여라.

> (가) $\lim\limits_{x \to 1} \dfrac{f(x)}{x - 1} = 3$
>
> (나) $f(x)$는 $x = -2$에서 극값을 갖는다.

06-3 ⊙ 변형

함수 $f(x) = x^3 + 6ax^2 + 9a^2x + 4$의 극댓값과 극솟값의 합이 40일 때, 실수 a의 값을 구하여라.

함수 $f(x)=-x^3+ax^2+bx+c$의 도함수 $y=f'(x)$의 그래프가
오른쪽 그림과 같다. 함수 $f(x)$의 극댓값이 6일 때, 세 상수 a, b, c의
값과 극솟값을 각각 구하여라.

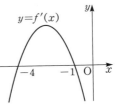

풍쌤 POINT

$y=f'(x)$의 그래프가 x축과 만나는 점의 x좌표가 $f'(x)=0$의 해임을 이용해서 a, b, c에 대한 방
정식을 세워야 해.

풀이

STEP1 a, b의 값 구하기

$f(x)=-x^3+ax^2+bx+c$에서 $f'(x)=-3x^2+2ax+b$

$y=f'(x)$의 그래프에서 $f(-4)=0$, $f(-1)=0$이므로 이차방
정식 $f'(x)=0$의 두 실근이 -4, -1이다.
따라서 이차방정식의 근과 계수의 관계❶에 의하여

$$-\frac{2a}{-3}=-4+(-1)=-5, \quad \frac{b}{-3}=-4\times(-1)=4$$

$$\therefore a=-\frac{15}{2}, \ b=-12$$

❶ 이차방정식 $ax^2+bx+c=0$
의 두 근이 α, β이면
$$\alpha+\beta=-\frac{b}{a}, \ \alpha\beta=\frac{c}{a}$$

STEP2 c의 값과 극댓값 구하기

함수 $f(x)=-x^3-\dfrac{15}{2}x^2-12x+c$의 증가와 감소를 표로 나타
내면 다음과 같다.❷

x	$\cdots$	-4	$\cdots$	-1	$\cdots$
$f'(x)$	$-$	0	$+$	0	$-$
$f(x)$	$\searrow$	극소	$\nearrow$	극대	$\searrow$

따라서 함수 $f(x)$는 $x=-1$에서 극댓값 6을 가지므로

$$f(-1)=1-\frac{15}{2}+12+c=6 \quad \therefore c=\frac{1}{2}$$

즉, $f(x)=-x^3-\dfrac{15}{2}x^2-12x+\dfrac{1}{2}$이고, $f(x)$는 $x=-4$에서

극소이므로 극솟값은

$$f(-4)=64-120+48+\frac{1}{2}=-\frac{15}{2}$$

❷ $x=-4$의 좌우에서 $f'(x)$의
부호는 음($-$)에서 양($+$)으
로 바뀌므로 $x=-4$에서 극
소이고, $x=-1$의 좌우에서
$f'(x)$의 부호는 양($+$)에서
음($-$)으로 바뀌므로 $x=-1$
에서 극대이다.

目 $a=-\dfrac{15}{2}$, $b=-12$, $c=\dfrac{1}{2}$, 극솟값: $-\dfrac{15}{2}$

풍쌤 강의 NOTE

$y=f'(x)$의 그래프가 $x=a$에서 x축과 만나면서 증가하면 $f(x)$는 $x=a$에서 극소이고, $x=b$에서
x축과 만나면서 감소하면 $f(x)$는 $x=b$에서 극대이다.

07-1 ◉ 기본

함수 $f(x)$에 대하여 $y=f'(x)$의 그래프가 오른쪽 그림과 같을 때, 옳은 것만을 |보기|에서 있는 대로 골라라.

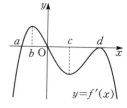

┌─|보기|─────────────────────────
│ ㄱ. 구간 $[0, \infty)$에서 함수 $f(x)$는 감소한다.
│ ㄴ. $x=0$에서 함수 $f(x)$는 극댓값을 갖는다.
│ ㄷ. $x=d$에서 함수 $f(x)$는 극값을 갖는다.
└──────────────────────────────

07-2 ◉ 유사

최고차항의 계수가 1인 삼차함수 $f(x)$에 대하여 도함수 $y=f'(x)$의 그래프가 오른쪽 그림과 같다. 함수 $f(x)$의 극솟값이 -24일 때, 극댓값을 구하여라.

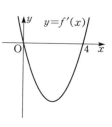

07-3 ◉ 변형

함수 $f(x)$의 도함수 $y=f'(x)$의 그래프는 꼭짓점의 좌표가 $(1, -1)$이고 원점을 지나는 이차함수의 그래프이다. $f(x)$의 극댓값과 극솟값의 합이 $\dfrac{10}{3}$일 때, $f(5)$의 값을 구하여라.

07-4 ◉ 변형

사차함수 $f(x)$와 삼차함수 $g(x)$의 도함수 $y=f'(x)$, $y=g'(x)$의 그래프가 다음 그림과 같다. $h(x)=g(x)-f(x)$라고 할 때, 함수 $f(x)$가 극솟값을 갖는 x의 값을 모두 구하여라.

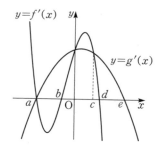

07-5 ◉ 실력

삼차함수 $f(x)$의 도함수 $y=f'(x)$의 그래프가 다음 그림과 같다. 함수 $g(x)=f(x)+x^2-x$가 $x=\alpha$에서 극댓값을 가질 때, α의 값을 구하여라.

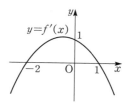

함수 $f(x)=x^3+ax^2+bx$의 그래프가 오른쪽 그림과 같을 때, 두 상수 a, b의 부호를 구하여라.

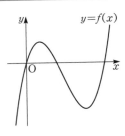

풍쌤 POINT

함수 $f(x)$가 $x=a$에서 극값을 가지면 $f'(a)=0$이야.

또, $f'(x)=0$의 실근의 부호를 이용하여 $f(x)$의 계수의 부호를 구할 수 있어.

풀이

STEP1 $f'(x)=0$의 두 실근의 부호 구하기

함수 $f(x)$가 $x=\alpha$에서 극대이고, $x=\beta$에서 극소라고 하면 $y=f(x)$의 그래프에서

$\alpha>0$, $\beta>0$

이고

$f'(\alpha)=0$, $f'(\beta)=0$

STEP2 a, b의 부호 구하기

$f(x)=x^3+ax^2+bx$에서

$f'(x)=3x^2+2ax+b$

따라서 이차방정식 $3x^2+2ax+b=0$의 두 실근이 α, β이므로 이차방정식의 근과 계수의 관계에 의하여

$-\dfrac{2a}{3}=\alpha+\beta>0$, $\dfrac{b}{3}=\alpha\beta>0$❶

$\therefore a<0,\ b>0$

❶ 이차방정식 $ax^2+bx+c=0$의 두 실근이 모두 양수이면

$-\dfrac{b}{a}>0,\ \dfrac{c}{a}>0$

$\therefore ab<0,\ ac>0$

🔲 $a<0,\ b>0$

풍쌤 강의 NOTE

• $y=f(x)$의 그래프에서 극대인 점과 극소인 점의 x좌표는 $f'(x)=0$의 실근이다.

• 삼차함수 $f(x)$에 대하여 $f'(x)$는 이차함수이므로 이차방정식 $f'(x)=0$의 두 근의 합과 곱을 이용하여 $f'(x)=0$의 계수의 부호를 알아낼 수 있고, 이를 이용하여 $f(x)$의 계수의 부호를 구한다.

08-1 （유사）

함수 $f(x)=-x^3+ax^2+bx+c$의 그래프가 다음 그림과 같고, $x=\alpha$, $x=\beta$에서 극값을 가질 때, 세 상수 a, b, c의 부호를 구하여라. (단, $|\alpha|>|\beta|$)

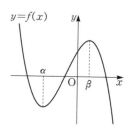

08-2 （유사）

함수 $f(x)=ax^3-bx^2-cx+d$의 그래프가 다음 그림과 같을 때, 네 상수 a, b, c, d의 부호를 구하여라.

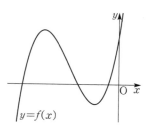

08-3 （변형）

함수 $f(x)=ax^3+bx^2+cx$의 그래프가 그림과 같이 원점에 대하여 대칭일 때, 다음 중 항상 옳은 것은? (단, a, b, c는 상수이다.)

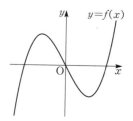

① $a+b<0$ ② $a-c<0$ ③ $b+c>0$

④ $\dfrac{a}{c}<0$ ⑤ $\dfrac{b}{c}>0$

08-4 （변형）

함수 $f(x)=ax^3+bx^2-cx+d$의 그래프가 다음 그림과 같을 때, 네 상수 a, b, c, d에 대하여

$$\frac{|a|}{a}+\frac{2|b|}{b}+\frac{3|c|}{c}+\frac{4|d|}{d}$$

의 값을 구하여라.

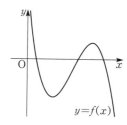

함수 $f(x)=x^3+ax^2-2ax+1$에 대하여 다음을 구하여라.

(1) $f(x)$가 극값을 갖도록 하는 실수 a의 값의 범위

(2) $f(x)$가 극값을 갖지 않도록 하는 실수 a의 값의 범위

풍쌤 POINT

삼차함수 $f(x)$가 극값을 가지려면 $f'(x)=0$이 서로 다른 두 실근을 가져야 하고, 극값을 갖지 않으려면 $f'(x)=0$이 중근 또는 허근을 가져야 해.

풀이

STEP1 $f'(x)$ 구하기

$f(x)=x^3+ax^2-2ax+1$에서

$f'(x)=3x^2+2ax-2a$

(1) **STEP2** $f'(x)$의 조건 구하기

함수 $f(x)$가 극값을 가지려면 이차방정식 $f'(x)=0$이 서로 다른 두 실근을 가져야 한다.❶

STEP3 a의 값의 범위 구하기

따라서 이차방정식 $3x^2+2ax-2a=0$의 판별식을 D라고 하면

$\dfrac{D}{4}=a^2-3\times(-2a)>0,\ a^2+6a>0$

$a(a+6)>0$

$\therefore a<-6$ 또는 $a>0$

❶ 삼차함수는 극값을 갖지 않거나 극댓값과 극솟값을 모두 갖는다. 따라서 삼차함수가 극값을 갖는다는 것은 극값을 2개 가짐을 의미하므로 이차방정식 $f'(x)=0$이 서로 다른 두 실근을 가져야 한다.

(2) **STEP2** $f'(x)$의 조건 구하기

함수 $f(x)$가 극값을 갖지 않으려면 이차방정식 $f'(x)=0$이 중근 또는 허근을 가져야 한다.❷

STEP3 a의 값의 범위 구하기

따라서 이차방정식 $3x^2+2ax-2a=0$의 판별식을 D라고 하면

$\dfrac{D}{4}=a^2-3\times(-2a)\leq0,\ a^2+6a\leq0$

$a(a+6)\leq0$

$\therefore -6\leq a\leq0$

❷ 삼차함수 $f(x)$가 모든 실수 x에 대하여 증가하거나 감소할 조건과 같다.

답 (1) $a<-6$ 또는 $a>0$ (2) $-6\leq a\leq0$

풍쌤 강의 NOTE

삼차함수 $f(x)$의 극값의 유무는 이차방정식 $f'(x)=0$의 실근의 개수에 의하여 결정된다.

$f'(x)=0$의 판별식을 D라고 할 때

(1) $D>0$ ➡ 이차함수 $y=f'(x)$의 그래프가 x축과 만나는 점이 2개이므로 $f'(x)$의 부호가 바뀌는 점이 2개이다. 따라서 $f(x)$는 극값을 2개 갖는다.

(2) $D\leq0$ ➡ 이차함수 $y=f'(x)$의 그래프가 x축과 만나는 점이 1개 또는 0개이므로 $f'(x)$의 부호가 바뀌지 않는다. 따라서 $f(x)$가 극값을 갖지 않는다.

09-1 ⊙유사

함수 $f(x) = -\dfrac{1}{3}x^3 - ax^2 + 3ax - 3$이 극값을 갖지 않도록 하는 정수 a의 개수를 구하여라.

09-4 ⊙유사 〔기출〕

함수 $f(x) = x^3 + ax^2 + (a^2 - 4a)x + 3$이 극값을 갖도록 하는 정수 a의 개수를 구하여라.

09-2 ⊙유사

함수 $f(x) = ax^3 - ax^2 + 3x - 5$가 극값을 갖도록 하는 자연수 a의 최솟값을 구하여라.

09-5 ⊙변형

함수 $f(x) = \dfrac{1}{3}x^3 + ax^2 - (b^2 - 7)x + 1$이 극값을 갖지 않도록 하는 두 실수 a, b에 대하여 $a^2 + b^2$의 최댓값을 구하여라.

09-3 ⊙유사

함수 $f(x) = \dfrac{1}{3}x^3 + 6ax^2 + 9x - 4$가 극댓값과 극솟값을 모두 갖지 않도록 하는 실수 a의 최댓값을 M, 최솟값을 m이라고 할 때, $M - m$의 값을 구하여라.

09-6 ⊙실력

함수 $f(x) = ax^3 + (b+2)x^2 - \dfrac{1}{3}(a-4)x - 4$가 극값을 갖지 않도록 하는 두 정수 a, b에 대하여 순서쌍 (a, b)의 개수를 구하여라.

함수 $f(x)=x^4+8x^3-2ax^2$이 극댓값을 갖도록 하는 실수 a의 값의 범위를 구하여라.

풍쌤 POINT

사차함수 $f(x)$가 극댓값과 극솟값을 모두 가지려면 $f'(x)=0$이 서로 다른 세 실근을 가져야 해.

풀이

STEP1 $f'(x)$의 조건 구하기

$f(x)=x^4+8x^3-2ax^2$에서

$f'(x)=4x^3+24x^2-4ax$

최고차항의 계수가 양수인 사차함수 $f(x)$가 극댓값을 가지려면 극값을 갖는 x의 값이 3개이어야 하므로 삼차방정식 $f'(x)=0$이 서로 다른 세 실근을 가져야 한다.❶

STEP2 a의 값의 범위 구하기

$4x^3+24x^2-4ax=0$에서

$4x(x^2+6x-a)=0$

위의 방정식이 서로 다른 세 실근을 가지려면 이차방정식 $x^2+6x-a=0$이 $x \neq 0$인 서로 다른 두 실근을 가져야 하므로

$a \neq 0$❷ ...... ㉠

또, 이차방정식 $x^2+6x-a=0$의 판별식을 D라고 하면

$\dfrac{D}{4}=3^2-(-a)>0$ $\therefore a>-9$

이때 ㉠에 의하여

$-9<a<0$ 또는 $a>0$

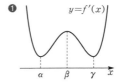

❶

❷ $x^2+6x-a=0$에 $x=0$을 대입하면
$a=0$

답 $-9<a<0$ 또는 $a>0$

풍쌤 강의 NOTE

• 최고차항의 계수가 양수인 사차함수 $f(x)$는 반드시 극솟값을 가지므로 $f(x)$가 극댓값을 갖는다는 것은 $f(x)$가 세 개의 극값을 가짐을 의미한다.

따라서 $f(x)$가 극댓값을 가지려면 삼차방정식 $f'(x)=0$이 서로 다른 세 실근을 가져야 한다.

또, $f(x)$가 극댓값을 갖지 않으려면 삼차방정식 $f'(x)=0$이 서로 다른 두 실근 또는 하나의 실근을 가져야 한다.

한 실근과 중근을 ↰   한 실근과 두 허근 또는 ↰
갖는 경우   삼중근을 갖는 경우

• 최고차항의 계수가 음수인 사차함수 $f(x)$는 반드시 극댓값을 가지므로 $f(x)$가 극솟값을 갖는다는 것은 $f(x)$가 세 개의 극값을 가짐을 의미한다.

따라서 $f(x)$가 극솟값을 가지려면 삼차방정식 $f'(x)=0$이 서로 다른 세 실근을 가져야 한다.

또, $f(x)$가 극솟값을 갖지 않으려면 삼차방정식 $f'(x)=0$이 서로 다른 두 실근 또는 하나의 실근을 가져야 한다.

한 실근과 중근을 ↰   한 실근과 두 허근 또는 ↰
갖는 경우   삼중근을 갖는 경우

10-1 (유사)

함수 $f(x) = \dfrac{1}{4}x^4 - 2x^3 + ax^2$이 극댓값과 극솟값을 모두 갖도록 하는 자연수 a의 최댓값을 구하여라.

10-2 (유사)

함수 $f(x) = x^4 + 4ax^3 + 4x^2$이 극댓값을 갖도록 하는 양수 a의 값의 범위를 구하여라.

10-3 (유사)

함수 $f(x) = -x^4 + 2(a+1)x^2 - 4ax$가 극솟값을 갖도록 하는 실수 a의 값의 범위를 구하여라.

10-4 (변형)

함수 $f(x) = \dfrac{1}{4}x^4 - \dfrac{1}{3}x^3 - ax^2$이 극댓값을 갖지 않도록 하는 실수 a의 값의 범위를 구하여라.

10-5 (변형)

함수 $f(x) = -\dfrac{1}{4}x^4 + ax^3 + 2ax^2$이 극댓값만 갖도록 하는 정수 a의 개수를 구하여라.

10-6 (실력)

함수 $f(x) = x^4 - ax^3 + (3a+4)x$가 극값을 하나만 갖도록 하는 실수 a의 값의 범위가 $a = \alpha$ 또는 $\beta \le a \le \gamma$일 때, $\alpha + \beta + \gamma$의 값을 구하여라.

함수 $f(x)=x^3+ax^2-4ax+2$가 $-1<x<0$에서 극댓값, $x>0$에서 극솟값을 갖도록 하는 실수 a의 값의 범위를 구하여라.

풍쌤 POINT

함수 $f(x)$가 $a<x<b$에서 극값을 갖는다는 것은 $a<x<b$에서 $f'(x)=0$이 해를 갖는다는 뜻이야. 이를 만족시키도록 $y=f'(x)$의 그래프를 그려 봐.

풀이 •──◉ **STEP 1** $f'(x)=0$의 근의 조건 구하기

$f(x)=x^3+ax^2-4ax+2$에서

$f'(x)=3x^2+2ax-4a$

함수 $f(x)$가 $x=\alpha$에서 극댓값, $x=\beta$에서 극솟값을 갖는다고 하면 이차방정식 $f'(x)=0$의 서로 다른 두 실근이 α, β이고 ❶

$-1<\alpha<0$, $\beta>0$

STEP 2 $y=f'(x)$의 그래프 그리기

따라서 함수 $y=f'(x)$의 그래프❷가 오른쪽 그림과 같아야 하므로

$f'(-1)>0$, $f'(0)<0$

STEP 3 a의 값의 범위 구하기

$f'(-1)=3-2a-4a>0$에서

$a<\dfrac{1}{2}$

$f'(0)=-4a<0$에서

$a>0$

$\therefore 0<a<\dfrac{1}{2}$

❶ $f'(\alpha)=0$, $f'(\beta)=0$

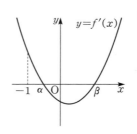

❷ $y=f'(x)$의 그래프는 아래로 볼록한 포물선이고, $-1<x<0$과 $x>0$에서 각각 x축과 만난다.

📄 $0<a<\dfrac{1}{2}$

풍쌤 강의 NOTE

함수 $f(x)$의 극값의 범위가 주어지면 그 범위에서 $f'(x)=0$이 해를 가짐을 이용하여 조건을 만족시키는 $y=f'(x)$의 그래프를 그리고, 함숫값의 범위를 이용하여 부등식을 세운다.

11-1 ◉ 유사

함수 $f(x)=-x^3+(a-3)x^2+ax+2$가 $-2<x<-1$에서 극솟값, $x>-1$에서 극댓값을 갖도록 하는 실수 a의 값의 범위가 $p<a<q$일 때, $p+q$의 값을 구하여라.

11-2 ◉ 변형

함수 $f(x)=x^3-2ax^2-ax-4$가 열린구간 $(-1, 1)$과 열린구간 $(2, 3)$에서 각각 극값을 갖도록 하는 정수 a의 값을 구하여라.

11-3 ◉ 변형

함수 $f(x)=-x^3+ax^2+a^2x+2$가 $-1<x<1$, $x>1$에서 각각 극값을 갖도록 하는 실수 a의 값의 범위가 $p<a<q$일 때, $p+q$의 값을 구하여라.

11-4 ◉ 변형

함수 $f(x)=\dfrac{1}{3}x^3-ax^2+(4a-6)x+4$가 $x>0$에서 극댓값과 극솟값을 모두 갖도록 하는 정수 a의 최솟값을 구하여라.

11-5 ◉ 변형

함수 $f(x)=-\dfrac{1}{3}x^3+2ax^2-4ax+1$이 열린구간 $(-2, 2)$에서 극댓값과 극솟값을 모두 갖도록 하는 실수 a의 값의 범위를 구하여라.

11-6 ◉ 실력

함수 $f(x)=x^3-3(a-3)x^2+3(a-1)x$가 $x \le 1$에서 극값을 갖지 않도록 하는 실수 a의 값의 범위를 구하여라.

함수 $f(x)$의 도함수 $y=f'(x)$의 그래프가 오른쪽 그림과 같을 때, 옳은 것만을 |보기|에서 있는 대로 골라라.

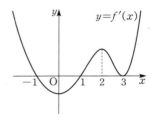

┤보기├

ㄱ. 함수 $f(x)$는 닫힌구간 $[-1, 1]$에서 감소한다.
ㄴ. 함수 $f(x)$는 극댓값을 한 개 갖는다.
ㄷ. 함수 $f(x)$는 극솟값을 두 개 갖는다.

풍쌤 POINT

$y=f'(x)$의 그래프가 x축과 만나는 점을 기준으로 $f(x)$의 증감표를 작성하면 함수 $f(x)$의 증가 · 감소, 극대 · 극소를 파악할 수 있어.

풀이 ●

STEP1 증감표 작성하기

$y=f'(x)$의 그래프에서 $f'(-1)=f'(1)=f'(3)=0$ ❶
함수 $f(x)$의 증가와 감소를 표로 나타내면 다음과 같다.

x	$\cdots$	-1	$\cdots$	1	$\cdots$	3	$\cdots$
$f'(x)$	$+$	0	$-$	0	$+$	0	$+$
$f(x)$	↗	극대	↘	극소	↗		↗

❶ $x=0$, $x=2$는 $f(x)$의 극값과는 관계가 없음에 유의한다.

STEP2 보기의 참, 거짓 판별하기

ㄱ. $-1 \leq x \leq 1$에서 $f'(x) \leq 0$이므로 함수 $f(x)$는 닫힌구간 $[-1, 1]$에서 감소한다. (참)

ㄴ. 함수 $f(x)$는 $x=-1$에서 극대이므로 극댓값을 한 개 갖는다. (참)

ㄷ. 함수 $f(x)$는 $x=1$에서 극소이므로 극솟값을 한 개 갖는다. (거짓) ❷

따라서 옳은 것은 ㄱ, ㄴ이다.

❷ $f'(3)=0$이지만 $x=3$의 좌우에서 $f'(x)$의 부호가 바뀌지 않으므로 $x=3$에서 극값을 갖지 않는다.

답 ㄱ, ㄴ

풍쌤 강의 NOTE

• $y=f'(x)$의 그래프가 x축의 위쪽에 있으면 $f(x)$는 증가하고, x축의 아래쪽에 있으면 $f(x)$는 감소한다. 또, $x=a$에서 x축을 접하지 않고 지나면 $f(x)$는 $x=a$에서 극값을 갖는다.

• $f'(a)=0$이라고 해서 함수 $f(x)$가 $x=a$에서 반드시 극값을 갖는 것은 아니다. $x=a$의 좌우에서 $f'(x)$의 부호가 바뀌는지 확인해야 한다.

12-1 ◉ 유사

함수 $f(x)$에 대하여 도함수 $y=f'(x)$의 그래프가 그림과 같을 때, 다음 중 옳은 것은?

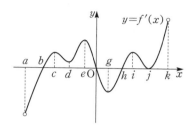

① $f(b)>f(c)$
② $f(i)<f(j)$
③ 함수 $f(x)$는 닫힌구간 $[g, i]$에서 증가한다.
④ 함수 $f(x)$는 $x=d$에서 극솟값을 갖는다.
⑤ 함수 $f(x)$는 $x=h$에서 극댓값을 갖는다.

12-2 ◉ 변형

사차함수 $f(x)$와 이차함수 $g(x)$의 도함수 $y=f'(x)$, $y=g'(x)$의 그래프가 다음 그림과 같다. $h(x)=f(x)-g(x)$라고 할 때, 옳은 것만을 |보기|에서 있는 대로 골라라.

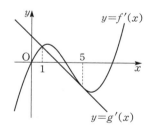

┤보기├
ㄱ. 함수 $h(x)$는 닫힌구간 $[1, 5]$에서 증가한다.
ㄴ. 함수 $h(x)$는 두 개의 극값을 갖는다.
ㄷ. 임의의 실수 a에 대하여 $h(a) \geq h(1)$

12-3 ◉ 변형

함수 $f(x)$의 도함수 $y=f'(x)$의 그래프가 오른쪽 그림과 같고 $f(0)=0$일 때, 다음 중 $y=f(x)$의 그래프로 알맞은 것은?

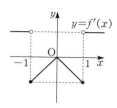

①  ②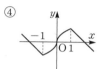

③ 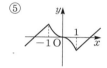 ④

⑤

12-4 ◉ 실력   기출

실수 전체의 집합에서 함수 $f(x)$가 미분가능하고 도함수 $f'(x)$가 연속이다. x축과의 교점의 x좌표가 b, c, d뿐

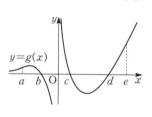

인 함수 $g(x)=\dfrac{f'(x)}{x}$의 그래프가 그림과 같을 때, 옳은 것만을 |보기|에서 있는 대로 골라라.

┤보기├
ㄱ. 함수 $f(x)$는 열린구간 $(b, 0)$에서 증가한다.
ㄴ. 함수 $f(x)$는 $x=b$에서 극솟값을 갖는다.
ㄷ. 함수 $f(x)$는 닫힌구간 $[a, e]$에서 4개의 극값을 갖는다.

주어진 구간에서 함수 $f(x)$의 최댓값과 최솟값을 구하여라.

(1) $f(x)=2x^3-3x^2-12x$ $[-3, 3]$

(2) $f(x)=\dfrac{1}{4}x^4+\dfrac{1}{2}x^2-2x+1$ $[-2, 2]$

풍쌤 POINT

주어진 구간에서 함수 $f(x)$의 극값, 양 끝 점에서의 함숫값 중에서 최댓값과 최솟값을 찾아.

풀이

(1) **STEP1** $f'(x)=0$의 해 구하기

$f(x)=2x^3-3x^2-12x$에서

$f'(x)=6x^2-6x-12=6(x+1)(x-2)$

$f'(x)=0$에서 $x=-1$ 또는 $x=2$

STEP2 최댓값과 최솟값 구하기

닫힌구간 $[-3, 3]$에서 함수 $f(x)$의 증가와 감소를 표로 나타내면 다음과 같다.

x	-3	$\cdots$	-1	$\cdots$	2	$\cdots$	3
$f'(x)$		$+$	0	$-$	0	$+$	
$f(x)$	-45	↗	7	↘	-20	↗	-9

따라서 닫힌구간 $[-3, 3]$에서 함수 $f(x)$의 최댓값은 7, 최솟값은 -45이다.

(2) **STEP1** $f'(x)=0$의 해 구하기

$f(x)=\dfrac{1}{4}x^4+\dfrac{1}{2}x^2-2x+1$에서

$f'(x)=x^3+x-2=(x-1)(x^2+x+2)$ **❶**

$f'(x)=0$에서 $x=1$ ($\because x^2+x+2\neq0$) **❷**

STEP2 최댓값과 최솟값 구하기

닫힌구간 $[-2, 2]$에서 함수 $f(x)$의 증가와 감소를 표로 나타내면 다음과 같다.

x	-2	$\cdots$	1	$\cdots$	2
$f'(x)$		$-$	0	$+$	
$f(x)$	11	↘	$-\dfrac{1}{4}$	↗	3

따라서 닫힌구간 $[-2, 2]$에서 함수 $f(x)$의 최댓값은 11, 최솟값은 $-\dfrac{1}{4}$이다.

❶

$$\begin{array}{r|rrrr} 1 & 1 & 0 & 1 & -2 \\ & & 1 & 1 & 2 \\ \hline & 1 & 1 & 2 & 0 \end{array}$$

$\therefore f'(x)=(x-1)(x^2+x+2)$

❷ 이차방정식 $x^2+x+2=0$의 판별식을 D라고 하면

$D=1^2-4\times2=-7<0$

따라서 실근을 갖지 않는다.

답 (1) 최댓값: 7, 최솟값: -45 (2) 최댓값: 11, 최솟값: $-\dfrac{1}{4}$

풍쌤 강의 NOTE

닫힌구간 $[a, b]$에서 연속인 함수 $f(x)$의 극값, $f(a)$, $f(b)$ 중 최댓값과 최솟값이 존재한다. 따라서 닫힌구간 $[a, b]$에서 $f(x)$의 증감표를 작성하여 극값을 찾는다.

13-1 ⊙유사 `기출`

닫힌구간 $[-1,\ 3]$에서 함수 $f(x)=x^3-3x+5$의 최솟값을 구하여라.

13-2 ⊙유사

닫힌구간 $[-1,\ 2]$에서 함수 $f(x)=-x^3+3x^2-1$의 최댓값을 a, 최솟값을 b라고 할 때, $a+b$의 값을 구하여라.

13-3 ⊙유사

닫힌구간 $[-3,\ 1]$에서 함수 $f(x)=x^4-8x^2-3$의 최댓값을 M, 최솟값을 N이라고 할 때, $M-N$의 값을 구하여라.

13-4 ⊙변형

사차함수 $f(x)$의 도함수 $y=f'(x)$의 그래프가 다음 그림과 같을 때, 함수 $f(x)$는 $x=\alpha$에서 최솟값을 갖는다. 이때 α의 값을 구하여라.

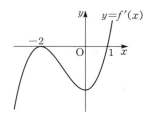

13-5 ⊙실력

자연수 n에 대하여 닫힌구간 $[-n,\ n]$에서 함수 $f(x)=-x^4-2x^3-1$의 최댓값을 $g(n)$이라고 할 때, $g(1)+g(2)+g(3)+\cdots+g(9)$의 값을 구하여라.

13-6 ⊙실력

두 함수 $f(x)=x^3-12x+3,\ g(x)=-x^2+2x-2$에 대하여 합성함수 $(f\circ g)(x)$의 최댓값을 구하여라.

닫힌구간 $[-3, -1]$에서 함수 $f(x)=2x^3+6x^2+k$의 최댓값이 10일 때, 최솟값을 구하여라.

(단, k는 상수이다.)

풍쌤 POINT

주어진 구간에서 함수 $f(x)$의 극값과 양 끝 점에서의 함숫값을 미지수 k에 대한 식으로 나타내면 주어진 최댓값을 이용해서 k의 값을 구할 수 있어.

풀이

STEP1 $f'(x)=0$의 해 구하기

$f(x)=2x^3+6x^2+k$에서

$f'(x)=6x^2+12x=6x(x+2)$

$f'(x)=0$에서 $x=-2$ ($\because$ $-3 \le x \le -1$)

STEP2 k의 값 구하기

닫힌구간 $[-3, -1]$에서 함수 $f(x)$의 증가와 감소를 표로 나타내면 다음과 같다.

x	-3	$\cdots$	-2	$\cdots$	-1
$f'(x)$		$+$	0	$-$	
$f(x)$	k	$\nearrow$	$k+8$	$\searrow$	$k+4$

따라서 닫힌구간 $[-3, -1]$에서 함수 $f(x)$의 최댓값은 $k+8$이므로❶

$k+8=10$ $\therefore$ $k=2$

STEP3 최솟값 구하기

즉, 닫힌구간 $[-3, -1]$에서 함수 $f(x)$의 최솟값은

$k=2$

❶ $k < k+4 < k+8$이므로 최댓값은 $k+8$, 최솟값은 k이다.

답 2

풍쌤 강의 NOTE

미지수 k가 포함된 연속인 함수 $f(x)$의 최댓값 또는 최솟값이 주어지면 닫힌구간 $[a, b]$에서 함수 $f(x)$의 극값, $f(a)$, $f(b)$의 값을 미지수 k에 대한 식으로 나타내고, 주어진 최댓값 또는 최솟값을 각각 비교하여 k의 값을 구한다.

14-1 ◉유사

닫힌구간 $[-3, 3]$에서 함수 $f(x)=x^3+3x^2+a$의 최댓값이 45일 때, 상수 a의 값을 구하여라.

14-4 ◉변형

닫힌구간 $[-2, 1]$에서 함수 $f(x)=x^4-2x^2+k$의 최댓값과 최솟값의 합이 15일 때, 상수 k의 값을 구하여라.

14-2 ◉유사   기출

닫힌구간 $[-2, 2]$에서 정의된 함수 $f(x)=-x^3+3x^2+a$의 최솟값이 -4일 때, 최댓값을 구하여라. (단, a는 상수이다.)

14-5 ◉변형

닫힌구간 $[0, 4]$에서 함수 $f(x)=ax^3-3ax^2+b$의 최댓값이 5, 최솟값이 -5일 때, 두 상수 a, b에 대하여 $a+b$의 값을 구하여라. (단, $a>0$)

14-3 ◉유사

닫힌구간 $[-1, 1]$에서 함수 $f(x)=ax^4+2ax^2-4a$의 최솟값이 4일 때, 최댓값을 구하여라. (단, $a<0$)

14-6 ◉실력

함수 $f(x)=ax^4+2x^3-4x^2+b$가 $x=4$에서 최댓값 5를 가질 때, $f(x)$의 극솟값을 구하여라.
(단, a, b는 상수이다.)

오른쪽 그림과 같이 두 꼭짓점 A, D는 곡선 $y=6-x^2$ 위에 있고, 두 꼭짓점 B, C는 x축 위에 있는 직사각형 ABCD의 넓이의 최댓값을 구하여라. (단, 점 D는 제1사분면 위의 점이다.)

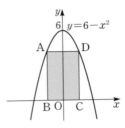

풍쌤 POINT

직사각형의 가로, 세로의 길이를 변수 t로 나타내면 넓이에 대한 함수 $S(t)$를 구할 수 있고, $S(t)$의 도함수 $S'(t)$를 이용하면 최댓값을 구할 수 있어.

풀이

STEP1 넓이에 대한 함수식 세우기

곡선 $y=6-x^2$ 위의 점 D의 x좌표를 t $(0<t<\sqrt{6})$❶라고 하면
$D(t, 6-t^2)$
즉, $A(-t, 6-t^2)$, $C(t, 0)$이므로 직사각형 ABCD의 넓이를 $S(t)$라고 하면
$$S(t)=\overline{AD}\times\overline{CD}$$
$$=2t\times(6-t^2)=-2t^3+12t$$

STEP2 넓이의 최댓값 구하기

따라서 $S'(t)=-6t^2+12=-6(t^2-2)$이므로
$S'(t)=0$에서 $t=\sqrt{2}$ $(\because 0<t<\sqrt{6})$
함수 $S(t)$의 증가와 감소를 표로 나타내면 다음과 같다.

t	(0)	$\cdots$	$\sqrt{2}$	$\cdots$	$(\sqrt{6})$
$S'(t)$		$+$	0	$-$	
$S(t)$		↗	$8\sqrt{2}$	↘	

따라서 함수 $S(t)$는 $t=\sqrt{2}$에서 극대이면서 최대❷이므로 구하는 최댓값은 $8\sqrt{2}$이다.

❶ 점 D는 제1사분면 위의 점이 므로
$t>0$, $6-t^2>0$
$\therefore 0<t<\sqrt{6}$

❷ 주어진 구간에서 극한값이 하 나뿐이고 그 값이 극댓값이면
(최댓값)=(극댓값)
이다.

답 $8\sqrt{2}$

풍쌤 강의 NOTE

좌표평면 위의 도형의 넓이의 최댓값을 구할 때, 도형의 꼭짓점의 좌표를 t에 대한 식으로 나타내어 넓이에 대한 함수를 구한다. 이 함수의 도함수를 이용하면 넓이의 최댓값을 구할 수 있다.

15-1 유사

오른쪽 그림과 같이 곡선 $y=-2x^2+8$과 x축의 두 교점을 각각 A, B라고 할 때, 곡선 $y=-2x^2+8$과 x축으로 둘러싸인 부분에 내접하는 사다리꼴 ABCD의 넓이의 최댓값을 구하여라. (단, 점 C는 제1사분면 위의 점이다.)

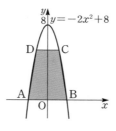

15-2 유사

오른쪽 그림과 같이 직사각형 ABCD의 두 꼭짓점 A, D는 곡선 $y=-x^2+k$ 위에 있고, 변 BC는 x축 위에 있다. 직사각형 ABCD의 넓이의 최댓값이 108일 때, 양수 k의 값을 구하여라. (단, 점 D는 제1사분면 위의 점이다.)

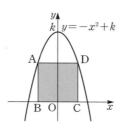

15-3 변형

오른쪽 그림과 같이 곡선 $y=-x^2+4x$ 위의 두 점 A, D와 x축 위의 두 점 B, C에 대하여 사각형 ABCD는 직사각형이다. 점 C의 x좌표를 t라고 할 때, 직사각형 ABCD의 넓이가 최대가 되도록 하는 t의 값을 구하여라. (단, $2<t<4$)

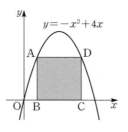

15-4 변형

다음 그림과 같이 두 꼭짓점 A, B는 곡선 $y=-x^2+\dfrac{9}{4}$ 위에 있고, 두 꼭짓점 C, D는 곡선 $y=x^2-\dfrac{9}{4}$ 위에 있는 직사각형 ABCD의 넓이의 최댓값을 구하여라.

(단, 점 A는 제1사분면 위의 점이다.)

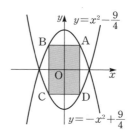

15-5 변형

다음 그림과 같이 곡선 $y=-\dfrac{1}{3}x^2+6x$ 위의 점 P에서 x축에 내린 수선의 발을 H라고 할 때, 삼각형 OHP의 넓이의 최댓값을 구하여라.

(단, O는 원점이고, 점 P는 제1사분면 위의 점이다.)

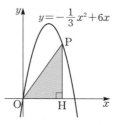

오른쪽 그림과 같이 가로의 길이가 **8 cm**, 세로의 길이가 **5 cm**인 직사각형 모양의 종이의 네 귀퉁이에서 크기가 같은 정사각형을 잘라 내고 남은 부분을 접어서 뚜껑이 없는 직육면체 모양의 상자를 만들려고 한다. 이 상자의 부피의 최댓값을 구하여라.

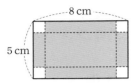

풍쌤 POINT

도형의 모서리의 길이를 변수 x로 나타내면 부피에 대한 함수 $V(x)$를 구할 수 있고, $V(x)$의 도함수 $V'(x)$를 이용하여 도형의 넓이 또는 부피의 최댓값을 구할 수 있어.

풀이

STEP 1 부피에 대한 함수식 세우기

잘라 내는 정사각형의 한 변의 길이를 x cm $\left(0<x<\dfrac{5}{2}\right)$❶라고 하면 상자의 밑면의 가로의 길이는 $(8-2x)$ cm, 세로의 길이는 $(5-2x)$ cm, 높이는 x cm이므로 부피를 $V(x)$ cm³라고 하면
$$V(x)=x(8-2x)(5-2x)=4x^3-26x^2+40x❷$$

STEP 2 부피의 최댓값 구하기

따라서 $V'(x)=12x^2-52x+40=4(x-1)(3x-10)$이므로
$V'(x)=0$에서 $x=1\left(\because 0<x<\dfrac{5}{2}\right)$

함수 $V(x)$의 증가와 감소를 표로 나타내면 다음과 같다.

x	(0)	$\cdots$	1	$\cdots$	$\left(\dfrac{5}{2}\right)$
$V'(x)$		$+$	0	$-$	
$V(x)$		↗	18	↘	

따라서 함수 $V(x)$는 $x=1$에서 극대이면서 최대이므로 최댓값은 18이다.
즉, 구하는 부피의 최댓값은 18 cm³이다.❸

❶ $x>0$, $8-2x>0$, $5-2x>0$ 이어야 하므로
$$0<x<\dfrac{5}{2}$$

❷ (직육면체의 부피)
$=$(가로의 길이)
$\times$(세로의 길이)$\times$(높이)

❸ 문제에서 단위가 주어졌으므로 단위를 함께 적는다.

目 18 cm³

풍쌤 강의 NOTE

도형의 부피의 최댓값을 구할 때, 모서리의 길이를 x에 대한 식으로 나타내어 부피에 대한 함수를 구한다. 이 함수의 도함수를 이용하면 부피의 최댓값을 구할 수 있다.

16-1 ⦿유사

오른쪽 그림과 같이 한 변의 길이가 9 cm인 정사각형 모양의 종이가 있다. 이 종이의 네 귀퉁이에서 크기가 같은 정사각형을 잘라 내고 남은 부분을 접어서 뚜껑이 없는 직육면체 모양의 상자를 만들 때, 상자의 부피의 최댓값을 구하여라.

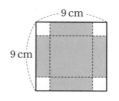

16-2 ⦿변형

오른쪽 그림과 같이 한 변의 길이가 24 cm인 정삼각형 모양의 종이가 있다. 이 종이의 세 꼭짓점 주위에서 합동인 사각형을 잘라 내고 남은 부분을 접어서 뚜껑이 없는 삼각기둥 모양의 상자를 만들 때, 상자의 부피가 최대가 되도록 하는 x의 값을 구하여라.

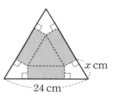

16-3 ⦿변형

밑면의 반지름의 길이와 높이의 합이 15인 원기둥이 있다. 이 원기둥의 부피가 최대가 되도록 하는 높이를 구하여라.

16-4 ⦿변형

$0<a<6$일 때, 밑면은 한 변의 길이가 a인 정사각형이고, 높이는 $(a-6)^2$인 직육면체의 부피의 최댓값을 구하여라.

16-5 ⦿변형

오른쪽 그림과 같이 밑면의 반지름의 길이가 3 cm이고, 높이가 6 cm인 원뿔에 내접하는 원기둥의 부피가 최대일 때, 이 원기둥의 겉넓이를 구하여라.

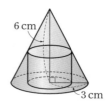

16-6 ⦿실력

오른쪽 그림과 같이 반지름의 길이가 12 cm인 구에 내접하는 원뿔이 있다. 이 원뿔의 부피가 최대가 되도록 하는 원뿔의 높이를 구하여라.

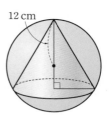

증감표 없이 함수의 그래프의 개형 그리기

문제를 풀 때 함수의 그래프의 개형을 알면 풀이가 간편해진다.
도함수의 그래프만으로 함수의 그래프의 개형을 파악하는 방법을 알아보자.

함수의 그래프를 그리기 위하여 매번 함수의 증감표를 그리는 것은 번거롭다.

도함수의 그래프만을 이용하여 함수의 그래프의 개형 그리는 법을 다음 순서로 익혀 두자.

특강 함수 $y=f(x)$의 그래프 그리는 법

STEP1 함수의 차수와 최고차항의 계수 확인하기

주어진 함수 $y=f(x)$의 최고차항의 계수가 양수일 때

① 홀수차 함수이면 시작을 왼쪽 아래
  에서, 끝은 오른쪽 위로

② 짝수차 함수이면 시작을 왼쪽 위에
  서, 끝도 오른쪽 위로

STEP2 $f'(x)=0$이 되는 x의 값 구하기

$f'(x)=0$이 되는 x의 값에서 함수 $y=f(x)$의 그래프는 극값을 갖는다. 이때
$f'(x)$가 짝수 제곱인 완전제곱식을 갖는 x의 값에서는 함수 $y=f(x)$의 그래
프가 극값을 갖지 않으며 진행 방향을 바꾸지 않고 잠시 멈칫할 뿐, 계속 증가
하거나 감소한다.

STEP3 함수 $y=f(x)$의 그래프의 개형 그리기

STEP1과 STEP2에서 구한 성질을 바탕으로 함수 $y=f(x)$의 그래프의 개형을
그린다.

최고차항의 계수가 음수인 경우
는 반대로 생각하면 돼.

① 최고차항이 홀수

② 최고차항이 짝수

도함수 $y=f'(x)$의 그래프를 이
용하여 함수 $y=f(x)$의 그래프
의 개형을 그릴 수 있다.

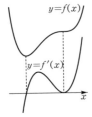

▶ 상수 a, b, c에 대하여 $f(x)=ax^n+bx^{n-1}+\cdots+c\ (a>0)$인 그래프의 개형

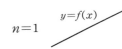

$n=1$

$n=2$

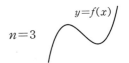

$n=3$

$n=4$

$n=5$

$n=6$

예시 1 삼차함수의 그래프

함수 $y=2x^3-9x^2+12x-3$의 그래프의 개형을 그려라.

$f(x)=2x^3-9x^2+12x-3$으로 놓으면 함수 $f(x)$는 삼차함수이고, 삼차항의 계수가 양수이므로 그래프는 왼쪽 아래에서 출발하여 오른쪽 위로 올라간다.

STEP2 $f'(x)=0$이 되는 x의 값 구하기

$f'(x)=6x^2-18x+12=6(x-1)(x-2)$이므로

$f'(x)=0$에서 $x=1$ 또는 $x=2$

STEP3 함수 $y=f(x)$의 그래프의 개형 그리기

이때 방정식 $f'(x)=0$은 중근을 갖지 않으므로 함수 $f(x)$는 $x=1$, $x=2$에서 각각 극값을 갖는다.

따라서 주어진 함수의 그래프는 오른쪽 그림과 같이 왼쪽 아래에서 오른쪽 위로 올라가는 그래프이며 $x=1$에서 극대, $x=2$에서 극소이다.

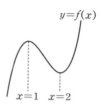

풍산자 풀이 흐름

❶ 함수의 차수와 최고차항의 계수를 확인한다.

❷ $f'(x)=0$이 되는 x의 값을 구한다.

❸ ❷에서 구한 x의 값으로 극값이 되는 x좌표를 찾는다.

❹ 구한 것을 이용하여 함수의 그래프의 개형을 그린다.

함수의 각 x의 값에서의 y의 값은 $y=f(x)$에 x의 값을 대입하여 알 수 있어. 예시처럼 함수의 식이 주어지지 않은 경우에 함수의 그래프의 개형은 풀이의 중요한 열쇠가 되기도 하지.

예시 2 사차함수의 그래프

함수 $y=-3x^4+8x^3-6x^2+8$의 그래프의 개형을 그려라.

STEP1 함수의 차수와 최고차항의 계수 확인하기

$f(x)=-3x^4+8x^3-6x^2+8$로 놓으면 함수 $f(x)$는 사차함수이고, 사차항의 계수가 음수이므로 그래프는 왼쪽 아래에서 출발하여 오른쪽 아래로 내려간다.

STEP2 $f'(x)=0$이 되는 x의 값 구하기

$f'(x)=-12x^3+24x^2-12x=-12x(x-1)^2$이므로

$f'(x)=0$에서 $x=0$ 또는 $x=1$(중근)

STEP3 함수 $y=f(x)$의 그래프의 개형 그리기

이때 방정식 $f'(x)=0$은 $x=1$에서 중근을 가지므로 함수 $f(x)$는 $x=0$에서 극값을 갖고, $x=1$에서 극값을 갖지 않는다.

따라서 주어진 함수의 그래프는 오른쪽 그림과 같이 왼쪽 아래에서 출발하여 왼쪽 아래로 다시 내려가는 그래프이며 $x=0$에서 극대이다.

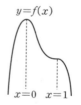

중근에선 극값을 갖지 않는 것에 유의해야 해!

✔ 확인

정답과 풀이 **140**쪽

1. 다음 함수의 그래프의 개형을 그려라.

(1) $y=-x^3+12x^2-45x+5$

(2) $y=\dfrac{1}{2}x^4-4x^3+9x^2-8x-3$

(3) $y=2x^3-6x^2+6x-4$

(4) $y=-\dfrac{1}{4}x^4+x^3+5x^2+2$

실전 연습 문제

01

함수 $f(x)=-3x^3+6x^2+12x-3$이 닫힌구간 $[a, b]$에서 증가한다고 할 때, $b-a$의 최댓값은?

① $\dfrac{7}{3}$ ② $\dfrac{8}{3}$ ③ 3

④ $\dfrac{10}{3}$ ⑤ $\dfrac{11}{3}$

02

미분가능한 두 함수 $f(x)$, $g(x)$에 대하여 $f(0)=g(0)$이고, 모든 실수 x에 대하여 $f'(x)>g'(x)$일 때, 옳은 것만을 1보기에서 있는 대로 고른 것은?

┌─1보기├─────────────
│ ㄱ. $f(-1)<g(-1)$
│ ㄴ. $f(1)>g(1)$
│ ㄷ. $f(1)-f(3)>g(1)-g(3)$
└──────────────────────

① ㄱ   ② ㄷ   ③ ㄱ, ㄴ

④ ㄱ, ㄷ   ⑤ ㄴ, ㄷ

03 기출

함수 $f(x)=x^3+ax^2+2ax$가 구간 $(-\infty, \infty)$에서 증가하도록 하는 실수 a의 최댓값을 M, 최솟값을 m이라고 할 때, $M-m$의 값은?

① 3   ② 4   ③ 5

④ 6   ⑤ 7

04 기출

함수 $f(x)=\dfrac{1}{3}x^3-ax^2+3ax$의 역함수가 존재하도록 하는 상수 a의 최댓값은?

① 3   ② 4   ③ 5

④ 6   ⑤ 7

05 서술형

닫힌구간 $[0, 3]$에서 함수 $f(x)=-\dfrac{1}{3}x^3+x^2-3ax$가 증가하도록 하는 실수 a의 값의 범위를 구하여라.

06

다항함수 $f(x)$가 $x=a$에서 극값 β를 갖는다. 함수 $g(x)=x^3f(x)$에 대하여 $g'(a)$의 값은?

① $a^2\beta$ ② $a\beta^2$ ③ $3a\beta$

④ $3a^2\beta$ ⑤ $3a\beta^2$

07

함수 $f(x)=x^3-6x^2+9x+1$이 $x=a$에서 극댓값 M을 가질 때, $a+M$의 값은?

① 4 　　　　② 6 　　　　③ 8

④ 10 　　　 ⑤ 12

08

함수 $f(x)=-x^4-2x^3+5x^2+1$에 대한 설명으로 옳은 것만을 l보기l에서 있는 대로 고른 것은?

┤보기├

ㄱ. 닫힌구간 $[0,\ 1]$에서 증가한다.

ㄴ. $x=-\dfrac{5}{2}$에서 극댓값을 갖는다.

ㄷ. $y=f(x)$의 그래프는 x축과 네 점에서 만난다.

① ㄱ 　　　　② ㄴ 　　　　③ ㄱ, ㄴ

④ ㄴ, ㄷ 　　⑤ ㄱ, ㄴ, ㄷ

09

두 다항함수 $f(x)$와 $g(x)$가 모든 실수 x에 대하여
$$g(x)=(x^3+2)f(x)$$
를 만족시킨다. $g(x)$가 $x=1$에서 극솟값 24를 가질 때, $f(1)-f'(1)$의 값을 구하여라.

10

함수 $f(x)=2x^3+ax^2+bx+c$가 $x=-1$, $x=1$에서 극값을 갖는다. $f(x)$의 극솟값이 -3일 때, $f(2)$의 값을 구하여라. (단, a, b, c는 상수이다.)

11

함수 $f(x)=x^3-3x^2+a$의 모든 극값의 곱이 -4일 때, 상수 a의 값은?

① 2 　　　　② 4 　　　　③ 6

④ 8 　　　　⑤ 10

12

다항함수 $y=f(x)$의 그래프가 다음 그림과 같다. 함수 $g(x)=\{f(x)\}^2$이 극댓값을 갖는 x의 값의 개수를 m, 극솟값을 갖는 x의 값의 개수를 n이라고 할 때, $m-n$의 값을 구하여라.

$$(단,\ f'(b)=f'(c)=f'(d)=0)$$

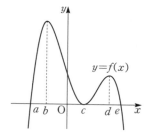

13

기출

함수 $f(x)$의 도함수 $f'(x)$가 $f'(x)=x^2-1$이고, 함수 $g(x)=f(x)-kx$가 $x=-3$에서 극값을 가질 때, 상수 k의 값은?

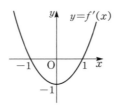

① 4   ② 5   ③ 6

④ 7   ⑤ 8

14

다음 중 다항함수 $f(x)$에 대한 설명으로 옳은 것은?

① $f(x)$가 감소함수이면 $f'(x)<0$이다.

② $x=a$에서 미분가능하고 극값을 가지면 $f'(a)=0$이다.

③ $f'(a)=0$이면 $x=a$에서 극값을 갖는다.

④ $f(x)$가 상수함수이면 극값은 존재하지 않는다.

⑤ $x=a$의 좌우에서 $f(x)$가 감소하다 증가하면 $f(x)$는 $x=a$에서 극대이다.

15 서술형✏

최고차항의 계수가 1인 사차함수 $f(x)$에 대하여 도함수 $y=f'(x)$의 그래프가 오른쪽 그림과 같다. 함수 $f(x)$의 극댓값이 2일 때, 모든 극솟값의 합을 구하여라.

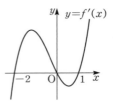

16

사차함수 $f(x)=ax^4+bx^3+cx^2+dx+e$의 그래프의 개형이 다음 그림과 같을 때, 상수 a, b, c, d, e 중에서 양수인 것을 모두 골라라.

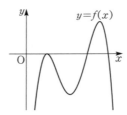

17

함수 $f(x)=\dfrac{1}{3}x^3+\dfrac{a}{2}x^2+(a+3)x-2$가 극값을 갖도록 하는 자연수 a의 최솟값은?

① 4   ② 5   ③ 6

④ 7   ⑤ 8

18

함수 $f(x)=x^4+ax^3+ax^2$이 극댓값을 갖지 않도록 하는 정수 a의 개수는?

① 2   ② 3   ③ 4
④ 5   ⑤ 6

19

함수 $f(x)=x^3-ax^2+2ax+1$이 열린구간 $(0, 3)$에서 극값을 하나만 갖도록 하는 자연수 a의 최솟값은?

① 3   ② 4   ③ 5
④ 6   ⑤ 7

20

사차함수 $f(x)$의 도함수 $y=f'(x)$의 그래프와 이차함수 $g(x)$의 도함수 $y=g'(x)$의 그래프가 다음 그림과 같다. 함수 $h(x)=f(x)-g(x)$에 대한 설명으로 옳은 것은? (단, $f'(c)=f'(d)=0$)

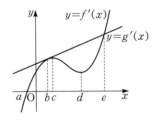

① 닫힌구간 $[a, b]$에서 증가한다.
② 닫힌구간 $[e, \infty)$에서 감소한다.
③ $x=b$에서 극값을 갖는다.
④ 극값을 갖는 x의 값은 2개이다.
⑤ $x=e$에서 최솟값을 갖는다.

21

닫힌구간 $[1, 4]$에서 함수 $f(x)=x^3-3x^2+4$의 최댓값을 M, 최솟값을 N이라고 할 때, $M+N$의 값은?

① 16   ② 18   ③ 20
④ 22   ⑤ 24

22

다음 중 함수 $f(x)=-\dfrac{1}{4}x^4+x^3-4x-1$에 대한 설명으로 옳은 것은?

① 닫힌구간 $[-2, -1]$에서 감소한다.
② 닫힌구간 $[2, 3]$에서 증가한다.
③ $x=-1$에서 극대이다.
④ $x=2$에서 극소이다.
⑤ 열린구간 $(-2, 2)$에서 최댓값과 최솟값이 존재한다.

23

양수 a에 대하여 함수 $f(x)=x^3+ax^2-a^2x+2$가 닫힌구간 $[-a, a]$에서 최댓값 M, 최솟값 $\dfrac{14}{27}$를 갖는다. 이때 $a+M$의 값을 구하여라.

24

함수 $f(x)$의 도함수 $y=f'(x)$의 그래프가 다음 그림과 같을 때, 옳은 것만을 l보기l에서 있는 대로 고른 것은?

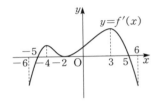

┌ 보기 ├────────────────────────────
ㄱ. 닫힌구간 $[-5, 5]$에서 함수 $f(x)$는 증가한다.
ㄴ. 열린구간 $(-6, 6)$에서 함수 $f(x)$는 극값을 3 개 갖는다.
ㄷ. 열린구간 $(-6, 3)$에서 함수 $f(x)$는 최댓값을 갖는다.
└─────────────────────────────────

① ㄱ   ② ㄷ   ③ ㄱ, ㄷ
④ ㄴ, ㄷ   ⑤ ㄱ, ㄴ, ㄷ

25

어느 회사에서 신제품을 출시하여 t년 후에 얻을 수 있는 이익을 $P(t)$억 원이라고 할 때,

$$P(t)=-\frac{1}{4}t^4+3t^3-12t^2+16t \ (0\le t\le 4)$$

가 성립한다고 한다. 신제품을 출시한 지 몇 년 후에 이익이 최대가 되는지 구하여라.

26 ^{기출}

최고차항의 계수가 1인 삼차함수 $f(x)$에 대하여 함수 $g(x)$는

$$g(x)=\begin{cases} \dfrac{1}{2} & (x<0) \\ f(x) & (x\ge 0) \end{cases}$$

이다. $g(x)$가 실수 전체의 집합에서 미분가능하고 $g(x)$의 최솟값이 $\frac{1}{2}$보다 작을 때, 옳은 것만을 l보기l에서 있는 대로 고른 것은?

┌ 보기 ├────────────────────────────
ㄱ. $g(0)+g'(0)=\dfrac{1}{2}$
ㄴ. $g(1)<\dfrac{3}{2}$
ㄷ. 함수 $g(x)$의 최솟값이 0일 때, $g(2)=\dfrac{5}{2}$이다.
└─────────────────────────────────

① ㄱ   ② ㄱ, ㄴ   ③ ㄱ, ㄷ
④ ㄴ, ㄷ   ⑤ ㄱ, ㄴ, ㄷ

27 서술형 ✏

밑면이 한 변의 길이가 a인 정사각형인 직육면체의 겉넓이가 16이다. 이 직육면체의 부피가 최대일 때의 a의 값을 구하여라.

01

함수 $f(x)=x^3+3(a+2)x^2-3(b^2-2)x+2$가 모든 실수 x에 대하여 증가하도록 하는 두 정수 a, b에 대하여 $a+b$의 최솟값은?

① -5 ② -4 ③ -3

④ -2 ⑤ -1

02   기출

두 삼차함수 $f(x)$와 $g(x)$가 모든 실수 x에 대하여
$$f(x)g(x)=(x-1)^2(x-2)^2(x-3)^2$$
을 만족시킨다. $g(x)$의 최고차항의 계수가 3이고, $x=2$에서 극댓값을 가질 때, $f'(0)=\dfrac{q}{p}$이다. $p+q$의 값을 구하여라. (단, p와 q는 서로소인 자연수이다.)

03

다항함수 $f(x)$가 모든 실수 x에 대하여
$$f(x+y)=f(x)+f(y)-xy(x+y)$$
를 만족시키고, $f'(0)=9$이다. 함수 $f(x)$가 $x=\alpha$에서 극대이고 $x=\beta$에서 극소일 때, $\alpha^3-\beta^3$의 값을 구하여라.

04   기출

함수 $f(x)=x^3-6x^2+ax+10$에 대하여 함수
$$g(x)=\begin{cases} b-f(x) & (x<3) \\ f(x) & (x\geq 3) \end{cases}$$
가 실수 전체의 집합에서 미분가능할 때, 함수 $g(x)$의 극솟값을 구하여라. (단, a, b는 상수이다.)

05

최고차항의 계수가 1인 사차함수 $f(x)$가 다음 조건을 만족시킬 때, $f(2)$의 값을 구하여라.

> (가) 모든 실수 x에 대하여 $f(x)=f(4-x)$
> (나) 함수 $f(x)$는 $x=1$에서 극솟값 -4를 갖는다.

06

기출

최고차항의 계수가 1인 삼차함수 $f(x)$가 다음 조건을 만족시킨다.

> (가) 방정식 $f(x)=0$의 실근은 α, β $(\alpha<\beta)$뿐이다.
> (나) 함수 $f(x)$의 극솟값은 -4이다.

옳은 것만을 |보기|에서 있는 대로 고른 것은?

> |보기|
> ㄱ. $f'(\alpha)=0$
> ㄴ. $\beta=\alpha+3$
> ㄷ. $f(0)=16$이면 $\alpha^2+\beta^2=18$이다.

① ㄱ   ② ㄱ, ㄴ   ③ ㄱ, ㄷ
④ ㄴ, ㄷ   ⑤ ㄱ, ㄴ, ㄷ

07

함수 $f(x)=x^2(x-3)$에 대하여 닫힌구간 $[a, a+1]$에서 $f(x)$의 최댓값을 $g(a)$라고 하자. $-3 \le a \le 1$일 때, $p \le g(a) \le q$이다. 이때 $p+q$의 값은?

① -24 ② -20 ③ -16
④ -12 ⑤ -8

08

오른쪽 그림과 같이 밑면이 정사각형이고 모든 모서리의 길이가 3인 사각뿔에 내접하는 직육면체의 부피의 최댓값을 구하여라.

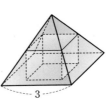

06

도함수의 활용 (3)

06 도함수의 활용(3)

개념 01 방정식의 실근과 함수의 그래프

(1) 방정식 $f(x)=0$의 실근은 함수 $y=f(x)$의 그래프와 x축의 교점의 x좌표와 같다.

(2) 방정식 $f(x)=g(x)$의 실근은 두 함수 $y=f(x)$, $y=g(x)$의 그래프의 교점의 x좌표와 같다.

> **참고** 방정식 $f(x)=g(x)$의 실근은 함수 $y=f(x)-g(x)$의 그래프와 x축의 교점의 x좌표로 구해도 된다.

확인 01 다음 방정식의 서로 다른 실근의 개수를 구하여라.

  (1) $x^3-3x^2+3=0$

  (2) $x^4-2x^2-1=0$

> ▶ 방정식 $f(x)=0$의 서로 다른 실근의 개수는 함수 $y=f(x)$의 그래프와 x축의 교점의 개수와 같다.
>
> ▶ 방정식 $f(x)=g(x)$의 서로 다른 실근의 개수는 두 함수 $y=f(x)$, $y=g(x)$의 그래프와 교점의 개수와 같다.

개념 02 삼차방정식의 근의 판별

삼차함수 $f(x)$가 극값을 가질 때, 삼차방정식 $f(x)=0$의 근은 다음과 같다.

(1) (극댓값)×(극솟값)<0 $\Longleftrightarrow$ 서로 다른 세 실근

(2) (극댓값)×(극솟값)$=0$ $\Longleftrightarrow$ 한 실근과 중근(서로 다른 두 실근)

(3) (극댓값)×(극솟값)>0 $\Longleftrightarrow$ 한 실근과 두 허근

> **참고** 최고차항의 계수가 양수인 삼차함수의 그래프의 개형은 다음 그림과 같다.

> ▶ 삼차함수 $f(x)$가 극값을 갖지 않으면 삼차방정식 $f(x)=0$은 삼중근을 갖거나 한 실근과 두 허근을 갖는다.

(1) 서로 다른 세 실근	(2) 한 실근과 중근	(3) 한 실근과 두 허근

개념 03 부등식에의 활용

(1) 어떤 구간에서 부등식 $f(x)\geq0$이 성립함을 보이려면 그 구간에서

  $(f(x)$의 최솟값$)\geq0$

  임을 보인다.

> **참고** $x\geq a$에서 부등식 $f(x)>0$임을 보이려면 $f(a)>0$, $f'(x)\geq0$
>
> $x\geq a$에서 $(f(x)$의 최솟값$)>0$ 임을 보인다.

(2) 두 함수 $f(x)$, $g(x)$에 대하여 어떤 구간에서 부등식 $f(x)\geq g(x)$가 성립함을 보이려면 $h(x)=f(x)-g(x)$로 놓고 그 구간에서 $h(x)\geq0$임을 보인다.

확인 02 $x\geq0$일 때, 부등식 $x^3-4x^2-3x+18\geq0$이 성립함을 보여라.

개념04 속도와 가속도

(1) 속도와 가속도

수직선 위를 움직이는 점 P의 시각 t에서의 위치를 $x=f(t)$ 라고 할 때

① 시각 t에서의 점 P의 속도는

$$v=\frac{dx}{dt}=f'(t)$$

② 시각 t에서의 점 P의 가속도는

$$a=\frac{dv}{dt}=v'(t)$$

➤ 속도 v의 절댓값 $|v|$를 속력이라고 한다.

➤**참고** 속도 v의 부호는 점 P의 운동 방향을 나타낸다. 점 P가 수직선 위를 움직일 때

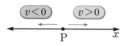

(ⅰ) $v>0$이면 양의 방향으로 움직인다.

(ⅱ) $v<0$이면 음의 방향으로 움직인다.

(ⅲ) $v=0$이면 점 P의 운동 방향이 바뀌거나 정지한다.

(2) 시각에 대한 변화율

어떤 물체의 시각 t에서의 길이를 l, 넓이를 S, 부피를 V라고 할 때, 시간이 Δt만큼 경과한 후 길이, 넓이, 부피가 각각 Δl, ΔS, ΔV만큼 변했다고 하면

① 시각 t에서의 길이의 변화율은

$$\lim_{\Delta t \to 0}\frac{\Delta l}{\Delta t}=\frac{dl}{dt}$$

② 시각 t에서의 넓이의 변화율은

$$\lim_{\Delta t \to 0}\frac{\Delta S}{\Delta t}=\frac{dS}{dt}$$

③ 시각 t에서의 부피의 변화율은

$$\lim_{\Delta t \to 0}\frac{\Delta V}{\Delta t}=\frac{dV}{dt}$$

[예] 어떤 물체의 시각 t에서의 길이 l이 $l=4t^3+2t^2-t+7$일 때, 길이의 변화율은

$$\frac{dl}{dt}=12t^2+4t-1$$

따라서 $t=1$에서의 물체의 길이의 변화율은

$12+4-1=15$

확인 03 수직선 위를 움직이는 점 P의 시각 t에서의 위치 x가 $x=3t^3-2t^2-10t$일 때, 다음을 구하여라.

(1) $t=1$에서의 점 P의 속도

(2) $t=1$에서의 점 P의 가속도

확인 04 어떤 도형의 시각 t에서의 넓이 S가 $S=3t^2-2t+1$일 때, $t=2$에서의 도형의 넓이의 변화율을 구하여라.

방정식 $f(x)=k$의 실근의 개수

실수 k의 값의 범위에 따라 방정식 $x^3-6x^2+9x=k$의 서로 다른 실근의 개수를 구하여라.

풍쌤 POINT

방정식 $f(x)=k$의 서로 다른 실근의 개수는 함수 $y=f(x)$의 그래프와 직선 $y=k$의 교점의 개수와 같으니까 $y=f(x)$의 그래프를 그리고 직선 $y=k$를 움직이면서 교점의 개수를 구해 봐!

풀이

STEP1 $y=x^3-6x^2+9x$의 그래프 그리기

$f(x)=x^3-6x^2+9x$로 놓으면

$f'(x)=3x^2-12x+9=3(x-1)(x-3)$

$f'(x)=0$에서 $x=1$ 또는 $x=3$

함수 $f(x)$의 증가와 감소를 표로 나타내면 다음과 같다.

x	$\cdots$	1	$\cdots$	3	$\cdots$
$f'(x)$	$+$	0	$-$	0	$+$
$f(x)$	↗	4	↘	0	↗

따라서 함수 $y=f(x)$의 그래프는 오른쪽 그림과 같다.

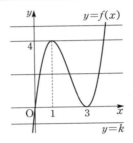

STEP2 k의 값의 범위에 따른 방정식의 서로 다른 실근의 개수 구하기

(i) $k<0$ 또는 $k>4$일 때❶

함수 $y=f(x)$의 그래프와 직선 $y=k$가 한 점에서 만나므로 주어진 방정식의 서로 다른 실근의 개수는 1이다.

(ii) $k=0$ 또는 $k=4$일 때❷

함수 $y=f(x)$의 그래프와 직선 $y=k$가 두 점에서 만나므로 주어진 방정식의 서로 다른 실근의 개수는 2이다.

(iii) $0<k<4$일 때❸

함수 $y=f(x)$의 그래프와 직선 $y=k$가 세 점에서 만나므로 주어진 방정식의 서로 다른 실근의 개수는 3이다.

❶ $k<$(극솟값) 또는 $k>$(극댓값)

❷ $k=$(극솟값) 또는 $k=$(극댓값)

❸ (극솟값)$<k<$(극댓값)

🔖 풀이 참조

풍쌤 강의 NOTE

방정식 $f(x)=k$의 서로 다른 실근의 개수가 n이 되도록 하는 k의 값의 범위를 구하려면 먼저 함수 $y=f(x)$의 그래프를 그린 후 교점의 개수가 n이 되도록 직선 $y=k$를 그린다.

01-1 ⦿기본

다음 방정식의 서로 다른 실근의 개수를 구하여라.

(1) $x^3+6x^2+9x-1=0$

(2) $3x^4-4x^3-12x^2+2=0$

01-4 ⦿변형

삼차함수 $f(x)$의 도함수 $y=f'(x)$의 그래프가 오른쪽 그림과 같다. $f(0)=-1$일 때, 방정식 $f(x)+k=0$이 오직 하나의 실근을 갖도록 하는 실수 k의 값의 범위를 구하여라.

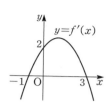

01-2 ⦿유사

방정식 $2x^4-4x^2+k=0$이 서로 다른 두 실근을 갖도록 하는 실수 k의 최댓값을 구하여라.

01-5 ⦿변형

방정식 $x^3-12x+4k-20=0$의 서로 다른 실근의 개수를 $f(k)$라고 할 때,

$$f(1)+f(2)+f(3)+\cdots+f(10)$$

의 값을 구하여라.

01-3 ⦿유사 🔵기출

방정식 $x^3-3x^2-9x-k=0$의 서로 다른 실근의 개수가 3이 되도록 하는 정수 k의 최댓값을 구하여라.

01-6 ⦿실력

최고차항의 계수가 1인 삼차함수 $f(x)$가 모든 실수 x에 대하여 $f(-x)=-f(x)$를 만족시킨다. 방정식 $|f(x)|=2$의 서로 다른 실근의 개수가 4일 때, $f(-1)$의 값을 구하여라.

방정식 $x^3+3x^2-9x-10=k$가 한 개의 양의 실근과 서로 다른 두 개의 음의 실근을 갖도록 하는 실수 k의 값의 범위를 구하여라.

풍쌤 POINT

방정식 $f(x)=k$의 실근의 부호는 함수 $y=f(x)$의 그래프와 직선 $y=k$의 교점의 x좌표의 부호와 일치해.

풀이

STEP1 $y=x^3+3x^2-9x-10$의 그래프 그리기

$f(x)=x^3+3x^2-9x-10$으로 놓으면

$f'(x)=3x^2+6x-9=3(x+3)(x-1)$

$f'(x)=0$에서 $x=-3$ 또는 $x=1$

함수 $f(x)$의 증가와 감소를 표로 나타내면 다음과 같다.

x	$\cdots$	-3	$\cdots$	1	$\cdots$
$f'(x)$	$+$	0	$-$	0	$+$
$f(x)$	↗	17	↘	-15	↗

따라서 함수 $y=f(x)$의 그래프는 오른쪽 그림과 같다.❶

STEP2 k의 값의 범위 구하기

주어진 방정식이 한 개의 양의 실근과 두 개의 음의 실근을 가지려면 $y=f(x)$의 그래프와 직선 $y=k$의 교점의 x좌표가 1개는 양수이고 2개는 음수이어야 하므로

$-10<k<17$ ❷

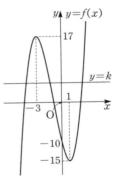

❶ $x=-3$에서 극댓값 17, $x=1$에서 극솟값 -15를 갖는다.

❷ ($f(0)$의 값)$<k<$(극댓값)

▶**참고** $-15<k<-10$이면 주어진 방정식은 서로 다른 두 개의 양의 실근과 한 개의 음의 실근을 갖는다.

또, $k<-15$이면 주어진 방정식은 한 개의 음의 실근과 두 허근을 갖고, $k>17$이면 주어진 방정식은 한 개의 양의 실근과 두 허근을 갖는다.

한편, $k=-15$이면 주어진 방정식은 한 개의 음의 실근과 한 개의 양의 실근(중근)을 갖고, $k=17$이면 주어진 방정식은 한 개의 음의 실근(중근)과 한 개의 양의 실근을 갖는다.

답 $-10<k<17$

풍쌤 강의 NOTE

방정식 $f(x)=k$의 근의 부호가 주어지면 함수 $y=f(x)$의 그래프를 그린 다음 교점의 x좌표가 근의 부호와 일치하도록 직선 $y=k$를 그린다. 이때 $f(0)$의 값과 k의 값의 대소 관계에 따라 실근의 부호가 달라짐에 유의한다.

02-1 유사

방정식 $-2x^3-3x^2+12x+3=a$가 한 개의 양의 실근과 서로 다른 두 개의 음의 실근을 갖도록 하는 정수 a의 최댓값을 M, 최솟값을 m이라고 할 때, $M+m$의 값을 구하여라.

02-2 유사

두 함수 $f(x)=4x^3-2$, $g(x)=x^3+9x+a$에 대하여 방정식 $f(x)=g(x)$가 서로 다른 두 개의 양의 실근과 한 개의 음의 실근을 갖도록 하는 정수 a의 개수를 구하여라.

02-3 변형

방정식 $2x^3-6x^2-k=0$의 양의 실근의 개수를 $f(k)$라고 할 때,

$$f(-10)+f(-9)+f(-8)+\cdots+f(10)$$

의 값을 구하여라.

02-4 변형 · 기출

방정식 $2x^3+6x^2+a=0$이 $-2\le x\le 2$에서 서로 다른 두 실근을 갖도록 하는 정수 a의 개수를 구하여라.

02-5 변형

삼차함수 $f(x)$의 도함수 $y=f'(x)$의 그래프가 오른쪽 그림과 같다. $f(0)=0$일 때, 삼차방정식 $f(x)=a$에 대하여 옳은 것만을 |보기|에서 있는 대로 골라라. (단, a는 상수이다.)

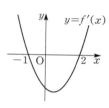

┌─|보기|─────────────────────
│ ㄱ. $a>f(-1)$이면 한 개의 양의 실근을 갖는다.
│ ㄴ. $f(2)<a<f(-1)$이면 서로 다른 두 개의 음의 실근과 한 개의 양의 실근을 갖는다.
│ ㄷ. $a=f(2)$이면 한 개의 양의 실근과 한 개의 음의 실근을 갖는다.
└──────────────────────────

02-6 실력

두 함수 $f(x)=x^3-3x^2-a$, $g(x)=x^2+5a^2x$에 대하여 방정식 $(g\circ f)(x)=0$이 한 개의 양의 실근과 한 개의 음의 실근을 갖도록 하는 실수 a의 값의 범위를 구하여라.

방정식 $x^3-6x^2-15x-k=0$이 다음 근을 갖도록 하는 실수 k의 값 또는 범위를 구하여라.

(1) 서로 다른 세 실근

(2) 한 실근과 중근

(3) 한 실근과 두 허근

풍쌤 POINT

삼차함수 $f(x)$가 극값을 가질 때, 삼차방정식 $f(x)=0$의 실근의 개수는 그래프를 그리지 않고 (극댓값)×(극솟값)의 부호를 이용해서 구할 수도 있어.

이때는 (삼차식)$=k$ 꼴이 아니라 (삼차식)$=0$ 꼴로 만들어야 해!

풀이

STEP1 증감표 작성하기

$f(x)=x^3-6x^2-15x-k$로 놓으면

$f'(x)=3x^2-12x-15=3(x+1)(x-5)$

$f'(x)=0$에서 $x=-1$ 또는 $x=5$

함수 $f(x)$의 증가와 감소를 표로 나타내면 다음과 같다. ❶

x	$\cdots$	-1	$\cdots$	5	$\cdots$
$f'(x)$	$+$	0	$-$	0	$+$
$f(x)$	↗	$8-k$	↘	$-100-k$	↗

❶ $f(x)$는 $x=-1$에서 극댓값 $8-k$, $x=5$에서 극솟값 $-100-k$를 갖는다.

STEP2 k의 값 또는 범위 구하기

(1) 방정식 $f(x)=0$이 서로 다른 세 실근을 가지려면 ❷

$f(-1)f(5)=(8-k)(-100-k)<0$

$(k-8)(k+100)<0$ ∴ $-100<k<8$

(2) 방정식 $f(x)=0$이 한 실근과 중근을 가지려면 ❸

$f(-1)f(5)=(8-k)(-100-k)=0$

∴ $k=8$ 또는 $k=-100$

(3) 방정식 $f(x)=0$이 한 실근과 두 허근을 가지려면 ❹

$f(-1)f(5)=(8-k)(-100-k)>0$

$(k-8)(k+100)>0$ ∴ $k<-100$ 또는 $k>8$

❷ (극댓값)×(극솟값)<0

❸ (극댓값)×(극솟값)=0
이때 방정식 $f(x)=0$은 서로 다른 두 실근을 갖는다.

❹ (극댓값)×(극솟값)>0

📘 (1) $-100<k<8$ (2) $k=8$ 또는 $k=-100$ (3) $k<-100$ 또는 $k>8$

풍쌤 강의 NOTE

일반적으로 방정식 $f(x)=0$의 실근의 개수는 함수 $y=f(x)$의 그래프를 그려서 구하지만, $f(x)$가 극값을 갖는 삼차함수인 경우에는 그래프를 그리지 않고 극댓값과 극솟값의 곱으로 실근의 개수를 구할 수 있다. 이와 같이 구하면 그래프를 그리는 과정을 생략할 수 있으므로 문제 풀이 시간을 단축할 수 있다.

03-1 ◉유사

방정식 $4x^3 - 12x + k = 0$이 서로 다른 세 실근을 갖도록 하는 정수 k의 개수를 구하여라.

03-2 ◉유사   기출

방정식 $x^3 - x^2 - 8x + k = 0$의 서로 다른 실근의 개수가 2일 때, 양수 k의 값을 구하여라.

03-3 ◉유사

방정식 $2x^3 - 3x^2 - 12x + a = 0$이 오직 하나의 실근을 갖도록 하는 자연수 a의 최솟값을 구하여라.

03-4 ◉변형

삼차함수 $f(x)$의 도함수 $y = f'(x)$의 그래프가 오른쪽 그림과 같다. 방정식 $f(x) = 0$이 서로 다른 세 실근을 가질 때, 다음 중 항상 옳은 것은?

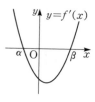

① $f(\alpha) + f(\beta) > 0$
② $f(\alpha) - f(\beta) < 0$
③ $\{f(\alpha)\}^2 - \{f(\beta)\}^2 > 0$
④ $\{f(\alpha)\}^3 - \{f(\beta)\}^3 > 0$
⑤ $f(\alpha)f(0)f(\beta) > 0$

03-5 ◉변형

x에 대한 방정식 $\frac{1}{3}mx^3 - \frac{1}{2}nx^2 + 1 = 0$이 서로 다른 두 실근을 갖도록 하는 한 자리 자연수 m, n에 대하여 $m + n$의 값을 구하여라.

곡선 $y=x^3-2x$와 직선 $y=x+k$가 서로 다른 세 점에서 만나도록 하는 실수 k의 값의 범위를 구하여라.

풍쌤 POINT

두 함수 $y=f(x)$, $y=g(x)+k$의 그래프의 교점의 개수는 곡선 $y=f(x)-g(x)$와 직선 $y=k$의 교점의 개수와 같으니까 $h(x)=f(x)-g(x)$로 놓고 $y=h(x)$의 그래프를 그려 봐.

풀이

STEP1 곡선 $y=f(x)$와 직선 $y=k$로 변형하기

곡선 $y=x^3-2x$와 직선 $y=x+k$가 서로 다른 세 점에서 만나려면 방정식 $x^3-2x=x+k$, 즉 $x^3-3x=k$가 서로 다른 세 실근을 가져야 한다. 따라서 $f(x)=x^3-3x$로 놓으면 곡선 $y=f(x)$와 직선 $y=k$가 서로 다른 세 점에서 만나야 한다.

STEP2 $y=f(x)$의 그래프 그리기

$f'(x)=3x^2-3=3(x+1)(x-1)$이므로
$f'(x)=0$에서 $x=-1$ 또는 $x=1$
함수 $f(x)$의 증가와 감소를 표로 나타내면 다음과 같다.

x	$\cdots$	-1	$\cdots$	1	$\cdots$
$f'(x)$	$+$	0	$-$	0	$+$
$f(x)$	$\nearrow$	2	$\searrow$	-2	$\nearrow$

따라서 함수 $y=f(x)$의 그래프는 오른쪽 그림과 같다.

STEP3 k의 값의 범위 구하기

직선 $y=k$가 $y=f(x)$의 그래프와 서로 다른 세 점에서 만나려면
$-2<k<2$ ❶

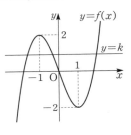

다른 풀이

방정식 $x^3-2x=x+k$, 즉 $x^3-3x-k=0$이 서로 다른 세 실근을 가져야 하므로 $g(x)=x^3-3x-k$로 놓으면
$g'(x)=3x^2-3=3(x+1)(x-1)$
$g'(x)=0$에서 $x=-1$ 또는 $x=1$ ❷
따라서 방정식 $g(x)=0$이 서로 다른 세 실근을 가지려면
$g(-1)g(1)<0$ ❸, $(2-k)(-2-k)<0$
$(k-2)(k+2)<0$ $\therefore -2<k<2$

❶ $k<-2$ 또는 $k>2$이면 한 점에서 만나고, $k=-2$ 또는 $k=2$이면 서로 다른 두 점에서 만난다.

❷

x	$\cdots$	-1	$\cdots$	1	$\cdots$
$g'(x)$	$+$	0	$-$	0	$+$
$g(x)$	$\nearrow$	$2-k$	$\searrow$	$-2-k$	$\nearrow$

❸ (극댓값)×(극솟값)<0

📘 $-2<k<2$

풍쌤 강의 NOTE

두 함수 $y=f(x)$, $y=g(x)+k$의 그래프의 교점의 개수는 방정식 $f(x)-g(x)=k$의 서로 다른 실근의 개수와 같으므로 곡선 $y=f(x)-g(x)$와 직선 $y=k$의 교점의 개수로 바꾸어 구할 수 있다. 이때 $f(x)-g(x)$가 삼차함수이면 극댓값과 극솟값의 곱으로 교점의 개수를 구할 수도 있다.

04-1 ⊙유사

곡선 $y=2x^3+3x^2-10x$와 직선 $y=2x-k$가 서로 다른 세 점에서 만나도록 하는 실수 k의 값의 범위를 구하여라.

04-2 ⊙유사

두 곡선 $y=x^3-3x^2$, $y=3x^2-9x+2a$가 서로 다른 두 점에서 만나도록 하는 양수 a의 값을 구하여라.

04-3 ⊙변형

두 함수 $f(x)=x^4+a$, $g(x)=4x^2+k$의 그래프의 교점의 개수가 4가 되도록 하는 정수 k의 최솟값이 3일 때, 자연수 a의 값을 구하여라.

04-4 ⊙변형

두 곡선 $y=2x^3-1$, $y=ax^2$이 오직 한 점에서 만나도록 하는 실수 a의 값의 범위를 구하여라.

04-5 ⊙변형   기출

최고차항의 계수가 1인 삼차함수 $f(x)$가 다음 조건을 만족시킬 때, $f(4)$의 값을 구하여라.

> (가) $\lim\limits_{x \to 0} \dfrac{f(x)-3}{x}=0$
>
> (나) 곡선 $y=f(x)$와 직선 $y=-1$의 교점의 개수는 2이다.

04-6 ⊙실력

점 $(0,\ k)$에서 곡선 $y=x^3+6x^2+11x-3$에 서로 다른 세 개의 접선을 그을 수 있도록 하는 실수 k의 값의 범위가 $\alpha < k < \beta$일 때, $\alpha+\beta$의 값을 구하여라.

모든 실수 x에 대하여 부등식

$$3x^4-4x^3-k\geq 0$$

이 성립하도록 하는 실수 k의 값의 범위를 구하여라.

풍쌤 POINT

모든 실수 x에 대하여 부등식 $f(x)\geq 0$이 성립하려면 $f(x)$의 최솟값이 0 이상이어야 해.

풀이

STEP1 $f(x)$의 최솟값 구하기

$f(x)=3x^4-4x^3-k$로 놓으면

$f'(x)=12x^3-12x^2=12x^2(x-1)$

$f'(x)=0$에서 $x=0$ 또는 $x=1$

함수 $f(x)$의 증가와 감소를 표로 나타내면 다음과 같다.❶

x	$\cdots$	0	$\cdots$	1	$\cdots$
$f'(x)$	$-$	0	$-$	0	$+$
$f(x)$	$\searrow$		$\searrow$	$-1-k$	$\nearrow$

함수 $f(x)$는 $x=1$에서 극소이면서 최소이므로 $f(x)$의 최솟값은

$f(1)=-1-k$❷

STEP2 k의 값의 범위 구하기

따라서 모든 실수 x에 대하여 부등식 $f(x)\geq 0$, 즉

$3x^4-4x^3-k\geq 0$이 성립하려면

$-1-k\geq 0$❸

$\therefore k\leq -1$

❶ $f'(x)=12x^2(x-1)$에서 $x^2\geq 0$이므로 $x>1$이면 $f'(x)>0$ $x<1$이면 $f'(x)\leq 0$

❷ $f(x)$의 극값이 하나뿐일 때, 그 값이 극솟값이면 (최솟값)=(극솟값)

❸ (최솟값)≥ 0이어야 한다.

답 $k\leq -1$

풍쌤 강의 NOTE

• 부등식 $f(x)\geq 0$이 항상 성립하려면 $(f(x)$의 최솟값$)\geq 0$

• 부등식 $f(x)\leq 0$이 항상 성립하려면 $(f(x)$의 최댓값$)\leq 0$

05-1 ⦿ 기본

모든 실수 x에 대하여 부등식

$$x^4 - 4x + 4 > 0$$

이 성립함을 보여라.

05-2 ⦿ 유사

모든 실수 x에 대하여 부등식

$$2x^4 - 4x^2 + k \geq 0$$

이 성립하도록 하는 실수 k의 최솟값을 구하여라.

05-3 ⦿ 유사

모든 실수 x에 대하여 부등식

$$x^4 + 4k^3x + 48 > 0$$

이 성립하도록 하는 실수 k의 값의 범위를 구하여라.

05-4 ⦿ 변형 　　　　　　　　　　기출

모든 실수 x에 대하여 부등식 $x^4 - 4x - a^2 + a + 9 \geq 0$
이 항상 성립하도록 하는 정수 a의 개수를 구하여라.

05-5 ⦿ 변형

모든 실수 x에 대하여 부등식

$$x^4 + 2ax^2 - 4(a+1)x + a^2 > 0$$

이 성립하도록 하는 자연수 a의 최솟값을 구하여라.

05-6 ⦿ 변형

모든 실수 x에 대하여 부등식

$$x^4 + 2(2k-3)x^2 + 8(2k+1)x + 8k^2 \geq 0$$

이 성립하도록 하는 양수 k의 값의 범위를 구하여라.

$x \geq 0$에서 부등식

$$x^3 - 3x^2 - 9x + 5 - k \geq 0$$

이 항상 성립하도록 하는 실수 k의 값의 범위를 구하여라.

풍쌤 POINT

주어진 구간에서 부등식 $f(x) \geq 0$이 항상 성립하려면 주어진 구간에서 $f(x)$의 최솟값이 0 이상이 어야 해.

풀이

STEP1 $x \geq 0$에서 $f(x)$의 최솟값 구하기

$f(x) = x^3 - 3x^2 - 9x + 5 - k$로 놓으면

$f'(x) = 3x^2 - 6x - 9 = 3(x+1)(x-3)$

$f'(x) = 0$에서 $x = 3$ $(\because x \geq 0)$

$x \geq 0$에서 함수 $f(x)$의 증가와 감소를 표로 나타내면 다음과 같다.

x	0	$\cdots$	3	$\cdots$
$f'(x)$	0	$-$	0	$+$
$f(x)$		$\searrow$	$-k-22$	$\nearrow$

$x \geq 0$에서 함수 $f(x)$는 $x = 3$일 때 극소이면서 최소이므로 최솟값은

$f(3) = -k - 22$ ❶

STEP2 k의 값의 범위 구하기

따라서 $x \geq 0$에서 부등식 $f(x) \geq 0$, 즉 $x^3 - 3x^2 - 9x + 5 - k \geq 0$

이 성립하려면

$-k - 22 \geq 0$ ❷

$\therefore k \leq -22$

❶ $f(x)$의 극값이 하나뿐일 때, 그 값이 극솟값이면 (최솟값) = (극솟값)

❷ (최솟값) ≥ 0이어야 한다.

달 $k \leq -22$

풍쌤 강의 NOTE

$x \geq a$에서 부등식 $f(x) \geq 0$이 항상 성립함을 보이는 방법은 2가지이다.

① $f(x)$의 극솟값이 존재하면 $(f(x)$의 최솟값$) \geq 0$임을 보이고,

② 극솟값이 존재하지 않으면 $f'(x) \geq 0$이고 $f(a) \geq 0$임을 보인다.

06-1 기본

$x \geq 0$에서 부등식
$$x^3 - x^2 - x + 1 \geq 0$$
이 항상 성립함을 보여라.

06-2 유사

$x \geq -1$에서 부등식
$$x^3 - 3x - k \geq 0$$
이 항상 성립하도록 하는 실수 k의 값의 범위를 구하여라.

06-3 유사

$1 < x < 3$에서 부등식
$$x^3 - 3x^2 - a > 0$$
이 항상 성립하도록 하는 정수 a의 최댓값을 구하여라.

06-4 변형

$x \geq 0$에서 부등식 $x^3 - kx^2 + 4 \geq 0$이 항상 성립하도록 하는 양수 k의 최댓값을 구하여라.

06-5 변형

$x > 3$에서 부등식
$$x^3 - 12x + k^2 - 3 > 0$$
이 항상 성립하도록 하는 실수 k의 값의 범위를 구하여라.

06-6 실력

$x \geq 0$에서 부등식
$$x^{n+1} - (n+1)x - n(n-6) \geq 0$$
이 항상 성립하도록 하는 자연수 n의 개수를 구하여라.

두 함수 $f(x)=x^4+5x^2-3$, $g(x)=4x^3+a$에 대하여 함수 $y=f(x)$의 그래프가 함수 $y=g(x)$의 그래프보다 항상 위쪽에 있도록 하는 실수 a의 값의 범위를 구하여라.

풍쌤 POINT

그래프의 위치 관계를 부등식으로 나타내어야 해.
$y=f(x)$의 그래프가 $y=g(x)$의 그래프보다 위쪽에 있다. ➡ $f(x)>g(x)$임을 기억해.

풀이

STEP1 부등식으로 나타내기
$y=f(x)$의 그래프가 $y=g(x)$의 그래프보다 항상 위쪽에 있으므로 모든 실수 x에 대하여 부등식
$x^4+5x^2-3>4x^3+a$, 즉 $x^4-4x^3+5x^2-a-3>0$
이 성립한다.

STEP2 $f(x)-g(x)$의 최솟값 구하기
$h(x)=x^4-4x^3+5x^2-a-3$으로 놓으면
$h'(x)=4x^3-12x^2+10x=2x(2x^2-6x+5)$
$h'(x)=0$에서 $x=0$ $(\because 2x^2-6x+5>0^{❶})$
함수 $h(x)$의 증가와 감소를 표로 나타내면 다음과 같다.

x	$\cdots$	0	$\cdots$
$h'(x)$	$-$	0	$+$
$h(x)$	$\searrow$	$-a-3$	$\nearrow$

함수 $h(x)$는 $x=0$에서 극소이면서 최소이므로 $h(x)$의 최솟값은
$h(0)=-a-3$

STEP3 a의 값의 범위 구하기
따라서 모든 실수 x에 대하여 부등식 $h(x)>0$이 성립하려면
$-a-3>0^{❷}$ $\therefore a<-3$

❶ 이차방정식 $2x^2-6x+5=0$의 판별식을 D라고 하면
$$\frac{D}{4}=(-3)^2-2\times5<0$$
따라서 이차방정식 $2x^2-6x+5=0$은 허근을 갖는다.

❷ (최솟값)>0이어야 한다.

🗒 $a<-3$

풍쌤 강의 NOTE

부등식 $f(x)>g(x)$가 주어지면 $f(x)-g(x)>0$ 꼴로 변형하여 $f(x)-g(x)$의 최솟값이 0보다 큼을 이용한다. 이때 부등식이 직접 주어지지 않고 그래프의 위치 관계의 조건이 주어지면 이를 부등식으로 나타내어 해결한다.

07-1 (유사)

두 함수 $f(x)=3x^4+5x^3-4$, $g(x)=-3x^3-k$에 대하여 부등식 $f(x)>g(x)$가 모든 실수 x에서 성립하도록 하는 실수 k의 값의 범위를 구하여라.

07-2 (유사)

두 함수 $f(x)=x^3+2x^2-12x$, $g(x)=x^4-3x^3+k$에 대하여 $y=f(x)$의 그래프가 $y=g(x)$의 그래프보다 항상 아래쪽에 존재하도록 하는 정수 k의 최솟값을 구하여라.

07-3 (변형)

두 함수 $f(x)=x^3-3x^2+a$, $g(x)=-x^3+12x$에 대하여 $1<x<3$일 때, $f(x)\geq g(x)$가 성립하도록 하는 실수 a의 최솟값을 구하여라.

07-4 (변형)

$-1\leq x\leq 1$에서 함수 $y=x^3-2x^2$의 그래프가 직선 $y=4x-k$보다 아래쪽에 있도록 하는 실수 k의 값의 범위를 구하여라.

07-5 (변형)

두 함수 $f(x)=x^4-2x^2+k$, $g(x)=-6x^2+12x$가 임의의 두 실수 x_1, x_2에 대하여 $f(x_1)>g(x_2)$를 만족시킬 때, 실수 k의 값의 범위를 구하여라.

07-6 (실력)   (기출)

자연수 a에 대하여 두 함수
$$f(x)=-x^4-2x^3-x^2,\ g(x)=3x^2+a$$
가 있다. 다음을 만족시키는 a의 값을 구하여라.

모든 실수 x에 대하여 부등식
$$f(x)\leq 12x+k\leq g(x)$$
를 만족시키는 자연수 k의 개수는 3이다.

원점을 출발하여 수직선 위를 움직이는 점 P의 시각 t에서의 위치 x가

$$x = t^3 - 6t^2 + 5$$

일 때, 다음 물음에 답하여라.

(1) $t=3$에서의 점 P의 속도와 가속도를 각각 구하여라.

(2) 점 P가 운동 방향을 바꿀 때의 시각을 구하여라.

풍쌤 POINT

위치를 미분하면 속도, 속도를 미분하면 가속도임을 이용해서 점 P의 속도와 가속도를 구할 수 있어. 그리고 운동 방향을 바꿀 때는 속도가 0임을 이용해.

풀이

(1) STEP 1 **시각 t에서의 속도, 가속도 구하기**

점 P의 시각 t에서의 속도를 v, 가속도를 a라고 하면

$$v = \frac{dx}{dt} = 3t^2 - 12t$$

$$a = \frac{dv}{dt} = 6t - 12$$

STEP 2 **$t=3$에서의 속도, 가속도 구하기**

따라서 $t=3$에서의 속도와 가속도는

$$v = -9^{❶}, \ a = 6$$

(2) 점 P가 운동 방향을 바꿀 때 $v=0$이므로

$$3t^2 - 12t = 0, \ 3t(t-4) = 0$$

$$\therefore t = 4 \ (\because t > 0)$$

따라서 점 P가 운동 방향을 바꿀 때의 시각은 4이다.❷

❶ $v < 0$이므로 점 P는 수직선에서 음의 방향으로 움직인다.

❷ $0 < t < 4$이면 $v < 0$이므로 음의 방향으로 움직이고, $t > 4$이면 $v > 0$이므로 양의 방향으로 움직인다.

답 (1) 속도: -9, 가속도: 6 (2) 4

풍쌤 강의 NOTE

위치에 대한 함수가 주어지면 이를 미분하여 속도에 대한 함수를 구할 수 있고, 속도에 대한 함수를 미분하여 가속도에 대한 함수를 구할 수 있다.

이때 $x=0$이면 점 P가 원점을 지나고, $v=0$이면 운동 방향을 바꾼다.

08-1 ⦿유사

원점을 출발하여 수직선 위를 움직이는 점 P의 시각 t에서의 위치 x가

$$x = t^3 - t^2 - 8t$$

일 때, 다음 물음에 답하여라.

(1) $t=1$에서의 점 P의 속도와 가속도를 각각 구하여라.

(2) 점 P가 운동 방향을 바꿀 때의 시각을 구하여라.

08-2 ⦿변형

원점을 출발하여 수직선 위를 움직이는 점 P의 시각 t에서의 위치 x가

$$x = t^3 - 5t^2 + 6t$$

일 때, 점 P가 출발한 후 처음으로 다시 원점을 지나는 순간의 속도와 가속도를 각각 구하여라.

08-3 ⦿변형   기출

수직선 위를 움직이는 점 P의 시각 $t\,(t \geq 0)$에서의 위치 x가

$$x = t^3 + at^2 + bt\,(a,\ b\text{는 상수})$$

이다. 시각 $t=1$에서 점 P가 운동 방향을 바꾸고, 시각 $t=2$에서 점 P의 가속도가 0이다. $a+b$의 값을 구하여라.

08-4 ⦿변형

수직선 위를 움직이는 점 P의 시각 t에서의 위치 x가

$$x = \frac{1}{3}t^3 - 5t^2 + 9t$$

일 때, 옳은 것만을 |보기|에서 있는 대로 골라라.

┌─|보기|─────────────────────────┐
ㄱ. $t=2$일 때와 $t=8$일 때의 점 P의 속도는 같다.
ㄴ. $t=4$일 때 점 P의 가속도는 양수이다.
ㄷ. 점 P는 운동 방향을 두 번 바꾼다.
└───────────────────────────────┘

08-5 ⦿변형

수직선 위를 움직이는 두 점 P, Q의 시각 t에서의 위치가 각각

$$x_P(t) = -2t^2 + 3t,\ x_Q(t) = -t^2 + 4t$$

이다. 두 점 P, Q가 서로 반대 방향으로 움직일 때의 t의 값의 범위를 구하여라.

08-6 ⦿변형

수직선 위를 움직이는 두 점 P, Q의 시각 t에서의 위치가 각각

$$x_P(t) = \frac{2}{3}t^3 - t^2 - 4t,\ x_Q = 2t^2 - 10$$

이다. 두 점 P, Q의 가속도가 같아지는 순간의 두 점 사이의 거리를 구하여라.

지상 60 m의 높이에서 20 m/s의 속도로 지면과 수직하게 위로 쏘아 올린 물체의 t초 후의 높이를 h m라고 하면

$$h=60+20t-5t^2$$

인 관계가 성립한다고 한다. 다음을 구하여라.

(1) 물체가 최고 높이에 도달하는 시각과 그때의 높이

(2) 물체가 지면에 떨어지는 순간의 속도

풍쌤
POINT

높이는 위치와 같은 거야. 높이를 미분하면 속도, 속도를 미분하면 가속도임을 기억하고 최고 높이에 도달하면 운동 방향이 바뀌니까 속도가 0임을 이용해.

풀이

(1) STEP1 **시각 t에서의 속도 구하기**

점 P의 속도를 v m/s라고 하면

$$v=\frac{dh}{dt}=20-10t$$

STEP2 **최고 높이에 도달할 때의 시각과 높이 구하기**

물체가 최고 높이에 도달하면 $v=0$이므로

$20-10t=0$에서 $t=2$

$t=2$일 때, $h=80$❶

따라서 2초 후에 최고 높이에 도달하고, 그때의 높이는 80 m 이다.

❶ $t=2$를 $h=60+20t-5t^2$에 대입한 식의 값이다.

(2) STEP1 **지면에 떨어지는 순간의 시각 구하기**

지면에 떨어질 때 $h=0$이므로

$60+20t-5t^2=0$, $t^2-4t-12=0$

$(t+2)(t-6)=0$

$\therefore t=6$ $(\because t>0)$

STEP2 **지면에 떨어지는 순간의 속도 구하기**

$t=6$일 때, $v=-40$❷

따라서 물체가 지면에 떨어지는 순간의 속도는 -40 m/s이다.

❷ $t=6$을 $v=20-10t$에 대입한 식의 값이다.

📖 (1) 시각: 2초, 높이: 80 m   (2) -40 m/s

풍쌤 강의
NOTE

높이 또는 거리에 대한 함수가 시각 t에 대한 식으로 주어지면 이를 미분하여 속도에 대한 함수를 구할 수 있고, 속도에 대한 함수를 미분하면 가속도에 대한 함수를 구할 수 있다.

이때 높이 x가 $x=0$이면 물체가 지면에 떨어지고, 속도 v가 $v=0$이면 최고 높이에 도달한다.

09-1 ◉유사

지면에서 25 m/s의 속도로 지면과 수직하게 위로 쏘아 올린 물 로켓의 t초 후의 높이를 x m라고 하면

$$x = 25t - 5t^2$$

인 관계가 성립한다고 한다. 다음을 구하여라.

(1) 물 로켓이 최고 높이에 도달할 때의 시각과 그 때의 높이
(2) 물 로켓이 지면에 떨어지는 순간의 속도

09-2 ◉유사

화성의 표면에서 16 m/s의 속도로 수직으로 던져 올린 감자의 t초 후의 높이 h m는

$$h = 16t - 2t^2$$

이라고 한다. 감자가 최고 높이에 도달할 때의 시각과 그때의 높이를 구하여라.

09-3 ◉유사

높이가 25 m인 건물 꼭대기에서 떨어뜨린 물체의 t초 후의 높이를 h m라고 하면 $h = -5t^2 + 25$이다. 이 물체가 지면에 떨어지는 순간의 속도를 구하여라.

09-4 ◉변형

직선 도로를 달리는 자동차가 브레이크를 밟은 후 t초 동안 움직인 거리를 x m라고 할 때, $x = 10t - 2t^2$이다. 이 자동차가 브레이크를 밟은 후 정지할 때까지 움직인 거리를 구하여라.

09-5 ◉실력   기출

다음 그림과 같이 편평한 바닥에 60°로 기울어진 경사면과 반지름의 길이가 0.5 m인 공이 있다. 이 공의 중심은 경사면과 바닥이 만나는 점에서 바닥에 수직으로 높이가 21 m인 위치이다.

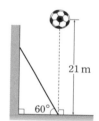

이 공을 자유 낙하시킬 때, t초 후 공의 중심의 높이 $h(t)$는

$$h(t) = 21 - 5t^2 \ (\text{m})$$

라고 한다. 공이 경사면과 처음으로 충돌하는 순간, 공의 속도를 구하여라.

(단, 경사면의 두께와 공기의 저항은 무시한다.)

원점을 출발하여 수직선 위를 움직이는 점 P의 시각 t에서의 속도 $v(t)$의 그래프가 오른쪽 그림과 같을 때, 옳은 것만을 |보기|에서 있는 대로 골라라. (단, $v'(a)=v'(c)=0$, $|v(a)|>|v(c)|$)

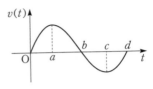

┤보기├
ㄱ. $t=a$에서 점 P의 운동 방향이 바뀐다.
ㄴ. $t=b$에서 원점으로부터의 거리가 가장 멀다.
ㄷ. $t=c$에서 가속도가 0이다.
ㄹ. $0<t<b$에서 점 P의 가속도는 양수이다.
ㅁ. $t=a$에서 속력이 최대이다.

풍쌤 POINT

속도의 그래프가 주어지면 그래프가 t축과 만나는 점에서 $v=0$이고 속도의 그래프에서 접선의 기울기는 가속도와 같아.

풀이

ㄱ. $t=a$에서 $v(t)>0$이므로 점 P의 운동 방향이 바뀌지 않는다. (거짓) ❶

ㄴ. $t=0$에서 $t=b$까지 양의 방향으로 움직이므로 원점에서 점점 멀어지고, $t=b$에서 $t=d$까지 음의 방향으로 움직이므로 다시 원점에 가까워진다.
따라서 $t=b$에서 원점으로부터의 거리가 가장 멀다. (참)

ㄷ. $v'(c)=0$이므로 $t=c$에서의 가속도가 0이다. (참)

ㄹ. $a<t<b$에서 접선의 기울기가 음수이므로 점 P의 가속도는 음수이다. ❷ (거짓)

ㅁ. $t=a$에서 $|v(t)|$의 값이 가장 크므로 $t=a$에서 속력이 최대이다. (참)

따라서 옳은 것은 ㄴ, ㄷ, ㅁ이다.

❶ $t=b$에서 운동 방향이 바뀐다.

❷ $0<t<a$에서 접선의 기울기가 양수이므로 점 P의 가속도는 양수이다.

冒 ㄴ, ㄷ, ㅁ

풍쌤 강의 NOTE

• 속도의 그래프에서는 그래프가 t축의 위쪽에 그려지면 수직선의 양의 방향으로, t축의 아래쪽에 그려지면 수직선의 음의 방향으로 움직임을 의미한다. 또, t축과의 교점은 속도가 0임을 뜻하고, 접선의 기울기는 가속도와 같다.

• 위치의 그래프에서는 그래프가 t축의 위쪽에 그려지면 좌표가 양수임을, t축의 아래쪽에 그려지면 좌표가 음수임을 의미한다. 또, t축과의 교점은 좌표가 원점임을 뜻하고, 접선의 기울기는 속도와 같다.

10-1 ⊙유사

수직선 위를 움직이는 점 P의 시각 t에서의 속도 $v(t)$의 그래프가 오른쪽 그림과 같을 때, 옳은 것만을 |보기|에서 있는 대로 골라라. (단, $v'(a)=v'(c)=0$)

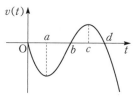

┤보기├

ㄱ. 점 P는 운동 방향을 두 번 바꾼다.
ㄴ. $a<t<b$에서 가속도는 양수이다.
ㄷ. $t=c$에서 속력이 최대이다.

10-2 ⊙변형   기출

오른쪽 그림은 수직선 위를 움직이는 점 P의 시각 t에서의 속도 $v(t)$를 나타내는 그래프이다. $v(t)$는 $t=2$를 제외한 열린구간 $(0, 3)$에서 미분가능한 함수이고, $v(t)$의 그래프는 열린구간 $(0, 1)$에서 원점과 점 $(1, k)$를 잇는 직선과 한 점에서 만난다. 점 P의 시각 t에서의 가속도 $a(t)$를 나타내는 그래프의 개형으로 가장 알맞은 것은?

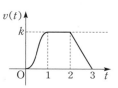

①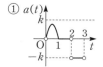

②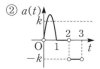

③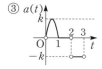

④

⑤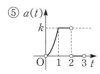

10-3 ⊙변형

수직선 위를 움직이는 점 P의 시각 t에서의 위치 $x(t)$의 그래프가 오른쪽 그림과 같을 때, 옳은 것만을 |보기|에서 있는 대로 골라라. (단, $x'(a)=x'(c)=0$)

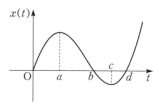

┤보기├

ㄱ. $0<t<d$에서 점 P는 원점을 한 번 지난다.
ㄴ. $b<t<d$에서 점 P는 운동 방향을 바꾸지 않는다.
ㄷ. $t=a$에서 속도가 최대이다.

10-4 ⊙변형

수직선 위를 움직이는 점 P의 시각 t $(0\leq t\leq 8)$에서의 위치 $x(t)$의 그래프가 다음 그림과 같을 때, 옳은 것만을 |보기|에서 있는 대로 골라라.

(단, $x'(a)=x'(c)=x'(e)=0$)

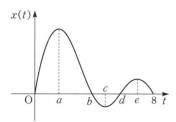

┤보기├

ㄱ. 출발한 후 처음으로 원점을 지나는 순간의 속도는 양수이다.
ㄴ. 처음으로 운동 방향을 바꾸는 순간의 가속도는 양수이다.
ㄷ. 마지막으로 운동 방향을 바꿀 때의 위치는 양수이다.

오른쪽 그림과 같이 키가 1.6 m인 윤서가 높이가 3.2 m인 가로등 바로 밑에서 출발하여 일직선으로 1.5 m/s의 속도로 걷고 있다. 가로등 바로 밑에서 그림자 앞 끝까지의 거리를 $f(t)$ m라고 할 때, 다음을 구하여라.

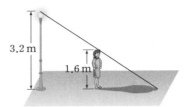

(1) $f(t)$의 식

(2) 윤서의 그림자의 앞 끝이 움직이는 속도

풍쌤
POINT
속도는 거리를 미분한 것이므로 $f(t)$를 미분하면 그림자의 끝이 움직이는 속도를 구할 수 있지.

풀이 ●

(1) t초 후 가로등 바로 밑에서 윤서까지의 거리는 $1.5t$ m ❶ 이고 윤서의 그림자의 길이는 $\{f(t)-1.5t\}$ m

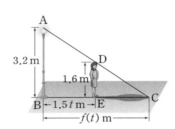

오른쪽 그림에서
$\triangle \text{ABC} \backsim \triangle \text{DEC}$❷이므로
$\overline{\text{AB}} : \overline{\text{BC}} = \overline{\text{DE}} : \overline{\text{EC}}$
즉,
$3.2 : f(t) = 1.6 : \{f(t)-1.5t\}$
에서
$f(t) = 2f(t) - 3t$
$\therefore f(t) = 3t$

(2) $f(t) = 3t$의 양변을 t에 대하여 미분하면
$$\frac{d}{dt}f(t) = 3$$
즉, 구하는 속도는 3 m/s이다. ❸

❶ (거리)=(속력)×(시간)

❷ $\triangle \text{ABC}$와 $\triangle \text{DEC}$에서
$\angle \text{ABC} = \angle \text{DEC} = 90°$
$\angle \text{C}$는 공통이므로
$\triangle \text{ABC} \backsim \triangle \text{DEC}$ (AA 닮음)

❸ 단위를 빠뜨리지 않도록 주의한다.

답 (1) $f(t) = 3t$ (2) 3 m/s

풍쌤 강의
NOTE
물체의 길이, 넓이, 부피가 시간에 따라 변할 때, 길이, 넓이, 부피의 변화율은 미분계수와 같다. 따라서 길이, 넓이, 부피에 대한 함수식을 구한 후 이를 미분하여 변화율을 구한다.

11-1 ◉유사

그림과 같이 키가 1.8 m인 학생이 높이가 3.2 m인 가로등 바로 밑에서 출발하여 일직선으로 0.7 m/s의 속도로 걷고 있다. 다음을 구하여라.

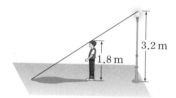

(1) 그림자의 길이의 변화율
(2) 그림자의 앞 끝이 움직이는 속도

11-2 ◉변형

잔잔한 호수에 돌을 던지면 동심원의 파문이 일어난다. 가장 바깥쪽의 원의 반지름의 길이가 매초 0.8 cm의 비율로 커질 때, 돌을 던지고 5초 후의 가장 바깥쪽의 원의 넓이의 변화율을 구하여라.

11-3 ◉변형

한 변의 길이가 $2\sqrt{3}$인 정육각형에 내접하는 원이 있다. 정육각형의 한 변의 길이가 매초 $\sqrt{3}$의 속도로 증가할 때, 4초 후의 원의 넓이의 변화율을 구하여라. (단, 원의 반지름의 길이도 정육각형에 내접하면서 증가한다.)

11-4 ◉변형

기출

한 변의 길이가 $12\sqrt{3}$인 정삼각형과 그 정삼각형에 내접하는 원으로 이루어진 도형이 있다. 이 도형에서 정삼각형의 각 변의 길이가 매초 $3\sqrt{3}$씩 늘어남에 따라 원도 정삼각형에 내접하면서 반지름의 길이가 늘어난다. 정삼각형의 한 변의 길이가 $24\sqrt{3}$이 되는 순간, 정삼각형에 내접하는 원의 넓이의 시간(초)에 대한 변화율이 $a\pi$이다. 이때 상수 a의 값을 구하여라.

11-5 ◉변형

오른쪽 그림과 같이 한 변의 길이가 12인 정사각형 ABCD에서 점 P는 꼭짓점 A에서 출발하여 변 AB를 따라 매초 2씩 움직이고, 점 Q는 꼭짓점 B에서 출발하여 변 BC를 따라 매초 3씩 움직인다. 두 점 P, Q가 동시에 출발할 때, 삼각형 PBQ의 넓이가 처음으로 24가 되는 순간의 삼각형의 넓이의 변화율을 구하여라.

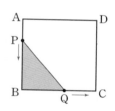

11-6 ◉실력

오른쪽 그림과 같이 밑면의 반지름의 길이가 5 cm이고 높이가 10 cm인 원뿔 모양의 그릇이 있다. 이 그릇에 물의 높이가 매초 1.5 cm씩 상승하도록 물을 부을 때, 물의 높이가 6 cm가 되는 순간의 물의 부피의 변화율을 구하여라.

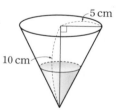

01

방정식 $x^3-3x^2+3x-2=0$의 서로 다른 실근의 개수를 a, 방정식 $x^4-4x^2+3=0$의 서로 다른 실근의 개수를 b라고 할 때, $a+b$의 값은?

① 3   ② 4   ③ 5
④ 6   ⑤ 7

02 서술형✎

방정식 $3x^3-9x^2+a=0$이 서로 다른 세 실근을 갖도록 하는 정수 a의 개수를 구하여라.

03

사차함수 $f(x)$의 도함수 $y=f'(x)$의 그래프가 오른쪽 그림과 같을 때, 다음 중 방정식 $f(x)=0$이 실근을 갖지 않도록 하는 필요충분조건은?

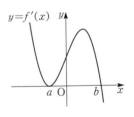

① $f(a)>0$ ② $f(b)>0$
③ $f(b)<0$ ④ $f(a)f(b)>0$
⑤ $f(a)f(b)<0$

04

함수 $f(x)=x^3-3x^2-9x+10$에 대하여 방정식 $|f(x)|=k$가 서로 다른 네 실근을 갖도록 하는 실수 k의 값의 범위가 $\alpha<k<\beta$일 때, $\beta-\alpha$의 값은?

① 1   ② 2   ③ 3
④ 4   ⑤ 5

05 기출

다음 그림과 같이 두 삼차함수 $f(x)$, $g(x)$의 도함수 $y=f'(x)$, $y=g'(x)$의 그래프가 만나는 서로 다른 두 점의 x좌표는 a, b $(0<a<b)$이다. 함수 $h(x)$를

$$h(x)=f(x)-g(x)$$

라고 할 때, 옳은 것만을 |보기|에서 있는 대로 고른 것은? (단, $f'(0)=7$, $g'(0)=2$)

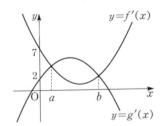

|보기|

ㄱ. 함수 $h(x)$는 $x=a$에서 극댓값을 갖는다.
ㄴ. $h(b)=0$이면 방정식 $h(x)=0$의 서로 다른 실근의 개수는 2이다.
ㄷ. $0<\alpha<\beta<b$인 두 실수 α, β에 대하여 $h(\beta)-h(\alpha)<5(\beta-\alpha)$이다.

① ㄱ   ② ㄷ   ③ ㄱ, ㄴ
④ ㄴ, ㄷ   ⑤ ㄱ, ㄴ, ㄷ

06

기출

두 함수

$$f(x)=3x^3-x^2-3x, \quad g(x)=x^3-4x^2+9x+a$$

에 대하여 방정식 $f(x)=g(x)$가 서로 다른 두 개의 양의 실근과 한 개의 음의 실근을 갖도록 하는 모든 정수 a의 개수는?

① 6 ② 7 ③ 8
④ 9 ⑤ 10

07

방정식 $3x^4-12x+k-3=0$이 서로 다른 두 개의 양의 실근을 갖도록 하는 모든 정수 k의 값의 합은?

① 39 ② 45 ③ 49
④ 60 ⑤ 66

08

다음 중 삼차방정식 $2x^3+3x^2-12x+a=0$에 대한 설명으로 옳은 것은?

① $a=7$이면 한 개의 양의 실근과 한 개의 음의 실근(중근)을 갖는다.
② $a=-20$이면 한 개의 양의 실근(중근)과 한 개의 음의 실근을 갖는다.
③ $-7<a<0$이면 두 개의 양의 실근과 한 개의 음의 실근을 갖는다.
④ $0<a<20$이면 한 개의 양의 실근과 두 개의 음의 실근을 갖는다.
⑤ $a<-20$이면 한 개의 양의 실근을 갖는다.

09

서술형✎

점 $(1, a)$에서 곡선 $y=x^3+5$에 서로 다른 두 개의 접선을 그을 수 있도록 하는 실수 a의 값을 구하여라.

(단, $a \neq 6$)

10

함수 $f(x)=3x^4-8x^3+6x^2-1$에 대하여 옳은 것만을 |보기|에서 있는 대로 고른 것은?

┤보기├
ㄱ. $x=1$에서 극값을 갖는다.
ㄴ. 방정식 $f(x)=0$은 서로 다른 두 실근을 갖는다.
ㄷ. 모든 실수 x에 대하여 부등식 $f(x) \geq -1$이 성립한다.

① ㄷ ② ㄱ, ㄴ ③ ㄱ, ㄷ
④ ㄴ, ㄷ ⑤ ㄱ, ㄴ, ㄷ

11

모든 실수 x에 대하여 부등식

$$3x^4-8x^3+36x+a \geq 0$$

이 성립하도록 하는 실수 a의 최솟값은?

① 21 ② 22 ③ 23
④ 24 ⑤ 25

12 서술형 ✎

$x \geq 0$에서 다음 부등식이 성립하도록 하는 실수 k의 값의 범위를 구하여라.

$$4x^3 - 3x^2 - 6x \geq k$$

13 기출

두 함수 $f(x) = x^3 + 3x^2 - k$, $g(x) = 2x^2 + 3x - 10$에 대하여 부등식 $f(x) \geq 3g(x)$가 닫힌구간 $[-1, 4]$에서 항상 성립하도록 하는 실수 k의 최댓값을 구하여라.

14 기출

수직선 위를 움직이는 점 P의 시각 t ($t \geq 0$)에서의 위치 x가

$$x = -\frac{1}{3}t^3 + 3t^2 + k \ (k\text{는 상수})$$

이다. 점 P의 가속도가 0일 때, 점 P의 위치는 40이다. k의 값을 구하여라.

15

수직선 위를 움직이는 점 P의 시각 t에서의 위치 x가 $x = t^3 - 9t^2 + 30t$일 때, 점 P의 속도가 처음으로 6이 되는 순간의 점 P의 가속도는?

① -6 ② -3 ③ 0
④ 3 ⑤ 6

16 기출

수직선 위를 움직이는 두 점 P, Q의 시각 t ($t \geq 0$)에서의 위치 x_1, x_2가

$$x_1 = t^3 - 2t^2 + 3t, \ x_2 = t^2 + 12t$$

이다. 두 점 P, Q의 속도가 같아지는 순간 두 점 사이의 거리를 구하여라.

17

오른쪽 그림과 같이 밑면의 반지름의 길이가 각각 2 cm, 4 cm이고 높이가 8 cm인 원뿔대 모양의 종이컵이 있다. 이 종이컵에 수면의 높이가 매초 2 cm씩 높아지도록 음료수를 넣을 때, 수면의 높이가 4 cm가 되는 순간의 수면의 넓이의 변화율은?

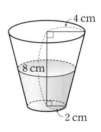

① $\pi \ \mathrm{cm^2/s}$ ② $2\pi \ \mathrm{cm^2/s}$ ③ $3\pi \ \mathrm{cm^2/s}$
④ $4\pi \ \mathrm{cm^2/s}$ ⑤ $5\pi \ \mathrm{cm^2/s}$

상위권 도약 문제

01 〔기출〕

삼차함수 $f(x)$의 도함수 $y=f'(x)$의 그래프가 다음 그림과 같을 때, 옳은 것만을 |보기|에서 있는 대로 고른 것은?

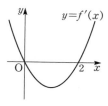

┤보기├
ㄱ. $f(0)<0$이면 $|f(0)|<|f(2)|$이다.
ㄴ. $f(0)f(2)\geq0$이면 함수 $|f(x)|$가 $x=a$에서 극소인 a의 값의 개수는 2이다.
ㄷ. $f(0)+f(2)=0$이면 방정식 $|f(x)|=f(0)$ 의 서로 다른 실근의 개수는 4이다.

① ㄱ   ② ㄱ, ㄴ   ③ ㄱ, ㄷ
④ ㄴ, ㄷ   ⑤ ㄱ, ㄴ, ㄷ

02

최고차항의 계수가 1인 삼차함수 $f(x)$가 다음 조건을 만족시킬 때, $\dfrac{f'(0)}{f(0)}$의 최솟값을 구하여라.

㈎ 함수 $|f(x)|$는 $x=-1$에서만 미분가능하지 않다.
㈏ 방정식 $f(x)=0$은 닫힌구간 $[3,\ 5]$에서 적어도 하나의 실근을 갖는다.

03 〔기출〕

실수 t에 대하여 x에 대한 사차방정식
$$(x-1)\{x^2(x-3)-t\}=0$$
의 서로 다른 실근의 개수를 $f(t)$라고 하자. 다항함수 $g(x)$가 다음 조건을 만족시킨다.

㈎ $\displaystyle\lim_{x\to\infty}\dfrac{g(x)}{x^4}=0$
㈏ $g(-3)=6$

함수 $f(t)g(t)$가 실수 전체의 집합에서 연속일 때, $g(1)$의 값은?

① 22   ② 24   ③ 26
④ 28   ⑤ 30

04

삼차방정식 $x^3+3x^2-k-2=0$의 서로 다른 실근의 개수를 $f(k)$라고 하자. 실수 k에 대하여 방정식 $f(k)=mk+4$의 서로 다른 실근의 개수가 3이 되도록 하는 모든 실수 m의 값의 곱을 구하여라.

05

수직선 위를 움직이는 점 P의 시각 t에서의 위치 $f(t)$
가 $f(t)=t^4-6t^2+at+5$이다. 점 P는 출발한 후 운
동 방향을 두 번 바꾼다고 할 때, 실수 a의 값의 범위
를 구하여라.

06

오른쪽 그림과 같이 한 변의
길이가 4 cm인 정삼각형
ABC가 있다. 점 P는 꼭짓점
A를 출발하여 매초 1 cm의
속력으로 삼각형의 변을 따라
꼭짓점 B, C를 지나 A로 돌아온다. 점 A를 중심으로
하고 점 P를 지나는 원을 C라고 할 때, 5초 후의 원
C의 넓이의 변화율은?

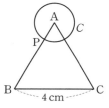

① $-2\pi \text{ cm}^2/\text{s}$ ② $-\pi \text{ cm}^2/\text{s}$
③ $\pi \text{ cm}^2/\text{s}$ ④ $2\pi \text{ cm}^2/\text{s}$
⑤ $4\pi \text{ cm}^2/\text{s}$

07

다음 그림과 같이 케이블 l, m, n은 모두 벽면과 수직
이고, 케이블 사이의 거리가 각각 2, 1이다. l 위의 광
원 A에서 m 위의 물체 B에 빛을 비추면 n 위에 그
림자 C가 나타난다.

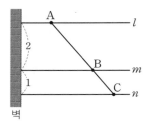

광원 A와 물체 B의 시각 t $(t\le 8)$에서 벽으로부터의
거리를 각각 $x=4-\dfrac{1}{2}t$, $y=t^2-\dfrac{11}{2}t+10$이라고 할
때, 옳은 것만을 |보기|에서 있는 대로 고른 것은?
(단, 광원, 물체, 그림자의 크기는 무시한다.)

┤보기├
ㄱ. $t=\dfrac{5}{2}$에서 광원과 물체의 속도가 같아진다.
ㄴ. A와 C 사이의 거리가 3인 순간은 두 번이다.
ㄷ. $2<t<3$에서 그림자 C의 가속도는 1이다.

① ㄱ   ② ㄷ   ③ ㄱ, ㄴ
④ ㄴ, ㄷ   ⑤ ㄱ, ㄴ, ㄷ

07

부정적분

부정적분

개념 01 부정적분의 정의

(1) 함수 $F(x)$의 도함수가 $f(x)$일 때, 즉

$$F'(x)=f(x)$$

일 때, $F(x)$를 함수 $f(x)$의 부정적분이라고 한다.

[예] 세 함수 x^2, x^2+1, x^2+2를 미분하면 모두 $2x$이므로 이들은 모두 함수 $2x$의 부정적분이다.

(2) 함수 $f(x)$의 한 부정적분을 $F(x)$라고 하면 $f(x)$의 임의의 부정적분은

$$F(x)+C \ (C는 \ 상수)$$

꼴로 나타낼 수 있고, 기호로 $\int f(x)dx$와 같이 나타낸다. 즉,

$$\int f(x)dx=F(x)+C$$

이다. 이때 C를 적분상수라고 한다.

[예] ① $(4x)'=4$이므로 $\int 4dx=4x+C$ (단, C는 적분상수)

② $(x^2)'=2x$이므로 $\int 2xdx=x^2+C$ (단, C는 적분상수)

▶ 함수 $f(x)$의 부정적분은 무수히 많이 있다.

▶ 기호 $\int$은 합을 나타내는 Sum의 첫 글자인 S를 길게 늘어뜨린 것으로 '인티그럴(integral)'이라고 읽는다.

▶ 부정적분을 구할 때는 적분상수 C를 반드시 포함시켜야 한다.

확인 01 다음 부정적분을 구하여라.

(1) $\displaystyle\int 5dx$ (2) $\displaystyle\int 4xdx$ (3) $\displaystyle\int 3x^2dx$

▶ 함수 $f(x)$의 부정적분을 구하는 것을 $f(x)$를 적분한다고 하며, 그 계산법을 적분법이라고 한다.

개념 02 부정적분과 미분의 관계

미분가능한 함수 $f(x)$에 대하여 다음이 성립한다.

(1) $\displaystyle\int\left\{\dfrac{d}{dx}f(x)\right\}dx=f(x)+C$ (단, C는 적분상수)

(2) $\dfrac{d}{dx}\left\{\displaystyle\int f(x)dx\right\}=f(x)$

▶ $\displaystyle\int\left\{\dfrac{d}{dx}f(x)\right\}dx$
$\ne\dfrac{d}{dx}\left\{\displaystyle\int f(x)dx\right\}$

개념+

(1) $\displaystyle\int\left\{\dfrac{d}{dx}f(x)\right\}dx=\int f'(x)dx=f(x)+C$ (단, C는 적분상수)

(2) 함수 $f(x)$의 한 부정적분을 $F(x)$라고 하면

$$\dfrac{d}{dx}\left\{\int f(x)dx\right\}=\dfrac{d}{dx}\{F(x)+C\}=F'(x)=f(x)$$

(단, C는 적분상수)

▶ (1) 미분한 다음 적분
 ➡ 적분상수가 생긴다.
(2) 적분한 다음 미분
 ➡ 생겼던 적분상수가 사라진다.

확인 02 다음을 계산하여라.

(1) $\displaystyle\int\left(\dfrac{d}{dx}3x^2\right)dx$ (2) $\dfrac{d}{dx}\left(\displaystyle\int 3x^2dx\right)$

개념 03 **다항함수의 부정적분**

n이 음이 아닌 정수일 때,

$$\int x^n dx = \frac{1}{n+1}x^{n+1}+C \text{ (단, } C\text{는 적분상수)} \longleftarrow \text{다항함수를 적분하면 차수가 1 커진다.}$$

예 ① $\int x^2 dx = \frac{1}{2+1}x^{2+1}+C = \frac{1}{3}x^3+C$ (단, C는 적분상수)

　　② $\int 1 dx = x+C$ (단, C는 적분상수)

확인 03 다음 부정적분을 구하여라.

(1) $\int x^9 dx$　　　　(2) $\int 6 dx$　　　　(3) $\int x dx$

> k가 실수일 때,
> $$\int k dx = kx+C$$
> $$\text{(단, } C\text{는 적분상수)}$$

> $\int 1 dx$를 간단히
> $\int dx$로 나타내기도 한다.

개념 04 **부정적분의 성질**

두 함수 $f(x)$, $g(x)$의 부정적분이 존재할 때

(1) $\int kf(x)dx = k\int f(x)dx$ (단, k는 0이 아닌 상수)

(2) $\int \{f(x)+g(x)\}dx = \int f(x)dx+\int g(x)dx$

(3) $\int \{f(x)-g(x)\}dx = \int f(x)dx-\int g(x)dx$

예 $\int (3x^2+2x-4)dx = \int 3x^2 dx+\int 2x dx-\int 4 dx$

$$= 3\int x^2 dx+2\int x dx-4\int dx$$

$$= 3\times\left(\frac{1}{3}x^3+C_1\right)+2\times\left(\frac{1}{2}x^2+C_2\right)-4\times(x+C_3)$$

$$= x^3+x^2-4x+(3C_1+2C_2-4C_3)$$

$$= x^3+x^2-4x+C \text{ (단, } C\text{는 적분상수)}$$

> (2), (3)은 세 개 이상의 함수에 대하여도 성립한다.

> C_1, C_2, C_3이 적분상수이므로 $3C_1+2C_2-4C_3$도 적분상수가 된다. 이와 같이 여러 개의 적분상수를 하나의 적분상수 C로 나타낸다.

> $\{(ax+b)^{n+1}\}'$
> $=(n+1)\times a\times(ax+b)^n$에서
> $\frac{1}{a}\times\frac{1}{n+1}\times\{(ax+b)^{n+1}\}'$
> $=(ax+b)^n$
> 이므로 양변을 x에 대하여 적분하면 성립한다.

개념+ **$(ax+b)^n$의 부정적분**

$a\neq 0$이고 n이 음이 아닌 정수일 때,

$$\int (ax+b)^n dx = \frac{1}{a}\times\frac{1}{n+1}\times(ax+b)^{n+1}+C \text{ (단, } C\text{는 적분상수)}$$

확인 04 다음 부정적분을 구하여라.

(1) $\int 10x^4 dx$　　　　(2) $\int (4x^3-6x^2+1)dx$

(3) $\int (2x+3)^2 dx$　　　　(4) $\int (-x+8)^3 dx$

다음 물음에 답하여라.

(1) 등식 $\int (6x^2+ax-1)dx=bx^3+2x^2-cx+2$가 성립할 때, 세 상수 a, b, c에 대하여 $a+b+c$의 값을 구하여라.

(2) 함수 $f(x)$에 대하여 $\int \{f(x)+2\}dx=\dfrac{1}{4}x^4-2x^2+5x$일 때, $f(2)$의 값을 구하여라.

풍쌤 POINT

부정적분은 미분의 역연산이므로 $\int f(x)dx=g(x)$라는 것은 $f(x)=g'(x)$라는 의미와 같아.

풀이

(1) **STEP1 부정적분의 정의 이용하기**

주어진 등식에서 부정적분의 정의에 의하여
$$6x^2+ax-1=(bx^3+2x^2-cx+2)'$$
$$=3bx^2+4x-c$$

STEP2 $a+b+c$의 값 구하기

따라서 $a=4$, $b=2$, $c=1$이므로❶
$$a+b+c=4+2+1=7$$

❶ $6x^2+ax-1=3bx^2+4x-c$
은 x에 대한 항등식이므로
$6=3b$, $a=4$, $-1=-c$
∴ $a=4$, $b=2$, $c=1$

(2) **STEP1 부정적분의 정의 이용하기**

주어진 등식에서 부정적분의 정의에 의하여
$$f(x)+2=\left(\dfrac{1}{4}x^4-2x^2+5x\right)'$$
$$=x^3-4x+5$$

STEP2 $f(x)$ 구하기

∴ $f(x)=x^3-4x+3$

STEP3 $f(2)$의 값 구하기

∴ $f(2)=8-8+3=3$

답 (1) 7 (2) 3

풍쌤 강의 NOTE

함수 $f(x)$의 한 부정적분이 $F(x)$이다.
$\iff F'(x)=f(x)$
$\iff$ 함수 $F(x)$의 도함수가 $f(x)$이다.
$\iff \int f(x)dx=F(x)+C$ (단, C는 적분상수)

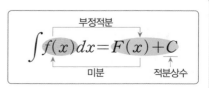

부정적분
$$\int f(x)dx=F(x)+C$$
미분   적분상수

01-1 유사

등식

$$\int (4x^3 + ax - 3)dx = bx^4 + x^2 - cx + 2$$

가 성립할 때, 세 상수 a, b, c에 대하여 $a+b+c$의 값을 구하여라.

01-2 유사

함수 $f(x)$에 대하여

$$\int \{f(x) - 1\}dx = 3x^2 + 2x - 6$$

일 때, $f(1)$의 값을 구하여라.

01-3 변형

함수 $f(x)$가

$$\int (x-2)f(x)dx = 2x^3 - 6x^2 + 7$$

을 만족시킬 때, $f(1)$의 값을 구하여라.

01-4 변형

함수 $f(x)$가

$$\int xf(x)dx = 2x^3 - 4x^2 + C$$

를 만족시킬 때, $f(2)$의 값을 구하여라.

(단, C는 적분상수이다.)

01-5 변형

함수 $F(x) = x^3 + ax^2 + bx$가 함수 $f(x)$의 한 부정적분이고 $f(0) = 3$, $f'(1) = 0$일 때, 두 상수 a, b에 대하여 $b-a$의 값을 구하여라.

01-6 실력

두 함수

$$f(x) = x^2 - 1, g(x) = 2x^2 - 5x + 1$$

에 대하여

$$\int h(x)dx = f(x)g(x)$$

를 만족시키는 함수 $h(x)$의 이차항의 계수를 구하여라.

다음 물음에 답하여라.

(1) 함수 $f(x)=\displaystyle\int\left\{\dfrac{d}{dx}(x^5-2x)\right\}dx$에 대하여 $f(0)=2$일 때, $f(1)$의 값을 구하여라.

(2) 함수 $f(x)$에 대하여 $\dfrac{d}{dx}\left\{\displaystyle\int xf(x)dx\right\}=4x^4+x^3-2x$일 때, $f(-1)$의 값을 구하여라.

풍쌤 POINT

미분가능한 함수 $f(x)$에 대하여

(1) $\displaystyle\int\left\{\dfrac{d}{dx}f(x)\right\}dx=\int f'(x)dx=f(x)+C$ (단, C는 적분상수)

　　　　　 (그대로)+(적분상수)

(2) $\dfrac{d}{dx}\left\{\displaystyle\int f(x)dx\right\}=\dfrac{d}{dx}\{F(x)+C\}=f(x)$ (단, C는 적분상수)

　　　　　　 그대로

풀이

(1) STEP1 $f(x)$ 간단히 하기

$\displaystyle\int\left\{\dfrac{d}{dx}(x^5-2x)\right\}dx$❶$=x^5-2x+C$이므로

$f(x)=x^5-2x+C$

STEP2 적분상수 구하기

$f(0)=2$이므로 $C=2$

STEP3 $f(1)$의 값 구하기

따라서 $f(x)=x^5-2x+2$이므로

$f(1)=1-2+2=1$

(2) STEP1 $f(x)$ 구하기

$\dfrac{d}{dx}\left\{\displaystyle\int xf(x)dx\right\}$❶$=xf(x)$이므로

$xf(x)=4x^4+x^3-2x$❷

$\therefore f(x)=4x^3+x^2-2$

STEP2 $f(-1)$의 값 구하기

$\therefore f(-1)=-4+1-2=-5$

❶ $\dfrac{d}{dx}f(x)$는 함수 $f(x)$를 x에 대하여 미분한다.

$\displaystyle\int f(x)dx$는 함수 $f(x)$를 x에 대하여 적분한다.

❷ x에 대한 항등식이므로
$xf(x)=x(4x^3+x^2-2)$에서
$f(x)=4x^3+x^2-2$

답 (1) 1　(2) -5

풍쌤 강의 NOTE

함수 $f(x)$의 한 부정적분을 $F(x)$라고 하면 다음과 같이 미분과 적분의 계산 순서에 따라 적분상수 C만큼의 차이가 생긴다.

$f(x)\xrightarrow{\text{미분}}f'(x)\xrightarrow{\text{적분}}f(x)+C$

$f(x)\xrightarrow{\text{적분}}F(x)+C\xrightarrow{\text{미분}}f(x)$

02-1 ◉유사

함수 $F(x) = \int \left\{ \dfrac{d}{dx} \left(\dfrac{1}{2}x^3 - 3x^2 \right) \right\} dx$에 대하여

$F(1) = \dfrac{1}{2}$일 때, $F(-2)$의 값을 구하여라.

02-2 ◉유사

함수 $f(x)$에 대하여

$$\dfrac{d}{dx} \left\{ \int x^2 f(x) dx \right\} = 3x^3 - x^2$$

일 때, $f(2)$의 값을 구하여라.

02-3 ◉변형

모든 실수 x에 대하여

$$\dfrac{d}{dx} \left\{ \int (x^2 + 7x + a) dx \right\} = bx^2 + cx + 4$$

가 성립할 때, $a+b+c$의 값을 구하여라.

(단, a, b, c는 상수이다.)

02-4 ◉변형

함수 $f(x)$에 대하여

$$\dfrac{d}{dx} \left\{ \int (x-2) f(x) dx \right\} = 4x^3 - x^2 + k$$

일 때, $f(0)$의 값을 구하여라. (단, k는 상수이다.)

02-5 ◉변형

두 함수 $f(x)$, $g(x)$에 대하여

$$\int \left\{ \dfrac{d}{dx} f(x) \right\} dx = 5x^3 - 2x^2, \ g(x) = f(x) + 2x$$

이고 $f(1) = 2$일 때, $g(-1)$의 값을 구하여라.

02-6 ◉실력

함수

$$f(x) = 10x^{10} + 9x^9 + 8x^8 + \cdots + 2x^2 + x$$

에 대하여

$$F(x) = \int \left[\dfrac{d}{dx} \int \left\{ \dfrac{d}{dx} f(x) \right\} dx \right] dx$$

이고 $F(0) = -50$일 때, $F(1)$의 값을 구하여라.

다음 물음에 답하여라.

(1) 방정식 $\dfrac{d}{dx}\displaystyle\int(3x^2-5x)dx+\dfrac{d}{dx}\displaystyle\int(6x^3-2)dx=0$의 모든 근의 합을 구하여라.

(2) 두 다항함수 $f(x)$, $g(x)$가 $\dfrac{d}{dx}\{f(x)+g(x)\}=2$, $\dfrac{d}{dx}\{f(x)-g(x)\}=2x-1$을

만족시키고 $f(0)=-1$, $g(0)=-3$일 때, $f(1)-g(-1)$의 값을 구하여라.

풍쌤 POINT

(1) $\dfrac{d}{dx}\left\{\displaystyle\int f(x)dx\right\}=f(x)$, 즉 적분한 후 미분하면 원 상태로 돌아와!

(2) $\displaystyle\int\left\{\dfrac{d}{dx}f(x)\right\}dx=f(x)+C$ (C는 적분상수), 즉 미분한 후 적분하면 (원래의 식)+C가 돼!

풀이

(1) $\dfrac{d}{dx}\displaystyle\int(3x^2-5x)dx+\dfrac{d}{dx}\displaystyle\int(6x^3-2)dx$

$=3x^2-5x+6x^3-2$

$=6x^3+3x^2-5x-2=0$

따라서 주어진 방정식의 모든 근의 합은 삼차방정식의 근과

계수의 관계[①]에 의하여 $-\dfrac{3}{6}=-\dfrac{1}{2}$이다.

① 삼차방정식
$ax^3+bx^2+cx+d=0$
의 세 근의 합은 $-\dfrac{b}{a}$

(2) **STEP1** $f(x)+g(x)$, $f(x)-g(x)$ 구하기

$\dfrac{d}{dx}\{f(x)+g(x)\}=2$[②]의 양변을 x에 대하여 적분하면

$f(x)+g(x)=\displaystyle\int2dx=2x+C_1$

$\dfrac{d}{dx}\{f(x)-g(x)\}=2x-1$[②]의 양변을 x에 대하여 적분하면

$f(x)-g(x)=\displaystyle\int(2x-1)dx=x^2-x+C_2$

이때 $f(0)=-1$, $g(0)=-3$이므로

$f(0)+g(0)=C_1=-4$, $f(0)-g(0)=C_2=2$

$\therefore f(x)+g(x)=2x-4$, $f(x)-g(x)=x^2-x+2$[③]

② 미분한 식이므로 적분하면 (원래의 식)+C가 된다.

③ $f(x)+g(x)$, $f(x)-g(x)$의 식이 주어졌으므로 두 식을 변끼리 더하거나 빼어 연립방정식을 풀면 $f(x)$, $g(x)$의 식을 구할 수 있다.

STEP2 $f(x)$, $g(x)$ 구하기

위의 두 식을 연립하여 풀면

$f(x)=\dfrac{1}{2}x^2+\dfrac{1}{2}x-1$, $g(x)=-\dfrac{1}{2}x^2+\dfrac{3}{2}x-3$

STEP3 $f(1)-g(-1)$의 값 구하기

$\therefore f(1)-g(-1)=\left(\dfrac{1}{2}+\dfrac{1}{2}-1\right)-\left(-\dfrac{1}{2}-\dfrac{3}{2}-3\right)=5$

답 (1) $-\dfrac{1}{2}$ (2) 5

풍쌤 강의 NOTE

함수 $f(x)$를 미분한 후 적분하면 $f(x)+C$ (C는 적분상수)가 되고, 적분한 후 미분하면 $f(x)$가 된다. 이를 이용하여 주어진 식을 먼저 간단히 한다.

03-1 ◉ 유사

방정식

$$\frac{d}{dx}\int(4x^2-5x)dx+\frac{d}{dx}\int(3x^3-6)dx=0$$

의 모든 근의 곱을 구하여라.

03-2 ◉ 유사

두 다항함수 $f(x)$, $g(x)$가

$$\frac{d}{dx}\{f(x)+g(x)\}=3,$$

$$\frac{d}{dx}\{f(x)-g(x)\}=3x^2+1$$

을 만족시키고 $f(0)=1$, $g(0)=2$일 때, $f(1)-g(-1)$의 값을 구하여라.

03-3 ◉ 변형

함수 $f(x)=\dfrac{d}{dx}\displaystyle\int(x^2+6x+k)dx$의 최솟값이 -5일 때, 상수 k의 값을 구하여라.

03-4 ◉ 변형

모든 실수 x에 대하여 $\dfrac{d}{dx}\displaystyle\int(5x^2-2x+k)dx>0$ 이 성립하도록 하는 실수 k의 값의 범위를 구하여라.

03-5 ◉ 변형

일차함수 $f(x)$, 이차함수 $g(x)$에 대하여 $f(0)=-2$, $g(0)=3$이고

$$\frac{d}{dx}\{f(x)+g(x)\}=4x+1,$$

$$\frac{d}{dx}\{f(x)g(x)\}=6x^2-8x+3$$

인 관계가 성립할 때, $f(-2)+g(1)$의 값을 구하여라.

03-6 ◉ 실력

함수 $f(x)=x^2+3x$에 대하여 두 함수 $g(x)$, $h(x)$를

$$g(x)=\frac{d}{dx}\int f(x)dx,$$

$$h(x)=\int\left\{\frac{d}{dx}f(x)\right\}dx$$

로 정의하자. $h(-2)=1$일 때, $g(1)+h(-1)$의 값을 구하여라.

다음 부정적분을 구하여라.

(1) $\displaystyle\int 4x(x+1)^2 dx$

(2) $\displaystyle\int (x^2+xt-1)dt$

(3) $\displaystyle\int \frac{y^3-1}{y-1}dy$

(4) $\displaystyle\int \frac{x^2}{x-2}dx - \int \frac{4}{x-2}dx$

풍쌤 POINT

두 함수 $f(x)$, $g(x)$의 부정적분이 존재할 때

① $\displaystyle\int kf(x)dx = k\int f(x)dx$ (단, k는 상수)

② $\displaystyle\int \{f(x)\pm g(x)\}dx = \int f(x)dx \pm \int g(x)dx$ (복부호동순)

풀이

(1) $\displaystyle\int 4x(x+1)^2 dx = \int (4x^3+8x^2+4x)dx$

$\displaystyle = x^4+\frac{8}{3}x^3+2x^2+C$ (단, C는 적분상수)

(2) $\displaystyle\int (x^2+xt-1)dt = \int \{xt+(x^2-1)\}dt$ **❶**

$\displaystyle = \frac{1}{2}xt^2+(x^2-1)t+C$ (단, C는 적분상수)

❶ 적분변수가 t이므로 x를 상수로 본다.

(3) $\displaystyle\int \frac{y^3-1}{y-1}dy = \int \frac{(y-1)(y^2+y+1)}{y-1}dy$ **❷**

$\displaystyle = \int (y^2+y+1)dy$

$\displaystyle = \frac{1}{3}y^3+\frac{1}{2}y^2+y+C$ (단, C는 적분상수)

❷ 분자를 인수분해한 다음 분자, 분모를 약분하여 식을 간단히 한다.

(4) $\displaystyle\int \frac{x^2}{x-2}dx - \int \frac{4}{x-2}dx = \int \frac{x^2-4}{x-2}dx$

$\displaystyle = \int \frac{(x+2)(x-2)}{x-2}dx$

$\displaystyle = \int (x+2)dx$ **❸**

$\displaystyle = \frac{1}{2}x^2+2x+C$ (단, C는 적분상수)

❸ 각각의 부정적분을 하나의 부정적분으로 나타낸다.

📄 풀이 참조

풍쌤 강의 NOTE

• n이 음이 아닌 정수일 때, $\left(\dfrac{1}{n+1}x^{n+1}+C\right)' = x^n$이므로 x^n의 부정적분은

$\displaystyle\int x^n dx = \frac{1}{n+1}x^{n+1}+C$ (단, C는 적분상수)

• 2개 이상의 함수의 합의 부정적분은 각각의 함수의 부정적분의 합과 같다.

따라서 각각의 함수의 부정적분을 하나의 함수로 합쳐 부정적분을 구할 수 있다.

04-1 ⊙ 유사

다음 부정적분을 구하여라.

(1) $\int (x-1)(2x+3)dx$

(2) $\int (1+xy+3x^2)dy$

(3) $\int \dfrac{y^4+y^2+1}{y^2+y+1}dy$

(4) $\int (1+\sqrt{x})^2dx + \int (1-\sqrt{x})^2dx$

04-2 ⊙ 변형

함수 $f(x)=\int (4x^3+3x^2+2x+1)dx$에 대하여
$f(0)=-2$일 때, $f(-2)$의 값을 구하여라.

04-3 ⊙ 변형

함수 $f(x)$에 대하여

$$f(x)=\int \dfrac{x^3}{x+1}dx + \int \dfrac{1}{x+1}dx$$

이고 $f(0)=2$일 때, $f(6)$의 값을 구하여라.

04-4 ⊙ 변형

함수 $f(x)=\int (\sqrt{x}-2)^2dx + \int (\sqrt{x}+2)^2dx$에 대
하여 $f(0)=4$일 때, $f(-2)$의 값을 구하여라.

04-5 ⊙ 실력

함수 $f(x)$에 대하여

$$f(x)=\int \left(x+\dfrac{1}{2}x^2+\dfrac{1}{3}x^3+\cdots+\dfrac{1}{10}x^{10}\right)dx$$

이고 $f(1)=\dfrac{12}{11}$일 때, $f(0)$의 값을 구하여라.

04-6 ⊙ 실력

함수 $f(x)=\dfrac{x+2}{x}$에 대하여 함수 $g(x)$를

$$g(x)=\int xf'(x)dx + \int f(x)dx$$

라고 할 때, $g(1)=0$이다. 이때 $g(5)$의 값을 구하여라.

다음 물음에 답하여라.

(1) 함수 $f(x)$의 도함수가 $f'(x)=3x^2+4x$이고 $f(0)=3$일 때, $f(-2)$의 값을 구하여라.

(2) 함수 $f(x)$에 대하여 $f'(x)=3x^2+12x-2a$이고 $f(0)=-2$, $f(-1)=7$일 때, $f(2)$의 값을 구하여라. (단, a는 상수이다.)

풍쌤 POINT

함수 $f(x)$의 도함수 $f'(x)$가 주어지면

❶ $f(x)=\displaystyle\int f'(x)dx$임을 이용하여 $f(x)$를 적분상수를 포함한 식으로 나타내.

❷ 주어진 함숫값을 대입하여 적분상수를 구해.

❸ ❶의 식에 적분상수를 대입하여 $f(x)$를 구해.

풀이

(1) STEP1 $f'(x)$ 적분하기

$$f(x)=\int f'(x)dx=\int (3x^2+4x)dx ^❶$$
$$=x^3+2x^2+C$$

STEP2 적분상수 구하기

$f(0)=3 ^❷$이므로 $C=3$

STEP3 $f(-2)$의 값 구하기

따라서 $f(x)=x^3+2x^2+3$이므로

$f(-2)=-8+8+3=3$

❶ $f'(x)=●$이면

$f(x)=\displaystyle\int ●dx$

❷ $f(0)$은 $x=0$일 때의 함숫값이므로 주어진 함수 $f(x)$의 상수항과 같다.

(2) STEP1 $f'(x)$ 적분하기

$$f(x)=\int f'(x)dx=\int (3x^2+12x-2a)dx$$
$$=x^3+6x^2-2ax+C$$

STEP2 $f(x)$ 구하기

$f(0)=-2$, $f(-1)=7$이므로

$C=-2$, $-1+6+2a+C=7$ ∴ $a=2$, $C=-2$

∴ $f(x)=x^3+6x^2-4x-2$

STEP3 $f(2)$의 값 구하기

∴ $f(2)=8+24-8-2=22$

目 (1) 3 (2) 22

풍쌤 강의 NOTE

· 도함수 $f'(x)$가 주어지고 함수 $f(x)$를 구할 때 ➡ $f(x)=\displaystyle\int f'(x)dx$임을 이용

· 미분가능한 함수 $f(x)$의 도함수 ➡ $f'(x)=\displaystyle\lim_{h\to 0}\frac{f(x+h)-f(x)}{h}$

05-1 유사

함수 $f(x)$의 도함수가 $f'(x) = -3x^2 + 2$이고 $f(1) = 4$일 때, $f(-1)$의 값을 구하여라.

05-2 유사

함수 $f(x)$에 대하여 $f'(x) = 3x^2 + 2ax + 1$이고 $f(0) = 1$, $f(1) = 2$일 때, $f(-2)$의 값을 구하여라.

(단, a는 상수이다.)

05-3 변형

함수 $f(x)$를 적분해야 할 것을 잘못하여 미분하였더니 $6x^2 - 4x + 1$이었다. $f(0) = 4$일 때, $f(x)$를 바르게 적분한 식을 구하여라.

05-4 변형

함수 $f(x)$에 대하여 $f'(x) = \dfrac{x^8 - 1}{x^4 + 1}$이고 $f(1) = 1$일 때, $f(-1)$의 값을 구하여라.

05-5 변형

미분가능한 함수 $f(x)$, $g(x)$가 다음 조건을 만족시킬 때, $f(3) + g(3)$의 값을 구하여라.

> (가) $f'(x)g(x) + f(x)g'(x) = 3x^2 - 8x + 5$
> (나) $f(x) = (x-2)g(x)$
> (다) $g(0) < 0$

05-6 실력

함수 $f(x)$를 적분해야 할 것을 잘못하여 미분하였더니 $6x(x-2)$이었다. 함수 $f(x)$의 한 부정적분을 $F(x)$라고 하면 $f(0) = 1$, $F(1) = -\dfrac{3}{2}$이다. $F(x)$를 $x-2$로 나누었을 때의 나머지를 구하여라.

이차함수 $f(x)$의 한 부정적분을 $F(x)$라고 하면

$$F(x) = xf(x) + 2x^3 - 4x^2$$

이 성립한다고 한다. $f(0) = 1$일 때, 방정식 $f(x) = 0$의 모든 근의 합을 구하여라.

풍쌤 POINT

함수 $f(x)$와 그 부정적분 $F(x)$ 사이의 관계식이 주어지면

❶ 주어진 등식의 양변을 x에 대하여 미분하여 $f'(x)$를 구해.

❷ $f'(x)$를 적분하여 $f(x)$를 구해.

❸ 주어진 함숫값을 이용하여 적분상수를 구해.

풀이

STEP1 $f'(x)$ 구하기

함수 $f(x)$의 한 부정적분이 $F(x)$이므로

$$F'(x) = f(x) \qquad \cdots\cdots \text{㉠}$$

$F(x) = xf(x) + 2x^3 - 4x^2$의 양변을 x에 대하여 미분하면❶

$$F'(x) = f(x) + xf'(x) + 6x^2 - 8x$$

$$f(x) = f(x) + xf'(x) + 6x^2 - 8x \; (\because \text{㉠})$$

$$xf'(x) = -6x^2 + 8x = x(-6x + 8)$$

위의 등식은 x에 대한 항등식이므로

$$f'(x) = -6x + 8$$

❶ $\{xf(x)\}' = f(x) + xf'(x)$

STEP2 $f'(x)$ 적분하기

$$\therefore f(x) = \int f'(x) dx$$

$$= \int (-6x + 8) dx$$

$$= -3x^2 + 8x + C \; (\text{단, } C\text{는 적분상수})$$

STEP3 $f(x)$ 구하기

이때 $f(0) = 1$이므로 $C = 1$

$$\therefore f(x) = -3x^2 + 8x + 1$$

STEP4 모든 근의 합 구하기

따라서 방정식 $f(x) = 0$의 모든 근의 합은 이차방정식의 근과 계수의 관계❷에 의하여 $\dfrac{8}{3}$이다.

❷ 이차방정식 $ax^2 + bx + c = 0$의 두 근의 합은 $-\dfrac{b}{a}$이다.

답 $\dfrac{8}{3}$

풍쌤 강의 NOTE

함수 $f(x)$와 그 부정적분 $F(x)$ 사이의 관계식이 주어지면

➡ 양변을 x에 대하여 미분한 후 $F'(x) = f(x)$임을 이용한다.

06-1 (유사)

이차함수 $f(x)$의 한 부정적분을 $F(x)$라고 하면

$$F(x) = xf(x) + x^2(2x-1)$$

이 성립하고 $f(1) = 1$일 때, 함수 $f(x)$를 구하여라.

06-2 (유사)

다항함수 $f(x)$의 한 부정적분을 $F(x)$라고 하면

$$F(x) - xf(x) = 6x^4 - 6x^3$$

이 성립한다. $f(1) = 0$일 때, 함수 $f(x)$를 구하여라.

06-3 (변형)

이차함수 $f(x)$의 한 부정적분을 $F(x)$라고 하면

$$xf(x) - F(x) = x^3 - 4x^2$$

이 성립하고 $f(-1) = 10$일 때, $f'(2) + f(1)$의 값을 구하여라.

06-4 (변형)

다항함수 $f(x)$에 대하여

$$\int f(x)dx = (x+2)f(x) + x^3 - 12x + C$$

가 성립하고 $f(0) = 2$일 때, 함수 $f(x)$의 최댓값을 구하여라. (단, C는 적분상수이다.)

06-5 (변형)

삼차함수 $f(x)$에 대하여

$$\int \{f(x) + 12x^2\}dx = (x+2)f(x) - 3x^4 - 4x^3$$

이 성립하고 $f(1) = 2$일 때, $f(2)$의 값을 구하여라.

06-6 (실력)

다항함수 $f(x)$에 대하여

$$f(x) + \int xf(x)dx = \frac{1}{4}x^4 - \frac{1}{3}x^3 + \frac{5}{2}x^2 - x$$

가 성립할 때, $f(3)$의 값을 구하여라.

함수 $f(x)$의 도함수가

$$f'(x) = \begin{cases} -2x+k & (x \le -2) \\ x+4 & (x > -2) \end{cases}$$

이고 $f(0)=1$, $f(-3)=-2$일 때, 함수 $f(x)$가 $x=-2$에서 연속이 되도록 하는 상수 k의 값을 구하여라.

풍쌤 POINT

도함수 $f'(x)$를 이용하여 함수 $f(x)$를 구할 때는 항상 적분상수에 주의해.
구간별로 적분하고 주어진 조건을 이용하여 각각의 적분상수를 구한 다음 함수의 연속의 성질을 적용하도록 해.

풀이

STEP1 $f'(x)$ 적분하기

$f(x) = \int f'(x)dx$이므로

(i) $x \le -2$일 때, $f(x) = \int(-2x+k)dx = -x^2+kx+C_1$

(ii) $x > -2$일 때, $f(x) = \int(x+4)dx = \dfrac{1}{2}x^2+4x+C_2$

(i), (ii)에 의하여 함수 $f(x)$는

$$f(x) = \begin{cases} -x^2+kx+C_1 & (x \le -2) \\ \dfrac{1}{2}x^2+4x+C_2 & (x > -2) \end{cases}$$

STEP2 k의 값 구하기

$f(0)=1$❶이므로 $C_2=1$
$f(-3)=-2$❶이므로 $-9-3k+C_1=-2$
$\therefore -3k+C_1=7$ ...... ㉠

이때 함수 $f(x)$는 $x=-2$에서 연속❷이므로
$f(-2) = \lim\limits_{x \to -2-} f(x) = \lim\limits_{x \to -2+} f(x)$❸에서
$-4-2k+C_1 = 2-8+C_2$
$\therefore -2k+C_1=-1$ ...... ㉡

㉠, ㉡을 연립하여 풀면 $k=-8$, $C_1=-17$

❶ $f(0)=1$은 $x \ge -2$일 때의 $f(x)$에, $f(-3)=-2$는 $x < -2$일 때의 $f(x)$에 적용한다.

❷ 함수 $f(x)$가 연속
$\iff$ (함숫값)=(우극한)=(좌극한)

❸ $x \longrightarrow -2-$일 때는
$f(x)=-x^2+kx+C_1$,
$x \longrightarrow -2+$일 때는
$f(x)=\dfrac{1}{2}x^2+4x+C_2$를 이용한다.

답 -8

풍쌤 강의 NOTE

함수 $f(x)$에 대하여 $f'(x) = \begin{cases} h(x) & (x < a) \\ g(x) & (x \ge a) \end{cases}$ 이면 $f(x) = \begin{cases} \int h(x)dx & (x < a) \\ \int g(x)dx & (x \ge a) \end{cases}$ 이고

함수 $f(x)$가 $x=a$에서 연속이면 $f(a) = \lim\limits_{x \to a+} \int g(x)dx = \lim\limits_{x \to a-} \int h(x)dx$

07-1 유사

함수 $f(x)$의 도함수가
$$f'(x) = \begin{cases} k & (x < -1) \\ x-3 & (x \geq -1) \end{cases}$$
이고 $f(0) = -2$, $f(-2) = 6$일 때, 함수 $f(x)$가 $x = -1$에서 연속이 되도록 하는 상수 k의 값을 구하여라.

07-2 변형

모든 실수 x에 대하여 미분가능한 함수 $f(x)$의 도함수가 $f'(x) = \begin{cases} 3x^2 & (x < 1) \\ 4x-1 & (x \geq 1) \end{cases}$ 이고 $f(0) = -2$일 때, $f(2)$의 값을 구하여라.

07-3 변형

모든 실수 x에 대하여 연속인 함수 $f(x)$의 도함수가
$$f'(x) = \begin{cases} x^2 - 2x & (x < 1) \\ 4x & (x > 1) \end{cases}$$
이고 $f(0) = 3$일 때, $f(-1) + f(2)$의 값을 구하여라.

07-4 변형

연속함수 $f(x)$의 도함수 $y = f'(x)$의 그래프가 오른쪽 그림과 같다. 함수 $y = f(x)$의 그래프가 점 $(2, 1)$을 지날 때, $f(-1) + f(3)$의 값을 구하여라.

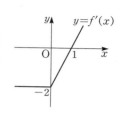

07-5 변형

연속함수 $f(x)$의 도함수 $y = f'(x)$의 그래프가 오른쪽 그림과 같다. 함수 $y = f(x)$의 그래프가 원점을 지날 때, $f(4)$의 값을 구하여라.

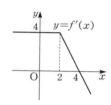

07-6 실력

연속함수 $f(x)$의 도함수가
$$f'(x) = 2x - |x|$$
이고 $f(0) = -2$일 때, $f(4)f(-2)$의 값을 구하여라.

다음 물음에 답하여라.

(1) 점 $(1, -4)$를 지나는 곡선 $y=f(x)$ 위의 임의의 점 $(x, f(x))$에서의 접선의 기울기가 $6x^2-2x$일 때, 함수 $f(x)$를 구하여라.

(2) 곡선 $y=f(x)$ 위의 임의의 점 $(x, f(x))$에서의 접선의 기울기가 $2x-3$이다. 이 곡선이 두 점 $(-1, 0)$, $(2, k)$를 지날 때, k의 값을 구하여라.

풍쌤 POINT

곡선 $y=f(x)$ 위의 임의의 점 $(x, f(x))$에서의 접선의 기울기는 $f'(x)$이므로

$f(x)=\int f'(x)dx$임을 이용하여 함수 $f(x)$를 구해.

풀이

(1) STEP1 $f'(x)$ 구하기

곡선 $y=f(x)$ 위의 점 $(x, f(x))$에서의 접선의 기울기가 $6x^2-2x$이므로❶ $f'(x)=6x^2-2x$

STEP2 $f(x)$ 구하기

∴ $f(x)=\int f'(x)dx=\int(6x^2-2x)dx=2x^3-x^2+C$

곡선 $y=f(x)$가 점 $(1, -4)$를 지나므로

$f(1)=2-1+C=-4$ ∴ $C=-5$

∴ $f(x)=2x^3-x^2-5$

❶ 곡선 $y=f(x)$ 위의 점 $(x, f(x))$에서의 접선의 기울기가 $f'(x)$이다.

(2) STEP1 $f'(x)$ 구하기

곡선 $y=f(x)$ 위의 점 $(x, f(x))$에서의 접선의 기울기가 $2x-3$이므로 $f'(x)=2x-3$

STEP2 $f(x)$ 구하기

∴ $f(x)=\int f'(x)dx=\int(2x-3)dx=x^2-3x+C$

곡선 $y=f(x)$가 점 $(-1, 0)$을 지나므로

$f(-1)=1+3+C=0$ ∴ $C=-4$

∴ $f(x)=x^2-3x-4$

STEP3 k의 값 구하기

∴ $k=f(2)$❷$=4-6-4=-6$

❷ 곡선 $y=f(x)$가 점 $(2, k)$를 지나므로 $k=f(2)$

답 (1) $f(x)=2x^3-x^2-5$ (2) -6

풍쌤 강의 NOTE

곡선 $y=f(x)$ 위의 점 $(x, f(x))$에서의 접선의 기울기는 $f'(x)$이므로 접선의 기울기가 주어지면 $f(x)$의 도함수가 주어진 것과 마찬가지이다.

따라서 접선의 기울기로 주어진 함수, 즉 $f'(x)$를 적분하여 원래의 함수 $f(x)$를 구한다.

08-1 유사

점 $(0, 3)$을 지나는 곡선 $y=f(x)$ 위의 임의의 점 $(x, f(x))$에서의 접선의 기울기가 $3x+1$일 때, 함수 $f(x)$를 구하여라.

08-2 유사 | 기출

함수 $f(x)$의 그래프 위의 임의의 점 $(x, f(x))$에서의 접선의 기울기가 $4x-1$이고 $f(0)=1$일 때, $f(2)$의 값을 구하여라.

08-3 변형

곡선 $y=f(x)$ 위의 임의의 점 $(x, f(x))$에서의 접선의 기울기는 x^2에 정비례한다. 곡선 $y=f(x)$가 두 점 $(-1, 0)$, $(0, -2)$를 지날 때, $f(-3)$의 값을 구하여라.

08-4 변형

점 $(0, -6)$을 지나는 곡선 $y=f(x)$ 위의 임의의 점 $(x, f(x))$에서의 접선의 기울기가 $-9x+k$이다. 방정식 $f(x)=0$의 모든 근의 합이 2일 때, $f(2)$의 값을 구하여라.

08-5 변형

곡선 $y=f(x)$ 위의 임의의 점 $(x, f(x))$에서의 접선의 기울기가 $2x-6$이고 함수 $f(x)$의 최솟값이 -6일 때, 닫힌구간 $[-1, 4]$에서 $f(x)$의 최댓값을 구하여라.

08-6 실력

함수 $f(x)=\int (kx^2-4x+4)dx$에 대하여 곡선 $y=f(x)$ 위의 점 $(1, 2)$에서의 접선의 기울기가 9일 때, $f(-1)$의 값을 구하여라. (단, k는 상수이다.)

다음 물음에 답하여라.

(1) 함수 $f(x)$에 대하여 $\lim\limits_{h \to 0} \dfrac{f(x-h)-f(x-3h)}{h} = 8x^3 - 4x + 6$이 성립하고 $f(1) = 2$ 일 때, $f(-1)$의 값을 구하여라.

(2) 함수 $f(x) = \displaystyle\int (9x^2 + ax + 2)dx$에 대하여 $\lim\limits_{h \to 0} \dfrac{f(1+h)-f(1)}{h} = 14$일 때, 상수 a 의 값을 구하여라.

풍쌤 POINT

도함수의 정의를 이용하여 $f'(x)$를 구하는 경우

$f'(x) = \lim\limits_{\Delta x \to 0} \dfrac{f(x+\Delta x)-f(x)}{\Delta x} = \lim\limits_{h \to 0} \dfrac{f(x+h)-f(x)}{h}$임을 이용하여 $f'(x)$를 구해.

풀이

(1) **STEP1** 극한식을 간단히 하여 $f'(x)$ 구하기

$\lim\limits_{h \to 0} \dfrac{f(x-h)-f(x-3h)}{h}$

$= \lim\limits_{h \to 0} \dfrac{\{f(x-h)-f(x)\}-\{f(x-3h)-f(x)\}}{h}$ ❶

$= \lim\limits_{h \to 0} \dfrac{f(x-h)-f(x)}{-h} \times (-1) + \lim\limits_{h \to 0} \dfrac{f(x-3h)-f(x)}{-3h} \times 3$ ❷

$= -f'(x) + 3f'(x) = 2f'(x)$

즉, $2f'(x) = 8x^3 - 4x + 6$이므로 $f'(x) = 4x^3 - 2x + 3$

STEP2 $f(x)$ 구하기

$\therefore f(x) = \displaystyle\int (4x^3 - 2x + 3)dx = x^4 - x^2 + 3x + C$

$f(1) = 2$이므로 $1 - 1 + 3 + C = 2 \qquad \therefore C = -1$

$\therefore f(x) = x^4 - x^2 + 3x - 1$

STEP3 $f(-1)$의 값 구하기

$\therefore f(-1) = 1 - 1 - 3 - 1 = -4$

(2) **STEP1** $f'(x)$ 구하기

$f(x) = \displaystyle\int f'(x)dx = \int (9x^2 + ax + 2)dx$의 양변을 x에 대하여

미분하면 $f'(x) = 9x^2 + ax + 2$

STEP2 a의 값 구하기

$\lim\limits_{h \to 0} \dfrac{f(1+h)-f(1)}{h} = 14$에서 $f'(1) = 14$

따라서 $9 + a + 2 = 14$이므로 $a = 3$

❶ 분자에 $f(x)$를 빼고 더하면 식에는 변화가 없다.

❷ $\lim\limits_{h \to 0} \dfrac{f(x+\blacktriangle)-f(x)}{\blacktriangle}$
$= f'(x)$
에서 ▲부분이 서로 같도록 식을 변형한다.

답 (1) -4 (2) 3

풍쌤 강의 NOTE

$\lim\limits_{h \to 0} \dfrac{f(x+h)-f(x)}{h} = f'(x)$는 도함수, $\lim\limits_{h \to 0} \dfrac{f(a+h)-f(a)}{h} = f'(a)$ (a는 상수)는 미분계수가 주어진 것이다.

09-1 ◉유사

함수 $f(x)$에 대하여

$$\lim_{h \to 0} \frac{f(x-h)-f(x-2h)}{h} = 4x^3 + 6$$

이 성립하고 $f(1)=0$일 때, $f(-2)$의 값을 구하여라.

09-2 ◉유사

함수 $f(x)$에 대하여

$$f(x) = \int (x+2)(x^2-2x+4)dx$$

일 때, $\displaystyle\lim_{h \to 0} \frac{f(1+h)-f(1-h)}{h}$의 값을 구하여라.

09-3 ◉변형

함수 $f(x) = \int \left\{ \dfrac{d}{dx}(4x^3-ax^2) \right\}dx$에 대하여

$f(1)=6$이고 $\displaystyle\lim_{x \to 1} \frac{f(x)-f(1)}{x-1} = 2$일 때, $f(2)$의 값을 구하여라. (단, a는 상수이다.)

09-4 ◉변형

함수 $f(x) = \int (x^2-4x+a)dx$에 대하여 $f(0)=6$

이고 $\displaystyle\lim_{x \to -3} \frac{f(x)-f(-3)}{x+3} = 12$일 때, $f(3)$의 값을 구하여라. (단, a는 상수이다.)

09-5 ◉변형

다음 조건을 만족시키는 함수 $f(x)$를 구하여라.

(단, a는 상수이다.)

> (가) $f'(x) = 4x+a$
>
> (나) $\displaystyle\lim_{x \to 1} \frac{f(x)}{x-1} = 2a-1$

09-6 ◉실력

다음 조건을 만족시키는 다항함수 $f(x)$를 구하여라.

> (가) $\displaystyle\lim_{x \to \infty} \frac{f'(x)}{x-1} = 4$
>
> (나) $\displaystyle\lim_{x \to 2} \frac{f(x)}{x-2} = 1$

미분가능한 함수 $f(x)$가 임의의 실수 a, b에 대하여

$$f(a+b)=f(a)+f(b)+ab$$

를 만족시키고 $f'(0)=2$일 때, $f(2)$의 값을 구하여라.

풍쌤 POINT

$f(a+b)=f(a)+f(b)+k$ 꼴의 식이 주어지면

$a=0$, $b=0$을 대입하여 $f(0)$의 값 구하기 ➡ $f'(x)=\lim\limits_{h \to 0}\dfrac{f(x+h)-f(x)}{h}$ 를 이용하여 $f'(x)$ 구하기

➡ $f'(x)$의 부정적분 구하기 ➡ $f(0)$의 값을 대입하여 적분상수 구하기

풀이

STEP1 $f(0)$의 값 구하기

$f(a+b)=f(a)+f(b)+ab$에 $a=0$, $b=0$을 대입하면

$f(0)=f(0)+f(0)$ $\quad \therefore f(0)=0$

STEP2 $f'(x)$ 구하기

도함수의 정의에 의하여 $f'(x)$를 구하면

$$\begin{aligned}
f'(x)&=\lim_{h \to 0}\frac{f(x+h)-f(x)}{h}\\
&=\lim_{h \to 0}\frac{f(x)+f(h)+xh^{❶}-f(x)}{h}\\
&=\lim_{h \to 0}\frac{f(h)}{h}+x\\
&=\lim_{h \to 0}\frac{f(0+h)-f(0)}{h-0}+x^{❷}\\
&=f'(0)+x=2+x\ (\because f'(0)=2)
\end{aligned}$$

❶ 주어진 관계식을 이용하여 $f(x+h)$에 대입한다.

❷ $f(0)=0$이므로 분자에서 $f(0)$을 빼도 식에는 변화가 없다.

STEP3 $f(x)$ 구하기

$$\therefore f(x)=\int f'(x)dx=\int(2+x)dx=\frac{1}{2}x^2+2x+C$$

$f(0)=0$이므로 $C=0$ $\quad \therefore f(x)=\dfrac{1}{2}x^2+2x$

STEP4 $f(2)$의 값 구하기

$\therefore f(2)=2+4=6$

답 6

풍쌤 강의 NOTE

• 주어진 관계식의 a, b에 적절한 숫자를 대입하여 함숫값을 찾아내는 것이 중요하다.
  보통 $a=0$, $b=0$을 대입하여 $f(0)$의 값을 찾는다.

• 도함수의 정의 $f'(x)=\lim\limits_{h \to 0}\dfrac{f(x+h)-f(x)}{x}$의 $f(x+h)$에 주어진 관계식을 대입하여 $f'(x)$
  를 구하는 유형이다.

10-1 ⊙ 유사

미분가능한 함수 $f(x)$가 임의의 실수 a, b에 대하여

$$f(a+b)=f(a)+f(b)$$

를 만족시키고 $f'(0)=2$일 때, $f(-4)$의 값을 구하여라.

10-2 ⊙ 변형

미분가능한 함수 $f(x)$가 임의의 실수 a, b에 대하여

$$f(a+b)=f(a)+f(b)+3$$

을 만족시키고 $f'(0)=-2$일 때, $f(-1)$의 값을 구하여라.

10-3 ⊙ 변형

미분가능한 함수 $f(x)$가 임의의 실수 x, y에 대하여

$$f(x+y)=f(x)+f(y)-xy$$

를 만족시키고 $f'(1)=2$일 때, $f(-4)$의 값을 구하여라.

10-4 ⊙ 변형

미분가능한 함수 $f(x)$가 임의의 실수 x, y에 대하여

$$f(x+y)=f(x)+f(y)+2xy$$

를 만족시키고 $f(1)=2$일 때, $f(-5)$의 값을 구하여라.

10-5 ⊙ 변형

실수 전체의 집합에서 미분가능한 함수 $f(x)$가 다음 조건을 만족시킨다.

> (가) $f'(1)=0$
> (나) 모든 실수 x, y에 대하여
> $$f(x+y)=f(x)+f(y)+xy(x+y)+3$$

이때 $f(3)$의 값을 구하여라.

10-6 ⊙ 실력

다항함수 $f(x)$는 임의의 실수 x, y에 대하여

$$f(x+y)=f(x)+f(y)-xy+\frac{1}{2}$$

을 만족시키다. $\displaystyle\lim_{x\to1}\frac{f(x)-f'(x)}{x^2-1}=6$일 때, $f'(0)$의 값을 구하여라.

오른쪽 그림은 삼차함수 $f(x)$의 도함수 $y=f'(x)$의 그래프이다. 함수 $f(x)$의 극댓값이 2, 극솟값이 -2일 때, $f(-1)$의 값을 구하여라.

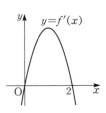

풍쌤 POINT

함수 $f(x)$의 도함수 $f'(x)$와 $f(x)$의 극값이 주어지면

❶ $f'(x)$를 적분하여 $f(x)$를 적분상수를 포함한 식으로 나타내고,

❷ 극대·극소의 조건을 적용하여 적분상수를 구한 다음

❸ ❶의 식에 적분상수를 대입하여 $f(x)$를 구해.

풀이

STEP1 $f(x)$ 구하기

$f'(x)=ax(x-2)\,(a<0)$❶라고 하면

$$f(x)=\int f'(x)dx=\int ax(x-2)dx$$
$$=\int(ax^2-2ax)dx$$
$$=\frac{a}{3}x^3-ax^2+C$$

❶ 도함수 $y=f'(x)$의 그래프는 위로 볼록한 이차함수의 그래프이고 x축과 x좌표가 0, 2인 점에서 만난다.

STEP2 극대·극소 판정하기

$f'(x)=0$에서 $x=0$ 또는 $x=2$

함수 $f(x)$의 증가, 감소를 표로 나타내면 다음과 같다.

x	$\cdots$	0	$\cdots$	2	$\cdots$
$f'(x)$	$-$	0	$+$	0	$-$
$f(x)$	$\searrow$	극소	$\nearrow$	극대	$\searrow$

STEP3 극댓값, 극솟값을 이용하여 미지수 구하기

함수 $f(x)$는 $x=0$에서 극솟값, $x=2$에서 극댓값을 가지므로❷

$f(0)=C=-2$

$f(2)=\frac{8}{3}a-4a+C=-\frac{4}{3}a-2=2$ $\quad\therefore a=-3$

❷ 다항함수 $f(x)$가 $x=a$에서 극값 b를 가지면 $f(a)=b$, $f'(a)=0$

STEP4 $f(-1)$의 값 구하기

따라서 $f(x)=-x^3+3x^2-2$이므로

$f(-1)=1+3-2=2$

답 2

풍쌤 강의 NOTE

함수 $f(x)$의 도함수 $f'(x)$의 그래프가 주어지면 축과의 교점과 꼭짓점 등을 이용하여 함수식을 만든다.

11-1 〔유사〕

함수 $f(x)$의 도함수 $f'(x)$는 이차함수이고, $y=f'(x)$의 그래프는 오른쪽 그림과 같다. 함수 $f(x)$의 극댓값이 36, 극솟값이 4일 때, 함수 $f(x)$를 구하여라.

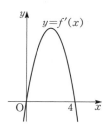

11-2 〔유사〕

함수 $f(x)$의 도함수 $f'(x)$는 이차함수이고, $y=f'(x)$의 그래프는 오른쪽 그림과 같다. 함수 $f(x)$의 극댓값이 2일 때, $f(2)$의 값을 구하여라.

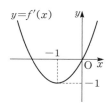

11-3 〔변형〕

함수 $f(x)=\displaystyle\int (x^2-2x-3)dx$의 극댓값이 1일 때, $f(x)$의 극솟값을 구하여라.

11-4 〔변형〕

최고차항의 계수가 1인 삼차함수 $f(x)$가 다음 조건을 만족시킬 때, $f(-3)$의 값을 구하여라.

> ㈎ 모든 실수 x에 대하여 $f'(x)=f'(-x)$
> ㈏ 함수 $f(x)$는 $x=2$에서 극솟값 -5를 갖는다.

11-5 〔변형〕

다항함수 $f(x)$에 대하여
$$\int \{1-f(x)\}dx=-\frac{1}{4}x^4+\frac{9}{2}x^2+x+C$$
가 성립한다. 함수 $f(x)$가 $x=\alpha$에서 극댓값, $x=\beta$에서 극솟값 γ를 가질 때, $\alpha+\beta+\gamma$의 값을 구하여라.
(단, C는 적분상수이다.)

11-6 〔실력〕

최고차항의 계수가 1인 삼차함수 $f(x)$가
$$f'(2)=f'(8)=0$$
을 만족시킨다. 함수 $f(x)$의 극댓값이 66일 때, $f(1)$의 값을 구하여라.

01

두 다항함수 $f(x)$, $g(x)$가 $\int g(x)dx = x^4 f(x) + 4$

를 만족시키고 $f(1) = -1$, $f'(1) = 6$일 때, $g(1)$의

값은?

① -2 ② -1 ③ 0

④ 1 ⑤ 2

02

모든 실수 x에 대하여

$$\frac{d}{dx}\left\{\int(ax^3 - 4x^2 + 7)dx\right\} = 5x^3 + bx^2 + c$$

가 성립할 때, $a + b + c$의 값을 구하여라.

(단, a, b, c는 상수이다.)

03

함수 $f(x) = 10x^{10} + 9x^9 + \cdots + 2x^2 + x$에 대하여

$F(x) = \int\left\{\frac{d}{dx}f(x)\right\}dx$이고 $F(0) = 4$일 때,

$F(-1)$의 값은?

① 8 ② 9 ③ 10

④ 11 ⑤ 12

04

함수 $f(x) = \int\left\{\dfrac{d}{dx}(x^2 + 4x - 3)\right\}dx$의 최솟값이 2

일 때, $f(2)$의 값을 구하여라.

05 서술형 ✎

함수 $f(x) = \int\left\{\dfrac{d}{dx}(x^2 + 2x)\right\}dx$에 대하여 $y = f(x)$

의 그래프가 직선 $y = 4$에 접할 때, 방정식 $f(x) = 8$

의 모든 실근의 합을 구하여라.

06

두 연속함수 $f(x)$, $g(x)$가 다음 조건을 만족시킬

때, $f(1) - g(3)$의 값을 구하여라.

> (가) $f(x) + g(x) = \int(2x^2 + 4x)dx$
>
> (나) $f(x) - g(x) = \int(x^2 - 8x)dx$
>
> (다) $f(0) = 2$, $g(0) = 0$

07 서술형 ✏

함수 $f(x) = \int \dfrac{2x^2}{x+2}dx + \int \dfrac{3x}{x+2}dx - \int \dfrac{2}{x+2}dx$

에 대하여 $f(0) = -4$일 때, 방정식 $f(x) = 0$의 모든 근의 곱을 구하여라.

08

미분가능한 함수 $f(x)$에 대하여 옳은 것만을 ㅣ보기ㅣ에서 있는 대로 고른 것은? (단, C는 적분상수이다.)

┌─ 보기 ┐
ㄱ. $\int f'(x)dx - \int 2xdx = f(x) - x^2 + C$

ㄴ. $\int f'(x)f(x)dx = \{f(x)\}^2 + C$

ㄷ. $\int f(x)dx + \int xf'(x)dx = xf(x) + C$
└────────┘

① ㄱ   ② ㄴ   ③ ㄱ, ㄷ
④ ㄴ, ㄷ   ⑤ ㄱ, ㄴ, ㄷ

09

이차함수 $f(x)$의 도함수 $f'(x)$에 대하여 $y = f'(x)$의 그래프는 직선 $y = -\dfrac{1}{2}x+1$과 y축 위의 한 점에서 수직으로 만나는 직선이다. $f(0) = f'(0)$일 때, $f(2)$의 값을 구하여라.

10 서술형 ✏

함수 $f(x)$를 적분해야 할 것을 잘못하여 미분하였더니 $-3x^2 + 4x - 5$이었다. $f(1) = 1$일 때, $f(x)$를 바르게 적분한 식을 구하여라.

11

일차함수 $f(x)$에 대하여

$$x^2 f(x) - \int xf(x)dx = 4x^3 - x^2$$

이 성립한다. $f(k) = 10$을 만족시키는 상수 k의 값은?

① -1 ② 0 ③ 1
④ 2 ⑤ 3

12

이차함수 $f(x)$의 한 부정적분을 $F(x)$라고 하면

$$F(x) - \int (x+1)f(x)dx = -4x^4 + 2x^3 - 5x^2$$

이 성립할 때, 방정식 $f(x) = 0$의 모든 근의 곱은?

① $\dfrac{1}{12}$ ② $\dfrac{1}{6}$ ③ $\dfrac{1}{4}$
④ $\dfrac{5}{8}$ ⑤ $\dfrac{2}{3}$

13 기출

이차함수 $f(x)$에 대하여 함수 $g(x)$가

$$g(x) = \int \{x^2 + f(x)\} dx,$$

$$f(x)g(x) = -2x^4 + 8x^3$$

을 만족시킬 때, $g(1)$의 값을 구하여라.

14

모든 실수 x에 대하여 연속인 함수 $f(x)$의 도함수가 $f'(x) = x + |x-1|$이고 $f(-1) = 3$일 때, $f(0) + f(2)$의 값은?

① 11   ② 12   ③ 13

④ 14   ⑤ 15

15 서술형 ✏️

함수 $f(x)$의 도함수가 $f'(x) = 6x^2 + 12x + 5$이고 곡선 $y = f(x)$가 직선 $y = -x + 3$에 접할 때, $f(-2)$의 값을 구하여라.

16

함수 $f(x)$의 도함수가 $f'(x) = 3x^2 + 8x + a$이고, $\lim\limits_{x \to 1} \dfrac{f(x)}{x-1} = 2a$일 때, $f(0)$의 값을 구하여라.

17

미분가능한 함수 $f(x)$가 임의의 실수 a, b에 대하여

$$f(a+b) = f(a) + f(b) - ab$$

를 만족시키고 $f'(1) = 9$일 때, $f'(2) + f(2)$의 값은?

① 18   ② 20   ③ 22

④ 24   ⑤ 26

18

오른쪽 그림은 삼차함수 $f(x)$의 도함수 $y = f'(x)$의 그래프이다. 함수 $y = f(x)$의 그래프가 점 $(0, -8)$을 지날 때, 함수 $f(x)$의 극댓값을 구하여라.

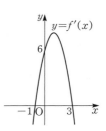

상위권 도약 문제

01

다항함수 $f(x)$, $f_1(x)$, $f_2(x)$, $\cdots$, $f_{10}(x)$에 대하여
$f_1(x)=\int f(x)dx$, $f_2(x)=\int f_1(x)dx$, $\cdots$,
$f_{10}(x)=\int f_9(x)dx$이다. $f_{10}(x)=x^{12}+1$일 때,
$\dfrac{f_5(2)}{f_8(2)}$의 값을 구하여라.

02

최고차항의 계수가 1인 두 다항함수 $f(x)$, $g(x)$가 다음 조건을 만족시킨다.

(가) $f'(x)g(x)+f(x)g'(x)=3x^2-19$
(나) $f(0)=-10$, $g(0)=-3$

이때 $\displaystyle\lim_{x\to 1}\dfrac{f(x)g(x)}{(f\circ g)(x)}$의 값을 구하여라.

03

자연수 n에 대하여 다항함수 $f_i(x)\,(i=1,\,2,\,3,\,\cdots)$가
$f_1(x)=\dfrac{1}{n+1}x^{n+1}$, $f_{i+1}{}'(x)=(n+i)f_i(x)$를 만족시키고 $f_i(0)=0$이다.

$\dfrac{1}{f_1(1)}+\dfrac{1}{f_2(1)}+\dfrac{1}{f_3(1)}+\cdots+\dfrac{1}{f_n(1)}=155$
일 때, n의 값을 구하여라.

04

두 다항함수 $f(x)$, $g(x)$에 대하여
$$\dfrac{d}{dx}\{f(x)+g(x)\}=x^3+6x^2-2x+6,$$
$$g(x)=\int xf(x)dx$$
일 때, $f(2)$의 값을 구하여라.

05

모든 실수 x에서 연속인 함수 $f(x)$의 도함수 $f'(x)$에 대하여 $y=f'(x)$의 그래프가 다음 그림과 같다. $f(-2)=f(2)=0$일 때, $f(1)$의 값을 구하여라.

(단, 곡선 부분은 포물선의 일부이다.)

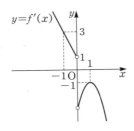

06

미분가능한 함수 $f(x)$가 임의의 실수 a, b에 대하여
$$f(a+b)=f(a)+f(b)+kab$$
를 만족시키고 $f'(-2)=4$, $f(-2)=2$일 때, 상수 k의 값을 구하여라.

07

최고차항의 계수가 음수인 삼차함수 $f(x)$의 도함수 $f'(x)$는 $f'(2-x)=f'(2+x)$를 만족시킨다. 함수 $f(x)$는 $x=4$에서 극댓값 4를 갖고, 극솟값이 -4일 때, $f(-2)$의 값을 구하여라.

08

두 양수 a, b에 대하여 함수 $f(x)=3x^2+2ax+b$의 부정적분 중 하나를 $F(x)$라고 하자.
$F(x)=k(x+p)^3$이고, $xF(x)$의 극솟값이 $-\dfrac{1}{3}$일 때, $3ab$의 값을 구하여라. (단, k, p는 상수이다.)

08

정적분

08 정적분

개념01 정적분의 정의

(1) 정적분

닫힌구간 $[a, b]$에서 연속인 함수 $f(x)$의 한 부정적분을 $F(x)$라고 할 때, $F(b)-F(a)$를 $f(x)$의 a에서 b까지의 정적분이라 하고 기호로 다음과 같이 나타낸다.

$$\int_a^b f(x)dx = \left[F(x) \right]_a^b = F(b) - F(a)$$ ― 이 관계를 '미적분의 기본 정리'라고도 한다.

> **참고** 부정적분 $\int f(x)dx$는 함수이지만 정적분 $\int_a^b f(x)dx$는 상수이다.

(2) 두 실수 a, b를 포함하는 구간에서 연속인 함수 $f(x)$에 대하여

① $a=b$일 때, $\int_a^a f(x)dx = 0$

② $a>b$일 때, $\int_a^b f(x)dx = -\int_b^a f(x)dx$

> 정적분 $\int_a^b f(x)dx$의 값을 구하는 것을 함수 $f(x)$를 a에서 b까지 적분한다고 한다. 이때 a를 아래끝, b를 위끝이라고 한다.

> $\left[F(x)+C \right]_a^b$
> $= \{F(b)+C\} - \{F(a)+C\}$
> $= F(b)-F(a) = \left[F(x) \right]_a^b$
> 이므로 정적분의 계산에서 적분상수는 고려하지 않는다.

확인 01 다음 정적분의 값을 구하여라.

(1) $\int_0^1 2x\,dx$

(2) $\int_0^4 (5x+4)dx$

(3) $\int_{-2}^1 (3y^2-1)dy$

(4) $\int_3^1 (-3x^2+1)dx$

> 정적분에서 변수는 x 대신 다른 문자를 사용하여 나타내어도 그 값은 변하지 않는다. 즉,
> $\int_a^b f(x)dx = \int_a^b f(t)dt$

개념02 정적분의 성질

두 함수 $f(x)$, $g(x)$가 세 실수 a, b, c를 포함하는 닫힌구간 $[a, b]$에서 연속일 때,

(1) $\int_a^b kf(x)dx = k\int_a^b f(x)dx$ (단, k는 상수)

(2) $\int_a^b \{f(x) \pm g(x)\}dx = \int_a^b f(x)dx \pm \int_a^b g(x)dx$

(3) $\int_a^c f(x)dx + \int_c^b f(x)dx = \int_a^b f(x)dx$

> (3)은 a, b, c의 대소에 관계없이 성립한다.

확인 02 다음 정적분의 값을 구하여라.

(1) $\int_1^2 (3x^2+2x-1)dx$

(2) $\int_5^3 \dfrac{x^2}{x-1}dx - \int_5^3 \dfrac{1}{x-1}dx$

(3) $\int_0^2 (x^2+1)dx + \int_2^3 (t^2+1)dt$

개념03 우함수, 기함수에서의 정적분

닫힌구간 $[-a, a]$에서 연속인 함수 $f(x)$에 대하여

(1) $f(-x)=f(x)$이면 함수 $f(x)$를 우함수라 하고

$$\int_{-a}^{a} f(x)dx = 2\int_{0}^{a} f(x)dx$$

(2) $f(-x)=-f(x)$이면 함수 $f(x)$를 기함수라 하고

$$\int_{-a}^{a} f(x)dx = 0$$

> 우함수의 그래프는 y축에 대하여 대칭이고, 기함수의 그래프는 원점에 대하여 대칭이다.

확인 03 다음 정적분의 값을 구하여라.

(1) $\displaystyle\int_{-1}^{1}(2x+1)dx$

(2) $\displaystyle\int_{-2}^{2}(5x^4+3x^3-6x^2)dx$

> 자연수 n에 대하여
> (1) n이 짝수일 때,
> $$\int_{-a}^{a} x^n dx = 2\int_{0}^{a} x^n dx$$
> (2) n이 홀수일 때,
> $$\int_{-a}^{a} x^n dx = 0$$

개념04 정적분으로 정의된 함수의 미분

함수 $f(t)$가 닫힌구간 $[a, b]$에서 연속일 때,

(1) $\dfrac{d}{dx}\displaystyle\int_{a}^{x} f(t)dt = f(x)$ (단, $a<x<b$)

(2) $\dfrac{d}{dx}\displaystyle\int_{x}^{x+a} f(t)dt = f(x+a)-f(x)$ (단, $a<x<b$)

> 정적분의 위끝과 아래끝이 모두 상수이면 정적분의 결과도 상수이다. 그러나 정적분의 위끝 또는 아래끝에 변수가 있으면 정적분의 결과는 그 변수에 대한 함수이다.

확인 04 다음을 구하여라.

(1) $\dfrac{d}{dx}\displaystyle\int_{1}^{x}(t^2-2t)dt$

(2) $\dfrac{d}{dx}\displaystyle\int_{x}^{x+2}(3t^2-3)dt$

개념05 정적분으로 정의된 함수의 극한

함수 $f(x)$의 한 부정적분을 $F(x)$라고 할 때,

(1) $\displaystyle\lim_{x\to 0}\dfrac{1}{x}\int_{a}^{x+a} f(t)dt = \lim_{x\to 0}\dfrac{F(x+a)-F(a)}{x} = F'(a) = f(a)$

(2) $\displaystyle\lim_{x\to a}\dfrac{1}{x-a}\int_{a}^{x} f(t)dt = \lim_{x\to a}\dfrac{F(x)-F(a)}{x-a} = F'(a) = f(a)$

> 정적분으로 정의된 함수의 극한이 $\dfrac{0}{0}$ 꼴이면 미분계수의 정의를 이용하여 식을 변형한다.

확인 05 다음 극한값을 구하여라.

(1) $\displaystyle\lim_{h\to 0}\dfrac{1}{h}\int_{0}^{h}(x^2+2x+3)dx$

(2) $\displaystyle\lim_{x\to 1}\dfrac{1}{x-1}\int_{1}^{x}(t+2)(t+3)dt$

다음 물음에 답하여라.

(1) $\int_0^a (3x^2-4)dx=15$를 만족시키는 실수 a의 값을 구하여라.

(2) 다항함수 $f(x)$에 대하여 $f(0)=1$, $f(1)=3$이고 $\int_0^2 f'(x)dx=5$일 때,

$\int_1^2 f'(x)dx$의 값을 구하여라.

풍쌤 POINT

닫힌구간 $[a, b]$에서 연속인 함수 $f(x)$의 한 부정적분을 $F(x)$라고 하면

$$\int_a^b f(x)dx=\left[F(x)\right]_a^b=F(b)-F(a)$$

└─▶ a, b의 대소에 관계없이 항상 성립해.

풀이

(1) STEP1 **정적분 계산하기**

$$\int_0^a (3x^2-4)dx=\left[x^3-4x\right]_0^a=a^3-4a$$

STEP2 **a의 값 구하기**

즉, $a^3-4a=15$이므로

$a^3-4a-15=0$, $(a-3)(a^2+3a+5)=0$

$\therefore a=3$ ($\because a$는 실수)❶

❶ 이차방정식 $a^2+3a+5=0$의
판별식을 D라고 하면
$D=9-20=-11<0$이므로
이 이차방정식은 실근을 갖지
않는다.

(2) STEP1 **$f(2)$의 값 구하기**

$$\int_0^2 f'(x)dx=\left[f(x)\right]_0^2=f(2)-f(0)$$
$$=f(2)-1\ (\because f(0)=1)$$

즉, $f(2)-1=5$이므로

$f(2)=6$

STEP2 **$\int_1^2 f'(x)dx$의 값 구하기**

$$\therefore \int_1^2 f'(x)dx=\left[f(x)\right]_1^2=f(2)-f(1)$$
$$=6-3=3$$

🗒 (1) 3 (2) 3

풍쌤 강의 NOTE

• 정적분 $\int_a^b f(x)dx$에서 변수를 x 대신 다른 문자를 사용하여 나타내어도 그 값은 상수로 모두 같

다. ➡ $\int_a^b f(x)dx=\int_a^b f(y)dy=\int_a^b f(t)dt$

• $a\neq0$이고 n이 음이 아닌 정수일 때.

$$\int_\alpha^\beta (ax+b)^n dx=\left[\frac{1}{n+1}\times\frac{1}{a}\times(ax+b)^{n+1}\right]_\alpha^\beta$$

01-1 기본

다음 정적분의 값을 구하여라.

(1) $\int_{-1}^{3}(x+1)(x^2-x+1)dx$

(2) $\int_{0}^{1}9(x^2-1)(x^2+1)(x^4+1)dx$

(3) $\int_{0}^{1}(1-2t)^4dt$

01-2 유사   기출

$\int_{0}^{a}(3x^2-4)dx=0$을 만족시키는 양수 a의 값을 구하여라.

01-3 유사

다항함수 $f(x)$에 대하여

$$\int_{1}^{4}\{3f'(x)-4x\}dx=6,\ f(1)=2$$

일 때, $f(4)$의 값을 구하여라.

01-4 변형

1보다 큰 자연수 n에 대하여

$$\int_{0}^{1}(1+2x+3x^2+\cdots+nx^{n-1})dx=200$$

일 때, n의 값을 구하여라.

01-5 변형

함수 $f(x)=2x^3-8kx$가 $\int_{0}^{1}f(x)dx=f(1)$을 만족시킬 때, 상수 k의 값을 구하여라.

01-6 실력

함수 $f(x)=2x-1$이

$$\int_{0}^{2}\{f(x)\}^2dx=a\left\{\int_{0}^{2}2f(x)dx\right\}^2$$

을 만족시킬 때, 상수 a의 값을 구하여라.

다음 물음에 답하여라.

(1) $\int_0^{-2}(-2x^3+kx)dx=k^2-11$을 만족시키는 양수 k의 값을 구하여라.

(2) $\int_1^2(3x^2-2kx+2)dx>3$을 만족시키는 정수 k의 최댓값을 구하여라.

풍쌤 POINT

피적분함수에 미지수가 포함된 경우, 정적분의 정의를 이용하여 정적분의 값을 미지수를 포함한 식으로 나타낸 다음 주어진 식에 대입하여 방정식이나 부등식((1)은 방정식, (2)는 부등식)을 세워 풀어.

풀이

(1) STEP1 **정적분 계산하기**

$$\int_0^{-2}(-2x^3+kx)dx=\left[-\frac{1}{2}x^4+\frac{k}{2}x^2\right]_0^{-2}$$
$$=-8+2k^{❶}$$

STEP2 **방정식 풀기**

즉, $-8+2k=k^2-11$이므로

$k^2-2k-3=0$

$(k+1)(k-3)=0$

이때 $k>0$이므로 $k=3$

(2) STEP1 **정적분 계산하기**

$$\int_1^2(3x^2-2kx+2)dx=\left[x^3-kx^2+2x\right]_1^2$$
$$=(8-4k+4)-(1-k+2)$$
$$=-3k+9$$

STEP2 **부등식 풀기**

즉, $-3k+9>3$이므로

$-3k>-6$

$\therefore k<2^{❷}$

STEP3 **정수 k의 최댓값 구하기**

따라서 구하는 정수 k의 최댓값은 1이다.

❶ $\int_a^b f(x)dx=-\int_b^a f(x)dx$

임을 이용하여

$$\int_0^{-2}(-2x^3+kx)dx$$
$$=-\int_{-2}^0(-2x^3+kx)dx$$
$$=\int_{-2}^0(2x^3-kx)dx$$
$$=\left[\frac{1}{2}x^4-\frac{k}{2}x^2\right]_{-2}^0$$

로 풀 수도 있다.

❷ 부등식의 양변을 음수로 나누면 부등호의 방향이 바뀐다.

답 (1) 3   (2) 1

풍쌤 강의 NOTE

미지수가 포함된 정적분에서 숫자가 아닌 미지수에 유의하여 주어진 식의 정적분을 계산해야 한다. 이때 계산하여 정리한 식은 방정식이나 부등식이 되는 것이 대부분이다.

02-1 (유사)

$\int_{-1}^{2}(3x^2-2kx+4)dx=k^2+3$을 만족시키는 양수 k의 값을 구하여라.

02-2 (유사)

함수 $f(x)=-4x^3+2kx$에 대하여

$$\int_{0}^{1}f(x)dx\geq k^2-7$$

을 만족시키는 정수 k의 개수를 구하여라.

02-3 (변형)

함수 $y=f(x)$의 그래프 위의 점 $(x,\,f(x))$에서의 접선의 기울기가 $3x^2-2x+5$이다. $\int_{-1}^{0}f(x)dx=\dfrac{11}{12}$일 때, 함수 $f(x)$를 구하여라.

02-4 (변형)

$\int_{-4}^{k}(4x+6)dx$의 값이 최소가 되도록 하는 상수 k의 값을 m, 그때의 정적분의 최솟값을 n이라고 할 때, $m-n$의 값을 구하여라.

02-5 (변형)

함수 $f(a)=\int_{1}^{2}(3x^2-2ax+a^2-4)dx$가 $a=m$에서 최솟값 n을 가질 때, $8mn$의 값을 구하여라.

02-6 (실력)

이차함수 $f(x)=ax^2+bx$가 다음 조건을 만족시킬 때, $f(-2)$의 값을 구하여라. (단, a, b는 상수이다.)

(가) $\displaystyle\lim_{x\to 1}\dfrac{f(x)-f(1)}{x^2-1}=-4$

(나) $\displaystyle\int_{0}^{1}f(x)dx=-\dfrac{10}{3}$

다음 정적분의 값을 구하여라.

(1) $\displaystyle\int_0^{10}(x+1)^2dx-\int_0^{10}(t-1)^2dt$

(2) $\displaystyle\int_0^1\frac{x^3}{x+1}dx-\int_1^0\frac{1}{y+1}dy$

풍쌤 POINT

주어진 정적분의 아래끝과 위끝이 같으면 정적분을 하나로 합칠 수 있어.

만약 아래끝과 위끝이 반대로 되어 있다면, 마이너스를 곱하여 아래끝과 위끝을 서로 바꿔 주고!

풀이

(1) STEP 1　적분변수를 통일시켜 하나의 정적분으로 나타내기

$$(\text{주어진 식})=\int_0^{10}(x+1)^2dx-\int_0^{10}(x-1)^2dx❶$$
$$=\int_0^{10}\{(x+1)^2-(x-1)^2\}dx=\int_0^{10}4x\,dx$$

❶ 두 개의 정적분을 간단히 하기 위하여 변수를 통일시켜 준다.

STEP 2　정적분 계산하기

$$\therefore \int_0^{10}4x\,dx=\Big[2x^2\Big]_0^{10}=200$$

(2) STEP 1　적분 구간을 같게 만들어 하나의 정적분으로 나타내기

$$(\text{주어진 식})=\int_0^1\frac{x^3}{x+1}dx-\int_1^0\frac{1}{x+1}dx$$
$$=\int_0^1\frac{x^3}{x+1}dx+\int_0^1\frac{1}{x+1}dx$$
$$=\int_0^1\frac{x^3+1}{x+1}dx$$
$$=\int_0^1\frac{(x+1)(x^2-x+1)}{x+1}dx❷$$
$$=\int_0^1(x^2-x+1)dx$$

❷ 인수분해를 이용하여 피적분함수를 계산하기 편한 식으로 간단히 한다.

STEP 2　정적분 계산하기

$$\therefore \int_0^1(x^2-x+1)dx=\Big[\frac{1}{3}x^3-\frac{1}{2}x^2+x\Big]_0^1$$
$$=\frac{1}{3}-\frac{1}{2}+1=\frac{5}{6}$$

📖 (1) 200　(2) $\dfrac{5}{6}$

풍쌤 강의 NOTE

• 적분 구간이 같으면 ➡ 피적분함수를 합쳐서 하나의 정적분 기호로 묶어서 계산

$$\int_a^b f(x)dx\pm\int_a^b g(x)dx=\int_a^b\{f(x)\pm g(x)\}dx$$

• 적분 구간이 반대로 되어 있으면 ➡ 마이너스를 곱하고 아래끝과 위끝을 교체

$$\int_b^a f(x)dx=-\int_a^b f(x)dx$$

03-1 ◉ 유사

$\displaystyle\int_0^9 \frac{x^3}{x+2}dx + \int_0^9 \frac{8}{y+2}dy$의 값을 구하여라.

03-2 ◉ 유사 〔기출〕

$\displaystyle\int_0^2 (2x^2+1)dx + 2\int_0^2 (x-x^2)dx - \int_2^0 1dx$의 값을
구하여라.

03-3 ◉ 변형

$\displaystyle\int_0^2 (x^2+4x+k)dx - 2\int_2^0 (x^2-3x)dx = 24$를 만족
시키는 상수 k의 값을 구하여라.

03-4 ◉ 변형

$2\displaystyle\int_1^k (x-2)dx - \int_1^k 4dx$의 값이 최소가 되도록 하는
상수 k의 값을 구하여라.

03-5 ◉ 변형

$\displaystyle\int_1^3 (x+k)^2 dx + \int_3^1 (4-2x^2)dx$의 최솟값을 구하여
라. (단, k는 상수이다.)

03-6 ◉ 실력

연속함수 $f(x)$가 다음 조건을 만족시킬 때,
$\displaystyle\int_1^2 \{f(x)-2\}^2 dx$의 값을 구하여라.

> (가) $\displaystyle\int_2^1 f(x)dx = 3$
>
> (나) $\displaystyle\int_1^2 \{f(x)\}^2 dx = 7$

다음 정적분의 값을 구하여라.

(1) $\displaystyle\int_1^2 (x^3+2x-8)dx+\int_2^3 (x^3+2x-8)dx$

(2) $\displaystyle\int_{-1}^2 (3x^2-4x+1)dx+\int_2^4 (3t^2-4t+1)dt$

(3) $\displaystyle\int_1^5 (x^2-4x)dx-\int_3^5 (x^2-4x)dx+\int_0^1 (x^2-4x)dx$

풍쌤 POINT

피적분함수가 같고 한 정적분의 아래끝과 다른 정적분의 위끝이 같으면 두 정적분을 이어서 하나의 정적분으로 나타낼 수 있어!

$\displaystyle\int_a^c f(x)dx+\int_c^b f(x)dx=\int_a^b f(x)dx$이니까 주어진 식을 간단히 할 수 있는 방법을 찾아봐!

풀이

(1) $\displaystyle\int_1^2 (x^3+2x-8)dx+\int_2^3 (x^3+2x-8)dx$

$\displaystyle=\int_1^3 (x^3+2x-8)dx=\left[\frac{1}{4}x^4+x^2-8x\right]_1^3$

$\displaystyle=\left(\frac{81}{4}+9-24\right)-\left(\frac{1}{4}+1-8\right)=12$

(2) $\displaystyle\int_{-1}^2 (3x^2-4x+1)dx+\int_2^4 (3t^2-4t+1)dt$

$\displaystyle=\int_{-1}^2 (3x^2-4x+1)dx+\int_2^4 (3x^2-4x+1)dx$

$\displaystyle=\int_{-1}^4 (3x^2-4x+1)dx=\left[x^3-2x^2+x\right]_{-1}^4$

$=(64-32+4)-(-1-2-1)=40$

(3) $\displaystyle\int_1^5 (x^2-4x)dx-\int_3^5 (x^2-4x)dx+\int_0^1 (x^2-4x)dx$ ❶

$\displaystyle=\int_0^3 (x^2-4x)dx=\left[\frac{1}{3}x^3-2x^2\right]_0^3$

$=9-18=-9$

❶ $\displaystyle\int_1^5 (x^2-4x)dx-\int_3^5 (x^2-4x)dx$

$\displaystyle=\int_1^3 (x^2-4x)dx$

$\displaystyle\int_1^3 (x^2-4x)dx+\int_0^1 (x^2-4x)dx$

$\displaystyle=\int_0^3 (x^2-4x)dx$

답 (1) 12   (2) 40   (3) −9

풍쌤 강의 NOTE

정적분의 계산

(1) 적분 구간이 같으면 ➡ 하나의 정적분 기호로 묶는다.

(2) 피적분함수가 같으면 ➡ 적분 구간을 합쳐서 하나로 나타낸다.

04-1 ⊙ 유사

다음 정적분의 값을 구하여라.

(1) $\displaystyle\int_{-1}^{2}(5x^4-6x+1)dx+\int_{2}^{3}(5y^4-6y+1)dy$

(2) $\displaystyle\int_{-2}^{-1}(x-1)(3x+1)dx$

$\displaystyle-\int_{-3}^{-1}(x-1)(3x+1)dx$

(3) $\displaystyle\int_{-2}^{3}(-x^2+4)dx+\int_{3}^{5}(-x^2+4)dx$

$\displaystyle-\int_{-2}^{0}(-x^2+4)dx$

04-2 ⊙ 유사

함수 $f(x)=2x^3-3x^2-5$에 대하여

$\displaystyle\int_{0}^{4}f(x)dx-\int_{2}^{8}f(x)dx+\int_{4}^{8}f(x)dx$

의 값을 구하여라.

04-3 ⊙ 유사   기출

$\displaystyle\int_{0}^{3}(x+1)^2dx-\int_{-1}^{3}(x-1)^2dx+\int_{-1}^{0}(x-1)^2dx$

의 값을 구하여라.

04-4 ⊙ 변형

함수 $f(x)=x^3+6x$에 대하여

$\displaystyle\int_{0}^{1}f(x)dx+\int_{1}^{2}f(x)dx+\int_{2}^{3}f(x)dx$

$\displaystyle+\cdots+\int_{9}^{10}f(x)dx$

의 값을 구하여라.

04-5 ⊙ 변형

미분가능한 함수 $f(x)$에 대하여

$\displaystyle\int_{-2}^{-1}f(x)dx=3,\ \int_{-2}^{3}f(x)dx=6,$

$\displaystyle\int_{-1}^{4}f(x)dx=5,\ \int_{4}^{5}f(x)dx=3$

일 때, $\displaystyle\int_{3}^{5}f(x)dx$의 값을 구하여라.

04-6 ⊙ 실력

최고차항의 계수가 3인 이차함수 $f(x)$가

$\displaystyle\int_{-2}^{2}f(x)dx=\int_{0}^{2}f(x)dx=\int_{-2}^{0}f(x)dx$

를 만족시킬 때, $f(2)$의 값을 구하여라.

구간에 따라 다르게 정의된 함수의 정적분

함수 $f(x)=\begin{cases} x+2 & (x<1) \\ -x^2+4x & (x\geq 1) \end{cases}$ 가 모든 실수 x에서 연속일 때, 다음 정적분의 값을 구하여라.

(1) $\displaystyle\int_0^3 f(x)\,dx$

(2) $\displaystyle\int_0^3 xf(x-1)\,dx$

풍쌤 POINT

구간이 분리된 함수는 구간을 나누어 정적분을 2개로 나타내야 해!

➡ 함수 $f(x)=\begin{cases} g(x) & (x<c) \\ h(x) & (x\geq c) \end{cases}$ 가 닫힌구간 $[a,\ b]$에서 연속이고 $a<c<b$일 때,

$$\int_a^b f(x)\,dx=\int_a^c g(x)\,dx+\int_c^b h(x)\,dx$$

풀이

(1) $\displaystyle\int_0^3 f(x)\,dx=\int_0^1 (x+2)\,dx+\int_1^3 (-x^2+4x)\,dx$ ❶

$=\left[\dfrac{1}{2}x^2+2x\right]_0^1+\left[-\dfrac{1}{3}x^3+2x^2\right]_1^3$

$=\dfrac{5}{2}+\left(9-\dfrac{5}{3}\right)=\dfrac{59}{6}$

❶ 함수 $f(x)$는 $x=1$을 기준으로 함수식이 다르므로 적분 구간 $[0,\ 3]$을 $x=1$을 기준으로 나눈다.

(2) **STEP 1** $xf(x-1)$ 구하기

$f(x-1)=\begin{cases} (x-1)+2 & (x-1<1) \\ -(x-1)^2+4(x-1) & (x-1\geq 1) \end{cases}$

$=\begin{cases} x+1 & (x<2) \\ -x^2+6x-5 & (x\geq 2) \end{cases}$ ❷ 이므로

$xf(x-1)=\begin{cases} x(x+1) & (x<2) \\ x(-x^2+6x-5) & (x\geq 2) \end{cases}$

$=\begin{cases} x^2+x & (x<2) \\ -x^3+6x^2-5x & (x\geq 2) \end{cases}$

❷ $f(x)$에서 $f(x-1)$을 정할 때, 구간도 바꾸어 주어야 한다.

STEP 2 적분 구간을 나누어 정적분 계산하기

$\therefore \displaystyle\int_0^3 xf(x-1)\,dx$

$=\displaystyle\int_0^2 (x^2+x)\,dx+\int_2^3 (-x^3+6x^2-5x)\,dx$

$=\left[\dfrac{1}{3}x^3+\dfrac{1}{2}x^2\right]_0^2+\left[-\dfrac{1}{4}x^4+2x^3-\dfrac{5}{2}x^2\right]_2^3$

$=\dfrac{14}{3}+\left(\dfrac{45}{4}-2\right)=\dfrac{167}{12}$

답 (1) $\dfrac{59}{9}$ (2) $\dfrac{167}{12}$

풍쌤 강의 NOTE

함수가 구간에 따라 다르게 정의되어 있으므로 적분 구간을 나누었을 때의 각 정적분에서 피적분함수의 식은 다르다.

05-1 (유사)

함수 $f(x) = \begin{cases} x^2+2 & (x<1) \\ 2x+1 & (x\geq 1) \end{cases}$에 대하여

$\int_0^3 f(x)dx$의 값을 구하여라.

05-2 (유사)

함수 $f(x) = \begin{cases} 6x-2 & (x<0) \\ -2 & (x\geq 0) \end{cases}$에 대하여

$\int_0^4 f(x)dx + \int_{-1}^4 xf(x-1)dx$의 값을 구하여라.

05-3 (변형)

함수 $f(x) = \begin{cases} (-x+1)(3x+1) & (x<1) \\ (x-1)(3x+1) & (x\geq 1) \end{cases}$에 대하여

$\int_{-2}^2 f(x)dx$의 값을 구하여라.

05-4 (변형)

함수 $f(x) = \begin{cases} x^2-1 & (x<1) \\ x-1 & (x\geq 1) \end{cases}$에 대하여

$\int_0^2 xf(x)dx = k$라고 할 때, $60k$의 값을 구하여라.

05-5 (변형) (기출)

함수 $y=f(x)$의 그래프가 다음 그림과 같을 때,

$\int_{-1}^3 f(x)dx$의 값을 구하여라.

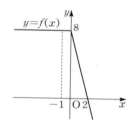

05-6 (변형)

함수 $f(x) = \begin{cases} 3x^2-4 & (x<2) \\ 4x & (x\geq 2) \end{cases}$에 대하여

$\int_0^a f(x)dx = 10$을 만족시키는 상수 a의 값을 구하여라. (단, $a>2$)

다음 물음에 답하여라.

(1) $\int_{-2}^{4} |x^2-2x|\,dx$의 값을 구하여라.

(2) 등식 $\int_{0}^{a} |3x^2-6x|\,dx = 24$를 만족시키는 상수 a의 값을 구하여라. (단, $a > 2$)

풍쌤 POINT

절댓값 기호를 풀어 함수를 여러 구간으로 분리하기 → 함수의 구간에 맞게 정적분을 분리하기 → 정적분을 계산하기

풀이

(1) **STEP 1 구간을 나누어 함수 나타내기**

$$|x^2-2x| = \begin{cases} x^2-2x & (x \le 0 \text{ 또는 } x \ge 2)\text{❶} \\ -x^2+2x & (0 < x < 2) \end{cases}$$

❶ $x^2-2x \ge 0$에서
$x(x-2) \ge 0$
$x \le 0$ 또는 $x \ge 2$
또, $x(x-2) < 0$에서
$0 < x < 2$

STEP 2 정적분 계산하기

$$\int_{-2}^{4} |x^2-2x|\,dx$$

$$= \int_{-2}^{0} (x^2-2x)\,dx + \int_{0}^{2} (-x^2+2x)\,dx + \int_{2}^{4} (x^2-2x)\,dx$$

$$= \left[\frac{1}{3}x^3-x^2 \right]_{-2}^{0} + \left[-\frac{1}{3}x^3+x^2 \right]_{0}^{2} + \left[\frac{1}{3}x^3-x^2 \right]_{2}^{4}$$

$$= \frac{20}{3} + \frac{4}{3} + \frac{20}{3} = \frac{44}{3}$$

(2) **STEP 1 구간을 나누어 함수 나타내기**

$$|3x^2-6x| = \begin{cases} 3x^2-6x & (x \le 0 \text{ 또는 } x \ge 2)\text{❷} \\ -3x^2+6x & (0 < x < 2) \end{cases} \text{이고}$$

❷ $3x^2-6x \ge 0$에서
$3x(x-2) \ge 0$
$x \le 0$ 또는 $x \ge 2$
또, $3x(x-2) < 0$에서
$0 < x < 2$

$a > 2$이므로

$$\int_{0}^{a} |3x^2-6x|\,dx = \int_{0}^{2} (-3x^2+6x)\,dx + \int_{2}^{a} (3x^2-6x)\,dx$$

$$= \left[-x^3+3x^2 \right]_{0}^{2} + \left[x^3-3x^2 \right]_{2}^{a}$$

$$= a^3-3a^2+8$$

STEP 2 a의 값 구하기

즉, $a^3-3a^2+8=24$이므로 $a^3-3a^2-16=0$

$(a-4)(a^2+a+4)=0$ ∴ $a=4$ (∵ a는 실수)

답 (1) $\dfrac{44}{3}$ (2) 4

풍쌤 강의 NOTE

• 절댓값 기호를 포함하는 함수는 절댓값 기호 안의 식의 값이 0이 되게 하는 x의 값을 경계로 적분 구간을 나눈다.

• 정적분을 구간에 맞게 분리할 때, 구간에 맞는 피적분함수로 분리해야 함을 유의한다.

06-1 ◉ 유사   기출

$\int_1^4 (x+|x-3|)dx$의 값을 구하여라.

06-4 ◉ 변형

함수 $f(x)=|1+x|+|1-x|$의 최솟값을 a라고 할 때, $\int_{-2}^a f(x)dx$의 값을 구하여라.

06-2 ◉ 유사

등식 $\int_{-2}^a (2|x|-3)dx=-2$를 만족시키는 양수 a의 값을 구하여라.

06-5 ◉ 변형

함수 $f(x)=|x+1|+|x-1|+|x|$가 $x=a$에서 최솟값 b를 가질 때, $\int_a^b f(x)dx$의 값을 구하여라.

06-3 ◉ 변형

$\int_{-1}^2 \dfrac{|x^2-1|}{x+1}dx$의 값을 구하여라.

06-6 ◉ 실력

자연수 n에 대하여 $f(n)=\int_0^{2n} |x-n|dx$일 때, $\dfrac{f(1)+f(2)+f(3)+f(4)+f(5)}{5}$의 값을 구하여라.

다음 물음에 답하여라.

(1) 함수 $f(x)=1+2x+3x^2+\cdots+15x^{14}$에 대하여 정적분 $\displaystyle\int_{-1}^{1} f(x)dx$의 값을 구하여라.

(2) $\displaystyle\int_{-a}^{a}(-x^3+3x^2+x-2)dx=-8$을 만족시키는 실수 a의 값을 구하여라.

풍쌤 POINT

아래끝과 위끝의 절댓값이 같고 부호가 반대면 우함수와 기함수를 이용하는 문제야.
다항함수에서 우함수는 짝수 차수의 항 또는 상수항으로만 이루어진 함수이고, 기함수는 홀수 차수의 항으로만 이루어진 함수야.

풀이

(1) $\displaystyle\int_{-1}^{1} f(x)dx=\int_{-1}^{1}(1+2x+3x^2+\cdots+15x^{14})dx$

$\displaystyle\qquad=\int_{-1}^{1}(1+3x^2+\cdots+15x^{14})dx$

$\displaystyle\qquad\qquad+\int_{-1}^{1}(2x+4x^3+\cdots+14x^{13})dx$ ❶

$\displaystyle\qquad=2\int_{0}^{1}(1+3x^2+\cdots+15x^{14})dx+0$

$\displaystyle\qquad=2\Big[\,x+x^3+\cdots+x^{15}\,\Big]_{0}^{1}$

$\displaystyle\qquad=2\times8=16$

❶ 상수항을 포함하여 차수가 짝수인 항의 합과 차수가 홀수인 항의 합으로 분리한다.

(2) **STEP1** 우함수와 기함수를 이용하여 정적분 계산하기

$\displaystyle\int_{-a}^{a}(-x^3+3x^2+x-2)dx=2\int_{0}^{a}(3x^2-2)dx$ ❷

$\displaystyle\qquad\qquad=2\Big[\,x^3-2x\,\Big]_{0}^{a}=2(a^3-2a)$

❷ 홀수 차수인 항들의 정적분 값이 0이므로 먼저 삭제하고 계산해도 된다.

STEP2 a의 값 구하기

즉, $2(a^3-2a)=-8$이므로

$a^3-2a+4=0$, $(a+2)(a^2-2a+2)=0$

$\therefore a=-2$ ($\because a$는 실수)

🗒 (1) 16 (2) -2

풍쌤 강의 NOTE

• 닫힌구간 $[-a, a]$에서 연속인 함수 $f(x)$에 대하여

(1) $f(-x)=f(x)$이면 $\displaystyle\int_{-a}^{a} f(x)dx=2\int_{0}^{a} f(x)dx$

(2) $f(-x)=-f(x)$이면 $\displaystyle\int_{-a}^{a} f(x)dx=0$

• 적분 구간이 닫힌구간 $[-a, a]$이면

➡ 다항함수의 각 항을 분리하여 0이 되는 부분을 먼저 삭제하면 계산이 간편하다.

07-1 ◉ 유사

함수 $f(x) = 1 + 2x + 3x^2 + \cdots + 40x^{39}$에 대하여 정적분 $\int_{-1}^{1} f(x)dx$의 값을 구하여라.

07-2 ◉ 유사

실수 a에 대하여 $\int_{-a}^{a} (3x^2 + 2x)dx = \dfrac{1}{4}$일 때, $50a$의 값을 구하여라.

07-3 ◉ 변형

$\int_{-a}^{a} (3x^2 - x - 2)dx = 10 - a$를 만족시키는 실수 a의 값을 구하여라.

07-4 ◉ 변형

$\int_{-a}^{a} (-2x^3 + 3x^2 + 5x + a)dx = (a+1)^2$을 만족시키는 모든 음의 실수 a의 값의 합을 구하여라.

07-5 ◉ 실력

정적분 $\int_{-2}^{2} |x|(x^3 + 2x - 1)dx$의 값을 구하여라.

07-6 ◉ 실력

일차함수 $f(x)$에 대하여

$$\int_{-1}^{1} xf(x)dx = 6, \quad \int_{-1}^{1} x^2 f(x)dx = -4$$

가 성립할 때, $f(1)$의 값을 구하여라.

두 다항함수 $f(x)$, $g(x)$가 모든 실수 x에 대하여

$$f(x)=f(-x),\ g(x)=-g(-x)$$

를 만족시키고 $\displaystyle\int_0^3 f(x)dx=10$, $\displaystyle\int_0^3 g(x)dx=6$일 때, 다음 정적분의 값을 구하여라.

(1) $\displaystyle\int_{-3}^3 \{f(x)+g(x)\}dx$ 　　　　　 (2) $\displaystyle\int_{-3}^3 (x^3-x+3)f(x)dx$

풍쌤 POINT

다항함수의 차수를 확인하면 기함수인지 우함수인지 확인할 수 있어. 우함수와 기함수가 확인되면 식을 간단히 하여 정적분을 계산할 수 있어.

풀이

(1) STEP1 　$f(x)$, $g(x)$가 우함수인지 기함수인지 확인하기

$f(x)=f(-x)$에서 $f(x)$는 우함수,

$g(x)=-g(-x)$에서 $g(-x)=-g(x)$이므로

$g(x)$는 기함수이다.

STEP2 　정적분 계산하기

$$\therefore \int_{-3}^3 \{f(x)+g(x)\}dx = \int_{-3}^3 f(x)dx + \int_{-3}^3 g(x)dx \mathbf{❶}$$

$$= 2\int_0^3 f(x)dx$$

$$= 2\times 10 = 20$$

❶ $\displaystyle\int_{-a}^a$ (우함수)dx
$\quad = 2\displaystyle\int_0^a$ (우함수)dx,
$\quad \displaystyle\int_{-a}^a$ (기함수)$dx=0$
　임을 이용한다.

(2) STEP1 　$x^3 f(x)$, $xf(x)$가 우함수인지 기함수인지 확인하기

$g(x)=xf(x)$, $h(x)=x^3 f(x)$로 놓으면

$g(-x)=-xf(-x)=-xf(x)=-g(x)$

$h(-x)=(-x)^3 f(-x)=-x^3 f(x)=-h(x)$

이므로 $x^3 f(x)$, $xf(x)$는 기함수이다.$\mathbf{❷}$

STEP2 　정적분 계산하기

$$\therefore \int_{-3}^3 (x^3-x+3)f(x)dx$$

$$= \int_{-3}^3 x^3 f(x)dx - \int_{-3}^3 xf(x)dx + \int_{-3}^3 3f(x)dx$$

$$= 0-0+3\int_{-3}^3 f(x)dx$$

$$= 6\int_0^3 f(x)dx$$

$$= 6\times 10 = 60$$

❷ x^3, x는 기함수이므로 우함수
　$f(x)$와의 곱 $x^3 f(x)$, $xf(x)$
　는 기함수이다.

目 (1) 20　(2) 60

풍쌤 강의 NOTE

(우함수)×(우함수)=(우함수)

(우함수)×(기함수)=(기함수)

(기함수)×(기함수)=(우함수)

정답과 풀이 217쪽

08-1 ◉유사

두 다항함수 $f(x)$, $g(x)$가 모든 실수 x에 대하여

$$f(x)=f(-x),\ g(x)=-g(-x)$$

를 만족시키고 $\int_0^2 f(x)dx=5$, $\int_0^2 g(x)dx=3$일 때,

$\int_{-2}^{2}\{2f(x)-3g(x)\}dx$의 값을 구하여라.

08-2 ◉유사   기출

다항함수 $f(x)$가 모든 실수 x에 대하여

$$f(-x)=f(x),\ \int_0^1 f(x)dx=4$$

를 만족시킬 때, $\int_{-1}^{1}(4x^3-x+1)f(x)dx$의 값을 구하여라.

08-3 ◉유사

다항함수 $f(x)$가 모든 실수 x에 대하여 $f(-x)=f(x)$를 만족시키고

$$\int_0^3 f(x)dx=3,\ \int_{-6}^6 f(x)dx=18$$

일 때, $\int_3^6 f(x)dx$의 값을 구하여라.

08-4 ◉변형

다항함수 $f(x)$가 모든 실수 x에 대하여

$$f(-x)+f(x)=0$$을 만족시키고 $\int_0^1 xf(x)dx=8$

일 때, $\int_{-1}^{1}(3x^2-2x+9)f(x)dx$의 값을 구하여라.

08-5 ◉변형

다항함수 $f(x)$가 모든 실수 x에 대하여

$$f(x)-f(-x)=0$$을 만족시키고 $\int_0^5 f(x)dx=-3$

일 때, $\int_{-5}^{5}(x-a)f(x)dx=6$이다. 상수 a의 값을 구하여라.

08-6 ◉실력

다항함수 $f(x)$가 모든 실수 x에 대하여 $f(x)=-f(-x)$를 만족시키고

$$\int_{-2}^3 f(x)dx=3k-1,\ \int_0^2 f(x)dx=-1,$$

$$\int_0^3 f(x)dx=k^2$$

일 때, 모든 상수 k의 값의 합을 구하여라.

연속함수 $f(x)$가 다음 조건을 만족시킬 때, $\displaystyle\int_{-3}^{4} f(x)dx$의 값을 구하여라.

> (가) 함수 $y=f(x)$의 그래프는 직선 $x=1$에 대하여 대칭이다.
> (나) 임의의 실수 x에 대하여 $f(x)=f(x-2)$
> (다) $\displaystyle\int_{0}^{3} f(x)dx=15$

풍쌤
POINT

임의의 실수 x에 대하여 $f(m+x)=f(m-x)$이면 함수 $y=f(x)$의 그래프는 직선 $x=m$에 대하여 대칭이고 $f(x+p)=f(x)$이면 함수 $f(x)$는 주기가 p야.

함숫값을 구하거나 그래프로 둘러싸인 부분의 넓이를 구할 때, 주기와 그래프의 대칭성을 이용하면 간단히 구할 수 있어.

풀이

STEP1 함수의 대칭과 주기를 이용하여 구간별 정적분 계산하기

조건 (가)에서 $y=f(x)$의 그래프는 직선 $x=1$에 대하여 대칭이므로❶

$$\int_{0}^{1} f(x)dx=\int_{1}^{2} f(x)dx$$

조건 (나)에서 $f(x)$는 주기가 2이므로❷

$$\int_{-2}^{-1} f(x)dx=\int_{0}^{1} f(x)dx=\int_{2}^{3} f(x)dx,$$

$$\int_{-3}^{-2} f(x)dx=\int_{-1}^{0} f(x)dx=\int_{1}^{2} f(x)dx=\int_{3}^{4} f(x)dx$$

STEP2 $\displaystyle\int_{-3}^{4} f(x)dx$의 값 구하기

$$\int_{0}^{3} f(x)dx=\int_{0}^{1} f(x)dx+\int_{1}^{2} f(x)dx+\int_{2}^{3} f(x)dx$$

$$=3\int_{0}^{1} f(x)dx=15$$

$$\therefore \int_{0}^{1} f(x)dx=5$$

$$\therefore \int_{-3}^{4} f(x)dx=7\int_{0}^{1} f(x)dx=7\times5=35$$

❶ 함수 $y=f(x)$의 그래프는 직선 $x=1$을 기준으로 좌우가 같은 모양이다.

❷ 적분 구간에 주기 2만큼씩 더하면 같은 정적분의 값이 나온다.

답 35

풍쌤 강의
NOTE

함수 $f(x)$의 주기가 p이면 $f(x+p)=f(x)$

(1) $\displaystyle\int_{a}^{b} f(x)dx=\int_{a+p}^{b+p} f(x)dx$

(2) $\displaystyle\int_{a}^{a+p} f(x)dx=\int_{b}^{b+p} f(x)dx$

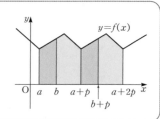

09-1 기본   기출

모든 실수 x에 대하여 연속인 함수 $f(x)$가 다음 조건

을 만족시킬 때 $\displaystyle\int_{-7}^{7} f(x)dx$의 값을 구하여라.

> (개) $0 \le x \le 1$일 때, $f(x)=x^2$
>
> (나) 임의의 실수 x에 대하여 $f(x-1)=f(x)$

09-3 ● 변형

연속함수 $f(x)$가 다음 조건을 만족시킬 때,

$\displaystyle\int_{-4}^{6} f(x)dx$의 값을 구하여라.

> (개) 임의의 실수 x에 대하여 $f(1-x)=f(1+x)$
>
> (나) 임의의 실수 x에 대하여 $f(x-1)=f(x+1)$
>
> (다) $\displaystyle\int_{1}^{2} f(x)dx=4$

09-2 ● 유사

연속함수 $f(x)$가 다음 조건을 만족시킬 때,

$\displaystyle\int_{-2}^{5} f(x)dx$의 값을 구하여라.

> (개) 임의의 실수 x에 대하여 $f(1-x)=f(1+x)$
>
> (나) 임의의 실수 x에 대하여 $f(x)=f(x+2)$
>
> (다) $\displaystyle\int_{0}^{3} f(x)dx=12$

09-4 ● 실력   기출

연속함수 $f(x)$가 모든 실수 x에 대하여 다음 조건을

만족시킨다.

> (개) $f(-x)=f(x)$
>
> (나) $f(x+2)=f(x)$
>
> (다) $\displaystyle\int_{-1}^{1} (2x+3)f(x)dx=15$

$\displaystyle\int_{-6}^{10} f(x)dx$의 값을 구하여라.

다항함수 $f(x)$가

$$f(x) = 3x^2 - 4x + \int_{-2}^{2} f(t)dt$$

를 만족시킬 때, $f(3)$의 값을 구하여라.

풍쌤 POINT

$\int_{a}^{b} f(t)dt$는 상수이므로 $\int_{a}^{b} f(t)dt = k$ (k는 상수)로 놓을 수 있어!

풀이

STEP1 $\int_{-2}^{2} f(t)dt = k$ (k는 상수)로 놓기

$$\int_{-2}^{2} f(t)dt = k \text{ (k는 상수)} \qquad \cdots\cdots \text{㉠}$$

라고 하면 $f(x) = 3x^2 - 4x + k$

STEP2 k의 값 구하기

이것을 ㉠에 대입하면

$$\int_{-2}^{2} (3t^2 - 4t + k)dt \quad ❶$$

$$= \int_{-2}^{2} (3t^2 + k)dt \quad ❷$$

$$= 2\int_{0}^{2} (3t^2 + k)dt$$

$$= 2\left[t^3 + kt \right]_{0}^{2}$$

$$= 16 + 4k = k \quad ❸$$

$$\therefore k = -\frac{16}{3}$$

STEP3 $f(3)$의 값 구하기

따라서 $f(x) = 3x^2 - 4x - \frac{16}{3}$이므로

$$f(3) = 27 - 12 - \frac{16}{3} = \frac{29}{3}$$

❶ $\int_{-2}^{2} f(t)dt = \int_{-2}^{2} f(x)dx$

❷ 아래끝과 위끝의 절댓값이 같고 부호가 반대이므로 우함수와 기함수의 성질을 이용하여 적분 식을 간단히 한다.

❸ $16 + 4k = k$에서

$3k = -16 \qquad \therefore k = -\frac{16}{3}$

답 $\dfrac{29}{3}$

풍쌤 강의 NOTE

• $\int_{a}^{x} f(t)dt$는 x에 대한 함수이지만 $\int_{a}^{b} f(t)dt$, $\int_{a}^{b} f(x)dx$와 같이 적분 구간에 상수만 있는 경우는 함수가 아니라 상수이다.

• 함수 $f(x)$가 $\int_{a}^{b} f(t)dt$ (a, b는 상수)를 포함하고 있으면 $\int_{a}^{b} f(t)dt = k$ (k는 상수)의 값을 구한 다음 $f(x)$를 구한다.

정답과 풀이 220쪽

10-1 ◉유사   기출

함수 $f(x)$가

$$f(x)=x^2-2x+\int_0^1 tf(t)dt$$

를 만족시킬 때, $f(3)$의 값을 구하여라.

10-2 ◉유사

함수 $f(x)$가

$$f(x)=-x^2+6x+\int_0^3 tf'(t)dt$$

일 때, $f(-2)$의 값을 구하여라.

10-3 ◉변형

함수 $f(x)$가

$$f(x)=12x^2+\int_0^1 (2x+1)f(t)dt$$

일 때, $f(-1)$의 값을 구하여라.

10-4 ◉변형

함수 $f(x)=ax+b$에 대하여

$$f(x)=2x+\int_{-1}^2 f(t)dt-\int_{-1}^4 f(t)dt$$

가 성립할 때, ab의 값을 구하여라.

(단, a, b는 상수이다.)

10-5 ◉변형

두 함수 $f(x)$, $g(x)$가

$$f(x)=12x^2-2x+\int_0^2 f(t)dt,$$

$$g(x)=11x^2+3x-22$$

일 때, 부등식 $f(x)<g(x)$를 만족시키는 모든 자연수 x의 값의 합을 구하여라.

10-6 ◉실력

두 함수 $f(x)$, $g(x)$가

$$f(x)=3x^2+\int_0^1 \{f(t)+g(t)\}dt,$$

$$g(x)=4x^3+\int_0^1 \{f(t)-g(t)\}dt$$

일 때, $f(-1)g(-2)$의 값을 구하여라.

모든 실수 x에 대하여 함수 $f(x)$가

$$\int_0^x (x-t)f'(t)dt = x^4 - x^3$$

을 만족시키고 $f(0) = -1$일 때, $f(2)$의 값을 구하여라.

풍쌤 POINT

$\int_a^x f(t)dt = g(x)$ (a는 상수) 꼴이 주어지면

① 양변에 $x=a$를 대입하기 ➡ $\int_a^a f(t)dt = g(0) = 0$

② 양변을 x에 대하여 미분하기 ➡ $f(x) = g'(x)$

풀이

STEP1 적분 식 분리하기

$\int_0^x (x-t)f'(t)dt = x^4 - x^3$에서

$x\int_0^x f'(t)dt - \int_0^x tf'(t)dt = x^4 - x^3$ ❶

STEP2 양변을 x에 대하여 미분하여 $f(x) - f(0)$ 구하기

위 등식의 양변을 x에 대하여 미분하면 ❷

$\int_0^x f'(t)dt + xf'(x) - xf'(x) = 4x^3 - 3x^2$

$\int_0^x f'(t)dt = 4x^3 - 3x^2$

$\left[f(t) \right]_0^x = 4x^3 - 3x^2$

$\therefore f(x) - f(0) = 4x^3 - 3x^2$

STEP3 $f(2)$의 값 구하기

이때 $f(0) = -1$이므로

$f(x) = 4x^3 - 3x^2 - 1$

$\therefore f(2) = 32 - 12 - 1 = 19$

❶ x를 상수로 생각하여 등식의 좌변을 전개한다.

❷ $x\int_0^x f'(t)dt$를 x에 대하여 미분할 때는 곱의 미분법을 이용한다.

답 19

풍쌤 강의 NOTE

• $\int_a^x (x-t)f(t)dt = g(x)$와 같이 적분변수 t가 아닌 다른 변수 x가 포함되어 있으면 x를 상수로 생각하여 등식의 좌변을 $x\int_a^x f(t)dt - \int_a^x tf(t)dt$로 변형한 후 양변을 x에 대하여 미분한다.

• $x\int_a^x f(t)dt$는 x에 대한 두 식인 x와 $\int_a^x f(t)dt$가 곱해진 것이다.

즉, $\dfrac{d}{dx}\left\{ x\int_a^x f(t)dt \right\} = \left\{ \dfrac{d}{dx}x \right\}\int_a^x f(t)dt + x\left\{ \dfrac{d}{dx}\int_a^x f(t)dt \right\} = \int_a^x f(t)dt + xf(x)$

11-1 (유사)

모든 실수 x에 대하여 함수 $f(x)$가

$$\int_0^x (x-t)f'(t)dt = x^4 - 2x^3$$

을 만족시키고 $f(0) = -7$일 때, $f(1)$의 값을 구하여라.

11-2 (변형)

함수 $f(x) = \int_{-2}^x (t^2 + t)dt$에 대하여 $f(-2) + f'(-2)$의 값을 구하여라.

11-3 (변형) (기출)

다항함수 $f(x)$가 모든 실수 x에 대하여

$$\int_1^x f(t)dt = x^3 + ax^2 - 3x + 1$$

을 만족시킬 때, $f(a)$의 값을 구하여라.

(단, a는 상수이다.)

11-4 (변형)

함수 $f(x) = \int_x^{x+1} (t-1)^3 dt$에 대하여

$$\int_0^2 f'(x)dx$$의 값을 구하여라.

11-5 (변형)

일차함수 $f(x)$가

$$(f \circ f)(x) = \int_0^x f(t)dt + x^2 - 4x - 5$$

를 만족시킬 때, $f(2)$의 값을 구하여라.

11-6 (실력)

다항함수 $f(x)$가 모든 실수 x에 대하여

$$xf(x) = x^4 - x^2 + \int_1^x f(t)dt$$

를 만족시킨다. $f(a) = 0$일 때, 정수 a의 값을 구하여라.

함수 $f(x) = \int_0^x (t-1)(t-a)dt$가 $x=1$에서 극댓값 $\dfrac{4}{3}$를 가질 때, $f(x)$의 극솟값을 구하여라. (단, a는 상수이다.)

풍쌤 POINT

함수 $f(x)$의 극값을 구할 때는 $f'(x)$를 구해야 하므로 먼저 주어진 등식의 양변을 x에 대하여 미분해 봐!

풀이

STEP1 $f'(x)$를 구하여 극댓값, 극솟값을 갖는 x의 값 구하기

$f(x) = \int_0^x (t-1)(t-a)dt$의 양변을 x에 대하여 미분하면

$f'(x) = (x-1)(x-a)$

$f'(x) = 0$에서 $x=1$ 또는 $x=a$

즉, $f(x)$는 $x=1$에서 극댓값을 갖고 $x=a$에서 극솟값을 갖는다. ❶

STEP2 극댓값을 이용하여 a의 값 구하기

이때 $f(x)$는 $x=1$에서 극댓값 $\dfrac{4}{3}$를 가지므로

$$f(1) = \int_0^1 (t-1)(t-a)dt$$
$$= \int_0^1 \{t^2 - (a+1)t + a\}dt$$
$$= \left[\frac{1}{3}t^3 - \frac{a+1}{2}t^2 + at \right]_0^1$$
$$= \frac{1}{3} - \frac{a+1}{2} + a = \frac{3a-1}{6} = \frac{4}{3}$$

$3a - 1 = 8$ ∴ $a = 3$

STEP3 극솟값 구하기

따라서 $f(x)$는 $x=3$에서 극솟값을 가지므로 구하는 극솟값은

$$f(3) = \int_0^3 (t-1)(t-3)dt$$
$$= \int_0^3 (t^2 - 4t + 3)dt$$
$$= \left[\frac{1}{3}t^3 - 2t^2 + 3t \right]_0^3$$
$$= 9 - 18 + 9 = 0$$

❶ $f'(x) = 0$이 되게 하는 $x=1$, $x=a$에서 극값을 갖는데 $x=1$에서 극댓값을 가지므로 $x=a$에서 극솟값을 갖는다. 한편, 함수 $f(x)$의 증가와 감소를 표로 나타내면 다음과 같다.

x	$\cdots$	1	$\cdots$	a	$\cdots$
$f'(x)$	+	0	−	0	+
$f(x)$	↗	극대	↘	극소	↗

답 0

풍쌤 강의 NOTE

$f(x) = \int_a^x g(t)dt$와 같이 정적분으로 정의된 함수 $f(x)$의 극대·극소는 먼저 양변을 x에 대하여 미분한 다음 $f'(x) = g(x)$에서 $g(x) = 0$인 x의 값을 구하면 그 값에서 구할 수 있다.

12-1 ◉ 기본

함수 $f(x)=\int_1^x (t^2+at+8)dt$가 $x=2$에서 극값을 가질 때, 상수 a의 값을 구하여라.

12-2 ◉ 유사

함수 $f(x)=\int_0^x (t-2)(t-a)dt$가 $x=2$에서 극댓값 $\dfrac{20}{3}$을 가질 때, $f(x)$의 극솟값을 구하여라.

(단, a는 상수이다.)

12-3 ◉ 변형

함수 $f(x)=\int_0^x (t^2+2t-3)dt$의 극댓값을 a, 극솟값을 b라고 할 때, $a-6b$의 값을 구하여라.

12-4 ◉ 변형

함수 $f(x)=\int_0^x (-3t^2-at+b)dt$가 $x=-3$에서 극솟값 -27을 가질 때, 두 상수 a, b에 대하여 ab의 값을 구하여라.

12-5 ◉ 변형

함수 $f(x)=x^3-3x+4a$에 대하여 함수
$$F(x)=\int_0^x f(t)dt$$
가 극댓값을 갖도록 하는 상수 a의 값의 범위를 구하여라.

12-6 ◉ 실력 　　　기출

최고차항의 계수가 1인 삼차함수 $f(x)$에 대하여 함수 $g(x)$를 $g(x)=\int_2^x (t-2)f'(t)dt$라고 하자. 함수 $g(x)$가 $x=0$에서만 극값을 가질 때, $g(0)$의 값을 구하여라.

모든 실수 x에 대하여 함수 $f(x)$가

$$\int_0^x (x-t)f(t)dt = \frac{1}{6}x^4 + \frac{2}{3}x^3 + \frac{5}{2}x^2$$

을 만족시킬 때, $f(x)$의 최솟값을 구하여라.

풍쌤 POINT

$\int_a^x (x-t)f(t)dt = g(x)$ 꼴의 등식이 주어지면 등식의 좌변을 $x\int_a^x f(t)dt - \int_a^x tf(t)dt$로 변형한 후 양변을 x에 대하여 미분해!

풀이

STEP1 $\int_0^x f(t)dt$ 구하기

$\int_0^x (x-t)f(t)dt = \frac{1}{6}x^4 + \frac{2}{3}x^3 + \frac{5}{2}x^2$에서

$x\int_0^x f(t)dt - \int_0^x tf(t)dt = \frac{1}{6}x^4 + \frac{2}{3}x^3 + \frac{5}{2}x^2$

위 등식의 양변을 x에 대하여 미분하면 ❶

$\int_0^x f(t)dt + xf(x) - xf(x) = \frac{2}{3}x^3 + 2x^2 + 5x$

$\therefore \int_0^x f(t)dt = \frac{2}{3}x^3 + 2x^2 + 5x$

STEP2 $f(x)$ 구하기

위 등식의 양변을 다시 x에 대하여 미분하면

$f(x) = 2x^2 + 4x + 5$

STEP3 $f(x)$의 최솟값 구하기

따라서 $f(x) = 2(x+1)^2 + 3$이므로 $f(x)$는 $x = -1$에서 최솟값 3을 갖는다. ❷

❶ $x\int_0^x f(t)dt$를 미분할 때는 $\int_0^x f(t)dt$를 x에 대한 함수로 보고 곱의 미분법을 이용한다.

❷ 이차함수의 최솟값은 완전제곱식 꼴로 변형하여 구한다.

답 3

풍쌤 강의 NOTE

정적분으로 정의된 함수의 최댓값과 최솟값을 구할 때는

$$\frac{d}{dx}\int_a^x f(t)dt = f(x), \ \frac{d}{dx}\int_x^{x+a} f(t)dt = f(x+a) - f(x)$$

임을 이용하여 주어진 등식을 미분해서 $f(x)$ 또는 $f'(x)$를 구한 다음 $f(x)$의 최댓값과 최솟값을 구한다. 이때 한 번 미분해서 $f(x)$가 나오지 않을 경우 연속하여 미분한다.

13-1 ◉ 유사

모든 실수 x에 대하여 함수 $f(x)$가

$$\int_0^x (x-t)f(t)dt = -\frac{1}{4}x^4 + x^3 + \frac{1}{2}x^2$$

을 만족시킬 때, $f(x)$의 최댓값을 구하여라.

13-2 ◉ 변형   기출

$-2 \le x \le 0$에서 함수 $f(x) = \int_{-2}^{x+1} (t^3 - t)dt$의 최댓값을 구하여라.

13-3 ◉ 변형

$-1 \le x \le 1$에서 함수 $f(x) = \int_x^{x+1} (t^3 - t + 2)dt$의 최댓값을 M, 최솟값을 m이라고 할 때, $M+m$의 값을 구하여라.

13-4 ◉ 변형

$0 \le x \le 4$에서 함수 $f(x) = \int_{-2}^x (2 - |t|)dt$의 최댓값을 구하여라.

13-5 ◉ 변형

임의의 실수 x에 대하여 다항함수 $f(x)$가

$f(x) = 4x^2 - 6\int_0^1 xf(t)dt$를 만족시킬 때, $f(x)$는 $x=a$에서 최솟값 b를 갖는다. 이때 $\dfrac{a}{b}$의 값을 구하여라.

13-6 ◉ 실력

임의의 실수 x에 대하여 다항함수 $f(x)$가

$\int_0^x (t-x)f(2t)dt = x^4 - 2x^3 + 4x^2$을 만족시킬 때, $f(x)$의 최댓값을 구하여라.

다항함수 $f(x)$에 대하여 $F(x)=\displaystyle\int_1^x f(t)dt$이고 이차함수 $y=F(x)$의 그래프가 오른쪽 그림과 같다. $y=f(x)$의 그래프가 점 $(3, 2)$를 지날 때, $f(1)$의 값을 구하여라.

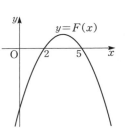

먼저 그래프를 이용하여 이차함수 $y=F(x)$의 식을 구한 다음 주어진 등식의 양변을 x에 대하여 미분하여 $F'(x)=f(x)$임을 이용하여 $f(x)$를 구해!

풀이 ●

STEP1 $f(x)$ 구하기
주어진 그래프에 의하여
$$F(x)=k(x-2)(x-5)^{❶}$$
$$=k(x^2-7x+10)\ (k<0)$$
으로 놓으면
$$\int_1^x f(t)dt=k(x^2-7x+10)$$
위 등식의 양변을 x에 대하여 미분하면
$$f(x)=k(2x-7)$$
STEP2 k의 값 구하기
함수 $y=f(x)$의 그래프가 점 $(3, 2)$를 지나므로
$$2=k(6-7)$$
$$\therefore k=-2$$
STEP3 $f(1)$의 값 구하기
따라서 $f(x)=-2(2x-7)=-4x+14$이므로
$$f(1)=-4+14=10$$

❶ 이차함수 $y=F(x)$의 그래프가 x축과 만나는 점의 x좌표가 2, 5이고 위로 볼록하므로
$$F(x)=k(x-2)(x-5)$$
$$(k<0)$$
으로 놓을 수 있다.

답 10

• 주어진 그래프의 축과의 교점 또는 꼭짓점을 이용하여 이차함수의 식을 찾는다.
• $F'(x)=f(x)$이고 $F(x)$가 $x=a$에서 극값을 가지면 $f(a)=0$

14-1 ⊙유사

다항함수 $f(x)$에 대하여 $F(x)=\int_2^x f(t)dt$이고 이차함수 $y=F(x)$의 그래프는 다음 그림과 같다.

$y=f(x)$의 그래프가 점 $(2, 3)$을 지날 때, $f(3)$의 값을 구하여라.

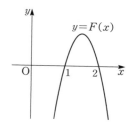

14-3 ⊙변형

함수 $y=f(t)$의 그래프가 다음 그림과 같고

$$\int_0^1 f(t)dt=1, \int_1^5 f(t)dt=-6$$

이다. 함수 $S(x)$가 $S(x)=\int_0^x f(t)dt$일 때, 구간 $[0, 5]$에서 $S(x)$의 최댓값과 최솟값의 합을 구하여라.

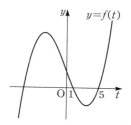

14-2 ⊙변형

이차함수 $y=f(x)$의 그래프가 다음 그림과 같을 때, 함수 $g(x)=\int_x^{x+2} f(t)dt$는 $x=a$에서 최솟값을 갖는다. 이때 실수 a의 값을 구하여라.

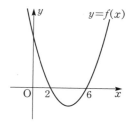

14-4 ⊙변형

이차함수 $y=f(x)$의 그래프가 다음 그림과 같을 때, $F(x)=\int_0^x f(t)dt$를 만족시키는 함수 $F(x)$의 극솟값을 구하여라.

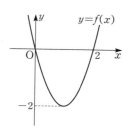

다음 물음에 답하여라.

(1) 함수 $f(x)=x^3-2x+1$에 대하여 다음 식의 값을 구하여라.

$$\lim_{h \to 0}\frac{1}{h}\int_{0}^{h}f(t)dt+\lim_{h \to 0}\frac{1}{h}\int_{2}^{2+h}f(t)dt$$

(2) 함수 $f(x)=-x^3+ax+b$에 대하여 $\displaystyle\lim_{h \to 0}\frac{1}{h}\int_{-1}^{-1+h}f(x)dx=-2$이고 $f(1)=6$일 때,

두 상수 a, b에 대하여 ab의 값을 구하여라.

풍쌤 POINT

함수 $f(x)$의 한 부정적분을 $F(x)$라고 할 때,

$$\lim_{x \to 0}\frac{1}{x}\int_{a}^{x+a}f(t)dt=\lim_{x \to 0}\frac{F(x+a)-F(a)}{x}=F'(a)=f(a)$$

풀이

(1) **STEP1** 극한식 간단히 하기

$F'(x)=f(x)$라고 하면

$$\lim_{h \to 0}\frac{1}{h}\int_{0}^{h}f(t)dt=f(0)\ \pmb{①},\ \lim_{h \to 0}\frac{1}{h}\int_{2}^{2+h}f(t)dt=f(2)\ \pmb{②}$$

STEP2 식의 값 구하기

$$\therefore\ \lim_{h \to 0}\frac{1}{h}\int_{0}^{h}f(t)dt+\lim_{h \to 0}\frac{1}{h}\int_{2}^{2+h}f(t)dt$$
$$=f(0)+f(2)=1+5=6$$

(2) **STEP1** 극한식 간단히 하기

$F'(x)=f(x)$라고 하면

$$\lim_{h \to 0}\frac{1}{h}\int_{-1}^{-1+h}f(x)dx=F'(-1)=f(-1)=-2\ \pmb{③}$$

STEP2 주어진 조건을 이용하여 a, b에 대한 식 세우기

$f(-1)=-2$에서 $1-a+b=-2$

$\therefore\ a-b=3$ ...... ㉠

또, $f(1)=6$에서 $-1+a+b=6$

$\therefore\ a+b=7$ ...... ㉡

STEP3 a, b의 값 구하기

㉠, ㉡을 연립하여 풀면 $a=5$, $b=2$

$\therefore\ ab=5 \times 2=10$

$\pmb{①}\ \lim_{h \to 0}\frac{1}{h}\int_{0}^{h}f(t)dt$
$=\lim_{h \to 0}\frac{1}{h}\Big[F(t)\Big]_{0}^{h}$
$=\lim_{h \to 0}\frac{F(h)-F(0)}{h}$
$=F'(0)=f(0)$

$\pmb{②}\ \lim_{h \to 0}\frac{1}{h}\int_{2}^{2+h}f(t)dt$
$=\lim_{h \to 0}\frac{1}{h}\Big[F(t)\Big]_{2}^{2+h}$
$=\lim_{h \to 0}\frac{F(2+h)-F(2)}{h}$
$=F'(2)=f(2)$

$\pmb{③}\ \lim_{h \to 0}\frac{1}{h}\int_{-1}^{-1+h}f(x)dx$
$=\lim_{h \to 0}\frac{F(-1+h)-F(-1)}{h}$
$=F'(-1)=f(-1)=-2$

답 (1) 6 (2) 10

풍쌤 강의 NOTE

$$\lim_{h \to 0}\frac{1}{h}\int_{a}^{a+h}f(t)dt=f(a),\ \lim_{h \to 0}\frac{1}{h}\int_{a}^{a+bh}f(t)dt=bf(a)$$

15-1 ● 유사

$\lim\limits_{x \to 0} \dfrac{1}{x} \displaystyle\int_0^x (5t^2 - 2t + 3)dt = A$,

$\lim\limits_{h \to 0} \dfrac{1}{h} \displaystyle\int_1^{1+h} (t^2 - 4)dt = B$라고 할 때, $A - B$의 값을 구하여라.

15-2 ● 유사

함수 $f(x) = x^3 + ax^2 - 2x + b$에 대하여

$\lim\limits_{h \to 0} \dfrac{1}{h} \displaystyle\int_2^{2+h} f(x)dx = 4$이고 $f(-1) = -1$일 때,

$a - b$의 값을 구하여라. (단 a, b는 상수이다.)

15-3 ● 변형

$\lim\limits_{h \to 0} \dfrac{1}{h} \displaystyle\int_3^{3+3h} (x^3 - 4x^2)dx$의 값을 구하여라.

15-4 ● 변형

함수 $f(x) = \displaystyle\int_0^x (10t^2 - 2t + 6)dt$에 대하여

$\lim\limits_{x \to 0} \dfrac{1}{x} \displaystyle\int_0^x f'(x)dt$의 값을 구하여라.

15-5 ● 실력

등식 $\lim\limits_{x \to 0} \dfrac{1}{x} \displaystyle\int_0^x |t - 6a|\,dt = 2a^2 - 8$을 만족시키는

상수 a의 값을 구하여라. (단, $a < 0$)

15-6 ● 실력

함수 $f(x) = 2x^3 - ax + b$에 대하여

$\lim\limits_{h \to 0} \dfrac{1}{h} \displaystyle\int_0^h f(x)dx = 2$, $\lim\limits_{h \to 0} \dfrac{1}{h} \displaystyle\int_{1-3h}^{1+h} f(x)dx = 4$

일 때, $f(2)$의 값을 구하여라.

다음 물음에 답하여라.

(1) 함수 $f(x) = x^2 - 4x$에 대하여

$$A = \lim_{x \to 1} \frac{1}{x-1} \int_1^x f(t)dt, \ B = \lim_{x \to 2} \frac{1}{x-2} \int_2^x f(t)dt$$

라고 할 때, $A+B$의 값을 구하여라.

(2) 함수 $f(x) = x^3 - 3x + a$에 대하여 $\lim\limits_{x \to 2} \dfrac{1}{x^2 - 4} \displaystyle\int_2^x f(t)dt = 7$일 때, 상수 a의 값을 구하여라.

풍쌤 POINT

함수 $f(x)$의 한 부정적분을 $F(x)$라고 할 때,

$$\lim_{x \to a} \frac{1}{x-a} \int_a^x f(t)dt = \lim_{x \to a} \frac{F(x) - F(a)}{x-a} = F'(a) = f(a)$$

풀이

(1) STEP 1 **A의 값 구하기**

$$A = \lim_{x \to 1} \frac{1}{x-1} \int_1^x f(t)dt = f(1)^{\textbf{❶}} = 1 - 4 = -3$$

STEP 2 **B의 값 구하기**

$$B = \lim_{x \to 2} \frac{1}{x-2} \int_2^x f(t)dt = f(2)^{\textbf{❷}} = 4 - 8 = -4$$

STEP 3 **$A+B$의 값 구하기**

$$\therefore A + B = -3 + (-4) = -7$$

(2) STEP 1 **극한식 간단히 정리하기**

$F'(x) = f(x)$라고 하면

$$\begin{aligned} \lim_{x \to 2} \frac{1}{x^2 - 4} \int_2^x f(t)dt &= \lim_{x \to 2} \left\{ \frac{F(x) - F(2)}{x-2} \times \frac{1}{x+2} \right\} \\ &= \frac{1}{4} F'(2) = \frac{1}{4} f(2) \\ &= \frac{2+a}{4} \end{aligned}$$

STEP 2 **a의 값 구하기**

즉, $\dfrac{2+a}{4} = 7$이므로

$$2 + a = 28 \quad \therefore a = 26$$

❶ $\lim\limits_{x \to 1} \dfrac{1}{x-1} \displaystyle\int_1^x f(t)dt$

$\quad = \lim\limits_{x \to 1} \dfrac{F(x) - F(1)}{x-1}$

$\quad = F'(1) = f(1)$

❷ $\lim\limits_{x \to 2} \dfrac{1}{x-2} \displaystyle\int_2^x f(t)dt$

$\quad = \lim\limits_{x \to 2} \dfrac{F(x) - F(2)}{x-2}$

$\quad = F'(2) = f(2)$

답 (1) -7 (2) 26

풍쌤 강의 NOTE

• 정적분의 정의에 의하여 $\displaystyle\int_a^x f(t)dt = \left[F(t) \right]_a^x = F(x) - F(a)$

• 미분계수의 정의에 의하여 $\lim\limits_{x \to a} \dfrac{F(x) - F(a)}{x-a} = F'(a) = f(a)$

16-1 ◉유사

함수 $f(x)=x^3-x^2+x-2$에 대하여

$$\lim_{x\to 1}\frac{1}{x-1}\int_x^1 f(t)dt+\lim_{x\to 2}\frac{2}{x-2}\int_2^x f(t)dt$$

의 값을 구하여라.

16-2 ◉유사

함수 $f(x)=3x^4-ax^2+x$에 대하여

$$\lim_{x\to 1}\frac{1}{x-1}\int_1^{x^2} f(t)dt=4$$

일 때, 상수 a의 값을 구하여라.

16-3 ◉변형

미분가능한 함수 $f(x)$가 $f(2)=1$, $f'(2)=4$를 만족시킬 때, $\displaystyle\lim_{x\to 2}\frac{1}{x-2}\int_2^x \{f(t)\}^2 f'(t)dt$의 값을 구하여라.

16-4 ◉변형

함수 $f(x)=x^3-ax^2+x+1$이 $x=1$에서 극솟값을 가질 때, $\displaystyle\lim_{x\to -1}\frac{1}{x+1}\int_{-1}^{x^2} f(t)dt$의 값을 구하여라.

(단, a는 상수이다.)

16-5 ◉변형

모든 실수 x에 대하여 함수 $f(x)$가

$$\int_1^x (x-t)f(t)dt=x^3-x^2-x+1$$

을 만족시킬 때, $\displaystyle\lim_{x\to 2}\frac{1}{x^2-4}\int_2^x f(t)dt$의 값을 구하여라.

16-6 ◉실력

$f(k)=\displaystyle\lim_{x\to 2}\frac{1}{x-2}\int_2^x t(k-t)dt$일 때, $f(1)+f(2)+f(3)+f(4)+f(5)$의 값을 구하여라.

01

$\int_1^{-2} 4(x+3)(x-2)dx + \int_2^2 (2y-1)(2y+1)dy$

의 값을 구하여라.

02 · 기출

$\int_0^1 (4x^3+a)dx=8$일 때, 상수 a의 값은?

① 6   ② 7   ③ 8

④ 9   ⑤ 10

03 서술형 ✏

함수 $f(x)=3x^2+4ax$가 $\int_0^1 f(x)dx=f(1)$을 만족시킬 때, 상수 a의 값을 구하여라.

04

$\int_{-3}^k (6x+12)dx$의 값이 최소가 되도록 하는 상수 k의 값을 m, 그때의 정적분의 최솟값을 n이라고 할 때, m^2+n^2의 값을 구하여라.

05

$\int_0^2 (x^2-5x+2)dx=A$, $\int_0^2 (x^2+5x)dx=B$, $\int_2^0 (-x^2+6)dx=C$라고 할 때, $A+B-C$의 값을 구하여라.

06

$-1 \leq x \leq 5$에서 연속인 함수 $f(x)$가

$$\int_{-1}^1 f(x)dx=2, \quad \int_4^0 f(x)dx=-5,$$
$$\int_1^4 f(x)dx=6$$

을 만족시킬 때, $\int_{-1}^0 \{f(x)+6x^2\}dx$의 값을 구하여라.

07

모든 실수에서 연속인 함수 $f(x)$가 다음 조건을 만족시킬 때, $\int_{12}^{13} f(x)dx$의 값을 구하여라.

(가) $\int_0^1 f(x)dx=1$

(나) $\int_n^{n+4} f(x)dx=\int_n^{n+1} x\,dx$

(단, $n=0,\ 1,\ 2,\ \cdots$)

08 서술형 ✏

$\int_{-5}^{2} \dfrac{|x^2-16|}{x+4}dx$의 값을 구하여라.

09

두 함수 $f(x)=|x-3|$, $g(x)=x^2+2$에 대하여 $\int_{-2}^{1} (f \circ g)(x)dx$의 값을 구하여라.

10

$1\leq x\leq4$에서 함수 $f(x)=\int_1^4 2|t-x|\,dt$의 최댓값을 M, 최솟값을 m이라고 할 때, $M+2m$의 값을 구하여라.

11

$\int_{-3}^{3} (x^3+4x^2)dx+\int_{3}^{-3} (x^3+x^2)dx$의 값은?

① 36   ② 42   ③ 48
④ 54   ⑤ 60

12   기출

$\int_{-a}^{a} (x^3+3x^2-9x+a)dx=3a^2$을 만족시키는 상수 a의 값을 구하여라. (단, $a\neq0$)

13

다항함수 $f(x)$가 다음 조건을 만족시킬 때, $f(4)$의 값을 구하여라.

> (가) $\displaystyle\int f(x)dx=\{f(x)\}^2$
>
> (나) $\displaystyle\int_{-2}^{2} f(x)dx=60$

14

모든 실수 x에 대하여 연속인 함수 $f(x)$가 다음 조건을 만족시킬 때, $\displaystyle\int_{-60}^{60} f(x)dx$의 값을 구하여라.

> (가) $0\leq x\leq 1$일 때, $f(x)=x^2$
> (나) 임의의 실수 x에 대하여
> $\quad f(x)=f(x+2)$, $f(x)=f(-x)$

15

다항함수 $f(x)$, $g(x)$가

$$f(x)=x^2-\int_0^1 g(t)dt, \ g(x)=x\int_0^1 f(t)dt$$

를 만족시킬 때, $f(-1)+g(4)$의 값을 구하여라.

16

기출

함수 $f(x)=\displaystyle\int_1^x (t-2)(t-3)dt$에 대하여 $f'(4)$의 값은?

① 1   ② 2   ③ 3
④ 4   ⑤ 5

17

함수 $f(x)$가 $\displaystyle\int_1^x f(t)dt=3x^2-x-2$를 만족시킬 때 $\displaystyle\int_0^1 f(x^2)dx$의 값을 구하여라.

18

연속함수 $f(x)$에 대하여 $F(x)=\displaystyle\int_0^x f(t)dt$일 때, $x\geq 0$에서 $y=F(x)$의 그래프는 다음 그림과 같다. 옳은 것만을 |보기에서 있는 대로 고른 것은?

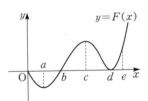

> ┤보기├
> ㄱ. $f(x)=0$을 만족시키는 x의 값은 3개이다.
> ㄴ. $f(b)f(d)f(e)>0$
> ㄷ. $x>c$일 때, $f(x)>0$이다.

① ㄱ   ② ㄱ, ㄴ   ③ ㄱ, ㄷ
④ ㄴ, ㄷ   ⑤ ㄱ, ㄴ, ㄷ

19 서술형 ✎

모든 실수 x에 대하여 함수 $f(x)$가

$$\int_2^x (x-t)f(t)dt = x^3 + ax^2 + 4$$

를 만족시킨다. $f(3) = b$일 때, 두 상수 a, b에 대하여 $a+b$의 값을 구하여라.

20

함수 $f(x)$가 모든 실수 x에 대하여

$$\int_a^x f(t)dt = 2x^2 + ax - 12$$

를 만족시킨다. 이때 상수 a에 대하여 $af(a)$의 값을 구하여라. (단, $a > 0$)

21

다항함수 $f(x)$가

$$f(f(x)) = \int_0^x f(t)dt - 2x^2 + 15x + 5$$

를 만족시킬 때, $f(1)$의 값은?

① -3 ② -1 ③ 1

④ 3 ⑤ 5

22

함수 $f(x) = x^2 - ax + \int_2^x g(t)dt$가 $(x-2)^2$으로 나누어떨어질 때, 다항식 $g(x)$를 $x-2$로 나누었을 때의 나머지를 구하여라. (단, a는 상수이다.)

23 기출

다항함수 $f(x)$가 모든 실수 x에 대하여

$$\int_1^x f(t)dt = xf(x) - 3x^4 + 2x^2$$

을 만족시킬 때, $f(0)$의 값은?

① 1 ② 2 ③ 3

④ 4 ⑤ 5

24 기출

다항함수 $f(x)$에 대하여

$$\int_0^x f(t)dt = x^3 - 2x^2 - 2x\int_0^1 f(t)dt$$

일 때, $f(0) = a$라고 하자. $60a$의 값을 구하여라.

25 서술형 ✎

$f(x)=\displaystyle\int_x^{x+a}(t^2-3t)dt$가 $x=-2$에서 극솟값을 가

질 때, 양수 a의 값을 구하여라.

26

함수 $f(x)=\displaystyle\int_0^x(3t^2+at+b)dt$가 $x=2$에서 극댓값

2를 가질 때, 두 상수 a, b에 대하여 ab의 값을 구하여

라.

27

$-1\le x\le 2$에서 함수 $f(x)=\displaystyle\int_0^x(2t^3-2t^2-4t)dt$

의 최댓값을 M, 최솟값을 m이라고 할 때, $M-m$의

값을 구하여라.

28 서술형 ✎

이차함수 $y=f(x)$의 그래프가

오른쪽 그림과 같을 때,

$F(x)=\displaystyle\int_{-2}^x f(t)dt$를 만족시

키는 함수 $F(x)$의 극댓값을 구하여라.

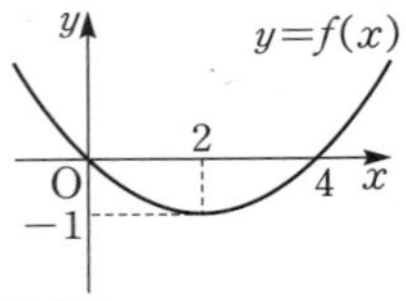

29

$\displaystyle\lim_{h\to 0}\frac{1}{h}\int_{1-2h}^{1+h}(x^2-8x+a)dx=9$일 때, 상수 a의 값

을 구하여라.

30

함수 $f(x)=x^3-9x+a$에 대하여

$$\lim_{x\to 1}\frac{1}{x-1}\int_1^{x^2}f(t)dt=6$$

일 때 상수 a의 값을 구하여라.

상위권 도약 문제

01

등식 $f(x)=-x-\displaystyle\int_0^x (x-t)t^2 dt$를 만족시키는 함수 $f(x)$에 대한 설명으로 옳은 것만을 |보기|에서 있는 대로 골라라.

┤보기├
ㄱ. $f'(0)=-1$
ㄴ. $x>0$일 때, 함수 $f(x)$는 증가한다.
ㄷ. 닫힌구간 $[0,\ 3]$에서 함수 $f(x)$의 최솟값은 $-\dfrac{39}{4}$이다.

02

다항함수 $f(x)$가 모든 실수 x에 대하여 다음 조건을 만족시킨다. $g(a)=\displaystyle\int_{-a}^0 f(x)dx$라고 할 때, $g(a)$의 극댓값을 구하여라.

(가) $f(-x)=f(x)$
(나) $\displaystyle\int_{-a}^a \{f(x)+3x^2\}dx=24a$

03

모든 실수에서 연속인 함수 $f(x)$에 대하여

$$\int_a^x f(t)dt=(x-2)|x-a|$$

를 만족시키는 상수 a의 값을 구하여라.

04

미분가능한 함수 $f(x)$에 대하여 다음 중

$$\lim_{b \to a} \frac{\displaystyle\int_{a^2}^{b^2} f(x)dx}{\displaystyle\int_a^b f(x)dx}$$를 간단히 한 것은? (단, $f(a) \neq 0$)

① $\dfrac{f(b)}{f(a)}$
② $\dfrac{f(a)}{f(b)}$
③ $\dfrac{2f(b)}{f(a)}$
④ $\dfrac{2af(a^2)}{f(a)}$
⑤ $\dfrac{2af(a^2)}{f(b)}$

05
기출

실수 전체의 집합에서 정의된 다항함수 $f(x)$가 다음 조건을 만족시킨다.

(가) $f(2)=5$

(나) $f(x)=\displaystyle\int_{x}^{x+1}f(t)dt-\int_{x}^{x-1}f(t)dt$
$$-3\int_{0}^{1}f(t)dt$$

(다) 임의의 실수 x, y에 대하여
$f(x+y)-f(x-y)=f(2x)$

이때 미분계수 $f'(1)$의 값을 구하여라.

06
기출

두 함수 $f(x)=x^2-4x$와 $y=g(x)$가 임의의 실수 h에 대하여
$$g(x+h)-g(x)=\int_{x}^{x+h}f(t)dt$$
일 때, 방정식 $g(x)=0$의 모든 근의 합을 구하여라.

07

최고차항의 계수가 -1인 삼차함수 $y=f(x)$의 그래프가 오른쪽 그림과 같을 때, 닫힌구간 $[-1,\ 2]$에서 $F(x)=\displaystyle\int_{0}^{x}f(t)dt$를 만족시키는 함수 $F(x)$의 최솟값을 구하여라.

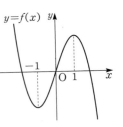

08
기출

함수 $f(x)=\begin{cases}-1 & (x<1)\\ -x+2 & (x\geq 1)\end{cases}$에 대하여

함수 $g(x)$를 $g(x)=\displaystyle\int_{-1}^{x}(t-1)f(t)dt$라고 하자. 옳은 것만을 |보기|에서 있는 대로 고른 것은?

|보기|
ㄱ. $g(x)$는 구간 $(1,\ 2)$에서 증가한다.
ㄴ. $g(x)$는 $x=1$에서 미분가능하다.
ㄷ. 방정식 $g(x)=k$가 서로 다른 세 실근을 갖도록 하는 실수 k가 존재한다.
---

① ㄴ   ② ㄷ   ③ ㄱ, ㄴ

④ ㄱ, ㄷ   ⑤ ㄱ, ㄴ, ㄷ

09

정적분의 활용

09 정적분의 활용

개념 01 곡선과 x축 사이의 넓이

(1) **정적분과 넓이**: 함수 $f(x)$가 닫힌구간 $[a, b]$에서 연속이고 $f(x) \geq 0$일 때, 곡선 $y = f(x)$와 x축 및 두 직선 $x = a$, $x = b$로 둘러싸인 도형의 넓이 S는 정적분 $\int_a^b f(x)dx$와 같다. 즉,

$$S = \int_a^b f(x)dx$$

(2) **곡선과 x축 사이의 넓이**: 함수 $f(x)$가 닫힌구간 $[a, b]$에서 연속일 때, 곡선 $y = f(x)$와 x축 및 두 직선 $x = a$, $x = b$로 둘러싸인 도형의 넓이 S는

$$S = \int_a^b |f(x)|dx$$

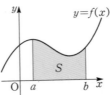

▶**참고** 닫힌구간 $[a, b]$에서 함수 $f(x)$가 양의 값과 음의 값을 모두 가질 때는 $f(x)$의 값이 양수인 구간과 음수인 구간으로 나누어 넓이를 구한다.

확인 01 다음 곡선과 x축으로 둘러싸인 도형의 넓이를 구하여라.

(1) $y = -(x+1)(x-3)$

(2) $y = x^2 - x$

개념 02 두 곡선 사이의 넓이

두 함수 $f(x)$, $g(x)$가 닫힌구간 $[a, b]$에서 연속일 때, 두 곡선 $y = f(x)$, $y = g(x)$ 및 두 직선 $x = a$, $x = b$로 둘러싸인 도형의 넓이 S는

$$S = \int_a^b |f(x) - g(x)|dx$$

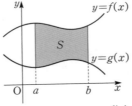

▶**참고** 오른쪽 그림과 같은 곡선 $y = f(x)$와 곡선 $y = g(x)$의 교점의 x좌표가 α, β $(\alpha < \beta)$일 때, 두 곡선 사이의 넓이 S는

$$S = \int_\alpha^\beta |f(x) - g(x)|dx$$

확인 02 다음 곡선과 직선으로 둘러싸인 도형의 넓이를 구하여라.

(1) $y = -2x^2$, $y = -x-1$

(2) $y = x^2 - 1$, $y = -x+1$

확인 03 다음 두 곡선으로 둘러싸인 도형의 넓이를 구하여라.

(1) $y = x^2$, $y = -x^2 + 2$

(2) $y = 2x^2 - 7x + 5$, $y = -x^2 + 5x - 4$

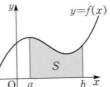

닫힌구간 $[a, b]$에서 $f(x) \leq 0$일 때, 곡선 $y = f(x)$를 x축에 대하여 대칭이동한 곡선은 $y = -f(x)$이고 $-f(x) \geq 0$이므로

$$S = \int_a^b |f(x)|dx$$
$$= \int_a^b \{-f(x)\}dx$$

▶314쪽 풍산자 유형특강을 이용하면 넓이를 구할 때 편리하다.

▶두 곡선 사이의 넓이는
$$\int_a^b \{(위쪽\ 그래프의\ 식) - (아래쪽\ 그래프의\ 식)\}dx$$

▶닫힌구간 $[a, b]$에서 $f(x)$와 $g(x)$의 대소 관계가 바뀔 때는 $f(x) - g(x)$의 값이 양수인 구간과 음수인 구간으로 나누어 넓이를 구한다.

高1 수학 이차함수의 그래프와 직선의 교점

이차함수 $y = ax^2 + bx + c$의 그래프와 직선 $y = mx + n$의 교점의 x좌표는 두 식을 연립하여 y를 소거한 이차방정식 $ax^2 + bx + c = mx + n$, 즉 $ax^2 + (b-m)x + c - n = 0$의 실근과 같다.

개념 03 수직선 위를 움직이는 점의 위치와 위치의 변화량

수직선 위를 움직이는 점 P의 시각 t에서의 속도가 $v(t)$이고 시각 t_0에서 위치가 x_0일 때

(1) 시각 t에서 점 P의 위치 x는 $x = x_0 + \int_{t_0}^{t} v(t)dt$

(2) 시각 $t=a$에서 $t=b$까지 점 P의 위치의 변화량은 $\int_{a}^{b} v(t)dt$

▶**참고** 똑바로 위로 쏘아 올린 물체의 시각 t에서의 속도가 $v(t)$일 때
　　(1) 물체가 최고 높이에 도달할 때, $v(t)=0$
　　(2) 물체가 정지하거나 운동 방향을 바꿀 때, $v(t)=0$

▶ $v(t)>0$이면 점 P는 양의 방향으로 움직이고, $v(t)<0$이면 점 P는 음의 방향으로 움직인다.

확인 **04** 원점을 출발하여 수직선 위를 움직이는 점 P의 시각 t에서의 속도가 $v(t)=t^2-2t$일 때, 다음을 구하여라.

　　(1) $t=4$에서 점 P의 위치

　　(2) $t=1$에서 $t=2$까지 점 P의 위치의 변화량

개념 04 수직선 위를 움직이는 점의 움직인 거리

수직선 위를 움직이는 점 P의 시각 t에서의 속도가 $v(t)$일 때, 시각 $t=a$에서 $t=b$까지 점 P가 움직인 거리는

$$\int_{a}^{b} |v(t)|dt$$

▶ 점 P가 시각 $t=a$에서 $t=b$까지 움직인 거리 S는 함수 $y=v(t)$의 그래프와 t축 및 두 직선 $t=a$, $t=b$로 둘러싸인 도형의 넓이와 같으므로 $S=\int_{a}^{b} |v(t)|dt$이다.

확인 **05** 좌표가 5인 점을 출발하여 수직선 위를 움직이는 점 P의 시각 t에서의 속도가 $v(t)=2t-1$일 때, $t=0$에서 $t=3$까지 점 P가 움직인 거리를 구하여라.

개념**+** 위치의 변화량과 움직인 거리
오른쪽 그림과 같이 수직선 위를 움직인
점 P의 시각 t에서의 속도가 $v(t)$일 때

$$\overset{t=a}{\underset{A(x_0)}{\bullet}} \overset{t=c}{\underset{C(x_1)}{\longleftarrow}} \overset{t=b}{\underset{B(x_2)}{\bullet}}\overset{}{x}$$

① $t=a$에서 $t=c$까지 움직인 위치의 변화량

$$\int_{a}^{c} v(t)dt = \int_{a}^{b} v(t)dt + \int_{b}^{c} v(t)dt$$
$$= \int_{a}^{b} v(t)dt - \int_{c}^{b} v(t)dt$$
$$= (x_2 - x_0) - (x_2 - x_1)$$
$$= x_1 - x_0$$

② $t=a$에서 $t=c$까지 움직인 거리

$$\int_{a}^{c} |v(t)|dt = \int_{a}^{b} v(t)dt + \int_{b}^{c} \{-v(t)\}dt$$
$$= \int_{a}^{b} v(t)dt + \int_{c}^{b} v(t)dt$$
$$= |x_2 - x_0| + |x_2 - x_1|$$

다음 도형의 넓이를 구하여라.

(1) 곡선 $y=x^2-3x+2$와 x축으로 둘러싸인 도형

(2) 곡선 $y=x^3-4x^2+4x$와 x축 및 두 직선 $x=-1$, $x=2$로 둘러싸인 도형

풍쌤 POINT

| 곡선과 x축의 교점의 x좌표 구하기 | ➡ | 넓이를 정적분으로 나타내어 그 값 구하기 |

풀이

(1) STEP1 곡선과 x축의 교점의 x좌표 구하기

곡선 $y=x^2-3x+2$와 x축의 교점의 x좌표는❶

$x^2-3x+2=0$에서

$(x-1)(x-2)=0$

$\therefore x=1$ 또는 $x=2$

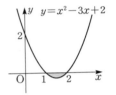

❶ x축과의 교점의 y좌표는 0이므로 $y=0$을 대입한다.

STEP2 넓이 구하기

닫힌구간 $[1, 2]$에서 $y \le 0$이므로 구하는 넓이는

$-\int_1^2 (x^2-3x+2)dx$ ❷ $= -\left[\dfrac{1}{3}x^3 - \dfrac{3}{2}x^2 + 2x\right]_1^2 = \dfrac{1}{6}$

❷ 곡선 $y=f(x)$를 x축에 대하여 대칭이동한 곡선이 $y=-f(x)$임을 이용한다.

(2) STEP1 곡선과 x축의 교점의 x좌표 구하기

곡선 $y=x^3-4x^2+4x$와 x축의 교점의 x좌표는

$x^3-4x^2+4x=0$에서

$x(x-2)^2=0$

$\therefore x=0$ 또는 $x=2$(중근)

❸ 그래프의 개형을 그려 곡선과 x축 및 두 직선 $x=-1$, $x=2$로 둘러싸인 부분을 찾는다.

STEP2 넓이 구하기

닫힌구간 $[-1, 0]$에서 $y \le 0$, 닫힌구간 $[0, 2]$에서 $y \ge 0$❹이므로 구하는 넓이는

❹ y의 값이 양수인 구간과 음수인 구간으로 나누어 넓이를 구한다.

$-\int_{-1}^0 (x^3-4x^2+4x)dx + \int_0^2 (x^3-4x^2+4x)dx$

$= -\left[\dfrac{1}{4}x^4 - \dfrac{4}{3}x^3 + 2x^2\right]_{-1}^0 + \left[\dfrac{1}{4}x^4 - \dfrac{4}{3}x^3 + 2x^2\right]_0^2$

$= \dfrac{43}{12} + \dfrac{4}{3} = \dfrac{59}{12}$

🔲 (1) $\dfrac{1}{6}$ (2) $\dfrac{59}{12}$

풍쌤 강의 NOTE

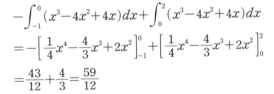

• 닫힌구간 $[a, b]$에서 $f(x)$의 값이 양수인 경우와 음수인 경우가 모두 있을 때는 $f(x)$의 값이 양수인 구간과 음수인 구간으로 나누어 구간마다 각각 적분하여 넓이를 구해야 한다.

• 구하는 넓이가 x축 아래쪽에 있을 경우, $-f(x)$를 정적분해야 한다.

01-1 〔유사〕

다음 곡선과 x축으로 둘러싸인 도형의 넓이를 구하여라.

(1) $y = -x^2 + 4x$

(2) $y = x^2 - x - 2$

(3) $y = x^3 - 2x^2 - x + 2$

(4) $y = x^3 - 4x$

01-2 〔유사〕

곡선 $y = x^3 - 6x^2 + 9x$와 x축 및 두 직선 $x = -2$, $x = 3$으로 둘러싸인 도형의 넓이를 $\dfrac{b}{a}$라고 할 때, $a + b$ 의 값을 구하여라. (단, a, b는 서로소인 자연수이다.)

01-3 〔변형〕

곡선 $y = ax - x^2$과 x축으로 둘러싸인 도형의 넓이가 $\dfrac{1}{48}$일 때, 양수 a의 값을 구하여라.

01-4 〔변형〕

곡선 $y = ax^3$과 x축 및 두 직선 $x = -3$, $x = 1$로 둘러싸인 도형의 넓이가 41일 때, 양수 a의 값을 구하여라.

01-5 〔변형〕

곡선 $y = -x^2 - x$와 x축으로 둘러싸인 도형의 넓이를 S_1, 곡선 $y = x^3 - x^2 - 2x$와 x축으로 둘러싸인 도형의 넓이를 S_2라고 할 때, $S_2 - S_1$의 값을 구하여라.

01-6 〔실력〕

곡선 $y = x(x + a)(x - a)$와 x축으로 둘러싸인 도형의 넓이를 S_1, 곡선 $y = x^2 - 3x$와 x축 및 두 직선 $x = -a$, $x = a$로 둘러싸인 도형의 넓이를 S_2라고 하자. $2S_1 = S_2$를 만족시키는 상수 a의 값을 구하여라.

(단, $0 < a < 3$)

다음 물음에 답하여라.

(1) 곡선 $y=\sqrt{x}$와 y축 및 두 직선 $y=1$, $y=4$로 둘러싸인 도형의 넓이를 구하여라.

(2) 곡선 $x=3y^2+6y$와 y축 및 직선 $y=k$로 둘러싸인 도형의 넓이가 24일 때, 양수 k의 값을 구하여라.

풍쌤 POINT

곡선을 $x=g(y)$ 꼴로 정리하기	→	곡선과 y축의 교점의 y좌표 구하기	→	넓이를 정적분으로 나타내어 그 값 구하기

풀이

(1) **STEP1** $x=g(y)$ 꼴로 바꾸기

$y=\sqrt{x}$에서 $x=y^2$ $(y\geq0)$ ❶

STEP2 넓이 구하기

닫힌구간 $[1,\ 4]$에서 $y^2\geq0$이므로 구하는 넓이는

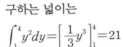

$$\int_1^4 y^2\,dy=\left[\frac{1}{3}y^3\right]_1^4=21$$

❶ $y=(x$에 대한 식)이 x에 대하여 적분할 수 없는 곡선과 y축으로 둘러싸인 도형의 넓이를 구하려면 $x=(y$에 대한 식)으로 나타내어 y를 적분해야 한다.

(2) **STEP1** 곡선과 y축의 교점의 y좌표 구하기

곡선 $x=3y^2+6y$와 y축의 교점의 y좌표는 $3y(y+2)=0$에서 ❷

$y=-2$ 또는 $y=0$

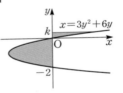

❷ y축과의 교점의 y좌표는 $x=0$일 때의 y의 값이다.

STEP2 넓이 구하기

닫힌구간 $[-2,\ 0]$에서 $3y^2+6y\leq0$, 닫힌구간 $[0,\ k]$에서 $3y^2+6y\geq0$ ❸이므로 구하는 넓이는

❸ x의 값이 양수인 구간과 음수인 구간으로 나눈다.

$$-\int_{-2}^0 (3y^2+6y)\,dy+\int_0^k (3y^2+6y)\,dy$$

$$=-\left[y^3+3y^2\right]_{-2}^0+\left[y^3+3y^2\right]_0^k$$

$$=k^3+3k^2+4$$

STEP3 k의 값 구하기

$k^3+3k^2+4=24$, $k^3+3k^2-20=0$

$(k-2)(k^2+5k+10)=0$

이때 k는 양수이므로 $k=2$

답 (1) 21 (2) 2

풍쌤 강의 NOTE

• 함수 $x=g(y)$가 닫힌구간 $[c,\ d]$에서 연속일 때, 곡선 $x=g(y)$와 y축 및 두 직선 $y=c$, $y=d$로 둘러싸인 도형의 넓이 S는

$$S=\int_c^d |g(y)|\,dy$$

• 구하는 넓이가 y축 왼쪽에 있을 경우, $-g(y)$를 정적분해야 한다.

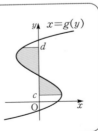

02-1 유사

곡선 $y=\sqrt{x}$와 y축 및 직선 $y=2$로 둘러싸인 도형의 넓이를 구하여라.

02-2 유사

곡선 $y=\sqrt{x+1}$과 x축 및 y축으로 둘러싸인 도형의 넓이를 구하여라.

02-3 변형

곡선 $x=-y^3+4y$와 y축으로 둘러싸인 도형의 넓이를 구하여라.

02-4 변형

곡선 $y^2=x+1$과 y축 및 직선 $y=2$로 둘러싸인 도형의 넓이를 구하여라.

02-5 변형

곡선 $x=(y+2)(y-2)$와 y축으로 둘러싸인 도형의 넓이를 S_1, 이 곡선과 y축 및 직선 $y=4$로 둘러싸인 도형의 넓이를 S_2라고 할 때, S_2-S_1의 값을 구하여라.

02-6 실력

곡선 $x=y(y-k)^2$과 y축으로 둘러싸인 도형의 넓이가 $\dfrac{16}{3}$일 때, 양수 k의 값을 구하여라.

다음 도형의 넓이를 구하여라.

(1) 곡선 $y=x^2+2$와 직선 $y=3x$로 둘러싸인 도형

(2) 곡선 $y=x^3-2x+2$와 직선 $y=2x+2$로 둘러싸인 도형

**풍쌤
POINT**

| 곡선과 직선의 교점의 x좌표 구하기 | → | 주어진 구간에서 곡선과 직선의 위치 관계 파악하기 | → | 넓이를 정적분으로 나타내어 그 값 구하기 |

풀이

(1) **STEP1 곡선과 직선의 교점의 x좌표 구하기**

곡선과 직선의 교점의 x좌표는

$x^2+2=3x$❶에서 $x^2-3x+2=0$

$(x-1)(x-2)=0$

∴ $x=1$ 또는 $x=2$

STEP2 넓이 구하기

따라서 구하는 넓이는

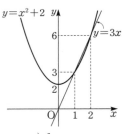

$$\int_1^2 \{3x-(x^2+2)\}dx\text{❷}=\int_1^2(-x^2+3x-2)dx$$
$$=\left[-\frac{1}{3}x^3+\frac{3}{2}x^2-2x\right]_1^2=\frac{1}{6}$$

❶ 곡선과 직선의 방정식을 연립하여 구한 x의 값은 교점의 x좌표와 같다.

❷ 닫힌구간 $[1,2]$에서 $x^2+2\leq3x$이므로 위쪽에 있는 그래프의 식에서 아래쪽에 있는 그래프의 식을 빼서 정적분한다.

(2) **STEP1 곡선과 직선의 교점의 x좌표 구하기**

곡선과 직선의 교점의 x좌표는

$x^3-2x+2=2x+2$에서

$x^3-4x=0$

$x(x+2)(x-2)=0$

∴ $x=-2$ 또는 $x=0$ 또는 $x=2$

STEP2 넓이 구하기

따라서 구하는 넓이는

$$\int_{-2}^0 \{(x^3-2x+2)-(2x+2)\}dx$$
$$+\int_0^2 \{(2x+2)-(x^3-2x+2)\}dx\text{❸}$$
$$=\int_{-2}^0(x^3-4x)dx+\int_0^2(-x^3+4x)dx$$
$$=\left[\frac{1}{4}x^4-2x^2\right]_{-2}^0+\left[-\frac{1}{4}x^4+2x^2\right]_0^2=4+4=8$$

❸ 닫힌구간 $[-2,0]$에서 $x^3-2x+2\geq2x+2$이고 닫힌구간 $[0,2]$에서 $x^3-2x+2\leq2x+2$이다.

目 (1) $\frac{1}{6}$ (2) 8

**풍쌤 강의
NOTE**

• 두 그래프가 만나는 점이 3개 이상인 경우, 어떤 그래프가 위쪽에 있는지 확인하여 구간을 적절히 나누어야 한다.

• 곡선과 직선으로 둘러싸인 도형의 넓이를 구할 때 두 그래프의 위치 관계를 먼저 확인해야 한다.

03-1 (유사)

다음 곡선과 직선으로 둘러싸인 도형의 넓이를 구하여라.

(1) $y=x^2-2x-1$, $y=-x+1$

(2) $y=-x^2+4$, $y=x+2$

03-2 (유사)

곡선 $y=x^3$과 직선 $y=x$로 둘러싸인 도형의 넓이를 S라고 할 때, $100S$의 값을 구하여라.

03-3 (유사)

곡선 $y=x^3-3x^2+3x-1$과 직선 $y=x-1$로 둘러싸인 도형의 넓이를 구하여라.

03-4 (변형)

곡선 $x=y^2$과 직선 $y=x-2$로 둘러싸인 도형의 넓이를 구하여라.

03-5 (변형)

곡선 $y=x^2-x$와 직선 $y=ax$로 둘러싸인 도형의 넓이가 $\dfrac{9}{2}$일 때, 양수 a의 값을 구하여라.

03-6 (실력)

오른쪽 그림과 같이 함수 $y=x|x-2|$의 그래프와 직선 $y=x$로 둘러싸인 도형의 넓이를 구하여라.

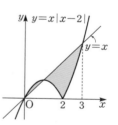

다음 도형의 넓이를 구하여라.

(1) 두 곡선 $y=-x^2-2x+3$과 $y=x^2-1$로 둘러싸인 도형

(2) 두 곡선 $y=x^2$, $y=-x^2+4x$와 두 직선 $x=0$, $x=3$으로 둘러싸인 도형

풍쌤 POINT

| 두 곡선의 교점의 x좌표 구하기 | → | 주어진 구간에서 두 곡선의 위치 관계 파악하기 | → | 넓이를 정적분으로 나타내어 그 값 구하기 |

풀이

(1) **STEP 1 두 곡선의 교점의 x좌표 구하기**

두 곡선의 교점의 x좌표는

$x^2-1=-x^2-2x+3$에서

$2x^2+2x-4=0$, $(x+2)(x-1)=0$

$\therefore x=-2$ 또는 $x=1$ ❶

STEP 2 넓이 구하기

따라서 구하는 넓이는

$$\int_{-2}^{1}\{(-x^2-2x+3)-(x^2-1)\}dx ❷$$

$$=\int_{-2}^{1}(-2x^2-2x+4)dx=\left[-\frac{2}{3}x^3-x^2+4x\right]_{-2}^{1}=9$$

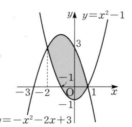

❶ 두 곡선의 교점의 x좌표를 구하여 적분 구간을 정한다.

❷ 닫힌구간 $[-2, 1]$에서
$-x^2-2x+3 \geq x^2-1$

(2) **STEP 1 두 곡선의 교점의 x좌표 구하기**

두 곡선의 교점의 x좌표는

$x^2=-x^2+4x$에서

$2x^2-4x=0$, $x(x-2)=0$

$\therefore x=0$ 또는 $x=2$

STEP 2 넓이 구하기

닫힌구간 $[0, 2]$에서 $x^2 \leq -x^2+4x$,

닫힌구간 $[2, 3]$에서 $x^2 \geq -x^2+4x$이므로 ❸ 구하는 넓이는

$$\int_{0}^{2}\{(-x^2+4x)-x^2\}dx+\int_{2}^{3}\{x^2-(-x^2+4x)\}dx$$

$$=\int_{0}^{2}(-2x^2+4x)dx+\int_{2}^{3}(2x^2-4x)dx$$

$$=\left[-\frac{2}{3}x^3+2x^2\right]_{0}^{2}+\left[\frac{2}{3}x^3-2x^2\right]_{2}^{3}=\frac{8}{3}+\frac{8}{3}=\frac{16}{3}$$

❸ 주어진 구간에서 두 곡선의 위치 관계가 바뀐다.

답 (1) 9 (2) $\dfrac{16}{3}$

풍쌤 강의 NOTE

두 곡선 사이의 넓이를 구할 때, 두 그래프의 위치 관계를 먼저 파악하고 위치 관계에 맞게 구간을 나누어 각 구간에서 $\int_{a}^{b}\{(위쪽\ 그래프의\ 식)-(아래쪽\ 그래프의\ 식)\}dx$를 적분하여 넓이를 구한다.

04-1 ◉유사

두 곡선 $y=x^2-2x+1$, $y=-x^2+4x-3$으로 둘러싸인 도형의 넓이를 구하여라.

04-2 ◉유사 기출

두 곡선 $y=x^2$, $y=-x^2+2x$와 두 직선 $x=0$, $x=2$로 둘러싸인 도형의 넓이를 구하여라.

04-3 ◉유사

두 곡선 $y=-x^3+2x^2$, $y=-x^2+2x$로 둘러싸인 도형의 넓이를 구하여라.

04-4 ◉변형

두 곡선 $y=x^2$과 $y=x^3-2x$로 둘러싸인 도형 중 크기가 작은 쪽의 넓이를 S_1, 큰 쪽의 넓이를 S_2라고 할 때, S_2-S_1의 값을 구하여라.

04-5 ◉실력

곡선 $y=x(x-4)$와 x축으로 둘러싸인 도형이 곡선 $y=-x^2$에 의하여 나누어진 두 부분 중 곡선 $y=-x^2$의 위쪽의 넓이를 S_1, 아래쪽 넓이를 S_2라고 할 때, S_1-S_2의 값을 구하여라.

04-6 ◉실력

오른쪽 그림과 같이 두 곡선 $y=f(x)$, $y=g(x)$의 교점의 x좌표는 $x=-1$ 또는 $x=0$ 또는 $x=1$이고, $-1 \leq x \leq 0$에서 두 곡선으

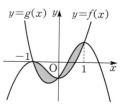

로 둘러싸인 도형의 넓이가 1일 때, $f(2)-g(2)$의 값을 구하여라. (단, $f(x)$와 $g(x)$는 삼차함수이다.)

곡선 $y=x^3-3x^2+x+4$와 이 곡선 위의 점 $(0, 4)$에서 그은 접선으로 둘러싸인 도형의 넓이를 구하여라.

풍쌤 POINT

| 접선의 방정식 구하기 | → | 곡선과 접선의 교점의 x좌표 구하기 | → | 곡선과 접선의 위치 관계 파악하기 | → | 정적분을 이용하여 넓이 구하기 |

풀이

STEP1 접선의 방정식 구하기

$f(x)=x^3-3x^2+x+4$로 놓으면

$f'(x)=3x^2-6x+1$

곡선 위의 점 $(0, 4)$에서의 접선의 기울기는 $f'(0)=1$❶이므로

접선의 방정식은

$y-4=1\times(x-0)$ ∴ $y=x+4$

❶ 점 $(0, 4)$에서의 접선의 기울기는 $x=0$에서의 미분계수 $f'(0)$과 같다.

STEP2 곡선과 접선의 교점의 x좌표 구하기

곡선 $y=x^3-3x^2+x+4$와 직선

$y=x+4$의 교점의 x좌표는

$x^3-3x^2+x+4=x+4$에서

$x^3-3x^2=0$

$x^2(x-3)=0$❷

∴ $x=0$(중근) 또는 $x=3$

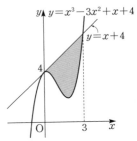

❷ $x=0$에서 접하므로 x^2을 인수로 갖는다.

STEP3 넓이 구하기

닫힌구간 $[0, 3]$에서

$x+4 \geq x^3-3x^2+x+4$❸

이므로 구하는 넓이는

$\int_0^3 \{(x+4)-(x^3-3x^2+x+4)\}dx$

$=\int_0^3 (-x^3+3x^2)dx$

$=\left[-\dfrac{1}{4}x^4+x^3\right]_0^3=\dfrac{27}{4}$

❸ 곡선과 접선의 위치 관계를 파악한다.

답 $\dfrac{27}{4}$

풍쌤 강의 NOTE

· 곡선 $y=f(x)$ 위의 점 $(a, f(a))$에서의 접선의 방정식은

$y-f(a)=f'(a)(x-a)$

· 주어진 곡선과 접선의 접점의 x좌표는 곡선과 접선을 연립한 방정식의 중근이 된다.

05-1 ◉ 유사

곡선 $y=2x^3-4x^2+x+5$와 이 곡선 위의 점 $(0, 5)$에서 그은 접선으로 둘러싸인 도형의 넓이를 구하여라.

05-2 ◉ 유사

곡선 $y=x^3-x^2+4$와 이 곡선 위의 점 $(1, 4)$에서 그은 접선으로 둘러싸인 도형의 넓이를 구하여라.

05-3 ◉ 변형

곡선 $y=x^2+3x+3$과 이 곡선 위의 점 $(-1, 1)$에서 그은 접선 및 y축으로 둘러싸인 도형의 넓이를 구하여라.

05-4 ◉ 변형

곡선 $y=ax^2$과 이 곡선 위의 점 $(1, a)$에서 그은 접선 및 두 직선 $x=-2$, $x=2$로 둘러싸인 도형의 넓이가 14일 때, 양수 a의 값을 구하여라.

05-5 ◉ 변형

곡선 $y=-x^2+x+6$과 이 곡선 위의 점 $(1, 6)$에서의 접선 및 x축, y축으로 둘러싸인 도형의 넓이를 구하여라.

05-6 ◉ 실력

곡선 $y=x^2-3x+5$와 이 곡선 밖의 점 $(2, 2)$에서 이 곡선에 그은 두 접선으로 둘러싸인 도형의 넓이를 구하여라.

곡선 $y=x^3-(2a+3)x^2+6ax$와 x축으로 둘러싸인 두 도형의 넓이가 서로 같을 때, 상수 a 의 값을 구하여라. (단, $a>2$)

풍쌤 POINT

곡선과 x축으로 둘러싸인 두 도형의 넓이가 같으면 오른쪽 그림과 같은 모양이야!

즉, $S_1=S_2$이면 $\int_a^b f(x)dx=0$임을 이용하면 돼!

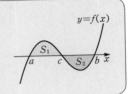

풀이

STEP1 곡선과 x축의 교점의 x좌표 구하기

곡선 $y=x^3-(2a+3)x^2+6ax$와 x축의 교점의 x좌표는

$x^3-(2a+3)x^2+6ax=0$❶에서

$x(x-3)(x-2a)=0$

$\therefore x=0$ 또는 $x=3$ 또는 $x=2a$

❶ x축과의 교점의 x좌표는 $y=0$ 일 때의 x의 값이다.

STEP2 두 도형의 넓이가 같을 조건 이용하여 식 세우기

곡선과 x축으로 둘러싸인 두 도형의 넓이가 서로 같으므로

$$\int_0^{2a}\{x^3-(2a+3)x^2+6ax\}dx=0$$❷

❷ 두 도형의 넓이가 같으면 닫힌 구간 $[0, 2a]$에서의 정적분의 값이 0이다.

STEP3 a의 값 구하기

$$\left[\frac{1}{4}x^4-\frac{1}{3}(2a+3)x^3+3ax^2\right]_0^{2a}=0$$

$4a^4-\frac{8}{3}(2a+3)a^3+12a^3=0$

$-\frac{4}{3}a^4+4a^3=0$❸

$a^3(a-3)=0$

$\therefore a=3 \ (\because a>2)$

❸ $-\frac{4}{3}a^4+4a^3=0$의 양변에 $-\frac{3}{4}$을 곱하여 인수분해한다.

답 3

풍쌤 강의 NOTE

• 곡선 $y=f(x)$와 x축으로 둘러싸인 두 도형이 오른쪽 그림과 같이 x축의 위쪽 부분과 아래쪽 부분에 있을 때, 두 도형의 넓이가 같으면

$$\int_a^b f(x)dx=\int_a^c f(x)dx+\int_c^b f(x)dx=S_1-S_2=0$$

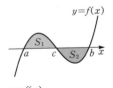

• 두 곡선 $y=f(x)$, $y=g(x)$로 둘러싸인 두 도형의 넓이가 같은 경우도 위와 같이 $\int_a^b \{f(x)-g(x)\}dx=S_1-S_2=0$이다.

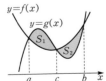

06-1 ⦁유사

곡선 $y=x^3-(a+3)x^2+3ax$와 x축으로 둘러싸인 두 도형의 넓이가 서로 같을 때, 상수 a의 값을 구하여라. (단, $a>3$)

06-2 ⦁유사

곡선 $y=(x+1)(x-1)(x-a)$와 x축으로 둘러싸인 두 도형의 넓이가 서로 같을 때, 상수 a의 값을 구하여라. (단, $a>1$)

06-3 ⦁유사

곡선 $y=x(x-2a)(x-1)$과 x축으로 둘러싸인 두 도형의 넓이가 서로 같을 때, 상수 a의 값을 구하여라.

$\left(\text{단, } 0<a<\dfrac{1}{2}\right)$

06-4 ⦁유사 기출

곡선 $y=x(x+2)$와 x축 및 직선 $x=k$로 둘러싸인 두 도형의 넓이가 서로 같을 때, k의 값을 구하여라.

(단, $k>0$)

06-5 ⦁변형

오른쪽 그림과 같이 두 곡선 $y=-x^2(x-4)$, $y=ax(x-4)$로 둘러싸인 두 도형의 넓이가 서로 같을 때, 상수 a의 값을 구하여라. (단, $a<0$)

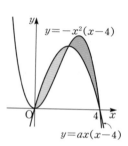

06-6 ⦁실력

두 곡선 $y=x^3-2ax^2+a^2x$와 $y=2x^2-2ax$로 둘러싸인 두 도형의 넓이가 서로 같을 때, 상수 a의 값을 구하여라. (단, $a>0$)

곡선 $y=-x^2+2x$와 x축으로 둘러싸인 도형의 넓이가 직선 $y=ax$에 의하여 이등분될 때, 실수 a의 값을 구하여라. (단, $0<a<2$)

풍쌤 POINT

곡선과 x축으로 둘러싸인 도형의 넓이가 직선에 의하여 이등분되면

(곡선과 x축으로 둘러싸인 도형의 넓이)$=2\times$(곡선과 직선으로 둘러싸인 도형의 넓이)

풀이

STEP1 교점의 x좌표 구하기

곡선 $y=-x^2+2x$와 직선 $y=ax$의 교점의 x좌표는

$-x^2+2x=ax$❶에서 $x\{x+(a-2)\}=0$

$\therefore x=0$ 또는 $x=2-a$

곡선 $y=-x^2+2x$와 x축의 교점의 x좌표는 $-x^2+2x=0$에서 $x(x-2)=0$

$\therefore x=0$ 또는 $x=2$

❶ 두 곡선 $y=f(x)$, $y=g(x)$의 교점의 x좌표는 방정식 $f(x)=g(x)$의 해와 같다.

STEP2 S_1의 값 구하기

곡선 $y=-x^2+2x$와 x축으로 둘러싸인 도형의 넓이를 S_1이라고 하면

$$S_1=\int_0^2 (-x^2+2x)^{❷}dx=\left[-\frac{1}{3}x^3+x^2\right]_0^2=\frac{4}{3}$$

❷ 닫힌구간 $[0,2]$에서 $-x^2+2x\geq 0$

STEP3 S_2의 값 구하기

곡선 $y=-x^2+2x$와 직선 $y=ax$로 둘러싸인 도형의 넓이를 S_2라고 하면

$$S_2=\int_0^{2-a}\{(-x^2+2x)-ax\}^{❸}dx$$

$$=\int_0^{2-a}\{-x^2+(2-a)x\}dx$$

$$=\left[-\frac{1}{3}x^3+\frac{2-a}{2}x^2\right]_0^{2-a}=\frac{(2-a)^3}{6}$$

❸ 닫힌구간 $[0,2-a]$에서 $-x^2+2x\geq ax$

STEP4 a의 값 구하기

주어진 조건에서 $S_1=2S_2$이므로

$$\frac{4}{3}=2\times\frac{(2-a)^3}{6}, \ (2-a)^3=4, \ 2-a=\sqrt[3]{4}$$

$$\therefore a=2-\sqrt[3]{4}$$

답 $2-\sqrt[3]{4}$

풍쌤 강의 NOTE

오른쪽 그림과 같이 곡선 $y=f(x)$와 x축으로 둘러싸인 도형의 넓이 S가

곡선 $y=g(x)$에 의하여 이등분되면 $S=S_1+S_2=2S_1$이므로

$$S=2\int_0^a \{f(x)-g(x)\}dx$$

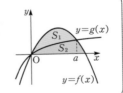

07-1 ◉ 유사

곡선 $y=x^2-3x$와 직선 $y=ax$로 둘러싸인 도형의 넓이가 x축에 의하여 이등분될 때, 상수 a에 대하여 $(a+3)^3$의 값을 구하여라. (단, $a>0$)

07-2 ◉ 변형   기출

곡선 $y=-2x^2+8$과 x축으로 둘러싸인 도형의 넓이가 직선 $y=2k$ $(0<k<4)$에 의하여 이등분될 때, 상수 k에 대하여 $(4-k)^3$의 값을 구하여라.

07-3 ◉ 변형

곡선 $y=x^2-2x$와 x축으로 둘러싸인 도형의 넓이가 곡선 $y=ax^2$에 의하여 이등분될 때, 상수 a에 대하여 $(a-1)^2$의 값을 구하여라. (단, $a<0$)

07-4 ◉ 변형

곡선 $x=y^2+2y$와 직선 $x=ky$로 둘러싸인 도형의 넓이가 y축에 의하여 이등분될 때, 상수 k에 대하여 $(k-2)^3$의 값을 구하여라. (단, $k<0$)

07-5 ◉ 변형

다음 그림과 같이 곡선 $y=\dfrac{1}{8}x^2$과 x축 및 직선 $x=4$로 둘러싸인 도형의 넓이를 S_1, 이 곡선과 두 직선 $x=4$, $y=mx$로 둘러싸인 도형의 넓이를 S_2라고 할 때, $S_2=2S_1$이다. 이때 상수 m의 값을 구하여라.

$$\left(\text{단, } m>\dfrac{1}{2}\right)$$

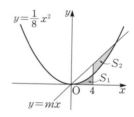

07-6 ◉ 실력

두 곡선 $y=\dfrac{1}{k}x^3$, $y=-4kx^3$과 직선 $x=2$로 둘러싸인 도형의 넓이의 최솟값을 구하여라. (단, $k>0$)

함수 $f(x)=x^2-4x+6$ $(x\geq2)$의 역함수를 $g(x)$라고 할 때, 두 곡선 $y=f(x)$, $y=g(x)$로 둘러싸인 도형의 넓이를 구하여라.

풍쌤 POINT

함수 $f(x)$와 그 역함수 $f^{-1}(x)$의 그래프의 교점은 함수 $f(x)$의 그래프와 직선 $y=x$의 교점과 같아! 또, 두 곡선 $y=f(x)$, $y=f^{-1}(x)$로 둘러싸인 도형의 넓이는 곡선 $y=f(x)$와 직선 $y=x$로 둘러싸인 도형의 넓이의 2배야!

풀이

STEP 1 함수와 그 역함수의 그래프 사이의 관계 알기

두 곡선 $y=f(x)$, $y=g(x)$는 직선 $y=x$에 대하여 대칭이므로 두 곡선 $y=f(x)$, $y=g(x)$의 교점의 x좌표는 곡선 $y=f(x)$와 직선 $y=x$의 교점의 x좌표와 같다. **❶**

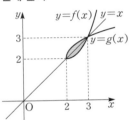

STEP 2 교점의 x좌표 구하기

$x^2-4x+6=x$에서 $x^2-5x+6=0$

$(x-2)(x-3)=0$

$\therefore x=2$ 또는 $x=3$

STEP 3 넓이 구하기

이때 두 곡선 $y=f(x)$, $y=g(x)$로 둘러싸인 도형의 넓이는 곡선 $y=f(x)$와 직선 $y=x$로 둘러싸인 도형의 넓이의 2배와 같으므로**❷** 구하는 넓이는

$2\displaystyle\int_2^3 \{x-(x^2-4x+6)\}^{❸}dx$

$=2\displaystyle\int_2^3 (-x^2+5x-6)dx$

$=2\left[-\dfrac{1}{3}x^3+\dfrac{5}{2}x^2-6x\right]_2^3$

$=2\times\dfrac{1}{6}=\dfrac{1}{3}$

❶ 서로 역함수인 두 곡선의 교점은 직선 $y=x$ 위에 있다.

❷ 곡선 $y=f(x)$와 직선 $y=x$로 둘러싸인 도형의 넓이와 곡선 $y=g(x)$와 직선 $y=x$로 둘러싸인 도형의 넓이는 서로 같다.

❸ 직선 $y=x$가 곡선 $y=f(x)$보다 위에 있으므로
$x-(x^2-4x+6)\geq0$

답 $\dfrac{1}{3}$

풍쌤 강의 NOTE

함수 $y=f(x)$와 그 역함수 $y=g(x)$의 그래프의 교점의 x좌표가 α, β $(\alpha<\beta)$일 때

(1) 두 함수 $y=f(x)$, $y=g(x)$의 그래프는 직선 $y=x$에 대하여 대칭이다.

(2) $\displaystyle\int_\alpha^\beta |f(x)-g(x)|dx=2\displaystyle\int_\alpha^\beta |x-f(x)|dx$

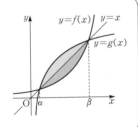

08-1 ⊙ 유사

함수 $f(x)=x^2-2x+2$ $(x \geq 1)$의 역함수를 $g(x)$라고 할 때, 두 곡선 $y=f(x)$, $y=g(x)$로 둘러싸인 도형의 넓이를 구하여라.

08-2 ⊙ 변형

다음 그림은 함수 $y=f(x)$ $(x \geq 1)$와 그 역함수 $y=g(x)$의 그래프이다. 두 그래프가 두 점 $(1, 1)$, $(4, 4)$에서 만나고 $\int_1^4 f(x)dx = \frac{5}{2}$일 때, 두 곡선 $y=f(x)$, $y=g(x)$로 둘러싸인 도형의 넓이를 구하여라.

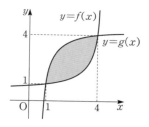

08-3 ⊙ 변형

함수 $f(x)=\sqrt{ax}$의 그래프와 그 역함수 $y=f^{-1}(x)$의 그래프로 둘러싸인 도형의 넓이가 $\frac{25}{3}$일 때, 양수 a의 값을 구하여라.

08-4 ⊙ 변형

두 함수 $y=2x^3+x^2+x$, $x=2y^3+y^2+y$의 그래프로 둘러싸인 도형의 넓이를 구하여라.

08-5 ⊙ 변형

함수 $f(x)$와 그 역함수 $g(x)=\sqrt{x-4}$에 대하여 정적분 $\int_0^2 f(x)dx + \int_4^8 g(x)dx$의 값을 구하여라.

08-6 ⊙ 실력

함수 $f(x)=x^3-3x^2+5x$의 역함수를 $g(x)$라고 할 때, $\int_1^3 f(x)dx + \int_3^{15} g(x)dx$의 값을 구하여라.

원점을 출발하여 수직선 위를 움직이는 점 P의 t초 후의 속도가 $v(t)=t^2-4t+3$일 때, 다음을 구하여라.

(1) 점 P가 처음으로 운동 방향을 바꾸는 시각에서 점 P의 위치

(2) 점 P가 원점으로 다시 돌아오는 데 걸리는 시간

풍쌤 POINT

점 P가 운동 방향을 바꿀 때는 속도가 0이고 점 P가 원점으로 다시 돌아오면 위치의 변화량이 0이야!

풀이 ●

(1) **STEP1 속도가 0이 될 때의 시각 t 구하기**

점 P가 운동 방향을 바꿀 때 $v(t)=0$이므로❶

$t^2-4t+3=0$, $(t-1)(t-3)=0$

$\therefore t=1$ 또는 $t=3$

STEP2 $t=1$에서의 점 P의 위치 구하기

원점을 출발한 지 1초 후에 처음으로 운동 방향을 바꾸므로

1초 후의 점 P의 위치는

$$0^❷+\int_0^1 (t^2-4t+3)dt=0+\left[\frac{1}{3}t^3-2t^2+3t\right]_0^1=\frac{4}{3}$$

❶ 점 P가 운동 방향을 바꾸는 순간의 속도는 0이다.

❷ 원점을 출발하는 점이므로 $x_0=0$

(2) **STEP1 위치의 변화량이 0인 식 세우기**

점 P가 원점을 출발하여 다시 원점으로 돌아오는 데 걸리는 시간을 a초라고 하면 출발한 지 a초 후의 점 P의 위치의 변화량은 0이므로❸

$$\int_0^a (t^2-4t+3)dt=0$$

STEP2 원점으로 돌아오는 데 걸리는 시간 구하기

$$\left[\frac{1}{3}t^3-2t^2+3t\right]_0^a=0$$

$$\frac{1}{3}a^3-2a^2+3a=0, \ a(a-3)^2=0❹$$

$\therefore a=3 \ (\because a>0)$

따라서 점 P가 원점으로 다시 돌아오는 데 걸리는 시간은 3초이다.

❸ 출발점과 같은 위치에 있으려면 위치의 변화량이 0이다.

❹ $\frac{1}{3}a^3-2a^2+3a=0$의 양변에 3을 곱하면
$a^3-6a^2+9a=0$
$a(a^2-6a+9)=0$
$a(a-3)^2=0$

답 (1) $\frac{4}{3}$ (2) 3초

풍쌤 강의 NOTE

• 위치는 이동한 거리의 총합이 아닌 주어진 시각에서 속도의 정적분의 값이므로 양수일 수도 음수일 수도 있다.

• 위치의 변화량을 구할 때, 수직선 위의 점이 $t=0$일 때의 위치가 어딘지 확인하여 x_0의 값을 이용한다.

09-1 유사

원점을 출발하여 수직선 위를 움직이는 점 P에 대하여 시각 t에서의 속도가 $v(t)=4-t$일 때, 다음을 구하여라.

(1) 시각 $t=3$에서 점 P의 위치
(2) 시각 $t=1$에서 $t=5$까지 점 P의 위치의 변화량

09-2 유사

원점을 출발하여 t초 후에 $(3t^2+2t-12)$ cm/s의 속도로 수직선 위를 움직이는 점 P가 있다. 점 P가 원점을 출발한 후 원점으로 다시 돌아오는 것은 몇 초 후인지 구하여라.

09-3 변형

원점을 출발하여 수직선 위를 움직이는 점 P의 시각 t에서 속도가

$$v(t)=\begin{cases} -t^2+4t & (0\le t<2) \\ t^2-5t+6 & (t\ge2) \end{cases}$$

일 때, $t=4$에서 점 P의 위치를 구하여라.

09-4 변형

지면으로부터 30 m의 높이에서 처음 속도 20 m/s로 똑바로 위로 쏘아 올린 물체의 t초 후의 속도가 $v(t)=20-10t$(m/s)라고 한다. 3초 후 이 물체의 지상으로부터의 높이를 h_1 m, 물체가 최고 지점에 도달했을 때의 지상으로부터의 높이를 h_2 m라고 할 때, $|h_1-h_2|$의 값을 구하여라.

09-5 변형

수직선 위에서 원점을 출발하여 운동하는 점 P의 t초 후의 속도가 $v(t)=t^2-5t+4$이다. 점 P의 운동 방향이 두 번째 바뀔 때의 점 P의 위치를 구하여라.

09-6 실력

원점을 출발하여 수직선 위를 움직이는 점 A의 시각 t에서의 속도는 $v_A(t)=6-t$이고, 좌표가 12인 점에서 출발하여 수직선 위를 움직이는 점 B의 시각 t에서의 속도는 $v_B(t)=2t-3$이다. 이때 두 점 A, B가 동시에 출발한 후 서로 만나는 횟수를 구하여라.

원점을 출발하여 수직선 위를 움직이는 점 P의 t초 후의 속도가 $v(t)=4t^2-8t$일 때, 점 P가 출발한 후 원점으로 다시 돌아올 때까지 움직인 거리를 구하여라.

풍쌤 POINT

점 P가 a초 후에 원점으로 다시 돌아올 때까지 움직인 거리는 곡선 $y=v(t)$와 t축 및 직선 $t=a$로 둘러싸인 도형의 넓이와 같아!

풀이

STEP1 위치의 변화량이 0일 때의 시각 구하기

점 P가 원점을 출발하여 다시 원점으로 돌아오는 데 걸리는 시간을 a초라고 하면 출발한 지 a초 후의 점 P의 위치의 변화량은 0이므로

$$\int_0^a (4t^2-8t)dt=0, \ \left[\frac{4}{3}t^3-4t^2\right]_0^a=0$$

$$\frac{4}{3}a^3-4a^2=0, \ 4a^2(a-3)=0$$

$$\therefore a=3 \ (\because a>0)$$

STEP2 속도가 0인 시각 구하기

점 P가 운동 방향을 바꾼 시각은❶

$v(t)=4t^2-8t=0$에서 $4t(t-2)=0$

$\therefore t=0$ 또는 $t=2$

STEP3 점 P가 움직인 거리 구하기

따라서 3초 동안 점 P가 움직인 거리는

$$\int_0^3 |4t^2-8t|dt ❷$$

$$=\int_0^2 (-4t^2+8t)dt+\int_2^3 (4t^2-8t)dt ❸$$

$$=\left[-\frac{4}{3}t^3+4t^2\right]_0^2+\left[\frac{4}{3}t^3-4t^2\right]_2^3$$

$$=\frac{16}{3}+\frac{16}{3}$$

$$=\frac{32}{3}$$

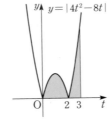

❶ 운동 방향을 바꿀 때의 속도는 0이다.

❷ 움직인 거리인 $\int_a^b |v(t)|dt$는 그래프와 t축으로 둘러싸인 도형의 넓이와 같다.

❸ 닫힌구간 $[0, 2]$에서 $4t^2-8t\leq 0$, 닫힌구간 $[2, 3]$에서 $4t^2-8t\geq 0$이다.

目 $\frac{32}{3}$

풍쌤 강의 NOTE

• 움직인 거리는 운동 방향이 양의 방향이든 음의 방향이든 움직인 거리를 모두 더해야 함에 유의한다.

• 수직선은 좌우로, 쏘아 올린 물체는 상하로 이동한다.

똑바로 위로 쏘아 올린 물체의 시각 t에서 속도가 $v(t)$일 때

(1) 물체가 최고 높이에 도달할 때 ➡ $v(t)=0$

(2) 물체가 정지하거나 운동 방향을 바꿀 때 ➡ $v(t)=0$

10-1 〈유사〉

원점을 출발하여 수직선 위를 움직이는 점 P의 t초 후의 속도가 $v(t) = -2t + 8$일 때, 점 P가 출발한 후 원점으로 다시 돌아올 때까지 움직인 거리를 구하여라.

10-2 〈변형〉

직선 도로를 30 m/s의 속력으로 달리는 자동차가 있다. 이 자동차가 제동을 건 후 t초 후의 속도가 $v(t) = 30 - 2t$ (m/s)일 때, 제동을 건 후 자동차가 정지할 때까지 이동한 거리를 구하여라.

10-3 〈변형〉

지면에서 똑바로 위로 쏘아 올린 물제의 t초 후의 속도가 $v(t) = -8t + k$ (m/s)이다. 물체가 지면에 떨어질 때까지 걸리는 시간이 6초일 때, 이 물체가 지면에 떨어질 때까지 움직인 거리를 구하여라.

(단, k는 상수이다.)

10-4 〈변형〉

원점을 출발하여 수직선 위를 움직이는 점 P의 시각 t에서 속도가 $v(t) = -t^2 + 8t - 12$일 때, 점 P가 원점을 출발할 때의 운동 방향과 반대 방향으로 움직인 거리를 구하여라.

10-5 〈변형〉

반지름의 길이가 3 cm인 원기둥 모양의 기름관에 기름이 가득 차서 일정한 속도로 빠져나오고 있다. 빠져나오는 기름의 t초 후의 속도가

$$v(t) = 6t - t^2 \text{ (cm/s)}$$

일 때, 이 기름이 빠져나오기 시작하여 멈출 때까지 빠져나온 기름의 양을 구하여라.

10-6 〈실력〉

어떤 열차가 출발하여 3 km를 달릴 때까지는 t분 후의 속도가 $v(t) = \dfrac{3}{4}t^2 + \dfrac{1}{2}t$ (km/m)이고, 3 km를 달린 후부터는 속도가 일정하다. 이때 이 열차가 출발 후 10분 동안 달린 거리를 구하여라.

원점을 출발하여 수직선 위를 움직이는 물체의 t초 후의 속도 $v(t)$의 그래프가 오른쪽 그림과 같을 때, 다음을 구하여라.

(1) 물체가 운동 방향을 바꾸는 횟수

(2) 물체가 원점으로 다시 돌아올 때까지 걸리는 시간

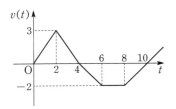

풍쌤
POINT

운동 방향을 바꾸는 것은 속도가 양수에서 음수로 또는 음수에서 양수로 바뀔 때이고, 물체가 원점으로 돌아오는 것은 위치의 변화량이 0이라는 뜻이야!

풀이

(1) 그래프에서 $t=4$, $t=10$일 때 $v(t)=0$이고, $t=4$, $t=10$의 좌우에서 $v(t)$의 부호가 바뀌므로 물체가 출발 후 운동 방향을 2번 바꾼다. ❶

❶ $v(t)$가 양이면 오른쪽으로, $v(t)$가 음이면 왼쪽으로 이동함을 나타낸다.

(2) **STEP1** 원점으로 다시 돌아오는 조건 알기

$t=a$일 때, 원점으로 다시 돌아온다고 하면

$$\int_0^a v(t)\,dt=0$$이어야 한다.

STEP2 그래프에서 각 부분의 넓이 구하기

다음 그림과 같이 속도 $v(t)$의 그래프와 t축으로 둘러싸인 각 부분의 넓이를 S_1, S_2, S_3, S_4, S_5라고 하면

$S_1=3$, $S_2=3$, $S_3=2$, $S_4=4$, $S_5=2$

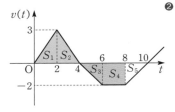
❷

❷ 속도의 그래프가 직선인 경우에 정적분을 이용하는 것보다 도형의 넓이를 이용하는 것이 더 편리하다.

STEP3 넓이의 합을 이용하여 원점으로 돌아오는 시각 구하기

이때 $S_1+S_2=S_3+S_4$이므로 $t=8$, 즉 8초 후 물체가 원점으로 다시 돌아온다. ❸

❸ $t=8$일 때 물체는 원점으로 다시 돌아오므로 $\int_0^8 v(t)\,dt=0$이다.

答 (1) 2   (2) 8초

풍쌤 강의
NOTE

수직선 위를 움직이는 점 P의 시각 t에서의 속도 $v(t)$의 그래프가 오른쪽 그림과 같을 때 $t=0$에서 $t=a$까지

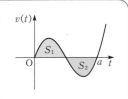

(1) 점 P의 위치의 변화량: $\displaystyle\int_0^a v(t)\,dt \Rightarrow S_1-S_2$

(2) 점 P가 움직인 거리: $\displaystyle\int_0^a |v(t)|\,dt \Rightarrow S_1+S_2$

11-1 ⟨유사⟩

원점을 출발하여 수직선 위를 움직이는 점 P의 시각 t에서 속도 $v(t)$의 그래프가 다음 그림과 같을 때, 다음을 구하여라.

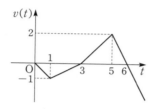

(1) 점 P가 운동 방향을 바꾸는 횟수
(2) 시각 $t=6$에서 점 P의 위치

11-2 ⟨변형⟩

원점을 출발하여 수직선 위를 7초 동안 움직이는 점 P의 t초 후의 속도 $v(t)$가 다음 그림과 같을 때, 옳은 것만을 |보기|에서 있는 대로 골라라.

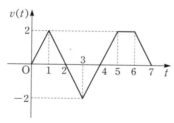

┤보기├
ㄱ. 점 P는 출발 후 5초부터 6초까지 멈추어 있다.
ㄴ. 점 P는 움직이는 동안 운동 방향을 2번 바꾼다.
ㄷ. 점 P는 출발한 지 4초 후 출발점에 있다.

11-3 ⟨변형⟩

원점을 출발하여 수직선 위를 8초 동안 움직이는 물체의 시각 t에서 속도 $v(t)$의 그래프가 다음 그림과 같을 때, 옳은 것만을 |보기|에서 있는 대로 골라라.

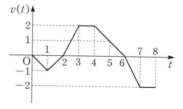

┤보기├
ㄱ. $t=6$일 때, 물체의 위치는 4이다.
ㄴ. 출발 후 처음으로 멈추었을 때까지 물체가 움직인 거리는 2이다.
ㄷ. 물체는 움직이는 동안 운동 방향을 2번 바꾼다.

11-4 ⟨실력⟩

다음 그림은 원점을 출발하여 수직선 위를 10초 동안 움직이는 점 P의 t초 후의 속도 $v(t)$의 그래프이다. 함수 $f(t)$를 $f(t)=\int_0^t v(t)dt$로 정의할 때, 옳은 것만을 |보기|에서 있는 대로 골라라.

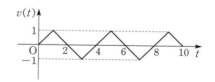

┤보기├
ㄱ. $f(8)=2$
ㄴ. $f(10)=f(2)$
ㄷ. 점 P는 출발 후 10초 동안 원점을 5번 지난다.
ㄹ. 점 P가 10초 동안 실제로 움직인 거리는 5이다.

포물선의 킬러공식

주어진 곡선이 이차함수일 때, 곡선으로 둘러싸인 도형의 넓이를 정적분을 이용하지 않고 공식으로 간단히 구해 보자.

한 곡선과 직선 또는 두 곡선으로 둘러싸인 부분의 넓이를 간단히 구하는 공식이 존재한다.
공식은 비슷비슷하다. 특징을 외워서 적용만 잘하면 된다.

특강 포물선의 킬러공식

(1) 포물선과 x축으로 둘러싸인 도형의 넓이

포물선 $y=ax^2+bx+c$의 그래프가 x축과 서로 다른 두 점에서 만날 때, 교점의 x좌표를 α, $\beta(\alpha<\beta)$라고 하면 이 곡선과 x축으로 둘러싸인 도형의 넓이 S는

$$S=\frac{|a|}{6}(\beta-\alpha)^3$$

(2) 포물선과 직선으로 둘러싸인 도형의 넓이

포물선 $y=ax^2+bx+c$의 그래프와 직선 $y=mx+n$이 서로 다른 두 점에서 만날 때, 교점의 x좌표를 α, $\beta(\alpha<\beta)$라고 하면 이 곡선과 직선으로 둘러싸인 도형의 넓이 S는

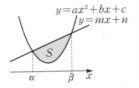

$$S=\frac{|a|}{6}(\beta-\alpha)^3$$

(3) 두 포물선으로 둘러싸인 도형의 넓이

두 포물선 $y=ax^2+bx+c$, $y=a'x^2+b'x+c'$의 그래프가 서로 다른 두 점에서 만날 때, 교점의 x좌표를 α, $\beta(\alpha<\beta)$라고 하면 두 포물선으로 둘러싸인 도형의 넓이 S는

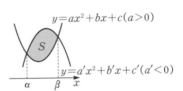

$$S=\frac{|a-a'|}{6}(\beta-\alpha)^3$$

예시

다음 도형의 넓이를 구하여라.

(1) 곡선 $y=-x^2+2x$와 x축으로 둘러싸인 도형

(2) 곡선 $y=x^2-1$과 직선 $y=-x+1$로 둘러싸인 도형

(3) 두 곡선 $y=x^2-2x-4$, $y=-2x^2+4x+5$로 둘러싸인 도형

(1) **STEP1** 곡선과 x축의 교점의 x좌표 구하기

곡선과 x축의 교점의 x좌표는 $-x^2+2x=0$에서

$-x(x-2)=0$ $\therefore x=0$ 또는 $x=2$

STEP2 넓이 구하기

닫힌구간 $[0, 2]$에서 $y \geq 0$이므로 구하는 넓이는

풍산자 풀이 흐름

❶ 곡선과 x축과의 교점의 x좌표를 구한다.

❷ 공식을 이용하여 넓이를 구한다.

(ⅰ) 정적분을 이용하는 경우

$$\int_0^2 (-x^2+2x)dx$$

$$=\left[-\frac{1}{3}x^3+x^2\right]_0^2$$

$$=\frac{4}{3}$$

(ⅱ) 공식을 이용하는 경우

$$\int_0^2 (-x^2+2x)dx$$

$$=\frac{|-1|}{6}\times(2-0)^3$$

$$=\frac{4}{3}$$

정적분의 정의를 이용하는 것과 공식을 이용하는 것의 답은 같아!

(2) **STEP1 곡선과 직선의 교점의 x좌표 구하기**

곡선과 직선의 교점의 x좌표는 $x^2-1=-x+1$에서

$x^2+x-2=0$, $(x-1)(x+2)=0$ $\quad \therefore x=-2$ 또는 $x=1$

STEP2 도형의 넓이 구하기

닫힌구간 $[-2, 1]$에서 $-x+1 \geq x^2-1$이므로 구하는 넓이는

(ⅰ) 정적분을 이용하는 경우

$$\int_{-2}^1 \{(-x+1)-(x^2-1)\}dx$$

$$=\int_{-2}^1 (-x^2-x+2)dx$$

$$=\left[-\frac{1}{3}x^3-\frac{1}{2}x^2+2x\right]_{-2}^1$$

$$=\frac{7}{6}-\left(-\frac{10}{3}\right)=\frac{9}{2}$$

(ⅱ) 공식을 이용하는 경우

$$\int_{-2}^1 \{(-x+1)-(x^2-1)\}dx$$

$$=\frac{|-1|}{6}\times\{1-(-2)\}^3$$

$$=\frac{9}{2}$$

(3) **STEP1 두 곡선의 교점의 x좌표 구하기**

두 곡선의 교점의 x좌표는 $x^2-2x-4=-2x^2+4x+5$에서

$3x^2-6x-9=0$, $3(x+1)(x-3)=0$ $\quad \therefore x=-1$ 또는 $x=3$

STEP2 도형의 넓이 구하기

닫힌구간 $[-1, 3]$에서 $-2x^2+4x+5 \geq x^2-2x-4$이므로 구하는 넓이는

(ⅰ) 정적분을 이용하는 경우

$$\int_{-1}^3 \{(-2x^2+4x+5)$$
$$-(x^2-2x-4)\}dx$$

$$=\int_{-1}^3 (-3x^2+6x+9)dx$$

$$=\left[-x^3+3x^2+9x\right]_{-1}^3$$

$$=27-(-5)=32$$

(ⅱ) 공식을 이용하는 경우

$$\int_{-1}^3 \{(-2x^2+4x+5)$$
$$-(x^2-2x-4)\}dx$$

$$=\frac{|-2-1|}{6}\times\{3-(-1)\}^3$$

$$=32$$

✔️ **확인**

정답과 풀이 **264쪽**

1. 다음 도형의 넓이를 구하여라.

(1) 곡선 $y=x^2-5x+6$과 x축으로 둘러싸인 도형

(2) 곡선 $y=x^2-2x-5$와 직선 $y=x-1$로 둘러싸인 도형

(3) 두 곡선 $y=x^2+6x+9$, $y=-2x^2-6x+24$로 둘러싸인 도형

01

이차함수 $y=-x^2+kx$의 그래프와 x축으로 둘러싸인 도형의 넓이가 $\dfrac{125}{6}$일 때, 이를 만족시키는 모든 상수 k의 값의 합은?

① -5 ② -2 ③ 0

④ 2 ⑤ 5

02 서술형 ✏️

$0<a<2$인 실수 a에 대하여 곡선 $y=x(x-2)(x-a)$와 x축으로 둘러싸인 도형의 넓이가 최소가 되도록 하는 a의 값을 구하여라.

03

함수 $y=x^2-2|x|-8$의 그래프와 x축으로 둘러싸인 도형의 넓이는?

① $\dfrac{113}{3}$ ② 42 ③ $\dfrac{142}{3}$

④ 50 ⑤ $\dfrac{160}{3}$

04

다항함수 $f(x)$가

$$xf(x)=\int_0^x tf'(t)dt+\frac{2}{3}x^3-2x^2-6x$$

를 만족시킬 때, 함수 $y=f(x)$의 그래프와 x축으로 둘러싸인 도형의 넓이는?

① $\dfrac{32}{3}$ ② 15 ③ $\dfrac{55}{3}$

④ 20 ⑤ $\dfrac{64}{3}$

05

오른쪽 그림과 같이 함수 $y=f(x)$의 그래프와 x축으로 둘러싸인 두 도형 P, Q의 넓이가 각각 6, 2이다. $f(x)$의 한 부정적분 $F(x)$에 대하여 $F(2)=-1$일 때, $F(-4)$의 값을 구하여라.

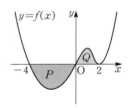

06

곡선 $y=\sqrt{x+4}$와 x축 및 y축으로 둘러싸인 도형의 넓이는?

① $\dfrac{16}{3}$ ② 5 ③ $\dfrac{14}{3}$

④ $\dfrac{13}{3}$ ⑤ 4

07 서술형 ✎

곡선 $y=x^2$을 x축에 대하여 대칭이동한 후 x축의 방향으로 3만큼, y축의 방향으로 6만큼 평행이동한 곡선을 $y=f(x)$라고 하자. 두 곡선 $y=x^2+1$, $y=f(x)$로 둘러싸인 도형의 넓이를 구하여라.

08

곡선 $y=x^2+2$와 이 곡선 위의 점 $(2, 6)$에서 그은 접선과 x축 및 y축의 양의 부분으로 둘러싸인 도형의 넓이는?

① 2 　　② $\dfrac{13}{6}$ 　　③ $\dfrac{7}{3}$

④ $\dfrac{5}{2}$ 　　⑤ $\dfrac{8}{3}$

09

점 $(-1, 0)$에서 곡선 $y=x^2+3$에 그은 두 접선과 이 곡선으로 둘러싸인 도형의 넓이를 구하여라.

10 서술형 ✎

오른쪽 그림과 같이 곡선 $y=x^2-8x+k$와 x축 및 y축으로 둘러싸인 도형의 넓이를 A, 이 곡선과 x축으로 둘러싸인 도형의 넓이를 B라고 할 때, $A:B=1:20$이다. 이때 상수 k의 값을 구하여라.

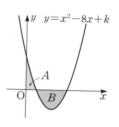

11

$0 \le x \le 1$에서 함수 $y=f(x)$와 그 역함수 $y=g(x)$의 그래프가 오른쪽 그림과 같다. 두 함수의 그래프로 둘러싸인 도형의 넓이가 $\dfrac{3}{5}$일 때, $\displaystyle\int_0^1 f(x)dx$의 값을 구하여라.

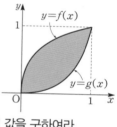

12

두 함수 $y=x^3-2x^2+2x$, $x=y^3-2y^2+2y$의 그래프로 둘러싸인 도형의 넓이는?

① $\dfrac{1}{12}$ 　　② $\dfrac{1}{6}$ 　　③ $\dfrac{1}{4}$

④ $\dfrac{1}{3}$ 　　⑤ $\dfrac{5}{12}$

13

함수 $f(x)=\sqrt{x-1}$의 역함수를 $g(x)$라고 할 때,
$\displaystyle\int_{1}^{10} f(x)dx+\int_{0}^{3} g(x)dx$의 값은?

① 15   ② 20   ③ 25

④ 30   ⑤ 35

14

원점을 출발하여 수직선 위를 움직이는 점 P의 t초 후의 속도가 $v(t)=-3t^2+6t+18 \ (\text{cm/s})$일 때, 점 P가 원점으로 다시 돌아오는 데 걸리는 시간은?

① 4초   ② 5초   ③ 6초

④ 7초   ⑤ 8초

15

수직선 위를 움직이는 두 점 A, B가 같은 지점에서 같은 방향으로 동시에 출발하였다. 시각 t에서의 속도가 각각 $6t^2-4t+4$, $3t^2+4t+1$일 때, 출발 후 두 점 A, B가 서로 만나는 횟수를 구하여라.

16

시각 $t=0$일 때, 동시에 원점을 출발하여 수직선 위를 움직이는 두 점 P, Q의 시각 $t \ (t \geq 0)$에서의 속도가 각각 $v_1(t)=3t^2+t$, $v_2(t)=2t^2+3t$이다. 출발한 두 점 P, Q의 속도가 같아지는 순간 두 점 P, Q 사이의 거리를 a라고 할 때, $9a$의 값은?

① 12   ② 13   ③ 14

④ 15   ⑤ 16

17 서술형 🖊

수직선 위를 움직이는 점 P의 시각 t에서의 속도가

$$v(t)=\begin{cases} 2t & (0 \leq t \leq 4) \\ -t+12 & (t>4) \end{cases}$$

일 때, 점 P가 $t=0$에서 $t=6$까지 움직인 거리를 구하여라.

정답과 풀이 270쪽

01

점 $(0, 3)$을 지나는 직선과 곡선 $y=x^2$으로 둘러싸인 도형의 넓이의 최솟값을 구하여라.

03

함수 $f(t)$가 등식 $\int_3^x f(t)dt=x^3-kx^2$을 만족시킬 때, 곡선 $y=f(x)$와 x축으로 둘러싸인 도형의 넓이를 구하여라.

02

이차함수 $y=x^2-2x-1$의 그래프와 직선 $y=|x-1|$로 둘러싸인 도형의 넓이는?

① $\dfrac{5}{3}$ ② $\dfrac{10}{3}$ ③ 5

④ $\dfrac{20}{3}$ ⑤ $\dfrac{25}{3}$

04

함수 $f(x)=(x^2-9)(x^2-a)$에 대하여 곡선 $y=f(x)$와 x축으로 둘러싸인 세 도형의 넓이를 다음 그림과 같이 S_1, S_2, S_3이라고 하자. $S_1-S_2+S_3=0$일 때, 상수 a의 값을 구하여라. (단, $0<a<9$)

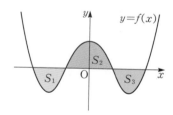

05

함수 $f(x)=x^2-2x$에 대하여 두 곡선 $y=f(x)$, $y=-f(x-1)-1$로 둘러싸인 도형의 넓이는?

① $\dfrac{1}{6}$ ② $\dfrac{1}{4}$ ③ $\dfrac{1}{3}$

④ $\dfrac{5}{12}$ ⑤ $\dfrac{1}{2}$

06

원점을 출발하여 수직선 위를 움직이는 점 P의 시각 t에서의 속도를 $v(t)=3t^2-6t$라고 하자. 점 P가 시각 $t=0$에서 $t=a$까지 움직인 거리가 58일 때, $v(a)$의 값을 구하여라.

07

두 함수 $f(x)$와 $g(x)$가

$$f(x)=3x^2+\int_0^2 g(x)dx,$$

$$g(x)=-x^3+3x^2\int_0^2 f(x)dx$$

를 만족시킬 때, 두 함수 $y=f(x)$와 $y=g(x)$의 그래프로 둘러싸인 도형의 넓이를 구하여라.

01 함수의 극한

8~40쪽

개념확인

01 (1) 3 (2) 6 (3) 4 (4) 발산(∞)
02 (1) 0 (2) 2
03 (1) 3 (2) 2
04 (1) 4 (2) -2
05 (1) -2 (2) -3
06 2

유형

01-1 (1) 12 (2) $2\sqrt{2}$ (3) 발산(∞) (4) 0
01-2 (1) -1 (2) 발산(∞) (3) 발산($-\infty$)
01-3 -3 **01-4** ㄱ, ㄷ, ㄹ
01-5 ③   **01-6** -12
02-1 (1) 0 (2) 3 (3) 0 (4) 0 (5) 0
02-2 2   **02-3** 2
02-4 3
02-5 (1) -1 (2) 0 (3) 1 (4) 0
02-6 -2
03-1 1   **03-2** -1
03-3 (1) 0 (2) 존재하지 않는다. (3) 0
03-4 존재하지 않는다.
03-5 5   **03-6** 4
04-1 (1) 1 (2) -1 (3) -1 (4) 1
04-2 5   **04-3** 18
04-4 2, 6   **04-5** -2
04-6 -2
05-1 (1) 2 (2) $-\dfrac{7}{2}$ **05-2** (1) 2 (2) -5
05-3 2   **05-4** 32
05-5 7   **05-6** 5
06-1 (1) 5 (2) -9 (3) -2 (4) 2
06-2 (1) $\dfrac{1}{2}$ (2) 4 (3) 18 (4) $\dfrac{1}{12}$
06-3 27   **06-4** $-\dfrac{\sqrt{6}}{2}$
06-5 3   **06-6** 2
07-1 (1) 0 (2) $\dfrac{3}{2}$ (3) 4 (4) 0
07-2 (1) 1 (2) 3 (3) -2
07-3 ㄴ, ㄷ, ㄹ   **07-4** 3
07-5 -1 **07-6** 2
08-1 (1) 발산(∞) (2) 2 (3) $\dfrac{3}{2}$ (4) 2
08-2 (1) $-\dfrac{1}{4}$ (2) -1 (3) 2 (4) 1
08-3 -1 **08-4** $A < C < B$
08-5 16   **08-6** 9
09-1 (1) 0 (2) -2
(3) $a=2$, $b=-3$ (4) $a=-6$, $b=5$
09-2 (1) $a=4$, $b=4\sqrt{2}$ (2) $a=2$, $b=2$
(3) $a=5$, $b=3$ (4) $a=1$, $b=3$
09-3 14   **09-4** 80
09-5 20   **09-6** 12
10-1 -6 **10-2** 14
10-3 100   **10-4** -2
10-5 0   **10-6** 12
11-1 2   **11-2** $\dfrac{1}{2}$
11-3 1   **11-4** 3
11-5 10   **11-6** 2
12-1 $\dfrac{1}{2}$ **12-2** 2
12-3 $\dfrac{4}{5}$ **12-4** 1
12-5 $\dfrac{5}{2}$ **12-6** 3

유형 특강

1 (1) 참 (2) 참 (3) 거짓

실전 연습 문제

01 ③ **02** 4 **03** -1 **04** ③
05 ⑤ **06** 4 **07** ④ **08** 8
09 ② **10** 5 **11** 20 **12** 36
13 66 **14** 2 **15** ① **16** 29
17 1

상위권 도약 문제

01 ③ **02** ③ **03** ④ **04** 2
05 ③ **06** 2 **07** 16

02 함수의 연속

42~68쪽

개념확인

01 (1) 연속 (2) 불연속 (3) 연속
02 (1) $[-1, 2]$ (2) $(2, 4)$ (3) $(0, 4]$ (4) $[3, \infty)$
03 (1) $(-\infty, \infty)$ (2) $[2, \infty)$ (3) $(-\infty, 1) \cup (1, \infty)$
04 ㄱ, ㄴ
05 (1) 최댓값: 0, 최솟값: -4 (2) 최댓값: 1, 최솟값: $\dfrac{1}{2}$
06 (가) 연속 (나) 연속 (다) 사잇값의 정리

01-1 (1) $\dfrac{32}{3}$ (2) $\dfrac{9}{2}$ (3) $\dfrac{37}{12}$ (4) 8

01-2 183

01-3 $\dfrac{1}{2}$

01-4 2

01-5 $\dfrac{35}{12}$

01-6 $\sqrt{3}$

02-1 $\dfrac{8}{3}$

02-2 $\dfrac{2}{3}$

02-3 8

02-4 $\dfrac{8}{3}$

02-5 0

02-6 $2\sqrt{2}$

03-1 (1) $\dfrac{9}{2}$ (2) $\dfrac{9}{2}$

03-2 50

03-3 $\dfrac{1}{2}$

03-4 $\dfrac{9}{2}$

03-5 2

03-6 $\dfrac{13}{6}$

04-1 $\dfrac{1}{3}$

04-2 2

04-3 $\dfrac{1}{2}$

04-4 $\dfrac{9}{4}$

04-5 $\dfrac{16}{3}$

04-6 24

05-1 $\dfrac{8}{3}$

05-2 $\dfrac{4}{3}$

05-3 $\dfrac{1}{3}$

05-4 $\dfrac{3}{2}$

05-5 11

05-6 $\dfrac{2}{3}$

06-1 6

06-2 3

06-3 $\dfrac{1}{4}$

06-4 1

06-5 -2

06-6 2

07-1 54

07-2 16

07-3 2

07-4 -16

07-5 1

07-6 16

08-1 $\dfrac{1}{3}$

08-2 10

08-3 5

08-4 $\dfrac{1}{48}$

08-5 16

08-6 42

09-1 (1) $\dfrac{15}{2}$ (2) 4

09-2 3초 후

09-3 6

09-4 5

09-5 $-\dfrac{8}{3}$

09-6 2

10-1 32

10-2 225 m

10-3 72 m

10-4 $\dfrac{32}{3}$

10-5 324π cm^3

10-6 35 km

11-1 (1) 2 (2) $\dfrac{3}{2}$

11-2 ㄴ, ㄷ

11-3 ㄱ, ㄷ

11-4 ㄴ, ㄹ

1 (1) $\dfrac{1}{6}$ (2) $\dfrac{125}{6}$ (3) 108

실전 연습 문제

01 ③

02 1

03 ⑤

04 ⑤

05 3

06 ①

07 $\dfrac{1}{3}$

08 ②

09 $\dfrac{16}{3}$

10 $\dfrac{32}{3}$

11 $\dfrac{4}{5}$

12 ②

13 ④

14 ③

15 2

16 ①

17 30

상위권 도약 문제

01 $4\sqrt{3}$

02 ④

03 4

04 $\dfrac{9}{5}$

05 ③

06 45

07 $\dfrac{27}{4}$

고등 풍산자와 함께하면
개념부터 ~ 고난도 문제까지 !
어떤 시험 문제도 익숙해집니다!

고등 풍산자 1등급 로드맵

고등 풍산자 교재	하	중하	중	상	최상
개념 기본서 1위 — 풍산자 수학(상)	필수 문제로 개념 정복, 개념 학습 완성				
유형 기본서 — 풍산자 유형기본서 수학(상)		개념 정리부터 유형까지 모두 정복, 유형 학습 완성			
기초 반복 훈련서 — 풍산자 반복수학		개념 및 기본 연산 정복, 기본 실력 완성			
기본 유형 연습서 — 풍산자 라이트 유형 수학(상)		기본 및 대표 유형 연습, 중위권 실력 완성			
유형서 만족도 1위 — 풍산자 필수유형 수학(상)			기출 문제로 유형 정복, 시험 준비 완료		
상위권 필독서 — 풍산자 일등급 유형 수학(상)				내신과 수능 1등급 도전, 상위권 실력 완성	
단기 특강서 — 풍산자 라이트 고등 수학(상)		개념 및 기본 체크, 단기 실력 점검			

유형 학습 비법서

풍산자
유형기본서

수학 II

발 행 인 권준구
발 행 처 (주)지학사 (등록번호 : 1957.3.18 제 13-11호) 04056 서울시 마포구 신촌로6길 5
발 행 일 2022년 1월 10일 [초판 1쇄]
구입 문의 TEL 02-330-5300 ｜ FAX 02-325-8010 구입 후에는 철회되지 않으며, 잘못된 제품은 구입처에서 교환해 드립니다.
내용 문의 www.jihak.co.kr 전화번호는 홈페이지 〈고객센터 → 담당자 안내〉에 있습니다.

문제의 핵심을 알려주는
유형 학습 비법서

풍산자

유형기본서

수학 Ⅱ

정답과 풀이

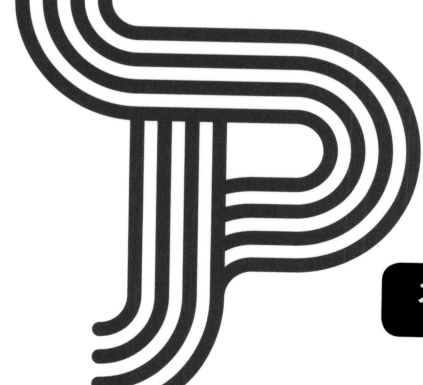

지학사

풍산자 속 모든 수학 개념,
풍쌤으로 가볍게 공부해봐!

초등학교 3학년 '분수' 부터 고등학교 '기하' 까지 10년간 배우는 수학의
모든 개념을 하나의 앱으로! 풍산자 기본 개념서 21책 속 831개의
개념 정리를 **풍쌤APP** 에서 만나보세요.

학년별 풍쌤 추천 개념부터 친구들에게 인기 있는 개념까지!

☑️ **내가 선택한 학년과 교재에 따른 맞춤형 홈 화면**

정확한 공식 이름이 생각나지 않아도 괜찮아!

☑️ **주요 키워드만으로도 빠르고 확실한 개념 검색**

자주 헷갈리는 파트, 그때마다 번번이 검색하기 귀찮지?

☑️ **나만의 공간, 북마크에 저장**

친구와 톡 중에 개념을 전달하고 싶을때!

☑️ **공유하기 버튼 하나로, 세상 쉬운 개념 공유**

개념 이해를 돕기 위한 동영상 탑재

☑️ **수학 개념 유튜브 강의 연동**

지학사

풍산자

유형기본서

수학 II

정답과 풀이

함수의 극한

개념확인 8~9쪽

01 답 (1) 3 (2) 6 (3) 4 (4) 발산(∞)

02 답 (1) 0 (2) 2

03 답 (1) 3 (2) 2

04 답 (1) 4 (2) -2

05 답 (1) -2 (2) -3

(1) $x \longrightarrow 1$일 때, 극한값이 존재하고 (분모) $\longrightarrow 0$이
므로 (분자) $\longrightarrow 0$이다.
따라서 $\lim\limits_{x \to 1} (2x+a) = 2+a = 0$이므로
$a = -2$

(2) $x \longrightarrow 3$일 때 0이 아닌 극한값이 존재하고
(분자) $\longrightarrow 0$이므로 (분모) $\longrightarrow 0$이다.
따라서 $\lim\limits_{x \to 3} (x+a) = 3+a = 0$이므로
$a = -3$

06 답 2

모든 실수 x에 대하여 $-2x \le f(x) \le x^2 + 1$이고
$\lim\limits_{x \to -1} (-2x) = 2$, $\lim\limits_{x \to -1} (x^2+1) = 2$이므로
$\lim\limits_{x \to -1} f(x) = 2$

필수유형 01 11쪽

01-1 답 (1) 12 (2) $2\sqrt{2}$ (3) 발산(∞) (4) 0

해결전략 | 그래프를 그려 극한값을 확인한다.

(1) $f(x) = x^2 - 3x + 2$로 놓으
면 함수 $y = f(x)$의 그래프
에서 x의 값이 -2에 한없이
가까워질 때, $f(x)$의 값은
12에 한없이 가까워지므로
$\lim\limits_{x \to -2} (x^2 - 3x + 2) = 12$

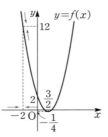

◉→ 다른 풀이
$f(x) = x^2 - 3x + 2$에 $x = -2$를 대입하면
$f(-2) = (-2)^2 - 3 \times (-2) + 2 = 12$
$\therefore \lim\limits_{x \to -2} (x^2 - 3x + 2) = 12$

(2) $f(x) = \sqrt{3x-1}$로 놓으
면 함수 $y = f(x)$의 그래
프에서 x의 값이 3에 한
없이 가까워질 때, $f(x)$
의 값은 $2\sqrt{2}$에 한없이 가
까워지므로
$\lim\limits_{x \to 3} \sqrt{3x-1} = 2\sqrt{2}$

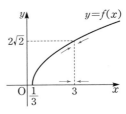

◉→ 다른 풀이
$f(x) = \sqrt{3x-1}$에 $x = 3$을 대입하면
$f(3) = \sqrt{3 \times 3 - 1} = 2\sqrt{2}$
$\therefore \lim\limits_{x \to 3} \sqrt{3x-1} = 2\sqrt{2}$

(3) $f(x) = 3x + 4$로 놓으면 함수
$y = f(x)$의 그래프에서 x의 값
이 한없이 커질 때, $f(x)$의 값
은 양의 무한대로 발산하므로
$\lim\limits_{x \to \infty} (3x+4) = \infty$

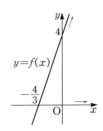

(4) $f(x) = \dfrac{x+2}{x+1} = \dfrac{1}{x+1} + 1$
로 놓으면 함수 $y = f(x)$
의 그래프에서 x의 값이
-2에 한없이 가까워질
때, $f(x)$의 값은 0에 한없
이 가까워지므로

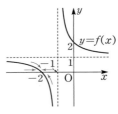

$\lim\limits_{x \to -2} \dfrac{x+2}{x+1} = 0$

◉→ 다른 풀이

$f(x) = \dfrac{x+2}{x+1}$에 $x = -2$를 대입하면

$f(-2) = \dfrac{-2+2}{-2+1} = 0$

$\therefore \lim\limits_{x \to -2} \dfrac{x+2}{x+1} = 0$

01-2 답 (1) -1 (2) 발산(∞) (3) 발산($-\infty$)

해결전략 | 그래프를 그려 극한값을 확인한다.

(1) $f(x) = \dfrac{3-x}{x} = \dfrac{3}{x} - 1$로
놓으면 함수 $y = f(x)$의
그래프에서 x의 값이 한
없이 커질 때, $f(x)$의 값
은 -1에 한없이 가까워지
므로

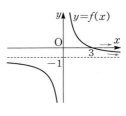

$$\lim_{x \to \infty} \frac{3-x}{x} = -1$$

(2) $f(x) = \dfrac{1}{|x-3|}$로 놓으면 함수 $y=f(x)$의 그래프에서 x의 값이 3에서 한없이 가까워질 때, $f(x)$의 값은 양의 무한대로 발산하므로

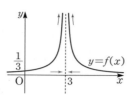

$$\lim_{x \to 3} \frac{1}{|x-3|} = \infty$$

(3) $f(x) = -\dfrac{5}{(x+1)^2}$로 놓으면 함수 $y=f(x)$의 그래프에서 x의 값이 -1에 한없이 가까워질 때, $f(x)$의 값은 음의 무한대로 발산하므로

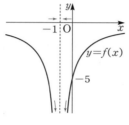

$$\lim_{x \to -1} \left\{ -\frac{5}{(x+1)^2} \right\} = -\infty$$

01-3 답 -3

해결전략 | 두 극한값을 각각 구하여 더한다.

STEP1 $\displaystyle\lim_{x \to 1} \dfrac{1-2x}{x}$의 값 구하기

$f(x) = \dfrac{1-2x}{x} = \dfrac{1}{x} - 2$로 놓으면 함수 $y=f(x)$의 그래프에서 x의 값이 1에 한없이 가까워질 때, $f(x)$의 값은 -1에 한없이 가까워지므로

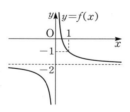

$$\lim_{x \to 1} \frac{1-2x}{x} = -1$$

STEP2 $\displaystyle\lim_{x \to \infty} \dfrac{1-2x}{x}$의 값 구하기

함수 $y=f(x)$의 그래프에서 x의 값이 한없이 커질 때, $f(x)$의 값은 -2에 한없이 가까워지므로

$$\lim_{x \to \infty} \frac{1-2x}{x} = -2$$

STEP3 $\displaystyle\lim_{x \to 1} \dfrac{1-2x}{x} + \lim_{x \to \infty} \dfrac{1-2x}{x}$의 값 구하기

$$\therefore \lim_{x \to 1} \frac{1-2x}{x} + \lim_{x \to \infty} \frac{1-2x}{x} = -1 -2 = -3$$

◉→ 다른 풀이

STEP1 $\displaystyle\lim_{x \to 1} \dfrac{1-2x}{x}$의 값 구하기

$f(x) = \dfrac{1-2x}{x}$에 $x=1$을 대입하면

$$f(1) = \frac{1-2 \times 1}{1} = -1$$

$$\therefore \lim_{x \to 1} \frac{1-2x}{x} = -1$$

01-4 답 ㄱ, ㄷ, ㄹ

해결전략 | 그래프를 그려 극한값이 존재하는지 확인한다.

ㄱ. $f(x) = x^2 - 9$로 놓으면 함수 $y=f(x)$의 그래프에서 x의 값이 3에 한없이 가까워질 때, $f(x)$의 값은 0에 한없이 가까워지므로

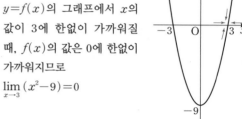

$$\lim_{x \to 3} (x^2 - 9) = 0$$

ㄴ. $f(x) = 3x-1$로 놓으면 함수 $y=f(x)$의 그래프에서 x의 값이 한없이 커질 때, $f(x)$의 값은 양의 무한대로 발산하므로

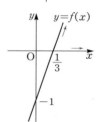

$$\lim_{x \to \infty} (3x-1) = \infty \text{ (발산)}$$

ㄷ. $f(x) = \dfrac{3}{x-1}$으로 놓으면 함수 $y=f(x)$의 그래프에서 x의 값이 한없이 커질 때, $f(x)$의 값은 0에 가까워지므로

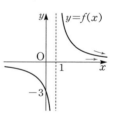

$$\lim_{x \to \infty} \frac{3}{x-1} = 0$$

ㄹ. $f(x) = \sqrt{2x-1}$로 놓으면 함수 $y=f(x)$의 그래프에서 x의 값이 3에 한없이 가까워질 때, $f(x)$의 값은 $\sqrt{5}$에 한없이 가까워지므로

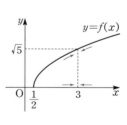

$$\lim_{x \to 3} \sqrt{2x-1} = \sqrt{5}$$

따라서 극한값이 존재하는 것은 ㄱ, ㄷ, ㄹ이다.

◉→ 다른 풀이

ㄱ. $f(x) = x^2 - 9$에 $x=3$을 대입하면

$$f(3) = 3^2 - 9 = 0$$

$$\therefore \lim_{x \to 3} (x^2 - 9) = 0$$

ㄹ. $f(x)=\sqrt{2x-1}$에 $x=3$을 대입하면

$$f(3)=\sqrt{2\times3-1}=\sqrt{5}$$

$$\therefore \lim_{x\to3}\sqrt{2x-1}=\sqrt{5}$$

01-5 답 ③

해결전략 | 함수식에 $x=a$를 대입하여 극한값을 구한다.

① $\displaystyle\lim_{x\to3}\frac{2+x}{4}=\frac{2+3}{4}=\frac{5}{4}$

② $\displaystyle\lim_{x\to0}3=3$

③ $\displaystyle\lim_{x\to-2}\sqrt{2x+8}=\sqrt{2\times(-2)+8}=\sqrt{4}=2$

④ $\displaystyle\lim_{x\to4}\frac{2x^2-5}{x+5}=\frac{2\times4^2-5}{4+5}=\frac{27}{9}=3$

⑤ $\displaystyle\lim_{x\to-2}(x-2)(x+3)=0\times5=0$

따라서 옳은 것은 ③이다.

01-6 답 -12

해결전략 | 극한값을 이용하여 연립방정식을 세워 푼다.

STEP 1 극한값을 이용하여 연립방정식 만들기

$\displaystyle\lim_{x\to2}(x^2+ax+b)=-1$이므로

$2^2+2a+b=-1$

$\therefore 2a+b=-5$ ⋯⋯ ㉠

$\displaystyle\lim_{x\to-1}(x^2+bx+a)=-6$이므로

$(-1)^2-b+a=-6$

$\therefore a-b=-7$ ⋯⋯ ㉡

STEP 2 ab의 값 구하기

㉠, ㉡을 연립하여 풀면

$a=-4,\ b=3$

$\therefore ab=(-4)\times3=-12$

필수유형 02 13쪽

02-1 답 (1) **0** (2) **3** (3) **0** (4) **0** (5) **0**

해결전략 | 그래프에서 좌극한, 우극한에 대한 x의 값의 범위를 확인하여 극한값을 구한다.

(1) 함수 $y=f(x)$의 그래프가 점 $(-1,\ 0)$을 지나므로

$f(-1)=0$

(2) x가 -1보다 작은 값을 가지면서 -1에 한없이 가까워질 때, $f(x)$의 값은 3에 한없이 가까워지므로

$\displaystyle\lim_{x\to-1-}f(x)=3$

(3) x가 -1보다 큰 값을 가지면서 -1에 한없이 가까워질 때, $f(x)$의 값은 0에 한없이 가까워지므로

$\displaystyle\lim_{x\to-1+}f(x)=0$

(4) x가 -4보다 작은 값을 가지면서 -4에 한없이 가까워질 때, $f(x)$의 값은 0에 한없이 가까워지므로

$\displaystyle\lim_{x\to-4-}f(x)=0$

(5) x가 -4보다 큰 값을 가지면서 -4에 한없이 가까워질 때, $f(x)$의 값은 0에 한없이 가까워지므로

$\displaystyle\lim_{x\to-4+}f(x)=0$

02-2 답 2

해결전략 | 좌극한, 우극한에 대한 x의 값의 범위를 확인하여 극한값을 구한다.

STEP 1 $\displaystyle\lim_{x\to1-}f(x)$의 값 구하기

$x\longrightarrow1-$일 때, $f(x)\longrightarrow1$

이므로 $\displaystyle\lim_{x\to1-}f(x)=1$

STEP 2 $\displaystyle\lim_{x\to1+}f(x)$의 값 구하기

$x\longrightarrow1+$일 때, $f(x)\longrightarrow1$

이므로 $\displaystyle\lim_{x\to1+}f(x)=1$

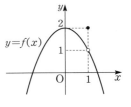

STEP 3 $\displaystyle\lim_{x\to1-}f(x)+\lim_{x\to1+}f(x)$의 값 구하기

$\therefore \displaystyle\lim_{x\to1-}f(x)+\lim_{x\to1+}f(x)=1+1=2$

02-3 답 2

해결전략 | 구해야 하는 함숫값, 극한값을 그래프를 이용하여 찾는다.

STEP 1 $\displaystyle\lim_{x\to1-}f(x)$의 값 구하기

또, $x\longrightarrow1-$일 때, $f(x)\longrightarrow2$이므로

$\displaystyle\lim_{x\to1-}f(x)=2$

STEP 2 $\displaystyle\lim_{x\to-1+}f(x)$의 값 구하기

$x\longrightarrow-1+$일 때, $f(x)\longrightarrow0$이므로

$\displaystyle\lim_{x\to-1+}f(x)=0$

STEP 3 $\displaystyle\lim_{x\to1-}f(x)+\lim_{x\to-1+}f(x)$의 값 구하기

$\therefore \displaystyle\lim_{x\to1-}f(x)+\lim_{x\to-1+}f(x)=2+0=2$

02-4 답 3

해결전략 | 각 극한값을 x의 값의 범위에 따라 구하여 주어진 등식에 대입한다.

STEP1 좌극한, 우극한 구하기

$x<2$일 때, $f(x)=ax-3$이므로

$\lim\limits_{x\to2-} f(x)=\lim\limits_{x\to2-}(ax-3)=2a-3$

$x\geq2$일 때, $f(x)=x^2+x-a$이므로

$\lim\limits_{x\to2+} f(x)=\lim\limits_{x\to2+}(x^2+x-a)=6-a$

STEP2 a의 값 구하기

$\lim\limits_{x\to2-} f(x)=\lim\limits_{x\to2+} f(x)$이므로

$2a-3=6-a$, $3a=9$

$\therefore a=3$

02-5 답 (1) -1 (2) 0 (3) 1 (4) 0

해결전략 | 주어진 함수의 특징을 확인하여 극한값을 구한다.

(1) $-1\leq x<0$일 때, $[x]=-1$

$\quad\therefore \lim\limits_{x\to0-}[x]=\lim\limits_{x\to0-}(-1)=-1$

(2) $0\leq x<1$일 때, $[x]=0$

$\quad\therefore \lim\limits_{x\to0+}[x]=\lim\limits_{x\to0+}0=0$

(3) $0<x<1$일 때, $1<2-x<2$이므로

$\quad [2-x]=1$

$\quad\therefore \lim\limits_{x\to1-}[2-x]=\lim\limits_{x\to1-}1=1$

(4) $1<x<2$일 때, $0<2-x<1$이므로

$\quad [2-x]=0$

$\quad\therefore \lim\limits_{x\to1+}[2-x]=\lim\limits_{x\to1+}0=0$

> **풍쌤의 비법**
>
> 가우스 함수 $y=[x]$의 그래프는 오른쪽 그림과 같다. $[x]$의 값은 항상 정수이며, x의 값이 정수일 때 좌극한, 우극한이 서로 다르다.
>
>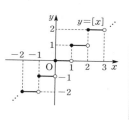

02-6 답 -2

해결전략 | x의 값의 범위에 따른 좌극한과 우극한을 각각 구한다.

STEP1 a의 값 구하기

$x<-1$일 때, $|x+1|=-(x+1)$이므로

$\lim\limits_{x\to-1-}\dfrac{x+1}{|x+1|}=\lim\limits_{x\to-1-}\dfrac{x+1}{-(x+1)}=-1$

$\therefore a=-1$

STEP2 b의 값 구하기

$x>-1$일 때, $|x+1|=x+1$이므로

$\lim\limits_{x\to-1+}\dfrac{x+1}{|x+1|}=\lim\limits_{x\to-1+}\dfrac{x+1}{x+1}=1$

$\therefore b=1$

STEP3 $a-b$의 값 구하기

$\therefore a-b=-1-1=-2$

◉→ 다른 풀이

STEP1 $f(x)$ 구하기

$f(x)=\dfrac{x+1}{|x+1|}=\begin{cases}1 & (x\geq-1)\\-1 & (x<-1)\end{cases}$

STEP2 $a-b$의 값 구하기

$a=\lim\limits_{x\to-1-}f(x)=\lim\limits_{x\to-1-}(-1)=-1$

$b=\lim\limits_{x\to-1+}f(x)=\lim\limits_{x\to-1+}1=1$

$\therefore a-b=-2$

필수유형 03   15쪽

03-1 답 1

해결전략 | $x=2$에서의 좌극한, 우극한을 구하여 같은지 확인한다.

$\lim\limits_{x\to2-}f(x)=1$, $\lim\limits_{x\to2+}f(x)=1$

즉, $\lim\limits_{x\to2-}f(x)=\lim\limits_{x\to2+}f(x)$이므로

$\lim\limits_{x\to2}f(x)=1$

03-2 답 -1

해결전략 | 극한값이 존재하려면 좌극한과 우극한이 같아야 한다.

STEP1 좌극한, 우극한 구하기

$x<-1$일 때, $f(x)=(x-k)^2$이므로

$\lim\limits_{x\to-1-}f(x)=\lim\limits_{x\to-1-}(x-k)^2=(-1-k)^2$

$x\geq-1$일 때, $f(x)=-3x+k$이므로

$\lim\limits_{x\to-1+}f(x)=\lim\limits_{x\to-1+}(-3x+k)=3+k$

STEP2 k의 값 구하기

$\lim\limits_{x\to-1}f(x)$의 값이 존재하려면

$\lim\limits_{x\to-1-}f(x)=\lim\limits_{x\to-1+}f(x)$이어야 하므로

$(-1-k)^2=3+k$, $k^2+k-2=0$

$(k+2)(k-1)=0$ $\quad\therefore k=-2$ 또는 $k=1$

따라서 모든 실수 k의 값의 합은

$-2+1=-1$

03-3 目 (1) 0 (2) 존재하지 않는다. (3) 0

해결전략 | 좌극한과 우극한을 비교한다.

(1) $x<1$일 때, $|x-1|=-x+1$이므로

$$\lim_{x\to 1-}|x-1|=\lim_{x\to 1-}(-x+1)=0$$

$x>1$일 때, $|x-1|=x-1$이므로

$$\lim_{x\to 1+}|x-1|=\lim_{x\to 1+}(x-1)=0$$

즉, $\lim_{x\to 1-}|x-1|=\lim_{x\to 1+}|x-1|$이므로

$$\lim_{x\to 1}|x-1|=0$$

(2) (1)에 의하여

$$\lim_{x\to 1-}\frac{x-1}{|x-1|}=\lim_{x\to 1-}\frac{x-1}{-(x-1)}$$
$$=\lim_{x\to 1-}(-1)=-1$$

$$\lim_{x\to 1+}\frac{x-1}{|x-1|}=\lim_{x\to 1+}\frac{x-1}{x-1}=\lim_{x\to 1+}1=1$$

따라서 $\lim_{x\to 1-}\dfrac{x-1}{|x-1|}\neq\lim_{x\to 1+}\dfrac{x-1}{|x-1|}$이므로

$\lim_{x\to 1}\dfrac{x-1}{|x-1|}$의 값은 존재하지 않는다.

(3) $x<0$일 때, $|x|=-x$이므로

$$\lim_{x\to 0-}x|x|=\lim_{x\to 0-}(-x^2)=0$$

$x>0$일 때, $|x|=x$이므로

$$\lim_{x\to 0+}x|x|=\lim_{x\to 0+}x^2=0$$

즉, $\lim_{x\to 0-}x|x|=\lim_{x\to 0+}x|x|$이므로

$$\lim_{x\to 0}x|x|=0$$

03-4 目 존재하지 않는다.

해결전략 | 좌극한과 우극한을 비교한다.

STEP 1 $x=2$에서의 $f(x)$의 좌극한 구하기

$1\leq x<2$일 때, $f(x)=[x]=1$이므로

$$\lim_{x\to 2-}f(x)=\lim_{x\to 2-}1=1$$

STEP 2 $x=2$에서의 $f(x)$의 우극한 구하기

$2\leq x<3$일 때, $f(x)=[x]=2$이므로

$$\lim_{x\to 2+}f(x)=\lim_{x\to 2+}2=2$$

STEP 3 $x=2$에서의 $f(x)$의 극한 조사하기

따라서 $\lim_{x\to 2-}f(x)\neq\lim_{x\to 2+}f(x)$이므로 $x=2$에서의 $f(x)$

의 극한값은 존재하지 않는다.

03-5 目 5

해결전략 | 극한값이 존재하므로 좌극한과 우극한이 같음을
이용한다.

STEP 1 a의 값 구하기

$\lim_{x\to -1}f(x)=b$로 극한값이 존재하므로 $x=-1$에서의 좌

극한과 우극한이 같다.

$x<-1$일 때, $f(x)=-3x+a$이므로

$$\lim_{x\to -1-}f(x)=\lim_{x\to -1-}(-3x+a)=3+a$$

$x\geq -1$일 때, $f(x)=x^2-a$이므로

$$\lim_{x\to -1+}f(x)=\lim_{x\to -1+}(x^2-a)=1-a$$

따라서 $3+a=1-a$이므로

$$2a=-2\qquad \therefore a=-1$$

STEP 2 b의 값 구하기

$a=-1$이므로 $x=-1$에서의 극한값은

$$\lim_{x\to -1-}f(x)=\lim_{x\to -1-}(-3x-1)=\lim_{x\to -1+}(x^2+1)=2$$

$$\therefore b=2$$

STEP 3 a^2+b^2의 값 구하기

$$\therefore a^2+b^2=(-1)^2+2^2=5$$

03-6 目 4

해결전략 | 함수가 달라지는 경계인 $x=0$, $x=4$에서 $f(x)$,
$|f(x)|$의 극한값이 존재하는지 좌극한과 우극한을 비교하
여 알아본다.

STEP 1 함수 $f(x)$의 $x=0$에서의 극한 조사하기

$$\lim_{x\to 0-}f(x)=\lim_{x\to 0-}(-x)=0,$$
$$\lim_{x\to 0+}f(x)=\lim_{x\to 0+}(x^2-4x+2)=2$$

이므로 $\lim_{x\to 0-}f(x)\neq\lim_{x\to 0+}f(x)$

따라서 $\lim_{x\to 0}f(x)$의 값은 존재하지 않는다.

STEP 2 함수 $|f(x)|$의 $x=0$에서의 극한 조사하기

$$\lim_{x\to 0-}|f(x)|=\lim_{x\to 0-}|-x|=0,$$
$$\lim_{x\to 0+}|f(x)|=|x^2-4x+2|=2$$

이므로 $\lim_{x\to 0-}|f(x)|\neq\lim_{x\to 0+}|f(x)|$

따라서 $\lim_{x\to 0}|f(x)|$의 값은 존재하지 않는다.

STEP 3 함수 $f(x)$의 $x=4$에서의 극한 조사하기

$$\lim_{x\to 4-}f(x)=\lim_{x\to 4-}(x^2-4x+2)=2,$$
$$\lim_{x\to 4+}f(x)=\lim_{x\to 4+}(-2)=-2$$

이므로 $\lim_{x\to 4-}f(x)\neq\lim_{x\to 4+}f(x)$

따라서 $\lim_{x\to 4}f(x)$의 값은 존재하지 않는다.

STEP 4 함수 $|f(x)|$의 $x=4$에서의 극한 조사하기

$$\lim_{x\to 4-}|f(x)|=\lim_{x\to 4-}|x^2-4x+2|=2,$$

$$\lim_{x\to4+}|f(x)|=\lim_{x\to4+}|-2|=2$$

이므로 $\displaystyle\lim_{x\to4-}|f(x)|=\lim_{x\to4+}|f(x)|$

즉, $\displaystyle\lim_{x\to4}|f(x)|$의 값은 존재한다.

따라서 구하는 a의 값은 4이다.

발전유형 04   17쪽

04-1 🖪 (1) 1   (2) -1 (3) -1 (4) 1

해결전략 | 함수의 변수를 조사하여 변수의 움직임, 변화를
확인하여 극한값을 구한다.

(1) $g(x)=t$라고 하면 $x\longrightarrow1+$일 때, $t\longrightarrow1+$이므로

$$\lim_{x\to1+}f(g(x))=\lim_{t\to1+}f(t)=1$$

(2) $g(x)=t$라고 하면 $x\longrightarrow1-$일 때, $t\longrightarrow-1+$이므
로 $\displaystyle\lim_{x\to1-}f(g(x))=\lim_{t\to-1+}f(t)=-1$

(3) $f(x)=t$라고 하면 $x\longrightarrow-1-$일 때, $t=-1$이므로

$$\lim_{x\to-1-}g(f(x))=g(-1)=-1$$

(4) $f(x)=t$라고 하면 $x\longrightarrow-1+$일 때, $t\longrightarrow-1+$이
므로 $\displaystyle\lim_{x\to-1+}g(f(x))=\lim_{t\to-1+}g(t)=1$

04-2 🖪 5

해결전략 | 그래프를 이용하여 합성함수의 극한값을 구한다.

STEP1 $\displaystyle\lim_{x\to0+}f(f(x))$의 값 구하기

$f(x)=t$라고 하면 $x\longrightarrow0+$일 때, $t\longrightarrow3-$이므로

$$\lim_{x\to0+}f(f(x))=\lim_{t\to3-}f(t)=3$$

STEP2 $\displaystyle\lim_{x\to2+}f(f(x))$의 값 구하기

또, $x\longrightarrow2+$일 때, $t=3$이므로

$$\lim_{x\to2+}f(f(x))=f(3)=2$$

STEP3 $\displaystyle\lim_{x\to0+}f(f(x))+\lim_{x\to2+}f(f(x))$의 값 구하기

$$\therefore \lim_{x\to0+}f(f(x))+\lim_{x\to2+}f(f(x))=3+2=5$$

04-3 🖪 18

해결전략 | 함수의 변수를 치환하여 극한값을 구한다.

STEP1 $\displaystyle\lim_{x\to1}f(x-2)$의 값 구하기

$x-2=t$라고 하면 $x\longrightarrow1$일 때, $t\longrightarrow-1$이므로

$$\lim_{x\to1}f(x-2)=\lim_{t\to-1}f(t)=f(-1)=3$$

STEP2 $\displaystyle\lim_{x\to3}f(-x)$의 값 구하기

$-x=s$라고 하면 $x\longrightarrow3$일 때, $s\longrightarrow-3$이므로

$$\lim_{x\to3}f(-x)=\lim_{s\to-3}f(s)=f(-3)=15$$

STEP3 $\displaystyle\lim_{x\to1}f(x-2)+\lim_{x\to3}f(-x)$의 값 구하기

$$\therefore \lim_{x\to1}f(x-2)+\lim_{x\to3}f(-x)=3+15=18$$

04-4 🖪 2, 6

해결전략 | 극한값이 존재하므로 좌극한과 우극한이 같음을
이용한다.

STEP1 좌극한, 우극한 구하기

$x<a$일 때, $f(x)=-2x+6$이므로

$$\lim_{x\to a-}f(x)=\lim_{x\to a-}(-2x+6)=-2a+6$$

$$\therefore \lim_{x\to a-}g(f(x))=(-2a+6)^2$$

$x\geq a$일 때, $f(x)=2x-a$이므로

$$\lim_{x\to a+}f(x)=\lim_{x\to a+}(2x-a)=a$$

$$\therefore \lim_{x\to a+}g(f(x))=a^2$$

STEP2 a의 값 구하기

$\displaystyle\lim_{x\to a}g(f(x))$의 값이 존재하므로

$$(-2a+6)^2=a^2$$
$$(-2a+6)^2-a^2=0$$
$$(-2a+6+a)(-2a+6-a)=0$$
$$(-a+6)(-3a+6)=0$$
$$(a-2)(a-6)=0$$

$$\therefore a=2 \text{ 또는 } a=6$$

04-5 🖪 -2

해결전략 | 그래프를 이용하여 합성함수의 극한값을 구한다.

$f(x)=t$라고 하면 $x\longrightarrow1+$일
때, $t\longrightarrow1-$이므로

$$\lim_{x\to1+}f(f(x))=\lim_{t\to1-}f(t)$$
$$=\lim_{t\to1-}\frac{2}{t-2}$$
$$=-2$$

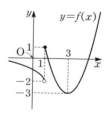

04-6 🖪 -2

해결전략 | 좌극한과 우극한을 비교한다.

STEP1 $\displaystyle\lim_{x\to1-}\{f(x)-f(-x)\}$의 값 구하기

$-x=t$라고 하면 $x\longrightarrow1-$일 때, $t\longrightarrow-1+$이므로

$$\lim_{x\to1-}f(x)=1, \quad \lim_{x\to1-}f(-x)=\lim_{t\to-1+}f(t)=3$$

$$\therefore \lim_{x\to1-}\{f(x)-f(-x)\}=1-3=-2$$

STEP 2 $\lim\limits_{x\to 1+}\{f(x)-f(-x)\}$의 값 구하기

또, $x\longrightarrow 1+$일 때, $t\longrightarrow -1-$이므로

$\lim\limits_{x\to 1+}f(x)=0$, $\lim\limits_{x\to 1+}f(-x)=\lim\limits_{t\to -1-}f(t)=2$

$\therefore \lim\limits_{x\to 1+}\{f(x)-f(-x)\}=0-2=-2$

STEP 3 $\lim\limits_{x\to 1}\{f(x)-f(-x)\}$의 값 구하기

따라서 좌극한과 우극한이 같으므로

$\lim\limits_{x\to 1}\{f(x)-f(-x)\}=-2$

> ◎ 풍쌤의 비법
>
> $\lim\limits_{x\to 1}f(x)$와 $\lim\limits_{x\to 1}f(-x)$의 값은 각각 존재하지 않지만
>
> $\lim\limits_{x\to 1}\{f(x)-f(-x)\}$의 값은 존재한다.

필수유형 05   19쪽

05-1 답 (1) 2   (2) $-\dfrac{7}{2}$

해결전략 | 함수의 극한에 대한 성질을 이용한다.

(1) STEP 1 $\lim\limits_{x\to 2}g(x)$의 값 구하기

$\lim\limits_{x\to 2}3g(x)=\lim\limits_{x\to 2}\{3g(x)-f(x)+f(x)\}$

$\qquad\qquad =\lim\limits_{x\to 2}\{3g(x)-f(x)\}+\lim\limits_{x\to 2}f(x)$

$\qquad\qquad =2+4=6$

$\therefore \lim\limits_{x\to 2}g(x)=2$

STEP 2 $\lim\limits_{x\to 2}\dfrac{f(x)}{g(x)}$의 값 구하기

$\therefore \lim\limits_{x\to 2}\dfrac{f(x)}{g(x)}=\dfrac{\lim\limits_{x\to 2}f(x)}{\lim\limits_{x\to 2}g(x)}=\dfrac{4}{2}=2$

(2) (1)에 의하여 $\lim\limits_{x\to 2}g(x)=2$이므로

$\lim\limits_{x\to 2}\dfrac{2f(x)+3g(x)}{4g(x)-3f(x)}$

$=\dfrac{\lim\limits_{x\to 2}2f(x)+\lim\limits_{x\to 2}3g(x)}{\lim\limits_{x\to 2}4g(x)-\lim\limits_{x\to 2}3f(x)}$

$=\dfrac{2\times 4+3\times 2}{4\times 2-3\times 4}=\dfrac{14}{-4}=-\dfrac{7}{2}$

05-2 답 (1) 2   (2) -5

해결전략 | 주어진 극한값을 이용할 수 있도록 값을 구해야 하는 식을 변형한다.

(1) 분모, 분자를 각각 x로 나누면

$\lim\limits_{x\to 0}\dfrac{2x+4f(x)}{5x-2f(x)}=\lim\limits_{x\to 0}\dfrac{2+\dfrac{4f(x)}{x}}{5-\dfrac{2f(x)}{x}}=\dfrac{2+4}{5-2}=\dfrac{6}{3}=2$

(2) 분모, 분자를 각각 x로 나누면

$\lim\limits_{x\to 0}\dfrac{3x^2-5f(x)}{2x^2+f(x)}=\lim\limits_{x\to 0}\dfrac{3x-\dfrac{5f(x)}{x}}{2x+\dfrac{f(x)}{x}}=\dfrac{0-5}{0+1}=-5$

05-3 답 2

해결전략 | 주어진 극한값을 이용할 수 있도록 값을 구해야 하는 식을 변형한다.

STEP 1 식 변형하기

$\dfrac{4f(x)+g(x)}{3f(x)-g(x)}=\dfrac{2\{2f(x)-3g(x)\}+7g(x)}{\dfrac{3}{2}\{2f(x)-3g(x)\}+\dfrac{7}{2}g(x)}$

$\qquad\qquad =\dfrac{\dfrac{2\{2f(x)-3g(x)\}}{g(x)}+7}{\dfrac{3\{2f(x)-3g(x)\}}{2g(x)}+\dfrac{7}{2}}$

STEP 2 $\lim\limits_{x\to \infty}\dfrac{4f(x)+g(x)}{3f(x)-g(x)}$의 값 구하기

이때 $\lim\limits_{x\to \infty}\{2f(x)-3g(x)\}=1$, $\lim\limits_{x\to \infty}g(x)=\infty$이므로

$\lim\limits_{x\to \infty}\dfrac{2\{2f(x)-3g(x)\}}{g(x)}=0$, $\lim\limits_{x\to \infty}\dfrac{3\{2f(x)-3g(x)\}}{2g(x)}=0$

$\therefore \lim\limits_{x\to \infty}\dfrac{4f(x)+g(x)}{3f(x)-g(x)}=\lim\limits_{x\to \infty}\dfrac{\dfrac{2\{2f(x)-3g(x)\}}{g(x)}+7}{\dfrac{3\{2f(x)-3g(x)\}}{2g(x)}+\dfrac{7}{2}}$

$\qquad\qquad\qquad =\dfrac{0+7}{0+\dfrac{7}{2}}=2$

◉→ 다른 풀이

$h(x)=2f(x)-3g(x)$로 놓으면

$f(x)=\dfrac{h(x)+3g(x)}{2}$

$\therefore \lim\limits_{x\to \infty}\dfrac{4f(x)+g(x)}{3f(x)-g(x)}=\lim\limits_{x\to \infty}\dfrac{2\{h(x)+3g(x)\}+g(x)}{\dfrac{3}{2}\{h(x)+3g(x)\}-g(x)}$

$\qquad\qquad\qquad =\lim\limits_{x\to \infty}\dfrac{2h(x)+7g(x)}{\dfrac{3}{2}h(x)+\dfrac{7}{2}g(x)}$

$\qquad\qquad\qquad =\lim\limits_{x\to \infty}\dfrac{\dfrac{2h(x)}{g(x)}+7}{\dfrac{3h(x)}{2g(x)}+\dfrac{7}{2}}$

$\qquad\qquad\qquad =\lim\limits_{x\to \infty}\dfrac{0+7}{0+\dfrac{7}{2}}=2$

05-4 답 32

해결전략 | 먼저 주어진 극한값을 이용하여 $\lim_{x \to 4} f(x)$의 값을 구한다.

STEP1 $\lim_{x \to 4} f(x)$의 값 구하기

$f(x)$에서 분모를 1로 생각하고 분모, 분자에 각각 $x-2$를 곱하면

$$\lim_{x \to 4} f(x) = \lim_{x \to 4} \frac{(x-2)f(x)}{x-2} = \frac{4}{2} = 2$$

STEP2 $\lim_{x \to 4} (x^2-2x)\{f(x)\}^2$의 구하기

$$\therefore \lim_{x \to 4} (x^2-2x)\{f(x)\}^2$$
$$= \lim_{x \to 4} (x^2-2x) \times \lim_{x \to 4} \{f(x)\}^2$$
$$= (16-8) \times 2^2 = 32$$

05-5 답 7

해결전략 | 주어진 극한값을 이용할 수 있도록 값을 구해야 하는 식을 변형한다.

STEP1 $\lim_{x \to \infty} \frac{f(x)}{x^2}$의 값 구하기

$\lim_{x \to \infty} \frac{3f(x)}{x^2} = 2$이므로

$$\lim_{x \to \infty} \frac{f(x)}{x^2} = \frac{2}{3}$$

STEP2 $\lim_{x \to \infty} \frac{4f(x)+2x^2}{f(x)-2x+1}$의 값 구하기

주어진 식의 분모, 분자를 각각 x^2으로 나누면

$$\lim_{x \to \infty} \frac{4f(x)+2x^2}{f(x)-2x+1} = \lim_{x \to \infty} \frac{\dfrac{4f(x)}{x^2}+2}{\dfrac{f(x)}{x^2}-\dfrac{2}{x}+\dfrac{1}{x^2}}$$

$$= \frac{4 \times \dfrac{2}{3}+2}{\dfrac{2}{3}-0+0} = \frac{\dfrac{14}{3}}{\dfrac{2}{3}} = 7$$

05-6 답 5

해결전략 | 먼저 조건 (개), (내)를 이용하여 $\lim_{x \to 0} \dfrac{f(x)}{x}$의 값을 구한 다음 이 값과 조건 (내)를 이용할 수 있도록 구해야 하는 식을 변형한다.

STEP1 $\lim_{x \to 0} \dfrac{f(x)}{x}$의 값 구하기

$x \neq 0$, $g(x) \neq \dfrac{3}{2}$일 때, 조건 (개)에서

$$\frac{f(x)}{x} = \frac{2\{g(x)+3\}}{2g(x)-3}$$

$$\therefore \lim_{x \to 0} \frac{f(x)}{x} = \lim_{x \to 0} \frac{2g(x)+6}{2g(x)-3} = \frac{2 \times 3+6}{2 \times 3-3}$$
$$= \frac{12}{3} = 4 \ (\because \text{(내)})$$

STEP2 $\lim_{x \to 0} \dfrac{f(x)g(x)+3x^2-2x}{f(x)-2x}$의 값 구하기

주어진 식의 분모, 분자를 각각 x로 나누면

$$\lim_{x \to 0} \frac{f(x)g(x)+3x^2-2x}{f(x)-2x}$$

$$= \lim_{x \to 0} \frac{\dfrac{f(x)}{x} \times g(x)+3x-2}{\dfrac{f(x)}{x}-2}$$

$$= \frac{4 \times 3+0-2}{4-2} = \frac{10}{2} = 5$$

풍쌤의 비법

함수의 극한에 대한 성질은 극한값을 갖는 두 함수의 극한에 대하여 덧셈, 뺄셈, 곱셈, 나눗셈이 성립한다는 것을 의미하는 것이다.
극한값을 갖지 않고 발산하는 경우에는 식을 변형하여 극한값을 구할 수 있는 형태로 바꾼다.

필수유형 06 21쪽

06-1 답 (1) 5 (2) -9 (3) -2 (4) 2

해결전략 | 분모 또는 분자를 인수분해하여 공통인수로 약분한다.

(1) 분자를 인수분해하면

$$\lim_{x \to 0} \frac{2x^4-3x^3+5x^2}{x^2} = \lim_{x \to 0} \frac{x^2(2x^2-3x+5)}{x^2}$$
$$= \lim_{x \to 0} (2x^2-3x+5) = 5$$

(2) 분자를 인수분해하면

$$\lim_{x \to -1} \frac{x^2-7x-8}{x+1} = \lim_{x \to -1} \frac{(x+1)(x-8)}{x+1}$$
$$= \lim_{x \to -1} (x-8) = -9$$

(3) 분모, 분자를 인수분해하면

$$\lim_{x \to 1} \frac{x^2-4x+3}{x^3-x^2} = \lim_{x \to 1} \frac{(x-1)(x-3)}{x^2(x-1)}$$
$$= \lim_{x \to 1} \frac{x-3}{x^2} = -2$$

(4) 분모, 분자를 인수분해하면

$$\lim_{x \to -1} \frac{x^3 + 2x^2 - x - 2}{x^2 + x} = \lim_{x \to -1} \frac{(x-1)(x+1)(x+2)}{x(x+1)}$$
$$= \lim_{x \to -1} \frac{(x-1)(x+2)}{x}$$
$$= 2$$

06-2 답 (1) $\dfrac{1}{2}$ (2) 4 (3) 18 (4) $\dfrac{1}{12}$

해결전략 | 분모 또는 분자를 유리화하여 공통인수로 약분한다.

(1) 분모, 분자에 각각 $\sqrt{x}+1$을 곱하면

$$\lim_{x \to 1} \frac{\sqrt{x}-1}{x-1} = \lim_{x \to 1} \frac{(\sqrt{x}-1)(\sqrt{x}+1)}{(x-1)(\sqrt{x}+1)}$$
$$= \lim_{x \to 1} \frac{x-1}{(x-1)(\sqrt{x}+1)}$$
$$= \lim_{x \to 1} \frac{1}{\sqrt{x}+1}$$
$$= \frac{1}{2}$$

(2) 분모, 분자에 각각 $\sqrt{x+3}+2$를 곱하면

$$\lim_{x \to 1} \frac{x-1}{\sqrt{x+3}-2} = \lim_{x \to 1} \frac{(x-1)(\sqrt{x+3}+2)}{(\sqrt{x+3}-2)(\sqrt{x+3}+2)}$$
$$= \lim_{x \to 1} \frac{(x-1)(\sqrt{x+3}+2)}{x-1}$$
$$= \lim_{x \to 1} (\sqrt{x+3}+2)$$
$$= 4$$

(3) 분모, 분자에 각각 $\sqrt{2x+3}+3$을 곱하면

$$\lim_{x \to 3} \frac{x^2-9}{\sqrt{2x+3}-3}$$
$$= \lim_{x \to 3} \frac{(x-3)(x+3)(\sqrt{2x+3}+3)}{(\sqrt{2x+3}-3)(\sqrt{2x+3}+3)}$$
$$= \lim_{x \to 3} \frac{(x-3)(x+3)(\sqrt{2x+3}+3)}{2(x-3)}$$
$$= \lim_{x \to 3} \frac{(x+3)(\sqrt{2x+3}+3)}{2}$$
$$= 18$$

(4) 분모, 분자에 각각 $\sqrt{x+8}+3$을 곱하면

$$\lim_{x \to 1} \frac{\sqrt{x+8}-3}{x^2-1} = \lim_{x \to 1} \frac{(\sqrt{x+8}-3)(\sqrt{x+8}+3)}{(x-1)(x+1)(\sqrt{x+8}+3)}$$
$$= \lim_{x \to 1} \frac{x-1}{(x-1)(x+1)(\sqrt{x+8}+3)}$$
$$= \lim_{x \to 1} \frac{1}{(x+1)(\sqrt{x+8}+3)}$$
$$= \frac{1}{12}$$

무리식이 포함된 식의 극한값을 구하는 방법

다음과 같이 무리식의 범위에서 인수분해를 통해 분모, 분자를 약분하여 극한값을 구할 수도 있다.

(1) $\dfrac{\sqrt{x}-1}{x-1} = \dfrac{\sqrt{x}-1}{(\sqrt{x}-1)(\sqrt{x}+1)} = \dfrac{1}{\sqrt{x}+1}$

(2) $\dfrac{x-1}{\sqrt{x+3}-2} = \dfrac{(\sqrt{x+3}-2)(\sqrt{x+3}+2)}{\sqrt{x+3}-2}$
$$= \sqrt{x+3}+2$$

(3) $\dfrac{x^2-9}{\sqrt{2x+3}-3}$
$$= \frac{1}{2} \times \frac{2(x-3)(x+3)}{\sqrt{2x+3}-3}$$
$$= \frac{1}{2} \times \frac{(\sqrt{2x+3}-3)(\sqrt{2x+3}+3)(x+3)}{\sqrt{2x+3}-3}$$
$$= \frac{1}{2} \times (\sqrt{2x+3}+3)(x+3)$$

06-3 답 27

해결전략 | 분자는 인수분해하고 분모는 유리화하여 공통인수로 약분한다.

분모, 분자에 각각 $\sqrt{4x-3}+\sqrt{2x+3}$을 곱하면

$$\lim_{x \to 3} \frac{x^3-3x^2}{\sqrt{4x-3}-\sqrt{2x+3}}$$
$$= \lim_{x \to 3} \frac{x^2(x-3)(\sqrt{4x-3}+\sqrt{2x+3})}{(\sqrt{4x-3}-\sqrt{2x+3})(\sqrt{4x-3}+\sqrt{2x+3})}$$
$$= \lim_{x \to 3} \frac{x^2(x-3)(\sqrt{4x-3}+\sqrt{2x+3})}{2(x-3)}$$
$$= \lim_{x \to 3} \frac{x^2(\sqrt{4x-3}+\sqrt{2x+3})}{2} = 27$$

06-4 답 $-\dfrac{\sqrt{6}}{2}$

해결전략 | 분모, 분자를 각각 유리화하여 극한값을 구한다.

STEP1 분모, 분자를 유리화하기

$\sqrt{2-x}-\sqrt{2+x}$에서 분모를 1로 생각하고 분모, 분자에 각각 $\sqrt{2-x}+\sqrt{2+x}$를 곱하면

$$\sqrt{2-x}-\sqrt{2+x}$$
$$= \frac{(\sqrt{2-x}-\sqrt{2+x})(\sqrt{2-x}+\sqrt{2+x})}{\sqrt{2-x}+\sqrt{2+x}}$$
$$= \frac{(2-x)-(2+x)}{\sqrt{2-x}+\sqrt{2+x}} = \frac{-2x}{\sqrt{2-x}+\sqrt{2+x}}$$

$\dfrac{1}{\sqrt{3+x}-\sqrt{3-x}}$의 분모, 분자에 각각 $\sqrt{3+x}+\sqrt{3-x}$를 곱하면

$$\frac{1}{\sqrt{3+x}-\sqrt{3-x}}$$

$$=\frac{\sqrt{3+x}+\sqrt{3-x}}{(\sqrt{3+x}-\sqrt{3-x})(\sqrt{3+x}+\sqrt{3-x})}$$

$$=\frac{\sqrt{3+x}+\sqrt{3-x}}{(3+x)-(3-x)}=\frac{\sqrt{3+x}+\sqrt{3-x}}{2x}$$

STEP2 극한값 구하기

$$\therefore \lim_{x\to 0}\frac{\sqrt{2-x}-\sqrt{2+x}}{\sqrt{3+x}-\sqrt{3-x}}$$

$$=\lim_{x\to 0}\left(\frac{-2x}{\sqrt{2-x}+\sqrt{2+x}}\times\frac{\sqrt{3+x}+\sqrt{3-x}}{2x}\right)$$

$$=\lim_{x\to 0}\frac{-(\sqrt{3+x}+\sqrt{3-x})}{\sqrt{2-x}+\sqrt{2+x}}$$

$$=-\frac{2\sqrt{3}}{2\sqrt{2}}=-\frac{\sqrt{6}}{2}$$

06-5 답 3

해결전략 | 극한값을 이용하여 a의 값을 구한다.

STEP1 a의 값 구하기

$$\lim_{x\to a}\frac{x^3-a^3}{x-a}=\lim_{x\to a}\frac{(x-a)(x^2+ax+a^2)}{x-a}$$

$$=\lim_{x\to a}(x^2+ax+a^2)=3a^2$$

즉, $3a^2=12$이므로 $a=-2\ (\because a<0)$

STEP2 $\displaystyle\lim_{x\to a}\frac{x^3-ax^2-4a^2x+4a^3}{x^2-a^2}$의 값 구하기

$$\lim_{x\to a}\frac{x^3-ax^2-4a^2x+4a^3}{x^2-a^2}=\lim_{x\to a}\frac{(x-a)(x^2-4a^2)}{(x-a)(x+a)}$$

$$=\lim_{x\to a}\frac{x^2-4a^2}{x+a}$$

$$=\frac{-3a^2}{2a}=-\frac{3}{2}a$$

$$=\left(-\frac{3}{2}\right)\times(-2)=3$$

06-6 답 2

해결전략 | 분모, 분자에서 약분되는 형태가 나오도록 인수분해 또는 유리화하여 극한값을 구한다.

STEP1 a의 값 구하기

$$\lim_{x\to a}\frac{3(x^2-a^2)}{x\sqrt{x}-a\sqrt{a}}=\lim_{x\to a}\frac{3(\sqrt{x}-\sqrt{a})(\sqrt{x}+\sqrt{a})(x+a)}{(\sqrt{x}-\sqrt{a})(x+\sqrt{ax}+a)}$$

$$=\lim_{x\to a}\frac{3(\sqrt{x}+\sqrt{a})(x+a)}{x+\sqrt{ax}+a}$$

$$=\frac{12a\sqrt{a}}{3a}=4\sqrt{a}$$

즉, $4\sqrt{a}=8$이므로 $a=4$

STEP2 $f(a)$의 값 구하기

$$\lim_{x\to a}\frac{x^3-a^3}{(x^2-a^2)f(x)}=\lim_{x\to a}\frac{(x-a)(x^2+ax+a^2)}{(x-a)(x+a)f(x)}$$

$$=\lim_{x\to 4}\frac{x^2+4x+16}{(x+4)f(x)}$$

$$=\frac{4^2+4\times 4+16}{8\times f(4)}=\frac{6}{f(4)}$$

즉, $\dfrac{6}{f(4)}=3$이므로 $f(4)=2$

필수유형 07 23쪽

07-1 답 (1) 0 (2) $\dfrac{3}{2}$ (3) 4 (4) 0

해결전략 | 분모, 분자를 분모의 최고차항으로 나눈다.

(1) 분모, 분자를 분모의 최고차항 x^2으로 각각 나누면

$$\lim_{x\to\infty}\frac{2x-4}{x^2+2}=\lim_{x\to\infty}\frac{\dfrac{2}{x}-\dfrac{4}{x^2}}{1+\dfrac{2}{x^2}}=0$$

(2) 분모, 분자를 각각 분모의 최고차항 x^2으로 나누면

$$\lim_{x\to\infty}\frac{3x^2-2x+1}{2x^2+3x-2}=\lim_{x\to\infty}\frac{3-\dfrac{2}{x}+\dfrac{1}{x^2}}{2+\dfrac{3}{x}-\dfrac{2}{x^2}}=\frac{3}{2}$$

(3) 분모, 분자를 각각 분모의 최고차항 x^3으로 나누면

$$\lim_{x\to\infty}\frac{4x^3+2x^2-2}{x^3-2x+1}=\lim_{x\to\infty}\frac{4+\dfrac{2}{x}-\dfrac{2}{x^3}}{1-\dfrac{2}{x^2}+\dfrac{1}{x^3}}=4$$

(4) 분모, 분자를 각각 분모의 최고차항 x^3으로 나누면

$$\lim_{x\to\infty}\frac{8x^2-3}{2x^3-3x+1}=\lim_{x\to\infty}\frac{\dfrac{8}{x}-\dfrac{3}{x^3}}{2-\dfrac{3}{x^2}+\dfrac{1}{x^3}}=0$$

🎯 풍쌤의 비법

$\dfrac{\infty}{\infty}$ 꼴의 극한

① (분모의 차수)=(분자의 차수)

➡ 극한값은 $\dfrac{(\text{분자의 최고차항의 계수})}{(\text{분모의 최고차항의 계수})}$

② (분모의 차수)>(분자의 차수) ➡ 극한값은 0

③ (분모의 차수)<(분자의 차수) ➡ ∞ 또는 $-\infty$로 발산

위의 방법을 이용하여 풀면 (1), (4)의 경우

(분모의 차수)>(분자의 차수)이므로 극한값은 0이고,

(2), (3)의 경우 (분모의 차수)=(분자의 차수)이므로 극한

값은 각각 최고차항의 계수의 비인 $\dfrac{3}{2}$, $\dfrac{4}{1}=4$이다.

07-2 閏 (1) 1 (2) 3 (3) −2

해결전략 | 근호 안의 다항식을 고려하여 분모의 최고차항으로 분모, 분자를 나눈다.

(1) 분모, 분자를 분모의 최고차항 x로 각각 나누면

$$\lim_{x\to\infty}\frac{\sqrt{x^2+2}+\sqrt{4x^2-2}}{3x-2}=\lim_{x\to\infty}\frac{\sqrt{1+\dfrac{2}{x^2}}+\sqrt{4-\dfrac{2}{x^2}}}{3-\dfrac{2}{x}}$$

$$=\frac{1+2}{3}=1$$

(2) 분모, 분자를 분모의 최고차항 x로 각각 나누면

$$\lim_{x\to\infty}\frac{\sqrt{x^2-2x-3}+5x}{\sqrt{9x^2+3}-x}=\lim_{x\to\infty}\frac{\sqrt{1-\dfrac{2}{x}-\dfrac{3}{x^2}}+5}{\sqrt{9+\dfrac{3}{x^2}}-1}$$

$$=\frac{1+5}{3-1}=3$$

(3) $x=-t$라고 하면 $x\longrightarrow-\infty$일 때, $t\longrightarrow\infty$이므로

$$\lim_{x\to-\infty}\frac{2x}{\sqrt{x^2-1}+1}=\lim_{t\to\infty}\frac{-2t}{\sqrt{t^2-1}+1}$$

이 식의 분모, 분자를 분모의 최고차항 t로 각각 나누면

$$\lim_{t\to\infty}\frac{-2t}{\sqrt{t^2-1}+1}=\lim_{t\to\infty}\frac{-2}{\sqrt{1-\dfrac{1}{t^2}}+\dfrac{1}{t}}$$

$$=-2$$

> 🎯 **풍쌤의 비법**
>
> 분모, 분자를 분모의 최고차항으로 나눌 때, 근호 안의 다항식은 $\sqrt{x^2}=x$로 고려하여 분모, 분자를 나눠 준다.

07-3 閏 ㄴ, ㄷ, ㄹ

해결전략 | 분모, 분자를 분모의 최고차항으로 나눈다.

ㄱ. 분모, 분자를 분모의 최고차항 x^2으로 각각 나누면

$$\lim_{x\to\infty}\frac{x^3-3x+2}{x^2-3x+2}=\lim_{x\to\infty}\frac{x-\dfrac{3}{x}+\dfrac{2}{x^2}}{1-\dfrac{3}{x}+\dfrac{2}{x^2}}=\infty\ (\text{발산})$$

ㄴ. 분모, 분자를 분모의 최고차항 x^2으로 각각 나누면

$$\lim_{x\to\infty}\frac{x-3}{x^2+2x-3}=\lim_{x\to\infty}\frac{\dfrac{1}{x}-\dfrac{3}{x^2}}{1+\dfrac{2}{x}-\dfrac{3}{x^2}}=0$$

ㄷ. 분모, 분자를 분모의 최고차항 x^3으로 각각 나누면

$$\lim_{x\to\infty}\frac{2x^3-3x+1}{x^3+2x^2-3}=\lim_{x\to\infty}\frac{2-\dfrac{3}{x^2}+\dfrac{1}{x^3}}{1+\dfrac{2}{x}-\dfrac{3}{x^3}}=2$$

ㄹ. $x=-t$라고 하면 $x\longrightarrow-\infty$일 때, $t\longrightarrow\infty$이므로

$$\lim_{x\to-\infty}\frac{x^2-3x-4}{2x^2-x-1}=\lim_{t\to\infty}\frac{t^2+3t-4}{2t^2+t-1}$$

이 식의 분모, 분자를 분모의 최고차항 t^2으로 각각 나누면

$$\lim_{t\to\infty}\frac{t^2+3t-4}{2t^2+t-1}=\lim_{t\to\infty}\frac{1+\dfrac{3}{t}-\dfrac{4}{t^2}}{2+\dfrac{1}{t}-\dfrac{1}{t^2}}=\frac{1}{2}$$

따라서 극한값이 존재하는 것은 ㄴ, ㄷ, ㄹ이다.

⊙→ **다른 풀이**

ㄱ. (분모의 차수)<(분자의 차수)이므로 발산한다.

ㄴ. (분모의 차수)>(분자의 차수)이므로 0으로 수렴한다.

ㄷ, ㄹ. (분모의 차수)=(분자의 차수)이므로 최고차항의 계수의 비로 수렴한다.

따라서 극한값이 존재하는 것은 ㄴ, ㄷ, ㄹ이다.

07-4 閏 3

해결전략 | $\dfrac{\infty}{\infty}$ 꼴의 극한값은 분모의 최고차항으로 분모, 분자를 각각 나누어 구하고, $\dfrac{0}{0}$ 꼴의 극한값은 인수분해한 후 분모, 분자를 약분하여 극한값을 구한다.

STEP 1 a의 값 구하기

$\dfrac{ax^2}{x^2-1}$의 분모, 분자를 분모의 최고차항 x^2으로 각각 나누면

$$\lim_{x\to\infty}\frac{ax^2}{x^2-1}=\lim_{x\to\infty}\frac{a}{1-\dfrac{1}{x^2}}=a$$

즉, $a=2$

STEP 2 b의 값 구하기

$$\lim_{x\to1}\frac{a(x-1)}{x^2-1}=\lim_{x\to1}\frac{2(x-1)}{(x-1)(x+1)}$$

$$=\lim_{x\to1}\frac{2}{x+1}=1$$

∴ $b=1$

STEP 3 $a+b$의 값 구하기

∴ $a+b=2+1=3$

⊙→ **다른 풀이**

STEP 1 a의 값 구하기

$\lim\limits_{x\to\infty}\dfrac{ax^2}{x^2-1}=2$에서 (분모의 차수)=(분자의 차수)이므로

$\dfrac{a}{1}=2$ ∴ $a=2$

07-5 🖊 -1

해결전략 | $x=-t$로 치환하여 $t \longrightarrow \infty$ 형태로 바꾸어 극한
값을 구한다.

STEP1 $x=-t$로 치환하기

$x=-t$라고 하면 $x \longrightarrow -\infty$일 때, $t \longrightarrow \infty$이므로

$$\lim_{x \to -\infty} \frac{2x-3}{\sqrt{x^2-2x}+\sqrt{x^2+2x}} = \lim_{t \to \infty} \frac{-2t-3}{\sqrt{t^2+2t}+\sqrt{t^2-2t}}$$

STEP2 극한값 구하기

분모, 분자를 t로 각각 나누면

$$\lim_{t \to \infty} \frac{-2t-3}{\sqrt{t^2+2t}+\sqrt{t^2-2t}} = \lim_{t \to \infty} \frac{-2-\dfrac{3}{t}}{\sqrt{1+\dfrac{2}{t}}+\sqrt{1-\dfrac{2}{t}}}$$

$$= \frac{-2}{1+1} = -1$$

07-6 🖊 2

해결전략 | 주어진 식을 각 부분의 극한값이 존재하도록 변형
한다.

STEP1 $\lim\limits_{x \to \infty} \dfrac{f(x)}{x^2}$의 값 구하기

$\lim\limits_{x \to \infty} \dfrac{f(x)}{x}$의 값이 존재하므로 $\lim\limits_{x \to \infty} \dfrac{f(x)}{x}=k$ (k는 상수)

라고 하면

$$\lim_{x \to \infty} \frac{f(x)}{x^2} = 0$$

STEP2 극한값 구하기

주어진 식의 분모, 분자를 x^2으로 각각 나누면

$$\lim_{x \to \infty} \frac{4x^2-2f(x)}{3f(x)+x^2+x\sqrt{x^2+f(x)}}$$

$$= \lim_{x \to \infty} \frac{4-\dfrac{2f(x)}{x^2}}{\dfrac{3f(x)}{x^2}+1+\sqrt{1+\dfrac{f(x)}{x^2}}}$$

$$= \frac{4-0}{0+1+1} = 2$$

필수유형 08 25쪽

08-1 🖊 (1) 발산(∞) (2) 2 (3) $\dfrac{3}{2}$ (4) 2

해결전략 | 주어진 식을 공통인수로 묶거나 유리화하여 극한
값을 구한다.

(1) $\lim\limits_{x \to \infty}(2x^2-3x-5) = \lim\limits_{x \to \infty} x^2\left(2-\dfrac{3}{x}-\dfrac{5}{x^2}\right) = \infty$

(2) 분모를 1로 생각하고 분모, 분자에 $\sqrt{x^2+4x}+x$를 각
각 곱하면

$$\lim_{x \to \infty}(\sqrt{x^2+4x}-x)$$

$$= \lim_{x \to \infty} \frac{(\sqrt{x^2+4x}-x)(\sqrt{x^2+4x}+x)}{\sqrt{x^2+4x}+x}$$

$$= \lim_{x \to \infty} \frac{4x}{\sqrt{x^2+4x}+x}$$

$$= \lim_{x \to \infty} \frac{4}{\sqrt{1+\dfrac{4}{x}}+1} = 2$$

(3) 분모를 1로 생각하고 분모, 분자에 $x+\sqrt{x^2-3x}$를 각
각 곱하면

$$\lim_{x \to \infty}(x-\sqrt{x^2-3x})$$

$$= \lim_{x \to \infty} \frac{(x-\sqrt{x^2-3x})(x+\sqrt{x^2-3x})}{x+\sqrt{x^2-3x}}$$

$$= \lim_{x \to \infty} \frac{3x}{x+\sqrt{x^2-3x}}$$

$$= \lim_{x \to \infty} \frac{3}{1+\sqrt{1-\dfrac{3}{x}}} = \frac{3}{2}$$

(4) 분모를 1로 생각하고 분모, 분자에
$\sqrt{x^2+2x}+\sqrt{x^2-2x}$를 각각 곱하면

$$\lim_{x \to \infty}(\sqrt{x^2+2x}-\sqrt{x^2-2x})$$

$$= \lim_{x \to \infty} \frac{(\sqrt{x^2+2x}-\sqrt{x^2-2x})(\sqrt{x^2+2x}+\sqrt{x^2-2x})}{\sqrt{x^2+2x}+\sqrt{x^2-2x}}$$

$$= \lim_{x \to \infty} \frac{4x}{\sqrt{x^2+2x}+\sqrt{x^2-2x}}$$

$$= \lim_{x \to \infty} \frac{4}{\sqrt{1+\dfrac{2}{x}}+\sqrt{1-\dfrac{2}{x}}} = 2$$

08-2 🖊 (1) $-\dfrac{1}{4}$ (2) -1 (3) 2 (4) 1

해결전략 | 통분하여 분모, 분자의 공통인수로 약분한 후 극한
값을 구하고, 근호가 있는 식은 유리화하여 극한값을 구한다.

(1) 괄호 안의 식을 통분하면

$$\lim_{x \to 0} \frac{1}{x}\left(\frac{1}{x+2}-\frac{1}{2}\right) = \lim_{x \to 0}\left\{\frac{1}{x} \times \frac{2-(x+2)}{2(x+2)}\right\}$$

$$= \lim_{x \to 0} \frac{-1}{2(x+2)} = -\frac{1}{4}$$

(2) 괄호 안의 식을 통분하면

$$\lim_{x \to 0} \frac{1}{x}\left\{1-\frac{4}{(x-2)^2}\right\} = \lim_{x \to 0}\left\{\frac{1}{x} \times \frac{(x-2)^2-4}{(x-2)^2}\right\}$$

$$= \lim_{x \to 0}\left\{\frac{1}{x} \times \frac{x(x-4)}{(x-2)^2}\right\}$$

$$=\lim_{x\to 0}\frac{x-4}{(x-2)^2}=-1$$

(3) 괄호 안의 식을 통분하면

$$\lim_{x\to\infty}x\left(1-\frac{\sqrt{x-4}}{\sqrt{x}}\right)$$

$$=\lim_{x\to\infty}\left(x\times\frac{\sqrt{x}-\sqrt{x-4}}{\sqrt{x}}\right)$$

$$=\lim_{x\to\infty}\sqrt{x}(\sqrt{x}-\sqrt{x-4})$$

$$=\lim_{x\to\infty}\frac{\sqrt{x}(\sqrt{x}-\sqrt{x-4})(\sqrt{x}+\sqrt{x-4})}{\sqrt{x}+\sqrt{x-4}}$$

$$=\lim_{x\to\infty}\frac{4\sqrt{x}}{\sqrt{x}+\sqrt{x-4}}$$

$$=\lim_{x\to\infty}\frac{4}{1+\sqrt{1-\frac{4}{x}}}=2$$

(4) 괄호 안의 식을 통분하면

$$\lim_{x\to\infty}x^2\left(1-\frac{x}{\sqrt{x^2+2}}\right)$$

$$=\lim_{x\to\infty}\left(x^2\times\frac{\sqrt{x^2+2}-x}{\sqrt{x^2+2}}\right)$$

$$=\lim_{x\to\infty}\frac{x^2(\sqrt{x^2+2}-x)(\sqrt{x^2+2}+x)}{\sqrt{x^2+2}(\sqrt{x^2+2}+x)}$$

$$=\lim_{x\to\infty}\frac{2x^2}{x^2+2+x\sqrt{x^2+2}}$$

$$=\lim_{x\to\infty}\frac{2}{1+\frac{2}{x^2}+\sqrt{1+\frac{2}{x^2}}}=1$$

08-3 답 -1

해결전략 | $x\longrightarrow-\infty$일 때는 $x=-t$로 치환하여 극한값을 구한다.

STEP1 $x=-t$로 치환하기

$x=-t$라고 하면 $x\longrightarrow-\infty$일 때, $t\longrightarrow\infty$이므로

$$\lim_{x\to-\infty}(\sqrt{x^2+2x+1}+x)=\lim_{t\to\infty}(\sqrt{t^2-2t+1}-t)$$

STEP2 극한값 구하기

분모를 1로 생각하고 분모, 분자에 $\sqrt{t^2-2t+1}+t$를 각각 곱하면

$$\lim_{t\to\infty}(\sqrt{t^2-2t+1}-t)$$

$$=\lim_{t\to\infty}\frac{(\sqrt{t^2-2t+1}-t)(\sqrt{t^2-2t+1}+t)}{\sqrt{t^2-2t+1}+t}$$

$$=\lim_{t\to\infty}\frac{-2t+1}{\sqrt{t^2-2t+1}+t}$$

$$=\lim_{t\to\infty}\frac{-2+\frac{1}{t}}{\sqrt{1-\frac{2}{t}+\frac{1}{t^2}}+1}=-1$$

08-4 답 $A<C<B$

해결전략 | $x\longrightarrow-\infty$일 때 $x=-t$로 치환하여 극한값을 구한다.

STEP1 A의 값 구하기

$$A=\lim_{x\to\infty}\frac{1}{\sqrt{x^2-2x}-x}$$

$$=\lim_{x\to\infty}\frac{\sqrt{x^2-2x}+x}{(\sqrt{x^2-2x}-x)(\sqrt{x^2-2x}+x)}$$

$$=\lim_{x\to\infty}\frac{\sqrt{x^2-2x}+x}{-2x}$$

$$=\lim_{x\to\infty}\frac{\sqrt{1-\frac{2}{x}}+1}{-2}=-1$$

STEP2 B의 값 구하기

$x=-t$라고 하면 $x\longrightarrow-\infty$일 때, $t\longrightarrow\infty$이므로

$$\lim_{x\to-\infty}(\sqrt{x^2-5x+3}+x)=\lim_{t\to\infty}(\sqrt{t^2+5t+3}-t)$$

이 식의 분모를 1로 생각하고 분모, 분자에 $\sqrt{t^2+5t+3}+t$를 각각 곱하면

$$B=\lim_{t\to\infty}(\sqrt{t^2+5t+3}-t)$$

$$=\lim_{t\to\infty}\frac{(\sqrt{t^2+5t+3}-t)(\sqrt{t^2+5t+3}+t)}{\sqrt{t^2+5t+3}+t}$$

$$=\lim_{t\to\infty}\frac{5t+3}{\sqrt{t^2+5t+3}+t}$$

$$=\lim_{t\to\infty}\frac{5+\frac{3}{t}}{\sqrt{1+\frac{5}{t}+\frac{3}{t^2}}+1}=\frac{5}{2}$$

STEP3 C의 값 구하기

$$C=\lim_{x\to 0}\frac{1}{x}\left\{1-\frac{1}{(x+1)^2}\right\}$$

$$=\lim_{x\to 0}\left\{\frac{1}{x}\times\frac{(x+1)^2-1}{(x+1)^2}\right\}$$

$$=\lim_{x\to 0}\left\{\frac{1}{x}\times\frac{x(x+2)}{(x+1)^2}\right\}$$

$$=\lim_{x\to 0}\frac{x+2}{(x+1)^2}=2$$

STEP4 A, B, C의 대소 관계 나타내기

따라서 $A=-1$, $B=\dfrac{5}{2}$, $C=2$이므로

$$A<C<B$$

08-5 답 16

해결전략 | 함수에 주어진 식 또는 값을 대입하여 식을 정리한다.

STEP1 $f\left(\dfrac{2}{x}+2\right)-f(2)$ 구하기

$$f\left(\dfrac{2}{x}+2\right)-f(2)=\left(\dfrac{2}{x}+2\right)^2-2\left(\dfrac{2}{x}+2\right)+3-3$$
$$=\dfrac{4}{x^2}+\dfrac{4}{x}$$

STEP2 $\displaystyle\lim_{x\to\infty}x^2\left\{f\left(\dfrac{2}{x}+2\right)-f(2)\right\}$ 의 값 구하기

$$\therefore \lim_{x\to\infty}x^2\left\{f\left(\dfrac{2}{x}+2\right)-f(2)\right\}^2$$
$$=\lim_{x\to\infty}x^2\left(\dfrac{4}{x^2}+\dfrac{4}{x}\right)^2$$
$$=\lim_{x\to\infty}x^2\left(\dfrac{16}{x^4}+\dfrac{32}{x^3}+\dfrac{16}{x^2}\right)$$
$$=\lim_{x\to\infty}\left(\dfrac{16}{x^2}+\dfrac{32}{x}+16\right)=16$$

◉→ 다른 풀이

$\dfrac{2}{x}=t$ 라고 하면 $x\to\infty$ 일 때, $t\to0$ 이므로

$$\lim_{x\to\infty}x^2\left\{f\left(\dfrac{2}{x}+2\right)-f(2)\right\}^2$$
$$=\lim_{t\to0}\left(\dfrac{2}{t}\right)^2\{f(t+2)-f(2)\}^2$$
$$=\lim_{t\to0}\dfrac{4\{(t+2)^2-2(t+2)+3-3\}^2}{t^2}$$
$$=\lim_{t\to0}\dfrac{4(t^2+2t)^2}{t^2}$$
$$=\lim_{t\to0}\{4(t+2)^2\}=16$$

08-6 답 9

해결전략 | 함수에 주어진 식을 대입하여 식을 유리화한다.

STEP1 $f(-x)$ 구하기

$f(x)=a(x-1)^2+1=ax^2-2ax+a+1$ 이므로
$f(-x)=ax^2+2ax+a+1$

STEP2 $\displaystyle\lim_{x\to\infty}\{\sqrt{f(-x)}-\sqrt{f(x)}\}$ 의 값을 a 로 나타내기

$$\therefore \lim_{x\to\infty}\{\sqrt{f(-x)}-\sqrt{f(x)}\}$$
$$=\lim_{x\to\infty}(\sqrt{ax^2+2ax+a+1}-\sqrt{ax^2-2ax+a+1})$$
$$=\lim_{x\to\infty}\dfrac{4ax}{\sqrt{ax^2+2ax+a+1}+\sqrt{ax^2-2ax+a+1}}$$
$$=\lim_{x\to\infty}\dfrac{4a}{\sqrt{a+\dfrac{2a}{x}+\dfrac{a+1}{x^2}}+\sqrt{a-\dfrac{2a}{x}+\dfrac{a+1}{x^2}}}$$
$$=2\sqrt{a}$$

STEP3 a 의 값 구하기

즉, $2\sqrt{a}=6$ 이므로 $\sqrt{a}=3$

$\therefore a=9$

09-1 답 (1) 0 (2) -2

  (3) $a=2$, $b=-3$ (4) $a=-6$, $b=5$

해결전략 | 분모의 극한값이 0 이고 극한값이 존재하므로 분자의 극한값도 0 이다.

(1) $x\to0$ 일 때, (분모) $\to0$ 이고 극한값이 존재하므로 (분자) $\to0$ 이다.

즉, $\displaystyle\lim_{x\to0}(2x+a)=0$ 이므로 $a=0$

(2) $x\to-2$ 일 때, (분모) $\to0$ 이고 극한값이 존재하므로 (분자) $\to0$ 이다.

즉, $\displaystyle\lim_{x\to-2}(x^2+ax-8)=0$ 이므로 $4-2a-8=0$

$\therefore a=-2$

(3) STEP1 a, b 의 관계식 구하기

$x\to1$ 일 때, (분모) $\to0$ 이고 극한값이 존재하므로 (분자) $\to0$ 이다.

즉, $\displaystyle\lim_{x\to1}(x^2+ax+b)=0$ 이므로 $1+a+b=0$

$\therefore a=-b-1$

STEP2 a, b 의 값 구하기

$a=-b-1$ 을 주어진 식에 대입하면

$$\lim_{x\to1}\dfrac{x^2+ax+b}{x-1}$$
$$=\lim_{x\to1}\dfrac{x^2+(-b-1)x+b}{x-1}$$
$$=\lim_{x\to1}\dfrac{(x-1)(x-b)}{x-1}$$
$$=\lim_{x\to1}(x-b)$$
$$=1-b=4$$

따라서 $b=-3$ 이므로 $a=-(-3)-1=2$

(4) STEP1 a 의 값 구하기

$x\to2$ 일 때, (분모) $\to0$ 이고 극한값이 존재하므로 (분자) $\to0$ 이다.

즉, $\displaystyle\lim_{x\to2}(x^2+x+a)=0$ 이므로 $6+a=0$

$\therefore a=-6$

STEP2 b 의 값 구하기

$a=-6$ 을 주어진 식에 대입하면

$$b=\lim_{x\to2}\dfrac{x^2+x+a}{x-2}$$
$$=\lim_{x\to2}\dfrac{x^2+x-6}{x-2}$$
$$=\lim_{x\to2}\dfrac{(x-2)(x+3)}{x-2}$$
$$=\lim_{x\to2}(x+3)=5$$

09-2 目 (1) $a=4$, $b=4\sqrt{2}$ (2) $a=2$, $b=2$
(3) $a=5$, $b=3$ (4) $a=1$, $b=3$

해결전략 | 분모의 극한값이 0이고 극한값이 존재하므로 분자의 극한값도 0이다.

(1) **STEP1 a, b의 관계식 구하기**

$x \longrightarrow 1$일 때, (분모) $\longrightarrow 0$이고 극한값이 존재하므로 (분자) $\longrightarrow 0$이다.

즉, $\lim\limits_{x \to 1}(a\sqrt{x+1}-b)=0$이므로 $a\sqrt{2}-b=0$

$\therefore b=a\sqrt{2}$

STEP2 a, b의 값 구하기

$b=a\sqrt{2}$를 주어진 식에 대입하면

$\lim\limits_{x \to 1} \dfrac{a\sqrt{x+1}-b}{x-1}$

$=\lim\limits_{x \to 1} \dfrac{a\sqrt{x+1}-a\sqrt{2}}{x-1}$

$=\lim\limits_{x \to 1} \dfrac{a(\sqrt{x+1}-\sqrt{2})(\sqrt{x+1}+\sqrt{2})}{(x-1)(\sqrt{x+1}+\sqrt{2})}$

$=\lim\limits_{x \to 1} \dfrac{a(x-1)}{(x-1)(\sqrt{x+1}+\sqrt{2})}$

$=\lim\limits_{x \to 1} \dfrac{a}{\sqrt{x+1}+\sqrt{2}}$

$=\dfrac{a}{2\sqrt{2}}=\sqrt{2}$

$\therefore a=4$, $b=4\sqrt{2}$

(2) **STEP1 a, b의 관계식 구하기**

$x \longrightarrow 2$일 때, (분모) $\longrightarrow 0$이고 극한값이 존재하므로 (분자) $\longrightarrow 0$이다.

즉, $\lim\limits_{x \to 2}(\sqrt{x+a}-b)=0$이므로 $\sqrt{2+a}-b=0$

$\therefore b=\sqrt{2+a}$

STEP2 a, b의 값 구하기

$b=\sqrt{2+a}$를 주어진 식에 대입하면

$\lim\limits_{x \to 2} \dfrac{\sqrt{x+a}-b}{x-2}$

$=\lim\limits_{x \to 2} \dfrac{\sqrt{x+a}-\sqrt{2+a}}{x-2}$

$=\lim\limits_{x \to 2} \dfrac{(\sqrt{x+a}-\sqrt{2+a})(\sqrt{x+a}+\sqrt{2+a})}{(x-2)(\sqrt{x+a}+\sqrt{2+a})}$

$=\lim\limits_{x \to 2} \dfrac{x-2}{(x-2)(\sqrt{x+a}+\sqrt{2+a})}$

$=\lim\limits_{x \to 2} \dfrac{1}{\sqrt{x+a}+\sqrt{2+a}}$

$=\dfrac{1}{2\sqrt{2+a}}=\dfrac{1}{4}$

$\therefore a=2$, $b=2$

(3) **STEP1 a, b의 관계식 구하기**

$x \longrightarrow 4$일 때, (분모) $\longrightarrow 0$이고 극한값이 존재하므로 (분자) $\longrightarrow 0$이다.

즉, $\lim\limits_{x \to 4}(\sqrt{x+a}-b)=0$이므로

$\sqrt{4+a}-b=0$

$\therefore b=\sqrt{4+a}$

STEP2 a, b의 값 구하기

$b=\sqrt{4+a}$를 주어진 식에 대입하면

$\lim\limits_{x \to 4} \dfrac{\sqrt{x+a}-b}{\sqrt{x}-2}$

$=\lim\limits_{x \to 4} \dfrac{\sqrt{x+a}-\sqrt{4+a}}{\sqrt{x}-2}$

$=\lim\limits_{x \to 4} \dfrac{(\sqrt{x+a}-\sqrt{4+a})(\sqrt{x+a}+\sqrt{4+a})(\sqrt{x}+2)}{(\sqrt{x}-2)(\sqrt{x+a}+\sqrt{4+a})(\sqrt{x}+2)}$

$=\lim\limits_{x \to 4} \dfrac{(x-4)(\sqrt{x}+2)}{(x-4)(\sqrt{x+a}+\sqrt{4+a})}$

$=\lim\limits_{x \to 4} \dfrac{\sqrt{x}+2}{\sqrt{x+a}+\sqrt{4+a}}$

$=\dfrac{2}{\sqrt{4+a}}=\dfrac{2}{3}$

$\therefore a=5$, $b=3$

(4) **STEP1 a, b의 관계식 구하기**

$x \longrightarrow 2$일 때, (분모) $\longrightarrow 0$이고 극한값이 존재하므로 (분자) $\longrightarrow 0$이다.

즉, $\lim\limits_{x \to 2}(\sqrt{2x^2+a}-b)=0$이므로

$\sqrt{8+a}-b=0$

$\therefore b=\sqrt{8+a}$

STEP2 a, b의 값 구하기

$b=\sqrt{8+a}$를 주어진 식에 대입하면

$\lim\limits_{x \to 2} \dfrac{\sqrt{2x^2+a}-b}{x-2}$

$=\lim\limits_{x \to 2} \dfrac{\sqrt{2x^2+a}-\sqrt{8+a}}{x-2}$

$=\lim\limits_{x \to 2} \dfrac{(\sqrt{2x^2+a}-\sqrt{8+a})(\sqrt{2x^2+a}+\sqrt{8+a})}{(x-2)(\sqrt{2x^2+a}+\sqrt{8+a})}$

$=\lim\limits_{x \to 2} \dfrac{2x^2-8}{(x-2)(\sqrt{2x^2+a}+\sqrt{8+a})}$

$=\lim\limits_{x \to 2} \dfrac{2(x-2)(x+2)}{(x-2)(\sqrt{2x^2+a}+\sqrt{8+a})}$

$=\lim\limits_{x \to 2} \dfrac{2(x+2)}{\sqrt{2x^2+a}+\sqrt{8+a}}$

$=\dfrac{4}{\sqrt{8+a}}=\dfrac{4}{3}$

$\therefore a=1$, $b=3$

09-3 답 **14**

해결전략 | 무리식을 유리식으로 만들기 위하여 분모, 분자에 적절한 무리식을 곱한다.

STEP1 a, b의 관계식 구하기

$x \longrightarrow -2$일 때, (분자) $\longrightarrow 0$이고 0이 아닌 극한값이 존재하므로 (분모) $\longrightarrow 0$이다.

즉, $\lim\limits_{x \to -2}(\sqrt{x+a}-b)=0$이므로 $\sqrt{a-2}-b=0$

$\therefore b=\sqrt{a-2}$

STEP2 a, b의 값 구하기

$b=\sqrt{a-2}$를 주어진 식에 대입하면

$$\lim_{x \to -2}\frac{x+2}{\sqrt{x+a}-b}=\lim_{x \to -2}\frac{x+2}{\sqrt{x+a}-\sqrt{a-2}}$$
$$=\lim_{x \to -2}\frac{(x+2)(\sqrt{x+a}+\sqrt{a-2})}{x+2}$$
$$=\lim_{x \to -2}(\sqrt{x+a}+\sqrt{a-2})$$
$$=2\sqrt{a-2}=6$$

$\therefore a=11, b=3$

STEP3 $a+b$의 값 구하기

$\therefore a+b=11+3=14$

09-4 답 **80**

해결전략 | 극한값에 맞추어 a, b, c의 값을 구한다.

STEP1 a의 값 구하기

$\lim\limits_{x \to \infty}\dfrac{ax^2-bx+4}{2x-1}=2$에서 $x \longrightarrow \infty$일 때, 0이 아닌 극한값을 가지므로 (분모의 차수)=(분자의 차수)이어야 한다.

$\therefore a=0$

STEP2 b의 값 구하기

따라서 $\lim\limits_{x \to \infty}\dfrac{-bx+4}{2x-1}=2$이고 극한값은 최고차항의 계수의 비와 같으므로

$\dfrac{-b}{2}=2$ $\therefore b=-4$

STEP3 c의 값 구하기

$$\lim_{x \to 2}\frac{c(x-2)}{x^2-4}=\lim_{x \to 2}\frac{c(x-2)}{(x-2)(x+2)}$$
$$=\lim_{x \to 2}\frac{c}{x+2}$$
$$=\frac{c}{4}=2$$

이므로 $c=8$

STEP4 $a^2+b^2+c^2$의 값 구하기

$\therefore a^2+b^2+c^2=0^2+(-4)^2+8^2=80$

09-5 답 **20**

해결전략 | 분모의 극한값이 0이고 극한값이 존재하면 분자의 극한값도 0이다.

STEP1 a의 값 구하기

$x \longrightarrow 2$일 때, (분모) $\longrightarrow 0$이고 극한값이 존재하므로 (분자) $\longrightarrow 0$이다.

즉, $\lim\limits_{x \to 2}(\sqrt{3x-a}-\sqrt{x+2})=0$이므로

$\sqrt{6-a}-2=0$ $\therefore a=2$

STEP2 b의 값 구하기

$a=2$를 주어진 식에 대입하면

$$b=\lim_{x \to 2}\frac{\sqrt{3x-2}-\sqrt{x+2}}{\sqrt{2x+1}-\sqrt{x+3}}$$
$$=\lim_{x \to 2}\frac{(2x-4)(\sqrt{2x+1}+\sqrt{x+3})}{(x-2)(\sqrt{3x-2}+\sqrt{x+2})}$$
$$=\lim_{x \to 2}\frac{2(\sqrt{2x+1}+\sqrt{x+3})}{\sqrt{3x-2}+\sqrt{x+2}}$$
$$=\frac{2 \times 2\sqrt{5}}{4}=\sqrt{5}$$

STEP3 a^2b^2의 값 구하기

$\therefore a^2b^2=2^2 \times (\sqrt{5})^2=20$

09-6 답 **12**

해결전략 | 분모의 극한값이 0이고 극한값이 존재하면 분자를 인수분해하여 미지수를 결정한다.

STEP1 a의 값 구하기

$\lim\limits_{x \to \infty}\dfrac{ax^2+bx+c}{x^2+x-2}=3$이므로 분모, 분자를 분모의 최고차항 x^2으로 각각 나누면

$$\lim_{x \to \infty}\frac{a+\dfrac{b}{x}+\dfrac{c}{x^2}}{1+\dfrac{1}{x}-\dfrac{2}{x^2}}=a=3$$

STEP2 c의 값 구하기

$f(x)=3x^2+bx+c$로 놓으면 $\lim\limits_{x \to 1}\dfrac{f(x)}{x^2+x-2}=3$에서

$x \longrightarrow 1$일 때, (분모) $\longrightarrow 0$이고 극한값이 존재하므로 (분자) $\longrightarrow 0$이다.

즉, $f(1)=0$이므로 $f(x)$는 $x-1$을 인수로 갖는다.

$\therefore f(x)=(x-1)(3x-c)$

$f(x)=(x-1)(3x-c)$를 주어진 식에 대입하면

$$\lim_{x \to 1}\frac{(x-1)(3x-c)}{x^2+x-2}=\lim_{x \to 1}\frac{(x-1)(3x-c)}{(x-1)(x+2)}$$
$$=\lim_{x \to 1}\frac{3x-c}{x+2}=\frac{3-c}{3}=3$$

$\therefore c = -6$

STEP3 b의 값 구하기

$c = -6$을 $f(x)$에 대입하면

$f(x) = (x-1)(3x+6) = 3x^2 + 3x - 6$이므로

$b = 3$

STEP4 $4a+2b+c$의 값 구하기

$\therefore 4a+2b+c = 12+6+(-6) = 12$

필수유형 ⑩   29쪽

10-1   답 -6

해결전략 | 주어진 조건을 이용하여 $f(x)$를 구한다.

STEP1 $f(x)$ 구하기

$\lim\limits_{x \to 3} \dfrac{f(x)}{x-3} = 6$에서 $x \longrightarrow 3$일 때, (분모) $\longrightarrow 0$이고 극한

값이 존재하므로 (분자) $\longrightarrow 0$이다.

즉, $f(3) = 0$이므로 $f(x) = (x-3)(x+k)$ (k는 상수)

로 놓을 수 있다.

$\therefore \lim\limits_{x \to 3} \dfrac{f(x)}{x-3} = \lim\limits_{x \to 3} \dfrac{(x-3)(x+k)}{x-3}$

$\qquad\qquad\qquad = \lim\limits_{x \to 3}(x+k) = 3+k$

즉, $3+k = 6$이므로 $k = 3$

$\therefore f(x) = (x-3)(x+3)$

STEP2 극한값 구하기

$\therefore \lim\limits_{x \to -3} \dfrac{f(x)}{x+3} = \lim\limits_{x \to -3} \dfrac{(x-3)(x+3)}{x+3}$

$\qquad\qquad\qquad = \lim\limits_{x \to -3}(x-3) = -6$

10-2   답 14

해결전략 | 조건 ㈎에서 $f(x)$의 차수와 최고차항의 계수를 구하고, 조건 ㈏에서 $f(x)$의 인수를 구하여 $f(x)$의 식을 추론한다.

STEP1 $f(x)$의 최고차항의 계수 구하기

㈎에서 $x \longrightarrow \infty$일 때, 0이 아닌 극한값을 가지므로 (분모의 차수)=(분자의 차수)이다.

또, 극한값이 2이므로 $f(x)$는 최고차항의 계수가 2인 이 차식이다.

STEP2 $f(x)$ 구하기

㈏에서 $x \longrightarrow 0$일 때, (분모) $\longrightarrow 0$이고 극한값이 존재하므로 (분자) $\longrightarrow 0$이다.

즉, $\lim\limits_{x \to 0} f(x) = 0$이므로 $f(0) = 0$

$f(x) = x(2x+k)$ (k는 상수)로 놓으면

$\lim\limits_{x \to 0} \dfrac{f(x)}{x} = \lim\limits_{x \to 0} \dfrac{x(2x+k)}{x} = \lim\limits_{x \to 0}(2x+k) = k$

따라서 $k = 3$이므로

$f(x) = x(2x+3)$

STEP3 $f(2)$의 값 구하기

$\therefore f(2) = 2 \times 7 = 14$

◎ 풍쌤의 비법

다항함수의 결정

두 다항함수 $f(x), g(x)$에 대하여

(1) $\lim\limits_{x \to \infty} \dfrac{f(x)}{g(x)} = k$ (k는 0이 아닌 실수)이면

   ➡ $f(x)$와 $g(x)$의 차수가 같고 최고차항의 계수의 비는 k이다.

(2) $\lim\limits_{x \to a} \dfrac{f(x)}{g(x)} = s$ (s는 실수)이고 $\lim\limits_{x \to a} g(x) = 0$이면

   ➡ $\lim\limits_{x \to a} f(x) = f(a) = 0$

10-3   답 100

해결전략 | 주어진 조건을 만족시키기 위한 $f(x)$의 조건을 구한다.

STEP1 $f(a) = 0$임을 알기

$\lim\limits_{x \to a}(2x-2a) = 0$이므로 $f(a) \neq 0$이면

$\lim\limits_{x \to a} \dfrac{f(x)-(2x-2a)}{f(x)+(2x-2a)} = \dfrac{f(a)}{f(a)} = 1 \neq \dfrac{2}{3}$

이므로 $f(a) = 0$

이때 방정식 $f(x) = 0$의 두 근이 α, β이고 최고차항의 계수가 1이므로 $f(x) = (x-\alpha)(x-\beta)$

STEP2 경우에 따른 $\alpha - \beta$의 값 구하기

(ⅰ) $a = \alpha$일 때

$\lim\limits_{x \to a} \dfrac{f(x)-(2x-2a)}{f(x)+(2x-2a)}$

$= \lim\limits_{x \to a} \dfrac{(x-\alpha)(x-\beta)-2(x-\alpha)}{(x-\alpha)(x-\beta)+2(x-\alpha)}$

$= \lim\limits_{x \to a} \dfrac{(x-\alpha)(x-\beta-2)}{(x-\alpha)(x-\beta+2)}$

$= \dfrac{\alpha-\beta-2}{\alpha-\beta+2} = \dfrac{2}{3}$

즉, $3(\alpha-\beta-2) = 2(\alpha-\beta+2)$이므로

$\alpha - \beta = 10$

(ⅱ) $a = \beta$일 때

$$\lim_{x \to a} \frac{f(x)-(2x-2a)}{f(x)+(2x-2a)}$$

$$=\lim_{x \to \beta} \frac{(x-\alpha)(x-\beta)-2(x-\beta)}{(x-\alpha)(x-\beta)+2(x-\beta)}$$

$$=\lim_{x \to \beta} \frac{(x-\beta)(x-\alpha-2)}{(x-\beta)(x-\alpha+2)}$$

$$=\frac{\beta-\alpha-2}{\beta-\alpha+2}=\frac{2}{3}$$

즉, $3(\beta-\alpha-2)=2(\beta-\alpha+2)$이므로

$$\alpha-\beta=-10$$

STEP 3 $(\alpha-\beta)^2$의 값 구하기

(i), (ii)에 의하여 $(\alpha-\beta)^2=100$

10-4 目 -2

해결전략 | $\lim_{x \to a} \dfrac{f(x)}{g(x)}=k$ (k는 실수)일 때, $\lim_{x \to a} g(x)=0$이면 $\lim_{x \to a} f(x)=0$임을 이용하여 $f(x)$의 인수를 구한다.

STEP 1 $f(x)$ 구성하기

$x \longrightarrow 1$, $x \longrightarrow 2$일 때, (분모)$\longrightarrow 0$이고 극한값이 존재하므로 (분자)$\longrightarrow 0$이다.

따라서 $f(x)$는 $x-1$, $x-2$를 인수로 갖는 삼차함수이므로

$$f(x)=(x-1)(x-2)(ax+b) \ (a, b\text{는 상수})$$

로 놓을 수 있다.

STEP 2 a, b의 값 구하기

$$\lim_{x \to 1} \frac{f(x)}{x-1}=\lim_{x \to 1} \frac{(x-1)(x-2)(ax+b)}{x-1}$$
$$=\lim_{x \to 1} (x-2)(ax+b)$$
$$=-(a+b)$$

이므로 $-(a+b)=-2$

$\therefore a+b=2$ ...... ㉠

$$\lim_{x \to 2} \frac{f(x)}{x-2}=\lim_{x \to 2} \frac{(x-1)(x-2)(ax+b)}{x-2}$$
$$=\lim_{x \to 2} (x-1)(ax+b)$$
$$=2a+b$$

이므로 $2a+b=1$ ...... ㉡

㉠, ㉡을 연립하여 풀면

$$a=-1, b=3$$

STEP 3 극한값 구하기

따라서 $f(x)=(x-1)(x-2)(-x+3)$이므로

$$\lim_{x \to 3} \frac{f(x)}{x-3}=\lim_{x \to 3} \frac{-(x-1)(x-2)(x-3)}{x-3}$$
$$=-\lim_{x \to 3} (x-1)(x-2)$$
$$=-2 \times 1 = -2$$

10-5 目 0

해결전략 | $\dfrac{\infty}{\infty}$ 꼴의 극한식에서 분자의 차수와 최고차항의 계수를 구해 $f(x)$의 식을 미지수를 사용해 세우고, $\dfrac{0}{0}$ 꼴의 극한식에 대입하여 미지수를 구한다.

STEP 1 $f(x)$ 구성하기

$\lim\limits_{x \to \infty} \dfrac{f(x)-x^3}{x^2+3x}=2$에서 0이 아닌 극한값이 존재하므로 분자는 최고차항의 계수가 2인 이차식이다.

$f(x)-x^3=2x^2+ax+b$ (a, b는 상수)로 놓으면

$$f(x)=x^3+2x^2+ax+b$$

STEP 2 a, b의 값 구하기

또, $\lim\limits_{x \to -2} \dfrac{f(x)}{x+2}=3$에서 $x \longrightarrow -2$일 때, (분모)$\longrightarrow 0$이고 극한값이 존재하므로 (분자)$\longrightarrow 0$이어야 한다.

따라서 $f(-2)=-8+8-2a+b=0$이므로

$$b=2a$$

$$\therefore \lim_{x \to -2} \frac{f(x)}{x+2}=\lim_{x \to -2} \frac{x^3+2x^2+ax+2a}{x+2}$$
$$=\lim_{x \to -2} \frac{(x+2)(x^2+a)}{x+2}$$
$$=\lim_{x \to -2} (x^2+a)$$
$$=4+a$$

즉, $4+a=3$이므로

$$a=-1, b=-2$$

STEP 3 $f(-1)$의 값 구하기

따라서 $f(x)=x^3+2x^2-x-2$이므로

$$f(-1)=-1+2+1-2=0$$

10-6 目 12

해결전략 | $x \longrightarrow 1$일 때, (분모)$\longrightarrow 0$이고 극한값이 존재하면 (분자)$\longrightarrow 0$임을 이용하여 $f(x)$, $f(x)-(ax+b)$의 인수를 구하고 $f(x)$의 식을 추론한다.

STEP 1 $\lim\limits_{x \to 1} \dfrac{f(x)}{x^2-1}=3$을 이용하여 $f(x)$의 조건 찾기

$\lim\limits_{x \to 1} \dfrac{f(x)}{x^2-1}=3$에서 $x \longrightarrow 1$일 때, (분모)$\longrightarrow 0$이고 극한값이 존재하므로 (분자)$\longrightarrow 0$이어야 한다.

즉, $f(1)=0$이므로

$f(x)=(x-1)g(x)$ ($g(x)$는 다항함수) ...... ㉠

로 놓으면

$$\lim_{x \to 1} \frac{f(x)}{x^2-1}=\lim_{x \to 1} \frac{(x-1)g(x)}{(x-1)(x+1)}$$

$$=\lim_{x \to 1}\frac{g(x)}{x+1}=\frac{g(1)}{2}$$

즉, $\frac{g(1)}{2}=3$이므로 $g(1)=6$

STEP2 $\lim_{x \to 1}\dfrac{f(x)-(ax+b)}{(x-1)^2}$ 의 극한값이 존재함을 이용

하여 $f(x)$의 조건 찾기

또, $\lim_{x \to 1}\dfrac{f(x)-(ax+b)}{(x-1)^2}$ 의 극한값이 존재하고 $x \longrightarrow 1$

일 때, (분모) $\longrightarrow 0$이므로 (분자) $\longrightarrow 0$이어야 한다.

즉, 분자는 $(x-1)^2$을 인수로 가져야 하므로

$$f(x)-(ax+b)=(x-1)^2h(x)$$

로 놓으면 $f(x)=(x-1)^2h(x)+(ax+b)$

이때 $f(1)=0$이므로 $a+b=0$

$\therefore b=-a$

$\therefore f(x)=(x-1)^2h(x)+a(x-1)$

$$=(x-1)\{(x-1)h(x)+a\} \qquad \cdots\cdots ㉡$$

STEP3 a, b의 값 구하기

㉠, ㉡에서 $g(x)=(x-1)h(x)+a$

이때 $g(1)=6$이므로 $a=6$, $b=-6$

STEP4 $a-b$의 값 구하기

$\therefore a-b=6-(-6)=12$

필수유형 ⑪ 31쪽

11-1 답 2

해결전략 ┃ 각 변에 극한을 취하여 $f(x)$의 극한값을 구한다.

함수의 극한의 대소 관계에 의하여

$$\lim_{x \to -3}(-x^2-4x-1)\leq\lim_{x \to -3}f(x)\leq\lim_{x \to -3}(2x+8)$$

이때 $\lim_{x \to -3}(-x^2-4x-1)=2$, $\lim_{x \to -3}(2x+8)=2$이므로

$$\lim_{x \to -3}f(x)=2$$

11-2 답 $\dfrac{1}{2}$

해결전략 ┃ 각 변에 극한을 취하여 $f(x)$의 극한값을 구한다.

함수의 극한의 대소 관계에 의하여

$$\lim_{x \to \infty}\frac{x^2-2x+2}{2x^2+1}\leq\lim_{x \to \infty}f(x)\leq\lim_{x \to \infty}\frac{x^2-2x+3}{2x^2+1}$$

이때 $\lim_{x \to \infty}\dfrac{x^2-2x+2}{2x^2+1}=\dfrac{1}{2}$, $\lim_{x \to \infty}\dfrac{x^2-2x+3}{2x^2+1}=\dfrac{1}{2}$이므로

$$\lim_{x \to \infty}f(x)=\frac{1}{2}$$

11-3 답 1

해결전략 ┃ 주어진 부등식을 변형한 후 각 변에 극한을 취하여 주어진 식의 극한값을 구한다.

STEP1 주어진 부등식 변형하기

$x+1<f(x)<x+2$의 각 변을 제곱하면

$$(x+1)^2<\{f(x)\}^2<(x+2)^2$$

$x^2+2>0$이므로 각 변을 x^2+2로 나누면

$$\frac{(x+1)^2}{x^2+2}<\frac{\{f(x)\}^2}{x^2+2}<\frac{(x+2)^2}{x^2+2}$$

STEP2 $\lim_{x \to \infty}\dfrac{\{f(x)\}^2}{x^2+2}$ 의 값 구하기

이때 $\lim_{x \to \infty}\dfrac{(x+1)^2}{x^2+2}=1$, $\lim_{x \to \infty}\dfrac{(x+2)^2}{x^2+2}=1$이므로 함수의

극한의 대소 관계에 의하여

$$\lim_{x \to \infty}\frac{\{f(x)\}^2}{x^2+2}=1$$

11-4 답 3

해결전략 ┃ $f(x)$에 대한 부등식으로 변형하여 극한값을 구한다.

STEP1 $f(x)$에 대한 부등식으로 변형하기

$x^2+2>0$이므로 $3x^2-1\leq(x^2+2)f(x)\leq3x^2+2$의 각 변을 x^2+2로 나누면

$$\frac{3x^2-1}{x^2+2}\leq f(x)\leq\frac{3x^2+2}{x^2+2}$$

STEP2 $\lim_{x \to \infty}f(x)$ 의 값 구하기

이때 $\lim_{x \to \infty}\dfrac{3x^2-1}{x^2+2}=3$, $\lim_{x \to \infty}\dfrac{3x^2+2}{x^2+2}=3$이므로 함수의

극한의 대소 관계에 의하여

$$\lim_{x \to \infty}f(x)=3$$

11-5 답 10

해결전략 ┃ 주어진 조건으로부터 $f(x)$의 차수과 최고차항의 계수, 인수를 구하여 $f(x)$를 나타낸다.

STEP1 $f(x)$의 차수와 최고차항의 계수 구하기

$x^2>0$이므로 ㈎에서 각 변을 x^2으로 나누면

$$\frac{2x^2-5x}{x^2}\leq\frac{f(x)}{x^2}\leq\frac{2x^2+2}{x^2}$$

이때 $\lim_{x \to \infty}\dfrac{2x^2-5x}{x^2}=2$, $\lim_{x \to \infty}\dfrac{2x^2+2}{x^2}=2$이므로 함수의

극한의 대소 관계에 의하여

$$\lim_{x \to \infty}\frac{f(x)}{x^2}=2$$

따라서 $f(x)$는 최고차항의 계수가 2인 이차함수이다.

STEP2 $f(x)$ 구하기

㈏에서 $x \longrightarrow 1$일 때 (분모) $\longrightarrow 0$이고 극한값이 존재하므로 (분자) $\longrightarrow 0$이다.

즉, $\lim_{x \to 1} f(x) = f(1) = 0$이므로

$f(x) = 2(x-1)(x+a)$ (a는 상수)로 놓을 수 있다.

$$\therefore \lim_{x \to 1} \frac{f(x)}{x^2 + 2x - 3} = \lim_{x \to 1} \frac{2(x-1)(x+a)}{(x-1)(x+3)}$$
$$= \lim_{x \to 1} \frac{2(x+a)}{x+3}$$
$$= \frac{2(1+a)}{4} = \frac{1}{4}$$

$$\therefore a = -\frac{1}{2}$$

STEP3 $f(3)$의 값 구하기

따라서 $f(x) = 2(x-1)\left(x - \frac{1}{2}\right)$이므로

$$f(3) = 2 \times 2 \times \frac{5}{2} = 10$$

11-6 답 2

해결전략 | 양 끝의 함수의 극한값을 구하여 $\lim_{x \to \infty} f(x)$의 값을 구한다.

STEP1 $\lim_{x \to \infty} g\left(1 + \frac{x}{1+x}\right)$의 값 구하기

$$1 + \frac{x}{1+x} = 1 + \frac{(1+x)-1}{1+x} = 2 - \frac{1}{1+x}$$

$2 - \frac{1}{1+x} = t$라고 하면 $x \longrightarrow \infty$일 때, $t \longrightarrow 2-$이므로

$$\lim_{x \to \infty} g\left(1 + \frac{x}{1+x}\right) = \lim_{t \to 2-} g(t) = 2$$

STEP2 $\lim_{x \to \infty} g\left(2 + \frac{1}{1+x}\right)$의 값 구하기

$2 + \frac{1}{1+x} = s$라고 하면 $x \longrightarrow \infty$일 때, $s \longrightarrow 2+$이므로

$$\lim_{x \to \infty} g\left(2 + \frac{1}{1+x}\right) = \lim_{s \to 2+} g(t) = 2$$

STEP3 $\lim_{x \to \infty} f(x)$의 값 구하기

따라서 $g\left(1 + \frac{x}{1+x}\right) < f(x) < g\left(2 + \frac{1}{1+x}\right)$에서 함수의 극한의 대소 관계에 의하여

$$\lim_{x \to \infty} g\left(1 + \frac{1}{1+x}\right) \le \lim_{x \to \infty} f(x) \le \lim_{x \to \infty} g\left(2 + \frac{1}{1+x}\right)$$

즉, $2 \le \lim_{x \to \infty} f(x) \le 2$

$$\therefore \lim_{x \to \infty} f(x) = 2$$

12-1 답 $\frac{1}{2}$

해결전략 | $\overline{PQ}$, $\overline{AQ}$의 길이를 x에 대한 식으로 나타내어 극한값을 구한다.

STEP1 $\overline{PQ}$, $\overline{AQ}$의 길이를 x에 대한 식으로 나타내기

점 P의 좌표는 $P(x, \sqrt{3x-3})$, 점 Q의 좌표는 $Q(x, 3)$이므로

$$\overline{PQ} = \sqrt{3x-3} - 3, \quad \overline{AQ} = x - 4$$

STEP2 극한값 구하기

$$\therefore \lim_{x \to 4+} \frac{\overline{PQ}}{\overline{AQ}} = \lim_{x \to 4+} \frac{\sqrt{3x-3} - 3}{x-4}$$
$$= \lim_{x \to 4+} \frac{(\sqrt{3x-3}-3)(\sqrt{3x-3}+3)}{(x-4)(\sqrt{3x-3}+3)}$$
$$= \lim_{x \to 4+} \frac{3x-12}{(x-4)(\sqrt{3x-3}+3)}$$
$$= \lim_{x \to 4+} \frac{3}{\sqrt{3x-3}+3} = \frac{1}{2}$$

> **⊙ 풍쌤의 비법**
>
> 함수의 극한의 활용 문제는 주어진 조건들은 사용하여 한 문자에 대한 식으로 나타낸 후 주어진 식에 대입하여 극한값을 구하는 문제가 대부분이다.
>
> 주어진 조건을 변형하여 한 문자에 대한 식으로 나타내는 방법이 핵심이다.

12-2 답 2

해결전략 | $\overline{AH}$, $\overline{BH}$의 길이를 t에 대한 식으로 나타내어 극한값을 구한다.

STEP1 점 A, B, C의 좌표를 t에 대한 식으로 나타내기

점 A의 좌표는 $A(1, 2+\sqrt{3})$

점 B의 좌표는 $B\left(t, \frac{2}{t} + \sqrt{3}\right)$

점 H의 좌표는 $H\left(1, \frac{2}{t} + \sqrt{3}\right)$

STEP2 극한값 구하기

따라서 $\overline{AH} = 2 - \frac{2}{t}$, $\overline{BH} = t - 1$이므로

$$\lim_{t \to 1} \frac{\overline{AH}}{\overline{BH}} = \lim_{t \to 1} \frac{2 - \frac{2}{t}}{t-1}$$
$$= \lim_{t \to 1} \frac{2(t-1)}{t(t-1)}$$
$$= \lim_{t \to 1} \frac{2}{t} = 2$$

12-3 답 $\dfrac{4}{5}$

해결전략 | 점과 직선 사이의 거리와 피타고라스 정리를 이용하여 $\overline{\text{OH}}$의 길이를 구한다.

STEP1 $\overline{\text{OP}}$, $\overline{\text{OH}}$의 길이를 t에 대한 식으로 나타내기

점 P의 좌표는 P$(t, \sqrt{t})$이므로 $\overline{\text{OP}}^2 = t^2 + t$

$\overline{\text{PH}}$의 길이는 점 P와 직선 $y = \dfrac{1}{2}x$, 즉 $x - 2y = 0$ 사이의 거리와 같으므로

$$\overline{\text{PH}} = \frac{|t - 2\sqrt{t}|}{\sqrt{5}}$$

삼각형 PHO는 직각삼각형이므로

$$\overline{\text{OH}}^2 = \overline{\text{OP}}^2 - \overline{\text{PH}}^2$$
$$= (t^2 + t) - \frac{(t - 2\sqrt{t})^2}{5} = \frac{4t^2 + 4t\sqrt{t} + t}{5}$$

STEP2 극한값 구하기

$$\therefore \lim_{t \to \infty} \frac{\overline{\text{OH}}^2}{\overline{\text{OP}}^2} = \lim_{t \to \infty} \frac{4t^2 + 4t\sqrt{t} + t}{5(t^2 + t)}$$
$$= \lim_{t \to \infty} \frac{4 + \dfrac{4}{\sqrt{t}} + \dfrac{1}{t}}{5 + \dfrac{5}{t}} = \frac{4}{5}$$

> **◎ 풍쌤의 비법**
>
> **점과 직선 사이의 거리**
> 점 P(x_1, y_1)과 직선 $ax + by + c = 0$ 사이의 거리 d는
> $$d = \frac{|ax_1 + by_1 + c|}{\sqrt{a^2 + b^2}}$$

12-4 답 1

해결전략 | $\dfrac{a^2}{r^2}$을 r에 대한 식으로 변형하여 극한값을 구한다.

STEP1 a와 r 사이의 관계식 구하기

두 점 $(0, 4)$, $(a, 0)$을 지나는 직선의 방정식은

$\dfrac{x}{a} + \dfrac{y}{4} = 1$, 즉 $4x + ay - 4a = 0$

직선 $4x + ay - 4a = 0$과 원의 중심인 점 $(0, r)$ 사이의 거리가 원의 반지름의 길이와 같아야 하므로

$\dfrac{|ar - 4a|}{\sqrt{16 + a^2}} = r$, $a^2(r-4)^2 = r^2(16 + a^2)$

$a^2r^2 - 8a^2r + 16a^2 = 16r^2 + a^2r^2$

$a^2(2 - r) = 2r^2$

$$\therefore \frac{a^2}{r^2} = \frac{2}{2 - r}$$

STEP2 극한값 구하기

$$\therefore \lim_{r \to 0+} \frac{a^2}{r^2} = \lim_{r \to 0+} \frac{2}{2 - r} = 1$$

> **◎ 풍쌤의 비법**
>
> **x절편과 y절편이 주어진 직선의 방정식**
> x절편이 a이고, y절편이 b인 직선의 방정식은
> $$\frac{x}{a} + \frac{y}{b} = 1 \text{ (단, } a \neq 0, \ b \neq 0)$$

12-5 답 $\dfrac{5}{2}$

해결전략 | $S(x)$를 x에 대한 식으로 나타낸다.

STEP1 $S(x)$ 구하기

점 A의 좌표는 A$(x, -2x + 5)$이므로

P$(x, 0)$, Q$(0, -2x + 5)$

따라서 $\overline{\text{OP}} = x$, $\overline{\text{OQ}} = -2x + 5$이므로

$S(x) = \dfrac{1}{2}x(-2x + 5)$ $\left(\text{단, } 0 < x < \dfrac{5}{2}\right)$

STEP2 극한값 구하기

$$\therefore \lim_{x \to 0+} \frac{S(x)}{x} = \lim_{x \to 0+} \frac{\dfrac{1}{2}x(-2x + 5)}{x}$$
$$= \lim_{x \to 0+} \frac{1}{2}(-2x + 5) = \frac{5}{2}$$

12-6 답 3

해결전략 | 각 점의 좌표를 이용하여 $\overline{\text{OQ}}$, $\overline{\text{PQ}}$의 길이를 m에 대한 식으로 나타낸다.

STEP1 $\overline{\text{OQ}}$, $\overline{\text{PQ}}$의 길이를 m에 대한 식으로 나타내기

$y = x^2$의 그래프와 직선 $y = mx$의 교점의 x좌표는

$x^2 = mx$에서

$x(x - m) = 0$ $\therefore x = 0$ 또는 $x = m$

따라서 점 P의 좌표를 P(m, m^2)이므로

P$'(m, 0)$, Q$'\left(\dfrac{m}{2}, 0\right)$

즉, Q$\left(\dfrac{m}{2}, \dfrac{m^2}{4}\right)$이므로

$$\overline{\text{OQ}} = \sqrt{\left(\frac{m}{2}\right)^2 + \left(\frac{m^2}{4}\right)^2}$$

$$\overline{\text{PQ}} = \sqrt{\left(m - \frac{m}{2}\right)^2 + \left(m^2 - \frac{m^2}{4}\right)^2}$$
$$= \sqrt{\left(\frac{m}{2}\right)^2 + \left(\frac{3m^2}{4}\right)^2}$$

STEP2 극한값 구하기

$$\therefore \lim_{m \to \infty} \frac{\overline{PQ}}{\overline{OQ}} = \lim_{m \to \infty} \frac{\sqrt{\left(\dfrac{m}{2}\right)^2 + \left(\dfrac{3}{4}m^2\right)^2}}{\sqrt{\left(\dfrac{m}{2}\right)^2 + \left(\dfrac{m^2}{4}\right)^2}}$$

$$= \lim_{m \to \infty} \frac{\sqrt{\dfrac{m^2}{4} + \dfrac{9}{16}m^2}}{\sqrt{\dfrac{m^2}{4} + \dfrac{m^4}{16}}}$$

$$= \lim_{m \to \infty} \frac{\sqrt{\dfrac{1}{4m^2} + \dfrac{9}{16}}}{\sqrt{\dfrac{1}{4m^2} + \dfrac{1}{16}}}$$

$$= \frac{\dfrac{3}{4}}{\dfrac{1}{4}} = 3$$

유형 특강   35쪽

1 답 (1) 참 (2) 참 (3) 거짓

해결전략 | 참인 조건은 연산을 이용하여 극한값을 찾고, 거짓인 조건은 반례를 찾아본다.

(1) $\lim_{x \to a} \{f(x) + g(x)\} = \alpha$, $\lim_{x \to a} \{f(x) - g(x)\} = \beta$

(α, β는 실수)라 하고 두 식을 더하면

$$\lim_{x \to a} \{f(x) + g(x)\} + \lim_{x \to a} \{f(x) - g(x)\}$$
$$= \lim_{x \to a} \{f(x) + g(x) + f(x) - g(x)\}$$
$$= 2\lim_{x \to a} f(x) = \alpha + \beta$$

$$\therefore \lim_{x \to a} f(x) = \frac{\alpha + \beta}{2}$$

따라서 $\lim_{x \to a} f(x)$의 값이 존재한다. (참)

(2) $\dfrac{f(x)}{x} = g(x)$라고 하면 $\lim_{x \to 0} g(x) = k$이고

$f(x) = xg(x)$이므로

$$\lim_{x \to 0} f(x) = \lim_{x \to 0} xg(x) = \lim_{x \to 0} x \times \lim_{x \to 0} g(x)$$
$$= 0 \times k = 0$$

$\therefore \lim_{x \to 0} f(x) = 0$ (참)

(3) [반례] $f(x) = 1 - \dfrac{1}{x^2}$, $g(x) = 1 + \dfrac{1}{x^2}$이면

$1 - \dfrac{1}{x^2} < 1 + \dfrac{1}{x^2}$이므로 $f(x) < g(x)$

그런데 $\lim_{x \to \infty} f(x) = 1$, $\lim_{x \to \infty} g(x) = 1$이므로

$\lim_{x \to \infty} f(x) = \lim_{x \to \infty} g(x)$이다. (거짓)

실전 연습 문제   36~38쪽

01 ③	**02** 4	**03** −1	**04** ③	**05** ⑤
06 4	**07** ④	**08** 8	**09** ②	**10** 5
11 20	**12** 36	**13** 66	**14** 2	**15** ①
16 29	**17** 1			

01

해결전략 | 그래프를 따라 함숫값이 가까워지는 값을 찾는다.

STEP 1 $\lim_{x \to -1-} f(x)$의 값 구하기

그래프에서 $x \longrightarrow -1-$일

때, $f(x) = -1$이므로

$\lim_{x \to -1-} f(x) = -1$

STEP 2 $\lim_{x \to 1-} f(x)$의 값 구

하기

$x \longrightarrow 1-$일 때, $f(x) \longrightarrow 1$이므로

$\lim_{x \to 1-} f(x) = 1$

STEP 3 $\lim_{x \to -1-} f(x) + \lim_{x \to 1-} f(x)$의 값 구하기

$\therefore \lim_{x \to -1-} f(x) + \lim_{x \to 1-} f(x) = -1 + 1 = 0$

02

해결전략 | 극한값이 존재하므로 좌극한과 우극한이 같음을 이용한다.

STEP 1 $\lim_{x \to 0-} \{f(x) + g(x)\} + \lim_{x \to 0+} \{f(x) - g(x)\}$의 값 구하기

$$\lim_{x \to 0-} \{f(x) + g(x)\} + \lim_{x \to 0+} \{f(x) - g(x)\}$$
$$= \lim_{x \to 0-} (x^2 - 2x + 4) + \lim_{x \to 0+} (x^2 + 6)$$
$$= 4 + 6 = 10 \qquad\qquad\qquad \cdots\cdots ❶$$

이때 $\lim_{x \to 0} f(x)$의 값이 존재하므로

$$\lim_{x \to 0-} f(x) = \lim_{x \to 0+} f(x) = \lim_{x \to 0} f(x)$$

$$\therefore \lim_{x \to 0-} \{f(x) + g(x)\} + \lim_{x \to 0+} \{f(x) - g(x)\}$$
$$= \lim_{x \to 0-} f(x) + \lim_{x \to 0-} g(x) + \lim_{x \to 0+} f(x) - \lim_{x \to 0+} g(x)$$
$$= 2\lim_{x \to 0} f(x) + \lim_{x \to 0-} g(x) - \lim_{x \to 0+} g(x)$$
$$= 2\lim_{x \to 0} f(x) + 2 \qquad\qquad\qquad \cdots\cdots ❷$$

STEP 2 $\lim_{x \to 0} f(x)$의 값 구하기

따라서 $2\lim_{x \to 0} f(x) + 2 = 10$이므로

$\lim_{x \to 0} f(x) = 4 \qquad\qquad\qquad\qquad\qquad \cdots\cdots ❸$

채점 요소	배점
❶ $\lim\limits_{x \to 0-}\{f(x)+g(x)\}+\lim\limits_{x \to 0+}\{f(x)-g(x)\}$의 값 구하기	40 %
❷ $\lim\limits_{x \to 0-}\{f(x)+g(x)\}+\lim\limits_{x \to 0+}\{f(x)-g(x)\}$을 $\lim\limits_{x \to 0}\{f(x)\}$를 사용하여 나타내기	40 %
❸ $\lim\limits_{x \to 0}\{f(x)\}$의 값 구하기	20 %

03

해결전략 | $x=-1$, $x=1$에서 극한값이 존재하는지 조사해 본다.

STEP 1 $x=-1$에서의 극한 조사하기

$f(x)=\begin{cases}1-x & (x \le -1,\ x \ge 1) \\ 1-x^2 & (-1 < x < 1)\end{cases}$ 이므로

$\lim\limits_{x \to -1-}f(x)=\lim\limits_{x \to -1-}(1-x)=2$

$\lim\limits_{x \to -1+}f(x)=\lim\limits_{x \to -1+}(1-x^2)=0$

즉, $\lim\limits_{x \to -1-}f(x) \ne \lim\limits_{x \to -1+}f(x)$이므로 $\lim\limits_{x \to -1}f(x)$의 값은 존재하지 않는다.

STEP 2 $x=1$에서의 극한 조사하기

$\lim\limits_{x \to 1-}f(x)=\lim\limits_{x \to 1-}(1-x^2)=0$

$\lim\limits_{x \to 1+}f(x)=\lim\limits_{x \to 1+}(1-x)=0$

즉, $\lim\limits_{x \to 1-}f(x)=\lim\limits_{x \to 1+}f(x)$이므로 $\lim\limits_{x \to 1}f(x)$의 값은 존재한다.

$\therefore a=-1$

04

해결전략 | $f(g(t))$ 꼴을 $f(x)$ 꼴로 변형시켜 극한값을 구한다.

STEP 1 $\lim\limits_{t \to \infty}f\left(\dfrac{t-1}{t+1}\right)$의 값 구하기

$\dfrac{t-1}{t+1}=m$이라고 하면 $\dfrac{t-1}{t+1}=1-\dfrac{2}{t+1}$이므로 $t \longrightarrow \infty$ 일 때, $m \longrightarrow 1-$이다.

$\therefore \lim\limits_{t \to \infty}f\left(\dfrac{t-1}{t+1}\right)=\lim\limits_{m \to 1-}f(m)=2$

STEP 2 $\lim\limits_{t \to -\infty}f\left(\dfrac{4t-1}{t+1}\right)$의 값 구하기

$\dfrac{4t-1}{t+1}=n$이라고 하면 $\dfrac{4t-1}{t+1}=4-\dfrac{5}{t+1}$이므로

$t \longrightarrow -\infty$일 때, $n \longrightarrow 4+$이다.

$\therefore \lim\limits_{t \to -\infty}f\left(\dfrac{4t-1}{t+1}\right)=\lim\limits_{n \to 4+}f(n)=3$

STEP 3 $\lim\limits_{t \to \infty}f\left(\dfrac{t-1}{t+1}\right)+\lim\limits_{t \to -\infty}f\left(\dfrac{4t-1}{t+1}\right)$의 값 구하기

$\therefore \lim\limits_{t \to \infty}f\left(\dfrac{t-1}{t+1}\right)+\lim\limits_{t \to -\infty}f\left(\dfrac{4t-1}{t+1}\right)=2+3=5$

05

해결전략 | 좌극한과 우극한을 비교한다.

ㄱ. $\lim\limits_{x \to 2-}\{f(x)-g(x)\}=0-3=-3$,

$\lim\limits_{x \to 2+}\{f(x)-g(x)\}=0-(-3)=3$이므로

$\lim\limits_{x \to 2-}\{f(x)-g(x)\} \ne \lim\limits_{x \to 2+}\{f(x)-g(x)\}$

즉, $\lim\limits_{x \to 2}\{f(x)-g(x)\}$의 값은 존재하지 않는다.

ㄴ. $-x=t$라고 하면 $x \longrightarrow 2$일 때, $t \longrightarrow -2$이므로

$\lim\limits_{x \to 2}\{f(x)+g(-x)\}=\lim\limits_{x \to 2}f(x)+\lim\limits_{t \to -2}g(t)$

$=0+3=3$

즉, $\lim\limits_{x \to 2}\{f(x)+g(-x)\}$의 값이 존재한다.

ㄷ. $\lim\limits_{x \to 2}\{f(x)\}^2=0$이고

$\lim\limits_{x \to 2-}\{g(x)\}^2=3^2=9$, $\lim\limits_{x \to 2+}\{g(x)\}^2=(-3)^2=9$

이므로 $\lim\limits_{x \to 2}\{g(x)\}^2$의 값이 존재한다.

즉, $\lim\limits_{x \to 2}[\{f(x)\}^2+\{g(x)\}^2]$의 값은 존재한다.

ㄹ. $\lim\limits_{x \to 2-}f(x)g(x)=0 \times 3=0$,

$\lim\limits_{x \to 2+}f(x)g(x)=0 \times (-3)=0$

이므로 $\lim\limits_{x \to 2}f(x)g(x)=0$

즉, $\lim\limits_{x \to 2}f(x)g(x)$의 값이 존재한다.

따라서 극한값이 존재하는 것은 ㄴ, ㄷ, ㄹ이다.

06

해결전략 | 주어진 극한값을 이용할 수 있도록 구해야 하는 식을 변형하고 함수의 극한에 대한 성질을 이용한다.

STEP 1 식 변형하기

$\dfrac{f(x)-f(1)}{x^2-1}=\dfrac{f(x)-f(1)}{(x+1)(x-1)}$이므로

$\dfrac{f(x)-f(1)}{x-1}=\dfrac{f(x)-f(1)}{x^2-1} \times (x+1)$

STEP 2 극한값 구하기

$\therefore \lim\limits_{x \to 1}\dfrac{f(x)-f(1)}{x-1}=\lim\limits_{x \to 1}\left\{\dfrac{f(x)-f(1)}{x^2-1} \times (x+1)\right\}$

$=\lim\limits_{x \to 1}\dfrac{f(x)-f(1)}{x^2-1} \times \lim\limits_{x \to 1}(x+1)$

$=2 \times 2=4$

07

해결전략 | $\dfrac{\infty}{\infty}$ 꼴의 극한값은 분모의 최고차항으로 분모, 분자를 각각 나누어 구하고, $\dfrac{0}{0}$ 꼴의 극한값은 인수분해한 후 분모, 분자를 약분하여 극한값을 구한다.

STEP1 a의 값 구하기

$\dfrac{ax^2+1}{x^2+1}$ 의 분모, 분자를 분모의 최고차항 x^2으로 각각 나누면

$$\lim_{x\to\infty}\frac{ax^2+1}{x^2+1}=\lim_{x\to\infty}\frac{a+\dfrac{1}{x^2}}{1+\dfrac{1}{x^2}}=a$$

즉, $a=3$

STEP2 b의 값 구하기

$$\lim_{x\to2}\frac{3(x-2)}{x^2-4}=\lim_{x\to2}\frac{3(x-2)}{(x-2)(x+2)}$$
$$=\lim_{x\to2}\frac{3}{x+2}=\frac{3}{4}$$

$$\therefore b=\frac{3}{4}$$

STEP3 $a+b$의 값 구하기

$$\therefore a+b=\frac{15}{4}$$

08

해결전략 | 인수분해와 유리화를 이용하여 주어진 식에서 미지수의 값을 구한다.

STEP1 a의 값 구하기

$$\lim_{x\to a}\frac{x^3-a^3}{x^2-a^2}=\lim_{x\to a}\frac{(x-a)(x^2+ax+a^2)}{(x-a)(x+a)}$$
$$=\lim_{x\to a}\frac{x^2+ax+a^2}{x+a}=\frac{3a^2}{2a}$$
$$=\frac{3}{2}a=9$$

이므로 $a=6$ ......❶

STEP2 b의 값 구하기

$$\lim_{x\to\infty}(\sqrt{x^2-2bx}-\sqrt{x^2-2ax})$$
$$=\lim_{x\to\infty}\frac{2x(a-b)}{\sqrt{x^2-2bx}+\sqrt{x^2-2ax}}$$
$$=\lim_{x\to\infty}\frac{2(a-b)}{\sqrt{1-\dfrac{2b}{x}}+\sqrt{1-\dfrac{2a}{x}}}$$
$$=\frac{2(a-b)}{1+1}=a-b=13$$

이므로 $6-b=13$ $\quad\therefore b=-7$ ......❷

STEP3 $\displaystyle\lim_{x\to1}\frac{x^2+ax+b}{x-1}$ 의 값 구하기

$$\therefore \lim_{x\to1}\frac{x^2+ax+b}{x-1}=\lim_{x\to1}\frac{x^2+6x-7}{x-1}$$
$$=\lim_{x\to1}\frac{(x-1)(x+7)}{x-1}$$
$$=\lim_{x\to1}(x+7)=8$$ ......❸

채점 요소	배점
❶ a의 값 구하기	40 %
❷ b의 값 구하기	40 %
❸ $\displaystyle\lim_{x\to1}\frac{x^2+ax+b}{x-1}$ 의 값 구하기	20 %

09

해결전략 | 분모의 극한값이 0이고 극한값이 존재하므로 분자의 극한값도 0이다.

STEP1 a의 값 구하기

$x\longrightarrow1$일 때, (분모) $\longrightarrow0$이고 극한값이 존재하므로 (분자) $\longrightarrow0$이다.

즉, $\displaystyle\lim_{x\to1}(\sqrt{x+a}-2)=0$이므로 $\sqrt{1+a}-2=0$

$\therefore a=3$

STEP2 b의 값 구하기

$$\therefore b=\lim_{x\to1}\frac{\sqrt{x+3}-2}{x-1}$$
$$=\lim_{x\to1}\frac{x-1}{(x-1)(\sqrt{x+3}+2)}$$
$$=\lim_{x\to1}\frac{1}{\sqrt{x+3}+2}=\frac{1}{4}$$

STEP3 $a+4b$의 값 구하기

$$\therefore a+4b=3+4\times\frac{1}{4}=4$$

10

해결전략 | 미정계수가 포함된 $\infty-\infty$ 꼴의 함수에서 $x\longrightarrow\infty$일 때 극한값이 존재하면 $\dfrac{\infty}{\infty}$ 꼴로 변형하여 분자와 분모의 최고차항의 차수를 비교한다.

STEP1 a, b의 값 구하기

$a\leq0$이면 $\displaystyle\lim_{x\to\infty}\{\sqrt{4x^2+4x+3}-(ax+b)\}=\infty$이므로 $a>0$이어야 한다.

$$\therefore \lim_{x\to\infty}\{\sqrt{4x^2+4x+3}-(ax+b)\}$$
$$=\lim_{x\to\infty}\frac{(4x^2+4x+3)-(a^2x^2+2abx+b^2)}{\sqrt{4x^2+4x+3}+(ax+b)}$$
$$=\lim_{x\to\infty}\frac{(4-a^2)x^2+(4-2ab)x+3-b^2}{\sqrt{4x^2+4x+3}+(ax+b)}$$ ......㉠

㉠의 극한값이 0이려면 분자의 차수가 분모의 차수 1보다 작아야 하므로

$4-a^2=0$, $4-2ab=0$

이때 $a>0$이므로 $a=2$, $b=1$ $\cdots\cdots$ ❶

STEP 2 $\lim\limits_{x\to\infty} x\{\sqrt{4x^2+4x+3}-(ax+b)\}$의 값 구하기

$\therefore \lim\limits_{x\to\infty} x\{\sqrt{4x^2+4x+3}-(ax+b)\}$

$= \lim\limits_{x\to\infty} x\{\sqrt{4x^2+4x+3}-(2x+1)\}$

$= \lim\limits_{x\to\infty} \left\{ x \times \dfrac{(4x^2+4x+3)-(2x+1)^2}{\sqrt{4x^2+4x+3}+(2x+1)} \right\}$

$= \lim\limits_{x\to\infty} \dfrac{2x}{\sqrt{4x^2+4x+3}+2x+1}$

$= \lim\limits_{x\to\infty} \dfrac{2}{\sqrt{4+\dfrac{4}{x}+\dfrac{3}{x^2}}+2+\dfrac{1}{x}}$

$= \dfrac{2}{2+2} = \dfrac{1}{2}$ $\cdots\cdots$ ❷

STEP 3 p^2+q^2의 값 구하기

따라서 $p=2$, $q=1$이므로

$p^2+q^2 = 2^2+1^2 = 5$ $\cdots\cdots$ ❸

채점 요소	배점
❶ a, b의 값 구하기	40 %
❷ $\lim\limits_{x\to\infty} x\{\sqrt{4x^2+4x+3}-(ax+b)\}$의 값 구하기	40 %
❸ p^2+q^2의 값 구하기	20 %

11

해결전략 | $\lim\limits_{x\to a} \dfrac{f(x)}{g(x)}=k$ (k는 실수)일 때, $\lim\limits_{x\to a} g(x)=0$이면 $\lim\limits_{x\to a} f(x)=0$임을 이용하여 $f(x)$의 식을 추론한다.

STEP 1 $f(x)$ 구성하기

$x \longrightarrow -1$일 때, (분모) $\longrightarrow 0$이고 극한값이 존재하므로 (분자) $\longrightarrow 0$이다.

즉, $f(-1)=0$

또, $x \longrightarrow 2$일 때 (분모) $\longrightarrow 0$이고 극한값이 존재하므로 (분자) $\longrightarrow 0$이다.

즉, $f(2)=0$

$f(x)=(x+1)(x-2)(ax+b)$ (a, b는 상수)로 놓자.

STEP 2 a, b의 값 구하기

$\lim\limits_{x\to -1} \dfrac{f(x)}{x+1} = \lim\limits_{x\to -1} \dfrac{(x+1)(x-2)(ax+b)}{x+1}$

$= \lim\limits_{x\to -1} (x-2)(ax+b)$

$= -3 \times (-a+b) = -3$

$\therefore -a+b=1$ $\cdots\cdots$ ㉠

$\lim\limits_{x\to 2} \dfrac{f(x)}{x-2} = \lim\limits_{x\to 2} \dfrac{(x+1)(x-2)(ax+b)}{x-2}$

$= \lim\limits_{x\to 2} (x+1)(ax+b)$

$= 3 \times (2a+b) = 12$

$\therefore 2a+b=4$ $\cdots\cdots$ ㉡

㉠, ㉡을 연립하여 풀면

$a=1$, $b=2$

STEP 3 $f(3)$의 값 구하기

따라서 $f(x)=(x+1)(x-2)(x+2)$이므로

$f(3) = 4 \times 1 \times 5 = 20$

12

해결전략 | $\dfrac{\infty}{\infty}$ 꼴의 극한식에서 $f(x)$의 이차항의 계수를 찾고 $\dfrac{0}{0}$ 꼴의 극한식에서 $f(x)$의 인수를 찾아 $f(x)$의 식을 추론한다.

STEP 1 $f(x)$ 구성하기

$\lim\limits_{x\to\infty} \dfrac{f(x)}{x^2+2x+3}=1$이므로 함수 $f(x)$는 최고차항의 계수가 1인 이차식이다.

$\lim\limits_{x\to 3} \dfrac{f(x)}{x-3}=5$에서 $x \longrightarrow 3$일 때, (분모) $\longrightarrow 0$이고 극한값이 존재하므로 (분자) $\longrightarrow 0$이다.

즉, $f(3)=0$

$f(x)=(x-3)(x+a)$ (a는 상수)로 놓자.

STEP 2 a의 값 구하기

$\lim\limits_{x\to 3} \dfrac{f(x)}{x-3} = \lim\limits_{x\to 3} \dfrac{(x-3)(x+a)}{x-3} = \lim\limits_{x\to 3} (x+a)$

$= 3+a = 5$

$\therefore a=2$

STEP 3 $f(7)$의 값 구하기

따라서 $f(x)=(x-3)(x+2)$이므로

$f(7) = 4 \times 9 = 36$

13

해결전략 | $\dfrac{\infty}{\infty}$ 꼴의 극한식에서 $f(x)-x^3$의 차수와 최고차항의 계수를 찾아 $f(x)$의 식을 미지수를 사용해 세우고, $\dfrac{0}{0}$ 꼴의 극한식을 이용하여 미지수를 구한다.

STEP 1 $f(x)$ 구성하기

$\lim\limits_{x\to\infty} \dfrac{f(x)-x^3}{5x^2}=2$이므로 $f(x)-x^3$은 최고차항의 계수가 10인 이차식이다.

$f(x)-x^3=10x^2+ax+b$ (a, b는 상수)로 놓으면

$f(x)=x^3+10x^2+ax+b$

이때 $\lim\limits_{x \to -1} \dfrac{f(x)}{x+1}$의 값이 존재하고 $x \longrightarrow -1$일 때,

(분모) $\longrightarrow 0$이므로 (분자) $\longrightarrow 0$이다.

즉, $\lim\limits_{x \to -1} f(x) = \lim\limits_{x \to -1} (x^3+10x^2+ax+b)=0$에서

$-1+10-a+b=0$ $\quad \therefore b=a-9$

$\therefore f(x)=x^3+10x^2+ax+a-9$

STEP2 a, b의 값 구하기

$\begin{aligned}
\lim\limits_{x \to -1} \dfrac{f(x)}{x+1} &= \lim\limits_{x \to -1} \dfrac{x^3+10x^2+ax+a-9}{x+1} \\
&= \lim\limits_{x \to -1} \dfrac{(x+1)(x^2+9x+a-9)}{x+1} \\
&= \lim\limits_{x \to -1} (x^2+9x+a-9) \\
&= a-17=-8
\end{aligned}$

$\therefore a=9$, $b=0$

STEP3 $f(2)$의 값 구하기

따라서 $f(x)=x^3+10x^2+9x$이므로

$f(2)=8+40+18=66$

14

해결전략 | $f(x)$에 대한 부등식으로 변형한 후 각 변에 극한을 취한다.

STEP1 부등식 변형하기

$x>1$에서 $x^2-1>0$이므로

$2x^2+3x-1<(x^2-1)f(x)<2x^2+3x+1$의 각 변을 x^2-1로 나누면

$$\dfrac{2x^2+3x-1}{x^2-1}<f(x)<\dfrac{2x^2+3x+1}{x^2-1}$$

STEP2 $\lim\limits_{x \to \infty} f(x)$의 값 구하기

이때 $\lim\limits_{x \to \infty} \dfrac{2x^2+3x-1}{x^2-1}=2$, $\lim\limits_{x \to \infty} \dfrac{2x^2+3x+1}{x^2-1}=2$이므로 함수의 극한의 대소 관계에 의하여

$\lim\limits_{x \to \infty} f(x)=2$

15

해결전략 | 각 선분의 길이를 t에 대한 식으로 나타낸다.

STEP1 각 선분의 길이를 t에 대한 식으로 나타내기

$P(t, 0)$이므로 $\overline{OP}=t$

점 P와 원의 중심 $(0, 2)$ 사이의 거리가 $\sqrt{t^2+4}$이고 원의 반지름의 길이가 2이므로

$\overline{PQ}=\sqrt{t^2+4}-2$, $\overline{PR}=\sqrt{t^2+4}+2$

STEP2 극한값 구하기

$\begin{aligned}
\therefore \lim\limits_{t \to 0+} \dfrac{\overline{PQ} \times \overline{PR}}{\overline{OP}^2-\overline{PQ}^2} &= \lim\limits_{t \to 0+} \dfrac{(\sqrt{t^2+4}-2)(\sqrt{t^2+4}+2)}{t^2-(\sqrt{t^2+4}-2)^2} \\
&= \lim\limits_{t \to 0+} \dfrac{(\sqrt{t^2+4}-2)(\sqrt{t^2+4}+2)}{4(\sqrt{t^2+4}-2)} \\
&= \lim\limits_{t \to 0+} \dfrac{\sqrt{t^2+4}+2}{4}=1
\end{aligned}$

16

해결전략 | $S(a)$를 a에 대한 식으로 나타낸다.

STEP1 삼각형 ABC의 꼭짓점의 좌표를 a로 표현하기

점 G의 좌표가 $G(a, a^2)$이고 점 G가 정삼각형 ABC의 무게중심이므로 $A(a, 3a^2)$

오른쪽 그림과 같이 점 A에서 $\overline{BC}$에 내린 수선의 발을 H라고 하면

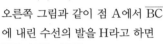

$\overline{BH}=\overline{CH}=\overline{AH} \tan 30°$

$=3a^2 \times \dfrac{\sqrt{3}}{3}=\sqrt{3}a^2$

$\therefore B(a-\sqrt{3}a^2, 0)$, $C(a+\sqrt{3}a^2, 0)$ ...... ❶

STEP2 $S(a)$ 구하기

따라서 삼각형 ABC의 넓이 $S(a)$는

$S(a)=\dfrac{1}{2}\overline{BC} \times \overline{AH}=\dfrac{1}{2} \times 2\sqrt{3}a^2 \times 3a^2=3\sqrt{3}a^4$ ...... ❷

STEP3 $\lim\limits_{a \to \sqrt{3}} \dfrac{S(a)-27a}{a^2-3}$의 값 구하기

$\begin{aligned}
\lim\limits_{a \to \sqrt{3}} \dfrac{S(a)-27a}{a^2-3} &= \lim\limits_{a \to \sqrt{3}} \dfrac{3\sqrt{3}a^4-27a}{a^2-3} \\
&= \lim\limits_{a \to \sqrt{3}} \dfrac{a\{(\sqrt{3}a)^3-3^3\}}{(a-\sqrt{3})(a+\sqrt{3})} \\
&= \lim\limits_{a \to \sqrt{3}} \dfrac{a(\sqrt{3}a-3)(3a^2+3\sqrt{3}a+9)}{(a-\sqrt{3})(a+\sqrt{3})} \\
&= \lim\limits_{a \to \sqrt{3}} \dfrac{\sqrt{3}a(3a^2+3\sqrt{3}a+9)}{a+\sqrt{3}} \\
&= \dfrac{3 \times 27}{2\sqrt{3}}=\dfrac{27}{2}\sqrt{3}
\end{aligned}$ ...... ❸

STEP4 $p+q$의 값 구하기

따라서 $p=2$, $q=27$이므로

$p+q=2+27=29$ ...... ❹

채점 요소	배점
❶ 삼각형 ABC의 꼭짓점의 좌표를 a로 나타내기	25 %
❷ $S(a)$ 구하기	25 %
❸ $\lim\limits_{a \to \sqrt{3}} \dfrac{S(a)-27a}{a^2-3}$의 값 구하기	40 %
❹ $p+q$의 값 구하기	10 %

17

해결전략 | 함수 $y=|x^2-2|$의 그래프를 그려 $f(t)$를 구한다.

STEP1 t의 값의 범위에 따라 $f(t)$ 구하기

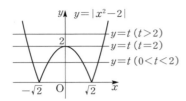

$y=|x^2-2|$의 그래프가 위의 그림과 같으므로

$$f(t)=\begin{cases} 0 \ (t<0) \\ 2 \ (t=0) \\ 4 \ (0<t<2) \\ 3 \ (t=2) \\ 2 \ (t>2) \end{cases}$$

STEP2 $g(0)+g(2)$의 구하기

$g(a)=\lim_{t\to a+}\{f(t)-f(a)\}$이므로

$g(0)=\lim_{t\to 0+}\{f(t)-f(0)\}=4-2=2$

$g(2)=\lim_{t\to 2+}\{f(t)-f(2)\}=2-3=-1$

$\therefore g(0)+g(2)=2+(-1)=1$

상위권 도약 문제　　　　　　39~40쪽

| 01 ③ | 02 ③ | 03 ④ | 04 2 | 05 ③ |
| 06 2 | 07 16 | | | |

01

해결전략 | $f^{-1}(3x)=y$로 놓고, 역함수의 뜻을 이용하여 x를 y에 대한 식으로 나타낸다.

STEP1 x를 y에 대한 식으로 나타내기

$f^{-1}(3x)=y$라고 하면 $f(y)=3x$

즉, $y^3+4y^2+6y=3x$이므로 $x=\dfrac{y^3+4y^2+6y}{3}$

STEP2 극한값 구하기

$x\longrightarrow 0$일 때, $y\longrightarrow 0$이므로

$$\lim_{x\to 0}\frac{f^{-1}(3x)}{x}=\lim_{y\to 0}\frac{y}{\frac{1}{3}(y^3+4y^2+6y)}$$

$$=\lim_{y\to 0}\frac{3y}{y(y^2+4y+6)}$$

$$=\lim_{y\to 0}\frac{3}{y^2+4y+6}=\frac{1}{2}$$

02

해결전략 | 극한값이 존재하면 좌극한과 우극한이 같아야 함을 이용한다.

STEP1 좌극한 구하기

$x\longrightarrow a-$일 때,

$\lim_{x\to a-}[x]=a-1$, $\lim_{x\to a-}[-2x]=-2a$

$\therefore \lim_{x\to a-}\dfrac{[x]^2-2x}{[-2x]}=\dfrac{(a-1)^2-2a}{-2a}=\dfrac{a^2-4a+1}{-2a}$

STEP2 우극한 구하기

$x\longrightarrow a+$일 때,

$\lim_{x\to a+}[x]=a$, $\lim_{x\to a+}[-2x]=-2a-1$

$\therefore \lim_{x\to a+}\dfrac{[x]^2-2a}{[-2x]}=\dfrac{a^2-2a}{-2a-1}$

STEP3 a의 값 구하기

극한값이 존재하려면 좌극한과 우극한이 같아야 하므로

$\dfrac{a^2-4a+1}{-2a}=\dfrac{a^2-2a}{-2a-1}$

$(a^2-4a+1)(2a+1)=2a(a^2-2a)$

$3a^2+2a-1=0$, $(a+1)(3a-1)=0$

$\therefore a=-1 \ (\because a$는 정수$)$

03

해결전략 | 치환을 이용해 좌극한과 우극한이 같아지도록 하는 미지수의 값을 구한다.

STEP1 일차항 계수, 상수를 미지수로 나타내기

$f(x)$는 최고차항의 계수가 1인 이차함수이므로

$f(x)=x^2+mx+n$ (m, n은 상수)으로 놓자.

STEP2 m의 값 구하기

$\lim_{x\to 0}|x|\left\{f\left(\dfrac{1}{x}\right)-f\left(-\dfrac{1}{x}\right)\right\}=a$이므로

$\lim_{x\to 0+}x\left\{f\left(\dfrac{1}{x}\right)-f\left(-\dfrac{1}{x}\right)\right\}$

$=\lim_{x\to 0-}(-x)\left\{f\left(\dfrac{1}{x}\right)-f\left(-\dfrac{1}{x}\right)\right\}$

$\dfrac{1}{x}=t$라고 하면 $x\longrightarrow 0+$일 때, $t\longrightarrow\infty$이므로

$\lim_{x\to 0+}x\left\{f\left(\dfrac{1}{x}\right)-f\left(-\dfrac{1}{x}\right)\right\}$

$=\lim_{t\to\infty}\dfrac{f(t)-f(-t)}{t}$

$=\lim_{t\to\infty}\dfrac{(t^2+mt+n)-(t^2-mt+n)}{t}$

$=2m$

또, $x\longrightarrow 0-$일 때, $t\longrightarrow-\infty$이므로

$$\lim_{x \to 0-} (-x)\left\{f\left(\frac{1}{x}\right) - f\left(-\frac{1}{x}\right)\right\}$$

$$= \lim_{t \to -\infty} \frac{f(t) - f(-t)}{-t}$$

$$= \lim_{t \to -\infty} \frac{(t^2 + mt + n) - (t^2 - mt + n)}{-t}$$

$$= -2m$$

즉, $2m = -2m$이므로 $m = 0$

$\therefore f(x) = x^2 + n$

STEP 3 n의 값 구하기

$$\lim_{x \to \infty} f\left(\frac{1}{x}\right) = \lim_{x \to \infty} \left(\frac{1}{x^2} + n\right) = n = 3$$

STEP 4 $f(2)$의 값 구하기

따라서 $f(x) = x^2 + 3$이므로 $f(2) = 2^2 + 3 = 7$

04

해결전략 | $0 < x < 1$일 때와 $1 < x < 2$일 때의 $f(x)$의 값의 범위를 구하여 그때의 $[f(x)]$의 값을 각각 구한다.

STEP 1 좌극한 구하기

$0 < x < 1$일 때, $2 < \frac{1}{2}x + 2 < \frac{5}{2}$이므로

$$[f(x)] = \left[\frac{1}{2}x + 2\right] = 2$$

$\therefore \lim_{x \to 1-} [f(x)] = 2$

STEP 2 우극한 구하기

$1 < x < 2$일 때, $\frac{5}{2} < \frac{1}{2}x + 2 < 3$이므로

$$[f(x)] = \left[\frac{1}{2}x + 2\right] = 2$$

$\therefore \lim_{x \to 1+} [f(x)] = 2$

STEP 3 $\lim_{x \to 1} [f(x)]$의 값 구하기

이때 좌극한과 우극한이 같으므로 $\lim_{x \to 1} [f(x)] = 2$

05

해결전략 | 가우스 함수의 성질을 이용해 가능한 함수를 구성한다.

STEP 1 $\lim_{x \to \infty} \left[\frac{f(x)}{x}\right]$의 값 구하기

$\lim_{x \to \infty} \left[\frac{f(x)}{x}\right]^2 = 9$이므로

$\lim_{x \to \infty} \left[\frac{f(x)}{x}\right] = -3$ 또는 $\lim_{x \to \infty} \left[\frac{f(x)}{x}\right] = 3$

따라서 $\lim_{x \to \infty} \left[\frac{f(x)}{x}\right]$의 값이 존재하므로 $f(x)$는 일차함수이다.

STEP 2 $\lim_{x \to \infty} \left[\frac{f(x)}{x}\right] = -3$일 때, $\lim_{x \to \infty} \frac{f(x)}{x}$의 값 구하기

(i) $\lim_{x \to \infty} \left[\frac{f(x)}{x}\right] = -3$일 때,

즉 $-3 \leq \lim_{x \to \infty} \frac{f(x)}{x} < -2$

ⅰ) $f(x) = -3x + k \, (k > 0)$로 놓으면

$$\lim_{x \to \infty} \frac{f(x)}{x} = \lim_{x \to \infty} \frac{-3x + k}{x} = \lim_{x \to \infty} \left(-3 + \frac{k}{x}\right)$$
$$= -3$$

ⅱ) $f(x) = -2x - k \, (k > 0)$로 놓으면

$$\lim_{x \to \infty} \frac{f(x)}{x} = \lim_{x \to \infty} \frac{-2x - k}{x} = \lim_{x \to \infty} \left(-2 - \frac{k}{x}\right)$$
$$= -2$$

STEP 3 $\lim_{x \to \infty} \left[\frac{f(x)}{x}\right] = 3$일 때, $\lim_{x \to \infty} \frac{f(x)}{x}$의 값 구하기

(ii) $\lim_{x \to \infty} \left[\frac{f(x)}{x}\right] = 3$일 때, 즉 $3 \leq \lim_{x \to \infty} \frac{f(x)}{x} < 4$

ⅰ) $f(x) = 3x + k \, (k > 0)$로 놓으면

$$\lim_{x \to \infty} \frac{f(x)}{x} = \lim_{x \to \infty} \frac{3x + k}{x} = \lim_{x \to \infty} \left(3 + \frac{k}{x}\right) = 3$$

ⅱ) $f(x) = 4x - k \, (k > 0)$로 놓으면

$$\lim_{x \to \infty} \frac{f(x)}{x} = \lim_{x \to \infty} \frac{4x - k}{x} = \lim_{x \to \infty} \left(4 - \frac{k}{x}\right) = 4$$

STEP 4 $\lim_{x \to \infty} \frac{f(x)}{x}$의 값으로 가능한 모든 값의 합 구하기

(i), (ii)에 의하여 $\lim_{x \to \infty} \frac{f(x)}{x}$의 값은 -3, -2, 3, 4이므로 구하는 합은 $-3 + (-2) + 3 + 4 = 2$

06

해결전략 | 각 점의 좌표를 α, β로 나타낸 다음 $S(\alpha)$, $T(\alpha)$를 구한다.

STEP 1 각 점의 좌표를 α, β로 나타내기

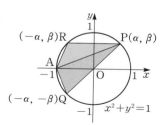

점 $\mathrm{P}(\alpha, \beta)$가 원 $x^2 + y^2 = 1$ 위의 점이므로

$\alpha^2 + \beta^2 = 1$ ...... ㉠

이고 점 Q, R의 좌표는 $\mathrm{Q}(-\alpha, -\beta)$, $\mathrm{R}(-\alpha, \beta)$

STEP 2 $S(\alpha)$ 구하기

삼각형 APQ에서 $\angle\mathrm{PAQ}=90°$이므로

$$S(\alpha)=\frac{1}{2}\times\overline{\mathrm{AP}}\times\overline{\mathrm{AQ}}$$
$$=\frac{1}{2}\sqrt{(\alpha+1)^2+\beta^2}\sqrt{(\alpha-1)^2+\beta^2}$$
$$=\frac{1}{2}\sqrt{\alpha^2+\beta^2+2\alpha+1}\sqrt{\alpha^2+\beta^2-2\alpha+1}$$
$$=\frac{1}{2}\sqrt{2\alpha+2}\sqrt{-2\alpha+2}\ (\because \text{㉠})$$
$$=\sqrt{1-\alpha^2}$$

STEP 3 $T(\alpha)$ 구하기

$$T(\alpha)=\frac{1}{2}\times 2\alpha\times\beta=\alpha\sqrt{1-\alpha^2}\ (\because \text{㉠})$$

STEP 4 $\displaystyle\lim_{\alpha\to1-}\frac{S(\alpha)\times T(\alpha)}{1-\alpha}$의 값 구하기

$$\therefore \lim_{\alpha\to1-}\frac{S(\alpha)\times T(\alpha)}{1-\alpha}=\lim_{\alpha\to1-}\frac{\sqrt{1-\alpha^2}\times\alpha\sqrt{1-\alpha^2}}{1-\alpha}$$
$$=\lim_{\alpha\to1-}\frac{\alpha(1+\alpha)(1-\alpha)}{1-\alpha}$$
$$=\lim_{\alpha\to1-}\alpha(1+\alpha)=2$$

07

해결전략 | x의 값의 범위를 $8<x<9$, $7<x<8$일 때로 나누어 함숫값을 각각 비교한다.

STEP 1 α의 값 구하기

(ⅰ) $8<x<9$일 때

x보다 작은 자연수 중에서 소수는 $2, 3, 5, 7$의 4개이므로 $f(x)=4$

이때 $2f(x)=8<x$이므로 $g(x)=f(x)=4$

따라서 $\displaystyle\lim_{x\to8-}g(x)=\lim_{x\to8-}4=4$이므로

$\alpha=4$

STEP 2 β의 값 구하기

(ⅱ) $7<x<8$일 때

x보다 작은 자연수 중에서 소수는 $2, 3, 5, 7$의 4개이므로 $f(x)=4$

이때 $2f(x)=8>x$이므로 $g(x)=\dfrac{1}{f(x)}=\dfrac{1}{4}$

따라서 $\displaystyle\lim_{x\to8-}g(x)=\lim_{x\to8-}\frac{1}{4}=\frac{1}{4}$이므로

$\beta=\dfrac{1}{4}$

STEP 3 $\dfrac{\alpha}{\beta}$의 값 구하기

(ⅰ), (ⅱ)에 의하여 $\dfrac{\alpha}{\beta}=\dfrac{4}{\dfrac{1}{4}}=16$

---

02 함수의 연속

개념확인   42~43쪽

01 📋 (1) 연속   (2) 불연속   (3) 연속

(1) $f(x)=x+1$로 놓으면 $f(0)=1$이므로 함숫값이 존재한다.

$\displaystyle\lim_{x\to0}f(x)=1$이므로 극한값이 존재한다.

따라서 $\displaystyle\lim_{x\to0}f(x)=f(0)=1$이므로 $x=0$에서 연속이다.

(2) $x=0$일 때, 함숫값이 존재하지 않으므로 불연속이다.

(3) $f(x)=|x|$로 놓으면 $f(0)=0$이므로 함숫값이 존재한다.

$\displaystyle\lim_{x\to0}|x|=0$이므로 극한값이 존재한다.

따라서 $\displaystyle\lim_{x\to0}|x|=f(0)=0$이므로 $x=0$에서 연속이다.

02 📋 (1) $[-1, 2]$ (2) $(2, 4)$ (3) $(0, 4]$ (4) $[3, \infty)$

03 📋 (1) $(-\infty, \infty)$ (2) $[2, \infty)$

     (3) $(-\infty, 1)\cup(1, \infty)$

04 📋 ㄱ, ㄴ

ㄷ. $f(x)\ne0$이어야 함수 $f(x)$는 연속이다.

05 📋 (1) 최댓값: 0, 최솟값: -4

     (2) 최댓값: 1, 최솟값: $\dfrac{1}{2}$

06 📋 (개) 연속   (내) 연속   (대) 사잇값의 정리

필수유형 01   45쪽

01-1 📋 (1) 연속   (2) 연속   (3) 불연속   (4) 연속

해결전략 | $\displaystyle\lim_{x\to0-}f(x)=\lim_{x\to0+}f(x)=f(0)$일 때, 함수 $f(x)$가 $x=0$에서 연속이다.

(1) $f(0)=0$이므로 함숫값이 존재한다.

$\displaystyle\lim_{x\to0}f(x)=\lim_{x\to0}(x^2+x)=0$이므로 극한값이 존재한다.

따라서 $\displaystyle\lim_{x\to0}f(x)=f(0)=0$이므로 함수 $f(x)$는 $x=0$에서 연속이다.

(2) $f(0)=\sqrt{3}$이므로 함숫값이 존재한다.

$\displaystyle\lim_{x\to0}f(x)=\lim_{x\to0}\sqrt{x+3}=\sqrt{3}$이므로 극한값이 존재한다.

따라서 $\displaystyle\lim_{x\to0}f(x)=f(0)=\sqrt{3}$이므로 함수 $f(x)$는 $x=0$에서 연속이다.

(3) $x=0$일 때, 함숫값이 존재하지 않는다.

따라서 함수 $f(x)$는 $x=0$에서 불연속이다.

(4) $f(0)=1$이므로 함숫값이 존재한다.

$\lim\limits_{x\to 0} f(x)=\lim\limits_{x\to 0}\dfrac{x^2+x}{x}=\lim\limits_{x\to 0}(x+1)=1$이므로 극

한값이 존재한다.

따라서 $\lim\limits_{x\to 0} f(x)=f(0)=1$이므로 함수 $f(x)$는

$x=0$에서 연속이다.

01-2 답 6

해결전략 | 함수의 연속의 성질을 이용하여 함숫값을 구한다.

STEP1 a의 값 구하기

함수 $f(x)$가 $x=2$에서 연속이므로

$\lim\limits_{x\to 2-} f(x)=\lim\limits_{x\to 2+} f(x)=f(2)$

즉, $a+2=3a-2=f(2)$이므로

$a+2=3a-2$에서 $a=2$

STEP2 $f(2)$의 값 구하기

이때 $f(2)=a+2=2+2=4$이므로

$a+f(2)=2+4=6$

01-3 답 $x=-2$에서 불연속, $x=2$에서 연속

해결전략 | $x=-2$, $x=2$에서 극한값과 함숫값을 조사한다.

STEP1 $x=-2$에서 연속 조사하기

$f(x)=\begin{cases} x-2 & (x\le -2 \text{ 또는 } x\ge 2) \\ x^2-4 & (-2<x<2) \end{cases}$

$x=-2$에서 $f(-2)=-2-2=-4$

$\lim\limits_{x\to -2-} f(x)=\lim\limits_{x\to -2-}(x-2)=-4$

$\lim\limits_{x\to -2+} f(x)=\lim\limits_{x\to -2+}(x^2-4)=0$

$\lim\limits_{x\to -2-} f(x)\ne \lim\limits_{x\to -2+} f(x)$이므로 $x=-2$에서 극한값이

존재하지 않는다.

따라서 함수 $f(x)$는 $x=-2$에서 불연속이다.

STEP2 $x=2$에서 연속 조사하기

또, $x=2$에서 $f(2)=2-2=0$

$\lim\limits_{x\to 2-} f(x)=\lim\limits_{x\to 2-}(x^2-4)=0$

$\lim\limits_{x\to 2+} f(x)=\lim\limits_{x\to 2+}(x-2)=0$

즉, $\lim\limits_{x\to 2-} f(x)=\lim\limits_{x\to 2+} f(x)=0$이므로 $x=2$에서 극한값

이 존재한다.

따라서 $\lim\limits_{x\to 2} f(x)=f(2)=0$이므로 함수 $f(x)$는 $x=2$에

서 연속이다.

01-4 답 7

해결전략 | $x=a$에서 연속이면 $x=a$에서 극한값과 함숫값

이 같음을 이용한다.

함수 $f(x)$가 $x=1$에서 연속이면 $\lim\limits_{x\to 1} f(x)=f(1)$이다.

$\lim\limits_{x\to 1} f(x)=\lim\limits_{x\to 1}(2x+5)=7$이므로

$a=f(1)=7$

01-5 답 3

해결전략 | 분모가 0이 되면 함숫값이 존재하지 않음을 이용

한다.

STEP1 불연속일 조건 파악하기

함수 $f(x)$에서 분모가 0이 되면 함숫값이 존재하지 않으

므로 분모를 0이 되게 하는 x의 값을 구한다.

STEP2 불연속인 x의 값의 개수 구하기

$x-\dfrac{6}{x}=0$에서 $x^2-6=0$

$\therefore x=\pm\sqrt{6}$

또, $\dfrac{6}{x}=0$에서 $x=0$

따라서 불연속이 되도록 하는 x의 값은 $-\sqrt{6}$, 0, $\sqrt{6}$의 3

개이다.

01-6 답 3

해결전략 | $x=a$에서 연속이면 극한값이 존재하므로 좌극한

과 우극한이 같아지도록 한다.

STEP1 $x=1$에서 연속이기 위한 a의 값 구하기

함수 $f(x)$가 $x=1$에서 연속이면

$\lim\limits_{x\to 1-} f(x)=\lim\limits_{x\to 1+} f(x)$이다.

$\lim\limits_{x\to 1-} f(x)=a^2-2a-3$

$\lim\limits_{x\to 1+} f(x)=\lim\limits_{x\to 1+}(x-1)=0$

즉, $a^2-2a-3=0$이므로 $(a+1)(a-3)=0$

$\therefore a=-1$ 또는 $a=3$ $\qquad\qquad \cdots\cdots$ ㉠

STEP2 $x=2$에서 연속이기 위한 a의 값 구하기

함수 $f(x)$가 $x=2$에서 연속이면

$\lim\limits_{x\to 2-} f(x)=\lim\limits_{x\to 2+} f(x)$이다.

$\lim\limits_{x\to 2-} f(x)=\lim\limits_{x\to 2-}(x-1)=1$

$\lim\limits_{x\to 2+} f(x)=a^2-5a+7$

즉, $a^2-5a+7=1$이므로 $a^2-5a+6=0$

$(a-2)(a-3)=0$

$\therefore a=2$ 또는 $a=3$ $\qquad\qquad \cdots\cdots$ ㉡

STEP 3 a의 값 구하기

㉠, ㉡을 모두 만족시켜야 하므로 $a=3$

47쪽

02-1 답 2

해결전략 | 그래프를 통해 불연속인 점을 찾고 각 점에서 좌극한과 우극한이 같은지 확인한다.

STEP 1 $x=-1$에서 극한값, 연속 조사하기

$f(x)$는 $x=-1$에서 정의되지 않으므로 불연속이다.

$\lim\limits_{x \to -1-} f(x)=\lim\limits_{x \to -1+} f(x)=1$이므로 함수 $f(x)$는

$x=-1$에서 극한값이 존재한다.

STEP 2 $x=1$에서 극한값, 연속 조사하기

$\lim\limits_{x \to 1-} f(x)=1$, $\lim\limits_{x \to 1+} f(x)=2$이므로

$\lim\limits_{x \to 1-} f(x) \neq \lim\limits_{x \to 1+} f(x)$

즉, 함수 $f(x)$는 $x=1$에서 극한값이 존재하지 않으므로 불연속이다.

STEP 3 ab의 값 구하기

따라서 극한값이 존재하지 않는 x의 값은 1의 1개이고, 불연속이 되는 x의 값은 -1, 1의 2개이므로

$a=1$, $b=2$

$\therefore ab=1 \times 2=2$

02-2 답 ㄴ, ㄷ

해결전략 | 극한값과 연속의 정의를 이용한다.

ㄱ. $\lim\limits_{x \to 3-} f(x)=\lim\limits_{x \to 3+} f(x)=0$이므로 $\lim\limits_{x \to 3} f(x)=0$

$\quad \therefore \lim\limits_{x \to 3} f(x) \neq 1$ (거짓)

ㄴ. $\lim\limits_{x \to 1-} f(x)=1$, $\lim\limits_{x \to 1+} f(x)=2$이므로

$\quad \lim\limits_{x \to 1-} f(x) \neq \lim\limits_{x \to 1+} f(x)$

$\quad$즉, $x=1$에서 함수 $f(x)$의 극한값은 존재하지 않는다. (참)

ㄷ. 함수 $f(x)$는 $x=1$, $x=2$, $x=3$에서 불연속이므로

$\quad$3개의 점에서 불연속이다. (참)

따라서 옳은 것은 ㄴ, ㄷ이다.

02-3 답 ㄴ

해결전략 | 극한값과 연속의 정의를 이용한다.

ㄱ. $f(1)=2$이므로 $x=1$에서 함숫값이 정의되어 있다.

$\hfill$(거짓)

ㄴ. $\lim\limits_{x \to 1-} f(x)=1$, $\lim\limits_{x \to 1+} f(x)=3$이므로

$\quad \lim\limits_{x \to 1-} f(x) \neq \lim\limits_{x \to 1+} f(x)$

$\quad$즉, $\lim\limits_{x \to 1} f(x)$의 값은 존재하지 않는다. (참)

ㄷ. $\lim\limits_{x \to 1} f(x)$의 값이 존재하지 않으므로 함수 $f(x)$는

$\quad x=1$에서 불연속이다. (거짓)

따라서 옳은 것은 ㄴ이다.

02-4 답 -1, 0

해결전략 | $f(x)$ 또는 $g(x)$가 불연속인 점에서 $f(x)g(x)$의 함숫값과 극한값을 각각 구하여 비교한다.

STEP 1 $f(x)$ 또는 $g(x)$가 불연속인 점 찾기

$f(x)$ 또는 $g(x)$가 불연속인 점은 $x=-1$, $x=0$, $x=1$

STEP 2 $x=-1$에서 연속 조사하기

$f(-1)g(-1)=(-1) \times 1=-1$

$\lim\limits_{x \to -1-} f(x)g(x)=\lim\limits_{x \to -1-} f(x) \times \lim\limits_{x \to -1-} g(x)$

$\qquad\qquad =1 \times (-1)=-1$

$\lim\limits_{x \to -1+} f(x)g(x)=\lim\limits_{x \to -1+} f(x) \times \lim\limits_{x \to -1+} g(x)$

$\qquad\qquad =(-1) \times 1=-1$

즉, $\lim\limits_{x \to -1} f(x)g(x)=f(-1)g(-1)=-1$이므로 함수 $f(x)g(x)$는 $x=-1$에서 연속이다.

STEP 3 $x=0$에서 연속 조사하기

$f(0)g(0)=0 \times (-1)=0$

$\lim\limits_{x \to 0-} f(x)g(x)=\lim\limits_{x \to 0-} f(x) \times \lim\limits_{x \to 0-} g(x)$

$\qquad\qquad =(-1) \times 0=0$

$\lim\limits_{x \to 0+} f(x)g(x)=\lim\limits_{x \to 0+} f(x) \times \lim\limits_{x \to 0+} g(x)$

$\qquad\qquad =0 \times (-1)=0$

즉, $\lim\limits_{x \to 0} f(x)g(x)=f(0)g(0)=0$이므로 함수

$f(x)g(x)$는 $x=0$에서 연속이다.

STEP 4 $x=1$에서 연속 조사하기

$f(1)g(1)=1 \times 0=0$

$\lim\limits_{x \to 1-} f(x)g(x)=\lim\limits_{x \to 1-} f(x) \times \lim\limits_{x \to 1-} g(x)$

$\qquad\qquad =(-1) \times 0=0$

$\lim\limits_{x \to 1+} f(x)g(x)=\lim\limits_{x \to 1+} f(x) \times \lim\limits_{x \to 1+} g(x)$

$\qquad\qquad =(-1) \times 1=-1$

$\lim\limits_{x \to 1-} f(x)g(x) \neq \lim\limits_{x \to 1+} f(x)g(x)$이므로 $\lim\limits_{x \to 1} f(x)g(x)$

의 값이 존재하지 않는다.

즉, 함수 $f(x)g(x)$는 $x=1$에서 불연속이다.

따라서 $x=-1$, $x=0$에서 $f(x)$ 또는 $g(x)$는 불연속이

지만 함수 $f(x)g(x)$는 연속이다.

> **◎ 풍쌤의 비법**
>
> **그래프가 주어진 함수에서 불연속인 점의 조사**
> 그래프가 끊어진 x의 값에서 불연속을 조사한다.
> (1) $x=a$에서 함숫값이 존재하지 않는 경우
> (2) $x=a$의 좌우에서의 극한값이 다른 경우
> (3) $x=a$에서의 극한값과 함숫값이 다른 경우

02-5 답 연속

해결전략 | $x=2$에서 $f(x)g(x)$의 함숫값과 극한값을 조사한다.

STEP1 함숫값 조사하기

$f(2)=2$, $g(2)=0$이므로

$f(2)g(2)=2\times 0=0$

STEP2 극한값 조사하기

$\lim\limits_{x\to 2-} f(x)g(x) = \lim\limits_{x\to 2-} f(x) \times \lim\limits_{x\to 2-} g(x) = 0 \times 1 = 0$

$\lim\limits_{x\to 2+} f(x)g(x) = \lim\limits_{x\to 2+} f(x) \times \lim\limits_{x\to 2+} g(x) = 0 \times 3 = 0$

$\therefore \lim\limits_{x\to 2} f(x)g(x) = 0$

STEP3 연속성 조사하기

따라서 $\lim\limits_{x\to 2} f(x)g(x) = f(2)g(2) = 0$이므로 함수

$f(x)g(x)$는 $x=2$에서 연속이다.

02-6 답 ㄱ, ㄹ

해결전략 | 극한값과 연속의 정의를 이용한다.

STEP1 $\lim\limits_{x\to -1} |f(x)|$의 값 구하기

ㄱ. $\lim\limits_{x\to -1-} f(x) = -2$, $\lim\limits_{x\to -1+} f(x) = 2$이므로

   $\lim\limits_{x\to -1} |f(x)| = 2$

   즉, $\lim\limits_{x\to -1} |f(x)|$의 값이 존재한다. (참)

STEP2 $x=0$에서 함수 $f(x)$의 연속 조사하기

ㄴ. $f(0) = -2$, $\lim\limits_{x\to 0} f(x) = 2$이므로

   $\lim\limits_{x\to 0} f(x) \neq f(0)$

   즉, 함수 $f(x)$는 $x=0$에서 불연속이다. (거짓)

STEP3 $x=1$에서 함수 $|f(x)|$의 연속 조사하기

ㄷ. $|f(1)| = 1$, $\lim\limits_{x\to 1} |f(x)| = 0$이므로

   $|f(1)| \neq \lim\limits_{x\to 1} |f(x)|$

   즉, 함수 $|f(x)|$는 $x=1$에서 불연속이다. (거짓)

STEP4 $x=2$에서 함수 $\{f(x)\}^2$의 연속 조사하기

ㄹ. $\{f(2)\}^2 = 1^2 = 1$

   $\lim\limits_{x\to 2-} \{f(x)\}^2 = 1^2 = 1$

   $\lim\limits_{x\to 2+} \{f(x)\}^2 = (-1)^2 = 1$

   $\therefore \lim\limits_{x\to 2} \{f(x)\}^2 = 1$

   즉, $\lim\limits_{x\to 2} \{f(x)\}^2 = \{f(2)\}^2$이므로 함수 $\{f(x)\}^2$은

   $x=2$에서 연속이다. (참)

따라서 옳은 것은 ㄱ, ㄹ이다.

> **발전유형 03** 49쪽

03-1 답 (1) 연속 (2) 불연속

해결전략 | 함숫값과 극한값을 조사한다.

(1) STEP1 함숫값 조사하기

$f(-1) = -1$이므로

$f(f(-1)) = f(-1) = -1$

STEP2 극한값 조사하기

$f(x) = t$라고 하면 $x \longrightarrow -1-$일 때, $t \longrightarrow 1+$이므로

$\lim\limits_{x\to -1-} f(f(x)) = \lim\limits_{t\to 1+} f(t) = -1$

$x \longrightarrow -1+$일 때, $t \longrightarrow -1+$이므로

$\lim\limits_{x\to -1+} f(f(x)) = \lim\limits_{t\to -1+} f(t) = -1$

$\therefore \lim\limits_{x\to -1} f(f(x)) = -1$

STEP3 $x=-1$에서 연속 조사하기

따라서 $\lim\limits_{x\to -1} f(f(x)) = f(f(-1)) = -1$이므로 함

수 $f(f(x))$는 $x=-1$에서 연속이다.

(2) STEP1 함숫값 조사하기

$f(1) = -1$이므로

$f(f(1)) = f(-1) = -1$

STEP2 극한값 조사하기

$f(x) = t$라고 하면 $x \longrightarrow 1-$일 때, $t \longrightarrow 1-$이므로

$\lim\limits_{x\to 1-} f(f(x)) = \lim\limits_{t\to 1-} f(t) = 1$

$x \longrightarrow 1+$일 때, $t \longrightarrow -1-$이므로

$\lim\limits_{x\to 1+} f(f(x)) = \lim\limits_{t\to -1-} f(t) = 1$

$\therefore \lim\limits_{x\to 1} f(f(x)) = 1$

STEP3 $x=1$에서 연속 조사하기

이때 $\lim\limits_{x\to 1} f(f(x)) \neq f(f(1))$이므로 함수 $f(f(x))$

는 $x=1$에서 불연속이다.

03-2 답 -2, 2

해결전략 | 분수 꼴인 함수는 분모가 0이 되는 x의 값에서 불연속이다.

STEP1 $(f \circ g)(x)$ 구하기

$$(f \circ g)(x) = f(g(x)) = \frac{1}{g(x)-1}$$

$$= \frac{1}{(x^2-3)-1} = \frac{1}{x^2-4}$$

STEP2 $(f \circ g)(x)$가 불연속인 x의 값 구하기

이때 (분모)$=0$인 모든 x의 값에서 불연속이므로

$x^2-4=0$에서 $(x+2)(x-2)=0$

$\therefore x=-2$ 또는 $x=2$

즉, $x=-2$, $x=2$에서 불연속이다.

03-3 답 0, 2

해결전략 | $f(x)$ 또는 $g(x)$가 불연속인 점에서 극한값과 함숫값을 각각 구하여 비교한다.

STEP1 $f(x)$, $g(x)$가 불연속인 점 찾기

함수 $f(x)$는 $x=0$, $x=2$에서 불연속이고

함수 $g(x)$는 $x=1$에서 불연속이므로

$g(x)=0$인 $x=0$, $x=1$, $g(x)=2$인 $x=2$에서 함수 $f(g(x))$의 연속성을 조사해야 한다.

STEP2 $x=0$에서 연속 조사하기

$f(g(0))=f(0)=0$

$g(x)=t$라고 하면 $x \longrightarrow 0-$일 때, $t \longrightarrow 0-$이므로

$\lim\limits_{x \to 0-} f(g(x)) = \lim\limits_{t \to 0-} f(t) = 0$

$x \longrightarrow 0+$일 때, $t \longrightarrow 0+$이므로

$\lim\limits_{x \to 0+} f(g(x)) = \lim\limits_{t \to 0+} f(t) = 2$

즉, $\lim\limits_{x \to 0} f(g(x))$의 값이 존재하지 않으므로 함수

$f(g(x))$는 $x=0$에서 불연속이다.

STEP3 $x=1$에서 연속 조사하기

$f(g(1))=f(0)=0$

$x \longrightarrow 1-$일 때, $t \longrightarrow 1-$이므로

$\lim\limits_{x \to 1-} f(g(x)) = \lim\limits_{t \to 1-} f(t) = 0$

$x \longrightarrow 1+$일 때, $t \longrightarrow 1+$이므로

$\lim\limits_{x \to 1+} f(g(x)) = \lim\limits_{t \to 1+} f(t) = 0$

즉, $\lim\limits_{x \to 1} f(g(x)) = f(g(1)) = 0$이므로 함수 $f(g(x))$는 $x=1$에서 연속이다.

STEP4 $x=2$에서 연속 조사하기

$f(g(2))=f(2)=-2$

$x \longrightarrow 2-$일 때, $t \longrightarrow 2-$이므로

$\lim\limits_{x \to 2-} f(g(x)) = \lim\limits_{t \to 2-} f(t) = -2$

$x \longrightarrow 2+$일 때, $t \longrightarrow 2+$이므로

$\lim\limits_{x \to 2+} f(g(x)) = \lim\limits_{t \to 2+} f(t) = -1$

즉, $\lim\limits_{x \to 2} f(g(x))$의 값이 존재하지 않으므로 함수 $f(g(x))$는 $x=2$에서 불연속이다.

따라서 함수 $f(g(x))$는 $x=0$, $x=2$에서 불연속이다.

03-4 답 ㄱ, ㄷ

해결전략 | $f(ax+b)$의 극한값은 $ax+b$를 치환하여 구한다.

STEP1 ㄱ의 참, 거짓 판별하기

ㄱ. $\lim\limits_{x \to -1+} f(x) = 1$ (참)

STEP2 ㄴ의 참, 거짓 판별하기

ㄴ. $x-3=t$라고 하면

$x \longrightarrow 2+$일 때, $t \longrightarrow -1+$이므로

$\lim\limits_{x \to 2+} f(x)f(x-3) = \lim\limits_{x \to 2+} f(x) \times \lim\limits_{t \to -1+} f(t)$

$\qquad = (-2) \times 1 = -2$

$x \longrightarrow 2-$일 때, $t \longrightarrow -1-$이므로

$\lim\limits_{x \to 2-} f(x)f(x-3) = \lim\limits_{x \to 2-} f(x) \times \lim\limits_{t \to -1-} f(t)$

$\qquad = 2 \times (-1) = -2$

$\therefore \lim\limits_{x \to 2} f(x)f(x-3) = -2$ (거짓)

STEP3 ㄷ의 참, 거짓 판별하기

ㄷ. $(f \circ f)(-1) = f(f(-1)) = f(1) = 1$

$f(x)=s$라고 하면

$x \longrightarrow -1+$일 때, $s \longrightarrow 1-$이므로

$\lim\limits_{x \to -1+} (f \circ f)(x) = \lim\limits_{s \to 1-} f(s) = 1$

$x \longrightarrow -1-$일 때, $s=-1$이므로

$\lim\limits_{x \to -1-} (f \circ f)(x) = f(-1) = 1$

즉, $\lim\limits_{x \to -1} (f \circ f)(x) = (f \circ f)(-1) = 1$이므로 함수 $(f \circ f)(x)$는 $x=-1$에서 연속이다. (참)

따라서 옳은 것은 ㄱ, ㄷ이다.

03-5 답 4

해결전략 | $x=2$에서 $(g \circ f)(x)$의 함숫값과 극한값이 같을 조건을 구하여 $g(x)$의 식을 추론한다.

STEP1 합성함수 $(g \circ f)(x)$가 $x=2$에서 연속일 조건 구하기

합성함수 $(g \circ f)(x)$가 실수 전체의 집합에서 연속이므

로 $x=2$에서도 연속이다.

즉, $\lim\limits_{x \to 2}(g \circ f)(x)=(g \circ f)(2)$

$f(x)=t$라고 하면 $x \longrightarrow 2$일 때, $t \longrightarrow 3$이므로

$\lim\limits_{x \to 2}(g \circ f)(x)=\lim\limits_{x \to 2}g(f(x))=\lim\limits_{t \to 3}g(t)$

이때 함수 $g(x)$는 다항함수이므로 $x=3$에서 연속이다.

즉, $\lim\limits_{x \to 2}(g \circ f)(x)=\lim\limits_{t \to 3}g(t)=g(3)$

또, $(g \circ f)(2)=g(f(2))=g(1)$이므로 합성함수 $(g \circ f)(x)$가 실수 전체의 집합에서 연속이 되려면 $g(3)=g(1)$이어야 한다.

STEP2 이차함수 $g(x)=0$의 두 근의 합 구하기

따라서 $g(x)=(x-3)(x-1)+k$ (k는 상수)로 놓으면 $g(x)=0$에서

$x^2-4x+3+k=0$

이때 이차방정식의 근과 계수의 관계에 의하여 $g(x)=0$의 두 근의 합은 4이다.

03-6 답 0, 2

해결전략 | 불연속인 점에서 극한값과 함숫값을 각각 구하여 비교한다.

STEP1 $f(x)$가 불연속인 점 찾기

함수 $f(x)$가 $x=1$에서 불연속이므로 $x=1$과 $f(x)=1$인 $x=0$, $x=2$에서 함수 $(f \circ f)(x)$가 불연속일 수 있다.

STEP2 $x=0$에서 연속 조사하기

$(f \circ f)(0)=f(f(0))=f(1)=2$

$f(x)=t$라고 하면 $x \longrightarrow 0$일 때, $t \longrightarrow 1-$이므로

$\lim\limits_{x \to 0}(f \circ f)(x)=\lim\limits_{x \to 0}f(f(x))=\lim\limits_{t \to 1-}f(t)=0$

이때 $\lim\limits_{x \to 0}(f \circ f)(x) \neq (f \circ f)(0)$이므로 함수

$(f \circ f)(x)$는 $x=0$에서 불연속이다.

STEP3 $x=1$에서 연속 조사하기

$(f \circ f)(1)=f(f(1))=f(2)=1$

$x \longrightarrow 1$일 때, $t \longrightarrow 0+$이므로

$\lim\limits_{x \to 1}(f \circ f)(x)=\lim\limits_{x \to 1}f(f(x))=\lim\limits_{t \to 0+}f(t)=1$

즉, $\lim\limits_{x \to 1}(f \circ f)(x)=(f \circ f)(1)$이므로 함수

$(f \circ f)(x)$는 $x=1$에서 연속이다.

STEP4 $x=2$에서 연속 조사하기

$(f \circ f)(2)=f(f(2))=f(1)=2$

$x \longrightarrow 2$일 때, $t \longrightarrow 1$이므로

$\lim\limits_{x \to 2}(f \circ f)(x)=\lim\limits_{x \to 2}f(f(x))=\lim\limits_{t \to 1}f(t)=0$

이때 $\lim\limits_{x \to 2}(f \circ f)(x) \neq (f \circ f)(2)$이므로 함수

$(f \circ f)(x)$는 $x=2$에서 불연속이다.

따라서 함수 $(f \circ f)(x)$는 $x=0$, $x=2$에서 불연속이다.

▶ **참고** $x \longrightarrow 0+$일 때 $f(x) \longrightarrow 1-$, $x \longrightarrow 0-$일 때 $f(x) \longrightarrow 1-$이므로 $x=0$에서의 좌극한과 우극한이 같다.

따라서 두 극한값을 각각 구하지 않아도 된다.

마찬가지로 $x=1$, $x=2$에서도 좌극한값과 우극한값을 각각 구하지 않아도 된다.

> 🎯 **풍쌤의 비법**
>
> **합성함수에서 불연속인 점의 조사**
>
> 함수 $f(x)$가 $x=a$에서 불연속이면 함수 $(f \circ f)(x)$에 대하여
>
> (1) $x=a$
>
> (2) $f(x)=a$
>
> 인 x의 값에서 연속성을 조사한다.

필수유형 04

51쪽

04-1 답 3

해결전략 | $x=a$에서 극한값과 함숫값이 같아야 한다.

STEP1 좌극한, 우극한, 함숫값 구하기

함수 $f(x)$가 $x=a$에서 연속이므로

$\lim\limits_{x \to a-}f(x)=\lim\limits_{x \to a+}f(x)=f(a)$이어야 한다.

$\lim\limits_{x \to a-}f(x)=\lim\limits_{x \to a-}(x^2+x)=a^2+a$

$\lim\limits_{x \to a+}f(x)=\lim\limits_{x \to a+}(ax+3)=a^2+3$

$f(a)=a^2+3$

STEP2 a의 값 구하기

따라서 $a^2+a=a^2+3$이므로

$a=3$

04-2 답 2

해결전략 | $x=-1$, $x=2$에서 좌극한과 우극한, 함숫값을 비교하여 미정계수를 구한다.

STEP1 연속일 조건 구하기

함수 $y=x^2-2x+a$는 구간 $(-\infty, -1]$, $[2, \infty)$에서 연속이고 함수 $y=bx+1$은 열린구간 $(-1, 2)$에서 연속이다.

따라서 함수 $f(x)$가 실수 전체의 집합에서 연속이려면 $x=-1$, $x=2$에서도 연속이어야 한다.

STEP2 $x=-1$에서 연속일 조건 구하기

$x=-1$에서 연속이려면

$\lim\limits_{x \to -1-} f(x) = \lim\limits_{x \to -1+} f(x) = f(-1)$이어야 하므로

$\lim\limits_{x \to -1-} f(x) = \lim\limits_{x \to -1-} (x^2 - 2x + a) = a + 3$

$\lim\limits_{x \to -1+} f(x) = \lim\limits_{x \to -1+} (bx + 1) = 1 - b$

$f(-1) = a + 3$

즉, $a + 3 = 1 - b$에서

$a + b = -2$ ⋯⋯ ㉠

STEP 3 $x = 2$에서 연속일 조건 구하기

$x = 2$에서 연속이려면

$\lim\limits_{x \to 2-} f(x) = \lim\limits_{x \to 2+} f(x) = f(2)$이어야 하므로

$\lim\limits_{x \to 2-} f(x) = \lim\limits_{x \to 2-} (bx + 1) = 2b + 1$

$\lim\limits_{x \to 2+} f(x) = \lim\limits_{x \to 2+} (x^2 - 2x + a) = a$

$f(2) = a$

즉, $2b + 1 = a$ ⋯⋯ ㉡

STEP 4 $f(1)$, $f(3)$의 값 구하기

㉠, ㉡을 연립하여 풀면

$a = -1$, $b = -1$

따라서 $f(x) = \begin{cases} x^2 - 2x - 1 & (x \le -1 \text{ 또는 } x \ge 2) \\ -x + 1 & (-1 < x < 2) \end{cases}$이므로

$f(1) = -1 + 1 = 0$, $f(3) = 9 - 6 - 1 = 2$

$\therefore f(1) + f(3) = 0 + 2 = 2$

04-3 🔖 -5

해결전략 | $x = a$에서 극한값과 함숫값이 같아야 한다.

STEP 1 좌극한, 우극한, 함숫값 구하기

함수 $f(x)$가 $x = a$에서 연속이 되려면

$\lim\limits_{x \to a-} f(x) = \lim\limits_{x \to a+} f(x) = f(a)$이어야 한다.

$\lim\limits_{x \to a-} f(x) = \lim\limits_{x \to a-} (x - 2) = a - 2$

$\lim\limits_{x \to a+} f(x) = \lim\limits_{x \to a+} \sqrt{2x + k} = \sqrt{2a + k}$

$f(a) = \sqrt{2a + k}$

STEP 2 k의 값 구하기

따라서 $a - 2 = \sqrt{2a + k}$이므로 양변을 제곱하면

$a^2 - 4a + 4 = 2a + k$

$\therefore a^2 - 6a + (4 - k) = 0$

위의 식은 a에 대한 이차방정식이므로 실수 a가 한 개만 존재하려면 중근을 가져야 한다.

따라서 이차방정식 $a^2 - 6a + (4 - k) = 0$의 판별식을 D라고 하면

$\dfrac{D}{4} = 9 - (4 - k) = 0$

$\therefore k = -5$

04-4 🔖 29

해결전략 | $x = -1$, $x = 1$에서 좌극한과 우극한, 함숫값을 비교하여 미정계수를 구한다.

STEP 1 연속일 조건 구하기

함수 $f(x)$가 실수 전체의 집합에서 연속이므로 $x = -1$, $x = 1$에서도 연속이다.

STEP 2 $x = -1$에서 연속일 조건 구하기

$x = -1$에서 연속이려면

$\lim\limits_{x \to -1-} f(x) = \lim\limits_{x \to -1+} f(x) = f(-1)$이어야 하므로

$\lim\limits_{x \to -1-} f(x) = \lim\limits_{x \to -1-} (x^2 - 2x + 4) = 7$

$\lim\limits_{x \to -1+} f(x) = \lim\limits_{x \to -1+} (ax + b) = b - a$

$f(-1) = 7$

$\therefore b - a = 7$ ⋯⋯ ㉠

STEP 3 $x = 1$에서 연속일 조건 구하기

$x = 1$에서 연속이려면 $\lim\limits_{x \to 1-} f(x) = \lim\limits_{x \to 1+} f(x) = f(1)$이어야 하므로

$\lim\limits_{x \to 1-} f(x) = \lim\limits_{x \to 1-} (ax + b) = a + b$

$\lim\limits_{x \to 1+} f(x) = \lim\limits_{x \to 1+} (x^2 - 2x + 4) = 3$

$f(1) = 3$

$\therefore a + b = 3$ ⋯⋯ ㉡

STEP 4 $a^2 + b^2$의 값 구하기

㉠, ㉡을 연립하여 풀면

$a = -2$, $b = 5$

$\therefore a^2 + b^2 = 4 + 25 = 29$

04-5 🔖 -1

해결전략 | 불연속이 될 수 있는 x의 값을 찾고 연속이 되도록 상수의 값을 정한다.

STEP 1 $f(x)$가 불연속인 점 찾기

$\lim\limits_{x \to -1-} f(x) = \lim\limits_{x \to -1-} (-x + 2) = 3$

$\lim\limits_{x \to -1+} f(x) = \lim\limits_{x \to -1+} (x^2 - 2x) = 3$

$f(-1)=3$

즉, $\lim\limits_{x\to-1}f(x)=f(-1)=3$이므로 함수 $f(x)$는 $x=-1$

에서 연속이다.

$\lim\limits_{x\to1-}f(x)=\lim\limits_{x\to1-}(x^2-2x)=-1$

$\lim\limits_{x\to1+}f(x)=\lim\limits_{x\to1+}(-x+2)=1$

즉, $\lim\limits_{x\to1-}f(x)\neq\lim\limits_{x\to1+}f(x)$이므로 $\lim\limits_{x\to1}f(x)$의 값이 존

재하지 않는다.

따라서 함수 $f(x)$는 $x=1$에서 불연속이다.

STEP2 $x=1$에서 연속일 조건 구하기

함수 $f(x)$가 $x=1$에서 불연속이므로 함수 $f(x)g(x)$가

모든 실수 x에서 연속이 되려면 $x=1$에서 연속이어야

한다.

즉, $\lim\limits_{x\to1-}f(x)g(x)=\lim\limits_{x\to1+}f(x)g(x)=f(1)g(1)$이어

야 하므로

$\lim\limits_{x\to1-}f(x)g(x)=\lim\limits_{x\to1-}(x^2-2x)\times\lim\limits_{x\to1-}(x^2+k)$

$\qquad\qquad\quad=(-1)\times(1+k)=-(1+k)$

$\lim\limits_{x\to1+}f(x)g(x)=\lim\limits_{x\to1+}(-x+2)\times\lim\limits_{x\to1+}(x^2+k)$

$\qquad\qquad\quad=1\times(1+k)=1+k$

$f(1)g(1)=1\times(1+k)=1+k$

따라서 $-(1+k)=1+k$이므로 $2k=-2$

$\therefore k=-1$

🎯 풍쌤의 비법

구간에 따라 다르게 정의된 함수의 불연속인 점의 조사

구간의 경계, 구간의 양 끝에서

(1) 함숫값의 존재

(2) 극한값의 존재

(3) 함숫값과 극한값 비교

를 통해 연속성을 조사한다.

04-6 🈸 0

해결전략 | $x=0$에서 연속일 조건과 $f(x+2)=f(x)$에 적

당한 값을 대입하여 만든 식을 이용하여 미정계수를 구한다.

STEP1 b의 값 구하기

함수 $f(x)$가 실수 전체의 집합에서 연속이므로 $x=0$에

서도 연속이다.

즉, $\lim\limits_{x\to0-}f(x)=\lim\limits_{x\to0+}f(x)=f(0)$이어야 한다.

$\lim\limits_{x\to0-}f(x)=\lim\limits_{x\to0-}(ax+1)=1$

$\lim\limits_{x\to0+}f(x)=\lim\limits_{x\to0+}(3x^2+2ax+b)=b$

$f(0)=b$

$\therefore b=1$

STEP2 a의 값 구하기

이때 $f(x+2)=f(x)$이므로

$f(1)=f(-1)=1-a$

$f(x)$가 $x=1$에서 연속이므로 $\lim\limits_{x\to1-}f(x)=f(1)$이다.

$\lim\limits_{x\to1-}(3x^2+2ax+1)=3+2a+1=4+2a$이므로

$4+2a=1-a$ $\qquad\therefore a=-1$

STEP3 $a+b$의 값 구하기

$\therefore a+b=-1+1=0$

필수유형 05   53쪽

05-1 🈸 32

해결전략 | 함수 $f(x)$가 $x=a$에서 연속이면 $\lim\limits_{x\to a}f(x)=f(a)$

임과 분수 꼴의 함수에서 $x\longrightarrow a$일 때 (분모) $\longrightarrow 0$이고 극한

값이 존재하면 (분자) $\longrightarrow 0$임을 이용하여 미정계수를 구한다.

STEP1 a, b의 관계식 구하기

함수 $f(x)$가 $x=2$에서 연속이므로 $\lim\limits_{x\to2}f(x)=f(2)$

$\therefore \lim\limits_{x\to2}\dfrac{a\sqrt{x+2}+b}{x-2}=2$

$x\longrightarrow 2$일 때, (분모) $\longrightarrow 0$이고 극한값이 존재하므로

(분자) $\longrightarrow 0$이다.

즉, $\lim\limits_{x\to2}(a\sqrt{x+2}+b)=0$이므로

$2a+b=0$ $\qquad\therefore b=-2a$

STEP2 $2a-b$의 값 구하기

$\lim\limits_{x\to2}\dfrac{a\sqrt{x+2}+b}{x-2}=\lim\limits_{x\to2}\dfrac{a(\sqrt{x+2}-2)}{x-2}$

$\qquad\qquad\qquad=\lim\limits_{x\to2}\dfrac{a(x-2)}{(x-2)(\sqrt{x+2}+2)}$

$\qquad\qquad\qquad=\lim\limits_{x\to2}\dfrac{a}{\sqrt{x+2}+2}=\dfrac{a}{4}=2$

이므로 $a=8$, $b=-16$

$\therefore 2a-b=2\times8-(-16)=32$

05-2 🈸 21

해결전략 | $x=1$에서 연속일 조건과 분수 꼴의 함수에서

$x\longrightarrow a$일 때 (분모) $\longrightarrow 0$이고 극한값이 존재하면

(분자) $\longrightarrow 0$임을 이용하여 미정계수를 구한다.

STEP1 실수 전체 집합에서 연속일 조건 확인하기

함수 $f(x)$가 실수 전체의 집합에서 연속이 되려면 $x=1$에서 연속이어야 한다.

즉, $\lim\limits_{x\to1}f(x)=f(1)$이어야 하므로

$$\lim_{x\to1}\frac{x^3-ax+1}{x-1}=b$$

STEP 2 a의 값 구하기

$x\longrightarrow1$일 때, (분모)$\longrightarrow0$이고 극한값이 존재하므로 (분자)$\longrightarrow0$이다.

즉, $\lim\limits_{x\to1}(x^3-ax+1)=0$이므로

$2-a=0$ $\quad\therefore a=2$

STEP 3 $10a+b$의 값 구하기

$$\lim_{x\to1}\frac{x^3-2x+1}{x-1}=\lim_{x\to1}\frac{(x-1)(x^2+x-1)}{x-1}$$
$$=\lim_{x\to1}(x^2+x-1)=1$$

즉, $b=1$이므로

$10a+b=10\times2+1=21$

🎯 **풍쌤의 비법**

분수 꼴로 정의된 함수에서 불연속인 점의 조사
분모가 0이 되는 x의 값에서 연속성을 조사한다.

05-3 답 -6

해결전략 | $x=2$에서 연속일 조건과 분수 꼴의 함수에서 $x\longrightarrow a$일 때 (분모)$\longrightarrow0$이고 극한값이 존재하면 (분자)$\longrightarrow0$임을 이용하여 미정계수를 구한다.

STEP 1 a의 값 구하기

함수 $f(x)$가 $x=2$에서 연속이 되려면

$\lim\limits_{x\to2-}f(x)=\lim\limits_{x\to2+}f(x)=f(2)$이어야 하므로

$$\lim_{x\to2-}\frac{x^2+ax}{x-2}=2$$

$x\longrightarrow2-$일 때, (분모)$\longrightarrow0$이고 극한값이 존재하므로 (분자)$\longrightarrow0$이다.

즉, $\lim\limits_{x\to2-}(x^2+ax)=0$이므로

$4+2a=0$ $\quad\therefore a=-2$

STEP 2 b, c의 값 구하기

또, $\lim\limits_{x\to2+}f(x)=\lim\limits_{x\to2+}\dfrac{\sqrt{x^2+b}+c}{x-2}=2$이고, $x\longrightarrow2+$일 때, (분모)$\longrightarrow0$이고 극한값이 존재하므로 (분자)$\longrightarrow0$이다.

즉, $\lim\limits_{x\to2+}(\sqrt{x^2+b}+c)=0$이므로

$\sqrt{4+b}+c=0$ $\quad\therefore c=-\sqrt{4+b}$

따라서

$$\lim_{x\to2+}\frac{\sqrt{x^2+b}+c}{x-2}$$
$$=\lim_{x\to2+}\frac{\sqrt{x^2+b}-\sqrt{4+b}}{x-2}$$
$$=\lim_{x\to2+}\frac{x^2-4}{(x-2)(\sqrt{x^2+b}+\sqrt{4+b})}$$
$$=\lim_{x\to2+}\frac{x+2}{\sqrt{x^2+b}+\sqrt{4+b}}$$
$$=\frac{4}{2\sqrt{4+b}}=2$$

이므로 $b=-3$, $c=-1$

STEP 3 abc의 값 구하기

$\therefore abc=(-2)\times(-3)\times(-1)=-6$

05-4 답 -2

해결전략 | 분수 꼴의 함수에서 $x\longrightarrow a$일 때 (분모)$\longrightarrow0$이고 극한값이 존재하면 (분자)$\longrightarrow0$임을 이용하여 분자의 인수를 구한다.

STEP 1 a, b의 값 구하기

함수 $f(x)$가 $x=-1$에서 연속이 되려면

$\lim\limits_{x\to-1}f(x)=f(-1)$이어야 한다.

$$\therefore \lim_{x\to-1}\frac{x^3+ax+b}{(x+1)^2}=c$$

$x\longrightarrow-1$일 때, (분모)$\longrightarrow0$이고 극한값이 존재하므로 분자는 $(x+1)^2$을 인수로 갖는다.

즉,

$x^3+ax+b=(x+1)^2(x+b)$
$\qquad\qquad=(x^2+2x+1)(x+b)$
$\qquad\qquad=x^3+(2+b)x^2+(1+2b)x+b$

이므로 $b=-2$, $a=1+2b=-3$

STEP 2 $a-2b+c$의 값 구하기

$$\lim_{x\to-1}\frac{(x+1)^2(x-2)}{(x+1)^2}=\lim_{x\to-1}(x-2)=-3$$

이므로 $c=-3$

$\therefore a-2b+c=-3-2\times(-2)+(-3)=-2$

05-5 답 -1

해결전략 | $f(x)$의 조건을 이용하여 $g(x)$의 함수식을 찾는다.

STEP 1 $f(x)$의 함수식 구성하기

함수 $g(x)$가 모든 실수에서 연속이므로 $x=-1$에서도 연속이다.

즉, $\lim\limits_{x\to-1}g(x)=g(-1)$이어야 하므로

$$\lim_{x \to -1} \frac{f(x)-4x^2}{x+1}=k$$

$x \longrightarrow -1$일 때, (분모) $\longrightarrow 0$이고 극한값이 존재하므로 (분자) $\longrightarrow 0$이다.

즉, $\lim_{x \to -1} \{f(x)-4x^2\}=0$이므로

$f(-1)-4=0$ $\therefore f(-1)=4$

이차방정식 $f(x)=0$이 중근을 갖고 $f(x)$의 최고차항의 계수가 1이므로 $f(x)=(x+a)^2$ (a는 상수)으로 놓으면 $f(-1)=4$에서

$(-1+a)^2=4$, $-1+a=\pm 2$

$\therefore a=-1$ 또는 $a=3$

$\therefore f(x)=(x+1)^2$ 또는 $f(x)=(x-3)^2$

STEP 2 k의 값 구하기

(i) $a=-1$일 때

$$\begin{aligned}\lim_{x \to -1} \frac{f(x)-4x^2}{x+1}&=\lim_{x \to -1} \frac{(x-1)^2-4x^2}{x+1}\\&=\lim_{x \to -1} \frac{-(x+1)(3x-1)}{x+1}\\&=\lim_{x \to -1}(-3x+1)=4\end{aligned}$$

$\therefore k=4$

(ii) $a=3$일 때

$$\begin{aligned}\lim_{x \to -1} \frac{f(x)-4x^2}{x+1}&=\lim_{x \to -1} \frac{(x+3)^2-4x^2}{x+1}\\&=\lim_{x \to -1} \frac{-3(x+1)(x-3)}{x+1}\\&=\lim_{x \to -1}(-3x+9)=12\end{aligned}$$

$\therefore k=12$

이때 $k<10$이므로 $k=4$, $a=-1$

STEP 3 $k+g(2)$의 값 구하기

따라서 $x \neq -1$일 때, $g(x)=-3x+1$이므로

$k+g(2)=4+(-5)=-1$

05-6 답 28

해결전략 | $f(x)$의 차수를 구한 후 극한값과 함숫값을 비교한다.

STEP 1 $f(x)$의 차수가 될 수 있는 가장 작은 차수 구하기

함수 $g(x)$가 모든 실수에서 연속이 되려면 $x=-1$, $x=2$에서 연속이어야 한다.

즉, $\lim_{x \to -1} \frac{f(x)}{x^2-x-2}=\lim_{x \to -1} \frac{f(x)}{(x+1)(x-2)}=3$에서

$x \longrightarrow -1$일 때, (분모) $\longrightarrow 0$이고 극한값이 존재하므로 (분자) $\longrightarrow 0$이다.

즉, $\lim_{x \to -1} f(x)=0$이므로 $f(-1)=0$

마찬가지로 $f(2)=0$

$f(x)$가 이차함수이면 $f(x)=(x+1)(x-2)$이므로

$\lim_{x \to -1} g(x)=1$, $\lim_{x \to 2} g(x)=1$

따라서 $g(x)$가 $x=-1$, $x=2$에서 불연속이므로 $f(x)$는 이차함수가 아니다.

$f(x)$가 삼차함수이면 $f(x)=(x+1)(x-2)(x+a)$ (a는 상수)로 놓을 수 있으므로

$\lim_{x \to -1} g(x)=\lim_{x \to -1}(x+a)=a-1$

$\lim_{x \to 2} g(x)=\lim_{x \to 2}(x+a)=2+a$

이때 $a-1=3$, $a+2=3$을 모두 만족시키는 a의 값은 존재하지 않는다.

따라서 $f(x)$는 사차 이상의 다항함수이다.

STEP 2 $f(x)$ 구하기

$f(x)$가 최고차항의 계수가 1인 사차함수이므로

$f(x)=(x+1)(x-2)(x^2+ax+b)$ (a, b는 상수)

로 놓으면

$$\begin{aligned}\lim_{x \to -1} g(x)&=\lim_{x \to -1} \frac{f(x)}{(x+1)(x-2)}\\&=\lim_{x \to -1} \frac{(x^2+ax+b)(x+1)(x-2)}{(x+1)(x-2)}\\&=\lim_{x \to -1}(x^2+ax+b)\\&=1-a+b=3\end{aligned}$$

$\therefore b-a=2$ $\cdots\cdots$ ㉠

$$\begin{aligned}\lim_{x \to 2} g(x)&=\lim_{x \to 2} \frac{f(x)}{(x+1)(x-2)}\\&=\lim_{x \to 2} \frac{(x^2+ax+b)(x+1)(x-2)}{(x+1)(x-2)}\\&=\lim_{x \to 2}(x^2+ax+b)\\&=4+2a+b=3\end{aligned}$$

$\therefore 2a+b=-1$ $\cdots\cdots$ ㉡

㉠, ㉡을 연립하여 풀면

$a=-1$, $b=1$

STEP 3 $f(3)$의 값 구하기

따라서 $f(x)=(x+1)(x-2)(x^2-x+1)$이므로

$f(3)=4 \times 1 \times 7=28$

필수유형 06   55쪽

06-1 답 4

해결전략 | $x \neq 1$일 때 $f(x)$를 구하고 $f(x)$가 $x=1$에서 연

속임을 이용한다.

STEP1 $x \neq 1$일 때 $f(x)$ 구하기

$x \neq 1$일 때,

$$f(x) = \frac{x^2 + 2x - 3}{x-1} = \frac{(x-1)(x+3)}{x-1} = x+3$$

STEP2 $f(1)$의 값 구하기

함수 $f(x)$가 $x=1$에서 연속이므로

$$f(1) = \lim_{x \to 1} f(x) = \lim_{x \to 1} (x+3) = 4$$

06-2 답 1

해결전략 | $x \neq 2$일 때 $f(x)$를 구하고, $f(x)$가 $x=-2$에서 연속임을 이용한다.

STEP1 a의 값 구하기

$x \neq -2$일 때, $f(x) = \dfrac{x^2 + 3x + a}{x+2}$

함수 $f(x)$가 모든 실수 x에서 연속이므로 $x=-2$에서도 연속이다.

$$\therefore f(-2) = \lim_{x \to -2} f(x) = \lim_{x \to -2} \frac{x^2 + 3x + a}{x+2}$$

$x \longrightarrow -2$일 때, (분모) $\longrightarrow 0$이고 극한값이 존재하므로 (분자) $\longrightarrow 0$이다.

즉, $\lim_{x \to -2} (x^2 + 3x + a) = 0$이므로

$a - 2 = 0$ $\therefore a = 2$

STEP2 $a + f(-2)$의 값 구하기

$$f(-2) = \lim_{x \to -2} \frac{x^2 + 3x + 2}{x+2}$$
$$= \lim_{x \to -2} \frac{(x+2)(x+1)}{x+2}$$
$$= \lim_{x \to -2} (x+1) = -1$$

$\therefore a + f(-2) = 2 + (-1) = 1$

06-3 답 11

해결전략 | $x \neq 9$일 때 $f(x)$를 구하고, $f(x)$가 $x=9$에서 연속임을 이용한다.

STEP1 $f(4)$의 값 구하기

$x \neq 9$일 때, $\rightarrow \sqrt{x} - 3 = 0$을 만족시키는 x의 값

$$f(x) = \frac{x-9}{\sqrt{x}-3} = \frac{(x-9)(\sqrt{x}+3)}{(\sqrt{x}-3)(\sqrt{x}+3)} = \sqrt{x}+3$$

$\therefore f(4) = \sqrt{4} + 3 = 5$

STEP2 $f(9)$의 값 구하기

함수 $f(x)$가 $x>0$인 모든 실수 x에서 연속이므로 $x=9$에서도 연속이다.

$$\therefore f(9) = \lim_{x \to 9} (\sqrt{x}+3) = 6$$

STEP3 $f(4) + f(9)$의 값 구하기

$\therefore f(4) + f(9) = 5 + 6 = 11$

06-4 답 $\dfrac{1}{12}$

해결전략 | $x^2 \neq 1$일 때 $f(x)$를 구하고, $f(x)$가 $x=1$에서 연속임을 이용한다.

STEP1 a의 값 구하기 $\rightarrow x^2 - 1 = 0$을 만족시키는 x의 값

$x \neq 1$, $x \neq -1$일 때, $f(x) = \dfrac{\sqrt{x+8}+a}{x^2 - 1}$

함수 $f(x)$가 $x=1$에서 연속이므로

$$f(1) = \lim_{x \to 1} f(x) = \lim_{x \to 1} \frac{\sqrt{x+8}+a}{x^2 - 1}$$

$x \longrightarrow 1$일 때, (분모) $\longrightarrow 0$이고 극한값이 존재하므로 (분자) $\longrightarrow 0$이다.

즉, $\lim_{x \to 1} (\sqrt{x+8}+a) = 0$이므로

$\sqrt{1+8} + a = 0$ $\therefore a = -3$

STEP2 $f(1)$의 값 구하기

$$\therefore f(1) = \lim_{x \to 1} \frac{\sqrt{x+8}+a}{x^2 - 1} = \lim_{x \to 1} \frac{\sqrt{x+8}-3}{x^2 - 1}$$
$$= \lim_{x \to 1} \frac{x-1}{(x-1)(x+1)(\sqrt{x+8}+3)}$$
$$= \lim_{x \to 1} \frac{1}{(x+1)(\sqrt{x+8}+3)}$$
$$= \frac{1}{2 \times 6} = \frac{1}{12}$$

06-5 답 32

해결전략 | $x \neq 0$일 때 $f(x)$를 구하고, $f(x)$가 $x=0$에서 연속임을 이용한다.

STEP1 k의 값 구하기 $\rightarrow \sqrt{4+x} - \sqrt{4-x} = 0$을 만족시키는 x의 값

$x \neq 0$일 때, $f(x) = \dfrac{x^2 + 16x + k}{\sqrt{4+x} - \sqrt{4-x}}$

함수 $f(x)$가 열린구간 $(-4, 4)$에서 연속이므로 $x=0$에서도 연속이다.

$$\therefore f(0) = \lim_{x \to 0} f(x) = \lim_{x \to 0} \frac{x^2 + 16x + k}{\sqrt{4+x} - \sqrt{4-x}}$$

$x \longrightarrow 0$에서 (분모) $\longrightarrow 0$이고 극한값이 존재하므로 (분자) $\longrightarrow 0$이다.

즉, $\lim_{x \to 0} (x^2 + 16x + k) = 0$이므로 $k = 0$

STEP2 $k + f(0)$의 값 구하기

$$\therefore f(0) = \lim_{x \to 0} \frac{x^2 + 16x}{\sqrt{4+x} - \sqrt{4-x}}$$

$$= \lim_{x \to 0} \frac{x(x+16)(\sqrt{4+x} + \sqrt{4-x})}{(4+x) - (4-x)}$$

$$= \lim_{x \to 0} \frac{(x+16)(\sqrt{4+x} + \sqrt{4-x})}{2}$$

$$= \frac{16 \times (2+2)}{2} = 32$$

$$\therefore k + f(0) = 0 + 32 = 32$$

> ⊙ 풍쌤의 비법
>
> 함수 $f(x) = \dfrac{x^2 + 16x + k}{\sqrt{4+x} - \sqrt{4-x}}$ 에서 분모가 0이 되게
>
> 하는 x의 값은 $\sqrt{4+x} - \sqrt{4-x} = 0$에서
>
> $\sqrt{4+x} = \sqrt{4-x}$, $4+x = 4-x$
>
> $\therefore x = 0$
>
> 따라서 함수 $f(x)$가 열린구간 $(-4, 4)$에서 연속이려
>
> 면 $x=0$에서 연속이어야 한다.

06-6 답 -2

해결전략 | $x \neq 1$일 때 $f(x)$를 구하고, $f(x)$가 $x=1$에서 연속임을 이용한다.

STEP 1 a, b의 관계식 구하기

$x \neq 1$일 때, $f(x) = \dfrac{x^2 + ax + b}{x - 1}$

함수 $f(x)$가 모든 실수 x에서 연속이므로 $x=1$에서도 연속이다.

$$\therefore f(1) = \lim_{x \to 1} f(x) = \lim_{x \to 1} \frac{x^2 + ax + b}{x - 1} \quad \cdots\cdots ㉠$$

$x \longrightarrow 1$일 때, (분모) $\longrightarrow 0$이고 극한값이 존재하므로 (분자) $\longrightarrow 0$이다.

즉, $\lim\limits_{x \to 1}(x^2 + ax + b) = 0$이므로

$1 + a + b = 0$ $\therefore b = -(a+1)$

STEP 2 a, b의 값 구하기

$b = -(a+1)$을 ㉠에 대입하면

$$f(1) = \lim_{x \to 1} \frac{x^2 + ax - (a+1)}{x - 1}$$

$$= \lim_{x \to 1} \frac{(x-1)(x+a+1)}{x - 1}$$

$$= \lim_{x \to 1}(x + a + 1) = 2 + a$$

이때 $f(1) = 3$이므로 $2 + a = 3$

$\therefore a = 1$, $b = -2$

$\therefore ab = 1 \times (-2) = -2$

07-1 답 ③

해결전략 | 분수 형태나 합성함수 형태인 함수의 연속을 조사한다.

함수 $f(x)$가 $x=a$에서 연속이므로

$\lim\limits_{x \to a} f(x) = f(a)$이다.

① $\lim\limits_{x \to a} f(x)\{f(x) - 4\} = \lim\limits_{x \to a} f(x) \times \lim\limits_{x \to a}\{f(x) - 4\}$

$\quad\quad = f(a) \times \{f(a) - 4\}$

이므로 함수 $y = f(x)\{f(x) - 4\}$는 $x=a$에서 연속이다.

② $\lim\limits_{x \to a} \dfrac{a}{f(x)} = \dfrac{a}{f(a)}$ ($\because f(a) \neq 0$)

이므로 함수 $y = \dfrac{a}{f(x)}$는 $x=a$에서 연속이다.

③ [반례] $f(x) = \begin{cases} x^2 - 1 & (x \neq 0) \\ 1 & (x = 0) \end{cases}$ 이면

$f(x)$는 $x=1$에서 연속이지만

$\lim\limits_{x \to 1} f(f(1)) = f(0) = 1$, $\lim\limits_{x \to 1} f(f(x)) = -1$이므로

$f(f(1)) \neq \lim\limits_{x \to 1} f(f(x))$

따라서 함수 $f(f(x))$는 $x=1$에서 불연속이다.

④ 함수 $y = ax^2$, $y = f(x)$는 모두 $x=a$에서 연속이므로 함수 $y = ax^2 + f(x)$는 $x=a$에서 연속이다.

⑤ $\lim\limits_{x \to a}|f(x)| = |f(a)|$이므로 함수 $y = |f(x)|$는 $x=a$에서 연속이다.

따라서 $x=a$에서 항상 연속이라고 할 수 없는 것은 ③이다.

▶ 참고 ③에서 $f(x) = t$라고 하면 $x \longrightarrow 1+$일 때 $t \longrightarrow 0+$이므로

$\lim\limits_{x \to 1+} f(f(x)) = \lim\limits_{t \to 0+} f(t) = -1$

$x \longrightarrow 1-$일 때 $t \longrightarrow 0+$이므로

$\lim\limits_{x \to 1-} f(f(x)) = \lim\limits_{t \to 0+} f(t) = -1$

$\therefore \lim\limits_{x \to 1-} f(f(x)) = -1$

> ⊙ 풍쌤의 비법
>
> ② 일반적으로 함수 $f(x)$가 $x=a$에서 연속일 때, 함수
>
> $y = \dfrac{a}{f(x)}$는 $x=a$에서 항상 연속인 것은 아니다.
>
> 즉, $f(a) = 0$일 때, $x=a$에서 함숫값이 정의되지 않
>
> 으며 $\lim\limits_{x \to a} \dfrac{a}{f(x)}$의 값도 존재하지 않으므로 불연속
>
> 이다.
>
> ③ 함수 $f(x)$는 $x=a$에서 연속이지만 $x=f(a)$에서
>
> 연속이라는 조건은 없으므로 함수 $y = f(f(x))$는
>
> $x=a$에서 항상 연속이라고 할 수 없다.

07-2 답 (1) $(-\infty, \infty)$

(2) $(-\infty, -1), (-1, 4), (4, \infty)$

(3) $(-\infty, 0), (0, \infty)$

해결전략 | 분모가 0이면 함숫값이 정의되지 않음을 이용한다.

(1) $f(x)$는 다항함수이고 $g(x)$도 다항함수이므로 $\{f(x)\}^2 g(x)$는 다항함수이다.

따라서 구간 $(-\infty, \infty)$에서 연속이다.

(2) $\dfrac{f(x)}{g(x)} = \dfrac{x^2-4}{x^2-3x-4} = \dfrac{x^2-4}{(x+1)(x-4)}$

분모가 0인 x의 값은 -1, 4이다.

따라서 $x=-1$, $x=4$에서 불연속이므로

구간 $(-\infty, -1), (-1, 4), (4, \infty)$에서 연속이다.

(3) $f(x)-g(x) = (x^2-4)-(x^2-3x-4) = 3x$

이므로 $\dfrac{1}{f(x)-g(x)} = \dfrac{1}{3x}$

따라서 $x=0$에서 불연속이므로 구간 $(-\infty, 0)$, $(0, \infty)$에서 연속이다.

07-3 답 ㄴ, ㄹ

해결전략 | 연속인 함수와 불연속인 함수를 조합하여 연속인지 조사한다.

ㄱ. $\lim\limits_{x \to -1-} \{f(x)+g(x)\} = \lim\limits_{x \to -1-} f(x) + \lim\limits_{x \to -1-} g(x)$
$= 0+2 = 2$

$\lim\limits_{x \to -1+} \{f(x)+g(x)\} = \lim\limits_{x \to -1+} f(x) + \lim\limits_{x \to -1+} g(x)$
$= 1+2 = 3$

즉, $\lim\limits_{x \to -1-} \{f(x)+g(x)\} \neq \lim\limits_{x \to -1+} \{f(x)+g(x)\}$

이므로 함수 $f(x)+g(x)$는 $x=-1$에서 불연속이다.

ㄴ. $-x=t$라고 하면 $x \to -1-$일 때 $t \to 1+$이므로

$\lim\limits_{x \to -1-} f(x)g(-x) = \lim\limits_{x \to -1-} f(x) \times \lim\limits_{t \to 1+} g(t)$
$= 0 \times 0 = 0$

$x \to -1+$일 때 $t \to 1-$이므로

$\lim\limits_{x \to -1+} f(x)g(-x) = \lim\limits_{x \to -1+} f(x) \times \lim\limits_{t \to 1-} g(t)$
$= 1 \times 0 = 0$

$f(-1)g(1) = 0 \times 0 = 0$

즉, $\lim\limits_{x \to -1} f(x)g(-x) = f(-1)g(1)$이므로 함수 $f(x)g(-x)$는 $x=-1$에서 연속이다.

ㄷ. $\lim\limits_{x \to -1-} \dfrac{f(x)}{g(x)} = \dfrac{\lim\limits_{x \to -1-} f(x)}{\lim\limits_{x \to -1-} g(x)} = \dfrac{0}{2} = 0$

$\lim\limits_{x \to -1+} \dfrac{f(x)}{g(x)} = \dfrac{\lim\limits_{x \to -1+} f(x)}{\lim\limits_{x \to -1+} g(x)} = \dfrac{1}{2}$

즉, $\lim\limits_{x \to -1-} \dfrac{f(x)}{g(x)} \neq \lim\limits_{x \to -1+} \dfrac{f(x)}{g(x)}$이므로 함수

$\dfrac{f(x)}{g(x)}$는 $x=-1$에서 불연속이다.

ㄹ. $f(x)=s$라고 하면 $x \to -1-$일 때, $s \to 0-$이므로

$\lim\limits_{x \to -1-} g(f(x)) = \lim\limits_{s \to 0-} g(s) = 0$

$x \to -1+$일 때, $s \to 1-$이므로

$\lim\limits_{x \to -1+} g(f(x)) = \lim\limits_{s \to 1-} g(s) = 0$

$g(f(-1)) = g(0) = 0$

즉, $\lim\limits_{x \to -1} g(f(x)) = g(f(-1))$이므로 함수 $g(f(x))$는 $x=-1$에서 연속이다.

따라서 $x=-1$에서 연속인 함수는 ㄴ, ㄹ이다.

07-4 답 4

해결전략 | 극한값과 함숫값을 비교한다.

STEP 1 좌극한, 우극한, 함숫값 구하기

$h(x) = \dfrac{f(x)}{g(x)}$로 놓으면

$h(x) = \begin{cases} \dfrac{x+2}{x-2} & (x<1) \\ \dfrac{-x+a}{x-2} & (x \geq 1, x \neq 2) \end{cases}$

함수 $h(x)$가 $x=1$에서 연속이 되려면

$\lim\limits_{x \to 1-} h(x) = \lim\limits_{x \to 1+} h(x) = h(1)$이어야 한다.

$\lim\limits_{x \to 1-} h(x) = \lim\limits_{x \to 1-} \dfrac{x+2}{x-2} = -3$

$\lim\limits_{x \to 1+} h(x) = \lim\limits_{x \to 1+} \dfrac{-x+a}{x-2} = 1-a$

$h(1) = 1-a$

STEP 2 a의 값 구하기

따라서 $1-a = -3$이므로

$a = 4$

07-5 답 9

해결전략 | 분모가 0이면 함숫값이 정의되지 않음을 이용한다.

STEP 1 분모가 0이 되는 x의 값 구하기

$\dfrac{g(x)}{f(x)} = \dfrac{x^2-6x+8}{x^2-9x+20} = \dfrac{(x-2)(x-4)}{(x-4)(x-5)}$

이므로 분모가 0인 $x=4$, $x=5$에서 함숫값이 정의되지 않는다.

STEP 2 a의 값의 합 구하기

즉, 함수 $\dfrac{g(x)}{f(x)}$가 $x=4$, $x=5$에서 불연속이므로

$a=4$ 또는 $a=5$

따라서 구하는 합은 $4+5=9$

> **🎯 풍쌤의 비법**
>
> $$\frac{g(x)}{f(x)}=\frac{(x-2)(x-4)}{(x-4)(x-5)}=\frac{x-2}{x-5}$$
>
> 로 계산하여 $x=5$에서만 불연속이라고 생각하지 않도록 주의한다. $x-4\neq 0$인지 알 수 없으므로 분모와 분자를 $x-4$로 약분할 수 없다.

07-6 답 5

해결전략 | 이차방정식의 판별식 D가 $D<0$이면 이차방정식의 실근이 없음을 이용한다.

STEP1 연속일 조건 구하기

$g(a)=0$이면 $x=a$에서 함수 $\dfrac{f(x)}{g(x)}$가 정의되지 않으므로 구간 $(-\infty, \infty)$에서 불연속인 점이 존재한다.

다항함수 $f(x)$, $g(x)$는 구간 $(-\infty, \infty)$에서 연속이므로 함수 $\dfrac{f(x)}{g(x)}$가 구간 $(-\infty, \infty)$에서 연속이려면

$g(x)\neq 0$

STEP2 k의 최솟값 구하기

이차방정식 $x^2+4x+k=0$의 판별식을 D라고 하면

$$\frac{D}{4}=4-k<0 \qquad \therefore k>4$$

따라서 정수 k의 최솟값은 5이다.

필수유형 08 59쪽

08-1 답 (1) 최댓값: 2, 최솟값: 0
(2) 최댓값: -1, 최솟값: -2

해결전략 | 최대 · 최소 정리를 이용한다.

(1) 함수 $f(x)=\sqrt{2x-4}$는 닫힌구간 $[2, 4]$에서 연속이므로 최대 · 최소 정리에 의하여 닫힌구간 $[2, 4]$에서 최댓값과 최솟값을 모두 갖는다.
따라서 함수 $f(x)$는 $x=4$에서 최댓값 2, $x=2$에서 최솟값 0을 갖는다.

(2) 함수 $f(x)=1-\sqrt{x+2}$는 닫힌구간 $[2, 7]$에서 연속이므로 최대 · 최소 정리에 의하여 닫힌구간 $[2, 7]$에서 최댓값과 최솟값을 모두 갖는다.

따라서 함수 $f(x)$는 $x=2$에서 최댓값 -1, $x=7$에서 최솟값 -2를 갖는다.

08-2 답 (1) 최댓값: 2, 최솟값: -2
(2) 최댓값: $\dfrac{4}{3}$, 최솟값: 0
(3) 최솟값: 2, 최댓값: 없다.

해결전략 | 최대 · 최소 정리를 이용한다.

(1) 함수 $f(x)=x^2+2x-1$은 다항함수이므로 연속함수이고 주어진 구간이 닫힌구간이므로 최대 · 최소 정리에 의하여 닫힌구간 $[-2, 1]$에서 최댓값과 최솟값을 모두 갖는다.
따라서 $f(x)=x^2+2x-1$은 $x=1$에서 최댓값 2, $x=-1$에서 최솟값 -2를 갖는다.

(2) 함수 $f(x)=\dfrac{2x+4}{x+1}=\dfrac{2}{x+1}+2$는 $x\neq -1$인 모든 실수에서 연속이므로 닫힌구간 $[-4, -2]$에서 연속이다.
최대 · 최소 정리에 의하여 닫힌구간 $[-4, -2]$에서 최댓값과 최솟값을 모두 갖는다.
따라서 함수 $f(x)$는 $x=-4$에서 최댓값 $\dfrac{4}{3}$, $x=-2$에서 최솟값 0을 갖는다.

(3) $\displaystyle\lim_{x\to 2+}f(x)=\infty$이므로 함수 $f(x)$는 최댓값은 갖지 않고 $x=4$에서 최솟값 2를 갖는다.

> **🎯 풍쌤의 비법**
>
> 최대 · 최소 정리를 이용하여 최댓값과 최솟값을 찾을 때, 주어진 구간이 닫힌구간 $[a, b]$이면
> (1) $x=a$, $x=b$에서의 함숫값
> (2) 이차함수의 경우 꼭짓점에서의 y의 값
> (3) 절댓값 기호를 포함한 함수의 경우 절댓값 기호 안의 식이 0이 되는 x의 값에서의 함숫값
> 을 추가로 확인해야 한다.

08-3 답 (1) 최댓값: 2, 최솟값: 0
(2) 최댓값: 2, 최솟값: 0

해결전략 | 최댓값과 최솟값을 가질 수 있는 x의 값에서의 함숫값을 구한다.

(1) 함수 $f(x)=|x|$는 닫힌구간 $[-1, 2]$에서 연속이고 이 구간에서 함수 $y=f(x)$의 그래프는 오른쪽 그림과 같다.

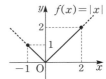

따라서 함수 $f(x)$는 $x=2$에서 최댓값 2, $x=0$에서 최솟값 0을 갖는다.

(2) 함수 $f(x)=|x^2-2|$는 닫힌구간 $[-1, 2]$에서 연속이고 이 구간에서 함수 $y=f(x)$의 그래프는 오른쪽 그림과 같다.

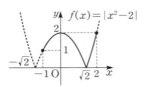

따라서 함수 $f(x)$는 $x=0$, $x=2$에서 최댓값 2, $x=\sqrt{2}$에서 최솟값 0을 갖는다.

08-4 답 (1) 최댓값: 3, 최솟값: 0
(2) 최댓값: 1, 최솟값: 없다.

해결전략 | 최댓값과 최솟값을 가질 수 있는 x의 값에서의 함숫값을 구한다.

(1) 함수 $f(x)$는 닫힌구간 $[-1, 1]$에서 연속이므로 최댓값과 최솟값을 모두 갖는다.
   함수 $y=f(x)$의 그래프에서 $f(-1)=0$, $f(0)=3$, $f(1)=1$이므로 최댓값은 3, 최솟값은 0이다.

(2) 함수 $f(x)$는 구간 $(1, 4]$에서 연속이고 $f(3)=1$, $f(4)=0$이지만 $x=1$은 구간에 포함되지 않으므로 최솟값은 갖지 않는다.
   따라서 최댓값은 1, 최솟값은 없다.

08-5 답 (1) 최댓값: $-\dfrac{1}{3}$, 최솟값: -1
(2) 최댓값: $\dfrac{1}{3}$, 최솟값: 0

해결전략 | 최댓값과 최솟값을 가질 수 있는 x의 값에서의 함숫값을 구한다.

(1) $f(g(x))=\dfrac{2}{g(x)-5}=\dfrac{2}{2x+1-5}=\dfrac{1}{x-2}$이므로 닫힌구간 $[-1, 1]$에서 연속이다.
   $f(g(-1))=-\dfrac{1}{3}$, $f(g(1))=-1$이므로
   최댓값은 $-\dfrac{1}{3}$, 최솟값은 -1이다.

(2) $g(f(x))=2\times\dfrac{2}{x-5}+1=\dfrac{4}{x-5}+1$이므로 닫힌구간 $[-1, 1]$에서 연속이다.
   $g(f(-1))=\dfrac{1}{3}$, $g(f(1))=0$이므로
   최댓값은 $\dfrac{1}{3}$, 최솟값은 0이다.

08-6 답 12

해결전략 | 함수의 특징을 확인하고 최솟값을 가질 수 있는 x의 값과 최댓값을 가질 수 있는 x의 값을 구분한다.

STEP1 a, b의 값 구하기

함수 $g(x)$가 임의의 $\dfrac{1}{2}\leq x_1<x_2$에 대하여
$g(x_1)<g(x_2)$이므로
$g(a)=1$, $g(b)=3$
즉, $g(a)=\sqrt{2a-1}=1$이므로 $a=1$
$g(b)=\sqrt{2b-1}=3$이므로 $b=5$

STEP2 k의 값 구하기

닫힌구간 $[1, 5]$에서 함수 $f(x)$가 연속이므로 주어진 구간에서 최댓값과 최솟값을 모두 갖는다.
$f(1)=\dfrac{k}{2}$, $f(5)=\dfrac{k}{6}$이므로

(i) $k>0$일 때
   $\dfrac{k}{2}=3$, $\dfrac{k}{6}=1$ $\therefore k=6$

(ii) $k<0$일 때
   $\dfrac{k}{2}=1$, $\dfrac{k}{6}=3$
   이때 주어진 식을 만족시키는 k의 값은 없다.

STEP3 $a+b+k$의 값 구하기
$\therefore a+b+k=1+5+6=12$

필수유형 **09**　　　　　　　　　　　61쪽

09-1 답 풀이 참조

해결전략 | 사잇값의 정리를 이용한다.

STEP1 사잇값의 정리의 조건 확인하기
$f(x)=-x^3+2x$로 놓으면 $f(x)$는 다항함수이므로 닫힌구간 $[-2, -1]$에서 연속이다.

STEP2 사잇값 정리로 실근의 존재 설명하기
$f(-2)=4>0$, $f(-1)=-1<0$, 즉
$f(-2)f(-1)<0$이므로 사잇값의 정리에 의하여 방정식 $f(x)=0$은 열린구간 $(-2, -1)$에서 적어도 하나의 실근을 갖는다.

09-2 답 $1<a<3$

해결전략 | 사잇값의 정리를 이용하여 적어도 하나의 실근을 갖도록 하기 위한 식을 세운다.

STEP1 사잇값의 정리의 조건 확인하기
$f(x)=x^4-2x^3+ax-2$로 놓으면 함수 $f(x)$는 다항함

수이므로 닫힌구간 [1, 2]에서 연속이다.

STEP2 a의 값의 범위 구하기

이때 $f(1)=a-3$, $f(2)=2a-2$이고 사잇값의 정리에 의하여 방정식 $f(x)=0$이 열린구간 $(1, 2)$에서 적어도 하나의 실근을 가지려면 $f(1)f(2)<0$이어야 하므로
$(a-3)(2a-2)<0$

$\therefore 1<a<3$

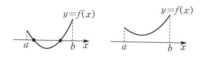
🎯 **풍쌤의 비법**

$f(a)f(b)>0$이면 방정식 $f(x)=0$은 열린구간 (a, b)에서 실근을 가질 수도, 갖지 않을 수도 있다. 그러므로 $f(a)f(b)>0$이라고 해서 열린구간 (a, b)에서 실근이 존재하지 않는다고 단정지을 수는 없다.

09-3 🖺 36

해결전략 | 사잇값의 정리를 이용한다.

STEP1 열린구간 $(1, 2)$에서 실근을 가질 조건 구하기

$h(x)=f(x)-g(x)$로 놓으면
$$h(x)=(x^5+x^3-3x^2+k)-(x^3-5x^2+3)$$
$$=x^5+2x^2+k-3$$

$h(x)$는 다항함수이므로 닫힌구간 [1, 2]에서 연속이고 방정식 $h(x)=0$은 $h(1)h(2)<0$이면 사잇값의 정리에 의하여 열린구간 $(1, 2)$에서 적어도 하나의 실근을 갖는다.

STEP2 정수 k의 개수 구하기

$h(1)=k$, $h(2)=k+37$이므로 $k(k+37)<0$

따라서 $-37<k<0$이므로 구하는 정수 k의 개수는 -36, -35, $\cdots$, -1의 36이다.

09-4 🖺 2

해결전략 | $x=1$, 2, 3, $\cdots$일 때 함숫값을 구하고 사잇값의 정리를 이용하여 실근이 존재할 구간을 찾는다.

STEP1 사잇값의 정리의 조건 확인하기

$f(x)=x^3-3x-9$로 놓으면 함수 $f(x)$는 다항함수이므로 닫힌구간 $[n, n+1]$에서 연속이다.

STEP2 자연수 n의 값 구하기

$f(1)=-11$, $f(2)=-7$, $f(3)=9$이므로
$f(2)f(3)<0$

따라서 사잇값의 정리에 의하여 열린구간 $(2, 3)$에 방정

식 $f(x)=0$의 실근이 존재한다.

$\therefore n=2$

09-5 🖺 ②

해결전략 | 구간의 양 끝에서 함숫값의 부호가 다른 구간을 찾는다.

STEP1 함숫값 구하기

$f(x)=x^3-3x^2+4x+3$으로 놓으면
$f(-2)=-8-12-8+3=-25<0$
$f(-1)=-1-3-4+3=-5<0$
$f(0)=3>0$
$f(1)=1-3+4+3=5>0$
$f(2)=8-12+8+3=7>0$
$f(3)=27-27+12+3=15>0$

STEP2 실근이 존재하는 구간 구하기

따라서 닫힌구간 $[-1, 0]$에서 함수 $f(x)$가 연속이고 $f(-1)f(0)<0$이므로 사잇값의 정리에 의하여 방정식 $f(x)=0$의 실근이 존재하는 구간은 $(-1, 0)$이다.

09-6 🖺 -1

해결전략 | 함숫값의 곱이 음수가 되도록 부등식을 설정한다.

STEP1 사잇값의 정리의 조건 확인하기

다항함수 $f(x)$는 모든 실수 x에 대하여 연속이므로 닫힌구간 $[-1, 2]$에서 연속이다.

사잇값의 정리에 의하여 방정식 $f(x)=0$이 열린구간 $(-1, 2)$에서 중근이 아닌 오직 하나의 실근을 가지려면 $f(-1)f(2)<0$이어야 한다.

STEP2 a의 값의 범위 구하기

$f(-1)f(2)=(a^2-4a+3)(a^2-a-6)$
$=(a-1)(a-3)^2(a+2)<0$

이때 $(a-3)^2\geq0$이므로
$(a-1)(a+2)<0$

$\therefore -2<a<1$

STEP3 $\alpha+\beta+\gamma$의 값 구하기

따라서 $\alpha=-2$, $\beta=1$이므로
$\alpha+\beta=-2+1=-1$

발전유형 ⑩   63쪽

10-1 🖺 2개

해결전략 | 함숫값의 곱이 음수가 되는 부분을 찾아서 사잇값의 정리를 이용한다.

STEP 1 사잇값의 정리의 조건 확인하기

$f(0)>0$, $f(1)<0$이므로 사잇값의 정리에 의하여 방정식 $f(x)=0$은 열린구간 $(0, 1)$에서 적어도 하나의 실근을 갖는다.

$f(2)<0$, $f(3)>0$이므로 사잇값의 정리에 의하여 방정식 $f(x)=0$은 열린구간 $(2, 3)$에서 적어도 하나의 실근을 갖는다.

STEP 2 실근의 개수 구하기

따라서 방정식 $f(x)=0$은 적어도 2개의 실근을 갖는다.

10-2 [답] 5개

해결전략 | 함숫값의 곱이 음수가 되는 부분을 찾아서 사잇값의 정리를 이용한다.

STEP 1 사잇값의 정리의 조건 확인하기

$f(1)f(2)<0$, $f(2)f(3)<0$이므로 사잇값의 정리에 의하여 방정식 $f(x)=0$은 열린구간 $(1, 2)$, $(2, 3)$에서 각각 적어도 하나의 실근을 갖는다.

$f(x)=-f(-x)$에서

$f(1)f(2)=\{-f(-1)\}\{-f(-2)\}$
$\qquad\qquad =f(-1)f(-2)<0$

$f(2)f(3)=\{-f(-2)\}\{-f(-3)\}$
$\qquad\qquad =f(-2)f(-3)<0$

따라서 사잇값의 정리에 의하여 방정식 $f(x)=0$은 열린구간 $(-2, -1)$, $(-3, -2)$에서 각각 적어도 하나의 실근을 갖는다.

또, $f(0)=-f(0)$이므로 $f(0)=0$이다.

즉, $x=0$은 방정식 $f(x)=0$의 근이다.

STEP 2 실근의 개수 구하기

따라서 방정식 $f(x)=0$은 적어도 5개의 실근을 갖는다.

10-3 [답] 3개

해결전략 | 교점을 구할 수 있는 방정식을 구성하여 사잇값의 정리를 활용한다.

STEP 1 함수 설정하기

두 함수 $y=f(x)$와 $y=x^2$의 그래프의 교점의 x좌표는 방정식 $f(x)-x^2=0$의 실근과 같다.

$g(x)=f(x)-x^2$으로 놓자.

STEP 2 함숫값의 곱이 음수가 되는 부분 찾기

함수 $g(x)$는 닫힌구간 $[0, 4]$에서 연속이고

$g(0)=f(0)-0^2=1-0=1$,
$g(1)=f(1)-1^2=0-1=-1$,
$g(2)=f(2)-2^2=6-4=2$,
$g(4)=f(4)-4^2=14-16=-2$

이므로 $g(0)g(1)<0$, $g(1)g(2)<0$, $g(2)g(4)<0$

STEP 3 실근의 개수로 교점의 개수 구하기

따라서 방정식 $g(x)=0$은 열린구간 $(0, 1)$, $(1, 2)$, $(2, 4)$에서 각각 적어도 하나의 실근을 가지므로 두 함수 $y=f(x)$, $y=x^2$의 그래프는 열린구간 $(0, 4)$에서 적어도 3개의 교점을 갖는다.

10-4 [답] 4

해결전략 | 함숫값의 곱이 음수가 되는 부분을 찾아서 사잇값의 정리를 이용한다.

STEP 1 a의 값 구하기

조건 ㉮에서 $f(1)f(2)<0$, $f(2)f(3)<0$이므로 방정식 $f(x)=0$은 열린구간 $(1, 2)$, $(2, 3)$에서 각각 적어도 하나의 실근을 갖는다.

$\therefore a=2$

STEP 2 b의 값 구하기

$h(x)=f(x)g(x)$로 놓으면

$h(0)h(1)=\{f(0)g(0)\}\{f(1)g(1)\}$
$\qquad\qquad =\{f(0)f(1)\}\{g(0)g(1)\}<0$

$h(1)h(2)=\{f(1)g(1)\}\{f(2)g(2)\}$
$\qquad\qquad =\{f(1)f(2)\}\{g(1)g(2)\}>0$

$h(2)h(3)=\{f(2)g(2)\}\{f(3)g(3)\}$
$\qquad\qquad =\{f(2)f(3)\}\{g(2)g(3)\}<0$

따라서 방정식 $f(x)g(x)=0$은 열린구간 $(0, 1)$, $(2, 3)$에서 각각 적어도 하나의 실근을 가지므로 $b=2$

STEP 3 $a+b$의 값 구하기

$\therefore a+b=2+2=4$

◉→ 다른 풀이

STEP 2 b의 값 구하기

$f(0)>0$이므로 $f(0)f(1)<0$에서 $f(1)>0$

$f(1)>0$이므로 $f(1)f(2)<0$에서 $f(2)<0$

$f(2)<0$이므로 $f(2)f(3)<0$에서 $f(3)>0$

따라서 $f(0)g(0)<0$, $f(1)g(1)>0$, $f(2)g(2)>0$, $f(3)g(3)<0$이므로

$f(0)g(0)f(1)g(1)<0$
$f(2)g(2)f(3)g(3)<0$

따라서 방정식 $f(x)g(x)=0$은 열린구간 $(0, 1)$, $(2, 3)$에서 각각 적어도 하나의 실근을 가지므로 $b=2$

10-5 📋 3개

해결전략 | 조건 (가), (나)에서 인수를 찾아 $f(x)$의 함수식을 구성하고, 함숫값의 곱이 음수가 되는 부분을 찾아서 사잇값의 정리를 이용한다.

STEP1 함수 $f(x)$를 인수분해하여 나타내기

조건 (가), (나)에서 (분모) $\longrightarrow 0$이고 극한값이 존재하므로 (분자) $\longrightarrow 0$이다.

따라서 $\lim\limits_{x \to 1} f(x) = 0$, $\lim\limits_{x \to -3} f(x) = 0$이므로

$f(x) = (x-1)(x+3)Q(x)$ ($Q(x)$는 다항식)로 놓자.

STEP2 인수를 이용하여 실근을 갖는 범위 구하기

$$\lim_{x \to 1} \frac{f(x)}{x-1} = \lim_{x \to 1} \frac{(x-1)(x+3)Q(x)}{x-1}$$
$$= \lim_{x \to 1}(x+3)Q(x)$$
$$= 4Q(1) = \frac{1}{2}$$

이므로 $Q(1) = \frac{1}{8}$

$$\lim_{x \to -3} \frac{f(x)}{x+3} = \lim_{x \to -3} \frac{(x-1)(x+3)Q(x)}{x+3}$$
$$= \lim_{x \to -3}(x-1)Q(x)$$
$$= -4Q(-3) = \frac{1}{2}$$

이므로 $Q(-3) = -\frac{1}{8}$

STEP3 실근의 개수 구하기

$Q(-3)Q(1) < 0$이므로 방정식 $Q(x) = 0$은 열린구간 $(-3, 1)$에서 적어도 하나의 실근을 갖는다.

이때 $f(x) = (x-1)(x+3)Q(x)$이고 $x=1$, $x=-3$은 방정식 $f(x) = 0$의 근이다.

또, 방정식 $Q(x) = 0$의 실근이 열린구간 $(-3, 1)$에 적어도 하나 존재한다.

따라서 닫힌구간 $[-3, 1]$에 방정식 $f(x) = 0$의 실근은 적어도 3개 존재한다.

실전 연습 문제   64~66쪽

01 ①	02 ⑤	03 ③	04 ⑤	05 4
06 ①	07 ②, ⑤	08 ③	09 5	10 ②
11 ④	12 3	13 ③	14 ⑤	
15 $-1 < a < 3$		16 ③		

01

해결전략 | 불연속인 x의 값을 찾고 연속이 되도록 미정계수를 결정한다.

STEP1 연속이 되는 조건 확인하기

$f(x)$가 $x \neq 1$인 모든 실수의 집합에서 연속이고, $g(x)$는 실수 전체의 집합에서 연속이므로 $f(x)g(x)$가 실수 전체의 집합에서 연속이 되려면 $x=1$에서 연속이어야 한다.

STEP2 k의 값 구하기

$\lim\limits_{x \to 1} f(x)g(x) = \lim\limits_{x \to 1}(x-1)^2(2x+k) = 0$

$f(1)g(1) = 1 \times (2+k)$

따라서 $2+k=0$이므로 $k=-2$

02

해결전략 | 치환을 이용하여 좌극한, 우극한을 구한다.

STEP1 ㄱ의 참, 거짓 확인하기

ㄱ. $\lim\limits_{x \to 1-} f(x) = \lim\limits_{x \to 1-} x = 1$

$x = -t$라고 하면 $x \longrightarrow 1-$일 때, $t \longrightarrow -1+$이므로

$\lim\limits_{x \to 1-} f(-x) = \lim\limits_{t \to -1+} f(t) = \lim\limits_{t \to -1+} t = -1$

∴ $\lim\limits_{x \to 1-} \{f(x) + f(-x)\} = 1 + (-1) = 0$ (참)

STEP2 ㄴ의 참, 거짓 확인하기

ㄴ. $x \longrightarrow 1+$일 때 $t \longrightarrow -1-$이므로

$\lim\limits_{x \to 1+} \{f(x)+f(-x)\} = \lim\limits_{x \to 1+} f(x) + \lim\limits_{t \to -1-} f(t)$
$= 1 + (-1) = 0$

$f(1) + f(-1) = 1 + (-1) = 0$

∴ $\lim\limits_{x \to 1} \{f(x)+f(-x)\} = f(1)+f(-1)$

즉, 함수 $f(x)+f(-x)$는 $x=1$에서 연속이다. (참)

STEP3 ㄷ의 참, 거짓 확인하기

ㄷ. $f(-x) = \begin{cases} 1 & (x \leq -1) \\ -x & (-1 < x < 1) \\ -1 & (x \geq 1) \end{cases}$이므로

$f(x) + f(-x) = 0$

따라서 실수 전체의 집합에서 연속이다. (참)

따라서 ㄱ, ㄴ, ㄷ 모두 옳다.

03

해결전략 | 극한값과 함숫값을 각각 구하여 비교한다.

STEP1 $f(x)g(x)$가 실수 전체의 집합에서 연속이 되는 조건 확인하기

$g(x) = ax+b$ ($a \neq 0$)로 놓으면

$g(0)=\lim\limits_{x\to 1^-}f(x)=2$이므로 $b=2$

$h(x)=f(x)g(x)$로 놓으면 $h(x)$가 실수 전체의 집합에서 연속이므로 $x=1$에서도 연속이다.

즉, $\lim\limits_{x\to 1^-}h(x)=\lim\limits_{x\to 1^+}h(x)=h(1)$

STEP 2 a의 값 구하기

$\lim\limits_{x\to 1^-}h(x)=\lim\limits_{x\to 1^-}f(x)(ax+2)=2(a+2)$

$\lim\limits_{x\to 1^+}h(x)=\lim\limits_{x\to 1^+}f(x)(ax+2)=0$

$h(1)=f(1)(a+2)=a+2$

이때 $a+2=0$이므로 $a=-2$

STEP 3 $g(-1)$의 값 구하기

따라서 $g(x)=-2x+2$이므로

$g(-1)=4$

◉→ **다른 풀이**

함수 $f(x)$는 $x=1$에서 불연속이고 함수 $f(x)g(x)$는 $x=1$에서 연속이므로

$\lim\limits_{x\to 1}g(x)=0$

즉, $g(1)=0$이므로 $g(x)=a(x-1)$ (a는 상수)로 놓으면

$g(0)=-a=2$ ∴ $a=-2$

따라서 $g(x)=-2(x-1)$이므로

$g(-1)=-2\times(-2)=4$

04

해결전략 ㅣ 합성함수임에 유의하여 극한값과 함숫값을 비교한다.

STEP 1 연속이 되기 위한 조건 확인하기

합성함수 $(g\circ f)(x)$가 실수 전체의 집합에서 연속이 되려면 $\lim\limits_{x\to 1^+}(g\circ f)(x)=\lim\limits_{x\to 1^-}(g\circ f)(x)=(g\circ f)(1)$

이어야 한다.

STEP 2 좌극한, 우극한, 함숫값 비교하기

$\lim\limits_{x\to 1^-}f(x)=\lim\limits_{x\to 1^-}(3x+a)=3+a$이므로

$\lim\limits_{x\to 1^-}(g\circ f)(x)=(3+a)^2+a(3+a)+3$

$\qquad\qquad\qquad\quad =2a^2+9a+12$

$\lim\limits_{x\to 1^+}f(x)=\lim\limits_{x\to 1^+}(x^2-x+2a)=2a$이므로

$\lim\limits_{x\to 1^+}(g\circ f)(x)=(2a)^2+a\times 2a+3=6a^2+3$

$(g\circ f)(1)=g(f(1))=g(2a)=6a^2+3$

STEP 3 a의 값 구하기

따라서 $6a^2+3=2a^2+9a+12$이므로

$4a^2-9a-9=0$, $(4a+3)(a-3)=0$

∴ $a=-\dfrac{3}{4}$ 또는 $a=3$

따라서 구하는 모든 상수 a의 값의 합은

$-\dfrac{3}{4}+3=\dfrac{9}{4}$

◉→ **다른 풀이**

이차함수 $g(x)$는 모든 실수에서 연속이고 곡선 $y=g(x)$는 직선 $x=-\dfrac{a}{2}$에 대하여 대칭이다.

따라서 함수 $(g\circ f)(x)$가 모든 실수 x에서 연속이 되려면 $\underbrace{\lim\limits_{x\to 1^+}f(x)=\lim\limits_{x\to 1^-}f(x)=f(1)}_{x=1\text{에서 함수 }f(x)\text{가 연속}}$ 또는

$\underbrace{\lim\limits_{x\to 1^+}f(x)+\lim\limits_{x\to 1^-}f(x)=-a}_{\text{함수 }g(x)\text{의 꼭짓점의 }x\text{좌표가 }1}$이어야 한다.

$1-1+2a=3+a$에서 $a=3$

또, $(1-1+2a)+(3+a)=-a$에서 $a=-\dfrac{3}{4}$

따라서 구하는 모든 상수 a의 값의 합은

$3+\left(-\dfrac{3}{4}\right)=\dfrac{9}{4}$

05

해결전략 ㅣ 합성함수에서 불연속이 되기 위한 조건을 확인한다.

STEP 1 불연속일 수 있는 x의 값 확인하기

함수 $f(x)$는 $x=1$에서 불연속이고

함수 $g(x)$는 $x=-1$, $x=1$에서 불연속이다.

따라서 함수 $(g\circ f)(x)$는 $f(x)$가 불연속인 $x=1$ 또는 $f(x)=-1$, $f(x)=1$인 $x=0$, $x=-1$에서 불연속일 수 있다. ······ ❶

STEP 2 극한값과 연속성 확인하기

$f(x)=t$라고 하면 $x\longrightarrow -1-$일 때, $t\longrightarrow 1+$이므로

$\lim\limits_{x\to -1^-}g(f(x))=\lim\limits_{t\to 1^+}g(t)=-1$

$x\longrightarrow -1+$일 때, $f(x)\longrightarrow 1-$이므로

$\lim\limits_{x\to -1^+}g(f(x))=\lim\limits_{t\to 1^-}g(t)=1$

즉, $\lim\limits_{x\to -1}g(f(x))$의 값이 존재하지 않으므로 함수 $g(f(x))$는 $x=-1$에서 불연속이다. ······ ❷

$g(f(0))=g(-1)=1$

$x\longrightarrow 0$일 때, $f(x)\longrightarrow -1+$이므로

$\lim\limits_{x\to 0}g(f(x))=\lim\limits_{t\to -1^+}g(t)=-1$

이때 $g(f(0))\neq\lim\limits_{x\to 0}g(f(x))$이므로 극한값은 존재하지만 $x=0$에서 불연속이다. ······ ❸

$x\longrightarrow 1-$일 때, $f(x)\longrightarrow 1-$이므로

$\lim\limits_{x\to 1^-}g(f(x))=\lim\limits_{t\to 1^-}g(t)=1$

$x\longrightarrow 1+$일 때, $f(x)\longrightarrow -1+$이므로

$\lim\limits_{x\to 1^+}g(f(x))=\lim\limits_{t\to -1^+}g(t)=-1$

즉, $\lim\limits_{x \to 1} g(f(x))$의 값이 존재하지 않으므로 함수

$g(f(x))$는 $x=1$에서 불연속이다.   ······ ❹

STEP3 $a+b$의 값 구하기

따라서 불연속인 점은 3개이고 3개 중 극한값이 존재하는 것은 $x=0$의 1개이므로

$a=3$, $b=1$

$\therefore a+b=3+1=4$ ······ ❺

채점 요소	배점
❶ 불연속인 x의 값 확인하기	15 %
❷ $x=-1$에서의 극한값, 연속 확인하기	25 %
❸ $x=0$에서의 극한값, 연속 확인하기	25 %
❹ $x=1$에서의 극한값, 연속 확인하기	25 %
❺ $a+b$의 값 구하기	10 %

06

해결전략 | $x=-1$에서의 좌극한, 우극한, 함숫값이 같도록 미정계수를 결정한다.

STEP1 좌극한, 우극한, 함숫값 구하기

함수 $f(x)$가 $x=-1$에서 연속이 되려면

$\lim\limits_{x \to -1-} f(x) = \lim\limits_{x \to -1+} f(x) = f(-1)$이어야 한다.

$\lim\limits_{x \to -1-} f(x) = \lim\limits_{x \to -1-} (x^2+b) = 1+b$

$\lim\limits_{x \to -1+} f(x) = \lim\limits_{x \to -1+} (ax+2) = -a+2$

$f(-1) = -a+2$

STEP2 $a+b$의 값 구하기

따라서 $1+b = -a+2$이므로

$a+b=1$

07

해결전략 | $x=a$에서의 좌극한과 우극한, 함숫값이 같아야 연속이다.

STEP1 좌극한과 우극한, 함숫값 구하기

함수 $f(x)$가 $x=a$에서 연속이 되려면

$\lim\limits_{x \to a-} f(x) = \lim\limits_{x \to a+} f(x) = f(a)$이어야 한다.

$\lim\limits_{x \to a-} f(x) = \lim\limits_{x \to a-} (-2x-2) = -2a-2$

$\lim\limits_{x \to a+} f(x) = \lim\limits_{x \to a+} (-x^2+6) = -a^2+6$

$f(a) = -a^2+6$

STEP2 a의 값 구하기

따라서 $-a^2+6 = -2a-2$이므로

$a^2-2a-8=0$, $(a+2)(a-4)=0$

$\therefore a=-2$ 또는 $a=4$

08

해결전략 | $x=1$에서의 좌극한과 우극한, 함숫값을 비교하여 미정계수를 구한다.

STEP1 $x=1$에서 연속일 조건 구하기

함수 $f(x)\{f(x)-a\}$가 실수 전체의 집합에서 연속이 되려면 $x=1$에서 연속이어야 한다.

즉, $\lim\limits_{x \to 1-} f(x)\{f(x)-a\} = \lim\limits_{x \to 1+} f(x)\{f(x)-a\}$

$= f(1)\{f(1)-a\}$

STEP2 좌극한, 우극한, 함숫값 구하기

$\lim\limits_{x \to 1-} f(x)\{f(x)-a\} = -(-1-a) = 1+a$

$\lim\limits_{x \to 1+} f(x)\{f(x)-a\} = 15(15-a)$

$f(1)\{f(1)-a\} = -(-1-a) = 1+a$

STEP3 a의 값 구하기

따라서 $1+a = 15(15-a)$이므로

$16a = 224$ $\therefore a=14$

09

해결전략 | 좌극한과 우극한, 함숫값을 비교한다.

STEP1 연속일 조건 확인하기

함수 $f(x)$가 실수 전체의 집합에서 연속이므로 $x=-2$, $x=1$에서도 연속이다.

즉, $\lim\limits_{x \to -2-} f(x) = \lim\limits_{x \to -2+} f(x) = f(-2)$,

$\lim\limits_{x \to 1-} f(x) = \lim\limits_{x \to 1+} f(x) = f(1)$이어야 한다.   ······ ❶

STEP2 극한값과 함숫값이 같아지도록 상수 정하기

$\lim\limits_{x \to -2-} f(x) = \lim\limits_{x \to -2-} (2x+c) = c-4$

$\lim\limits_{x \to -2+} f(x) = \lim\limits_{x \to -2+} (ax+2) = -2a+2$

$f(-2) = c-4$

이때 $c-4 = -2a+2$이므로 $2a+c=6$ ······ ㉠

     ······ ❷

$\lim\limits_{x \to 1-} f(x) = \lim\limits_{x \to 1-} (ax+2) = a+2$

$\lim\limits_{x \to 1+} f(x) = \lim\limits_{x \to 1+} (x^2-b) = 1-b$

$f(1) = 1-b$

이때 $a+2 = 1-b$이므로 $a+b=-1$ ······ ㉡

     ······ ❸

STEP3 $3a+2b+c$의 값 구하기

㉠+㉡을 하면

$3a+b+c=5$ ······ ❹

▶**참고** 미지수가 3개이고 관계식이 2개이므로 세 상수 a, b, c의 값을 구할 수 없다. 따라서 구한 관계식을 이용하여 $3a+2b+c$의 값을 구해야 한다.

채점 요소	배점
❶ 연속일 조건 확인하기	15 %
❷ $x=-2$에서 연속인 조건 구하기	35 %
❸ $x=1$에서 연속인 조건 구하기	35 %
❹ $3a+b+c$의 값 구하기	15 %

10

해결전략 | $x=0$에서의 좌극한, 우극한, 함숫값이 같아지도록 하는 k의 값을 구한다.

STEP1 좌극한, 우극한, 함숫값 구하기

함수 $\{g(x)\}^2$이 $x=0$에서 연속이므로

$$\lim_{x \to 0-} \{g(x)\}^2 = \lim_{x \to 0+} \{g(x)\}^2 = \{g(0)\}^2 \text{이어야 한다.}$$

$$\lim_{x \to 0-} \{g(x)\}^2 = \lim_{x \to 0-} \{f(x+1)\}^2$$
$$= \lim_{x \to 0-} \{(x+1)^2 + (x+1) + k\}^2$$
$$= (2+k)^2$$

$$\lim_{x \to 0+} \{g(x)\}^2 = \lim_{x \to 0+} \{f(x)\}^2$$
$$= \lim_{x \to 0+} (x^2 + x + k)^2 = k^2$$

$\{g(0)\}^2 = \{f(1)\}^2 = (2+k)^2$

STEP2 k의 값 구하기

따라서 $(k+2)^2 = k^2$이므로

$4k+4=0$ $\therefore k=-1$

11

해결전략 | $x=-1$에서 연속일 조건과 분수 꼴의 함수에서 $x \longrightarrow a$일 때 (분모) $\longrightarrow 0$이고 극한값이 존재하면 (분자) $\longrightarrow 0$임을 이용하여 미정계수를 구한다.

STEP1 a의 값 구하기

함수 $f(x)$가 $x=-1$에서 연속이므로

$\lim_{x \to -1} f(x) = f(-1)$이어야 한다.

$$\therefore \lim_{x \to -1} \frac{x^2 + ax + 3}{x+1} = b$$

$x \longrightarrow -1$일 때 (분모) $\longrightarrow 0$이고 극한값이 존재하므로 (분자) $\longrightarrow 0$이다.

즉, $\lim_{x \to -1} (x^2 + ax + 3) = 0$이므로

$4 - a = 0$ $\therefore a = 4$

STEP2 b의 값 구하기

$$\lim_{x \to -1} \frac{x^2 + 4x + 3}{x+1} = \lim_{x \to -1} \frac{(x+1)(x+3)}{x+1}$$
$$= \lim_{x \to -1} (x+3) = 2$$

따라서 $f(-1) = 2$이므로 $b = 2$

STEP3 $a^2 + b^2$의 값 구하기

$\therefore a^2 + b^2 = 4^2 + 2^2 = 20$

12

해결전략 | 모든 실수 x에서 연속인 두 함수 $f(x)$, $g(x)$가 $(x-a)f(x) = g(x)$일 때, $f(a) = \lim_{x \to a} \dfrac{g(x)}{x-a}$임을 이용한다.

STEP1 연속일 조건 확인하기

$x \neq -1$, $x \neq 1$일 때,

$$f(x) = \frac{x^3 - 2x^2 - x + 2}{x^2 - 1} = \frac{(x^2-1)(x-2)}{x^2-1} = x - 2$$

함수 $f(x)$는 모든 실수 x에서 연속이므로 $x=-1$, $x=1$에서도 연속이다.

즉, $\lim_{x \to -1} f(x) = f(-1)$, $\lim_{x \to 1} f(x) = f(1)$이다.

STEP2 $f(-1)f(1)$의 값 구하기

$f(-1) = \lim_{x \to -1} f(x) = \lim_{x \to -1} (x-2) = -3$

$f(1) = \lim_{x \to 1} f(x) = \lim_{x \to 1} (x-2) = -1$

$\therefore f(-1)f(1) = (-3) \times (-1) = 3$

13

해결전략 | t의 값의 범위에 따라 함수 $f(t)$를 구한다.

STEP1 $f(t)$ 구하기

$$f(t) = \begin{cases} 2 & (|t| > 1) \\ 1 & (|t| = 1) \\ 0 & (|t| < 1) \end{cases}$$

STEP2 k의 값 구하기

함수 $(x+k)f(x)$가 구간 $(0, \infty)$에서 연속이면 $x=1$에서도 연속이므로

$$\lim_{x \to 1-} (x+k)f(x) = \lim_{x \to 1+} (x+k)f(x) = (1+k)f(1)$$

$(1+k) \times 0 = (1+k) \times 2 = 1+k$

따라서 $1+k=0$이므로

$k = -1$

STEP3 $f(1)+k$의 값 구하기

$\therefore f(1) + k = 1 + (-1) = 0$

14

해결전략 | 최대ㆍ최소 정리의 역 '함수 $f(x)$가 닫힌구간 $[a, b]$에서 최댓값과 최솟값을 가지면 이 구간에서 연속이다.'의 반례를 찾는다.

함수 $f(x)$가 닫힌구간 $[-2, 2]$에서 최댓값과 최솟값을 갖지만 연속이 아닌 함수를 찾으면 된다.

①, ③, ④ 연속함수이므로 조건을 만족시키는 예가 될 수 없다.

② $\lim\limits_{x \to 0-} f(x) = -\infty$, $\lim\limits_{x \to 0+} f(x) = \infty$이므로 최댓값과 최솟값이 존재하지 않으므로 반례가 아니다.

⑤ $\lim\limits_{x \to 0-} f(x) = -1 = f(0)$, $\lim\limits_{x \to 0+} f(x) = 2$이므로 함수 $f(x)$는 $x = 0$에서 불연속이다.

$f(-2) = 1$, $f(1) = 1$, $f(2) = 2$이므로

$x = 2$에서 최댓값 2, $x = 0$에서 최솟값 -1을 갖지만 $x = 0$에서 연속이 아니므로 주어진 문제의 반례가 된다.

따라서 조건을 만족시키는 예는 ⑤이다.

15

해결전략 | 사잇값의 정리를 활용하여 함숫값의 곱이 음수가 되도록 한다.

STEP1 함수 설정하기

$g(x) = f(x) - (x^2 - 3x)$로 놓으면 $g(x)$는 모든 실수 x에서 연속이고 방정식 $g(x) = 0$의 모든 실근은 두 함수 $y = f(x)$, $y = x^2 - 3x$의 그래프의 교점의 x좌표가 된다.
$\cdots\cdots$ ❶

STEP2 함숫값 구하기

$g(0) = f(0) - 0 = 1$

$g(1) = f(1) - (1-3) = a^2 - 2a - 3$

$g(2) = f(2) - (4-6) = 1$
$\cdots\cdots$ ❷

STEP3 사잇값의 정리를 이용해 a의 값의 범위 구하기

따라서 열린구간 $(0, 1)$, $(1, 2)$에서 각각 적어도 하나의 실근이 존재하려면 $g(0)g(1) < 0$, $g(1)g(2) < 0$이어야 하므로

$g(1) < 0$, 즉 $a^2 - 2a - 3 < 0$

$(a+1)(a-3) < 0$

$\therefore -1 < a < 3$
$\cdots\cdots$ ❸

채점 요소	배점
❶ 교점을 구할 수 있는 새로운 함수 설정하기	40%
❷ 함숫값 확인하기	30%
❸ a의 값의 범위 구하기	30%

16

해결전략 | 사잇값의 정리를 활용한다.

③ 구간 AC에서 시속 110 km인 지점은 구간 AB에서 적어도 한 곳, 구간 BC에서 적어도 한 곳으로 적어도 두 곳 존재한다.

상위권 도약 문제   67~68쪽

01 24	02 7	03 5	04 13	05 ㄴ
06 ①	07 2			

01

해결전략 | 분모가 0일 때 함수가 불연속이다.

STEP1 조건 ㈎를 이용하여 $f(x)$ 구성하기

조건 ㈎에서 함수 $f(x)$는 $x-1$, $x-2$를 인수로 가지므로 $f(x) = a(x-1)(x-2)$ $(a \neq 0)$로 놓자.

STEP2 a의 값 구하기

조건 ㈏에서

$\lim\limits_{x \to 2} \dfrac{f(x)}{x-2} = \lim\limits_{x \to 2} \dfrac{a(x-1)(x-2)}{x-2}$
$\qquad\qquad = \lim\limits_{x \to 2} a(x-1) = a$

$\therefore a = 4$

STEP3 $f(4)$의 값 구하기

따라서 $f(x) = 4(x-1)(x-2)$이므로

$f(4) = 4 \times 3 \times 2 = 24$

02

해결전략 | 구간의 경계에서 연속이 되도록 미정계수를 결정한다.

STEP1 $x = 1$에서 연속일 조건 이용하여 a, b의 관계식 구하기

함수 $f(x)$는 모든 실수 x에서 연속이므로 $x = 1$에서도 연속이다.

따라서 $\lim\limits_{x \to 1-} f(x) = \lim\limits_{x \to 1+} f(x) = f(1)$이어야 한다.

$\lim\limits_{x \to 1-} f(x) = \lim\limits_{x \to 1-} (x^2 + ax) = 1 + a$

$\lim\limits_{x \to 1+} f(x) = \lim\limits_{x \to 1+} (-3x + b) = b - 3$

$f(1) = b - 3$

따라서 $1 + a = b - 3$이므로

$a - b = -4$
$\cdots\cdots$ ㉠

STEP2 $f(x) = f(x+4)$를 이용하여 a, b의 관계식 구하기

이때 $f(x) = f(x+4)$이므로

$f(-2) = f(2)$

$4 - 2a = -6 + b$

$\therefore 2a + b = 10$
$\cdots\cdots$ ㉡

STEP3 $a + b + f(b-7)$의 값 구하기

㉠, ㉡을 연립하여 풀면

$a = 2$, $b = 6$

따라서 $f(b-7) = f(-1) = -1$이므로

$a + b + f(b-7) = 2 + 6 + (-1) = 7$

03

해결전략 | 연속이 되도록 하는 조건을 확인한다.

STEP 1 a의 값 구하기

함수 $f(x)$가 $x=3$에서 연속이거나

함수 $g(x)$가 $x=3$에서 함숫값이 0일 때,

↳ $f(3)g(3)=\lim\limits_{x\to3}f(x)g(x)=0$이므로 $f(x)g(x)$가 $x=3$에서 연속

함수 $f(x)g(x)$가 $x=3$에서 연속이다.

(i) 함수 $f(x)$가 $x=3$에서 연속인 함수일 때

$$\lim_{x\to3-}f(x)=\lim_{x\to3-}(ax+5)=3a+5$$

$$\lim_{x\to3+}f(x)=\lim_{x\to3+}(x-4)=-1$$

$$f(3)=-1$$

따라서 $3a+5=-1$이므로 $a=-2$

STEP 2 b의 값 구하기

(ii) 함수 $g(x)$가 $x=3$에서 함숫값이 0일 때

$$g(3)=9+3b-6=0$$

$$\therefore b=-1$$

STEP 3 $k_1{}^2+k_2{}^2$의 값 구하기

(i), (ii)에 의하여 $k_1=-2$, $k_2=-1$이므로

$$k_1{}^2+k_2{}^2=(-2)^2+(-1)^2=5$$

◉─• 다른 풀이

함수 $f(x)g(x)$가 $x=3$에서 연속이려면

$$\lim_{x\to3-}f(x)g(x)=\lim_{x\to3+}f(x)g(x)=f(3)g(3)$$

이어야 한다.

$$\lim_{x\to3-}f(x)g(x)=(3a+5)(3+3b)$$

$$\lim_{x\to3+}f(x)g(x)=-(3+3b)$$

$$f(3)g(3)=-(3+3b)$$

따라서 $(3a+5)(3+3b)=-(3+3b)$이므로

$$(3a+5)(3+3b)+(3+3b)=0$$

$$9(a+2)(b+1)=0$$

$$\therefore a=-2 \text{ 또는 } b=-1$$

$$\therefore k_1{}^2+k_2{}^2=(-2)^2+(-1)^2=5$$

04

해결전략 | $a>0$, $a<0$일 때를 나누어 함수 $f(x)f(x-a)$의 함숫값과 극한값을 조사한다.

STEP 1 연속일 조건 구하기

함수 $f(x)f(x-a)$가 $x=a$에서 연속이 되려면

$$\lim_{x\to a+}f(x)f(x-a)=\lim_{x\to a-}f(x)f(x-a)$$

$$=f(a)f(0)$$

이때 $f(x)$는 $x=0$에서 불연속이므로 $a=0$이면

$\{f(x)\}^2$은 $x=0$에서 불연속이다.

$$\therefore a\neq0$$

STEP 2 양수 a의 값 구하기

(i) $a>0$일 때

$$\lim_{x\to a+}f(x)f(x-a)=\lim_{x\to a+}f(x)\times\lim_{x\to0+}f(x)$$

$$=\left(-\frac{1}{2}a+7\right)\times7$$

$$\lim_{x\to a-}f(x)f(x-a)=\lim_{x\to a-}f(x)\times\lim_{x\to0-}f(x)$$

$$=\left(-\frac{1}{2}a+7\right)\times1$$

$$f(a)f(0)=-\frac{1}{2}a+7$$

따라서 $7\left(-\frac{1}{2}a+7\right)=-\frac{1}{2}a+7$이므로

$$-\frac{1}{2}a+7=0 \qquad \therefore a=14$$

STEP 3 음수 a의 값 구하기

(ii) $a<0$일 때

$$\lim_{x\to a+}f(x)f(x-a)=\lim_{x\to a+}(x+1)\times\lim_{x\to0+}f(x)$$

$$=(a+1)\times7$$

$$\lim_{x\to a-}f(x)f(x-a)=\lim_{x\to a-}(x+1)\times\lim_{x\to0-}f(x)$$

$$=(a+1)\times1$$

$$f(a)f(0)=a+1$$

따라서 $7(a+1)=a+1$이므로

$$a+1=0 \qquad \therefore a=-1$$

STEP 4 모든 실수 a의 값의 합 구하기

(i), (ii)에 의하여 $a=14$ 또는 $a=-1$

따라서 모든 실수 a의 값의 합은

$$14+(-1)=13$$

05

해결전략 | 함수 $g(x)$, $h(x)$를 절댓값 기호가 없는 식으로 나타낸다.

STEP 1 $g(x)$, $h(x)$ 정리하기

$$g(x)=\begin{cases} 0 & (f(x)<0) \\ f(x) & (f(x)\geq0) \end{cases}$$

$$=\begin{cases} 0 & (x\neq0) \\ 1 & (x=0) \end{cases}$$

$$h(x)=\begin{cases} f(x) & (f(x)<0) \\ 0 & (f(x)\geq0) \end{cases}$$

$$=\begin{cases} f(x) & (x\neq0) \\ 0 & (x=0) \end{cases}$$

STEP 2 ㄱ, ㄴ, ㄷ의 참, 거짓 확인하기

ㄱ. $\lim\limits_{x \to 1-} h(x) = \lim\limits_{x \to 1-} f(x) = -1$,

$\lim\limits_{x \to 1+} h(x) = \lim\limits_{x \to 1+} f(x) = 0$이므로 $\lim\limits_{x \to 1} h(x)$는 존재

하지 않는다. (거짓)

ㄴ. $x=0$일 때, $(h \circ g)(0) = h(g(0)) = h(1) = 0$

$x \neq 0$일 때, $(h \circ g)(x) = h(g(x)) = h(0) = 0$

즉, 닫힌구간 $[-1, 2]$에서 $(h \circ g)(x) = 0$이므로
함수 $(h \circ g)(x)$는 연속이다. (참)

ㄷ. $h(x) = t$라고 하면 $x \longrightarrow 0$일 때, $t \longrightarrow 0-$이므로

$\lim\limits_{x \to 0}(g \circ h)(x) = \lim\limits_{x \to 0} g(h(x)) = \lim\limits_{t \to 0-} g(t) = 0$

$(g \circ h)(0) = g(h(0)) = g(0) = 1$

$\therefore \lim\limits_{x \to 0}(g \circ h)(x) \neq (g \circ h)(0)$ (거짓)

따라서 옳은 것은 ㄴ이다.

06

해결전략 | a의 값의 범위를 나누어 각 경우에서 $f(x)$를 확인한다.

STEP 1 a의 값의 범위 확인하기

(i) $a > 2$인 경우

$a > 1 + \dfrac{a}{2}$이므로 $y = f(x)$

의 그래프가 오른쪽 그림과
같다.

$0 < x < 1 + \dfrac{a}{2}$인 모든 실수

x에 대하여 $f(x) > 0$이므로 조건 ㈎를 만족시키지 않는다.

(ii) $0 < a < 2$인 경우

$a < 1 + \dfrac{a}{2}$이므로 $y = f(x)$

의 그래프는 오른쪽 그림과
같다.

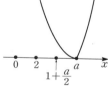

함수 $f(x)$는 닫힌구간

$\left[0, 1 + \dfrac{a}{2}\right]$에서 연속이고

$f(0) > 0$, $f\left(1 + \dfrac{a}{2}\right) < 0$이므로 사잇값의 정리에 의하

여 0과 $1 + \dfrac{a}{2}$ 사이에 $f(c) = 0$인 c가 적어도 하나 존재

한다.

STEP 2 a의 값 구하기

(i), (ii)에 의하여 $0 < a < 2$이므로

$f(2) = 0$, $f(a) = 0$, $f\left(1 + \dfrac{a}{2}\right) = -\left(1 - \dfrac{a}{2}\right)^2$

조건 ㈏에 의하여 세 점

$(2, 0)$, $(a, 0)$, $\left(1 + \dfrac{a}{2}, -\left(1 - \dfrac{a}{2}\right)^2\right)$을

꼭짓점으로 하는 삼각형의 넓이는

$\dfrac{1}{2} \times (2-a) \times \left(1 - \dfrac{a}{2}\right)^2 = \dfrac{1}{8}(2-a)^3 = \dfrac{1}{8}$

$(2-a)^3 = 1 \qquad \therefore a = 1$

따라서 $f(x) = \begin{cases} (x-1)^2 & (x \leq 1) \\ (x-2)(x-1) & (x > 1) \end{cases}$이므로

$f(3a) = f(3) = 1 \times 2 = 2$

07

해결전략 | 적절한 함수를 구성하여 사잇값의 정리를 이용한다.

STEP 1 함수 설정하기

방정식 $f(2x-1) - 2x = 0$에서 $2x - 1 = t$라고 하면
$2x = t + 1$이므로

$f(t) - (t+1) = 0$

$g(x) = f(x) - (x+1)$로 놓자.

STEP 2 함숫값의 곱이 음수가 되는 부분 찾기

$g(0) = f(0) - 1 = -3$

$g(1) = f(1) - 2 = 1$,

$g(2) = f(2) - 3 = 1$

$g(3) = f(3) - 4 = -2$

이므로 $g(0)g(1) < 0$, $g(2)g(3) < 0$

STEP 3 사잇값의 정리를 이용해 실근의 개수 구하기

$y = f(x)$와 $y = x+1$이 다항함수이므로 $y = g(x)$도 다항함수이고 실수 전체의 집합에서 연속이므로

$g(0)g(1) < 0$, $g(2)g(3) < 0$

이면 사잇값의 정리에 의하여 열린구간 $(0, 1)$, $(2, 3)$에서 각각 적어도 하나의 실근을 갖는다.

따라서 방정식 $g(x) = 0$, 즉 $f(2x-1) - 2x = 0$은 적어도 2개의 실근을 갖는다.

03 미분계수와 도함수

01 답 (1) **2** (2) **1**

(1) $\dfrac{f(3)-f(2)}{3-2}=\dfrac{9-7}{1}=2$

(2) $\dfrac{f(2)-f(-1)}{2-(-1)}=\dfrac{4-1}{3}=1$

02 답 (1) **3** (2) **6**

(1) $\displaystyle\lim_{x\to 2}\dfrac{f(x)-f(2)}{x-2}=\lim_{x\to 2}\dfrac{(3x-1)-5}{x-2}$
$=\displaystyle\lim_{x\to 2}\dfrac{3(x-2)}{x-2}=3$

(2) $\displaystyle\lim_{x\to 3}\dfrac{f(x)-f(3)}{x-3}=\lim_{x\to 3}\dfrac{x^2-9}{x-3}$
$=\displaystyle\lim_{x\to 3}\dfrac{(x-3)(x+3)}{x-3}$
$=\displaystyle\lim_{x\to 3}(x+3)=6$

03 답 (1) **연속이다.** (2) **미분가능하지 않다.**

(1) $x=1$에서 함숫값은 $f(1)=|1-1|=0$
극한값은 $\displaystyle\lim_{x\to 1}|x-1|=|1-1|=0$이므로
$f(1)=\displaystyle\lim_{x\to 1}f(x)$
따라서 함수 $f(x)=|x-1|$은 $x=1$에서 연속이다.

(2) $\displaystyle\lim_{x\to 1+}\dfrac{f(x)-f(1)}{x-1}=\lim_{x\to 1+}\dfrac{(x-1)-0}{x-1}=1$,
$\displaystyle\lim_{x\to 1-}\dfrac{f(x)-f(1)}{x-1}=\lim_{x\to 1-}\dfrac{(-x+1)-0}{x-1}=-1$
이므로 $f'(1)$이 존재하지 않는다.
따라서 함수 $f(x)=|x-1|$은 $x=1$에서 미분가능하지 않다.

04 답 (1) $y'=-2$ (2) $y'=2x$
(3) $y'=21x^6$ (4) $y'=0$

05 답 (1) $y'=2x+3$
(2) $y'=15x^2+8x-2$
(3) $y'=2x+3$
(4) $y'=8x^3+3x^2+4x+1$

(3) $y'=(x+2)+(x+1)=2x+3$
(4) $y'=2(x^3+x)+(2x+1)(3x^2+1)$
$=8x^3+3x^2+4x+1$

01-1 답 -2

해결전략 | 평균변화율의 정의를 이용한다.

STEP1 평균변화율 구하기
x의 값이 a에서 2까지 변할 때의 함수 $f(x)$의 평균변화율은
$\dfrac{f(2)-f(a)}{2-a}=\dfrac{1-(-a^2+2a+1)}{2-a}$
$=\dfrac{a^2-2a}{2-a}=-a$

STEP2 a의 값 구하기
따라서 $-a=2$이므로 $a=-2$

01-2 답 **2**

해결전략 | 평균변화율의 정의를 이용한다.

STEP1 평균변화율 구하기
x의 값이 0에서 $0+h$까지 변할 때의 함수 $f(x)$의 평균변화율은
$\dfrac{f(0+h)-f(0)}{h}=\dfrac{(h^2+2h+3)-3}{h}$
$=\dfrac{h^2+2h}{h}=h+2$

STEP2 h의 값 구하기
따라서 $h+2=4$이므로 $h=2$

01-3 답 **3**

해결전략 | 평균변화율과 미분계수의 정의를 이용한다.

STEP1 평균변화율 구하기
x의 값이 1에서 5까지 변할 때의 함수 $f(x)$의 평균변화율은
$\dfrac{f(5)-f(1)}{5-1}=\dfrac{7-(-1)}{4}=2$

STEP2 미분계수 구하기
함수 $f(x)$의 $x=a$에서의 미분계수는
$f'(a)=\displaystyle\lim_{h\to 0}\dfrac{f(a+h)-f(a)}{h}$
$=\displaystyle\lim_{h\to 0}\dfrac{\{(a+h)^2-4(a+h)+2\}-(a^2-4a+2)}{h}$
$=\displaystyle\lim_{h\to 0}\dfrac{2ah+h^2-4h}{h}$
$=\displaystyle\lim_{h\to 0}(2a+h-4)=2a-4$

STEP3 a의 값 구하기
따라서 $2a-4=2$이므로 $a=3$

01-4 답 3

해결전략 | 평균변화율의 정의를 이용한다.

STEP1 평균변화율 구하기

x의 값이 -2에서 0까지 변할 때의 함수 $f(x)$의 평균변화율은

$$\frac{f(0)-f(-2)}{0-(-2)}=\frac{0-(-8)}{2}=4$$

x의 값이 0에서 a까지 변할 때의 함수 $f(x)$의 평균변화율은

$$\frac{f(a)-f(0)}{a-0}=\frac{a(a+1)(a-2)-0}{a}=(a+1)(a-2)$$

STEP2 a의 값 구하기

따라서 $(a+1)(a-2)=4$이므로

$a^2-a-6=0$, $(a+2)(a-3)=0$

$a>0$이므로 $a=3$

01-5 답 4

해결전략 | 평균변화율과 순간변화율의 정의를 이용한다.

STEP1 평균변화율 구하기

x의 값이 a에서 b까지 변할 때의 함수 $f(x)$의 평균변화율은

$$\frac{f(b)-f(a)}{b-a}=\frac{(b^2-3b+1)-(a^2-3a+1)}{b-a}$$
$$=\frac{(b^2-a^2)-3(b-a)}{b-a}$$
$$=b+a-3$$

STEP2 순간변화율 구하기

함수 $f(x)$의 $x=2$에서의 순간변화율은

$$f'(2)=\lim_{h\to 0}\frac{f(2+h)-f(2)}{h}$$
$$=\lim_{h\to 0}\frac{\{(2+h)^2-3(2+h)+1\}-(-1)}{h}$$
$$=\lim_{h\to 0}\frac{h^2+h}{h}$$
$$=\lim_{h\to 0}(h+1)=1$$

STEP3 a의 값 구하기

따라서 $b+a-3=1$이므로 $a+b=4$

01-6 답 2

해결전략 | 평균변화율과 미분계수의 정의를 이용한다.

STEP1 평균변화율 구하기

x의 값이 $-a$에서 $2a$까지 변할 때의 함수 $f(x)$의 평균변화율은

$$\frac{f(2a)-f(-a)}{2a-(-a)}=\frac{(4a^3+8a)-(a^3-4a)}{3a}$$
$$=\frac{3a^3+12a}{3a}=a^2+4$$

STEP2 미분계수 구하기

함수 $f(x)$의 $x=a-1$에서의 미분계수는

$f'(a-1)$
$$=\lim_{h\to 0}\frac{f(a-1+h)-f(a-1)}{h}$$
$$=\lim_{h\to 0}\frac{\{a(a-1+h)^2+4(a-1+h)\}-\{a(a-1)^2+4(a-1)\}}{h}$$
$$=\lim_{h\to 0}\frac{2ha^2-2ah+h^2a+4h}{h}$$
$$=\lim_{h\to 0}(2a^2-2a+ha+4)=2a^2-2a+4$$

STEP3 a의 값 구하기

따라서 $a^2+4=2a^2-2a+4$이므로

$a^2-2a=0$, $a(a-2)=0$

$a>0$이므로 $a=2$

필수유형 02   75쪽

02-1 답 (1) 3 (2) -1

해결전략 | 곡선 $y=f(x)$ 위의 점 $(a,\,f(a))$에서의 접선의 기울기는 $f'(a)$임을 이용한다.

$f(x)=-x^2+x+3$으로 놓으면

(1) 점 $(-1,\,1)$에서의 접선의 기울기는 $f'(-1)$이므로

$$f'(-1)=\lim_{x\to -1}\frac{f(x)-f(-1)}{x-(-1)}$$
$$=\lim_{x\to -1}\frac{(-x^2+x+3)-1}{x+1}$$
$$=\lim_{x\to -1}\frac{-x^2+x+2}{x+1}$$
$$=\lim_{x\to -1}\frac{-(x+1)(x-2)}{x+1}$$
$$=\lim_{x\to -1}(-x+2)=3$$

(2) 점 $(1,\,3)$에서의 접선의 기울기는 $f'(1)$이므로

$$f'(1)=\lim_{x\to 1}\frac{f(x)-f(1)}{x-1}$$
$$=\lim_{x\to 1}\frac{(-x^2+x+3)-3}{x-1}$$
$$=\lim_{x\to 1}\frac{-x^2+x}{x-1}$$
$$=\lim_{x\to 1}\frac{-x(x-1)}{x-1}$$
$$=\lim_{x\to 1}(-x)=-1$$

02-2 답 1

해결전략 | 주어진 두 직선의 기울기를 이용하여 평균변화율을 구한다.

STEP1 기울기를 이용하여 식 세우기

두 점 $(1, f(1))$, $(2, f(2))$를 지나는 직선의 기울기가 -1이므로

$$\frac{f(2)-f(1)}{2-1}=-1$$

두 점 $(2, f(2))$, $(3, f(3))$을 지나는 직선의 기울기가 3이므로

$$\frac{f(3)-f(2)}{3-2}=3$$

STEP2 평균변화율 구하기

이때 x의 값이 1에서 3까지 변할 때의 함수 $f(x)$의 평균변화율은 $f(3)-f(2)=3$, $f(2)-f(1)=-1$이므로

$$\frac{f(3)-f(1)}{3-1}=\frac{\{f(3)-f(2)\}+\{f(2)-f(1)\}}{2}$$
$$=\frac{3+(-1)}{2}=1$$

02-3 답 -3

해결전략 | 꼭짓점의 x좌표가 1인 조건을 이용하여 함수식을 설정한다.

STEP1 함수 $f(x)$ 설정하기

함수 $y=f(x)$의 그래프의 꼭짓점의 x좌표가 1이므로 $f(x)=a(x-1)^2+b$ $(a\neq0,\ a,\ b$는 상수)로 놓을 수 있다.

STEP2 함수 $f(x)$ 구하기

직선 AB의 기울기는

$$\frac{f(3)-f(1)}{3-1}=\frac{(4a+b)-b}{2}=2a$$

즉, $2a=1$이므로 $a=\dfrac{1}{2}$

$$\therefore f(x)=\frac{1}{2}(x-1)^2+b$$

STEP3 평균변화율 구하기

따라서 x의 값이 -3에서 -1까지 변할 때의 함수 $f(x)$의 평균변화율은

$$\frac{f(-1)-f(-3)}{-1-(-3)}=\frac{(2+b)-(8+b)}{2}$$
$$=\frac{-6}{2}=-3$$

02-4 답 6

해결전략 | 곡선 $y=f(x)$ 위의 점 (a, b)에서의 접선의 기울

기가 c이면 $f(a)=b$, $f'(a)=c$임을 이용하고, 구하는 극한식을 미분계수의 정의를 이용하여 변형한다.

STEP1 $f(2)$, $f'(2)$의 값 구하기

곡선 $y=f(x)$ 위의 점 $(2, 2)$에서의 접선의 기울기가 3이므로

$$f(2)=2,\ f'(2)=3$$

STEP2 극한값 구하기

$$\therefore \lim_{x\to2}\frac{\{f(x)\}^2-2f(x)}{x-2}=\lim_{x\to2}\frac{f(x)\{f(x)-2\}}{x-2}$$
$$=\lim_{x\to2}\left\{f(x)\times\frac{f(x)-f(2)}{x-2}\right\}$$
$$=f(2)\times f'(2)$$
$$=2\times3=6$$

02-5 답 $f'(3)<\dfrac{f(3)-f(1)}{3-1}<f'(1)$

해결전략 | 주어진 식을 그래프에 나타내어 대소를 비교한다.

STEP1 주어진 식의 의미 파악하기

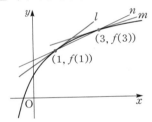

$f'(1)$은 점 $(1, f(1))$에서의 접선의 기울기, 즉 직선 l의 기울기이고,

$f'(3)$은 점 $(3, f(3))$에서의 접선의 기울기, 즉 직선 m의 기울기이다.

또, $\dfrac{f(3)-f(1)}{3-1}$은 두 점 $(1, f(1))$, $(3, f(3))$을 지나는 직선 n의 기울기와 같다.

STEP2 대소 관계 구하기

$$\therefore f'(3)<\frac{f(3)-f(1)}{3-1}<f'(1)$$

> **☞ 풍쌤의 비법**
>
> 평균변화율과 미분계수는 모두 직선의 기울기를 의미하므로 보기가 주어졌을 때, 기울기로 바꾸어 쓴다.
>
> (1) $\dfrac{f(b)-f(a)}{b-a}$: 두 점 $(a, f(a))$, $(b, f(b))$를 이은 직선의 기울기
>
> (2) $f'(a)$: 점 $(a, f(a))$에서의 접선의 기울기

02-6 답 $\dfrac{b-a}{c-b}$

해결전략 | 그래프와 역함수의 정의를 이용하여 $g(b)$, $g(c)$ 를 구한 후 평균변화율을 구한다.

STEP1 함수 $y=g(x)$의 그래프가 지나는 점의 좌표 구하기

$f(a)=b$, $f(b)=c$이고 함수 $f(x)$의 역함수가 $g(x)$이 므로

$g(b)=a$, $g(c)=b$

STEP2 평균변화율 구하기

따라서 x의 값이 b에서 c까지 변할 때의 함수 $g(x)$의 평균변화율은

$$\dfrac{g(c)-g(b)}{c-b}=\dfrac{b-a}{c-b}$$

> 🎯 **풍쌤의 비법**
>
> **역함수**
>
> 함수 $f(x)$의 역함수 $f^{-1}(x)$에 대하여
>
> $f(a)=b \Longleftrightarrow f^{-1}(b)=a$

필수유형 ③ 77쪽

03-1 답 (1) -3 (2) $\dfrac{3}{2}$ (3) 0

해결전략 | $\displaystyle\lim_{\bullet\to 0}\dfrac{f(a+\bullet)-f(a)}{\bullet}$ 꼴로 변형하여 미분계수의 정의를 이용한다.

(1) $\displaystyle\lim_{h\to 0}\dfrac{f(a-3h)-f(a)}{h}=-3\lim_{h\to 0}\dfrac{f(a-3h)-f(a)}{-3h}$

$\qquad\qquad\qquad\qquad\qquad =-3f'(a)=-3$

(2) $\displaystyle\lim_{h\to 0}\dfrac{f(a+3h)-f(a)}{2h}=\dfrac{3}{2}\lim_{h\to 0}\dfrac{f(a+3h)-f(a)}{3h}$

$\qquad\qquad\qquad\qquad\qquad =\dfrac{3}{2}f'(a)=\dfrac{3}{2}$

(3) $\displaystyle\lim_{h\to 0}\dfrac{f(a+h^3)-f(a)}{h}=\lim_{h\to 0}\dfrac{f(a+h^3)-f(a)}{h^3}\times h^2$

$\qquad\qquad\qquad\qquad\qquad =f'(a)\times 0=0$

03-2 답 (1) 6 (2) 15 (3) 7

해결전략 | $\displaystyle\lim_{\bullet\to 0}\dfrac{f(a+\bullet)-f(a)}{\bullet}$ 꼴로 변형하여 미분계수의 정의를 이용한다.

(1) $\displaystyle\lim_{h\to 0}\dfrac{f(4+h)-f(4-h)}{h}$

$\quad =\displaystyle\lim_{h\to 0}\dfrac{f(4+h)-f(4)+f(4)-f(4-h)}{h}$

$\quad =\displaystyle\lim_{h\to 0}\dfrac{f(4+h)-f(4)}{h}+\lim_{h\to 0}\dfrac{f(4)-f(4-h)}{h}$

$\quad =\displaystyle\lim_{h\to 0}\dfrac{f(4+h)-f(4)}{h}+\lim_{h\to 0}\dfrac{f(4-h)-f(4)}{-h}$ ◀ 분모, 분자에 -1을 곱해

$\quad =f'(4)+f'(4)=2f'(4)=6$

(2) $\displaystyle\lim_{h\to 0}\dfrac{f(4+3h)-f(4-2h)}{h}$

$\quad =\displaystyle\lim_{h\to 0}\dfrac{f(4+3h)-f(4)+f(4)-f(4-2h)}{h}$

$\quad =\displaystyle\lim_{h\to 0}\dfrac{f(4+3h)-f(4)}{h}+\lim_{h\to 0}\dfrac{f(4)-f(4-2h)}{h}$

$\quad =3\displaystyle\lim_{h\to 0}\dfrac{f(4+3h)-f(4)}{3h}+2\lim_{h\to 0}\dfrac{f(4-2h)-f(4)}{-2h}$ ◀ 분모, 분자에 -1을 곱해

$\quad =3f'(4)+2f'(4)=5f'(4)=15$

(3) $\displaystyle\lim_{h\to 0}\dfrac{f(4+2h)-f(4-5h)}{3h}$

$\quad =\displaystyle\lim_{h\to 0}\dfrac{f(4+2h)-f(4)}{3h}+\lim_{h\to 0}\dfrac{f(4)-f(4-5h)}{3h}$

$\quad =\dfrac{2}{3}\displaystyle\lim_{h\to 0}\dfrac{f(4+2h)-f(4)}{2h}$

$\qquad\qquad +\dfrac{5}{3}\displaystyle\lim_{h\to 0}\dfrac{f(4-5h)-f(4)}{-5h}$

$\quad =\dfrac{2}{3}f'(4)+\dfrac{5}{3}f'(4)=\dfrac{7}{3}f'(4)=7$

03-3 답 -4

해결전략 | $\displaystyle\lim_{\bullet\to 0}\dfrac{f(3+\bullet)-f(3)}{\bullet}$ 꼴로 변형하여 미분계수의 정의를 이용한다.

STEP1 미분계수의 정의 이용하기

$\displaystyle\lim_{h\to 0}\dfrac{f(3+ah)-f(3)}{h}=\lim_{h\to 0}\dfrac{f(3+ah)-f(3)}{ah}\times a$

$\qquad\qquad\qquad\qquad\quad =af'(3)=-2a$

STEP2 a의 값 구하기

즉, $-2a=8$이므로 $a=-4$

03-4 답 -2

해결전략 | 증분을 이용하여 미분계수의 정의로 표현한다.

STEP1 증분을 이용한 평균변화율 구하기

$\Delta x=(1+h)-1=h$이므로

$$\dfrac{\Delta y}{\Delta x}=\dfrac{h^3+4h^2-2h}{h}$$

STEP2 $f'(1)$의 값 구하기

$\therefore f'(1)=\displaystyle\lim_{\Delta x\to 0}\dfrac{\Delta y}{\Delta x}=\lim_{h\to 0}\dfrac{h^3+4h^2-2h}{h}$

$\qquad\qquad =\displaystyle\lim_{h\to 0}(h^2+4h-2)=-2$

03-5 답 **2**

해결전략 | 식을 변형하며 미분계수의 값을 대입한다.

$$\lim_{h \to 0} \frac{1}{h}\left\{ \frac{1}{f(a+h)} - \frac{1}{f(a)} \right\}$$

$$= \lim_{h \to 0} \left\{ \frac{1}{h} \times \frac{f(a)-f(a+h)}{f(a)f(a+h)} \right\}$$

$$= \lim_{h \to 0} \left\{ -\frac{f(a+h)-f(a)}{h} \right\} \times \lim_{h \to 0} \frac{1}{f(a)f(a+h)}$$

$$= -f'(a) \times \frac{1}{\{f(a)\}^2} = -(-2) \times \frac{1}{1^2} = 2$$

03-6 답 **20**

해결전략 | $t = \dfrac{1}{h}$ 라 하고 식을 변형한다.

$t = \dfrac{1}{h}$ 이라고 하면 $t \longrightarrow \infty$일 때, $h \longrightarrow 0+$이므로

$$\lim_{t \to \infty} t\left\{ f\left(a + \frac{2}{t}\right) - f\left(a - \frac{2}{t}\right) \right\}$$

$$= \lim_{h \to 0+} \frac{1}{h}\{ f(a+2h) - f(a-2h) \}$$

$$= \lim_{h \to 0+} \frac{f(a+2h) - f(a) + f(a) - f(a-2h)}{h}$$

$$= \lim_{h \to 0+} \frac{f(a+2h) - f(a)}{h} + \lim_{h \to 0+} \frac{f(a) - f(a-2h)}{h}$$

$$= 2\lim_{h \to 0+} \frac{f(a+2h) - f(a)}{2h} + 2\lim_{h \to 0+} \frac{f(a-2h) - f(a)}{-2h}$$

$$= 2f'(a) + 2f'(a) = 4f'(a) = 20$$

필수유형 04 79쪽

04-1 답 (1) **1** (2) $\dfrac{9}{4}$ (3) $8\sqrt{2}$

해결전략 | $\lim\limits_{x \to a} \dfrac{f(x) - f(a)}{x-a}$ 꼴이 나타나도록 식을 변형한다.

(1) $\lim\limits_{x \to 2} \dfrac{f(x) - f(2)}{x^2 - 4} = \lim\limits_{x \to 2}\left\{ \dfrac{f(x) - f(2)}{x-2} \times \dfrac{1}{x+2} \right\}$

$$= f'(2) \times \frac{1}{4} = 4 \times \frac{1}{4} = 1$$

(2) $\lim\limits_{x \to 2} \dfrac{2f(x) - xf(2)}{x^2 - 4}$

$$= \lim_{x \to 2} \frac{2f(x) - 2f(2) + 2f(2) - xf(2)}{(x-2)(x+2)}$$

$$= \lim_{x \to 2} \frac{2\{f(x) - f(2)\} + (2-x)f(2)}{(x-2)(x+2)}$$

$$= \lim_{x \to 2}\left\{ \frac{f(x) - f(2)}{x-2} \times \frac{2}{x+2} \right\} - \lim_{x \to 2} \frac{f(2)}{x+2}$$

$$= \frac{f'(2)}{2} - \frac{f(2)}{4} = \frac{9}{4}$$

(3) $\lim\limits_{x \to 2} \dfrac{f(x) - f(2)}{\sqrt{x} - \sqrt{2}}$

$$= \lim_{x \to 2}\left\{ \frac{f(x) - f(2)}{x-2} \times (\sqrt{x} + \sqrt{2}) \right\}$$

$$= f'(2) \times 2\sqrt{2} = 8\sqrt{2}$$

04-2 답 (1) **2** (2) **6** (3) **-30**

해결전략 | $\lim\limits_{x \to a} \dfrac{f(x) - f(a)}{x-a}$ 꼴이 나타나도록 식을 변형한다.

(1) $\lim\limits_{x \to 2} \dfrac{f(x+1) - f(3)}{x^2 - 4}$ 에서 $x + 1 = t$라고 하면

$x \longrightarrow 2$일 때, $t \longrightarrow 3$이므로

$$\lim_{t \to 3} \frac{f(t) - f(3)}{(t-1)^2 - 4} = \lim_{t \to 3}\left\{ \frac{f(t) - f(3)}{t-3} \times \frac{1}{t+1} \right\}$$

$$= f'(3) \times \frac{1}{4} = 2$$

(2) $\lim\limits_{x \to 3} \dfrac{f(x^2) - f(9)}{x - 3} = \lim\limits_{x \to 3}\left\{ \dfrac{f(x^2) - f(9)}{x^2 - 9} \times (x+3) \right\}$

$$= f'(9) \times 6 = 6$$

(3) $\lim\limits_{x \to 3} \dfrac{x^2 f(9) - 9f(x^2)}{x - 3}$

$$= \lim_{x \to 3} \frac{x^2 f(9) - 9f(9) + 9f(9) - 9f(x^2)}{x - 3}$$

$$= \lim_{x \to 3} \frac{(x^2 - 9)f(9) - 9\{f(x^2) - f(9)\}}{x - 3}$$

$$= \lim_{x \to 3} \frac{(x^2 - 9)f(9)}{x - 3} - 9\lim_{x \to 3} \frac{f(x^2) - f(9)}{x - 3}$$

$$= \lim_{x \to 3}(x+3)f(9) - 9\lim_{x \to 3}\left\{ \frac{f(x^2) - f(9)}{x^2 - 9} \times (x+3) \right\}$$

$$= 6f(9) - 9 \times f'(9) \times 6 = -30$$

04-3 답 **21**

해결전략 | $\lim\limits_{x \to a} \dfrac{f(x) - f(a)}{x-a}$ 꼴이 나타나도록 식을 변형한다.

$$\lim_{x \to 1} \frac{(x^2 + 2)f(x)}{x - 1} = \lim_{x \to 1} \frac{(x^2 + 2)\{f(x) - f(1)\}}{x - 1}$$

$$= 3f'(1) = 21$$

04-4 답 **3**

해결전략 | $\lim\limits_{x \to a} \dfrac{f(x) - f(a)}{x-a}$ 꼴이 나타나도록 식을 변형한다.

$$\lim_{x \to -1} \frac{f(x)}{x^2 + 5x + 4} = \lim_{x \to -1} \frac{f(x) - f(-1)}{(x+1)(x+4)}$$

$$= \lim_{x \to -1} \left\{ \frac{f(x) - f(-1)}{x - (-1)} \times \frac{1}{x+4} \right\}$$
$$= f'(-1) \times \frac{1}{3} = 3$$

04-5 답 5

해결전략 | $\lim\limits_{x \to a} \dfrac{f(x) - f(a)}{x - a}$ 꼴이 나타나도록 식을 변형한다.

$$\lim_{x \to 1} \frac{f(x^2) - f(1)}{f(x) - f(1)} + \lim_{x \to 1} \frac{f(x^3) - f(1)}{f(x) - f(1)}$$
$$= \lim_{x \to 1} \left\{ \frac{f(x^2) - f(1)}{x^2 - 1} \times \frac{x-1}{f(x) - f(1)} \times (x+1) \right\}$$
$$+ \lim_{x \to 1} \left\{ \frac{f(x^3) - f(1)}{x^3 - 1} \times \frac{x-1}{f(x) - f(1)} \times (x^2 + x + 1) \right\}$$
$$= f'(1) \times \frac{1}{f'(1)} \times 2 + f'(1) \times \frac{1}{f'(1)} \times 3 = 5$$

04-6 답 $\sqrt{3}$

해결전략 | 두 점 사이의 거리를 이용하여 $f(a) - f(1)$을 구하고 미분계수의 정의를 이용한다.

STEP1 두 점 사이의 거리를 이용하여 식 정리하기

$a > 1$이므로 $f(a) > f(1)$이고 두 점 $(1, f(1))$, $(a, f(a))$ 사이의 거리가 $a^2 - 1$이므로

$$\sqrt{(a-1)^2 + \{f(a) - f(1)\}^2} = a^2 - 1$$
$$(a-1)^2 + \{f(a) - f(1)\}^2 = (a^2 - 1)^2$$
$$\{f(a) - f(1)\}^2 = (a^2 - 1)^2 - (a-1)^2$$
$$= (a-1)^2 \{(a+1)^2 - 1\}$$
$$= (a-1)^2 (a^2 + 2a)$$
$$\therefore f(a) - f(1) = (a-1)\sqrt{a^2 + 2a}$$
$$(\because a > 1이고 f(a) > f(1))$$

STEP2 $f'(1)$의 값 구하기

$$\therefore f'(1) = \lim_{a \to 1} \frac{f(a) - f(1)}{a - 1}$$
$$= \lim_{a \to 1} \frac{(a-1)\sqrt{a^2 + 2}}{a-1}$$
$$= \lim_{a \to 1} \sqrt{a^2 + 2} = \sqrt{3}$$

발전유형 05　　　　　　　　　　81쪽

05-1 답 -2

해결전략 | $f(0)$의 값을 구하고 미분계수의 정의를 이용한다.

STEP1 $f(0)$의 값 구하기

$x = 0$, $y = 0$을 $f(x+y) = f(x) + f(y) + 3$에 대입하면

$$f(0) = f(0) + f(0) + 3$$
$$\therefore f(0) = -3$$

STEP2 $f'(0)$의 값 구하기

$$f'(-1) = \lim_{h \to 0} \frac{f(-1+h) - f(-1)}{h}$$
$$= \lim_{h \to 0} \frac{\{f(-1) + f(h) + 3\} - f(-1)}{h}$$
$$= \lim_{h \to 0} \frac{f(h) + 3}{h}$$
$$= \lim_{h \to 0} \frac{f(0+h) - f(0)}{h} = f'(0)$$

이므로 $f'(0) = -2$

> **🎯 풍쌤의 비법**
>
> 미분가능한 함수 $f(x)$가 모든 실수 x, y에 대하여
> $f(x+y) = f(x) + f(y) + k$ (k는 상수)일 때,
> $f(0) = -k$이므로
> $$f'(x) = \lim_{h \to 0} \frac{f(x+h) - f(x)}{h}$$
> $$= \lim_{h \to 0} \frac{\{f(x) + f(h) + k\} - f(x)}{h}$$
> $$= \lim_{h \to 0} \frac{f(h) + k}{h}$$
> $$= \lim_{h \to 0} \frac{f(0+h) - f(0)}{h}$$
> $$= f'(0)$$
> 즉, 함수 $f'(x)$는 상수함수이므로 위의 문제에서
> $f'(0) = f'(-1) = -2$이다.

05-2 답 4

해결전략 | $f(0)$의 값을 구하고 미분계수의 정의를 이용한다.

STEP1 $f(0)$의 값 구하기

$x = 0$, $y = 0$을 $f(x+y) = f(x) + f(y)$에 대입하면

$$f(0) = f(0) + f(0) \qquad \therefore f(0) = 0$$

STEP2 $f'(3)$의 값 구하기

$$f'(1) = \lim_{h \to 0} \frac{f(1+h) - f(1)}{h}$$
$$= \lim_{h \to 0} \frac{\{f(1) + f(h)\} - f(1)}{h}$$
$$= \lim_{h \to 0} \frac{f(h)}{h}$$
$$= \lim_{h \to 0} \frac{f(h) - f(0)}{h} = f'(0)$$

이므로 $f'(0) = 4$

$$\therefore f'(3)=\lim_{h\to 0}\frac{f(3+h)-f(3)}{h}$$

$$=\lim_{h\to 0}\frac{\{f(3)+f(h)\}-f(3)}{h}$$

$$=\lim_{h\to 0}\frac{f(h)}{h}=\lim_{h\to 0}\frac{f(0+h)-f(0)}{h}$$

$$=f'(0)=4$$

05-3 답 4

해결전략 | $f(0)$의 값을 구하고 미분계수의 정의를 이용한다.

STEP1 $f(0)$의 값 구하기

$x=0$, $y=0$을 $f(x+y)=f(x)+f(y)+xy$에 대입하면

$f(0)=f(0)+f(0)+0 \qquad \therefore f(0)=0$

STEP2 $f'(0)$의 값 구하기

$$f'(1)=\lim_{h\to 0}\frac{f(1+h)-f(1)}{h}$$

$$=\lim_{h\to 0}\frac{\{f(1)+f(h)+h\}-f(1)}{h}$$

$$=\lim_{h\to 0}\frac{f(h)+h}{h}=\lim_{h\to 0}\frac{f(h)}{h}+1$$

$$=\lim_{h\to 0}\frac{f(0+h)-f(0)}{h}+1$$

$$=f'(0)+1$$

이므로 $f'(0)+1=3 \qquad \therefore f'(0)=2$

STEP3 $f'(2)$의 값 구하기

$$\therefore f'(2)=\lim_{h\to 0}\frac{f(2+h)-f(2)}{h}$$

$$=\lim_{h\to 0}\frac{\{f(2)+f(h)+2h\}-f(2)}{h}$$

$$=\lim_{h\to 0}\frac{f(h)+2h}{h}=\lim_{h\to 0}\frac{f(h)}{h}+2$$

$$=\lim_{h\to 0}\frac{f(0+h)-f(0)}{h}+2$$

$$=f'(0)+2=4$$

05-4 답 8

해결전략 | $f(0)$의 값을 구하고 미분계수의 정의를 이용한다.

STEP1 $f(0)$의 값 구하기

$x=0$, $y=0$을 $f(x+y)=2f(x)f(y)$에 대입하면

$f(0)=2f(0)f(0)$

$f(0)>0$이므로 $f(0)=\dfrac{1}{2}$

STEP2 $f'(3)$의 값 구하기

$$f'(3)=\lim_{h\to 0}\frac{f(3+h)-f(3)}{h}$$

$$=\lim_{h\to 0}\frac{2f(3)f(h)-f(3)}{h}$$

$$=\lim_{h\to 0}\frac{2f(3)\left\{f(h)-\dfrac{1}{2}\right\}}{h}$$

$$=2f(3)\times\lim_{h\to 0}\frac{f(0+h)-f(0)}{h}$$

$$=2f(3)f'(0)$$

STEP3 $\dfrac{f'(3)}{f(3)}$의 값 구하기

따라서 $f'(3)=2f(3)\times 4$이므로

$$\frac{f'(3)}{f(3)}=8$$

05-5 답 11

해결전략 | $f(0)$의 값을 구하고 미분계수의 정의를 이용한다.

STEP1 $f(0)$의 값 구하기

$x=0$, $y=0$을 $f(x+y)=f(x)+f(y)+2xy(x+y)+2$에 대입하면

$f(0)=f(0)+f(0)+0+2 \qquad \therefore f(0)=-2$

STEP2 $f'(0)$의 값 구하기

$$f'(1)=\lim_{h\to 0}\frac{f(1+h)-f(1)}{h}$$

$$=\lim_{h\to 0}\frac{\{f(1)+f(h)+2h(1+h)+2\}-f(1)}{h}$$

$$=\lim_{h\to 0}\frac{\{f(h)+2\}+2h(1+h)}{h}$$

$$=\lim_{h\to 0}\frac{f(0+h)-f(0)}{h}+\lim_{h\to 0}2(1+h)$$

$$=f'(0)+2$$

이므로 $f'(0)+2=5 \qquad \therefore f'(0)=3$

STEP3 $f'(2)$의 값 구하기

$$\therefore f'(2)=\lim_{h\to 0}\frac{f(2+h)-f(2)}{h}$$

$$=\lim_{h\to 0}\frac{\{f(2)+f(h)+4h(2+h)+2\}-f(2)}{h}$$

$$=\lim_{h\to 0}\frac{\{f(h)+2\}+4h(2+h)}{h}$$

$$=\lim_{h\to 0}\frac{f(0+h)-f(0)}{h}+\lim_{h\to 0}4(2+h)$$

$$=f'(0)+8=11$$

05-6 답 28

해결전략 | $f(0)$의 값을 구하고 미분계수의 정의를 이용한다.

STEP1 $f(0)$의 값 구하기

$x=0$, $y=0$을 $f(x+y)=f(x)+f(y)+2xy-1$에 대입하면

$f(0)=f(0)+f(0)+0-1$ $\therefore f(0)=1$

STEP 2 $f'(x)$ 구하기

$$f'(x)=\lim_{h\to 0}\frac{f(x+h)-f(x)}{h}$$

$$=\lim_{h\to 0}\frac{\{f(x)+f(h)+2xh-1\}-f(x)}{h}$$

$$=2x+\lim_{h\to 0}\frac{f(h)-1}{h}$$

$$=2x+\lim_{h\to 0}\frac{f(h)-f(0)}{h-0}$$

$$=2x+f'(0) \qquad\qquad\cdots\cdots\;\ominus$$

STEP 3 $f'(0)$의 값 구하기

$\displaystyle\lim_{x\to 1}\frac{f(x)-f'(x)}{x^2-1}=14$에서 $x\longrightarrow 1$일 때, (분모) $\longrightarrow 0$

이고 극한값이 존재하므로 (분자) $\longrightarrow 0$이어야 한다.

$\therefore f(1)=f'(1)$

$\ominus$에서 $f'(1)=2+f'(0)$이므로

$f'(0)=f'(1)-2=f(1)-2$

따라서

$$\lim_{x\to 1}\frac{f(x)-f'(x)}{x^2-1}$$

$$=\lim_{x\to 1}\frac{f(x)-2x-f'(0)}{x^2-1}$$

$$=\lim_{x\to 1}\frac{f(x)-2x-f(1)+2}{x^2-1}$$

$$=\lim_{x\to 1}\frac{f(x)-f(1)}{x^2-1}-\lim_{x\to 1}\frac{2(x-1)}{x^2-1}$$

$$=\lim_{x\to 1}\left\{\frac{f(x)-f(1)}{x-1}\times\frac{1}{x+1}\right\}-\lim_{x\to 1}\frac{2}{x+1}$$

$$=\frac{1}{2}f'(1)-1=14$$

이므로 $f'(1)=30$

$\therefore f'(0)=f'(1)-2=30-2=28$

◉→ 다른 풀이

STEP 1 $f(0)$의 값 구하기

$x=0$, $y=0$을 $f(x+y)=f(x)+f(y)+2xy-1$에 대입하면

$f(0)=f(0)+f(0)+0-1$ $\therefore f(0)=1$

STEP 2 $f(x)$ 구하기

$f'(0)=k$ (k는 상수)라고 하면

$$k=\lim_{h\to 0}\frac{f(0+h)-f(0)}{h}=\lim_{h\to 0}\frac{f(h)-1}{h}$$

$$f'(x)=\lim_{h\to 0}\frac{f(x+h)-f(x)}{h}$$

$$=\lim_{h\to 0}\frac{\{f(x)+f(h)+2xh-1\}-f(x)}{h}$$

$$=2x+\lim_{h\to 0}\frac{f(h)-1}{h}$$

$$=2x+k$$

$\therefore f(x)=\displaystyle\int(2x+k)dx=x^2+kx+C$ (C는 상수)

$f(0)=1$이므로 $C=1$

$\therefore f(x)=x^2+kx+1$

STEP 3 $f'(0)$의 값 구하기

따라서 $f'(x)=2x+k$이므로

$$\lim_{x\to 1}\frac{f(x)-f'(x)}{x^2-1}=\lim_{x\to 1}\frac{(x^2+kx+1)-(2x+k)}{x^2-1}$$

$$=\lim_{x\to 1}\frac{(x-1)^2+k(x-1)}{(x-1)(x+1)}$$

$$=\lim_{x\to 1}\frac{x-1+k}{x+1}$$

$$=\frac{k}{2}=14$$

$\therefore k=28$

필수유형 06 83쪽

06-1 답 **(1) 연속이지만 미분가능하지 않다.**

(2) 연속이지만 미분가능하지 않다.

해결전략 | 연속성은 극한과 함숫값을 비교하고 미분가능성은 좌미분계수와 우미분계수를 비교한다.

(1) **STEP 1 연속성 조사하기**

$f(1)=0$이고 $\displaystyle\lim_{x\to 1}f(x)=\lim_{x\to 1}x|x-1|=0$이므로

$$\lim_{x\to 1}f(x)=f(1)$$

즉, 함수 $f(x)$는 $x=1$에서 연속이다.

STEP 2 미분가능성 조사하기

$$\lim_{x\to 1-}\frac{f(x)-f(1)}{x-1}=\lim_{x\to 1-}\frac{-x(x-1)}{x-1}$$

$$=\lim_{x\to 1-}(-x)=-1$$

$$\lim_{x\to 1+}\frac{f(x)-f(1)}{x-1}=\lim_{x\to 1+}\frac{x(x-1)}{x-1}$$

$$=\lim_{x\to 1+}x=1$$

따라서 $f'(1)$의 값이 존재하지 않으므로 함수 $f(x)$는 $x=1$에서 미분가능하지 않다.

그러므로 함수 $f(x)$는 $x=1$에서 연속이지만 미분가능하지 않다.

(2) **STEP 1 연속성 조사하기**

$f(1)=0$이고

$\lim\limits_{x \to 1} f(x) = \lim\limits_{x \to 1} \{(x-1) + |x-1|\} = 0$이므로

$\lim\limits_{x \to 1} f(x) = f(1)$

즉, 함수 $f(x)$는 $x=1$에서 연속이다.

STEP 2 미분가능성 조사하기

$\lim\limits_{x \to 1-} \dfrac{f(x) - f(1)}{x-1} = \lim\limits_{x \to 1-} \dfrac{0}{x-1} = 0$

$\lim\limits_{x \to 1+} \dfrac{f(x) - f(1)}{x-1} = \lim\limits_{x \to 1+} \dfrac{2(x-1)}{x-1} = 2$

따라서 $f'(1)$의 값이 존재하지 않으므로 $f(x)$는 $x=1$에서 미분가능하지 않다.

그러므로 함수 $f(x)$는 $x=1$에서 연속이지만 미분가능하지 않다.

06-2 답 ㄱ, ㄹ

해결전략 | 연속은 극한값과 함숫값을 비교하고 미분가능성은 좌미분계수와 우미분계수를 비교한다.

STEP 1 $x=0$에서의 함수 $f(x)=|x|$의 연속과 미분가능성 확인하기

ㄱ. $f(0)=0$이고 $\lim\limits_{x \to 0} f(x) = \lim\limits_{x \to 0} |x| = 0$이므로

$\lim\limits_{x \to 0} f(x) = f(0)$

즉, 함수 $f(x)$는 $x=0$에서 연속이다.

$\lim\limits_{x \to 0-} \dfrac{f(x)-f(0)}{x-0} = \lim\limits_{x \to 0-} \dfrac{-x-0}{x} = -1$

$\lim\limits_{x \to 0+} \dfrac{f(x)-f(0)}{x-0} = \lim\limits_{x \to 0-} \dfrac{x-0}{x} = 1$

따라서 $\lim\limits_{x \to 0} \dfrac{f(x)-f(0)}{x-0}$, 즉 $f'(0)$의 값이 존재하지 않으므로 함수 $f(x)$는 $x=0$에서 미분가능하지 않다.

STEP 2 $x=0$에서의 함수 $f(x)=|x|^2$의 연속과 미분가능성 확인하기

ㄴ. $f(x)=|x|^2=x^2$이므로 $f(0)=0$, $\lim\limits_{x \to 0} f(x)=0$

즉, $\lim\limits_{x \to 0} f(x)=f(0)$이므로 함수 $f(x)$는 $x=0$에서 연속이다.

$\lim\limits_{x \to 0-} \dfrac{f(x)-f(0)}{x-0} = \lim\limits_{x \to 0-} \dfrac{x^2-0}{x-0} = \lim\limits_{x \to 0-} x = 0$

$\lim\limits_{x \to 0+} \dfrac{f(x)-f(0)}{x-0} = \lim\limits_{x \to 0+} \dfrac{x^2-0}{x-0} = \lim\limits_{x \to 0+} x = 0$

따라서 $\lim\limits_{x \to 0} \dfrac{f(x)-f(0)}{x-0}$, 즉 $f'(0)$의 값이 존재하므로 함수 $f(x)$는 $x=0$에서 미분가능하다.

STEP 3 $x=0$에서의 함수 $f(x)=1+\dfrac{2}{x}$의 연속과 미분가능성 확인하기

ㄷ. $x=0$에서 함숫값이 존재하지 않으므로 $x=0$에서 불연속이다.

따라서 함수 $f(x)$는 $x=0$에서 불연속이므로 미분가능하지 않다.

STEP 4 $x=0$에서의 함수 $f(x)$의 연속과 미분가능성 확인하기

ㄹ. $f(0)=1$이고

$\lim\limits_{x \to 0-} f(x) = \lim\limits_{x \to 0-}(3x+1)=1$,

$\lim\limits_{x \to 0+} f(x) = \lim\limits_{x \to 0+}(x+1)^2=1$

이므로 $\lim\limits_{x \to 0} f(x) = f(0)$

즉, 함수 $f(x)$는 $x=0$에서 연속이다.

$\lim\limits_{x \to 0-} \dfrac{f(x)-f(0)}{x-0} = \lim\limits_{x \to 0-} \dfrac{(3x+1)-1}{x} = 3$

$\lim\limits_{x \to 0+} \dfrac{f(x)-f(0)}{x-0} = \lim\limits_{x \to 0+} \dfrac{(x+1)^2-1}{x}$

$= \lim\limits_{x \to 0+}(x+2)=2$

따라서 $\lim\limits_{x \to 0} \dfrac{f(x)-f(0)}{x-0}$, 즉 $f'(0)$의 값이 존재하지 않으므로 $x=0$에서 미분가능하지 않다.

그러므로 $x=0$에서 연속이지만 미분가능하지 않은 함수는 ㄱ, ㄹ이다.

06-3 답 6

해결전략 | 그래프에서 불연속인 점과 뾰족점을 찾는다.

STEP 1 불연속인 점 구하기

불연속인 점은 $x=-1$, $x=2$의 2개이므로 $m=2$

STEP 2 미분가능하지 않은 점 구하기

미분가능하지 않은 점은 $x=-3$, $x=-1$, $x=2$, $x=4$의 4개이므로 $n=4$

STEP 3 $m+n$의 값 구하기

$\therefore m+n=2+4=6$

06-4 답 ③

해결전략 | $f'(a)$의 값이 존재하지 않는 $x=a$에서 미분가능하지 않고, $f'(a)$는 점 $(a, f(a))$에서의 접선의 기울기와 같다.

① $x=3$에서의 접선의 기울기가 양수이므로 $f'(3)>0$이다. (참)

② $\lim\limits_{x \to 0-} f(x) = \lim\limits_{x \to 0+} f(x) = 0$이므로 $\lim\limits_{x \to 0} f(x)$의 값이 존재한다. (참)

③ $f'(x)=0$인 점은 미분가능하면서 접선의 기울기가 0인 점이므로 $x=-1$일 때의 1개이다. (거짓)

④ 함수 $f(x)$는 $x=0$, $x=2$에서 불연속이므로 불연속인 점은 2개이다. (참)

⑤ 함수 $f(x)$는 $x=0$, $x=1$, $x=2$에서 미분가능하지 않으므로 미분가능하지 않은 점은 3개이다. (참)

따라서 옳지 않은 것은 ③이다.

06-5 冒 3

해결전략 | 그래프에서 불연속인 점과 뾰족점을 찾는다.

STEP 1 집합 A 구하기

$\lim\limits_{x \to k} f(x)=f(k)$를 만족시키면 $x=k$에서 연속이고

$x=-2$, $x=0$, $x=2$, $x=3$, $x=4$에서 함수 $f(x)$가 연속이므로

$A=\{-2, 0, 2, 3, 4\}$

STEP 2 집합 B 구하기

불연속점, 뾰족점이 없어. ◄

$\lim\limits_{x \to k} \dfrac{f(x)-f(k)}{x-k}$의 값이 존재하면 $x=k$에서 미분가능

하고 $x=0$, $x=4$에서 함수 $f(x)$가 미분가능하므로

$B=\{0, 4\}$

STEP 3 집합 $A-B$의 원소의 개수 구하기

따라서 $A-B=\{-2, 2, 3\}$이므로 $n(A-B)=3$

⊙ 풍쌤의 비법

$\lim\limits_{x \to a} f(x)=f(a)=k$가 성립한다는 것은 함수 $f(x)$가 $x=a$에서 연속임을 의미한다.

① 함숫값의 존재: $k=f(a)$이므로 함숫값이 존재함을 의미한다.

② 극한값의 존재: $\lim\limits_{x \to a} f(x)=k$이므로 극한값이 존재함을 의미한다.

③ 함숫값과 극한값의 비교:

(극한값)$=\lim\limits_{x \to a} f(x)=f(a)=$(함숫값)

따라서 함수 $f(x)$는 $x=a$에서 연속이다.

필수유형 07 _____ 85쪽

07-1 冒 (1) **0** (2) $2x-3$ (3) $6x^2-x$
　　　　　 (4) x^3+2x^2+2x-3

해결전략 | 미분법의 공식을 이용하여 미분한다.

(1) 5^2은 상수이므로 $y'=0$

(2) $y'=(x^2-3x+2)'=2x-3$

(3) $y'=\left(2x^3-\dfrac{1}{2}x^2+5\right)'=6x^2-x$

(4) $y'=\left(\dfrac{1}{4}x^4+\dfrac{2}{3}x^3+x^2-3x\right)'=x^3+2x^2+2x-3$

07-2 冒 4

해결전략 | 미분법의 공식을 이용하여 미분하여 $f'(x)$를 구한 후 $f'(1)=10$을 대입하여 a의 값을 구한다.

STEP 1 $f'(x)$ 구하기

$f'(x)=6x^2+a$

STEP 2 a의 값 구하기

$f'(1)=6+a=10$ 　　 $\therefore a=4$

07-3 冒 6

해결전략 | 미분법의 공식을 이용하여 미분하여 $f'(x)$를 구한 후 주어진 조건을 이용하여 a, b, c의 값을 구한다.

STEP 1 $f'(x)$ 구하기

$f'(x)=2ax+b$

STEP 2 a, b, c의 값 구하기

$f'(0)=b=-3$

$f'(1)=2a+b=1$에서 $2a-3=1$

$\therefore a=2$

$f(1)=a+b+c=0$에서 $2-3+c=0$

$\therefore c=1$

STEP 3 $a-b+c$의 값 구하기

$\therefore a-b+c=2-(-3)+1=6$

07-4 冒 5

해결전략 | 미분법의 공식을 이용하여 미분하여 $f'(x)$를 구하고, 수가 나열된 규칙을 찾아 $f(1)$, $f'(1)$을 계산한다.

STEP 1 $f'(x)$ 구하기

$f'(x)=0-1+2x-3x^2+\cdots+10x^9$

STEP 2 $\dfrac{f'(1)}{f(1)}$의 값 구하기

$f(1)=1-1+1-1+\cdots+1$

$\quad = \underbrace{(1-1)+(1-1)+\cdots+(1-1)}_{5\text{개}}+1$

$\quad =0\times 5+1=1$

$f'(1)=-1+2-3+\cdots+10=5$

$\quad =(-1+2)+(-3+4)+\cdots+(-9+10)$

$\quad =\underbrace{1+1+1+1+1}_{5\text{개}}$

$\quad =1\times 5=5$

$\therefore \dfrac{f'(1)}{f(1)}=\dfrac{5}{1}=5$

07-5 답 128

해결전략 | 미분법의 공식을 이용하여 $f'(x)$를 구하고, 수가 나열된 규칙을 찾아 $f'(-1)$, $f'(1)$을 계산한다.

STEP1 $f'(x)$ 구하기

$f'(x) = 0 + 1 + 2x + 3x^2 + \cdots + 15x^{14}$

STEP2 $f'(-1)$의 값 구하기

$\begin{aligned} f'(-1) &= 1 - 2 + 3 - 4 + \cdots + 15 \\ &= (1-2) + (3-4) + \cdots + (13-14) + 15 \\ &= \underbrace{-1 + (-1) + \cdots + (-1)}_{7개} + 15 \\ &= (-1) \times 7 + 15 = 8 \end{aligned}$

STEP3 $f'(1)$의 값 구하기

$f'(1) = 1 + 2 + 3 + 4 + \cdots + 15 = 120$

STEP4 $f'(-1) + f'(1)$의 값 구하기

$\therefore f'(-1) + f'(1) = 8 + 120 = 128$

◉→ 다른 풀이

STEP3 $f'(1)$의 값 구하기

$\begin{aligned} f'(1) &= 1 + 2 + 3 + 4 + \cdots + 15 \\ &= \frac{15 \times 16}{2} = 120 \end{aligned}$

◎ 풍쌤의 비법

수열의 합 Σ

(1) $\displaystyle\sum_{k=1}^{n} k = \frac{n(n+1)}{2}$

(2) $\displaystyle\sum_{k=1}^{n} k^2 = \frac{n(n+1)(2n+1)}{6}$

(3) $\displaystyle\sum_{k=1}^{n} k^3 = \left\{ \frac{n(n+1)}{2} \right\}^2$

07-6 답 11

해결전략 | 주어진 조건을 이용하여 함수 $f(x)$를 구한 후 미분법의 공식을 이용하여 미분한다.

STEP1 $f(x)$ 구하기

$f(1) = f(2) = f(3) = 3$이므로

$f(x) = k(x-1)(x-2)(x-3) + 3$ ($k \neq 0$인 상수)으로 놓으면

$f(0) = k \times (-1) \times (-2) \times (-3) + 3 = -3$

$\therefore k = 1$

$\begin{aligned} \therefore f(x) &= (x-1)(x-2)(x-3) + 3 \\ &= x^3 - 6x^2 + 11x - 3 \end{aligned}$

STEP2 $f'(4)$의 값 구하기

$f'(x) = 3x^2 - 12x + 11$이므로

$f'(4) = 48 - 48 + 11 = 11$

◎ 풍쌤의 비법

(1) 최고차항의 계수가 k인 삼차함수 $f(x)$에 대하여

$f(a) = f(b) = f(c) = 0$이면

$f(x) = k(x-a)(x-b)(x-c)$로 놓을 수 있다.

(2) 최고차항의 계수가 k인 삼차함수 $f(x)$에 대하여

$f(a) = f(b) = f(c) = m$이면

$f(x) = k(x-a)(x-b)(x-c) + m$으로 놓을 수 있다.

필수유형 08   87쪽

08-1 답 (1) $4x+3$ (2) $-6x^2+8x$
(3) $4x^3+6x^2-6x+4$
(4) $3x^2-4x-5$

해결전략 | 곱의 미분법을 이용하여 주어진 함수를 미분한다.

(1) $\begin{aligned} y' &= x'(2x+3) + x(2x+3)' \\ &= (2x+3) + x \times 2 \\ &= 4x+3 \end{aligned}$

(2) $\begin{aligned} y' &= (x^2)'(-2x+4) + x^2(-2x+4)' \\ &= 2x(-2x+4) + x^2 \times (-2) \\ &= -4x^2 + 8x - 2x^2 \\ &= -6x^2 + 8x \end{aligned}$

(3) $\begin{aligned} y' &= (x^2-2)'(x^2+2x-1) + (x^2-2)(x^2+2x-1)' \\ &= 2x(x^2+2x-1) + (x^2-2)(2x+2) \\ &= 2x^3 + 4x^2 - 2x + 2x^3 + 2x^2 - 4x + 4 \\ &= 4x^3 + 6x^2 - 6x + 4 \end{aligned}$

(4) $\begin{aligned} y' &= (x+2)'(x-1)(x-3) \\ &\qquad + (x+2)(x-1)'(x-3) \\ &\qquad + (x+2)(x-1)(x-3)' \\ &= (x-1)(x-3) + (x+2)(x-3) \\ &\qquad + (x+2)(x-1) \\ &= x^2 - 4x + 3 + x^2 - x - 6 + x^2 + x - 2 \\ &= 3x^2 - 4x - 5 \end{aligned}$

08-2 답 -4

해결전략 | 곱의 미분법을 이용하여 주어진 함수를 미분한다.

STEP1 $f'(x)$ 구하기

$\begin{aligned} f'(x) &= (x^3+3)'(x^2-1) + (x^3+3)(x^2-1)' \\ &= 3x^2(x^2-1) + (x^3+3) \times 2x \end{aligned}$

STEP 2 $f'(-1)$의 값 구하기

$\therefore f'(-1) = 0 + (-4) = -4$

08-3 답 51

해결전략 | $y = \{f(x)\}^n$ 꼴의 곱의 미분법을 이용하여 주어진 함수를 미분한다.

STEP 1 $f'(x)$ 구하기

$f'(x) = 3(2x+a)^2(2x+a)'$
$\quad\quad = 6(2x+a)^2$

STEP 2 a의 값 구하기

$f'(1) = 6$이므로

$6(2+a)^2 = 6, (2+a)^2 = 1$

$\therefore a = -3$ 또는 $a = -1$ ...... ㉠

또, $f'(2) = 6$이므로

$6(4+a)^2 = 6, (4+a)^2 = 1$

$\therefore a = -5$ 또는 $a = -3$ ...... ㉡

㉠, ㉡에서 $a = -3$

STEP 3 $a + f'(0)$의 값 구하기

따라서 $f'(x) = 6(2x-3)^2$이므로 $f'(0) = 54$

$\therefore a + f'(0) = -3 + 54 = 51$

08-4 답 -3

해결전략 | 곱의 미분법을 이용하여 주어진 함수를 미분한다.

STEP 1 $g'(x)$ 구하기

$g'(x) = (x^2-2x)'f(x) + (x^2-2x)f'(x)$
$\quad\quad = (2x-2)f(x) + (x^2-2x)f'(x)$

STEP 2 $g'(1)$의 값 구하기

$\therefore g'(1) = 0 - f'(1) = -3$

08-5 답 -1

해결전략 | 곡선 위의 한 점에서의 접선의 기울기는 미분계수를 의미하므로 곱의 미분법을 이용하여 미분계수를 구한다.

STEP 1 $g'(x)$ 구하기

$g'(x) = (x^2)'f(x) + x^2 f'(x)$
$\quad\quad = 2xf(x) + x^2 f'(x)$

STEP 2 a의 값 구하기

곡선 $y = f(x)$ 위의 점 $(3, 2)$에서의 접선의 기울기가 a이므로

$f(3) = 2, f'(3) = a$

따라서 $g'(3) = 6f(3) + 9f'(3) = 12 + 9a = 3$

$\therefore a = -1$

08-6 답 5

해결전략 | 함수 $f(x)$를 조건에 맞게 구성한 후 곱의 미분법을 이용하여 미분한다.

STEP 1 $f'(x)$ 구하기

조건 ㈎에서 $f(a) = f(2) = f(6) = k$ (k는 상수)라고 하면 $f(x) = (x-a)(x-2)(x-6) + k$로 놓을 수 있다.

$\therefore f'(x) = (x-2)(x-6) + (x-a)(x-6)$
$\quad\quad\quad\quad\quad\quad\quad + (x-a)(x-2)$

STEP 2 $f'(a)$의 값 구하기

조건 ㈏에서 $f'(2) = -4$이므로

$f'(2) = 0 + (2-a) \times (-4) + 0 = -4$

$-4(2-a) = -4$ $\therefore a = 1$

$\therefore f'(a) = (a-2)(a-6) + 0 + 0 = (-1) \times (-5) = 5$

필수유형 09 89쪽

09-1 답 (1) 9 (2) 2

해결전략 | 미분계수의 정의를 이용할 수 있도록 극한식을 변형한다.

(1) **STEP 1** 극한식 변형하기

$\lim_{h \to 0} \dfrac{f(1+2h) - f(1-h)}{h}$

$= \lim_{h \to 0} \dfrac{f(1+2h) - f(1) + f(1) - f(1-h)}{h}$

$= 2\lim_{h \to 0} \dfrac{f(1+2h) - f(1)}{2h} + \lim_{h \to 0} \dfrac{f(1-h) - f(1)}{-h}$

$= 2f'(1) + f'(1) = 3f'(1)$

STEP 2 극한값 구하기

$f'(x) = 3x^2 - 4x + 4$이므로

$f'(1) = 3 - 4 + 4 = 3$

$\therefore \lim_{h \to 0} \dfrac{f(1+2h) - f(1-h)}{h} = 3 \times 3 = 9$

(2) **STEP 1** 극한식 변형하기

$\lim_{x \to 2} \dfrac{2f(x) - xf(2)}{x^2 - 4}$

$= \lim_{x \to 2} \dfrac{2\{f(x) - f(2)\} + (2-x)f(2)}{(x-2)(x+2)}$

$= \lim_{x \to 2} \left\{ \dfrac{f(x) - f(2)}{x-2} \times \dfrac{2}{x+2} \right\} - \lim_{x \to 2} \dfrac{f(2)}{x+2}$

$= \dfrac{f'(2)}{2} - \dfrac{f(2)}{4}$

STEP 2 극한값 구하기

이때 $f(2) = 8 - 8 + 8 = 8$이고

$f'(x) = 3x^2 - 4x + 4$이므로

03. 미분계수와 도함수 **65**

$$f'(2)=12-8+4=8$$

$$\therefore \lim_{x \to 2} \frac{2f(x)-xf(2)}{x^2-4}=8\times\frac{1}{2}-\frac{8}{4}=4-2=2$$

09-2 目 135

해결전략 | 미분계수의 정의를 이용할 수 있도록 극한식을 변형하고 곱의 미분법을 이용하여 함수를 미분한다.

STEP 1 극한식 변형하기

$$\lim_{x \to 3}\frac{3f(x)-xf(3)}{x-3}$$

$$=\lim_{x \to 3}\frac{3\{f(x)-f(3)\}-(x-3)f(3)}{x-3}$$

$$=3\lim_{x \to 3}\frac{f(x)-f(3)}{x-3}-\lim_{x \to 3}f(3)$$

$$=3f'(3)-f(3)$$

STEP 2 극한값 구하기

이때 $f(3)=3^3=27$이고

$f'(x)=3(2x-3)^2(2x-3)'=6(2x-3)^2$이므로

$$f'(3)=6\times 3^2=54$$

$$\therefore \text{(주어진 식)}=3\times 54-27=135$$

09-3 目 10

해결전략 | 미분계수의 정의를 이용하여 극한식을 $f'(1)$, $g'(1)$이 포함된 식으로 변형한다.

STEP 1 극한식 변형하기

$f(1)=1+1+1=3$, $g(1)=1+1+1=3$이므로

$f(1)=g(1)$

$$\lim_{h \to 0}\frac{f(1+2h)-g(1-h)}{3h}$$

$$=\lim_{h \to 0}\frac{f(1+2h)-f(1)+g(1)-g(1-h)}{3h}$$

$$=\frac{2}{3}\lim_{h \to 0}\frac{f(1+2h)-f(1)}{2h}+\frac{1}{3}\lim_{h \to 0}\frac{g(1-h)-g(1)}{-h}$$

$$=\frac{2}{3}f'(1)+\frac{1}{3}g'(1)$$

STEP 2 극한값 구하기

$f'(x)=5x^4+3x^2+1$이므로

$f'(1)=5+3+1=9$

$g'(x)=6x^5+4x^3+2x$이므로

$g'(1)=6+4+2=12$

$$\therefore \text{(주어진 식)}=\frac{2}{3}\times 9+\frac{1}{3}\times 12=10$$

09-4 目 13

해결전략 | 미분계수의 정의를 이용하여 곱의 미분법을 정리

한다.

STEP 1 극한식 변형하기

$$\lim_{x \to 1}\frac{f(x)g(x)-f(1)g(1)}{x-1}$$

$$=\lim_{x \to 1}\frac{f(x)g(x)-f(1)g(x)+f(1)g(x)-f(1)g(1)}{x-1}$$

$$=\lim_{x \to 1}\left\{\frac{f(x)-f(1)}{x-1}\times g(x)\right\}$$

$$\qquad\qquad +\lim_{x \to 1}\left\{f(1)\times\frac{g(x)-g(1)}{x-1}\right\}$$

$$=f'(1)g(1)+f(1)g'(1)$$

STEP 2 극한값 구하기

이때 $g(1)=4$이고 $g'(x)=2x+3$이므로

$g'(1)=5$

$$\therefore \lim_{x \to 1}\frac{f(x)g(x)-f(1)g(1)}{x-1}=2\times 4+1\times 5=13$$

09-5 目 -6

해결전략 | 다항함수 $f(x)$에 대하여 $\lim\limits_{x \to a}\dfrac{f(x)-b}{x-a}=c$

(c는 상수)이면 $f(a)=b$, $f'(a)=c$임을 이용한다.

STEP 1 함숫값과 미분계수 구하기

$$\lim_{x \to 2}\frac{f(x)-2}{x-2}=3$$이므로

$f(2)=2$, $f'(2)=3$

$$\lim_{x \to 2}\frac{g(x)-4}{x-2}=a$$이므로

$g(2)=4$, $g'(2)=a$

STEP 2 a의 값 구하기

함수 $h(x)=f(x)g(x)$에 대하여

$h'(x)=f'(x)g(x)+f(x)g'(x)$이므로

$h'(2)=f'(2)g(2)+f(2)g'(2)$

$\qquad=12+2a=0$

$$\therefore a=-6$$

09-6 目 -30

해결전략 | $\dfrac{1}{n}=h$라 하고 식을 변형하여 미분계수의 정의로 바꾼다.

STEP 1 극한식 변형하기

$\dfrac{1}{n}=h$라고 하면 $n \longrightarrow \infty$일 때, $h \longrightarrow 0+$이므로

$$\lim_{n \to \infty}n\left\{f\left(-1+\frac{1}{n}\right)-f\left(-1-\frac{1}{n}\right)\right\}$$

$$= \lim_{h \to 0+} \frac{1}{h}\{f(-1+h)-f(-1-h)\}$$

$$= \lim_{h \to 0+} \frac{f(-1+h)-f(-1)}{h}$$

$$+ \lim_{h \to 0+} \frac{f(-1-h)-f(-1)}{-h}$$

$$= f'(-1)+f'(-1)=2f'(-1)$$

STEP 2 극한값 구하기

$f'(x)=(4x-3)(x^2-x-2)+(2x^2-3x)(2x-1)$

이므로 $f'(-1)=0+(-15)=-15$

$\therefore$ (주어진 식)$=2\times(-15)=-30$

필수유형 ⑩   91쪽

10-1 冒 (1) **7**   (2) **−13**   (3) **20**

해결전략 | 함수를 적절하게 치환하여 미분계수의 정의를 이용할 수 있도록 식을 변형한다.

(1) **STEP 1** $f(x)$ 정하기

$f(x)=x^{10}-3x$로 놓으면

$f(1)=1-3=-2$

$f'(x)=10x^9-3$

STEP 2 극한값 구하기

$$\therefore \lim_{x \to 1} \frac{x^{10}-3x+2}{x-1}=\lim_{x \to 1}\frac{f(x)-f(1)}{x-1}=f'(1)$$
$$=10-3=7$$

(2) **STEP 1** $f(x)$ 정하기

$f(x)=x^{12}-x^8+2x^6+x^3$으로 놓으면

$f(-1)=1-1+2-1=1$

$f'(x)=12x^{11}-8x^7+12x^5+3x^2$

STEP 2 극한값 구하기

$$\therefore \lim_{x \to -1} \frac{x^{12}-x^8+2x^6+x^3-1}{x+1}$$
$$= \lim_{x \to -1}\frac{f(x)-f(-1)}{x-(-1)}=f'(-1)$$
$$=-12+8-12+3=-13$$

(3) **STEP 1** $f(x)$ 정하기

$f(x)=x^5-5x^3$으로 놓으면

$f(2)=32-40=-8$

$f'(x)=5x^4-15x^2$

STEP 2 극한값 구하기

$$\therefore \lim_{x \to 2} \frac{x^5-5x^3+8}{x-2}=\lim_{x \to 2}\frac{f(x)-f(2)}{x-2}=f'(2)$$
$$=80-60=20$$

10-2 冒 (1) **2**   (2) **15**   (3) **9**

해결전략 | 함수를 적절하게 치환하여 미분계수의 정의를 이용할 수 있도록 식을 변형한다.

(1) **STEP 1** $f(x)$ 정하기

$f(x)=x^n+4x$로 놓으면

$f(1)=1+4=5$

$$\therefore \lim_{x \to 1} \frac{x^n+4x-5}{x-1}=\lim_{x \to 1}\frac{f(x)-f(1)}{x-1}$$
$$=f'(1)=6$$

STEP 2 n의 값 구하기

이때 $f'(x)=nx^{n-1}+4$이므로

$f'(1)=n+4$

즉, $n+4=6$이므로

$n=2$

(2) **STEP 1** $f(x)$ 정하기

$f(x)=x^n-6x^2+x$로 놓으면

$f(1)=1-6+1=-4$

$$\therefore \lim_{x \to 1} \frac{x^n-6x^2+x+4}{x-1}=\lim_{x \to 1}\frac{f(x)-f(1)}{x-1}$$
$$=f'(1)$$

STEP 2 n의 값 구하기

이때 $f'(x)=nx^{n-1}-12x+1$이므로

$f'(1)=n-12+1=n-11$

즉, $n-11=4$이므로

$n=15$

(3) **STEP 1** $f(x)$ 정하기

$f(x)=x^n+3x^4+x^3-1$로 놓으면

$$f(-1)=\begin{cases} 2 \ (n\text{이 짝수}) \\ 0 \ (n\text{이 홀수}) \end{cases}$$

$\displaystyle \lim_{x \to -1} \frac{x^n+3x^4+x^3-1}{x+1}=0$에서 $x \longrightarrow -1$일 때,

(분모)$\longrightarrow 0$이고 극한값이 존재하므로 (분자)$\longrightarrow 0$이어야 한다.

즉, $\displaystyle \lim_{x \to -1}(x^n+3x^4+x^3-1)=0$이어야 하므로 n은 홀수이다.

$$\therefore \lim_{x \to -1} \frac{x^n+3x^4+x^3-1}{x+1}=\lim_{x \to -1}\frac{f(x)-f(-1)}{x-(-1)}$$
$$=f'(-1)$$

STEP 2 n의 값 구하기

이때 $f'(x)=nx^{n-1}+12x^3+3x^2$이므로

$f'(-1)=n-12+3=n-9$

즉, $n-9=0$이므로

$n=9$

10-3 답 -28

해결전략 | 함수를 적절하게 치환하여 미분계수의 정의를 이용할 수 있도록 식을 변형한다.

STEP1 $f(x)$ 정하기

$f(x)=x^{10}+x^8+x^6+x^4$으로 놓으면

$f(-1)=1+1+1+1=4$

$f'(x)=10x^9+8x^7+6x^5+4x^3$

STEP2 극한값 구하기

$$\therefore \lim_{x \to -1}\frac{x^{10}+x^8+x^6+x^4-4}{x+1}=\lim_{x \to -1}\frac{f(x)-f(-1)}{x-(-1)}$$
$$=f'(-1)$$
$$=-10-8-6-4=-28$$

10-4 답 6

해결전략 | 함수를 적절하게 치환하여 미분계수의 정의를 이용할 수 있도록 식을 변형한다.

STEP1 $f(x)$ 정하기

$f(x)=x^{10}-x^7+x^4-x$로 놓으면

$f(1)=1-1+1-1=0$

$f'(x)=10x^9-7x^6+4x^3-1$

STEP2 극한값 구하기

$$\therefore \lim_{x \to 1}\frac{x^{10}-x^7+x^4-x}{x-1}=\lim_{x \to 1}\frac{f(x)-f(1)}{x-1}$$
$$=f'(1)$$
$$=10-7+4-1=6$$

10-5 답 11

해결전략 | (분모) $\longrightarrow$ 0이고 극한값이 존재하면 (분자) $\longrightarrow$ 0임을 이용하여 k의 값을 구한 후 함수를 적절하게 치환하여 미분계수의 정의를 이용할 수 있도록 변형한다.

STEP1 k의 값 구하기

$\lim_{x \to 1}\dfrac{x^n-kx+7}{x-1}=-5$에서 $x \longrightarrow 1$일 때, (분모) $\longrightarrow$ 0이고 극한값이 존재하므로 (분자) $\longrightarrow$ 0이어야 한다.

즉, $\lim_{x \to 1}(x^n-kx+7)=0$이어야 하므로

$1-k+7=0$ $\qquad \therefore k=8$

STEP2 n의 값 구하기

$f(x)=x^n-8x$로 놓으면

$f(1)=1-8=-7$

$$\therefore \lim_{x \to 1}\frac{x^n-8x+7}{x-1}=\lim_{x \to 1}\frac{f(x)-f(1)}{x-1}$$
$$=f'(1)=-5$$

이때 $f'(x)=nx^{n-1}-8$이므로

$f'(1)=n-8$

즉, $n-8=-5$이므로 $n=3$

STEP3 $n+k$의 값 구하기

$\therefore n+k=3+8=11$

10-6 답 16

해결전략 | (분모) $\longrightarrow$ 0이고 극한값이 존재하면 (분자) $\longrightarrow$ 0임을 이용하여 n의 값을 구한 후 함수를 적절하게 치환하여 미분계수의 정의를 이용할 수 있도록 식을 변형한다.

STEP1 n의 값 구하기

$\lim_{x \to 2}\dfrac{x^n-4x^2-4x+8}{x-2}=k$에서 $x \longrightarrow 2$일 때,

(분모) $\longrightarrow$ 0이고 극한값이 존재하므로 (분자) $\longrightarrow$ 0이어야 한다.

즉, $\lim_{x \to 2}(x^n-4x^2-4x+8)=0$이므로

$2^n-16-8+8=0, \; 2^n=16$ $\qquad \therefore n=4$

STEP2 k의 값 구하기

$f(x)=x^4-4x^2-4x$로 놓으면

$f(2)=16-16-8=-8$

$f'(x)=4x^3-8x-4$이므로

$$\lim_{x \to 2}\frac{x^4-4x^2-4x+8}{x-2}=\lim_{x \to 2}\frac{f(x)-f(2)}{x-2}$$
$$=f'(2)$$
$$=32-16-4=12$$

$\therefore k=12$

STEP3 $n+k$의 값 구하기

$\therefore n+k=4+12=16$

필수유형 11   93쪽

11-1 답 6

해결전략 | 미분가능성과 연속성의 관계를 이용한다.

STEP1 함수 $f(x)$가 $x=2$에서 연속임을 이용하여 관계식 구하기

함수 $f(x)$가 $x=2$에서 미분가능하므로 $x=2$에서 연속이다.

즉, $\lim_{x \to 2-}f(x)=\lim_{x \to 2+}f(x)=f(2)$이므로

$\lim_{x \to 2-}f(x)=\lim_{x \to 2-}(2x^2+ax+b)=8+2a+b$,

$\lim_{x \to 2+}f(x)=\lim_{x \to 2+}(3ax-6)=6a-6$

에서 $8+2a+b=6a-6$

$\therefore b=4a-14$ ...... ㉠

STEP2 함수 $f(x)$가 $x=2$에서 미분가능함을 이용하여 관계식 구하기

$f'(x)=\begin{cases}4x+a & (x<2)\\ 3a & (x>2)\end{cases}$ 이고 $x=2$에서 미분가능하므로

$\lim_{x\to 2-}f'(x)=\lim_{x\to 2-}(4x+a)=8+a,$

$\lim_{x\to 2+}f'(x)=\lim_{x\to 2+}3a=3a$

에서 $8+a=3a$

$\therefore a=4$

STEP3 $a+b$의 값 구하기

이것을 ㉠에 대입하면 $b=16-14=2$

$\therefore a+b=4+2=6$

◉→ 다른 풀이

STEP2 함수 $f(x)$가 $x=2$에서 미분가능함을 이용하여 a의 값 구하기

$f'(2)$가 존재하므로

$\lim_{x\to 2-}\dfrac{f(x)-f(2)}{x-2}=\lim_{x\to 2-}\dfrac{(2x^2+ax+b)-(6a-6)}{x-2}$

$=\lim_{x\to 2-}\dfrac{2x^2+ax+b-6a+6}{x-2}$

$=\lim_{x\to 2-}\dfrac{2x^2+ax-2a-8}{x-2}\ (\because ㉠)$

$=\lim_{x\to 2-}\dfrac{(x-2)(2x+a+4)}{x-2}$

$=\lim_{x\to 2-}(2x+a+4)$

$=a+8$

$\lim_{x\to 2+}\dfrac{f(x)-f(2)}{x-2}=\lim_{x\to 2+}\dfrac{(3ax-6)-(6a-6)}{x-2}$

$=\lim_{x\to 2+}\dfrac{3ax-6a}{x-2}$

$=\lim_{x\to 2+}3a=3a$

따라서 $a+8=3a$이므로 $a=4$

STEP3 $a+b$의 값 구하기

이것을 ㉠에 대입하면 $b=2$

$\therefore a+b=4+2=6$

11-2 답 17

해결전략 | 미분가능성과 연속성의 관계를 이용한다.

STEP1 함수 $f(x)$가 $x=-1$에서 연속임을 이용하여 관계식 구하기

함수 $f(x)$가 $x=-1$에서 미분가능하므로 $x=-1$에서 연속이다.

즉, $\lim_{x\to -1-}f(x)=\lim_{x\to -1+}f(x)=f(-1)$이므로

$\lim_{x\to -1-}f(x)=\lim_{x\to -1-}(ax^2+8)=a+8,$

$\lim_{x\to -1+}f(x)=\lim_{x\to -1+}(x^3+bx+5a)=-1-b+5a$

에서 $a+8=-1-b+5a$

$\therefore b=4a-9$ ⋯⋯ ㉠

STEP2 함수 $f(x)$가 $x=-1$에서 미분가능함을 이용하여 관계식 구하기

도함수가 $f'(x)=\begin{cases}2ax & (x<-1)\\ 3x^2+b & (x>-1)\end{cases}$ 이고 $x=-1$에서 미분가능하므로

$\lim_{x\to -1-}f'(x)=\lim_{x\to -1-}2ax=-2a,$

$\lim_{x\to -1+}f'(x)=\lim_{x\to -1+}(3x^2+b)=3+b$

에서 $-2a=3+b$ ⋯⋯ ㉡

STEP3 $f(x)$ 구하기

㉠, ㉡을 연립하여 풀면 $a=1$, $b=-5$

$\therefore f(x)=\begin{cases}x^2+8 & (x<-1)\\ x^3-5x+5 & (x\geq -1)\end{cases}$

STEP4 $f(3)$의 값 구하기

$\therefore f(3)=27-15+5=17$

11-3 답 -6

해결전략 | $x=-1$, $x=1$에서 연속이고 미분가능함을 이용한다.

STEP1 $x=-1$, $x=1$에서 연속임을 이용하여 관계식 구하기

함수 $f(x)$가 $x=-1$ 또는 $x=1$에서 미분가능해야 하므로 $x=1$ 또는 $x=-1$에서 연속이어야 한다.

$x=-1$에서 연속이려면

$\lim_{x\to -1-}f(x)=\lim_{x\to -1+}f(x)=f(-1)$이어야 하므로

$\lim_{x\to -1-}f(x)=\lim_{x\to -1-}(-3x+a)=3+a,$

$\lim_{x\to -1+}f(x)=\lim_{x\to -1+}(x^3+bx^2+cx)=-1+b-c$

에서 $3+a=-1+b-c$

$\therefore a-b+c=-4$ ⋯⋯ ㉠

$x=1$에서 연속이려면

$\lim_{x\to 1-}f(x)=\lim_{x\to 1+}f(x)=f(1)$이어야 하므로

$\lim_{x\to 1-}f(x)=\lim_{x\to 1-}(x^3+bx^2+cx)=1+b+c,$

$\lim_{x\to 1+}f(x)=\lim_{x\to 1+}(-3x+d)=-3+d$

에서 $1+b+c=-3+d$

$\therefore b+c-d=-4$ ⋯⋯ ㉡

STEP2 $x=-1$, $x=1$에서 미분가능함을 이용하여 관계식 구하기

$$f'(x)=\begin{cases} -3 & (x<-1) \\ 3x^2+2bx+c & (-1<x<1) \\ -3 & (x>1) \end{cases}$$ 이고 $x=-1$,

$x=1$에서 미분가능해야 한다.

$x=-1$에서 미분가능하므로

$\lim\limits_{x\to-1-}f'(x)=-3$,

$\lim\limits_{x\to-1+}f'(x)=\lim\limits_{x\to-1+}(3x^2+2bx+c)=3-2b+c$

에서 $-3=3-2b+c$

$\therefore 2b-c=6$ $\qquad\qquad$ ...... ⓒ

$x=1$에서 미분가능하므로

$\lim\limits_{x\to1-}f'(x)=\lim\limits_{x\to1-}(3x^2+2bx+c)=3+2b+c$

$\lim\limits_{x\to1+}f'(x)=-3$

에서 $3+2b+c=-3$

$\therefore 2b+c=-6$ $\qquad\qquad$ ...... ㉣

STEP3 $a+b+c+d$의 값 구하기

ⓒ, ㉣을 연립하여 풀면 $b=0$, $c=-6$

이것을 ㉠, ㉡에 각각 대입하면

$a-6=-4$, $-6-d=4$이므로

$a=2$, $d=-2$

$\therefore a+b+c+d=2+0+(-6)+(-2)=-6$

11-4 답 124

해결전략 | 미분가능성과 연속성의 관계를 이용한다.

STEP1 함수 $f(x)$가 $x=a$에서 연속임을 이용하여 관계식 구하기

함수 $f(x)$가 $x=a$에서 미분가능하므로 $x=a$에서 연속이다.

즉, $\lim\limits_{x\to a-}f(x)=\lim\limits_{x\to a+}f(x)=f(a)$이므로

$\lim\limits_{x\to a-}f(x)=\lim\limits_{x\to a-}(x^2+3)=a^2+3$,

$\lim\limits_{x\to a+}f(x)=\lim\limits_{x\to a+}(x^3-x+b)=a^3-a+b$

에서 $a^2+3=a^3-a+b$

$\therefore a^3-a^2-a+b-3=0$ $\qquad$ ...... ㉠

STEP2 함수 $f(x)$가 $x=a$에서 미분가능함을 이용하여 관계식 구하기

$f'(x)=\begin{cases} 2x & (x<a) \\ 3x^2-1 & (x>a) \end{cases}$ 이고 $x=a$에서 미분가능하므로

$\lim\limits_{x\to a-}f'(x)=\lim\limits_{x\to a-}2x=2a$,

$\lim\limits_{x\to a+}f'(x)=\lim\limits_{x\to a+}(3x^2-1)=3a^2-1$

에서 $2a=3a^2-1$, $3a^2-2a-1=0$

$(3a+1)(a-1)=0$

$\therefore a=1$ ($\because a$는 정수)

$a=1$을 ㉠에 대입하면 $b-4=0$이므로 $b=4$

STEP3 $f(a+b)$의 값 구하기

따라서 $f(x)=\begin{cases} x^2+3 & (x<1) \\ x^3-x+4 & (x\ge1) \end{cases}$ 이므로

$f(a+b)=f(5)=125-5+4=124$

11-5 답 0

해결전략 | 연속성과 미분가능성의 관계를 이용한다.

STEP1 함수 $f(x)g(x)$가 $x=2$에서 연속임을 이용하여 관계식 구하기

함수 $f(x)g(x)$가 $x=2$에서 미분가능하므로 $x=2$에서 연속이다.

즉, $\lim\limits_{x\to2-}f(x)g(x)=\lim\limits_{x\to2+}f(x)g(x)=f(2)g(2)$이므로

$\lim\limits_{x\to2-}f(x)g(x)=(4+2a+b)\times(-2)$,

$\lim\limits_{x\to2+}f(x)g(x)=(4+2a+b)\times2$

에서 $-2(4+2a+b)=2(4+2a+b)$

$4+2a+b=0$ $\quad\therefore b=-2a-4$ $\qquad$ ...... ㉠

STEP2 함수 $f(x)g(x)$가 $x=2$에서 미분가능함을 이용하여 a의 값 구하기

$f(2)g(2)=2(4+2a+b)=0$ ($\because$ ㉠)

함수 $f(x)g(x)$가 $x=2$에서 미분가능하므로

$\lim\limits_{x\to2-}\dfrac{f(x)g(x)-f(2)g(2)}{x-2}$

$=\lim\limits_{x\to2-}\dfrac{-x^3-ax^2-bx}{x-2}$

$=\lim\limits_{x\to2-}\dfrac{-x\{x^2+ax-(2a+4)\}}{x-2}$ ($\because$ ㉠)

$=\lim\limits_{x\to2-}\dfrac{-x(x-2)(x+a+2)}{x-2}$

$=\lim\limits_{x\to2-}\{-x(x+a+2)\}=-8-2a$

$\lim\limits_{x\to2+}\dfrac{f(x)g(x)-f(2)g(2)}{x-2}$

$=\lim\limits_{x\to2+}\dfrac{x^3+ax^2+bx}{x-2}$

$=\lim\limits_{x\to2+}\dfrac{x\{x^2+ax-(2a+4)\}}{x-2}$

$=\lim\limits_{x\to2+}\dfrac{x(x-2)(x+a+2)}{x-2}$

$=\lim\limits_{x\to2+}x(x+a+2)=8+2a$

에서 $-8-2a=8+2a$ $\qquad\therefore a=-4$

STEP 3 $a+b$의 값 구하기

이것을 ㉠에 대입하면 $b=4$

$\therefore a+b=-4+4=0$

11-6 답 13

해결전략 | $g'(x)$를 구하고 $x=k$에서 미분가능하려면

$\lim\limits_{x \to k-} g(x)=\lim\limits_{x \to k+} g(x)=g(k)$, $\lim\limits_{x \to k-} g'(x)=\lim\limits_{x \to k+} g'(x)$

이어야 함을 이용한다.

STEP 1 $x=k$에서 함수 $g(x)$가 연속임을 확인하기

$\lim\limits_{x \to k-} g(x)=\lim\limits_{x \to k-} f(2x-k)=f(k)$,

$\lim\limits_{x \to k+} g(x)=\lim\limits_{x \to k+} f(x)=f(k)$이므로

함수 $g(x)$는 $x=k$에서 연속이다.

STEP 2 $g'(x)$ 구하기

$f(2x-k)=(2x-k)^2+3(2x-k)-5$

$\qquad =4x^2-4kx+k^2+6x-3k-5$

$\qquad =4x^2+(6-4k)x+k^2-3k-5$

이므로

$g(x)=\begin{cases} 4x^2+(6-4k)x+(k^2-3k-5) & (x<k) \\ x^2+3x-5 & (x \geq k) \end{cases}$

$\therefore g'(x)=\begin{cases} 8x+(6-4k) & (x<k) \\ 2x+3 & (x>k) \end{cases}$

STEP 3 k의 값 구하기

$\lim\limits_{x \to k-} g'(x)=\lim\limits_{x \to k+} g'(x)$일 때, $x=k$에서 미분가능하므로

$\lim\limits_{x \to k-} g'(x)=\lim\limits_{x \to k-} \{8x+(6-4k)\}=4k+6$,

$\lim\limits_{x \to k+} g'(x)=\lim\limits_{x \to k+} (2x+3)=2k+3$

에서 $4k+6=2k+3$ $\qquad \therefore k=-\dfrac{3}{2}$

STEP 3 p^2+q^2의 값 구하기

따라서 $p=2$, $q=3$이므로 $p^2+q^2=2^2+3^2=13$

필수유형 12   95쪽

12-1 답 181

해결전략 | (분모) $\longrightarrow 0$이고 극한값이 존재하면 (분자) $\longrightarrow 0$

이 됨과 미분계수의 정의를 이용하여 미지수의 값을 구한다.

STEP 1 a, b의 관계식 구하기

$\lim\limits_{h \to 0} \dfrac{f(2+h)-4}{h}=3$에서 $h \longrightarrow 0$일 때, (분모) $\longrightarrow 0$이

고 극한값이 존재하므로 (분자) $\longrightarrow 0$이어야 한다.

즉, $\lim\limits_{h \to 0}\{f(2+h)-4\}=0$이므로 $f(2)=4$

$f(2)=12+2a+b=4$이므로

$b=-2a-8$ ······ ㉠

STEP 2 a의 값 구하기

$\lim\limits_{h \to 0} \dfrac{f(2+h)-4}{h}=\lim\limits_{h \to 0} \dfrac{f(2+h)-f(2)}{h}=f'(2)=3$

$f'(x)=6x+a$이므로

$f'(2)=12+a=3$ $\qquad \therefore a=-9$

STEP 3 a^2+b^2의 값 구하기

이것을 ㉠에 대입하면 $b=10$

$\therefore a^2+b^2=(-9)^2+10^2=181$

12-2 답 5

해결전략 | 미분계수의 정의를 이용하여 미지수의 값을 구한다.

STEP 1 미분계수 구하기

$\lim\limits_{h \to 0} \dfrac{f(1+h)-f(1)}{h}=3$이므로 $f'(1)=3$

$\lim\limits_{h \to 0} \dfrac{f(-1+h)-f(-1)}{h}=-16$이므로 $f'(-1)=-16$

STEP 2 a, b의 값 구하기

$f'(x)=3x^2+2ax+b$이므로

$f'(1)=3+2a+b=3$에서

$2a+b=0$ ······ ㉠

$f'(-1)=3-2a+b=-16$에서

$-2a+b=-19$ ······ ㉡

㉠, ㉡을 연립하여 풀면 $a=\dfrac{19}{4}$, $b=-\dfrac{19}{2}$

STEP 3 $f(2)$의 값 구하기

따라서 $f(x)=x^3+\dfrac{19}{4}x^2-\dfrac{19}{2}x-3$이므로

$f(2)=8+19-19-3=5$

12-3 답 18

해결전략 | 미분계수의 정의를 이용할 수 있도록 극한식을 변형한다.

STEP 1 a, b의 관계식 구하기

$f(-1)=-1+a+b=8$이므로

$a+b=9$ ······ ㉠

STEP 2 극한식 변형하기

$\lim\limits_{x \to -1} \dfrac{f(x)+xf(-1)}{x+1}$

$=\lim\limits_{x \to -1} \dfrac{f(x)-f(-1)+f(-1)+xf(-1)}{x+1}$

$=\lim\limits_{x \to -1} \dfrac{f(x)-f(-1)}{x-(-1)}+\lim\limits_{x \to -1} \dfrac{(x+1)f(-1)}{x+1}$

$$=f'(-1)+f(-1)$$
$$=f'(-1)+8=5$$
$$\therefore f'(-1)=-3$$

STEP 3 ab의 값 하기

$f'(x)=3x^2+2ax$이므로

$f'(-1)=3-2a$

즉, $3-2a=-3$이므로 $a=3$

이것을 ㉠에 대입하면 $b=6$

$$\therefore ab=3\times6=18$$

12-4 답 -2

해결전략 | 극한값이 존재하는 조건을 이용하여 $f(2)$의 값을 구하고, $x+1=t$라 하고 미분계수의 정의를 이용하여 극한식을 변형한다.

STEP 1 a, b의 관계식 구하기

$\lim\limits_{x\to1}\dfrac{f(x+1)-4}{x^2-1}=\dfrac{5}{2}$에서 (분모) $\longrightarrow$ 0이고 극한값이 존재하므로 (분자) $\longrightarrow$ 0이어야 한다.

즉, $\lim\limits_{x\to1}\{f(x+1)-4\}=0$이므로 $f(2)=4$

$f(2)=4+2a+b=4$이므로

$$b=-2a \qquad\qquad\cdots\cdots ㉠$$

STEP 2 $x+1=t$라 하고 극한식 변형하기

$x+1=t$라고 하면 $x\longrightarrow1$일 때, $t\longrightarrow2$이므로

$$\begin{aligned}\lim_{x\to1}\frac{f(x+1)-4}{x^2-1}&=\lim_{t\to2}\frac{f(t)-f(2)}{(t-1)^2-1}\\&=\lim_{t\to2}\left\{\frac{f(t)-f(2)}{t-2}\times\frac{1}{t}\right\}\\&=\frac{1}{2}f'(2)=\frac{5}{2}\end{aligned}$$

STEP 3 a, b의 값 구하기

즉, $f'(2)=5$이고 $f'(x)=2x+a$이므로

$4+a=5$ $\therefore a=1$

이것을 ㉠에 대입하면 $b=-2$

STEP 4 $f(-1)$의 값 구하기

따라서 $f(x)=x^2+x-2$이므로

$$f(-1)=1-1-2=-2$$

12-5 답 -4

해결전략 | 주어진 조건에서 $f(x)$의 인수를 찾아 $f(x)$를 구성하고 주어진 두 극한식에 대입하여 $f(x)$를 구한다.

STEP 1 $f(x)$ 구하기

$\lim\limits_{x\to1}\dfrac{f(x)}{x-1}=-1$에서 $x\longrightarrow1$일 때, (분모) $\longrightarrow$ 0이므로

(분자) $\longrightarrow$ 0이어야 한다.

즉, $\lim\limits_{x\to1}f(x)=0$이므로 $f(1)=0$ $\qquad\cdots\cdots ㉠$

$\lim\limits_{x\to2}\dfrac{f(x)}{x-2}=4$에서 $x\longrightarrow2$일 때, (분모) $\longrightarrow$ 0이므로

(분자) $\longrightarrow$ 0이어야 한다.

즉, $\lim\limits_{x\to2}f(x)=0$이므로 $f(2)=0$ $\qquad\cdots\cdots ㉡$

㉠, ㉡에 의하여 삼차함수 $f(x)$는 $(x-1)(x-2)$를 인수로 가져야 하므로

$f(x)=(x-1)(x-2)(ax+b)$ ($a\neq0$, a, b는 상수)

로 놓을 수 있다.

STEP 2 a, b의 관계식 구하기

$$\begin{aligned}\lim_{x\to1}\frac{f(x)}{x-1}&=\lim_{x\to1}\frac{(x-1)(x-2)(ax+b)}{x-1}\\&=\lim_{x\to1}(x-2)(ax+b)\\&=-a-b=-1 \qquad\cdots\cdots ㉢\end{aligned}$$

$$\begin{aligned}\lim_{x\to2}\frac{f(x)}{x-2}&=\lim_{x\to2}\frac{(x-1)(x-2)(ax+b)}{x-2}\\&=\lim_{x\to2}(x-1)(ax+b)\\&=2a+b=4 \qquad\cdots\cdots ㉣\end{aligned}$$

STEP 3 $f(0)$의 값 구하기

㉢, ㉣을 연립하여 풀면 $a=3$, $b=-2$

따라서 $f(x)=(x-1)(x-2)(3x-2)$이므로

$f(0)=(-1)\times(-2)\times(-2)=-4$

12-6 답 -8

해결전략 | 극한값이 존재하기 위한 함숫값과 미분계수의 값을 이용하여 함수를 구한다.

STEP 1 a, b의 값 구하기

조건 ㈎에서 $x\longrightarrow\infty$일 때 $a\neq0$이면 극한값이 발산하므로 $a=0$

즉, $\lim\limits_{x\to\infty}\dfrac{bx^2+cx+d}{x^2-2x+3}=2$이므로 $b=2$

따라서 $f(x)=2x^2+cx+d$이므로 $f'(x)=4x+c$

STEP 2 c, d의 값 구하기

조건 ㈏에서 $\lim\limits_{x\to2}\dfrac{f(x)}{x-2}=10$이므로 $f(2)=0$

$$\therefore f(2)=8+2c+d=0 \qquad\cdots\cdots ㉠$$

$$\lim_{x\to2}\frac{f(x)}{x-2}=\lim_{x\to2}\frac{f(x)-f(2)}{x-2}=f'(2)=10$$

즉, $f'(2)=8+c=10$이므로 $c=2$

㉠에 $c=2$를 대입하면 $d=-12$

$$\therefore a+b+c+d=0+2+2+(-12)=-8$$

13-1 답 1

해결전략 | 함수 $y=f(x)$의 그래프 위의 점 (a, b)에서의 접선의 기울기가 m이면 $f(a)=b$, $f'(a)=m$임을 이용한다.

STEP1 a, b의 관계식 구하기

함수 $f(x)=x^3+2x^2+ax+b$의 그래프가 점 $(1, 2)$를 지나므로

$f(1)=1+2+a+b=2$

$\therefore a+b=-1$ ...... ㉠

STEP2 a, b의 값 구하기

점 $(1, 2)$에서의 접선의 기울기가 6이므로

$f'(1)=6$

$f'(x)=3x^2+4x+a$이므로

$f'(1)=3+4+a=6$ $\therefore a=-1$

이것을 ㉠에 대입하면 $b=0$

STEP3 a^2+b^2의 값 구하기

$\therefore a^2+b^2=(-1)^2+0^2=1$

13-2 답 -4

해결전략 | 그래프 위의 한 점에서의 접선의 기울기는 미분계수를 의미한다.

STEP1 a의 값 구하기

함수 $y=f(x)$의 그래프가 점 $(1, 2)$를 지나므로

$f(1)=1+a+4=2$ $\therefore a=-3$

STEP2 m의 값 구하기

함수 $y=f(x)$의 그래프 위의 점 $(1, 2)$에서의 접선의 기울기가 m이므로

$f'(1)=m$

$f'(x)=2x-3$이므로

$f'(1)=2-3=m$ $\therefore m=-1$

STEP3 $a+m$의 값 구하기

$\therefore a+m=-3+(-1)=-4$

13-3 답 $a=5$, $b=11$

해결전략 | 접선의 기울기는 $f'(a)$이고 $b=f(a)$이다.

STEP1 a의 값 구하기

함수 $y=f(x)$의 그래프 위의 점 (a, b)에서 접선의 기울기가 6이므로

$f'(a)=6$

$f'(x)=2x-4$이므로

$f'(a)=2a-4=6$ $\therefore a=5$

STEP2 b의 값 구하기

함수 $y=f(x)$의 그래프가 점 $(5, b)$를 지나므로

$b=f(5)=25-20+6=11$

13-4 답 28

해결전략 | 곡선이 지나는 점과 이 점에서의 접선의 기울기를 이용하여 $f(2)$, $f'(2)$의 값을 구하고, 곱의 미분법을 이용하여 $g'(x)$를 구한다.

STEP1 $f'(2)$의 값 구하기

곡선 $y=f(x)$ 위의 점 $(2, 1)$에서 접선의 기울기가 2이므로

$f(2)=1$, $f'(2)=2$

STEP2 $g'(2)$의 값 구하기

$g'(x)=3x^2f(x)+x^3f'(x)$이므로

$g'(2)=12f(2)+8f'(2)$

$=12\times1+8\times2=28$

13-5 답 -4

해결전략 | 접선의 기울기의 의미와 곱의 미분법을 이용하여 미지수를 구한다.

STEP1 $x=1$에서 함숫값, 미분계수 구하기

$f'(x)=4(2x+a)$이므로

$f(1)=a^2+4a+4$, $f'(1)=8+4a$

STEP2 a의 값 구하기

곡선 $y=f(x)g(x)$ 위의 $x=1$인 점에서의 접선의 기울기가 -4이고 $y'=f'(x)g(x)+f(x)g'(x)$이므로

$f'(1)g(1)+f(1)g'(1)=-4$

따라서 $(8+4a)+(a^2+4a+4)=-4$이므로

$a^2+8a+16=0$, $(a+4)^2=0$

$\therefore a=-4$

13-6 답 -1

해결전략 | 접선의 기울기는 $f'(x)$이므로 접선의 기울기가 최대인 점의 x의 값에서 $f'(x)$도 최댓값을 갖는다.

STEP1 a의 값 구하기

조건 ㉮에서 $x \longrightarrow 1$일 때, (분모) $\longrightarrow 0$이고 극한값이 존재하므로 (분자) $\longrightarrow 0$이어야 한다.

즉, $\lim_{x\to1}f(x)=0$이므로 $f(1)=0$

$\lim_{x\to1}\dfrac{f(x)}{x-1}=\lim_{x\to1}\dfrac{f(x)-f(1)}{x-1}=f'(1)=-3$

$f'(x)=-3x^2+2ax+b$이고 조건 ㉯에서 $x=2$인 점에서의 접선의 기울기가 최대이므로 최댓값을 k라고 하면

$$f'(x) = -3x^2 + 2ax + b$$
$$= -3(x-2)^2 + k$$
$$= -3x^2 + 12x + k - 12$$

따라서 $2a = 12$이므로 $a = 6$

STEP2 b, c의 값 구하기

$f(1) = -1 + 6 + b + c = 0$이므로

$$b + c = -5 \qquad\qquad \cdots\cdots \text{㉠}$$

$f'(1) = -3 + 12 + b = -3$이므로 $b = -12$

이것을 ㉠에 대입하면 $c = 7$

STEP3 $f(2)$의 값 구하기

따라서 $f(x) = -x^3 + 6x^2 - 12x + 7$이므로

$$f(2) = -8 + 24 - 24 + 7 = -1$$

발전유형 ⑭ 99쪽

14-1 답 -9

해결전략 | 항등식의 성질을 이용하여 미지수의 값을 구한다.

STEP1 a, b의 관계식 구하기

$f(x) = ax^2 + bx + c$ ($a \neq 0$, a, b, c는 상수)로 놓으면

$$f'(x) = 2ax + b$$

주어진 식은

$$(x-3)(2ax + b) = 2(ax^2 + bx + c) + 9x - 11$$
$$2ax^2 + (b - 6a)x - 3b = 2ax^2 + (2b + 9)x + (2c - 11)$$

$b - 6a = 2b + 9$이므로

$$6a + b = -9 \qquad\qquad \cdots\cdots \text{㉠}$$

$-3b = 2c - 11$이므로

$$3b + 2c = 11 \qquad\qquad \cdots\cdots \text{㉡}$$

STEP2 a, b, c의 값 구하기

$$f'(-1) = -2a + b = 7 \qquad\qquad \cdots\cdots \text{㉢}$$

이므로 ㉠, ㉢을 연립하여 풀면 $a = -2$, $b = 3$

㉡에서 $9 + 2c = 11$ $\therefore c = 1$

STEP3 $f'(3)$의 값 구하기

따라서 $f'(x) = -4x + 3$이므로

$$f'(3) = -12 + 3 = -9$$

14-2 답 16

해결전략 | 관계식을 이용하여 주어진 함수의 차수를 찾는다.

STEP1 $f(x)$의 차수 구하기

함수 $f(x)$를 n차인 다항함수라고 하면 $f'(x)$는 $(n-1)$차 다항함수이다.

$f(x)f'(x) = 2x^3 - 9x^2 + 5x + 6$의 우변의 차수가 3이므로

$$n + (n-1) = 3 \qquad \therefore n = 2$$

즉, 함수 $f(x)$는 이차함수이고, 최고차항의 계수가 1이므로 $f(x) = x^2 + ax + b$ (a, b는 상수)로 놓으면

$$f'(x) = 2x + a$$

STEP2 a, b의 값 구하기

$$f(x)f'(x) = (x^2 + ax + b)(2x + a)$$
$$= 2x^3 + 3ax^2 + (a^2 + 2b)x + ab$$
$$= 2x^3 - 9x^2 + 5x + 6$$

$3a = -9$이므로 $a = -3$

$a^2 + 2b = 5$이므로 $b = -2$

STEP3 $f(-3)$의 값 구하기

따라서 $f(x) = x^2 - 3x - 2$이므로

$$f(-3) = 9 + 9 - 2 = 16$$

14-3 답 3

해결전략 | 최고차항의 계수를 비교하여 함수식을 구성한다.

STEP1 $f(x)$ 구성하기

$f(x) = 2x^3 - \{f'(1)\}^2 x^2 + 3f(1)$에서

$f(x) = 2x^3 + ax^2 + b$ (a, b는 정수)로 놓으면

$$f'(x) = 6x^2 + 2ax$$

$$\therefore f(1) = 2 + a + b, \ f'(1) = 6 + 2a$$

STEP2 a, b의 값 구하기

이 값을 주어진 식에 대입하면

$$f(x) = 2x^3 - (6 + 2a)^2 x^2 + 3(2 + a + b)$$
$$= 2x^3 - (4a^2 + 24a + 36)x^2 + (6 + 3a + 3b)$$

즉,

$$2x^3 + ax^2 + b = 2x^3 - (4a^2 + 24a + 36)x^2 + (6 + 3a + 3b)$$

$a = -(4a^2 + 24a + 36)$이므로

$$4a^2 + 25a + 36 = 0, \ (4a + 9)(a + 4) = 0$$

$\therefore a = -4$ ($\because a$는 정수)

$b = 6 + 3a + 3b$이므로

$b = 6 - 12 + 3b$ $\therefore b = 3$

STEP3 $f(1) - f'(1)$의 값 구하기

따라서 $f(x) = 2x^3 - 4x^2 + 3$, $f'(x) = 6x^2 - 8x$이므로

$$f(1) - f'(1) = 1 - (-2) = 3$$

14-4 답 4

해결전략 | 주어진 식을 정리하여 각 항의 계수를 구한다.

STEP1 $f(x)$의 각 항의 계수 구하기

$f(x) = ax^2 + bx + c$ ($a \neq 0$, a, b, c는 상수)로 놓으면

$$f'(x) = 2ax + b$$
$$f(f'(x)) = a(2ax + b)^2 + b(2ax + b) + c$$
$$= 4a^3x^2 + (4a^2b + 2ab)x + (ab^2 + b^2 + c)$$

$$f'(f(x))=2a(ax^2+bx+c)+b$$
$$=2a^2x^2+2abx+(2ac+b)$$
$f(f'(x))=f'(f(x))$에서

$4a^3=2a^2$이므로 $2a^2(2a-1)=0$

$$\therefore a=\frac{1}{2}\ (\because a\neq0)$$

$4a^2b+2ab=2ab$이므로 $b=0$

따라서 $f(x)=\frac{1}{2}x^2+c$이므로

$f(4)=8+c=10$ $\therefore c=2$

STEP 2 $f(2)$의 값 구하기

그러므로 $f(x)=\frac{1}{2}x^2+2$이므로

$$f(2)=\frac{1}{2}\times4+2=4$$

14-5 **탑** 3

해결전략 | 항등식의 성질을 이용하여 미지수의 값을 구한다.

STEP 1 $f(x)$의 각 항의 계수 구하기

$f(x)=ax^2+b$이므로 $f'(x)=2ax$

주어진 식은

$4(ax^2+b)=(2ax)^2+x^2+4$

$4ax^2+4b=(4a^2+1)x^2+4$

$4a=4a^2+1$이므로 $(2a-1)^2=0$

$$\therefore a=\frac{1}{2}$$

$4b=4$이므로 $b=1$

STEP 2 $f(2)$의 값 구하기

따라서 $f(x)=\frac{1}{2}x^2+1$이므로

$$f(2)=\frac{1}{2}\times4+1=3$$

14-6 **탑** $f(x)=2x^2-5x+1,\ f(x)=2x^2+3x+1$

해결전략 | 관계식을 이용하여 주어진 함수의 차수를 찾는다.

STEP 1 $f(x)$의 차수 구하기

함수 $f(x)$를 n차인 다항함수라고 하면 $f'(x)$는 $(n-1)$차 다항함수이다.

$f'(x)\{f'(x)+2\}$의 차수는 $2n-2$이고 $8f(x)+8x+7$의 차수는 n이므로

$2n-2=n$ $\therefore n=2$

STEP 2 $f(x)$ 구하기

$f(0)=1$이므로

$f(x)=ax^2+bx+1\ (a\neq0,\ a,\ b$는 상수)로 놓으면

$f'(x)=2ax+b$

$$f'(x)\{f'(x)+2\}=(2ax+b)(2ax+b+2)$$
$$=4a^2x^2+(4ab+4a)x+b(b+2)$$
$8f(x)+8x+7=8ax^2+(8b+8)x+15$

$4a^2=8a$이므로 $4a(a-2)=0$

$\therefore a=2\ (\because a\neq0)$

$b^2+2b=15$이므로 $b^2+2b-15=0$

$(b+5)(b-3)=0$ $\therefore b=-5$ 또는 $b=3$

$\therefore f(x)=2x^2-5x+1$ 또는 $f(x)=2x^2+3x+1$

발전유형 15 101쪽

15-1 **탑** 25

해결전략 | 나눗셈의 관계식을 만들고 양변을 x에 대하여 미분한 후 각각의 식에 $x=-1$을 대입한다.

STEP 1 나눗셈의 관계식 구하기

$x^{10}+2x^7+ax+b$를 $(x+1)^2$으로 나눈 몫을 $Q(x)$라고 하면

$x^{10}+2x^7+ax+b=(x+1)^2Q(x)$ ······ ㉠

STEP 2 $a,\ b$의 값 구하기

양변에 $x=-1$을 대입하면

$1-2-a+b=0$ $\therefore a-b=-1$ ······ ㉡

㉠의 양변을 x에 대하여 미분하면

$10x^9+14x^6+a=2(x+1)Q(x)+(x+1)^2Q'(x)$

양변에 $x=-1$을 대입하면

$-10+14+a=0$ $\therefore a=-4$

이것을 ㉡에 대입하면 $b=-3$

STEP 2 a^2+b^2의 값 구하기

$\therefore a^2+b^2=(-4)^2+(-3)^2=25$

◉ 다른 풀이

STEP 1 $f(1),\ f'(1)$의 값 구하기

$f(x)=x^{10}+2x^7+ax+b$로 놓으면 $f(x)$가 $(x+1)^2$으로 나누어떨어지므로

$f(-1)=0,\ f'(-1)=0$

STEP 2 $a,\ b$의 값 구하기

$f(-1)=0$에서 $1-2-a+b=0$

$\therefore a-b=-1$ ······ ㉠

$f'(x)=10x^9+14x^6+a$이므로

$f'(-1)=0$에서 $-10+14+a=0$

$\therefore a=-4$

이것을 ㉠에 대입하면 $b=-3$

STEP 3 a^2+b^2의 값 구하기

$\therefore a^2+b^2=(-4)^2+(-3)^2=25$

15-2 답 6

해결전략 | 나눗셈의 관계식을 만들고 양변을 x에 대하여 미분한 후 각각의 식에 $x=1$을 대입한다.

STEP1 나눗셈의 관계식 구하기

$x^{10}-3x+1$을 $(x-1)^2$으로 나눈 몫을 $Q(x)$, 나머지를 $R(x)=ax+b$ (a, b는 상수)라고 하면

$$x^{10}-3x+1=(x-1)^2Q(x)+ax+b \quad \cdots\cdots \text{㉠}$$

STEP2 a, b의 값 구하기

양변에 $x=1$을 대입하면

$1-3+1=a+b$

$\therefore a+b=-1 \quad \cdots\cdots \text{㉡}$

㉠의 양변을 x에 대하여 미분하면

$10x^9-3=2(x-1)Q(x)+(x-1)^2Q'(x)+a$

양변에 $x=1$을 대입하면

$10-3=a \quad \therefore a=7$

이것을 ㉡에 대입하면 $b=-8$

STEP3 $R(2)$의 값 구하기

따라서 $R(x)=7x-8$이므로

$R(2)=14-8=6$

15-3 답 5

해결전략 | 나눗셈의 관계식을 만들고 양변을 x에 대하여 미분한 후 각각의 식에 $x=a$를 대입한다.

STEP1 나눗셈의 관계식 구하기

x^5-5x+k를 $(x-a)^2$으로 나눈 몫을 $Q(x)$라고 하면

$$x^5-5x+k=(x-a)^2Q(x) \quad \cdots\cdots \text{㉠}$$

STEP2 a, k의 값 구하기

양변에 $x=a$를 대입하면

$a^5-5a+k=0 \quad \cdots\cdots \text{㉡}$

㉠의 양변을 x에 대하여 미분하면

$5x^4-5=2(x-a)Q(x)+(x-a)^2Q'(x)$

양변에 $x=a$를 대입하면

$5a^4-5=0$, $5(a^2+1)(a+1)(a-1)=0$

$\therefore a=1 \ (\because a>0)$

이것을 ㉡에 대입하면 $k=4$

STEP3 $a+k$의 값 구하기

$\therefore a+k=1+4=5$

15-4 답 13

해결전략 | 나눗셈의 관계식을 만들고 양변을 x에 대하여 미분한 후 각각의 식에 $x=-1$을 대입한다.

STEP1 나눗셈의 관계식 구하기

x^5+2ax^2+b를 $(x+1)^2$으로 나눈 몫을 $Q(x)$라고 하면

$$x^5+2ax^2+b=(x+1)^2Q(x)+13x+11 \quad \cdots\cdots \text{㉠}$$

양변에 $x=-1$을 대입하면

$-1+2a+b=-2$

$\therefore 2a+b=-1 \quad \cdots\cdots \text{㉡}$

STEP2 a, b의 값 구하기

㉠의 양변을 x에 대하여 미분하면

$5x^4+4ax=2(x+1)Q(x)+(x+1)^2Q'(x)+13$

양변에 $x=-1$을 대입하면

$5-4a=13 \quad \therefore a=-2$

이것을 ㉡에 대입하면 $b=3$

STEP3 a^2+b^2의 값 구하기

$\therefore a^2+b^2=(-2)^2+3^2=13$

15-5 답 9

해결전략 | 함수 $y=f(x)$의 그래프가 지나는 점과 이 점에서의 접선의 기울기를 이용하여 $f(2)$, $f'(2)$의 값을 구한 후 나눗셈의 관계식을 만들고 양변을 x에 대하여 미분한다.

STEP1 $f(2)$, $f'(2)$의 값 구하기

함수 $y=f(x)$의 그래프가 점 $(2, 5)$를 지나고 $x=2$인 점에서 접선의 기울기가 2이므로

$f(2)=5$, $f'(2)=2$

STEP2 나눗셈의 관계식 구하기

$f(x)$를 $(x-2)^2$으로 나눈 몫을 $Q(x)$, 나머지를 $R(x)=ax+b$ (a, b는 상수)라고 하면

$f(x)=(x-2)^2Q(x)+ax+b$

STEP3 a, b의 값 구하기

$\therefore f(2)=2a+b=5 \quad \cdots\cdots \text{㉠}$

$f'(x)=2(x-2)Q(x)+(x-2)^2Q'(x)+a$이므로

$f'(2)=a=2$

$a=2$를 ㉠에 대입하면 $b=1$

STEP4 $R(4)$의 값 구하기

따라서 $R(x)=2x+1$이므로

$R(4)=8+1=9$

15-6 답 30

해결전략 | 나눗셈의 관계식을 만들고 양변을 x에 대하여 미분한 후 각각의 식에 $x=-2$를 대입한다.

STEP1 나눗셈의 관계식 구하기

$x^n(x^2+ax+b)$를 $(x+2)^2$으로 나눈 몫을 $Q(x)$라고 하면

$$x^n(x^2+ax+b)=(x+2)^2Q(x)+(-2)^n(x+2)$$
$$\cdots\cdots\ \text{㉠}$$

STEP 2 a, b의 값 구하기

양변에 $x=-2$를 대입하면

$(-2)^n(4-2a+b)=0$

$\therefore 4-2a+b=0 \qquad\cdots\cdots\ \text{㉡}$

㉠의 양변을 x에 대하여 미분하면

$nx^{n-1}(x^2+ax+b)+x^n(2x+a)$

$=2(x+2)Q(x)+(x+2)^2Q'(x)+(-2)^n$

양변에 $x=-2$를 대입하면

$n\times(-2)^{n-1}(4-2a+b)+(-2)^n(-4+a)=(-2)^n$

㉡에 의하여

$(-2)^n(a-4)=(-2)^n$, $a-4=1$

$\therefore a=5$

이것을 ㉡에 대입하면 $b=6$

STEP 3 ab의 값 구하기

$\therefore ab=5\times6=30$

유형 특강

103쪽

1 답 ㄱ, ㄴ, ㄹ

해결전략 | 평균변화율과 미분계수의 기하적 의미를 이해하고 보기의 참, 거짓을 판별한다.

STEP 1 $\dfrac{f(a)}{a}$의 기하적 의미 이해하기

$y=f(x)$의 그래프가 원점 O를 지나므로

$$\frac{f(a)}{a}=\frac{f(a)-f(0)}{a-0}$$

즉, $\dfrac{f(a)}{a}$는 원점 O와 점 A를 이은 직선의 기울기이다.

STEP 2 ㄱ의 참, 거짓 확인하기

ㄱ. 직선 $y=x$의 기울기가 1이고, 두 점 O, A를 이은 직선의 기울기는 1보다 크므로

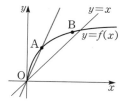

$$\frac{f(a)}{a}>1 \text{ (참)}$$

STEP 3 $f(b)-f(a)<b-a$의 기하적 의미 이해하기

$f(b)-f(a)<b-a$에서 $b-a>0$이므로 양변을

$b-a$로 나누면

$$\frac{f(b)-f(a)}{b-a}<1$$

STEP 4 ㄴ의 참, 거짓 확인하기

ㄴ. 두 점 A, B의 평균변화율, 즉 직선 AB의 기울기는 1보다 작으므로

$$\frac{f(b)-f(a)}{b-a}<1 \text{ (참)}$$

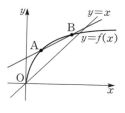

STEP 5 ㄷ의 참, 거짓 확인하기

ㄷ. $f'(b)$는 점 B에서의 접선의 기울기이므로

$f'(b)<1$ (거짓)

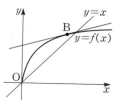

STEP 6 ㄹ의 참, 거짓 확인하기

ㄹ. 그래프가 위로 볼록한 경우

$$f\!\left(\frac{a+b}{2}\right)\text{와 }\frac{f(a)+f(b)}{2}$$

의 값은 다음 그림과 같다.

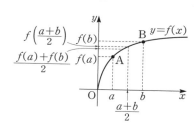

$$\therefore f\!\left(\frac{a+b}{2}\right)>\frac{f(a)+f(b)}{2} \text{ (참)}$$

따라서 옳은 것은 ㄱ, ㄴ, ㄹ이다.

풍쌤의 비법

그래프가 아래로 볼록한 경우 함수 $y=f(x)$의 그래프에서 $f\!\left(\dfrac{a+b}{2}\right)$와 $\dfrac{f(a)+f(b)}{2}$의 값은 다음 그림과 같다.

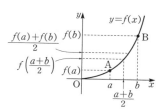

$$\therefore f\!\left(\frac{a+b}{2}\right)<\frac{f(a)+f(b)}{2}$$

실전 연습 문제   104~106쪽

01 ③	02 ④	03 ㄷ	04 −7	05 1
06 ③	07 ③	08 ③	09 20	10 2
11 ②	12 11	13 7	14 ②	15 ②
16 ②	17 7	18 8		

01

해결전략 | 평균변화율과 미분계수의 정의를 이용한다.

STEP 1 평균변화율 구하기

x의 값이 -1에서 1까지 변할 때의 함수 $f(x)$의 평균변화율은

$$\frac{f(1)-f(-1)}{1-(-1)}=\frac{6-0}{2}=3$$

STEP 2 a의 값 구하기

$$\lim_{x \to a}\frac{f(x)-f(a)}{x-a}$$
$$=\lim_{x \to a}\frac{(2x^2+3x+1)-(2a^2+3a+1)}{x-a}$$
$$=\lim_{x \to a}\frac{2(x-a)(x+a)+3(x-a)}{x-a}$$
$$=\lim_{x \to a}(2x+2a+3)$$
$$=4a+3$$

따라서 $4a+3=3$이므로 $a=0$

◉→ 다른 풀이

STEP 2 a의 값 구하기

$f'(x)=4x+3$이므로 $x=a$에서의 미분계수는 $4a+3$이다.

따라서 $4a+3=3$이므로 $a=0$

02

해결전략 | 직선의 기울기와 평균변화율의 정의를 이용한다.

STEP 1 직선의 기울기 이용하기

두 점 $(0,f(0))$, $(2,f(2))$를 지나는 직선의 기울기가 2이므로

$$\frac{f(2)-f(0)}{2-0}=2 \qquad \therefore f(2)-f(0)=4$$

두 점 $(2,f(2))$, $(4,f(4))$를 지나는 직선의 기울기가 4이므로

$$\frac{f(4)-f(2)}{4-2}=4 \qquad \therefore f(4)-f(2)=8$$

STEP 2 평균변화율 구하기

따라서 x의 값이 0에서 4까지 변할 때의 평균변화율은

$$\frac{f(4)-f(0)}{4-0}=\frac{f(4)-f(2)+f(2)-f(0)}{4}$$
$$=\frac{8+4}{4}=3$$

03

해결전략 | 직선의 기울기를 비교하여 보기의 참, 거짓을 판별한다.

STEP 1 ㄱ의 참, 거짓 판별하기

$A(a,f(a))$, $B(b,f(b))$라고 하자.

ㄱ. $\dfrac{f(a)}{a}$ 는 원점과 점 A를 지나는 직선의 기울기이고

    $\dfrac{f(b)}{b}$ 는 원점과 점 B를 지나는 직선의 기울기이므로

    $\dfrac{f(a)}{a}>\dfrac{f(b)}{b}$ (거짓)

STEP 2 ㄴ의 참, 거짓 판별하기

ㄴ. $b-a>0$이므로 $f(a)-f(b)>b-a$에서

    $\dfrac{f(b)-f(a)}{b-a}>1$

    그런데 직선 AB의 기울기는 1보다 작으므로

    $\dfrac{f(b)-f(a)}{b-a}<1$ (거짓)

STEP 3 ㄷ의 참, 거짓 판별하기

ㄷ. 점 A에서의 접선의 기울기는 $f'(a)$, 점 B에서의 접선의 기울기는 $f'(b)$이므로

    $f'(a)>f'(b)$ (참)

따라서 옳은 것은 ㄷ뿐이다.

04

해결전략 | 미분계수의 정의를 이용할 수 있도록 식을 변형하며 미분계수의 값을 대입한다.

STEP 1 $g(0)$의 값 구하기

$\lim\limits_{h \to 0}\dfrac{f(2-2h)-f(2+h)+g(h)}{h}=2$에서 $h \longrightarrow 0$일 때, (분모) $\longrightarrow 0$이고 극한값이 존재하므로 (분자) $\longrightarrow 0$이어야 한다.

즉, $\lim\limits_{h \to 0}\{f(2-2h)-f(2+h)+g(h)\}=0$이므로

$$\lim_{h \to 0}g(h)=g(0)=0$$

STEP 2 $g'(0)$의 값 구하기

$$\lim_{h \to 0}\frac{f(2-2h)-f(2+h)+g(h)}{h}$$
$$=\lim_{h \to 0}\frac{f(2-2h)-f(2+h)}{h}+\lim_{h \to 0}\frac{g(h)}{h}$$

$$=-2\lim_{h\to0}\frac{f(2-2h)-f(2)}{-2h}$$
$$-\lim_{h\to0}\frac{f(2+h)-f(2)}{h}+\lim_{h\to0}\frac{g(0+h)-g(0)}{h}$$
$$=-2f'(2)-f'(2)+g'(0)$$
$$=-3f'(2)+g'(0)$$
$$=-3\times(-3)+g'(0)$$
$$=9+g'(0)=2$$
$$\therefore g'(0)=-7$$

05

해결전략 | 미분계수의 정의를 이용한다.

$$\lim_{x\to1}\frac{f(x)-f(1)}{x^2-1}=\lim_{x\to1}\left\{\frac{f(x)-f(1)}{x-1}\times\frac{1}{x+1}\right\}$$
$$=f'(1)\times\frac{1}{2}=2\times\frac{1}{2}=1$$

06

해결전략 | $f(0)$의 값을 구하고 주어진 조건과 미분계수의 정의를 이용하여 $f'(k)$를 구한다.

STEP 1 $f(0)$의 값 구하기

$x=0$, $y=0$을 $f(x+y)=f(x)+f(y)-2xy$에 대입하면
$f(0)=f(0)+f(0)-0$ $\therefore f(0)=0$

STEP 2 $f'(0)$의 값 구하기

$$f'(2)=\lim_{h\to0}\frac{f(2+h)-f(2)}{h}$$
$$=\lim_{h\to0}\frac{\{f(2)+f(h)-4h\}-f(2)}{h}$$
$$=\lim_{h\to0}\frac{f(h)-4h}{h}=\lim_{h\to0}\frac{f(h)}{h}-4$$
$$=\lim_{h\to0}\frac{f(0+h)-f(0)}{h}-4$$
$$=f'(0)-4$$

이므로 $f'(0)-4=4$ $\therefore f'(0)=8$

STEP 3 $f'(k)$ 구하기

$$f'(k)=\lim_{h\to0}\frac{f(k+h)-f(k)}{h}$$
$$=\lim_{h\to0}\frac{\{f(k)+f(h)-2kh\}-f(k)}{h}$$
$$=\lim_{h\to0}\frac{f(h)-2kh}{h}=\lim_{h\to0}\frac{f(h)}{h}-2k$$
$$=\lim_{h\to0}\frac{f(0+h)-f(0)}{h}-2k$$
$$=f'(0)-2k=8-2k$$

STEP 4 $f'(-2)+f'(-1)+f'(0)+f'(1)$의 값 구하기

$$\therefore f'(-2)+f'(-1)+f'(0)+f'(1)$$

$$=12+10+8+6=36$$

07

해결전략 | 함수가 연속임을 확인하고
(좌미분계수)=(우미분계수)인지 확인한다.

STEP 1 함수 $xf(x)$의 미분가능성 확인하기

ㄱ. $f(x)=\begin{cases}-x & (x<0)\\ x & (x\ge0)\end{cases}$이므로

$xf(x)=\begin{cases}-x^2 & (x<0)\\ x^2 & (x\ge0)\end{cases}$

$xf(x)=h_1(x)$로 놓으면

$h_1(0)=0$이고 $\lim_{x\to0-}h_1(x)=\lim_{x\to0+}h_1(x)=0$이므로

함수 $h_1(x)$는 $x=0$에서 연속이다.

$$\lim_{x\to0-}\frac{h_1(x)-h_1(0)}{x-0}=\lim_{x\to0-}\frac{-x^2}{x}=\lim_{x\to0-}(-x)=0$$
$$\lim_{x\to0+}\frac{h_1(x)-h_1(0)}{x-0}=\lim_{x\to0+}\frac{x^2}{x}=\lim_{x\to0+}x=0$$
$$\therefore h_1{}'(0)=0$$

즉, 함수 $xf(x)$는 $x=0$에서 미분가능하다.

STEP 2 함수 $f(x)g(x)$의 미분가능성 확인하기

ㄴ. $f(x)g(x)=\begin{cases}x^2+x & (x<0)\\ 2x^2+x & (x\ge0)\end{cases}$

$f(x)g(x)=h_2(x)$로 놓으면

$h_2(0)=0$이고 $\lim_{x\to0-}h_2(x)=\lim_{x\to0+}h_2(x)=0$이므로

함수 $h_2(x)$는 $x=0$에서 연속이다.

$$\lim_{x\to0-}\frac{h_2(x)-h_2(0)}{x-0}=\lim_{x\to0-}\frac{x^2+x}{x}$$
$$=\lim_{x\to0-}(x+1)=1$$
$$\lim_{x\to0+}\frac{h_2(x)-h_2(0)}{x-0}=\lim_{x\to0+}\frac{2x^2+x}{x}$$
$$=\lim_{x\to0+}(2x+1)=1$$
$$\therefore h_2{}'(0)=1$$

함수 $f(x)g(x)$는 $x=0$에서 미분가능하다.

STEP 3 함수 $|f(x)-g(x)|$의 미분가능성 확인하기

ㄷ. $f(x)-g(x)=\begin{cases}1 & (x<0)\\ -x-1 & (x\ge0)\end{cases}$이고

$x\ge0$에서 $-x-1<0$이므로

$|f(x)-g(x)|=\begin{cases}1 & (x<0)\\ x+1 & (x\ge0)\end{cases}$

$|f(x)-g(x)|=h_3(x)$로 놓으면

$h_3(0)=1$이고 $\lim_{x\to0-}h_3(x)=\lim_{x\to0+}h_3(x)=1$이므로

함수 $h_3(x)$는 $x=0$에서 연속이다.

$$\lim_{x \to 0^-} \frac{h_3(x) - h_3(0)}{x - 0} = \lim_{x \to 0^-} \frac{1 - 1}{x} = 0$$

$$\lim_{x \to 0^+} \frac{h_3(x) - h_3(0)}{x - 0} = \lim_{x \to 0^+} \frac{(x+1) - 1}{x} = 1$$

즉, $\lim_{x \to 0} \dfrac{h_3(x) - h_3(0)}{x - 0}$ 의 값이 존재하지 않으므로

함수 $|f(x) - g(x)|$는 $x = 0$에서 미분가능하지 않다.

따라서 $x = 0$에서 미분가능한 함수는 ㄱ, ㄴ이다.

08

해결전략 | 미분계수의 정의를 이용하여 극한값을 구한다.

STEP1 식을 간단히 하기

$$\lim_{h \to 0} \frac{f(1 + 3h) - f(1)}{2h} = \frac{3}{2} \lim_{h \to 0} \frac{f(1 + 3h) - f(1)}{3h}$$
$$= \frac{3}{2} f'(1)$$

STEP2 $\dfrac{3}{2} f'(1)$의 값 구하기

이때 $f'(x) = 3x^2 - 1$이므로

$$\frac{3}{2} f'(1) = \frac{3}{2} \times 2 = 3$$

09

해결전략 | $x = 2$에서 (좌극한값)=(우극한값),
(좌미분계수)=(우미분계수)임을 이용하여 식을 세워 미지수를 구한다.

STEP1 함수 $f(x)$가 연속임을 이용하여 관계식 구하기

함수 $f(x)$가 $x = 2$에서 미분가능하므로 $x = 2$에서 연속이다.

즉, $\lim_{x \to 2^-} f(x) = \lim_{x \to 2^+} f(x) = f(2)$이므로

$$\lim_{x \to 2^-} f(x) = \lim_{x \to 2^-} (2x^2 + ax + b) = 8 + 2a + b,$$
$$\lim_{x \to 2^+} f(x) = \lim_{x \to 2^+} (5ax - 12) = 10a - 12$$

에서 $8 + 2a + b = 10a - 12$

$\therefore b = 8a - 20$ ...... ㉠

STEP2 미분가능함을 이용하여 a의 값 구하기

함수 $f(x)$가 $x = 2$에서 미분가능하므로

$$\lim_{x \to 2^-} \frac{f(x) - f(2)}{x - 2}$$
$$= \lim_{x \to 2^-} \frac{(2x^2 + ax + b) - (10a - 12)}{x - 2}$$
$$= \lim_{x \to 2^-} \frac{2x^2 + ax - 2a - 8}{x - 2} \ (\because ㉠)$$
$$= \lim_{x \to 2^-} \frac{(x - 2)(2x + a + 4)}{x - 2}$$
$$= \lim_{x \to 2^-} (2x + a + 4) = a + 8$$

$$\lim_{x \to 2^+} \frac{f(x) - f(2)}{x - 2} = \lim_{x \to 2^+} \frac{(5ax - 12) - (10a - 12)}{x - 2}$$
$$= \lim_{x \to 2^+} \frac{5a(x - 2)}{x - 2} = 5a$$

에서 $a + 8 = 5a$이므로 $a = 2$

STEP3 $a^2 + b^2$의 값 구하기

이것을 ㉠에 대입하면 $b = -4$

$\therefore a^2 + b^2 = 2^2 + (-4)^2 = 20$

10

해결전략 | $x = 2$에서 (좌미분계수)=(우미분계수)임을 이용하여 식을 세워 미지수를 구한다.

STEP1 $g(x)$ 나타내기

$f(x) = \begin{cases} 4 - 2x & (x < 2) \\ x + a & (x \geq 2) \end{cases}$ 이므로

$g(x) = \begin{cases} (x^2 - 2x)(4 - 2x) & (x < 2) \\ (ax + b)(x + a) & (x \geq 2) \end{cases}$ ...... ❶

STEP2 미분가능함을 이용하여 관계식 구하기

함수 $g(x)$가 $x = 2$에서 미분가능하고

$$\lim_{x \to 2^-} \frac{g(x) - g(2)}{x - 2} = \lim_{x \to 2^-} \frac{-2x(x - 2)^2}{x - 2}$$
$$= \lim_{x \to 2^-} \{-2x(x - 2)\} = 0$$

이므로

$$\lim_{x \to 2^+} \frac{g(x) - g(2)}{x - 2} = \lim_{x \to 2^+} \frac{(ax + b)(x + a)}{x - 2} = 0$$

이어야 한다.

따라서 $(ax + b)(x + a)$는 $(x - 2)^2$을 인수로 가져야 하므로

$(ax + b)(x + a) = a(x - 2)^2$ ...... ❷

STEP3 $a + b$의 값 구하기

$ax^2 + (a^2 + b)x + ab = ax^2 - 4ax + 4a$

양변의 계수를 비교하면

$a^2 + b = -4a, \ ab = 4a$

$ab = 4a$에서 $a \neq 0$이므로 $b = 4$

이것을 $a^2 + b = -4a$에 대입하면

$a^2 + 4 = -4a, \ a^2 + 4a + 4 = 0$

$(a + 2)^2 = 0$ $\therefore a = -2$

$\therefore a + b = -2 + 4 = 2$ ...... ❸

◉→ **다른 풀이**

STEP3 $a + b$의 값 구하기

$(ax + b)(x + a) = a\left(x + \dfrac{b}{a}\right)(x + a) = a(x - 2)^2$

이므로

$\dfrac{b}{a}=-2,\ a=-2 \qquad \therefore\ b=4$

$\therefore\ a+b=-2+4=2$

채점 요소	배점
❶ $g(x)$ 나타내기	20 %
❷ 미분가능함을 이용하여 관계식 구하기	40 %
❸ $a+b$의 값 구하기	40 %

▶참고 함수 $g(x)$의 $x=2$에서의 미분가능성만 따져도 $a,\ b$의 값을 구할 수 있으므로 함수 $g(x)$의 $x=2$에서의 연속성은 확인해보지 않아도 된다.

11

해결전략 | 절댓값 기호 안을 0이 되게 하는 x의 값을 기준으로 범위를 나누어 각 구간에서 도함수와 미분계수를 구한다.

STEP1 미분가능성 확인하기

$g(x)=x|x|,\ h(x)=|x-1|^3$으로 놓으면

$g(x)=\begin{cases} -x^2 & (x<0) \\ x^2 & (x\ge 0) \end{cases}$ 이고

$g'(x)=\begin{cases} -2x & (x<0) \\ 2x & (x>0) \end{cases}$ 이므로

$\displaystyle\lim_{x\to 0-}g'(x)=\lim_{x\to 0+}g'(x)=0 \qquad \therefore\ g'(0)=0$

또, $h(x)=\begin{cases} -(x-1)^3 & (x<1) \\ (x-1)^3 & (x\ge 1) \end{cases}$ 이고

$h'(x)=\begin{cases} -3(x-1)^2 & (x<1) \\ 3(x-1)^2 & (x>1) \end{cases}$ 이므로

$\displaystyle\lim_{x\to 1-}h'(x)=\lim_{x\to 1+}h'(x)=0 \qquad \therefore\ h'(0)=0$

따라서 두 함수 $g(x),\ h(x)$는 실수 전체에서 미분가능하므로 함수 $f(x)$도 실수 전체에서 미분가능하다.

STEP2 $f'(0)+f'(1)$의 값 구하기

$f'(0)=g'(0)+h'(0)=0-3=-3$

$f'(1)=g'(1)+h'(1)=2+0=2$

$\therefore\ f'(0)+f'(1)=-3+2=-1$

◉→ 다른 풀이

STEP1 $f'(x)$ 구하기

$f(x)=\begin{cases} -x^2-(x-1)^3 & (x<0) \\ x^2-(x-1)^3 & (0\le x<1) \\ x^2+(x-1)^3 & (x\ge 1) \end{cases}$ 이므로

$f'(x)=\begin{cases} -2x-3(x-1)^2 & (x<0) \\ 2x-3(x-1)^2 & (0<x<1) \\ 2x+3(x-1)^2 & (x>1) \end{cases}$

STEP2 $f'(0)+f'(1)$의 값 구하기

$f'(0)=\displaystyle\lim_{x\to 0-}f'(x)=\lim_{x\to 0+}f'(x)=-3$

$f'(1)=\displaystyle\lim_{x\to 1-}f'(x)=\lim_{x\to 1+}f'(x)=2$

$\therefore\ f'(0)+f'(1)=-3+2=-1$

12

해결전략 | 다항함수 $f(x)$에 대하여 $\displaystyle\lim_{x\to a}\dfrac{f(x)-b}{x-a}=c$

(c는 상수)이면 $f(a)=b,\ f'(a)=c$임을 이용한다.

STEP1 함숫값과 미분계수 구하기

$\displaystyle\lim_{x\to 1}\dfrac{f(x)-2}{x-1}=3$에서 $f(1)=2,\ f'(1)=3$

$\displaystyle\lim_{x\to 1}\dfrac{g(x)-1}{x-1}=4$에서 $g(1)=1,\ g'(1)=4$

STEP2 $h'(1)$구하기

$h(x)=f(x)g(x)$이므로

$h'(x)=f'(x)g(x)+f(x)g'(x)$

$\therefore\ h'(1)=f'(1)g(1)+f(1)g'(1)$

$\qquad =3\times 1+2\times 4=11$

13

해결전략 | 미분계수의 정의를 이용하여 곱의 미분법을 정리한다.

$f(2)g(2)=1$이므로

$\displaystyle\lim_{x\to 2}\dfrac{f(x)g(x)-1}{x-2}$

$=\displaystyle\lim_{x\to 2}\dfrac{f(x)g(x)-f(2)g(x)+f(2)g(x)-f(2)g(2)}{x-2}$

$=\displaystyle\lim_{x\to 2}\left\{\dfrac{f(x)-f(2)}{x-2}\times g(x)\right\}$

$\qquad\qquad +\displaystyle\lim_{x\to 2}\left\{f(2)\times\dfrac{g(x)-g(2)}{x-2}\right\}$

$=f'(2)g(2)+f(2)g'(2)$

$=4\times 1+1\times 3=7$

◉→ 다른 풀이

$\displaystyle\lim_{x\to 2}\dfrac{f(x)g(x)-1}{x-2}=\lim_{x\to 2}\dfrac{f(x)g(x)-f(2)g(2)}{x-2}$

$\qquad\qquad =f'(2)g(2)+f(2)g'(2)$

$\qquad\qquad =4\times 1+1\times 3=7$

14

해결전략 | 미분계수의 정의를 이용하여 극한값을 구한다.

STEP1 극한식 변형하기

$f(1)=1-3+2=0,\ g(1)=2-3+1=0$이므로

$\displaystyle\lim_{h\to 0}\dfrac{f(1+3h)-g(1-2h)}{h}$

$$=\lim_{h\to 0}\frac{f(1+3h)-f(1)+g(1)-g(1-2h)}{h}$$

$$=3\lim_{h\to 0}\frac{f(1+3h)-f(1)}{3h}+2\lim_{h\to 0}\frac{g(1-2h)-g(1)}{-2h}$$

$$=3f'(1)+2g'(1)$$

STEP2 극한값 구하기

$f'(x)=3x^2-6x$이므로

$f'(1)=3-6=-3$

$g'(x)=6x^2-3$이므로

$g'(1)=6-3=3$

$\therefore 3f'(1)+2g'(1)=3\times(-3)+2\times 3=-3$

15

해결전략 | 함수를 적절하게 치환하여 미분계수의 정의를 이용할 수 있도록 식을 변형한다.

STEP1 $f(x)$ 정하기

$f(x)=x^n+3x$로 놓으면 $f(1)=4$

$\therefore \lim_{x\to 1}\frac{x^n+3x-4}{x-1}=\lim_{x\to 1}\frac{f(x)-f(1)}{x-1}=f'(1)=5$

STEP2 n의 값 구하기

이때 $f'(x)=nx^{n-1}+3$이므로

$f'(1)=n+3=5$ $\therefore n=2$

16

해결전략 | 미분계수의 정의를 이용하여 미지수의 값을 구한다.

STEP1 $f(1)$, $f'(1)$의 값 구하기

$\lim_{x\to 1}\frac{f(x)+1}{x-1}=6$이므로

$f(1)=-1$, $f'(1)=6$

STEP2 a, b의 값 구하기

$f(1)=1+a+b-3=-1$

$\therefore a+b=1$ $\qquad\qquad\cdots\cdots\ \text{㉠}$

$f'(x)=3x^2+2ax+b$이므로

$f'(1)=3+2a+b=6$

$\therefore 2a+b=3$ $\qquad\qquad\cdots\cdots\ \text{㉡}$

㉠, ㉡을 연립하여 풀면 $a=2$, $b=-1$

STEP3 $f'(-1)$의 값 구하기

따라서 $f'(x)=3x^2+4x-1$이므로

$f'(-1)=3-4-1=-2$

> **🎯 풍쌤의 비법**
>
> 미분가능한 함수 $f(x)$에 대하여 $\lim_{x\to a}\frac{f(x)-b}{x-a}=k$이면 $f(a)=b$이고 $f'(a)=k$임을 이용한다.

17

해결전략 | 최고차항의 차수와 계수를 비교하여 함수식을 구성한다.

STEP1 $f(x)$의 차수와 최고차항의 계수 구하기

함수 $f(x)$를 n차인 다항함수라고 하면 $f'(x)$는 $(n-1)$차 다항함수이다.

$f(x)$의 최고차항을 $ax^n\,(a\ne 0)$이라고 하면 $f'(x)$의 최고차항은 anx^{n-1}이고 조건 ㉮에서 최고차항만 비교하면

$a^2n^2x^{2n-2}=2ax^n$이므로

$a^2n^2=2a$, $2n-2=n$ $\quad\boxed{\begin{array}{l}n=2\text{를 }a^2n^2=2a\text{에 대입하면}\\4a^2=2a,\,2a(2a-1)=0\\\therefore a=\frac{1}{2}\end{array}}$

$\therefore n=2$, $a=\dfrac{1}{2}$ $(\because a\ne 0)$ $\qquad\cdots\cdots\ ❶$

STEP2 b, c의 값 구하기

$f(x)=\dfrac{1}{2}x^2+bx+c$ (b, c는 상수)로 놓으면

$f'(x)=x+b$

조건 ㉯에서 $f'(0)=b=2$

조건 ㉮에서 $(x+b)^2=2\left(\dfrac{1}{2}x^2+bx+c\right)+2$이므로

$x^2+4x+4=x^2+4x+(2c+2)$

$4=2c+2$이므로 $c=1$ $\qquad\qquad\cdots\cdots\ ❷$

STEP3 $f(2)$의 값 구하기

따라서 $f(x)=\dfrac{1}{2}x^2+2x+1$이므로

$f(2)=2+4+1=7$ $\qquad\qquad\cdots\cdots\ ❸$

채점 요소	배점
❶ $f(x)$의 차수와 최고차항의 계수 구하기	50 %
❷ b, c의 값 구하기	30 %
❸ $f(2)$의 값 구하기	20 %

18

해결전략 | 나눗셈의 관계식을 만들고 양변을 x에 대하여 미분한 후 각각의 식에 $x=-1$을 대입한다.

STEP1 나눗셈의 관계식 구하기

$x^{10}+ax^9+b$를 $(x+1)^2$으로 나눈 몫을 $Q(x)$라고 하면

$x^{10}+ax^9+b=(x+1)^2Q(x)+8x+12$ $\qquad\cdots\cdots\ \text{㉠}$

STEP2 a, b의 값 구하기

양변에 $x=-1$을 대입하면

$1-a+b=4$ $\qquad\qquad\cdots\cdots\ \text{㉡}$

$\qquad\qquad\cdots\cdots\ ❶$

㉠의 양변을 x에 대하여 미분하면

$10x^9+9ax^8=2(x+1)Q(x)+(x+1)^2Q'(x)+8$

양변에 $x=-1$을 대입하면

$-10+9a=8$ $\therefore a=2$

이것을 ㉡에 대입하면 $b=5$ ...... ❷

STEP 3 $x-1$로 나눈 나머지 구하기

나머지정리에 의하여 $x^{10}+2x^9+5$를 $x-1$로 나눈 나머지는

$1+2+5=8$ ...... ❸

채점 요소	배점
❶ a, b의 관계식 구하기	40 %
❷ a, b의 값 구하기	40 %
❸ 나머지 구하기	20 %

상위권 도약 문제   107~108쪽

01 ③　　**02** 8　　**03** $g(x)=(x-1)^2$

04 32　　**05** -15　　**06** 19　　**07** x^9

08 13

01

해결전략 | 평균변화율의 정의를 이용하여 $f(x)$의 형태를 파악한다.

STEP 1 $f(x)$의 형태 파악하기

주어진 식을 변형하면

$$\frac{f(x+1)-f(x)}{(x+1)-x}=\frac{f(x)-f(x-1)}{x-(x-1)}$$

따라서 모든 실수 x에 대하여 닫힌구간 $[x-1,\ x]$, $[x,\ x+1]$에서의 평균변화율이 항상 같으므로 $f(x)$는 일차함수이다.

STEP 2 $f'(-1)$의 값 구하기

$f(x)=ax+b\ (a\neq0,\ a,\ b$는 상수$)$로 놓으면 $f'(x)=a$

$f'(1)=a=3$이므로

$f'(-1)=3$

02

해결전략 | 극한식에서 $f(2)$, $f'(2)$의 값을 구하고, 인수를 이용하여 $f(x)$의 식을 구성한다.

STEP 1 $f(2)$, $f'(2)$의 값 구하기

$\displaystyle\lim_{x\to2}\frac{f(x)}{(x-2)\{f'(x)\}^2}=\frac{1}{3}$에서 $x\longrightarrow2$일 때,

(분모) $\longrightarrow0$이고 극한값이 존재하므로 (분자) $\longrightarrow0$이어야 한다.

즉, $\displaystyle\lim_{x\to2}f(x)=0$이므로 $f(2)=0$

$$\lim_{x\to2}\frac{f(x)}{(x-2)\{f'(x)\}^2}$$

$$=\lim_{x\to2}\frac{f(x)-f(2)}{x-2}\times\frac{1}{\{f'(x)\}^2}$$

$$=f'(2)\times\frac{1}{\{f'(2)\}^2}$$

$$=\frac{1}{f'(2)}=\frac{1}{3}$$

$\therefore f'(2)=3$

STEP 2 함수 구성하기

$f(1)=0$, $f(2)=0$이고 $f(x)$는 최고차항의 계수가 1인 삼차함수이므로

$f(x)=(x-1)(x-2)(x+a)\ (a$는 상수$)$로 놓으면

$f'(x)=(x-2)(x+a)+(x-1)(x+a)$
$$+(x-1)(x-2)$$

STEP 3 $f(3)$의 값 구하기

$f'(2)=2+a=3$이므로 $a=1$

따라서 $f(x)=(x-1)(x-2)(x+1)$이므로

$f(3)=2\times1\times4=8$

03

해결전략 | 연속성과 미분가능성을 이용한다.

STEP 1 연속성을 이용하여 함숫값 구하기

$f(x)g(x)=\begin{cases}(2x-3)g(x)\ (x<1)\\ x^2g(x)\qquad(x\geq1)\end{cases}$에 대하여

$x=1$에서 미분가능하므로 $x=1$에서 연속이다.

$\displaystyle\lim_{x\to1-}f(x)g(x)=\lim_{x\to1-}(2x-3)g(x)=-g(1)$

$\displaystyle\lim_{x\to1+}f(x)g(x)=\lim_{x\to1+}x^2g(x)=g(1)$

즉, $-g(1)=g(1)$이므로 $g(1)=0$

STEP 2 미분가능성을 이용하여 미분계수 구하기

$x=1$에서 미분가능하므로

$$\lim_{x\to1-}\frac{f(x)g(x)-f(1)g(1)}{x-1}$$

$$=\lim_{x\to1-}\frac{(2x-3)g(x)}{x-1}$$

$$=\lim_{x\to1-}\left\{(2x-3)\times\frac{g(x)-g(1)}{x-1}\right\}=-g'(1)$$

$$\lim_{x\to1+}\frac{f(x)g(x)-f(1)g(1)}{x-1}$$

$$=\lim_{x\to1+}\frac{x^2g(x)}{x-1}$$

$$=\lim_{x\to1+}\left\{x^2\times\frac{g(x)-g(1)}{x-1}\right\}=g'(1)$$

에서 $-g'(1)=g'(1)$

$\therefore g'(1)=0$

STEP 3 $g(x)$ 구하기

함수 $g(x)$는 최고차항의 계수가 1이고 $g(1)=g'(1)=0$ 이므로 $(x-1)^2$을 인수로 갖는다.

따라서 $(x-1)^2$을 인수로 갖는 다항함수 중 차수가 가장 작은 것은

$g(x)=(x-1)^2$

04

해결전략 | 좌극한과 우극한을 비교하여 관계식을 구한다.

STEP 1 함수 $f(x)$가 $x=2$에서 연속임을 이용하여 관계식 구하기

함수 $f(x)=(x^2+ax+b)[x]$가 $x=2$에서 미분가능하므로 $x=2$에서 연속이다.

즉, $\lim\limits_{x\to 2-}f(x)=\lim\limits_{x\to 2+}f(x)=f(2)$이므로

$\lim\limits_{x\to 2-}f(x)=\lim\limits_{x\to 2-}(x^2+ax+b)\times 1=4+2a+b,$

$\lim\limits_{x\to 2+}f(x)=\lim\limits_{x\to 2+}(x^2+ax+b)\times 2=8+4a+2b$

에서 $4+2a+b=8+4a+2b$

$2a+b=-4$

$\therefore b=-4-2a$ ...... ㉠

STEP 2 미분가능함을 이용하여 a의 값 구하기

$f(2)=2(4+2a+b)=0\ (\because ㉠)$이고

$x=2$에서 미분가능하므로

$\lim\limits_{x\to 2-}\dfrac{f(x)-f(2)}{x-2}=\lim\limits_{x\to 2-}\dfrac{x^2+ax-(4+2a)}{x-2}$

$\qquad =\lim\limits_{x\to 2-}\dfrac{(x-2)(x+a+2)}{x-2}$

$\qquad =\lim\limits_{x\to 2-}(x+a+2)$

$\qquad =4+a$

$\lim\limits_{x\to 2+}\dfrac{f(x)-f(2)}{x-2}$

$=\lim\limits_{x\to 2+}\dfrac{2\{x^2+ax-(4+2a)\}}{x-2}$

$=\lim\limits_{x\to 2+}\dfrac{2(x-2)(x+a+2)}{x-2}$

$=\lim\limits_{x\to 2+}2(x+a+2)$

$=8+2a$

에서 $4+a=8+2a$ $\therefore a=-4$

STEP 3 a^2+b^2의 값 구하기

이것을 ㉠에 대입하면 $b=4$

$\therefore a^2+b^2=(-4)^2+4^2=32$

05

해결전략 | 관계식을 이용하여 차수를 찾아 $f(x)$를 구성한다.

STEP 1 $f(x)$ 구성하기

함수 $f(x)$를 n차인 다항함수라고 하면 $f'(x)$는 $(n-1)$차 다항함수이다.

$f(x)f'(x)$가 삼차함수이므로 $f(x)$는 이차함수이다.

$f(x)$의 최고차항의 계수가 1이므로

$f(x)=x^2+ax+b\ (a,\ b$는 상수)로 놓으면

$f'(x)=2x+a$

STEP 2 $f(x)$ 구하기

$\therefore f(x)f'(x)=(x^2+ax+b)(2x+a)$

$\qquad\qquad =2x^3+3ax^2+(2b+a^2)x+ab$

$\qquad\qquad =2x^3-12x^2+16x$

$3a=-12$이므로 $a=-4$

$2b+a^2=16$이므로

$2b+16=16$ $\therefore b=0$

$\therefore f(x)=x^2-4x$

STEP 3 $f(-1)f(1)$의 값 구하기

$\therefore f(-1)f(1)=5\times(-3)=-15$

06

해결전략 | 조건 ㈎를 이용하여 $f(x)$의 차수와 최고차항의 계수를 구한다.

STEP 1 $f(x)$의 차수와 최고차항의 계수 구하기

조건 ㈎에서

$f(x)$의 최고차항을 $ax^n\ (a\neq 1)$이라고 하면

$\{f(x)\}^2-f(x^2)$의 최고차항은

$a^2x^{2n}-ax^{2n}=a(a-1)x^{2n}$ ...... ㉠

또, $x^3f(x)$의 최고차항은

ax^{n+3} ...... ㉡

$\lim\limits_{x\to\infty}\dfrac{\{f(x)\}^2-f(x^2)}{x^3f(x)}$이 0이 아닌 극한값이 존재하려면

(분모의 차수)=(분자의 차수)이므로 ㉠, ㉡에서

$2n=n+3$ $\therefore n=3$

조건 ㈎에서 $\lim\limits_{x\to\infty}\dfrac{\{f(x)\}^2-f(x^2)}{x^3f(x)}=4$이므로

$\dfrac{a(a-1)}{a}=4$ $\therefore a=5$

STEP 2 $f'(1)$의 값 구하기

$f(x)=5x^3+bx^2+cx+d\ (b,\ c,\ d$는 상수)로 놓으면

$f'(x)=15x^2+2bx+c$

조건 ㈏에서

$$\lim_{x \to 0} \frac{f'(x)}{x} = \lim_{x \to 0} \frac{15x^2 + 2bx + c}{x} \qquad \cdots\cdots \ \boxdot$$

$x \longrightarrow 0$일 때, (분모) $\longrightarrow 0$이고 극한값이 존재하므로
(분자) $\longrightarrow 0$이어야 한다.

$$\therefore \lim_{x \to 0}(15x^2 + 2bx + c) = c = 0$$

이것을 $\boxdot$에 대입하면

$$\lim_{x \to 0} \frac{15x^2 + 2bx}{x} = \lim_{x \to 0}(15x + 2b) = 2b = 4$$

$$\therefore b = 2$$

따라서 $f'(x) = 15x^2 + 4x$이므로

$$f'(1) = 15 + 4 = 19$$

07

해결전략 | 주어진 관계식을 이용하여 $f(x)$의 차수와 최고차
항의 계수를 구한다.

STEP1 극한식을 이용하여 관계식 구하기

$\displaystyle\lim_{x \to \infty} \frac{f(x)}{x^m} = 1$이므로 $f(x)$의 최고차항은 x^m이고

$\displaystyle\lim_{x \to \infty} \frac{f'(x)}{x^{m-1}} = a$이므로 $m = a$이다.
(└→ $f(x) = x^m + \cdots$이므로 $f'(x) = mx^{m-1} + \cdots$)

$\displaystyle\lim_{x \to 0} \frac{f(x)}{x^n} = b$이므로 $f(x)$는 n차 이상의 항들로만 이루
어져 있고 n차항의 계수는 b이다.
(└→ $f(x) = \cdots + bx^n$이므로 $f'(x) = \cdots + bnx^{n-1}$)

$\displaystyle\lim_{x \to 0} \frac{f'(x)}{x^{n-1}} = 9$이므로 $bn = 9$

STEP2 ab의 값이 최소가 되는 조건 구하기

함수 $f(x)$의 최고차항이 x^m이므로 $m \geq n$이고 $m = a$,
$bn = 9$이므로

$$ab = m \times \frac{9}{n} \geq 9 \ (\because m \geq n)$$

따라서 ab의 최솟값은 $m = n$일 때 9이다.

STEP3 $f(x)$ 구하기

$m = n$이고 최고차항인 x^m의 계수는 1, n차항의 계수는
b이므로 $b = 1$

이것을 $bn = 9$에 대입하면

$$n = 9 \qquad \therefore m = 9$$

$$\therefore f(x) = x^9$$

08

해결전략 | 좌미분계수와 우미분계수를 비교하여 관계식을
구한다.

STEP1 좌미분계수와 우미분계수 비교하기

다항함수 $f(x)$는 실수 전체의 집합에서 미분가능하므로
직선 $x = k$에 대하여 대칭인 함수 $g(x)$가 실수 전체의
집합에서 미분가능하기 위해서는 $x = k$에서 미분가능하
면 된다.

$$\lim_{x \to k-} \frac{g(x) - g(k)}{x - k}$$

$$= \lim_{x \to k-} \frac{f(2k-x) - f(k)}{x - k}$$

$$= \lim_{x \to k-} \left\{ \frac{(2k-x)^3 - (2k-x)^2 - 9(2k-x) + 1}{x - k} \right.$$

$$\left. - \frac{k^3 - k^2 - 9k + 1}{x - k} \right\}$$

$$= \lim_{x \to k-} \frac{(k-x)\{(2k-x)^2 + k(2k-x) + k^2 - (3k-x) - 9\}}{x - k}$$

$$= -\lim_{x \to k-} \{(2k-x)^2 + k(2k-x) + k^2 - (3k-x) - 9\}$$

$$= -3k^2 + 2k + 9$$

$$\lim_{x \to k+} \frac{g(x) - g(k)}{x - k}$$

$$= \lim_{x \to k+} \frac{f(x) - f(k)}{x - k}$$

$$= \lim_{x \to k+} \frac{(x^3 - x^2 - 9x + 1) - (k^3 - k^2 - 9k + 1)}{x - k}$$

$$= \lim_{x \to k+} \frac{(x-k)\{x^2 + kx + k^2 - (x+k) - 9\}}{x - k}$$

$$= \lim_{x \to k+} \{x^2 + kx + k^2 - (x+k) - 9\}$$

$$= 3k^2 - 2k - 9$$

즉, $-3k^2 + 2k + 9 = 3k^2 - 2k - 9$이므로

$$3k^2 - 2k - 9 = 0$$

STEP2 $p^2 + q^2$의 값 구하기

이차방정식의 근과 계수의 관계에 의하여 구하는 모든

실수 k의 값의 합은 $\dfrac{2}{3}$이다.

따라서 $p = 3$, $q = 2$이므로

$$p^2 + q^2 = 3^2 + 2^2 = 13$$

> ### 🎯 풍쌤의 비법
>
> 두 함수 $y = f(x)$, $y = f(2k-x)$의 그래프는 직선
> $x = k$에 대하여 대칭이다. 위의 문제와 같이 실수 전체
> 에서 미분가능한 함수 $f(x)$에 대하여
>
> $$g(x) = \begin{cases} f(x) & (x \geq k) \\ f(2k-x) & (x < k) \end{cases}$$ 일 때 함수 $y = g(x)$의 그
>
> 래프는 직선 $x = k$에 대하여 대칭이므로 함수 $y = g(x)$
> 가 실수 전체에서 미분가능하기 위해서는 $f'(k) = 0$이
> 어야 한다.

01 답 $y=2x-3$

$f(x)=x^2-2x+1$로 놓으면

$f'(x)=2x-2$

이 곡선 위의 점 $(2, 1)$에서의 접선의 기울기는

$f'(2)=2\times2-2=2$

따라서 기울기가 2이고 점 $(2, 1)$을 지나는 접선의 방정식은

$y-1=2(x-2)$ $\therefore y=2x-3$

02 답 (1) $y=2x-8$ (2) $y=-2x$, $y=-2x+4$

(1) $f(x)=x^2-4x+1$로 놓으면 $f'(x)=2x-4$

접점의 좌표를 $(t, f(t))$라고 하면

$f'(t)=2t-4=2$ $\therefore t=3$

따라서 접점의 좌표는 $(3, -2)$이므로 구하는 접선의 방정식은

$y-(-2)=2(x-3)$ $\therefore y=2x-8$

(2) $f(x)=-x^3+x+2$로 놓으면 $f'(x)=-3x^2+1$

접점의 좌표를 $(t, f(t))$라고 하면

$f'(t)=-3t^2+1=-2$ $\therefore t=-1$ 또는 $t=1$

따라서 접점의 좌표는 $(-1, 2)$, $(1, 2)$이므로 구하는 접선의 방정식은

$y-2=-2\{x-(-1)\}$, $y-2=-2(x-1)$

$\therefore y=-2x$, $y=-2x+4$

03 답 (1) $y=2x+1$ (2) $y=2x-1$, $y=-2x-5$

(1) $f(x)=x^3-x+3$으로 놓으면

$f'(x)=3x^2-1$

접점의 좌표를 (t, t^3-t+3)이라고 하면 이 점에서의 접선의 방정식은

$y-(t^3-t+3)=(3t^2-1)(x-t)$

$\therefore y=(3t^2-1)x-2t^3+3$ ······ ㉠

이 직선이 점 $(0, 1)$을 지나므로

$1=-2t^3+3$, $t^3-1=0$, $(t-1)(t^2+t+1)=0$

$\therefore t=1$ ($\because t^2+t+1>0$)

따라서 $t=1$을 ㉠에 대입하면

$y=2x+1$

(2) $f(x)=x^2+2x-1$로 놓으면

$f'(x)=2x+2$

접점의 좌표를 (t, t^2+2t-1)이라고 하면 이 점에서

의 접선의 방정식은

$y-(t^2+2t-1)=(2t+2)(x-t)$

$\therefore y=(2t+2)x-t^2-1$ ······ ㉠

이 직선이 점 $(-1, -3)$을 지나므로

$-3=-t^2-2t-3$, $t^2+2t=0$, $t(t+2)=0$

$\therefore t=0$ 또는 $t=-2$

이것을 ㉠에 대입하면

$t=0$일 때, $y=2x-1$

$t=-2$일 때, $y=-2x-5$

04 답 (1) 4 (2) 0

(1) 함수 $f(x)=x^2-8x$는 닫힌구간 $[0, 8]$에서 연속이고 열린구간 $(0, 8)$에서 미분가능하며 $f(0)=f(8)=0$이므로 $f'(c)=0$인 c $(0<c<8)$가 적어도 하나 존재한다.

$f'(x)=2x-8$이므로 $f'(c)=2c-8=0$

$\therefore c=4$

(2) 함수 $f(x)=x^4-2x^2+1$은 닫힌구간 $[-1, 1]$에서 연속이고 열린구간 $(-1, 1)$에서 미분가능하며 $f(-1)=f(1)=0$이므로 $f'(c)=0$인 c $(-1<c<1)$가 적어도 하나 존재한다.

$f'(x)=4x^3-4x$이므로 $f'(c)=4c^3-4c=0$

$c(c+1)(c-1)=0$

$\therefore c=0$ ($\because -1<c<1$)

05 답 (1) 2 (2) 2

(1) 함수 $f(x)=2x^2-4x+1$은 닫힌구간 $[1, 3]$에서 연속이고 열린구간 $(1, 3)$에서 미분가능하므로

$\dfrac{f(3)-f(1)}{3-1}=f'(c)$ $(1<c<3)$

인 c가 적어도 하나 존재한다.

$f'(x)=4x-4$이므로

$\dfrac{7-(-1)}{3-1}=4c-4$, $4c=8$

$\therefore c=2$

(2) 함수 $f(x)=x^3-3x^2+2x$는 닫힌구간 $[0, 3]$에서 연속이고 열린구간 $(0, 3)$에서 미분가능하므로

$\dfrac{f(3)-f(0)}{3-0}=f'(c)$ $(0<c<3)$

인 c가 적어도 하나 존재한다.

$f'(x)=3x^2-6x+2$이므로

$\dfrac{6-0}{3-0}=3c^2-6c+2$, $3c^2-6c=0$, $c(c-2)=0$

$\therefore c=2$ ($\because 0<c<3$)

01-1 답 $a=-7$, $b=8$

해결전략 | 곡선 $y=f(x)$가 지나는 점과 이 점에서의 접선의 기울기를 이용하여 상수 a, b의 값을 구한다.

STEP1 $f(x)=x^3+ax^2+bx$로 놓고 $f'(x)$ 구하기

$f(x)=x^3+ax^2+bx$로 놓으면

$f'(x)=3x^2+2ax+b$

STEP2 a, b의 관계식 구하기

곡선 $y=f(x)$가 점 $(1, 2)$를 지나므로

$f(1)=1+a+b=2$

$\therefore a+b=1$ ...... ㉠

곡선 $y=f(x)$ 위의 점 $(1, 2)$에서의 접선의 기울기가 -3이므로

$f'(1)=3+2a+b=-3$

$\therefore 2a+b=-6$ ...... ㉡

STEP3 a, b의 값 구하기

㉠, ㉡을 연립하여 풀면

$a=-7$, $b=8$

01-2 답 $a=-3$, $b=1$

해결전략 | 곡선 $y=f(x)$가 지나는 점과 이 점에서의 접선의 기울기를 이용하여 상수 a, b의 값을 구한다.

STEP1 $f(x)=-2x^2+3x+a$로 놓고 $f'(x)$ 구하기

$f(x)=-2x^2+3x+a$로 놓으면

$f'(x)=-4x+3$

STEP2 b의 값 구하기

곡선 $y=f'(x)$ 위의 점 $(b, -2)$에서의 접선의 기울기가 -1이므로

$f'(b)=-4b+3=-1$

$4b=4$ $\therefore b=1$

STEP3 a의 값 구하기

곡선 $y=f(x)$는 점 $(1, -2)$를 지나므로

$f(1)=-2+3+a=-2$

$1+a=-2$ $\therefore a=-3$

01-3 답 15

해결전략 | 곡선 $y=f(x)$ 위의 점 $(a, f(a))$에서의 접선의 기울기는 $x=a$에서의 미분계수 $f'(a)$와 같음을 이용한다.

STEP1 $f'(2)$의 값 구하기

곡선 $y=f(x)$ 위의 점 $(2, f(2))$에서의 접선의 기울기가 3이므로 $f'(2)=3$

STEP2 $\lim\limits_{h \to 0} \dfrac{f(2+5h)-f(2)}{h}$의 값 구하기

$\therefore \lim\limits_{h \to 0} \dfrac{f(2+5h)-f(2)}{h}=5\lim\limits_{h \to 0}\dfrac{f(2+5h)-f(2)}{5h}$

$=5f'(2)=15$

01-4 답 1

해결전략 | 곡선 $y=f(x)$ 위의 두 점과 이 두 점에서의 접선의 기울기를 이용하여 상수 a, b, c의 값을 구한다.

STEP1 $f(x)=ax^2+bx+c$로 놓고 a, b, c의 관계식 구하기

$f(x)=ax^2+bx+c$로 놓으면 곡선 $y=f(x)$가 두 점 $(-3, 2)$, $(1, 0)$을 지나므로

$9a-3b+c=2$ ...... ㉠

$a+b+c=0$ ...... ㉡

STEP2 a의 값 구하기

$f'(x)=2ax+b$이고, 두 점 $(-3, 2)$, $(1, 0)$에서의 접선의 기울기는 각각

$f'(-3)=-6a+b$, $f'(1)=2a+b$

이때 $f'(-3)=f'(1)$이므로 $-6a+b=2a+b$

$8a=0$ $\therefore a=0$

STEP3 b, c의 값 구하기

$a=0$을 ㉠, ㉡에 각각 대입하면

$-3b+c=2$, $b+c=0$

두 식을 연립하여 풀면

$b=-\dfrac{1}{2}$, $c=\dfrac{1}{2}$

STEP4 $a+2b+4c$의 값 구하기

$\therefore a+2b+4c=0+(-1)+2=1$

> 🎯 **풍쌤의 비법**
>
> 곡선 $y=f(x)$에 대하여 $x=\alpha$, $x=\beta$인 두 점에서의 접선이 평행하다.
>
> ➡ 두 접선의 기울기가 같다.
>
> ➡ $f'(\alpha)=f'(\beta)$

01-5 답 2

해결전략 | 서로 수직인 두 직선의 기울기의 곱은 -1임을 이용하여 상수 a, b의 값을 구한다.

STEP1 $f(x)=x^3-ax+b$로 놓고 $f'(1)$의 값 구하기

$f(x)=x^3-ax+b$로 놓으면

$f'(x)=3x^2-a$

곡선 $y=f(x)$ 위의 점 $(1, 1)$에서의 접선의 기울기는
$f'(1)=3-a$

STEP 2 a의 값 구하기

이 접선과 수직인 직선의 기울기가 $-\dfrac{1}{2}$이므로

$(3-a) \times \left(-\dfrac{1}{2}\right)=-1$, $3-a=2$ $\quad \therefore a=1$
$\qquad \qquad \qquad \qquad \downarrow f(x)=x^3-x+b$

STEP 3 b의 값 구하기

곡선 $y=f(x)$가 점 $(1, 1)$을 지나므로

$f(1)=1-1+b=1$ $\quad \therefore b=1$

STEP 4 $a+b$의 값 구하기

$\therefore a+b=1+1=2$

01-6 답 $\dfrac{58}{3}$

해결전략 | 위로 볼록한 이차함수의 그래프는 꼭짓점에서 최댓값을 가짐을 이용하여 상수 a, b, M의 값을 구한다.

STEP 1 $f(x)=-\dfrac{1}{3}x^3+2x^2+x+5$로 놓고 $f'(x)$ 구하기

$f(x)=-\dfrac{1}{3}x^3+2x^2+x+5$로 놓으면

$f'(x)=-x^2+4x+1$

STEP 2 a, M의 값 구하기

곡선 $y=f(x)$ 위의 점 (a, b)에서의 접선의 기울기가 $f'(a)$이므로

$f'(a)=-a^2+4a+1=-(a-2)^2+5$

따라서 곡선 $y=f(x)$의 접선의 기울기의 최댓값은 $a=2$일 때 5이므로 $M=5$

STEP 3 b의 값 구하기

이때 접점의 좌표가 $(2, b)$이므로

$b=f(2)=-\dfrac{8}{3}+8+2+5=\dfrac{37}{3}$

STEP 4 $a+b+M$의 값 구하기

$\therefore a+b+M=2+\dfrac{37}{3}+5=\dfrac{58}{3}$

> **ⓞ 풍쌤의 비법**
>
> 곡선 $y=f(x)$에 대하여 접선의 기울기의 최대, 최소는 $f'(x)$의 최대, 최소와 같다.

필수유형 02 115쪽

02-1 답 $a=4$, $b=-2$, $c=1$

해결전략 | 곡선 $y=f(x)$ 위의 점 $(a, f(a))$에서의 접선의

방정식은 $y-f(a)=f'(a)(x-a)$임을 이용한다.

STEP 1 $f(x)=-2x^3+ax-3$으로 놓고 $f'(x)$ 구하기

$f(x)=-2x^3+ax-3$으로 놓으면

$f'(x)=-6x^2+a$

STEP 2 a의 값 구하기

곡선 $y=f(x)$가 점 $(1, -1)$을 지나므로

$f(1)=-2+a-3=-1$

$\therefore a=4$

STEP 3 b, c의 값 구하기

곡선 $y=f(x)$ 위의 점 $(1, -1)$에서의 접선의 기울기는

$f'(1)=-6+4=-2$

따라서 기울기가 -2이고 점 $(1, -1)$을 지나는 접선의 방정식은

$y-(-1)=-2(x-1)$ $\quad \therefore y=-2x+1$

$\therefore b=-2$, $c=1$

02-2 답 10

해결전략 | 곡선 $y=f(x)$ 위의 점 $(a, f(a))$에서의 접선의 방정식은 $y-f(a)=f'(a)(x-a)$임을 이용한다.

STEP 1 $f(x)=x^3-6x^2+6$으로 놓고 $f'(x)$ 구하기

$f(x)=x^3-6x^2+6$으로 놓으면

$f'(x)=3x^2-12x$

STEP 2 접선의 방정식 구하기

곡선 $y=f(x)$ 위의 점 $(1, 1)$에서의 접선의 기울기는

$f'(1)=3-12=-9$

따라서 기울기가 -9이고 점 $(1, 1)$을 지나는 접선의 방정식은

$y-1=-9(x-1)$ $\quad \therefore y=-9x+10$

STEP 3 a의 값 구하기

이 직선이 점 $(0, a)$를 지나므로

$a=-9 \times 0+10=10$

02-3 답 $y=-x+1$

해결전략 | 곡선 $y=f(x)$ 위의 점 $(a, f(a))$를 지나고, 이 점에서의 접선에 수직인 직선의 방정식은

$y-f(a)=-\dfrac{1}{f'(a)}(x-a)$ $(f'(a) \neq 0)$임을 이용한다.

STEP 1 $f(x)=-x^3-2x^2+3$으로 놓고 $f'(x)$ 구하기

$f(x)=-x^3-2x^2+3$으로 놓으면

$f'(x)=-3x^2-4x$

STEP 2 곡선 $y=f(x)$ 위의 점 $(-1, 2)$에서의 접선의 기울기 구하기

곡선 $y=f(x)$ 위의 점 $(-1, 2)$에서의 접선의 기울기는
$f'(-1)=-3+4=1$
STEP3 곡선 $y=f(x)$ 위의 점 $(-1, 2)$에서의 접선과 수직인 직선의 방정식 구하기
곡선 $y=f(x)$ 위의 점 $(-1, 2)$에서의 접선과 수직인 직선의 기울기는 -1이므로 구하는 직선의 방정식은
$y-2=-\{x-(-1)\}$ $\therefore y=-x+1$

02-4 답 $(3, -18)$

해결전략 | 곡선 $y=f(x)$ 위의 점 $(a, f(a))$에서의 접선의 방정식은 $y-f(a)=f'(a)(x-a)$임을 이용한다.
STEP1 $f(x)=x^3-3x^2-6x+8$로 놓고 $f'(x)$ 구하기
$f(x)=x^3-3x^2-6x+8$로 놓으면
$f'(x)=3x^2-6x-6$
STEP2 점 $(1, 0)$에서의 접선의 방정식 구하기
점 $(1, 0)$에서의 접선의 기울기는
$f'(1)=3-6-6=-9$이므로 접선의 방정식은
$y-0=-9(x-1)$ $\therefore y=-9x+9$ ...... ㉠
STEP3 점 $(4, 0)$에서의 접선의 방정식 구하기
점 $(4, 0)$에서의 접선의 기울기는
$f'(4)=48-24-6=18$이므로 접선의 방정식은
$y-0=18(x-4)$ $\therefore y=18x-72$ ...... ㉡
STEP4 두 접선의 교점의 좌표 구하기
㉠, ㉡을 연립하여 풀면 $x=3$, $y=-18$
따라서 두 접선의 교점의 좌표는 $(3, -18)$이다.

02-5 답 4

해결전략 | 곡선 $y=f(x)$ 위의 점 $(a, f(a))$를 지나고, 이 점에서의 접선에 수직인 직선의 방정식은
$y-f(a)=-\dfrac{1}{f'(a)}(x-a)$ $(f'(a)\ne0)$임을 이용한다.
STEP1 $f(x)=x^3-3x^2+2x+2$로 놓고 $f'(x)$ 구하기
$f(x)=x^3-3x^2+2x+2$로 놓으면
$f'(x)=3x^2-6x+2$
STEP2 곡선 $y=f(x)$ 위의 점 $A(0, 2)$에서의 접선의 기울기 구하기
곡선 $y=f(x)$ 위의 점 $A(0, 2)$에서의 접선의 기울기는
$f'(0)=2$
STEP3 곡선 $y=f(x)$ 위의 점 $A(0, 2)$에서의 접선과 수직인 직선의 방정식 구하기
곡선 $y=f(x)$ 위의 점 $A(0, 2)$에서의 접선과 수직인 직

선의 기울기는 $-\dfrac{1}{2}$이므로 구하는 직선의 방정식은
$y=-\dfrac{1}{2}x+2$
STEP4 x절편 구하기
$y=-\dfrac{1}{2}x+2$에 $y=0$을 대입하면 $x=4$
따라서 구하는 접선의 x절편은 4이다.

02-6 답 -12

해결전략 | 주어진 극한식에서 $f(1)$, $f'(1)$의 값을 구하고, 곡선 $y=f(x)$ 위의 점 $(a, f(a))$에서의 접선의 방정식은 $y-f(a)=f'(a)(x-a)$임을 이용한다.
STEP1 $f(1)$, $f'(1)$의 값 구하기
$\lim\limits_{x\to1}\dfrac{f(x)+1}{x-1}=3$에서 $x\longrightarrow1$일 때, (분모) $\longrightarrow0$이고
극한값이 존재하므로 (분자) $\longrightarrow0$이다.
즉, $\lim\limits_{x\to1}\{f(x)+1\}=0$이므로 $f(1)=-1$
$\therefore \lim\limits_{x\to1}\dfrac{f(x)+1}{x-1}=\lim\limits_{x\to1}\dfrac{f(x)-f(1)}{x-1}=f'(1)=3$
STEP2 곡선 $y=f(x)$ 위의 점 $(1, f(1))$에서의 접선의 방정식 구하기
점 $(1, f(1))$, 즉 $(1, -1)$에서의 접선의 기울기가 3이므로 접선의 방정식은
$y-(-1)=3(x-1)$ $\therefore y=3x-4$
STEP3 ab의 값 구하기
따라서 $a=3$, $b=-4$이므로
$ab=3\times(-4)=-12$

필수유형 03   117쪽

03-1 답 $(2, -2)$

해결전략 | 곡선과 접선이 만나는 점의 x좌표는 곡선과 접선의 방정식을 연립하여 얻은 방정식의 해와 같음을 이용한다.
STEP1 $f(x)=x^3-3x-4$로 놓고 $f'(x)$ 구하기
$f(x)=x^3-3x-4$로 놓으면 $f'(x)=3x^2-3$
STEP2 점 $P(-1, -2)$에서의 접선의 방정식 구하기
$f'(-1)=3-3=0$이므로
점 $P(-1, -2)$에서의 접선의 방정식은
$y-(-2)=0\times\{x-(-1)\}$ $\therefore y=-2$
STEP3 점 $P(-1, -2)$에서의 접선이 이 곡선과 다시 만나는 점의 좌표 구하기

직선 $y=-2$가 곡선 $y=x^3-3x-4$와 만나는 점의 x좌표는 $-2=x^3-3x-4$에서
$x^3-3x-2=0$, $(x+1)^2(x-2)=0$
$\therefore x=-1$ 또는 $x=2$
따라서 구하는 점의 좌표는 $(2, -2)$이다.

03-2 답 17

해결전략 | 곡선과 접선이 만나는 점의 x좌표는 곡선과 접선의 방정식을 연립하여 얻은 방정식의 해와 같음을 이용한다.

STEP 1 $f(x)=-x^3+2x^2-1$로 놓고 $f'(x)$ 구하기
$f(x)=-x^3+2x^2-1$로 놓으면
$f'(x)=-3x^2+4x$

STEP 2 점 $A(2, -1)$에서의 접선의 방정식 구하기
$f'(2)=-12+8=-4$이므로 점 $A(2, -1)$에서의 접선의 방정식은
$y-(-1)=-4(x-2)$ $\therefore y=-4x+7$

STEP 3 점 $A(2, -1)$에서의 접선이 이 곡선과 다시 만나는 점의 좌표 구하기
직선 $y=-4x+7$이 곡선 $y=-x^3+2x^2-1$과 만나는 점의 x좌표는 $-4x+7=-x^3+2x^2-1$에서
$x^3-2x^2-4x+8=0$, $(x-2)^2(x+2)=0$
$\therefore x=2$ 또는 $x=-2$
$x=-2$를 $y=-4x+7$에 대입하면
$y=8+7=15$
즉, 구하는 점의 좌표는 $(-2, 15)$이다.

STEP 4 $b-a$의 값 구하기
따라서 $a=-2$, $b=15$이므로
$b-a=15-(-2)=17$

03-3 답 $y=-5x+9$

해결전략 | 곡선과 접선이 만나는 점의 x좌표는 곡선과 접선의 방정식을 연립하여 얻은 방정식의 해와 같음을 이용한다.

STEP 1 $f(x)=-x^3+2x^2-x+1$로 놓고 $f'(x)$ 구하기
$f(x)=-x^3+2x^2-x+1$로 놓으면
$f'(x)=-3x^2+4x-1$

STEP 2 점 $A(0, 1)$에서의 접선의 방정식 구하기
$f'(0)=-1$이므로 점 $A(0, 1)$에서의 접선의 방정식은
$y=-x+1$

STEP 3 점 $A(0, 1)$에서의 접선이 이 곡선과 다시 만나는 점의 좌표 구하기
직선 $y=-x+1$이 곡선 $y=-x^3+2x^2-x+1$과 만나는 점의 x좌표는 $-x+1=-x^3+2x^2-x+1$에서

$x^3-2x^2=0$, $x^2(x-2)=0$
$\therefore x=0$ 또는 $x=2$
$x=2$를 $y=-x+1$에 대입하면
$y=-2+1=-1$
즉, 점 B의 좌표는 $(2, -1)$이다.

STEP 4 점 $B(2, -1)$에서의 접선의 방정식 구하기
$f'(2)=-12+8-1=-5$이므로 점 $B(2, -1)$에서의 접선의 방정식은
$y-(-1)=-5(x-2)$ $\therefore y=-5x+9$

03-4 답 $3\sqrt{5}$

해결전략 | 곡선과 접선이 만나는 점의 x좌표는 곡선과 접선의 방정식을 연립하여 얻은 방정식의 해와 같음을 이용하여 점 B의 좌표를 구한 후 두 점 A, B 사이의 거리를 구한다.

STEP 1 $f(x)=x^3-5x$로 놓고 $f'(x)$ 구하기
$f(x)=x^3-5x$로 놓으면
$f'(x)=3x^2-5$

STEP 2 점 $A(1, -4)$에서의 접선의 방정식 구하기
$f'(1)=3-5=-2$이므로 점 $A(1, -4)$에서의 접선의 방정식은
$y-(-4)=-2(x-1)$ $\therefore y=-2x-2$

STEP 3 점 $A(1, -4)$에서의 접선이 이 곡선과 다시 만나는 점의 좌표 구하기
직선 $y=-2x-2$가 곡선 $y=x^3-5x$와 만나는 점의 x좌표는 $-2x-2=x^3-5x$에서
$x^3-3x+2=0$, $(x-1)^2(x+2)=0$
$\therefore x=1$ 또는 $x=-2$
$x=-2$를 $y=-2x-2$에 대입하면
$y=-2\times(-2)-2=2$
즉, 점 B의 좌표는 $(-2, 2)$이다.

STEP 4 선분 AB의 길이 구하기
$\therefore \overline{AB}=\sqrt{(-2-1)^2+\{2-(-4)\}^2}=3\sqrt{5}$

03-5 답 $1:8$

해결전략 | 곡선과 접선이 만나는 점의 x좌표는 곡선과 접선의 방정식을 연립하여 얻은 방정식의 해와 같음을 이용하여 구하고 접선이 x축과 만나는 점의 좌표는 접선의 방정식에 $y=0$을 대입하여 구한다.

STEP 1 $f(x)=x^3$으로 놓고 $f'(x)$ 구하기
$f(x)=x^3$으로 놓으면
$f'(x)=3x^2$

STEP 2 점 $P(1, 1)$에서의 접선의 방정식 구하기

$f'(1)=3$이므로 점 $P(1, 1)$에서의 접선의 방정식은

$y-1=3(x-1)$ ∴ $y=3x-2$

STEP 3 점 Q의 좌표 구하기

$y=3x-2$에 $y=0$을 대입하면 $x=\dfrac{2}{3}$이므로 접선이 x축

과 만나는 점 Q의 좌표는 $\left(\dfrac{2}{3},\ 0\right)$이다.

STEP 4 점 R의 좌표 구하기

직선 $y=3x-2$가 곡선 $y=x^3$과 만나는 점의 x좌표는

$3x-2=x^3$에서

$x^3-3x+2=0,\ (x-1)^2(x+2)=0$

∴ $x=1$ 또는 $x=-2$

$x=-2$를 $y=3x-2$에 대입하면

$y=-6-2=-8$

즉, 점 R의 좌표는 $(-2, -8)$이다.

STEP 5 $\overline{PQ}:\overline{QR}$ 구하기

$\overline{PQ}=\sqrt{\left(1-\dfrac{2}{3}\right)^2+(1-0)^2}=\dfrac{\sqrt{10}}{3}$

$\overline{QR}=\sqrt{\left(-2-\dfrac{2}{3}\right)^2+(-8-0)^2}=\dfrac{8\sqrt{10}}{3}$

∴ $\overline{PQ}:\overline{QR}=\dfrac{\sqrt{10}}{3}:\dfrac{8\sqrt{10}}{3}=1:8$

03-6 目 **20**

해결전략 | 곡선과 접선이 만나는 점의 x좌표는 곡선과 접선의 방정식을 연립하여 얻은 방정식의 해와 같음을 이용하여 구하고 $n=2, 4, 6, 8, 10$을 대입하여 $x_2, x_4, x_6, x_8, x_{10}$을 구한다.

STEP 1 $f(x)=x^3-nx^2+x$로 놓고 $f'(x)$ 구하기

$f(x)=x^3-nx^2+x$로 놓으면

$f'(x)=3x^2-2nx+1$

STEP 2 점 $(1, 2-n)$에서의 접선의 방정식 구하기

$f'(1)=3-2n+1=-2n+4$이므로

점 $(1, 2-n)$에서의 접선의 방정식은

$y-(2-n)=(-2n+4)(x-1)$

∴ $y=(4-2n)x+n-2$

STEP 3 점 $(1, 2-n)$에서의 접선이 이 곡선과 다시 만나는 점의 x좌표 구하기

직선 $y=(4-2n)x+n-2$가 곡선 $y=x^3-nx^2+x$와 만나는 점의 x좌표는 $(4-2n)x+n-2=x^3-nx^2+x$에서

$x^3-nx^2+(2n-3)x+2-n=0$

$(x-1)^2(x+2-n)=0$

∴ $x=1$ 또는 $x=n-2$

STEP 4 $x_2+x_4+x_6+x_8+x_{10}$의 값 구하기

따라서 $x_n=n-2$이므로

$x_2+x_4+x_6+x_8+x_{10}=0+2+4+6+8=20$

필수유형 04   119쪽

04-1 目 $a=1, b=2$

해결전략 | 평행한 두 직선의 기울기는 같음을 이용하여 접선의 기울기를 구한 후 접점의 좌표를 찾아 접선의 방정식을 구한다.

STEP 1 접선의 기울기 구하기

직선 $y=-x+1$에 평행한 직선의 기울기는 -1이므로 기울기가 -1인 접선을 구한다.

STEP 2 접점의 좌표를 (a, a^2-a+2)라 하고 a의 값 구하기

$f(x)=x^2-x+2$로 놓으면

$f'(x)=2x-1$

접점의 좌표를 (a, a^2-a+2)라고 하면 접선의 기울기가 -1이므로 $f'(a)=2a-1=-1$

∴ $a=0$

STEP 3 접선의 방정식 구하기

$a=0$일 때, 접점의 좌표는 $(0, 2)$이므로 접선의 방정식은

$y-2=-(x-0)$ ∴ $y=-x+2$

곡선 $y=x^2-x+2$에 접하고 직선 $y=-x+1$에 평행한 직선의 방정식은 $y=-x+2$, 즉 $x+y=2$이므로

$a=1, b=2$

04-2 目 -1

해결전략 | 접점의 좌표를 이용하여 나타낸 접선의 방정식이 주어진 직선과 일치함을 이용하여 미지수를 구한다.

STEP 1 $f(x)=x^3+2x^2+ax$로 놓고 $f'(x)$ 구하기

$f(x)=x^3+2x^2+ax$로 놓으면

$f'(x)=3x^2+4x+a$

STEP 2 접점의 좌표를 (t, t^3+2t^2+at)라 하고 접선의 방정식 세우기

접점의 좌표를 (t, t^3+2t^2+at)라고 하면 이 점에서의 접선의 기울기는 $f'(t)=3t^2+4t+a$이므로 접선의 방정식은

$y-(t^3+2t^2+at)=(3t^2+4t+a)(x-t)$

∴ $y=(3t^2+4t+a)x-2t^3-2t^2$ ······ ㉠

STEP 3 t의 값 구하기

㉠이 직선 $y=3x+8$과 일치해야 하므로

$3t^2+4t+a=3$ ...... ㉡

$-2t^3-2t^2=8$ ...... ㉢

㉢에서 $t^3+t^2+4=0$, $(t+2)(t^2-t+2)=0$

$\therefore t=-2 \ (\because t^2-t+2>0)$

STEP 4 a의 값 구하기

$t=-2$를 ㉡에 대입하면

$12-8+a=3$ $\therefore a=-1$

04-3 답 2

해결전략 | 접선의 방정식이 주어진 직선과 일치함을 이용하여 미지수를 구한다.

STEP 1 $f(x)=x^2-6x+a$로 놓고 $f'(x)$ 구하기

$f(x)=x^2-6x+a$로 놓으면

$f'(x)=2x-6$

STEP 2 t의 값 구하기

$x=t$인 점에서의 접선의 기울기가 -4이므로

$f'(t)=2t-6=-4$

$\therefore t=1$

STEP 3 a의 값 구하기

접점의 좌표가 $(1,-3)$이므로 $x=1$, $y=-3$을

$y=x^2-6x+a$에 대입하면

$-3=1-6+a$ $\therefore a=2$

$\therefore at=2\times 1=2$

04-4 답 $y=-x+\dfrac{5}{4}$

해결전략 | 접점의 좌표를 $(a,-a^2+1)$이라 하고, 두 점 A, B를 지나는 직선의 기울기가 접선의 기울기와 같음을 이용하여 a의 값을 구한다.

STEP 1 두 점 A, B를 지나는 직선의 기울기 구하기

두 점 A, B를 지나는 직선의 기울기는

$\dfrac{-3-0}{2-(-1)}=-1$

STEP 2 접점의 좌표를 $(a,-a^2+1)$이라 하고 a의 값 구하기

$f(x)=-x^2+1$로 놓으면

$f'(x)=-2x$

접점의 좌표를 $(a,-a^2+1)$이라고 하면 접선의 기울기가 -1이므로 $f'(a)=-2a=-1$

$\therefore a=\dfrac{1}{2}$

STEP 3 접선의 방정식 구하기

$a=\dfrac{1}{2}$일 때, 접점의 좌표는 $\left(\dfrac{1}{2},\dfrac{3}{4}\right)$이므로 접선의 방정

식은 $y-\dfrac{3}{4}=-\left(x-\dfrac{1}{2}\right)$

$\therefore y=-x+\dfrac{5}{4}$

04-5 답 15

해결전략 | 서로 평행한 두 직선의 기울기는 같음을 이용하여 접선의 방정식을 구한다.

STEP 1 $f(x)=x^3-2x+1$로 놓고 $f'(x)$ 구하기

$f(x)=x^3-2x+1$로 놓으면

$f'(x)=3x^2-2$

STEP 2 곡선 $y=f(x)$ 위의 점 $(-1,2)$에서의 접선의 기울기 구하기

곡선 $y=f(x)$ 위의 점 $(-1,2)$에서의 접선의 기울기는

$f'(-1)=3-2=1$

STEP 3 $g(x)=-x^2-7x$로 놓고 $g'(x)$ 구하기

$g(x)=-x^2-7x$로 놓으면

$g'(x)=-2x-7$

STEP 4 $n-m$의 값 구하기

이때 곡선 $y=g(x)$ 위의 점 $(t,-t^2-7t)$에서의 접선이 곡선 $y=f(x)$ 위의 점 $(-1,2)$에서의 접선과 평행하므로 $g'(t)=f'(-1)$

즉, $-2t-7=1$에서 $2t=-8$ $\therefore t=-4$

따라서 접점의 좌표는 $(-4,12)$, 접선의 기울기는

$g'(4)=f'(-1)=1$이므로 구하는 접선의 방정식은

$y-12=x-(-4)$ $\therefore y=x+16$

따라서 $m=1$, $n=16$이므로

$n-m=16-1=15$

04-6 답 $2\sqrt{2}$

해결전략 | 주어진 직선과 기울기가 같아지는 두 개의 접선의 접점의 좌표를 구한다.

STEP 1 직선 $x+y-5=0$과 기울기가 같은 접선의 접점의 x좌표 구하기

직선 $x+y-5=0$에서 $y=-x+5$이므로 직선의 기울기는 -1이다.

$f(x)=-x^3+2x+2$로 놓으면

$f'(x)=-3x^2+2$

접점의 x좌표를 a로 놓으면 $f'(a)=-1$이므로

$-3a^2+2=-1$

$-3a^2=-3$, $a^2=1$ $\therefore a=-1$ 또는 $a=1$

STEP 2 접선의 방정식 구하기

(i) $a=-1$일 때, 접점의 좌표는 $(-1,1)$이므로 접선의

방정식은

$$y-1=-\{x-(-1)\} \qquad \therefore x+y=0$$

(ii) $a=1$일 때, 접점의 좌표는 $(1, 3)$이므로 접선의 방정식은

$$y-3=-(x-1) \qquad \therefore x+y-4=0$$

STEP 3 두 직선 사이의 거리 구하기

따라서 두 직선 사이의 거리는 점 $(1, -1)$과 직선
$x+y-4=0$ 사이의 거리와 같으므로 ⟶ $x+y=0$ 위의 점

$$\frac{|1-1-4|}{\sqrt{1^2+1^2}}=\frac{4}{\sqrt{2}}=2\sqrt{2}$$

필수유형 05   121쪽

05-1 📋 $y=x-4, \ y=x+4$

해결전략 | x축의 양의 방향과 $45°$의 각을 이루는 접선의 기울기는 $\tan 45°$임을 이용하여 접선의 방정식을 구한다.

STEP 1 $f(x)=2x^3-5x$로 놓고 $f'(x)$ 구하기

$f(x)=2x^3-5x$로 놓으면

$$f'(x)=6x^2-5$$

STEP 2 접점의 좌표를 $(a, 2a^3-5a)$라 하고 a의 값 구하기

접점의 좌표를 $(a, \ 2a^3-5a)$라고 하면

접선의 기울기는 $\tan 45°=1$이므로

$$f'(a)=6a^2-5=1, \ a^2=1$$

$$\therefore a=1 \text{ 또는 } a=-1$$

STEP 3 접선의 방정식 구하기

(i) $a=1$일 때, 접점의 좌표는 $(1, -3)$이므로 접선의 방정식은

$$y-(-3)=x-1 \qquad \therefore y=x-4$$

(ii) $a=-1$일 때, 접점의 좌표는 $(-1, 3)$이므로 접선의 방정식은

$$y-3=x-(-1) \qquad \therefore y=x+4$$

따라서 구하는 접선의 방정식은

$$y=x-4, \ y=x+4$$

05-2 📋 $\dfrac{6\sqrt{17}}{17}$

해결전략 | 직선과 평행한 접선의 접점과 직선 사이의 거리가 구하는 최솟값임을 이용한다.

STEP 1 직선 $y=4x-10$과 평행한 접선의 접점의 x좌표 구하기

$f(x)=x^2$으로 놓으면

$$f'(x)=2x$$

직선 $y=4x-10$과 평행한 곡선 $y=f(x)$의 접선의 접점의 좌표를 (a, a^2)이라고 하면 접선의 기울기가 4이므로

$$f'(a)=2a=4 \qquad \therefore a=2$$

STEP 2 곡선 위의 점과 직선 사이의 거리의 최솟값 구하기

$a=2$일 때, 접점의 좌표는 $(2, 4)$이고 점 $(2, 4)$와 직선 $y=4x-10$, 즉 $4x-y-10=0$ 사이의 거리가 구하는 최솟값이므로

$$\frac{|8-4-10|}{\sqrt{4^2+(-1)^2}}=\frac{6\sqrt{17}}{17}$$

05-3 📋 $y=-2x-4$

해결전략 | 접선의 기울기가 최소이면 $f'(x)$가 최솟값을 가질 때임을 이용한다.

STEP 1 $f(x)=x^3-6x^2+10x-12$로 놓고 $f'(x)$ 구하기

$f(x)=x^3-6x^2+10x-12$로 놓으면

$$f'(x)=3x^2-12x+10$$

STEP 2 $f'(x)$의 최솟값과 그때의 x의 값 구하기

$f'(x)=3x^2-12x+10=3(x-2)^2-2$이므로

$f'(x)$는 $x=2$일 때 최솟값 -2를 갖는다.

즉, 곡선 $y=x^3-6x^2+10x-12$의 접선의 기울기의 최솟값은 -2이고 이때의 접점의 x좌표는 2이다.

STEP 3 접선의 방정식 구하기

따라서 점 $(2, -8)$을 지나고 기울기가 -2인 접선의 방정식은

$$y+8=-2(x-2)$$

$$\therefore y=-2x-4$$

05-4 📋 $6\sqrt{3}$

해결전략 | 곡선과 직선이 제1사분면에서 접할 때, 접점의 x좌표, y좌표는 양수임을 이용한다.

STEP 1 $f(x)=x^3+k$로 놓고 $f'(x)$ 구하기

$f(x)=x^3+k$로 놓으면

$$f'(x)=3x^2$$

STEP 2 접점의 좌표를 (t, t^3+k)라 하고 접선의 기울기 구하기

접점의 좌표를 (t, t^3+k)라고 하면 이 점에서의 접선의 기울기는 $f'(t)=3t^2$이므로

$$3t^2=9, \ t^2=3$$

$$\therefore t=\sqrt{3} \text{ 또는 } t=-\sqrt{3}$$

STEP 3 k의 값 구하기

곡선 $y=x^3+k$와 직선 $y=9x$가 제1사분면에서 접하므로 접점의 좌표는 $(\sqrt{3}, 3\sqrt{3}+k)$

점 $(\sqrt{3}, 3\sqrt{3}+k)$가 직선 $y=9x$ 위에 있으므로

$3\sqrt{3}+k=9\sqrt{3}$

$\therefore k=6\sqrt{3}$

05-5 답 −2

해결전략 | 접선의 기울기가 최대이면 $f'(x)$가 최댓값을 가질 때임을 이용한다.

STEP1 $f(x)=-2x^3-6x^2-3x+4$로 놓고 $f'(x)$ 구하기

$f(x)=-2x^3-6x^2-3x+4$로 놓으면

$f'(x)=-6x^2-12x-3$

STEP2 $f'(x)$의 최댓값과 그때의 x의 값 구하기

$f'(x)=-6x^2-12x-3=-6(x+1)^2+3$이므로

$f'(x)$는 $x=-1$일 때 최댓값 3을 갖는다.

즉, 곡선 $y=-2x^3-6x^2-3x+4$의 접선의 기울기의 최댓값은 3이고 이때의 접점의 x좌표는 −1이다.

STEP3 접선의 방정식 구하기

따라서 점 $(-1, 3)$을 지나고 기울기가 3인 접선의 방정식은   → $f(-1)=2-6+3+4=3$

$y-3=3(x+1)$ $\therefore y=3x+6$

STEP4 x절편 구하기

$y=3x+6$에 $y=0$을 대입하면 $x=-2$

따라서 구하는 접선의 x절편은 −2이다.

05-6 답 3

해결전략 | 직선 AB와 점 P 사이의 거리가 최소일 때, 삼각형 ABP의 넓이가 최소임을 이용한다.

STEP1 $f(x)=x^2+5x+8$로 놓고 $f'(x)$ 구하기

$f(x)=x^2+5x+8$로 놓으면

$f'(x)=2x+5$

STEP2 직선 AB의 방정식 구하기

직선 AB의 기울기는 $\dfrac{2-(-4)}{-4-2}=-1$이므로

직선 AB의 방정식은

$y-(-4)=-(x-2)$ $\therefore x+y+2=0$

STEP3 점 P의 좌표 구하기

직선 AB와 평행한 접선의 접점의 좌표를 (t, t^2+5t+8)이라고 하면

$f'(t)=2t+5=-1$ $\therefore t=-3$

즉, 점 P의 좌표가 $P(-3, 2)$일 때 삼각형 ABP의 넓이가 최소이다.

STEP4 삼각형 ABP의 넓이의 최솟값 구하기

직선 AB와 점 P 사이의 거리는

$\dfrac{|-3+2+2|}{\sqrt{1^2+1^2}}=\dfrac{\sqrt{2}}{2}$

이때 $\overline{AB}=\sqrt{(-4-2)^2+\{2-(-4)\}^2}=6\sqrt{2}$이므로

삼각형 ABP의 넓이의 최솟값은

$\dfrac{1}{2}\times6\sqrt{2}\times\dfrac{\sqrt{2}}{2}=3$

필수유형 06   123쪽

06-1 답 9

해결전략 | 접점의 좌표를 미지수로 놓고 그 점에서의 접선의 방정식을 세운다. 이때 y절편은 $x=0$일 때 y의 값이다.

STEP1 $f(x)=x^3-7$로 놓고 $f'(x)$ 구하기

$f(x)=x^3-7$로 놓으면 $f'(x)=3x^2$

STEP2 접점의 좌표를 (t, t^3-7)이라 하고 접선의 방정식 세우기

접점의 좌표를 (t, t^3-7)이라고 하면 이 점에서의 접선의 기울기는 $f'(t)=3t^2$이므로 접선의 방정식은

$y-(t^3-7)=3t^2(x-t)$

$\therefore y=3t^2x-2t^3-7$ ······ ㉠

STEP3 t의 값 구하기

이 직선이 점 $(0, 9)$를 지나므로

$9=-2t^3-7$

$t^3+8=0$, $(t+2)(t^2-2t+4)=0$

$\therefore t=-2$ $(\because t^2-2t+4>0)$

STEP4 접선의 y절편 구하기

$t=-2$를 ㉠에 대입하면 $y=12x+9$

따라서 구하는 접선의 y절편은 9이다.

06-2 답 −4

해결전략 | 접점의 좌표를 미지수로 놓고 그 점에서의 접선의 방정식을 세운다.

STEP1 $f(x)=x^2+x$로 놓고 $f'(x)$ 구하기

$f(x)=x^2+x$로 놓으면 $f'(x)=2x+1$

STEP2 접점의 좌표를 (t, t^2+t)라 하고 접선의 방정식 세우기

접점의 좌표를 (t, t^2+t)라고 하면 이 점에서의 접선의 기울기는 $f'(t)=2t+1$이므로 접선의 방정식은

$y-(t^2+t)=(2t+1)(x-t)$

$\therefore y=(2t+1)x-t^2$ ······ ㉠

STEP3 t의 값 구하기

이 직선이 점 $(1, 1)$을 지나므로

$1=2t+1-t^2$

$t^2-2t=0$, $t(t-2)=0$

$\therefore t=0$ 또는 $t=2$

STEP 4 두 접선의 y절편의 합 구하기

$t=0$, $t=2$를 각각 ㉠에 대입하면

$y=x$, $y=5x-4$

따라서 두 접선의 y절편은 각각 0, -4이므로 구하는 합은

$0+(-4)=-4$

06-3 답 $-\dfrac{45}{4}$

해결전략 | 접점의 좌표를 미지수로 놓고 그 점에서의 접선의 방정식을 세운다.

STEP 1 $f(x)=x^3-3x^2+2$로 놓고 $f'(x)$ 구하기

$f(x)=x^3-3x^2+2$로 놓으면

$f'(x)=3x^2-6x$

STEP 2 접점의 좌표를 (t, t^3-3t^2+2)라 하고 접선의 방정식 세우기

접점의 좌표를 (t, t^3-3t^2+2)라고 하면 이 점에서의 접선의 기울기는 $f'(t)=3t^2-6t$이므로 접선의 방정식은

$y-(t^3-3t^2+2)=(3t^2-6t)(x-t)$

$\therefore y=(3t^2-6t)x-2t^3+3t^2+2$

STEP 3 t의 값 구하기

이 직선이 점 $(0, 3)$을 지나므로

$3=-2t^3+3t^2+2$

$2t^3-3t^2+1=0$, $(t-1)^2(2t+1)=0$

$\therefore t=1$ 또는 $t=-\dfrac{1}{2}$

STEP 4 두 접선의 기울기의 곱 구하기

$t=1$, $t=-\dfrac{1}{2}$을 각각 $f'(t)=3t^2-6t$에 대입하면

$f'(1)=3-6=-3$, $f'\left(-\dfrac{1}{2}\right)=\dfrac{3}{4}+3=\dfrac{15}{4}$

따라서 두 접선의 기울기는 각각 -3, $\dfrac{15}{4}$이므로 구하는 곱은 $(-3)\times\dfrac{15}{4}=-\dfrac{45}{4}$

06-4 답 $\dfrac{4}{3}$

해결전략 | 접점의 좌표를 미지수로 놓고 그 점에서의 접선의 방정식을 세운다.

STEP 1 $f(x)=x^3-2$로 놓고 $f'(x)$ 구하기

$f(x)=x^3-2$로 놓으면

$f'(x)=3x^2$

STEP 2 접점의 좌표를 (t, t^3-2)라 하고 접선의 방정식 세우기

접점의 좌표를 (t, t^3-2)라고 하면 이 점에서의 접선의 기울기는 $f'(t)=3t^2$이므로 접선의 방정식은

$y-(t^3-2)=3t^2(x-t)$

$\therefore y=3t^2x-2t^3-2$ ...... ㉠

STEP 3 t의 값 구하기

이 직선이 점 $(0, -4)$를 지나므로

$-4=-2t^3-2$

$t^3-1=0$, $(t-1)(t^2+t+1)=0$

$\therefore t=1$ ($\because t^2+t+1>0$)

STEP 4 a의 값 구하기

$t=1$을 ㉠에 대입하면

$y=3x-4$

$y=3x-4$에 $y=0$을 대입하면

$3x-4=0$ $\therefore x=\dfrac{4}{3}$

따라서 접선이 x축과 만나는 점의 x좌표는 $\dfrac{4}{3}$이다.

06-5 답 $\dfrac{1}{2}$

해결전략 | 두 접선이 서로 수직으로 만나면 두 접선의 기울기의 곱이 -1임을 이용한다.

STEP 1 $f(x)=\dfrac{1}{2}x^2+k$로 놓고 $f'(x)$ 구하기

$f(x)=\dfrac{1}{2}x^2+k$로 놓으면

$f'(x)=x$

STEP 2 접점의 좌표를 $\left(t, \dfrac{1}{2}t^2+k\right)$라 하고 접선의 방정식 세우기

접점의 좌표를 $\left(t, \dfrac{1}{2}t^2+k\right)$라고 하면 이 점에서의 접선의 기울기는 $f'(t)=t$이므로 접선의 방정식은

$y-\left(\dfrac{1}{2}t^2+k\right)=t(x-t)$ $\therefore y=tx-\dfrac{1}{2}t^2+k$

STEP 3 접선이 지나는 점을 이용하여 관계식 세우기

이 직선이 점 $(2, 0)$을 지나므로

$0=2t-\dfrac{1}{2}t^2+k$

$\therefore t^2-4t-2k=0$ ...... ㉠

STEP 4 이차방정식의 근과 계수의 관계를 이용하여 k의 값 구하기

이차방정식 ㉠의 두 실근을 각각 t_1, t_2라고 하면 $x=t_1$, $x=t_2$에서의 접선의 기울기는 각각 $f'(t_1)=t_1$, $f'(t_2)=t_2$이고 두 접선이 서로 수직으로 만나므로

$t_1 t_2=-1$

이때 t_1, t_2는 t에 대한 이차방정식 ㉠의 해이므로 이차방정식의 근과 계수의 관계에 의하여

$t_1 t_2=-2k=-1$ $\therefore k=\dfrac{1}{2}$

06-6 답 $-\dfrac{3}{2}$

해결전략 | 접점의 좌표를 미지수로 놓고 그 점에서의 접선의 방정식을 세운다.

STEP 1 $f(x)=x^3+3x^2+2x$로 놓고 $f'(x)$ 구하기

$f(x)=x^3+3x^2+2x$로 놓으면

$f'(x)=3x^2+6x+2$

STEP 2 접점의 좌표를 $(t,\ t^3+3t^2+2t)$라 하고 접선의 방정식 세우기

접점의 좌표를 $(t,\ t^3+3t^2+2t)$라고 하면 이 점에서의 접선의 기울기는 $f'(t)=3t^2+6t+2$이므로 접선의 방정식은

$y-(t^3+3t^2+2t)=(3t^2+6t+2)(x-t)$

$\therefore y=(3t^2+6t+2)x-2t^3-3t^2$

STEP 3 접선이 지나는 점을 이용하여 관계식 세우기

이 직선이 점 $(0,\ a)$를 지나므로

$-2t^3-3t^2=a$ $\qquad \therefore 2t^3+3t^2+a=0$

STEP 4 삼차방정식의 근과 계수의 관계를 이용하여 세 접점의 x좌표의 합 구하기

삼차방정식 $2t^3+3t^2+a=0$이 서로 다른 세 실근을 갖고, 이 세 실근이 세 접점의 x좌표이므로 삼차방정식의 근과 계수의 관계에 의하여 구하는 x좌표의 합은 $-\dfrac{3}{2}$이다.

> **◎ 풍쌤의 비법**
>
> **삼차방정식의 근과 계수의 관계**
> 삼차방정식 $ax^3+bx^2+cx+d=0$의 세 근을 $\alpha,\ \beta,\ \gamma$라고 하면
> ① $\alpha+\beta+\gamma=-\dfrac{b}{a}$
> ② $\alpha\beta+\beta\gamma+\gamma\alpha=\dfrac{c}{a}$
> ③ $\alpha\beta\gamma=-\dfrac{d}{a}$

필수유형 07 125쪽

07-1 답 16

해결전략 | 접점의 좌표를 $(t,\ t^2+2)$로 놓고 세운 접선의 방정식에 $A(1,\ -1)$을 대입하여 t의 값을 구한 후 두 접점의 좌표를 구한다.

STEP 1 $f(x)=x^2+2$로 놓고 $f'(x)$ 구하기

$f(x)=x^2+2$로 놓으면

$f'(x)=2x$

STEP 2 접점의 좌표를 $(t,\ t^2+2)$라 하고 접선의 방정식 세우기

접점의 좌표를 $(t,\ t^2+2)$라고 하면 이 점에서의 접선의 기울기는 $f'(t)=2t$이므로 접선의 방정식은

$y-(t^2+2)=2t(x-t)$ $\qquad \therefore y=2tx-t^2+2$

STEP 3 t의 값 구하기

이 직선이 점 $A(1,\ -1)$을 지나므로

$-1=2t-t^2+2$

$t^2-2t-3=0,\ (t+1)(t-3)=0$

$\therefore t=-1$ 또는 $t=3$

STEP 4 삼각형 ABC의 넓이 구하기

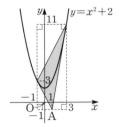

따라서 접점의 좌표는 $(-1,\ 3),\ (3,\ 11)$이므로 삼각형 ABC의 넓이는

$4\times 12-\left(\dfrac{1}{2}\times 2\times 4+\dfrac{1}{2}\times 2\times 12+\dfrac{1}{2}\times 4\times 8\right)=16$

◉— 다른 풀이

STEP 4 삼각형 ABC의 넓이 구하기

따라서 접점의 좌표는 $(-1,\ 3),$ $(3,\ 11)$이므로 $B(3,\ 11),\ C(-1,\ 3)$이라고 하면

$\overline{BC}=\sqrt{(-1-3)^2+(3-11)^2}$
$\qquad =4\sqrt{5}$

직선 BC의 방정식은

$y-11=\dfrac{3-11}{-1-3}(x-3)$

$\therefore 2x-y+5=0$

점 $A(1,\ -1)$과 직선 BC 사이의 거리를 h라고 하면

$h=\dfrac{|2+1+5|}{\sqrt{2^2+(-1)^2}}=\dfrac{8\sqrt{5}}{5}$

따라서 삼각형 ABC의 넓이는

$\dfrac{1}{2}\times 4\sqrt{5}\times\dfrac{8\sqrt{5}}{5}=16$

> **◎ 풍쌤의 비법**
>
> 점 A에서 직선 BC에 수선을 그으면 그 수선의 길이가 $\overline{BC}$를 밑변으로 하는 삼각형 ABC의 높이가 된다.

07-2 답 $4\sqrt{5}$

해결전략 | 접점의 좌표를 미지수로 놓고 그 점에서의 접선의 방정식을 세운다.

STEP1 $f(x)=x^2-2x+1$로 놓고 $f'(x)$ 구하기

$f(x)=x^2-2x+1$로 놓으면

$f'(x)=2x-2$

STEP2 접점의 좌표를 $(t,\ t^2-2t+1)$이라 하고 접선의 방정식 세우기

접점의 좌표를 $(t,\ t^2-2t+1)$이라고 하면 이 점에서의 접선의 기울기는 $f'(t)=2t-2$이므로 접선의 방정식은

$y-(t^2-2t+1)=(2t-2)(x-t)$

$\therefore\ y=(2t-2)x-t^2+1$

STEP3 t의 값 구하기

이 직선이 점 $A(0,\ -3)$을 지나므로

$-3=-t^2+1$

$t^2=4$ $\therefore\ t=-2$ 또는 $t=2$

STEP4 선분 BC의 길이 구하기

따라서 접점의 좌표는 $(-2,\ 9)$, $(2,\ 1)$이므로 선분 BC의 길이는

$\sqrt{\{2-(-2)\}^2+(1-9)^2}=4\sqrt{5}$

07-3 답 2

해결전략 | 접점의 좌표를 $(t,\ t^2+1)$로 놓고 세운 접선의 방정식에 원점을 대입하여 t의 값을 구한 후 두 접점의 좌표를 구한다.

STEP1 $f(x)=x^2+1$로 놓고 $f'(x)$ 구하기

$f(x)=x^2+1$로 놓으면

$f'(x)=2x$

STEP2 접점의 좌표를 $(t,\ t^2+1)$이라 하고 접선의 방정식 세우기

접점의 좌표를 $(t,\ t^2+1)$이라고 하면 이 점에서의 접선의 기울기는 $f'(t)=2t$이므로 접선의 방정식은

$y-(t^2+1)=2t(x-t)$ $\therefore\ y=2tx-t^2+1$

STEP3 t의 값 구하기

이 직선이 점 $(0,\ 0)$을 지나므로

$0=-t^2+1$

$t^2=1$ $\therefore\ t=-1$ 또는 $t=1$

STEP4 삼각형의 넓이 구하기

따라서 접점의 좌표는 $(-1,\ 2)$, $(1,\ 2)$이므로 삼각형의 넓이는

$\dfrac{1}{2}\times2\times2=2$

07-4 답 5

해결전략 | 곡선 밖의 한 점과 곡선에 그은 두 접선의 접점으로 이루어진 삼각형의 무게중심을 구한다.

STEP1 $f(x)=x^2+5x-2$로 놓고 $f'(x)$ 구하기

$f(x)=x^2+5x-2$로 놓으면

$f'(x)=2x+5$

STEP2 접점의 좌표를 $(t,\ t^2+5t-2)$라 하고 접선의 방정식 세우기

접점의 좌표를 $(t,\ t^2+5t-2)$라고 하면 이 점에서의 접선의 기울기는 $f'(t)=2t+5$이므로 접선의 방정식은

$y-(t^2+5t-2)=(2t+5)(x-t)$

$\therefore\ y=(2t+5)x-t^2-2$

STEP3 접선이 지나는 점을 이용하여 관계식 구하기

이 직선이 점 $A(a,\ 3)$을 지나므로

$3=(2t+5)a-t^2-2$

$\therefore\ t^2-2at-5a+5=0$ $\qquad\qquad$ …… ㉠

STEP4 이차방정식의 근과 계수의 관계를 이용하여 관계식 구하기

이때 t_1, t_2를 t에 대한 이차방정식 ㉠의 해라고 하면 t_1, t_2는 각각 접점의 x좌표이고 이차방정식의 근과 계수의 관계에 의하여

$t_1+t_2=2a$

STEP5 a의 값 구하기

따라서 삼각형 ABC의 무게중심의 x좌표는

$\dfrac{a+t_1+t_2}{3}=\dfrac{a+2a}{3}=5$이므로

$a=5$

07-5 답 $3\sqrt{2}$

해결전략 | 곡선 밖의 한 점에서 곡선에 그은 접선의 방정식을 구하고, 이 접선이 다시 곡선과 만나는 점의 좌표를 구한다.

STEP1 $f(x)=x^3-4x$로 놓고 $f'(x)$ 구하기

$f(x)=x^3-4x$로 놓으면

$f'(x)=3x^2-4$

STEP2 접점의 좌표를 $(t,\ t^3-4t)$라 하고 접선의 방정식 세우기

접점의 좌표를 $(t,\ t^3-4t)$라고 하면 이 점에서의 접선의 기울기는 $f'(t)=3t^2-4$이므로 접선의 방정식은

$y-(t^3-4t)=(3t^2-4)(x-t)$

$\therefore\ y=(3t^2-4)x-2t^3$

STEP3 점 A의 좌표와 접선의 방정식 구하기

이 직선이 점 $(0,\ 2)$를 지나므로

$2=-2t^3$, $t^3+1=0$, $(t+1)(t^2-t+1)=0$

$\therefore t=-1$ ($\because t^2-t+1>0$)

즉, 점 A의 좌표는 $(-1, 3)$이고 접선의 방정식은

$y=-x+2$이다.

STEP 4 선분 AB의 길이 구하기

직선 $y=-x+2$가 곡선 $y=x^3-4x$와 만나는 점의 x좌표는

$-x+2=x^3-4x$에서

$x^3-3x-2=0$, $(x+1)^2(x-2)=0$

$\therefore x=-1$ 또는 $x=2$

$x=2$를 $y=-x+2$에 대입하면 $y=0$

즉, 점 B의 좌표는 $(2, 0)$이므로 선분 AB의 길이는

$\sqrt{\{2-(-1)\}^2+(0-3)^2}=3\sqrt{2}$

07-6 $\quad$ 답 $\dfrac{16}{9}$

해결전략 | 접선이 오직 한 개 존재하면 접점도 오직 한 개 존재함을 이용한다.

STEP 1 $f(x)=x^3-4x^2+1$로 놓고 $f'(x)$ 구하기

$f(x)=x^3-4x^2+1$로 놓으면

$f'(x)=3x^2-8x$

STEP 2 접점의 좌표를 (t, t^3-4t^2+1)이라 하고 접선의 방정식 세우기

접점의 좌표를 (t, t^3-4t^2+1)이라고 하면 이 점에서의 접선의 기울기는 $f'(t)=3t^2-8t$이므로 접선의 방정식은

$y-(t^3-4t^2+1)=(3t^2-8t)(x-t)$

$\therefore y=(3t^2-8t)x-2t^3+4t^2+1$

STEP 3 접선이 지나는 점을 이용하여 관계식 구하기

이 직선이 점 $(a, 1)$을 지나므로

$1=(3t^2-8t)a-2t^3+4t^2+1$

$t\{2t^2-(4+3a)t+8a\}=0$

$\therefore t=0$ 또는 $2t^2-(4+3a)t+8a=0$

STEP 4 a의 값의 범위 구하기

이때 접선이 오직 한 개 존재하려면 이차방정식 $2t^2-(4+3a)t+8a=0$이 $t=0$을 중근으로 갖거나 실근을 갖지 않아야 한다.

그런데 $t=0$을 중근으로 가지려면 $4+3a=0$, $8a=0$이어야 하는데 이를 만족시키는 a의 값이 존재하지 않는다.

즉, t에 대한 이차방정식 $2t^2-(4+3a)t+8a=0$이 실근을 갖지 않아야 하므로 이 이차방정식의 판별식을 D라고 하면

$D=(4+3a)^2-4\times2\times8a<0$

$9a^2-40a+16<0$, $(9a-4)(a-4)<0$

$\therefore \dfrac{4}{9}<a<4$

따라서 $m=\dfrac{4}{9}$, $n=4$이므로

$mn=\dfrac{4}{9}\times4=\dfrac{16}{9}$

필수유형 **08**   127쪽

08-1 $\quad$ 답 $y=2x+2$

해결전략 | 두 곡선 $y=f(x)$, $y=g(x)$가 점 (a, b)에서 공통인 접선을 가지면 $f(a)=g(a)=b$, $f'(a)=g'(a)$임을 이용한다.

STEP 1 $f(x)=x^3-x$, $g(x)=-x^2+1$로 놓고 $f'(x)$, $g'(x)$ 구하기

$f(x)=x^3-x$, $g(x)=-x^2+1$로 놓으면

$f'(x)=3x^2-1$, $g'(x)=-2x$

STEP 2 두 곡선이 $x=t$인 점에서 공통인 접선을 갖는다고 하고 t의 값 구하기

두 곡선이 $x=t$인 점에서 공통인 접선을 갖는다고 하면

$f(t)=g(t)$에서 $t^3-t=-t^2+1$

$t^3+t^2-t-1=0$, $(t-1)(t+1)^2=0$

$\therefore t=1$ 또는 $t=-1$

$f'(t)=g'(t)$에서 $3t^2-1=-2t$

$3t^2+2t-1=0$, $(3t-1)(t+1)=0$

$\therefore t=\dfrac{1}{3}$ 또는 $t=-1$

STEP 3 공통인 접선의 방정식 구하기

따라서 $t=-1$일 때, 즉 점 $(-1, 0)$에서 공통인 접선을 갖고 접선의 기울기는 $f'(-1)=g'(-1)=2$이므로 공통인 접선의 방정식은

$y-0=2\{x-(-1)\}$ $\qquad \therefore y=2x+2$

08-2 $\quad$ 답 -1

해결전략 | 두 곡선 $y=f(x)$, $y=g(x)$가 점 (a, b)에서 공통인 접선을 가지면 $f(a)=g(a)=b$, $f'(a)=g'(a)$임을 이용한다.

STEP 1 $f(x)=x^3+ax+2$, $g(x)=x^2+1$로 놓고 $f'(x)$, $g'(x)$ 구하기

$f(x)=x^3+ax+2$, $g(x)=x^2+1$로 놓으면

$f'(x)=3x^2+a$, $g'(x)=2x$

STEP 2 두 곡선이 $x=t$인 점에서 공통인 접선을 갖는다고 하고 t의 값 구하기

두 곡선이 $x=t$인 점에서 공통인 접선을 갖는다고 하면
$f(t)=g(t)$에서
$t^3+at+2=t^2+1$ ⋯⋯ ㉠
$f'(t)=g'(t)$에서 $3t^2+a=2t$
$\therefore a=2t-3t^2$
이를 ㉠에 대입하여 정리하면
$2t^3-t^2-1=0$, $(t-1)(2t^2+t+1)=0$
$\therefore t=1$ ($\because 2t^2+t+1>0$)
STEP3 a의 값 구하기
$t=1$을 $a=2t-3t^2$에 대입하면 $a=-1$

08-3 답 -7

해결전략 | 주어진 접선이 곡선 $y=x^3+ax-2$의 접선임을 이용한다.
STEP1 곡선 $y=x^2$ 위의 점 $(-2, 4)$에서의 접선의 방정식 구하기
$y=x^2$에서 $y'=2x$이므로 점 $(-2, 4)$에서의 접선의 기울기는 $2\times(-2)=-4$
따라서 점 $(-2, 4)$에서의 접선의 방정식은
$y-4=-4\{x-(-2)\}$ $\therefore y=-4x-4$
STEP2 직선 $y=-4x+4$가 $x=t$인 점에서 곡선 $y=x^3+ax-2$에 접한다고 하고 t의 값 구하기
직선 $y=-4x+4$가 $x=t$인 점에서 곡선 $y=x^3+ax-2$에 접한다고 하면
$t^3+at-2=-4t-4$
$\therefore t^3+(a+4)t+2=0$ ⋯⋯ ㉠
$y=x^3+ax-2$에서 $y'=3x^2+a$이므로
$3t^2+a=-4$
$\therefore a+4=-3t^2$ ⋯⋯ ㉡
㉡을 ㉠에 대입하면 $t^3-3t^3+2=0$
$t^3-1=0$, $(t-1)(t^2+t+1)=0$
$\therefore t=1$ ($\because t^2+t+1>0$)
STEP3 a의 값 구하기
$t=1$을 ㉡에 대입하면 $a+4=-3$
$\therefore a=-7$

08-4 답 1

해결전략 | 두 곡선 $y=f(x)$, $y=g(x)$가 점 (a, b)에서 공통인 접선을 가지면 $f(a)=g(a)=b$, $f'(a)=g'(a)$임을 이용한다.
STEP1 $f(x)=ax^3+6x$, $g(x)=2x^2+bx$로 놓고 $f'(x)$, $g'(x)$ 구하기

$f(x)=ax^3+6x$, $g(x)=2x^2+bx$로 놓으면
$f'(x)=3ax^2+6$, $g'(x)=4x+b$
STEP2 $x=3$에서 공통인 접선을 가짐을 이용하여 관계식 세우기
두 곡선이 $x=3$인 점에서 공통인 접선을 가지므로
$f(3)=g(3)$에서 $27a+18=18+3b$
$\therefore 9a-b=0$ ⋯⋯ ㉠
$f'(3)=g'(3)$에서 $27a+6=12+b$
$\therefore 27a-b=6$ ⋯⋯ ㉡
STEP3 a, b의 값 구하기
㉠, ㉡을 연립하여 풀면 $a=\dfrac{1}{3}$, $b=3$
$\therefore ab=\dfrac{1}{3}\times3=1$

08-5 답 -14

해결전략 | 두 곡선 $y=f(x)$, $y=g(x)$가 점 (a, b)에서 공통인 접선을 가지면 $f(a)=g(a)=b$, $f'(a)=g'(a)$임을 이용한다.
STEP1 $f(x)=x^2+ax+b$, $g(x)=-x^2+c$로 놓고 $f'(x)$, $g'(x)$ 구하기
$f(x)=x^2+ax+b$, $g(x)=-x^2+c$로 놓으면
$f'(x)=2x+a$, $g'(x)=-2x$
STEP2 두 곡선이 점 $(1, 3)$을 지남을 이용하여 c의 값 구하기
두 곡선이 점 $(1, 3)$을 지나므로
$f(1)=3$에서 $1+a+b=3$
$\therefore a+b=2$ ⋯⋯ ㉠
$g(1)=3$에서 $-1+c=3$
$\therefore c=4$
STEP3 점 $(1, 3)$에서 두 곡선에 그은 접선의 기울기가 같음을 이용하여 a, b의 값 구하기
점 $(1, 3)$에서 두 곡선에 그은 접선의 기울기가 같으므로
$f'(1)=g'(1)$에서 $2+a=-2$
$\therefore a=-4$
$a=-4$를 ㉠에 대입하면 $-4+b=2$
$\therefore b=6$
STEP4 $a-b-c$의 값 구하기
$\therefore a-b-c=-4-6-4=-14$

08-6 답 -8

해결전략 | 점 P의 x좌표, y좌표가 모두 양수임을 이용하여 접선의 방정식을 구한다.

STEP1 $f(x)=x^3$, $g(x)=-x^2+5x+k$로 놓고
$f'(x)$, $g'(x)$ 구하기
$f(x)=x^3$, $g(x)=-x^2+5x+k$로 놓으면
$f'(x)=3x^2$, $g'(x)=-2x+5$
STEP2 두 곡선이 $x=t$인 점에서 공통인 접선을 갖는다고 하고 t의 값 구하기
두 곡선이 $x=t$인 점에서 공통인 접선을 갖는다고 하면
$f(t)=g(t)$에서
$t^3=-t^2+5t+k$ ...... ㉠
$f'(t)=g'(t)$에서 $3t^2=-2t+5$
$3t^2+2t-5=0$, $(t-1)(3t+5)=0$
$\therefore t=1$ $(\because t>0)$
STEP3 k의 값 구하기
$t=1$을 ㉠에 대입하면
$1=-1+5+k$ $\therefore k=-3$
STEP4 점 P에서의 접선의 방정식 구하기
점 P의 좌표는 $(1, 1)$이고 접선의 기울기는 3이므로 점 P에서의 접선의 방정식은
$y-1=3(x-1)$ $\therefore y=3x-2$
STEP5 $k-a+b$의 값 구하기
따라서 $a=3$, $b=-2$이므로
$k-a+b=-3-3+(-2)=-8$

필수유형 09   129쪽

09-1 달 $\dfrac{4}{3}$

해결전략 | 각 곡선에 그은 접선이 서로 수직일 때, 두 접선의 기울기의 곱은 -1임을 이용한다.
STEP1 $f(x)=\dfrac{1}{3}x^3+1$, $g(x)=-x^2+x+a$로 놓고
$f'(x)$, $g'(x)$ 구하기
$f(x)=\dfrac{1}{3}x^3+1$, $g(x)=-x^2+x+a$로 놓으면
$f'(x)=x^2$, $g'(x)=-2x+1$
STEP2 두 곡선의 교점의 x좌표를 t라 하고 관계식 구하기
두 곡선의 교점의 x좌표를 t라고 하면
$f(t)=g(t)$에서
$\dfrac{1}{3}t^3+1=-t^2+t+a$ ...... ㉠
STEP3 $x=t$인 점에서 각 곡선에 그은 접선이 서로 수직임을 이용하여 t의 값 구하기
$x=t$인 점에서 각 곡선에 그은 접선이 서로 수직이므로
$f'(t)g'(t)=-1$에서

$t^2(-2t+1)=-1$
$2t^3-t^2-1=0$, $(t-1)(2t^2+t+1)=0$
$\therefore t=1$ $(\because 2t^2+t+1>0)$
STEP4 a의 값 구하기
$t=1$을 ㉠에 대입하면
$\dfrac{1}{3}+1=-1+1+a$ $\therefore a=\dfrac{4}{3}$

09-2 달 $\dfrac{26}{3}$

해결전략 | 각 곡선에 그은 접선이 서로 수직일 때, 두 접선의 기울기의 곱은 -1임을 이용한다.
STEP1 $f'(x)$, $g'(x)$ 구하기
$f(x)=x^2+4$, $g(x)=-3x^2+ax$에서
$f'(x)=2x$, $g'(x)=-6x+a$
STEP2 두 곡선의 교점의 x좌표를 t라 하고 관계식 구하기
두 곡선의 교점의 x좌표를 t라고 하면
$f(t)=g(t)$에서 $t^2+4=-3t^2+at$
$\therefore at=4t^2+4$ ...... ㉠
STEP3 $x=t$인 점에서 각 곡선에 그은 접선이 서로 수직임을 이용하여 t의 값 구하기
$x=t$인 점에서 각 곡선에 그은 접선이 서로 수직이므로
$f'(t)g'(t)=-1$에서 $2t(-6t+a)=-1$
$-12t^2+2at=-1$ ...... ㉡
㉠을 ㉡에 대입하면
$-12t^2+2(4t^2+4)=-1$
$4t^2=9$ $\therefore t=-\dfrac{3}{2}$ 또는 $t=\dfrac{3}{2}$
STEP4 양수 a의 값 구하기
(i) $t=-\dfrac{3}{2}$을 ㉠에 대입하면
$-\dfrac{3}{2}a=13$ $\therefore a=-\dfrac{26}{3}$
(ii) $t=\dfrac{3}{2}$을 ㉠에 대입하면
$\dfrac{3}{2}a=13$ $\therefore a=\dfrac{26}{3}$
따라서 구하는 양수 a의 값은 $\dfrac{26}{3}$이다.

09-3 달 $-\dfrac{11}{3}$

해결전략 | 각 곡선에 그은 접선이 서로 수직일 때, 두 접선의 기울기의 곱은 -1임을 이용한다.
STEP1 $f(x)=x^3$, $g(x)=ax^2+bx$로 놓고 $f'(x)$, $g'(x)$ 구하기

$f(x)=x^3$, $g(x)=ax^2+bx$로 놓으면

$f'(x)=3x^2$, $g'(x)=2ax+b$

STEP2 두 곡선이 점 (1, 1)에서 만나는 것을 이용하여 관계식 구하기

두 곡선이 점 (1, 1)에서 만나므로 $f(1)=g(1)$에서

$1=a+b$　　　　　　　　$\cdots\cdots$ ㉠

STEP3 점 (1, 1)에서의 두 접선이 서로 수직임을 이용하여 관계식 구하기

점 (1, 1)에서의 두 접선이 서로 수직이므로

$f'(1)g'(1)=-1$에서

$3(2a+b)=-1$　　　　　　$\cdots\cdots$ ㉡

STEP4 $a-b$의 값 구하기

㉠, ㉡을 연립하여 풀면

$$a=-\frac{4}{3}, \ b=\frac{7}{3}$$

$$\therefore a-b=-\frac{4}{3}-\frac{7}{3}=-\frac{11}{3}$$

09-4 답 10

해결전략 | 두 곡선의 교점에서의 접선이 서로 수직일 때, 두 접선의 기울기의 곱은 -1임을 이용한다.

STEP1 $f(x)=ax^3+b$, $g(x)=x^2+cx$로 놓고 $f'(x)$, $g'(x)$ 구하기

$f(x)=ax^3+b$, $g(x)=x^2+cx$로 놓으면

$f'(x)=3ax^2$, $g'(x)=2x+c$

STEP2 두 곡선이 점 (−1, 0)을 지나는 것을 이용하여 c의 값 구하기

두 곡선이 점 (−1, 0)을 지나므로

$f(-1)=-a+b=0$　　$\therefore b=a$　　$\cdots\cdots$ ㉠

$g(-1)=1-c=0$　　$\therefore c=1$

STEP3 점 (−1, 0)에서의 두 접선이 서로 수직임을 이용하여 a, b의 값 구하기

점 (−1, 0)에서의 두 접선이 서로 수직이므로

$f'(-1)g'(-1)=-1$에서

$3a(-2+c)=-1$　　　　　　$\cdots\cdots$ ㉡

$c=1$을 ㉡에 대입하면

$$-3a=-1 \quad \therefore a=\frac{1}{3}$$

㉠에서 $b=a=\dfrac{1}{3}$

STEP4 $90abc$의 값 구하기

$$\therefore 90abc=90\times\frac{1}{3}\times\frac{1}{3}\times1=10$$

09-5 답 −2

해결전략 | 두 곡선의 교점의 x좌표를 미지수로 놓고 조건을 이용하여 관계식을 세운다.

STEP1 $f(x)=-x^2+2$, $g(x)=ax^2+3x$로 놓고 $f'(x)$, $g'(x)$ 구하기

$f(x)=-x^2+2$, $g(x)=ax^2+3x$로 놓으면

$f'(x)=-2x$, $g'(x)=2ax+3$

STEP2 두 곡선의 교점의 x좌표를 t라 하고 관계식 구하기

두 곡선의 교점의 x좌표를 t라고 하면 $f(t)=g(t)$에서

$-t^2+2=at^2+3t$　　　　　$\cdots\cdots$ ㉠

STEP3 $m_1-m_2=1$임을 이용하여 t의 값 구하기

$m_1=f'(t)=-2t$, $m_2=g'(t)=2at+3$이고

$m_1-m_2=1$이므로

$-2t-2at-3=1$

$$\therefore at=-t-2 \qquad\qquad \cdots\cdots ㉡$$

STEP4 a의 값 구하기

㉡을 ㉠에 대입하면

$-t^2+2=t(-t-2)+3t$　　$\therefore t=2$

$t=2$를 ㉡에 대입하면

$2a=-4$　　$\therefore a=-2$

09-6 답 −2

해결전략 | 각 곡선에 그은 접선이 서로 수직일 때, 두 접선의 기울기의 곱은 -1임을 이용하여 관계식을 세운다.

STEP1 $f'(2)g'(2)$의 값 구하기

두 곡선 $y=f(x)$, $y=g(x)$가 점 (2, k)에서 만나므로

$f(2)=k$, $g(2)=k$

또, 점 (2, k)에서의 두 접선이 서로 수직이므로

$f'(2)g'(2)=-1$　　　　　　$\cdots\cdots$ ㉠

STEP2 $f'(2)+g'(2)$의 값 구하기

$y=f(x)g(x)$에서 $y'=f'(x)g(x)+f(x)g'(x)$

곡선 $y=f(x)g(x)$ 위의 점 (2, k^2)에서의 접선의 기울기는 0이므로

$f'(2)g(2)+f(2)g'(2)=0$

$k\{f'(2)+g'(2)\}=0$

$\therefore f'(2)+g'(2)=0 \ (\because k\neq0)$

STEP3 $f'(2)-g'(2)$의 값 구하기

$g'(2)=-f'(2)$이므로 이것을 ㉠에 대입하면

$\{f'(2)\}^2=1$　　$\therefore f'(2)=-1$ 또는 $f'(2)=1$

그런데 $f'(2)<g'(2)$이므로

$f'(2)=-1$, $g'(2)=1$

$\therefore f'(2)-g'(2)=-1-1=-2$

10-1 답 $\dfrac{1}{4}$

해결전략 | 접선을 좌표평면 위에 나타낸 후 x절편과 y절편을 이용하여 삼각형의 넓이를 구한다.

STEP1 $f(x)=2x^3-4x+5$로 놓고 $f'(x)$ 구하기

$f(x)=2x^3-4x+5$로 놓으면

$f'(x)=6x^2-4$

STEP2 점 $(1, 3)$에서의 접선의 방정식 구하기

$f'(1)=6-4=2$이므로 점 $(1, 3)$에서의 접선의 방정식은

$y-3=2(x-1)$ $\therefore y=2x+1$

STEP3 삼각형의 넓이 구하기

이 접선의 x절편, y절편은 각각 $-\dfrac{1}{2}$, 1이므로 접선과 x축 및 y축으로 둘러싸인 부분의 넓이는

$\dfrac{1}{2}\times\dfrac{1}{2}\times1=\dfrac{1}{4}$

10-2 답 3

해결전략 | 접선을 좌표평면 위에 나타낸 후 직선 $y=2$와 y절편을 이용하여 삼각형의 넓이를 구한다.

STEP1 $f(x)=3x^2-1$로 놓고 $f'(x)$ 구하기

$f(x)=3x^2-1$로 놓으면

$f'(x)=6x$

STEP2 점 $(1, 2)$에서의 접선의 방정식 구하기

$f'(1)=6\times1=6$이므로 점 $(1, 2)$에서의 접선의 방정식은

$y-2=6(x-1)$ $\therefore y=6x-4$

STEP3 삼각형의 넓이 구하기

이 접선의 y절편은 -4이므로 접선과 직선 $y=2$ 및 y축으로 둘러싸인 부분의 넓이는

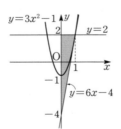

$\dfrac{1}{2}\times6\times1=3$

10-3 답 16

해결전략 | 접선을 좌표평면 위에 나타낸 후 x절편과 y절편을 이용하여 구한 삼각형의 넓이가 18일 때, k의 값을 구한다.

STEP1 $f'(x)$ 구하기

$f(x)=kx^4(k>0)$에서

$f'(x)=4kx^3$

STEP2 점 $(1, f(1))$에서의 접선의 방정식 구하기

점 $(1, f(1))$, 즉 점 $(1, k)$에서의 접선의 기울기는

$f'(1)=4k$이므로 접선의 방정식은

$y-k=4k(x-1)$ $\therefore y=4kx-3k$

STEP3 k의 값 구하기

이 접선의 x절편, y절편은 각각 $\dfrac{3}{4}$, $-3k$이고 접선과 x축 및 y축으로 둘러싸인 삼각형의 넓이가 18이므로

$\dfrac{1}{2}\times\dfrac{3}{4}\times3k=18$ $\therefore k=16$

10-4 답 28

해결전략 | 접선을 좌표평면 위에 나타낸 후 x절편과 y절편을 이용하여 구한 삼각형의 넓이가 $\dfrac{25}{2}$일 때, k의 값을 구한다.

STEP1 $f(x)=2x^2-5x+a$로 놓고 $f'(x)$ 구하기

$f(x)=2x^2-5x+a$로 놓으면

$f'(x)=4x-5$

STEP2 점 $(1, k)$에서의 접선의 방정식 구하기

$f'(1)=4-5=-1$이므로 점 $(1, k)$에서의 접선의 방정식은

$y-k=-(x-1)$ $\therefore y=-x+k+1$

STEP3 k의 값 구하기

이 접선의 x절편, y절편은 각각 $k+1$, $k+1$이고 접선과 x축 및 y축으로 둘러싸인 삼각형의 넓이가 $\dfrac{25}{2}$이므로

$\dfrac{1}{2}\times(k+1)\times(k+1)=\dfrac{25}{2}$

$(k+1)^2=25$ $\therefore k=4\ (\because k>-1)$

STEP4 a의 값 구하기

점 $(1, 4)$는 곡선 $y=2x^2-5x+a$ 위의 점이므로

$4=2-5+a$ $\therefore a=7$

$\therefore ak=7\times4=28$

10-5 답 $\dfrac{3}{2}$

해결전략 | 점 P에서의 두 접선 l, m을 좌표평면 위에 나타낸 후 x절편을 이용하여 삼각형의 넓이를 구한다.

STEP1 $f'(x), g'(x)$ 구하기

$f(x)=x^2-2x+2, g(x)=-x^2+6$에서

$f'(x)=2x-2, g'(x)=-2x$

STEP2 점 P의 좌표 구하기

제1사분면 위에서 만나는 점 P의 x좌표를 t라고 하면

$f(t)=g(t)$에서 $t^2-2t+2=-t^2+6$

$t^2-t-2=0$, $(t+1)(t-2)=0$

$\therefore t=-1$ 또는 $t=2$

그런데 $t>0$이므로 $t=2$

즉, 점 P의 좌표는 $(2, 2)$이다.

STEP 3 두 직선 l, m의 방정식 구하기

따라서 $f'(2)=4-2=2$이므로 직선 l의 방정식은

$y-2=2(x-2)$ $\therefore y=2x-2$

$g'(2)=-4$이므로 직선 m의 방정식은

$y-2=-4(x-2)$ $\therefore y=-4x+10$

STEP 4 넓이 구하기

직선 $y=2x-2$의 x절편은 1,

직선 $y=-4x+10$의 x절편은

$\dfrac{5}{2}$이므로 구하는 넓이는

$\dfrac{1}{2}\times\left(\dfrac{5}{2}-1\right)\times 2=\dfrac{3}{2}$

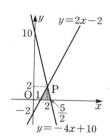

10-6 답 $\dfrac{3}{2}$

해결전략 | 접선을 좌표평면 위에 나타낸 후 x절편을 이용하여 평행사변형의 넓이를 구한다.

STEP 1 두 점 A, B의 좌표를 $A\left(\alpha, \dfrac{1}{3}\alpha^3-k\alpha^2+1\right)$,

$B\left(\beta, \dfrac{1}{3}\beta^3-k\beta^2+1\right)$ $(\alpha<\beta)$이라 하고 도형 파악하기

$A\left(\alpha, \dfrac{1}{3}\alpha^3-k\alpha^2+1\right)$, $B\left(\beta, \dfrac{1}{3}\beta^3-k\beta^2+1\right)$ $(\alpha<\beta)$라고 하면 네 직선으로 둘러싸인 도형은 평행사변형이다.

STEP 2 $f'(x)$ 구하기

$f(x)=\dfrac{1}{3}x^3-kx^2+1$에서

$f'(x)=x^2-2kx$

STEP 3 두 접선 l, m의 방정식 구하기

두 접선의 기울기가 모두 $3k^2$이므로 $x^2-2kx=3k^2$에서

$x^2-2kx-3k^2=0$, $(x+k)(x-3k)=0$

$\therefore \alpha=-k$, $\beta=3k$ $(\because \alpha<\beta, k>0)$

$\therefore A\left(-k, -\dfrac{4}{3}k^3+1\right)$, $B(3k, 1)$

점 A에서의 접선 l의 방정식은

$y-\left(-\dfrac{4}{3}k^3+1\right)=3k^2\{x-(-k)\}$

$\therefore y=3k^2x+\dfrac{5}{3}k^3+1$

점 B에서의 접선 m의 방정식은

$y-1=3k^2(x-3k)$

$\therefore y=3k^2x-9k^3+1$

STEP 4 곡선 $y=f(x)$에 접하고 x축에 평행한 두 직선 구하기

x축에 평행한 직선의 기울기는 0이므로

$x^2-2kx=0$에서 $x(x-2k)=0$

$\therefore x=0$ 또는 $x=2k$

즉, x축에 평행한 두 접선의 방정식은

$y=f(0)$ 또는 $y=f(2k)$

즉, $y=1$ 또는 $y=1-\dfrac{4}{3}k^3$

STEP 5 평행사변형의 밑변의 길이와 높이 구하기

직선 $y=1$과 두 접선 l, m의 교점의 x좌표를 각각 x_1, x_2라고 하면

$3k^2x_1+\dfrac{5}{3}k^3+1=1$에서 $3k^2x_1=-\dfrac{5}{3}k^3$

$\therefore x_1=-\dfrac{5}{9}k$

$3k^2x_2-9k^3+1=1$에서 $3k^2x_2=9k^3$

$\therefore x_2=3k$

평행사변형의 밑변의 길이는

$x_2-x_1=3k-\left(-\dfrac{5}{9}k\right)=\dfrac{32}{9}k$

한편, 평행사변형의 높이는 x축에 평행한 두 직선 $y=1$, $y=1-\dfrac{4}{3}k^3$ 사이의 거리이므로

$1-\left(1-\dfrac{4}{3}k^3\right)=\dfrac{4}{3}k^3$

STEP 6 k의 값 구하기

이때 평행사변형의 넓이가 24이므로

$\dfrac{32}{9}k\times\dfrac{4}{3}k^3=24$, $k^4=\dfrac{81}{16}$, $k^2=\dfrac{9}{4}$

$\therefore k=\dfrac{3}{2}$ $(\because k>0)$

필수유형 ⑪   133쪽

11-1 답 3

해결전략 | 함수 $f(x)$가 롤의 정리를 만족시키는 것을 이용하여 미지수의 값을 구한다.

STEP 1 함수 $f(x)$가 롤의 정리를 만족시키는 것을 확인하기

함수 $f(x)$가 닫힌구간 $[0, 6]$에서 연속이고 열린구간 $(0, 6)$에서 미분가능하며 $f(0)=f(6)=3$이므로 롤의 정리에 의하여 $f'(c)=0$ $(0<c<6)$인 c가 적어도 하나 존재한다.

STEP 2 $f'(x)$ 구하기

$f(x)=-2x^2+12x+3$에서 $f'(x)=-4x+12$

STEP3 c의 값 구하기

$f'(c)=-4c+12=0$에서

$c=3$

11-2 🖺 2

해결전략 | 함수 $f(x)$가 롤의 정리를 만족시키는 것을 이용하여 미지수의 개수를 구한다.

STEP1 함수 $f(x)$가 롤의 정리를 만족시키는 것을 확인하기

함수 $f(x)$가 닫힌구간 $[-1, 4]$에서 연속이고 열린구간 $(-1, 4)$에서 미분가능하며 $f(-1)=f(4)=1$이므로 롤의 정리에 의하여 $f'(c)=0$ $(-1<c<4)$인 c가 적어도 하나 존재한다.

STEP2 $f'(x)$ 구하기

$f(x)=x^3-4x^2-x+5$에서

$f'(x)=3x^2-8x-1$

STEP3 c의 개수 구하기

$f'(c)=3c^2-8c-1=0$에서

$c=\dfrac{4\pm\sqrt{19}}{3}$

따라서 상수 c의 개수는 2이다.

11-3 🖺 ④

해결전략 | 함수 $f(x)$가 닫힌구간 $[1, 3]$에서 연속이고 열린구간 $(1, 3)$에서 미분가능하고 $f(1)=f(3)$인지 확인한다.

ㄱ. 함수 $f(x)=|x-2|$는 닫힌구간 $[1, 3]$에서 연속이지만 $x=2$에서 미분가능하지 않다.
  즉, 열린구간 $(1, 3)$에서 미분가능하지 않은 점이 있으므로 롤의 정리를 만족시키지 않는다.

ㄴ. 함수 $f(x)=|(x-1)(x-3)|$은 닫힌구간 $[1, 3]$에서 연속이고 열린구간 $(1, 3)$에서 미분가능하며 $f(1)=f(3)=0$이므로 롤의 정리에 의하여 $f'(c)=0$ $(1<c<3)$인 c가 적어도 하나 존재한다.

ㄷ. 함수 $f(x)=4x-x^2$은 닫힌구간 $[1, 3]$에서 연속이고 열린구간 $(1, 3)$에서 미분가능하며 $f(1)=f(3)=3$이므로 롤의 정리에 의하여 $f'(c)=0$ $(1<c<3)$인 c가 적어도 하나 존재한다.

따라서 롤의 정리가 성립하는 것은 ㄴ, ㄷ이다.

11-4 🖺 6

해결전략 | 함수 $f(x)$가 롤의 정리를 만족시키는 상수가 c이면 $f'(c)=0$임을 이용하여 미지수 k의 값을 구한다.

STEP1 $f'(x)$ 구하기

$f(x)=-x^2+kx$에서

$f'(x)=-2x+k$

STEP2 k의 값 구하기

닫힌구간 $[2, 4]$에서 롤의 정리를 만족시키는 상수가 3이므로

$f'(3)=-6+k=0$ $\quad\therefore k=6$

◉→ **다른 풀이**

함수 $f(x)$가 닫힌구간 $[2, 4]$에서 롤의 정리를 만족시키려면 $f(2)=f(4)$이어야 한다.

즉, $-4+2k=-16+4k$에서

$2k=12$ $\quad\therefore k=6$

11-5 🖺 2

해결전략 | 함수 $f(x)$가 롤의 정리를 만족시키는 조건을 이용하여 미지수의 값을 구한다.

STEP1 k의 값 구하기

함수 $f(x)$가 닫힌구간 $[1, 3]$에서 연속이고 열린구간 $(1, 3)$에서 미분가능하므로 롤의 정리를 만족시키려면 $f(1)=f(3)$이어야 한다.

즉, $k-1=3k-9$에서

$2k=8$ $\quad\therefore k=4$

STEP2 c의 값 구하기

$f(x)=4x-x^2$에서

$f'(x)=4-2x$

롤의 정리에 의하여

$f'(c)=0$ $(1<c<3)$인 c가 적어도 하나 존재하므로

$f'(c)=4-2c=0$

$\therefore c=2$

11-6 🖺 $\dfrac{4}{3}$

해결전략 | 함수 $f(x)$가 롤의 정리를 만족시키는 것을 이용하여 미지수의 값을 구한다.

STEP1 $f'(x)$ 구하기

$f(x)=-2x^3-4x^2+8x+3$에서

$f'(x)=-6x^2-8x+8$

STEP2 a의 값 구하기

닫힌구간 $[-a, a]$에서 롤의 정리를 만족시키므로

$f(-a)=f(a)$

즉, $2a^3-4a^2-8a+3=-2a^3-4a^2+8a+3$에서

$a^3-4a=0$, $a(a-2)(a+2)=0$

$\therefore a=2$ $(\because a$는 자연수$)$

STEP 3 c의 값 구하기

롤의 정리를 만족시키는 실수 c가 존재하므로

$f'(c)=-6c^2-8c+8=0$

$3c^2+4c-4=0,\ (3c-2)(c+2)=0$

$\therefore c=\dfrac{2}{3}\ (\because -2<c<2)$

$\therefore a-c=2-\dfrac{2}{3}=\dfrac{4}{3}$

필수유형 12 　　　　　　　　　　135쪽

12-1 📝 7

해결전략 | 함수 $f(x)$가 평균값 정리를 만족시키는 것을 이용하여 k의 값을 구한다.

STEP 1 $f'(x)$ 구하기

$f(x)=-x^2+5x+1$에서

$f'(x)=-2x+5$

STEP 2 k의 값 구하기

닫힌구간 $[1,\ k]$에서 평균값 정리를 만족시키는 상수가 4이므로

$\dfrac{f(k)-f(1)}{k-1}=f'(4)$

$\dfrac{(-k^2+5k+1)-5}{k-1}=-3,\ k^2-8k+7=0$

$(k-1)(k-7)=0$

$\therefore k=7\ (\because k>4)$

12-2 📝 $\sqrt{3}$

해결전략 | 주어진 식을 변형시킨 후 함수 $f(x)$가 평균값 정리를 만족시키는 것을 이용하여 미지수의 값을 구한다.

STEP 1 $f'(x)$ 구하기

$f(x)=x^3-x+2$에서

$f'(x)=3x^2-1$

STEP 2 c의 값 구하기

$f(3)-f(0)=3f'(c)$에서

$\dfrac{f(3)-f(0)}{3-0}=f'(c)$이므로

$\dfrac{26-2}{3}=3c^2-1,\ c^2=3$

$\therefore c=\sqrt{3}\ (\because 0<c<3)$

12-3 📝 ④

해결전략 | $f(x),\ f'(x)$를 주어진 등식에 대입하여 h에 대한 식으로 정리한 후 극한값을 구한다.

STEP 1 $f'(x)$ 구하기

$f(x)=x^3+1$에서

$f'(x)=3x^2$

STEP 2 θ 구하기

$f(x+h)-f(x)=hf'(x+\theta h)$에서

$(x+h)^3+1-(x^3+1)=3h(x+\theta h)^2$

$3hx^2+3h^2x+h^3=3h(x+\theta h)^2$

$(x+\theta h)^2=x^2+hx+\dfrac{h^2}{3}$

$\therefore \theta=\dfrac{1}{h}\left(\sqrt{x^2+hx+\dfrac{h^2}{3}}-x\right)$

STEP 3 $\lim\limits_{h\to 0}\theta$의 값 구하기

$\therefore \lim\limits_{h\to 0}\theta=\lim\limits_{h\to 0}\dfrac{1}{h}\left(\sqrt{x^2+hx+\dfrac{h^2}{3}}-x\right)$

$=\lim\limits_{h\to 0}\dfrac{hx+\dfrac{h^2}{3}}{h\left(\sqrt{x^2+hx+\dfrac{h^2}{3}}+x\right)}$

$=\lim\limits_{h\to 0}\dfrac{x+\dfrac{h}{3}}{\sqrt{x^2+hx+\dfrac{h^2}{3}}+x}=\dfrac{1}{2}$

12-4 📝 $\dfrac{1}{2}$

해결전략 | $f(x),\ f'(x)$를 주어진 등식에 대입하여 h에 대한 식으로 정리한 후 θ의 값을 구한다.

STEP 1 $f'(x)$ 구하기

$f(x)=\dfrac{1}{2}x^2+ax+b$에서

$f'(x)=x+a$

STEP 2 θ의 값 구하기

$f(x+h)=f(x)+hf'(x+\theta h)$에서

$\dfrac{1}{2}(x+h)^2+a(x+h)+b$

$=\left(\dfrac{1}{2}x^2+ax+b\right)+h(x+\theta h+a)$

$\dfrac{1}{2}h^2=\theta h^2 \qquad \therefore \theta=\dfrac{1}{2}\ (\because h>0)$

12-5 📝 4

해결전략 | 주어진 식을 정리한 후 평균값 정리를 이용하여 극한값을 구한다.

STEP 1 함수 $f(x)$가 평균값 정리를 만족시키는 것을 확인하기

함수 $f(x)$가 실수 전체의 집합에서 미분가능하므로

$f(x)$는 닫힌구간 $[x-2,\ x+2]$에서 연속이고 열린구간 $(x-2,\ x+2)$에서 미분가능하다.

따라서 평균값 정리에 의하여

$$\frac{f(x+2)-f(x-2)}{(x+2)-(x-2)}=f'(c)$$

인 c가 열린구간 $(x-2,\ x+2)$에 적어도 하나 존재한다.

STEP2 극한값 구하기

이때 $x\longrightarrow\infty$이면 $c\longrightarrow\infty$이므로

$$\lim_{x\to\infty}\{f(x+2)-f(x-2)\}$$
$$=\lim_{x\to\infty}\left\{\frac{f(x+2)-f(x-2)}{(x+2)-(x-2)}\times 4\right\}$$
$$=4\lim_{c\to\infty}f'(c)=4\times 1=4$$

12-6　🖼 8

해결전략 | 주어진 식을 정리한 후 평균값 정리를 이용하여 최댓값과 최솟값을 구한다.

STEP1 함수 $f(x)$가 평균값 정리를 만족시키는 것을 확인하기

함수 $f(x)$가 닫힌구간 $[1,\ 2]$에서 연속이고 열린구간 $(1,\ 2)$에서 미분가능하므로 평균값 정리에 의하여

$$\frac{f(2)-f(1)}{2-1}=f'(c)$$

를 만족시키는 c가 열린구간 $(1,\ 2)$에 적어도 하나 존재한다.

STEP2 $M+m$의 값 구하기

그런데 조건 (나)에서 $1<c<2$인 모든 c에 대하여 $|f'(c)|\leq 3$에서

$$|4-f(1)|\leq 3\ (\because f(2)=4)$$
$$-3\leq 4-f(1)\leq 3$$
$$\therefore 1\leq f(1)\leq 7$$

따라서 $f(1)$의 최댓값 $M=7$, 최솟값 $m=1$이므로

$$M+m=7+1=8$$

발전유형 ⑬　　　　　　　　　　　　137쪽

13-1　🖼 3

해결전략 | 두 점 $(a,\ f(a))$, $(b,\ f(b))$를 잇는 직선과 평행한 접선을 그어 평균값 정리를 만족시키는 상수의 개수를 구한다.

STEP1 상수 c 파악하기

닫힌구간 $[a,\ b]$에서 평균값 정리를 만족시키는 상수 c는 두 점 $(a,\ f(a))$, $(b,\ f(b))$를 잇는 직선의 기울기와 같은 미분계수를 갖는 점의 x좌표이다.

STEP2 상수 c의 개수 구하기

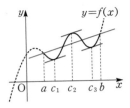

오른쪽 그림과 같이 두 점 $(a,\ f(a))$, $(b,\ f(b))$를 잇는 직선과 평행한 접선을 3개 그을 수 있으므로 구하는 상수 c의 개수는 3이다.

13-2　🖼 2

해결전략 | 주어진 구간의 양 끝 두 점을 잇는 직선과 평행한 접선을 그어 평균값 정리를 만족시키는 상수의 개수를 구한다.

STEP1 상수 c 파악하기

닫힌구간 $[-2,\ 2]$에서 평균값 정리를 만족시키는 상수 c는 두 점 $(-2,\ 4)$, $(2,\ -4)$를 잇는 직선의 기울기와 같은 미분계수를 갖는 점의 x좌표이다.

STEP2 상수 c의 개수 구하기

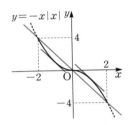

오른쪽 그림과 같이 두 점 $(-2,\ 4)$, $(2,\ -4)$를 잇는 직선과 평행한 접선을 2개 그을 수 있으므로 구하는 상수 c의 개수는 2이다.

13-3　🖼 2

해결전략 | 주어진 구간의 양 끝 두 점을 잇는 직선과 평행한 접선을 그어 평균값 정리를 만족시키는 상수의 개수를 구한다.

STEP1 상수 c 파악하기

닫힌구간 $[-2,\ 3]$에서 평균값 정리를 만족시키는 상수 c는 두 점 $(-2,\ 1)$, $(3,\ 4)$를 잇는 직선의 기울기와 같은 미분계수를 갖는 점의 x좌표이다.

STEP2 상수 c의 개수 구하기

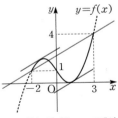

함수 $y=f(x)$의 그래프는 오른쪽 그림과 같고, 두 점 $(-2,\ 1)$, $(3,\ 4)$를 잇는 직선과 평행한 접선을 2개 그을 수 있으므로 구하는 상수 c의 개수는 2이다.

▶참고　$\lim\limits_{x\to 0-}f(x)=\lim\limits_{x\to 0+}f(x)=1$이므로 함수 $f(x)$는 $x=0$에서 연속이고

$f'(x)=\begin{cases}-2x-2\ (x<0)\\2x-2\quad(x>0)\end{cases}$ 이므로 $\lim\limits_{x\to 0-}f'(x)\ \lim\limits_{x\to 0+}f'(x)=1$,

즉, 함수 $f(x)$는 $x=0$에서 미분가능하다.

13-4 답 6

해결전략 | 함수의 그래프에서 평균값 정리와 롤의 정리를 만족시키는 경우를 찾는다.

STEP1 평균값 정리를 만족시키는 실수 x의 개수 구하기

$\dfrac{f(c)-f(a)}{c-a}=f'(\alpha)$를 만족시키는 실수 α $(a<\alpha<c)$

의 개수가 p이다.

즉, 오른쪽 그림과 같이 두 점 $(a, f(a))$, $(c, f(c))$를 연결한 직선과 기울기가 같은 접선을 찾으면 된다.

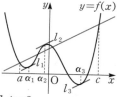

이때 직선 l_1, l_2, l_3의 접점의 x좌표가 구하는 x의 값이므로 $p=3$

STEP2 롤의 정리를 만족시키는 실수 x의 개수 구하기

$f(a)=f(b)$이므로 $f'(\beta)=0$을 만족시키는 실수 β $(a<\beta<b)$의 개수가 q이다.

즉, 오른쪽 그림과 같이 접선의 기울기가 0이 되는 x의 값은 3개이므로

$q=3$

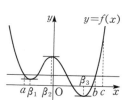

STEP3 $p+q$의 값 구하기

$\therefore p+q=3+3=6$

13-5 답 ③

해결전략 | 주어진 부등식을 변형하여 의미하는 것을 파악한다.

STEP1 주어진 부등식 변형하기

$a<b$에서 $b-a>0$이므로 주어진 부등식의 양변을 $b-a$로 나누면

$\dfrac{f(b)-f(a)}{b-a}\ge -1$

|보기|의 세 다항함수는 임의의 실수 a, b에 대하여 닫힌구간 $[a, b]$에서 연속이고, 열린구간 (a, b)에서 미분가능하므로 평균값 정리의 조건을 만족시킨다.

즉, $\dfrac{f(b)-f(a)}{b-a}=f'(c)$를 만족시키는 c가 열린구간 (a, b)에 존재해야 한다.

STEP2 주어진 부등식을 만족시키는 함수 찾기

ㄱ. 모든 실수 x에 대하여 $f'(x)=3\ge -1$

ㄴ. $f'(x)=x+1$이므로 $x<-2$에서 주어진 부등식이 성립하지 않는다.

ㄷ. 모든 실수 x에 대하여
　$f'(x)=3x^2-1\ge -1$

따라서 주어진 부등식을 만족시키는 것은 ㄱ, ㄷ이다.

실전 연습 문제　　　　　138~140쪽

01 ⑤	**02** ②	**03** 9	**04** ⑤	**05** ⑤
06 1	**07** $\dfrac{1}{6}$	**08** ②	**09** ②	**10** 2
11 ①	**12** ⑤	**13** $\dfrac{3}{2}$	**14** ④	**15** ②
16 $\dfrac{1}{2}$				

01

해결전략 | 곡선 $y=f(x)$ 위의 점 (a, b)에서의 접선의 기울기는 $f'(a)$임을 이용한다.

STEP1 $f'(x)$ 구하기

$f(x)=x^4-4x^3+6x^2+4$에서

$f'(x)=4x^3-12x^2+12x$

STEP2 a의 값 구하기

$f'(a)=4$이므로 $4a^3-12a^2+12a=4$

$a^3-3a^2+3a-1=0$, $(a-1)^3=0$

$\therefore a=1$

STEP3 b의 값 구하기

$f(1)=b$이므로 $1-4+6+4=b$

$\therefore b=7$

STEP4 a^2+b^2의 값 구하기

$\therefore a^2+b^2=1^2+7^2=50$

02

해결전략 | 곡선 $y=f(x)$ 위의 점 $(a, f(a))$에서의 접선의 방정식은 $y-f(a)=f'(a)(x-a)$임을 이용한다.

STEP1 $f(x)=x^3-x^2+ax+2$로 놓고 $f'(x)$ 구하기

$f(x)=x^3-x^2+ax+2$로 놓으면

$f'(x)=3x^2-2x+a$

STEP2 접선의 방정식 구하기

곡선 $y=f(x)$가 점 $(1, 3)$을 지나므로

$1-1+a+2=3$　　$\therefore a=1$

곡선 $y=f(x)$ 위의 점 $(1, 3)$에서의 접선의 기울기는

$f'(1)=3-2+1=2$

따라서 기울기가 2이고 점 $(1, 3)$을 지나는 접선의 방정식은

$y-3=2(x-1)$　　$\therefore y=2x+1$

$\therefore b=2$, $c=1$

STEP3 $a+b-c$의 값 구하기

$\therefore a+b-c=1+2-1=2$

03

해결전략 | 곡선 $y=f(x)$ 위의 점 $(a, f(a))$에서의 접선의 방정식은 $y-f(a)=f'(a)(x-a)$임을 이용한다.

STEP 1 $f(1)$, $f'(1)$의 값 구하기

$\lim\limits_{x \to 1} \dfrac{f(x)+1}{x-1}=4$에서 $x \longrightarrow 1$일 때, (분모) $\longrightarrow 0$이고

극한값이 존재하므로 (분자) $\longrightarrow 0$이다.

즉, $\lim\limits_{x \to 1}\{f(x)+1\}=0$이므로 $f(1)=-1$

$\therefore \lim\limits_{x \to 1} \dfrac{f(x)+1}{x-1}=\lim\limits_{x \to 1} \dfrac{f(x)-f(1)}{x-1}=f'(1)=4$

STEP 2 곡선 $y=f(x)$ 위의 점 $(1, f(1))$에서의 접선의 방정식 구하기

점 $(1, -1)$에서의 접선의 기울기가 4이므로 접선의 방정식은

$y-(-1)=4(x-1)$ $\quad \therefore y=4x-5$

STEP 3 $a-b$의 값 구하기

따라서 $a=4$, $b=-5$이므로

$a-b=4-(-5)=9$

04

해결전략 | 접점의 좌표를 미지수로 놓고 그 점에서의 접선의 방정식을 세운다.

STEP 1 점 P와 점 Q에서의 접선의 방정식 구하기

곡선 $y=2x^2+6$ 위의 점 P의 좌표를 $(\alpha, 2\alpha^2+6)$이라고

하면 $y'=4x$이므로 점 P에서의 접선의 방정식은

$y-(2\alpha^2+6)=4\alpha(x-\alpha)$

$\therefore y=4\alpha x-2\alpha^2+6$ $\qquad \cdots\cdots \ \bigcirc$

또, 곡선 $y=-x^2$ 위의 점 Q의 좌표를 $(\beta, -\beta^2)$이라고

하면 $y'=-2x$이므로 점 Q에서의 접선의 방정식은

$y-(-\beta^2)=-2\beta(x-\beta)$

$\therefore y=-2\beta x+\beta^2$ $\qquad \cdots\cdots \ \bigcirc\!\!\bigcirc$

STEP 2 두 점 P, Q의 좌표 구하기

이때 $\bigcirc$, $\bigcirc\!\!\bigcirc$이 일치해야 하므로

$4\alpha=-2\beta$에서 $\beta=-2\alpha$

$-2\alpha^2+6=\beta^2$이므로 이 식에 $\beta=-2\alpha$를 대입하면

$-2\alpha^2+6=4\alpha^2$, $\alpha^2=1$

$\therefore \alpha=\pm1$

그런데 직선 l의 기울기가 양수이므로 $\alpha>0$에서

$\alpha=1$이고, $\beta=-2\alpha=-2\times1=-2$

$\therefore$ P$(1, 8)$, Q$(-2, -4)$

STEP 3 선분 PQ의 길이 구하기

$\therefore \overline{PQ}=\sqrt{(-2-1)^2+(-4-8)^2}=3\sqrt{17}$

05

해결전략 | $g'(x)=f(x)$임을 이용하여 기울기를 찾아 접선의 방정식을 구한 후 x절편을 찾는다.

STEP 1 곡선 $y=g(x)$ 위의 점 $(2, g(2))$에서의 접선의 방정식 구하기

$g'(x)=f(x)$이므로 곡선 $y=g(x)$ 위의 점 $(2, g(2))$

에서의 접선의 기울기는 $g'(2)=f(2)=(2-3)^2=1$이

고 접선의 방정식은

$y-g(2)=g'(2)(x-2)$

$\therefore y=x-2+g(2)$ $\qquad \cdots\cdots \ \bigcirc$

STEP 2 접선의 x절편 구하기

접선의 y절편이 -5이므로 $\bigcirc$에서

$-2+g(2)=-5$

$\therefore g(2)=-3$

따라서 접선의 방정식은 $y=x-5$이므로 $y=0$을 대입하

면 x절편은 5이다.

06

해결전략 | 기울기가 주어진 접선의 방정식은 기울기를 이용하여 접점의 좌표를 찾은 후 접선의 방정식을 구한다.

STEP 1 직선 $y=x+2$를 x축의 방향으로 k만큼 평행이동한 직선의 방정식 구하기

직선 $y=x+2$를 x축의 방향으로 k만큼 평행이동한 직선의 방정식은

$y=x-k+2$ $\qquad \cdots\cdots \ \bigcirc$

$\qquad\qquad\qquad\qquad\qquad\qquad \cdots\cdots \ \mathbf{❶}$

STEP 2 접선의 방정식 구하기

$f(x)=x^3-x^2+2$로 놓으면

$f'(x)=3x^2-2x$

접점의 좌표를 (a, a^3-a^2+2)라고 하면

$f'(a)=3a^2-2a=1$에서

$3a^2-2a-1=0$, $(3a+1)(a-1)=0$

$\therefore a=-\dfrac{1}{3}$ 또는 $a=1$

즉, 접점의 좌표는 $\left(-\dfrac{1}{3}, \dfrac{50}{27}\right)$, $(1, 2)$이므로 접선의

방정식은

$y-\dfrac{50}{27}=x-\left(-\dfrac{1}{3}\right)$에서 $y=x+\dfrac{59}{27}$ $\qquad \cdots\cdots \ \bigcirc\!\!\bigcirc$

$y-2=x-1$에서 $y=x+1$ $\qquad\qquad\qquad \cdots\cdots \ \bigcirc\!\!\bigcirc$

$\qquad\qquad\qquad\qquad\qquad\qquad \cdots\cdots \ \mathbf{❷}$

STEP 3 양수 k의 값 구하기

㉠이 두 접선의 방정식 ㉡ 또는 ㉢과 같아야 하므로

㉠=㉡에서 $-k+2=\dfrac{59}{27}$

$\therefore k=-\dfrac{5}{27}$

㉠=㉢에서 $-k+2=1$

$\therefore k=1$

이때 k는 양수이므로 $k=1$ ...... ❸

채점 요소	배점
❶ 직선 $y=x+2$를 x축의 방향으로 k만큼 평행이동한 직선의 방정식 구하기	20 %
❷ 접선의 방정식 구하기	60 %
❸ 양수 k의 값 구하기	20 %

07

해결전략 | 서로 수직인 두 직선의 기울기의 곱은 -1임을 이용하여 접선에 수직인 직선의 기울기를 구한다.

STEP 1 y' 구하기

$y=x^3+1$에서 $y'=3x^2$

STEP 2 점 $\mathrm{P}(t,\ t^3+1)$에서의 접선의 방정식 구하기

점 $\mathrm{P}(t,\ t^3+1)$에서의 접선의 기울기는 $3t^2$이므로 접선의 방정식은

$y-(t^3+1)=3t^2(x-t)$

$\therefore y=3t^2x+1-2t^3$

STEP 3 두 점 Q, R의 좌표 구하기

이 접선이 y축과 만나는 점 Q의 좌표는

$(0,\ 1-2t^3)$

또, 점 $\mathrm{P}(t,\ t^3+1)$을 지나고 접선에 수직인 직선의 기울기는 $-\dfrac{1}{3t^2}$이므로 접선에 수직인 직선의 방정식은

$y-(t^3+1)=-\dfrac{1}{3t^2}(x-t)$

$\therefore y=-\dfrac{1}{3t^2}x+\dfrac{1}{3t}+t^3+1$

이 직선이 y축과 만나는 점 R의 좌표는

$\left(0,\ \dfrac{1}{3t}+t^3+1\right)$

STEP 4 $\displaystyle\lim_{t\to 0}S(t)$의 값 구하기

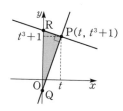

$\overline{\mathrm{QR}}=\left|\left(\dfrac{1}{3t}+t^3+1\right)-(1-2t^3)\right|$

$\qquad=\left|\dfrac{1}{3t}+3t^3\right|$

$S(t)=\dfrac{1}{2}\times\overline{\mathrm{QR}}\times|t|$

$\qquad=\dfrac{1}{2}\left|\dfrac{1}{3t}+3t^3\right||t|$

$\qquad=\dfrac{1}{2}\left(\dfrac{1}{3}+3t^4\right)$

$\therefore \displaystyle\lim_{t\to 0}S(t)=\lim_{t\to 0}\dfrac{1}{2}\left(\dfrac{1}{3}+3t^4\right)=\dfrac{1}{6}$

08

해결전략 | 접점의 좌표를 미지수로 놓고 그 점에서의 접선의 방정식을 세운다.

STEP 1 $f(x)=-x^3-x^2+x$로 놓고 $f'(x)$ 구하기

$f(x)=-x^3-x^2+x$로 놓으면

$f'(x)=-3x^2-2x+1$

STEP 2 접점의 좌표를 $(t,\ -t^3-t^2+t)$라 하고 접선의 방정식 세우기

접점의 좌표를 $(t,\ -t^3-t^2+t)$라고 하면 이 점에서의 접선의 기울기는 $f'(t)=-3t^2-2t+1$이므로 접선의 방정식은

$y-(-t^3-t^2+t)=(-3t^2-2t+1)(x-t)$

$\therefore y=(-3t^2-2t+1)x+2t^3+t^2$

STEP 3 접선이 지나는 점을 이용하여 t의 값 구하기

이 직선이 원점을 지나므로

$0=2t^3+t^2$

$t^2(2t+1)=0$

$\therefore t=0$ 또는 $t=-\dfrac{1}{2}$

STEP 4 모든 직선의 기울기의 합 구하기

(i) $t=0$일 때

$\quad f'(t)=-3t^2-2t+1$에 $t=0$을 대입하면

$\quad f'(0)=1$

(ii) $t=-\dfrac{1}{2}$일 때

$\quad f'(t)=-3t^2-2t+1$에 $t=-\dfrac{1}{2}$을 대입하면

$\quad f'\left(-\dfrac{1}{2}\right)=-\dfrac{3}{4}+1+1=\dfrac{5}{4}$

(i), (ii)에 의하여 구하는 모든 직선의 기울기의 합은

$1+\dfrac{5}{4}=\dfrac{9}{4}$

09

해결전략 | 접선의 방정식이 주어진 직선과 일치함을 이용하여 미정계수를 구한다.

STEP1 $f(x)=x^3+ax^2+ax+3$으로 놓고 $f'(x)$ 구하기

$f(x)=x^3+ax^2+ax+3$으로 놓으면

$f'(x)=3x^2+2ax+a$

STEP2 접점의 좌표를 $(t,\ t^3+at^2+at+3)$이라 하고 접선의 방정식 세우기

접점의 좌표를 $(t,\ t^3+at^2+at+3)$이라고 하면 이 점에서의 접선의 기울기는 $f'(t)=3t^2+2at+a$이므로 접선의 방정식은

$y-(t^3+at^2+at+3)=(3t^2+2at+a)(x-t)$

$\therefore y=(3t^2+2at+a)x-2t^3-at^2+3$

STEP3 t의 값 구하기

이 직선이 직선 $y=x+3$과 일치해야 하므로

$3t^2+2at+a=1$ $\cdots\cdots$ ㉠

$-2t^3-at^2+3=3,\ t^2(2t+a)=0$

$\therefore t=0$ 또는 $t=-\dfrac{a}{2}$

STEP4 a의 값 구하기

(i) $t=0$을 ㉠에 대입하면

$\quad a=1$

(ii) $t=-\dfrac{a}{2}$를 ㉠에 대입하면

$\quad \dfrac{3}{4}a^2-a^2+a=1,\ (a-2)^2=0$

$\quad \therefore a=2$

STEP5 모든 상수 a의 값의 곱 구하기

따라서 구하는 모든 상수 a의 값의 곱은

$1\times 2=2$

10

해결전략 | 접점의 좌표를 미지수로 놓고 미지수를 이용하여 삼각형의 무게중심의 좌표를 나타낸다.

STEP1 $f(x)=x^2+k$로 놓고 $f'(x)$ 구하기

$f(x)=x^2+k$로 놓으면

$f'(x)=2x$

STEP2 접점의 좌표를 $(t,\ t^2+k)$라 하고 접선의 방정식 세우기

접점의 좌표를 $(t,\ t^2+k)$라고 하면 이 점에서의 접선의 기울기는 $f'(t)=2t$이므로 접선의 방정식은

$y-(t^2+k)=2t(x-t)$

$\therefore y=2tx-t^2+k$ $\cdots\cdots$ ❶

STEP3 이차방정식의 근과 계수의 관계를 이용하여 관계식 세우기

이 직선이 점 $\mathrm{P}(1,\ -3)$을 지나므로

$-3=2t-t^2+k$

$\therefore t^2-2t-k-3=0$ $\cdots\cdots$ ㉠

이차방정식 ㉠의 판별식을 D라고 하면 $\dfrac{D}{4}=k+4>0$

($\because k\geq 0$)이므로 이차방정식 ㉠은 서로 다른 두 실근을 갖는다.

이차방정식 ㉠의 서로 다른 두 실근을 $\alpha,\ \beta$라고 하면 이차방정식의 근과 계수의 관계에 의하여

$\alpha+\beta=2,\ \alpha\beta=-k-3$ $\cdots\cdots$ ㉡

       $\cdots\cdots$ ❷

STEP4 k의 값 구하기

이때 $\alpha,\ \beta$는 두 접점 Q, R의 x좌표이므로

$\mathrm{Q}(\alpha,\ \alpha^2+k),\ \mathrm{R}(\beta,\ \beta^2+k)$

라고 하면 삼각형 PQR의 무게중심의 좌표는

$\left(\dfrac{\alpha+\beta+1}{3},\ \dfrac{\alpha^2+\beta^2+2k-3}{3}\right)$

무게중심의 y좌표가 5이므로

$\dfrac{\alpha^2+\beta^2+2k-3}{3}=5$

$(\alpha+\beta)^2-2\alpha\beta+2k-3=15$

$4+2k+6+2k-3=15\ (\because ㉡)$

$4k=8$

$\therefore k=2$ $\cdots\cdots$ ❸

채점 요소	배점
❶ 접점의 좌표를 $(t,\ t^2+k)$라 하고 접선의 방정식 세우기	30 %
❷ 이차방정식의 근과 계수의 관계를 이용하여 관계식 세우기	30 %
❸ k의 값 구하기	40 %

11

해결전략 | 서로 수직인 두 직선의 기울기의 곱은 -1임을 이용하여 거리의 최솟값을 구한다.

STEP1 $f(x)=x^2-3x+3$으로 놓고 $f'(x)$ 구하기

$f(x)=x^2-3x+3$으로 놓으면

$f'(x)=2x-3$

STEP2 곡선 $y=x^2-3x+3$ 위의 점을 $\mathrm{P}(t,\ t^2-3t+3)$이라 하고 거리가 최소일 때의 t의 값 구하기

곡선 $y=x^2-3x+3$ 위의 점을 $\mathrm{P}(t,\ t^2-3t+3)$이라고

하면 점 P에서의 접선의 기울기는 $f'(t)=2t-3$이다.
이때 원 $x^2+y^2=1$의 중심이 O(0, 0)이므로 곡선 위의 점과 원 사이의 거리의 최솟값은 점 P에서의 접선과 직선 OP가 서로 수직이 될 때의 점 P와 점 O 사이의 거리에서 원의 반지름의 길이 1을 뺀 것과 같다.

직선 OP의 기울기는 $\dfrac{t^2-3t+3}{t}$이므로

$$\dfrac{t^2-3t+3}{t}\times(2t-3)=-1$$

$$2t^3-9t^2+16t-9=0, \ (t-1)(2t^2-7t+9)=0$$

$$\therefore t=1 \ (\because 2t^2-7t+9>0)$$

STEP 3 거리의 최솟값 구하기
따라서 거리가 최소일 때의 점 P의 좌표는 (1, 1)이고 $\overline{OP}=\sqrt{1+1}=\sqrt{2}$이므로 구하는 거리의 최솟값은 $\sqrt{2}-1$이다.

12

해결전략 | 접점의 좌표와 곡선이 x축과 만나는 점을 구하여 삼각형의 모양을 파악한다.

STEP 1 $f'(x)$ 구하기
$f(x)=x^2$에서
$f'(x)=2x$

STEP 2 점 Q의 좌표 구하기
곡선 $y=f(x)$ 위의 점 P(1, 1)에서의 접선의 기울기는 $f'(1)=2$이므로 접선 l의 방정식
$y-1=2(x-1)$
$\therefore y=2x-1$ ...... ㉠

직선 l과 곡선 $y=g(x)$의 접점 Q의 좌표를 (a, b)라고 하면 점 Q는 직선 l 위의 점이므로 ㉠에서
$b=2a-1$ ...... ㉡
$g(x)=-(x-3)^2+k=-x^2+6x-9+k$에서
$g'(x)=-2x+6$
점 Q에서의 접선의 기울기가 2이므로
$g'(a)=-2a+6=2$ $\therefore a=2$
$a=2$를 ㉡에 대입하면 $b=3$
$\therefore Q(2, 3)$

STEP 3 $g(x)$ 구하기
한편, 점 Q(2, 3)이 곡선 $y=g(x)$ 위의 점이므로
$3=-(2-3)^2+k$ $\therefore k=4$
$\therefore g(x)=-x^2+6x-5$

STEP 4 두 점 R, S의 x좌표 구하기
곡선 $y=g(x)$와 x축이 만나는 두 점 R, S의 x좌표는 방정식 $g(x)=0$의 두 근이다.

즉, $-x^2+6x-5=0$에서
$x^2-6x+5=0, \ (x-1)(x-5)=0$
$\therefore x=1$ 또는 $x=5$

STEP 5 삼각형 QRS의 넓이 구하기
따라서 삼각형 QRS의 넓이는
$\dfrac{1}{2}\times4\times3=6$

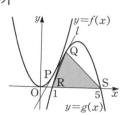

13

해결전략 | 기울기가 최대인 접선의 방정식을 구한 후 접선 l과 x축 및 y축으로 둘러싸인 부분을 파악한다.

STEP 1 최대인 접선의 기울기 구하기
$f(x)=-x^3+3x^2+4$로 놓으면
$f'(x)=-3x^2+6x=-3(x-1)^2+3$
즉, 주어진 곡선에 접하는 직선 중에서 기울기가 최대일 때는 $x=1$에서 접할 때이고, 그때의 기울기는 3이다. ...... ❶

STEP 2 직선 l의 방정식 구하기
$f(1)=-1+3+4=6$이므로 직선 l은 기울기가 3이고 점 (1, 6)을 지나는 직선이다.
따라서 직선 l의 방정식은
$y-6=3(x-1)$ $\therefore y=3x+3$ ...... ❷

STEP 3 직선 l과 x축 및 y축으로 둘러싸인 부분의 넓이 구하기
직선 l의 x절편은 -1, y절편은 3이므로 직선 l과 x축 및 y축으로 둘러싸인 부분의 넓이는
$\dfrac{1}{2}\times|-1|\times|3|=\dfrac{3}{2}$ ...... ❸

채점 요소	배점
❶ 최대인 접선의 기울기 구하기	40 %
❷ 직선 l의 방정식 구하기	30 %
❸ 직선 l과 x축 및 y축으로 둘러싸인 부분의 넓이 구하기	30 %

14

해결전략 | 함수 $f(x)$가 롤의 정리를 만족시키는 것을 이용하여 c의 값을 구한다.

STEP 1 함수 $f(x)$가 롤의 정리를 만족시키는 것을 확인하기
함수 $f(x)$가 닫힌구간 $[a, b]$에서 연속이고 열린구간 (a, b)에서 미분가능하며 $f(a)=f(b)=0$이므로 롤의 정리에 의하여 $f'(c)=0 \ (a<c<b)$인 c가 적어도 하나

존재한다.

STEP2 c의 값 구하기

이때 $f'(x)=2x-(a+b)$이므로

$f'(c)=2c-(a+b)=0$

$\therefore c=\dfrac{a+b}{2}$

15

해결전략 | 주어진 등식을 변형하여 의미하는 것을 파악한다.

STEP1 주어진 등식 변형하기

$\dfrac{f(1)-f(-1)}{2}=f'(c)$에서

$\dfrac{f(1)-f(-1)}{1-(-1)}=f'(c)$ ⋯⋯ ㉠

즉, 닫힌구간 $[-1, 1]$에서 롤의 정리를 만족하는 함수 $f(x)$를 찾으면 된다.

STEP2 주어진 등식을 만족시키는 함수 찾기

ㄱ, ㄴ. 함수 $f(x)$는 닫힌구간 $[-1, 1]$에서 연속이고 열린구간 $(-1, 1)$에서 미분가능하므로 평균값 정리에 의하여 ㉠을 만족시키는 c가 열린구간 $(-1, 1)$에 적어도 하나 존재한다.

ㄷ. 함수 $y=-x^2+2|x|$의 그래프는 오른쪽 그림과 같으므로 함수 $f(x)$는 $x=0$에서 미분가능하지 않다.

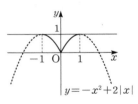

즉, ㉠을 만족시키는 c가 열린구간 $(-1, 1)$에 존재하지 않는다.

따라서 주어진 조건을 만족시키는 함수는 ㄱ, ㄴ이다.

16

해결전략 | $f(x)$, $f'(x)$를 주어진 등식에 대입하여 h에 대한 식으로 정리한 후 θ를 구한다.

STEP1 $f'(x)$ 구하기

$f(x)=x^2+ax+b$에서 $f'(x)=2x+a$

STEP2 θ의 값 구하기

$f(x+h)=f(x)+hf'(x+\theta h)$에서

$(x+h)^2+a(x+h)+b$

$=x^2+ax+b+h\{2(x+\theta h)+a\}$

$h^2=2\theta h^2$

$\therefore \theta=\dfrac{1}{2}$ $(\because h>0)$

01

해결전략 | 주어진 극한값을 변형하여 미분계수를 구한 후 접선의 방정식을 구한다.

STEP1 조건 ㈎, ㈏에서 $f(2)$, $g(2)$, $f'(2)$, $g'(2)$에 대한 관계식 찾기

조건 ㈏의 $\displaystyle\lim_{x\to 2}\dfrac{f(x)-g(x)}{x-2}=2$에서 극한값이 존재하고 $x\longrightarrow 2$일 때, (분모)$\longrightarrow 0$이므로 (분자)$\longrightarrow 0$이어야 한다.

즉, $\displaystyle\lim_{x\to 2}\{f(x)-g(x)\}=0$이므로

$f(2)-g(2)=0$에서 $f(2)=g(2)$

조건 ㈎에서 $g(x)=x^3 f(x)-7$의 양변에 $x=2$를 대입하면

$g(2)=8f(2)-7$ $\therefore g(2)=f(2)=1$

$\displaystyle\lim_{x\to 2}\dfrac{f(x)-g(x)}{x-2}$

$=\displaystyle\lim_{x\to 2}\dfrac{f(x)-f(2)}{x-2}-\lim_{x\to 2}\dfrac{g(x)-g(2)}{x-2}$

$=f'(2)-g'(2)=2$

$\therefore g'(2)=f'(2)-2$ ⋯⋯ ㉠

STEP2 $g'(2)$의 값 구하기

$g(x)=x^3 f(x)-7$의 양변을 x에 대하여 미분하면

$g'(x)=3x^2 f(x)+x^3 f'(x)$

위의 식의 양변에 $x=2$를 대입하면

$g'(2)=12f(2)+8f'(2)$

$f'(2)-2=12\times 1+8f'(2)$ $(\because ㉠)$

$7f'(2)=-14$ $\therefore f'(2)=-2$

㉠에서 $g'(2)=-2-2=-4$

STEP3 a^2+b^2의 값 구하기

곡선 $y=g(x)$ 위의 점 $(2, g(2))$, 즉 점 $(2, 1)$에서의 접선의 기울기는 $g'(2)=-4$이므로 접선의 방정식은

$y-1=-4(x-2)$ $\therefore y=-4x+9$

따라서 $a=-4$, $b=9$이므로

$a^2+b^2=(-4)^2+9^2=97$

02

해결전략 | 접선의 방정식을 구한 후 x축과의 교점의 좌표에서 a_{10}의 값을 구한다.

STEP1 점 $(2, 4)$에서의 접선의 방정식 구하기

$f(x)=x^2$으로 놓으면

$f'(x)=2x$

점 $(2, 4)$에서의 접선의 기울기는 $f'(2)=4$이므로 접선의 방정식은

$y-4=4(x-2)$ $\therefore\ y=4x-4$

STEP2 점 $(a_n, a_n{}^2)$에서의 접선의 방정식 구하기

곡선 위의 점 $(a_n, a_n{}^2)$에서의 접선의 기울기는

$f'(a_n)=2a_n$이므로 접선의 방정식은

$y-a_n{}^2=2a_n(x-a_n)$ $\therefore\ y=2a_n x-a_n{}^2$

STEP3 a_{10}의 값 구하기

이 접선이 x축과 만나는 점의 좌표는 $\left(\dfrac{1}{2}a_n,\ 0\right)$이므로

$a_{n+1}=\dfrac{1}{2}a_n$

따라서 $a_1=1,\ a_2=\dfrac{1}{2},\ a_3=\left(\dfrac{1}{2}\right)^2,\ a_4=\left(\dfrac{1}{2}\right)^3,\ \cdots$이므로

$a_{10}=\left(\dfrac{1}{2}\right)^9$

03

해결전략 | 접선의 방정식을 이용하여 점의 좌표를 찾은 후 극한값을 구한다.

STEP1 $f(x)=x^4$으로 놓고 $f'(x)$ 구하기

$f(x)=x^4$으로 놓으면

$f'(x)=4x^3$

STEP2 점 $\mathrm{P}(1, 1)$에서의 접선의 방정식 구하기

곡선 $y=f(x)$ 위의 점 $\mathrm{P}(1, 1)$에서의 접선의 기울기는

$f'(1)=4$이므로 접선의 방정식은

$y-1=4(x-1)$ $\therefore\ y=4x-3$

STEP3 $\overline{\mathrm{QR}}$, $\overline{\mathrm{RH}}$를 t에 대한 식으로 나타내기

따라서 $g(x)=4x-3$이므로

$\mathrm{R}(t,\ 4t-3)$

이때 $\mathrm{Q}(t,\ t^4)$, $\mathrm{H}(t,\ 1)$이므로

$\overline{\mathrm{QR}}=t^4-(4t-3)=t^4-4t+3$

$\overline{\mathrm{RH}}=(4t-3)-1=4t-4$

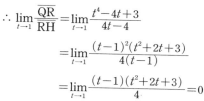

STEP4 $\displaystyle\lim_{t\to1}\dfrac{\overline{\mathrm{QR}}}{\overline{\mathrm{RH}}}$의 값 구하기

$\therefore\ \displaystyle\lim_{t\to1}\dfrac{\overline{\mathrm{QR}}}{\overline{\mathrm{RH}}}=\lim_{t\to1}\dfrac{t^4-4t+3}{4t-4}$

$\qquad\qquad\quad =\displaystyle\lim_{t\to1}\dfrac{(t-1)^2(t^2+2t+3)}{4(t-1)}$

$\qquad\qquad\quad =\displaystyle\lim_{t\to1}\dfrac{(t-1)(t^2+2t+3)}{4}=0$

04

해결전략 | 서로 수직인 두 직선의 기울기의 곱은 -1임을 이용하여 원의 중심의 좌표와 반지름의 길이를 구한다.

STEP1 $f(x)=x^4$으로 놓고 $f'(x)$ 구하기

$f(x)=x^4$으로 놓으면

$f'(x)=4x^3$

STEP2 원의 중심을 $\mathrm{C}(0, a)$라 하고 a의 값 구하기

점 $\mathrm{P}(1, 1)$에서의 접선의 기울기는 $f'(1)=4$

원의 중심을 $\mathrm{C}(0,\ a)$라고 하면 직선 CP의 기울기는

$\dfrac{1-a}{1-0}=1-a$

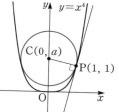

이때 접선과 직선 CP는 서로 수직이므로

$4(1-a)=-1$ $\therefore\ a=\dfrac{5}{4}$

STEP3 원의 반지름의 길이 구하기

따라서 원의 중심은 $\mathrm{C}\left(0,\ \dfrac{5}{4}\right)$이므로 원의 반지름의 길이는

$\overline{\mathrm{CP}}=\sqrt{(1-0)^2+\left(1-\dfrac{5}{4}\right)^2}=\dfrac{\sqrt{17}}{4}$

> 🎯 **풍쌤의 비법**
>
> 곡선 $y=f(x)$와 원 C가 접할 때,
> (1) 원 C의 중심과 접점을 지나는 직선은 곡선과 원의 접점에서의 접선과 수직이다.
> (2) 원 C의 반지름의 길이는 원 C의 중심과 접점 사이의 거리와 같다.

05

해결전략 | 접선의 기울기를 식으로 나타낸 후 이차방정식의 근과 계수의 관계를 이용하여 해결한다.

STEP1 $f'(x)$ 구하기

$f(x)=-x^3+4x^2-3x$에서

$f'(x)=-3x^2+8x-3$

STEP2 직선 AC의 기울기 구하기

점 $\mathrm{B}(3, 0)$에서의 접선의 기울기는

$f'(3)=-27+24-3=-6$

$\overline{\mathrm{AD}} : \overline{\mathrm{DB}}=3 : 1$이므로 $\overline{\mathrm{DB}}=k$라고 하면

$\overline{\mathrm{AD}}=3k$

직선 BC의 기울기는 점 $\mathrm{B}(3, 0)$에서의 접선의 기울기와 같으므로

$-\dfrac{\overline{\mathrm{CD}}}{\overline{\mathrm{DB}}}=-6$ $\therefore\ \overline{\mathrm{CD}}=6k$

또, 직선 AC의 기울기를 구하면

$$\dfrac{\overline{CD}}{\overline{AD}}=\dfrac{6k}{3k}=2$$

STEP3 모든 a의 값의 곱 구하기

이때 직선 AC의 기울기는 곡선 $y=f(x)$ 위의 $x=a$인 점에서의 접선의 기울기 $f'(a)$와 같으므로

$f'(a)=2$에서 $-3a^2+8a-3=2$

$3a^2-8a+5=0$

따라서 이차방정식의 근과 계수의 관계에 의하여 모든 a의 값의 곱은 $\dfrac{5}{3}$이다.

06

해결전략 | 곡선과 접선이 만나는 점의 x좌표는 곡선과 접선의 방정식을 연립하여 얻은 방정식의 해와 같음을 이용한다.

STEP1 $f'(x)$ 구하기

$f(x)=x^3+ax$에서

$f'(x)=3x^2+a$

STEP2 점 B의 좌표 구하기

곡선 $y=f(x)$ 위의 점 $A(-1, -1-a)$에서의 접선의 기울기는 $f'(-1)=3+a$이므로 접선의 방정식은

$y-(-1-a)=(3+a)(x+1)$

$\therefore y=(3+a)x+2$

이 접선이 곡선 $y=f(x)$와 만나는 점의 x좌표는

$x^3+ax=(3+a)x+2$에서

$x^3-3x-2=0$, $(x+1)^2(x-2)=0$

$\therefore x=-1$ 또는 $x=2$

이때 점 A의 x좌표가 -1이므로 점 B의 x좌표는 2, 즉 $b=2$이다.

따라서 $B(2, f(2))$, 즉 $B(2, 8+2a)$

STEP3 점 C의 x좌표 구하기

점 $B(2, 8+2a)$에서의 접선의 기울기는 $f'(2)=12+a$이므로 접선의 방정식은

$y-(8+2a)=(12+a)(x-2)$

$\therefore y=(12+a)x-16$

이 접선이 곡선 $y=f(x)$와 만나는 점의 x좌표는

$x^3+ax=(12+a)x-16$에서

$x^3-12x+16=0$, $(x-2)^2(x+4)=0$

$\therefore x=2$ 또는 $x=-4$

점 B의 x좌표가 2이므로 점 C의 x좌표는 -4, 즉 $c=-4$이다.

STEP4 a의 값 구하기

$f(b)+f(c)=f(2)+f(-4)$

$\qquad\qquad\quad=(8+2a)+(-64-4a)$

$\qquad\qquad\quad=-56-2a=-80$

$\therefore a=12$

07

해결전략 | 서로 수직인 두 직선의 기울기의 곱은 -1임을 이용하여 원의 중심의 좌표를 구한다.

STEP1 곡선 $y=x^3+1$ 위의 점 $(1, 2)$에서의 접선의 방정식 구하기

$y=x^3+1$에서 $y'=3x^2$

곡선 $y=x^3+1$ 위의 점 $(1, 2)$에서의 접선의 방정식은

$y-2=3(x-1)$ $\qquad \therefore y=3x-1$

STEP2 원의 중심의 좌표 구하기

원의 중심의 좌표를 $(0, a)$라고 하면 두 점 $(0, a)$, $(1, 2)$를 지나는 직선이 접선 l과 수직이므로

$\dfrac{2-a}{1-0}\times 3=-1$, $2-a=-\dfrac{1}{3}$

$\therefore a=\dfrac{7}{3}$

즉, 원의 중심의 좌표는 $\left(0, \dfrac{7}{3}\right)$이다.

STEP3 원의 넓이 구하기

원의 반지름의 길이를 r라고 하면 r는 원의 중심 $\left(0, \dfrac{7}{3}\right)$과 접점 $(1, 2)$ 사이의 거리와 같으므로

$r=\sqrt{(1-0)^2+\left(2-\dfrac{7}{3}\right)^2}=\dfrac{\sqrt{10}}{3}$

따라서 반지름의 길이가 r인 원의 넓이는

$\pi r^2=\dfrac{10}{9}\pi$

도함수의 활용(2)

01 답 풀이 참조

(1) $f(x)=-x^3+2x^2+4x-2$에서

$f'(x)=-3x^2+4x+4=-(3x+2)(x-2)$

$f'(x)=0$에서 $x=-\dfrac{2}{3}$ 또는 $x=2$

함수 $f(x)$의 증가와 감소를 표로 나타내면 다음과 같다.

x	$\cdots$	$-\dfrac{2}{3}$	$\cdots$	2	$\cdots$
$f'(x)$	$-$	0	$+$	0	$-$
$f(x)$	$\searrow$		$\nearrow$		$\searrow$

따라서 함수 $f(x)$는 구간 $\left(-\infty,\ -\dfrac{2}{3}\right]$, $[2,\ \infty)$에서 감소하고, 구간 $\left[-\dfrac{2}{3},\ 2\right]$에서 증가한다.

(2) $f(x)=x^4-2x^2+1$에서

$f'(x)=4x^3-4x=4x(x+1)(x-1)$

$f'(x)=0$에서 $x=-1$ 또는 $x=0$ 또는 $x=1$

함수 $f(x)$의 증가와 감소를 표로 나타내면 다음과 같다.

x	$\cdots$	-1	$\cdots$	0	$\cdots$	1	$\cdots$
$f'(x)$	$-$	0	$+$	0	$-$	0	$+$
$f(x)$	$\searrow$		$\nearrow$		$\searrow$		$\nearrow$

따라서 함수 $f(x)$는 구간 $(-\infty,\ -1]$, $[0,\ 1]$에서 감소하고, 구간 $[-1,\ 0]$, $[1,\ \infty)$에서 증가한다.

02 답 (1) 극댓값 $6\sqrt{3}$, 극솟값 $-6\sqrt{3}$

　　(2) 극댓값 -3, 극솟값 -4

(1) $f(x)=x^3-9x$에서

$f'(x)=3x^2-9=3(x+\sqrt{3})(x-\sqrt{3})$

$f'(x)=0$에서 $x=-\sqrt{3}$ 또는 $x=\sqrt{3}$

함수 $f(x)$의 증가와 감소를 표로 나타내면 다음과 같다.

x	$\cdots$	$-\sqrt{3}$	$\cdots$	$\sqrt{3}$	$\cdots$
$f'(x)$	$+$	0	$-$	0	$+$
$f(x)$	$\nearrow$	극대	$\searrow$	극소	$\nearrow$

따라서 함수 $f(x)$는 $x=-\sqrt{3}$에서 극대이므로 극댓값은

$f(-\sqrt{3})=6\sqrt{3}$

$x=\sqrt{3}$에서 극소이므로 극솟값은

$f(\sqrt{3})=-6\sqrt{3}$

(2) $f(x)=-x^4+2x^2-4$에서

$f'(x)=-4x^3+4x=-4x(x+1)(x-1)$

$f'(x)=0$에서 $x=-1$ 또는 $x=0$ 또는 $x=1$

함수 $f(x)$의 증가와 감소를 표로 나타내면 다음과 같다.

x	$\cdots$	-1	$\cdots$	0	$\cdots$	1	$\cdots$
$f'(x)$	$+$	0	$-$	0	$+$	0	$-$
$f(x)$	$\nearrow$	극대	$\searrow$	극소	$\nearrow$	극대	$\searrow$

따라서 함수 $f(x)$는 $x=-1$, $x=1$에서 극대이므로 극댓값은

$f(-1)=f(1)=-3$

$x=0$에서 극소이므로 극솟값은

$f(0)=-4$

03 답 (1) 최댓값 2, 최솟값 -38

　　(2) 최댓값 36, 최솟값 $\dfrac{37}{16}$

(1) $f(x)=-2x^3+6x-2$에서

$f'(x)=-6x^2+6=-6(x+1)(x-1)$

$f'(x)=0$에서 $x=1$ ($\because 0\leq x\leq 3$)

닫힌구간 $[0,\ 3]$에서 함수 $f(x)$의 증가와 감소를 표로 나타내면 다음과 같다.

x	0	$\cdots$	1	$\cdots$	3
$f'(x)$		$+$	0	$-$	
$f(x)$	-2	$\nearrow$	2	$\searrow$	-38

따라서 닫힌구간 $[0,\ 3]$에서 함수 $f(x)$는 $x=1$에서 최댓값 2, $x=3$에서 최솟값 -38을 갖는다.

(2) $f(x)=x^4-2x^3+4$에서

$f'(x)=4x^3-6x^2=2x^2(2x-3)$

$f'(x)=0$에서 $x=0$ 또는 $x=\dfrac{3}{2}$

닫힌구간 $[-2,\ 2]$에서 함수 $f(x)$의 증가와 감소를 표로 나타내면 다음과 같다.

x	-2	$\cdots$	0	$\cdots$	$\dfrac{3}{2}$	$\cdots$	2
$f'(x)$		$-$	0	$-$	0	$+$	
$f(x)$	36	$\searrow$		$\searrow$	$\dfrac{37}{16}$	$\nearrow$	4

따라서 닫힌구간 $[-2,\ 2]$에서 함수 $f(x)$는 $x=-2$에서 최댓값 36, $x=\dfrac{3}{2}$에서 최솟값 $\dfrac{37}{16}$을 갖는다.

01-1 답 (1) $[-3, 1]$ (2) $(-\infty, \infty)$

해결전략 | $f'(x)$를 구하여 함수 $f(x)$의 증감표를 작성한다.

(1) **STEP 1 $f'(x)=0$의 해 구하기**

$f(x)=x^3+3x^2-9x+1$에서

$f'(x)=3x^2+6x-9=3(x+3)(x-1)$

$f'(x)=0$에서 $x=-3$ 또는 $x=1$

STEP 2 증감표 작성하기

함수 $f(x)$의 증가와 감소를 표로 나타내면 다음과 같다.

x	$\cdots$	-3	$\cdots$	1	$\cdots$
$f'(x)$	$+$	0	$-$	0	$+$
$f(x)$	↗		↘		↗

STEP 3 감소하는 구간 구하기

따라서 함수 $f(x)$가 감소하는 구간은 $[-3, 1]$이다.

◉→ 다른 풀이

$f(x)=x^3+3x^2-9x+1$에서

$f'(x)=3x^2+6x-9=3(x+3)(x-1)$

함수 $f(x)$가 감소하려면 $f'(x)\leq0$이어야 하므로

$3(x+3)(x-1)\leq0$

$\therefore -3\leq x\leq1$

따라서 함수 $f(x)$가 감소하는 구간은 $[-3, 1]$이다.

(2) **STEP 1 $f'(x)$ 구하기**

$f(x)=-x^3+x^2-x$에서

$f'(x)=-3x^2+2x-1$

$=-3\left(x-\dfrac{1}{3}\right)^2-\dfrac{2}{3}$

STEP 2 감소하는 구간 구하기

따라서 모든 실수 x에 대하여 $f'(x)<0$이므로 함수 $f(x)$가 감소하는 구간은 $(-\infty, \infty)$이다.

01-2 답 (1) $[-\sqrt{5}, 0]$, $[\sqrt{5}, \infty)$

(2) $(-\infty, 3]$

해결전략 | $f'(x)$를 구하여 함수 $f(x)$의 증감표를 작성한다.

(1) **STEP 1 $f'(x)=0$의 해 구하기**

$f(x)=x^4-10x^2+5$에서

$f'(x)=4x^3-20x=4x(x+\sqrt{5})(x-\sqrt{5})$

$f'(x)=0$에서

$x=-\sqrt{5}$ 또는 $x=0$ 또는 $x=\sqrt{5}$

STEP 2 증감표 작성하기

함수 $f(x)$의 증가와 감소를 표로 나타내면 다음과 같다.

x	$\cdots$	$-\sqrt{5}$	$\cdots$	0	$\cdots$	$\sqrt{5}$	$\cdots$
$f'(x)$	$-$	0	$+$	0	$-$	0	$+$
$f(x)$	↘		↗		↘		↗

STEP 3 증가하는 구간 구하기

따라서 함수 $f(x)$가 증가하는 구간은 $[-\sqrt{5}, 0]$, $[\sqrt{5}, \infty)$이다.

(2) **STEP 1 $f'(x)=0$의 해 구하기**

$f(x)=-x^4+4x^3-2$에서

$f'(x)=-4x^3+12x^2=-4x^2(x-3)$

$f'(x)=0$에서 $x=0$ 또는 $x=3$

STEP 2 증감표 작성하기

함수 $f(x)$의 증가와 감소를 표로 나타내면 다음과 같다.

x	$\cdots$	0	$\cdots$	3	$\cdots$
$f'(x)$	$+$	0	$+$	0	$-$
$f(x)$	↗		↗		↘

STEP 3 증가하는 구간 구하기

따라서 함수 $f(x)$가 증가하는 구간은 $(-\infty, 3]$이다.

01-3 답 5

해결전략 | $f(x)$가 감소하는 구간은 $f'(x)\leq0$의 해와 같다.

STEP 1 $f'(x)\leq0$의 해 구하기

$f(x)=\dfrac{1}{3}x^3-x^2-6x+\dfrac{1}{3}$에서

$f'(x)=x^2-2x-6$

함수 $f(x)$가 감소하려면 $f'(x)\leq0$이어야 하므로

$x^2-2x-6\leq0$ → $2<\sqrt{7}<3$이므로
$-2<1-\sqrt{7}<-1, 3<1+\sqrt{7}<4$

$\therefore 1-\sqrt{7}\leq x\leq1+\sqrt{7}$

STEP 2 감소하는 구간에 속하는 정수의 개수 구하기

즉, 함수 $f(x)$가 감소하는 구간은 $[1-\sqrt{7}, 1+\sqrt{7}]$이므로 이 구간에 속하는 정수의 개수는 -1, 0, 1, 2, 3의 5이다.

▶참고 이차방정식 $x^2-2x-6=0$의 해는

$x=-(-1)\pm\sqrt{(-1)^2-1\times(-6)}=1\pm\sqrt{7}$

01-4 답 2

해결전략 | $f(x)$가 증가하는 구간은 $f'(x)\geq0$의 해와 같다.

STEP 1 $f'(x)=0$의 해 구하기

$f(x)=3x^4-8x^3-6x^2+24x-1$에서

$f'(x)=12x^3-24x^2-12x+24$

$=12(x+1)(x-1)(x-2)$

$f'(x)=0$에서 $x=-1$ 또는 $x=1$ 또는 $x=2$

STEP 2 증감표 작성하기

함수 $f(x)$의 증가와 감소를 표로 나타내면 다음과 같다.

x	$\cdots$	-1	$\cdots$	1	$\cdots$	2	$\cdots$
$f'(x)$	$-$	0	$+$	0	$-$	0	$+$
$f(x)$	$\searrow$		$\nearrow$		$\searrow$		$\nearrow$

STEP3 a의 최솟값 구하기

따라서 함수 $f(x)$는 $-1 \leq x \leq 1$, $x \geq 2$에서 증가하므로 실수 a의 최솟값은 2이다.

01-5　답 -9

해결전략 | $f(x)$의 증가, 감소를 이용하여 $f'(x)=0$의 해를 구한다.

STEP1 $f'(x)$ 구하기

$f(x)=2x^3+ax^2+bx-3$에서

$f'(x)=6x^2+2ax+b$ ⋯⋯ ㉠

STEP2 $f(x)$의 증가, 감소를 이용하여 $f'(x)$ 구하기

함수 $f(x)$가 $x \leq -2$, $x \geq 1$에서 증가하고, $-2 \leq x \leq 1$에서 감소하므로

$f'(-2)=0$, $f'(1)=0$

즉, $f'(x)$는 $x+2$, $x-1$을 인수로 가지므로

$f'(x)=6(x+2)(x-1)$
$\qquad =6x^2+6x-12$ ⋯⋯ ㉡

STEP3 $a+b$의 값 구하기

㉠=㉡에서 $2a=6$, $b=-12$이므로

$a=3$, $b=-12$

$\therefore a+b=3+(-12)=-9$

> ◎ 풍쌤의 비법
>
> 미분가능한 함수 $f(x)$가 닫힌구간 $[a, b]$에서 증가하고 닫힌구간 $[b, c]$에서 감소하면
> $f'(b)=0$

01-6　답 $0 < x \leq 50$

해결전략 | 판매 이익 y가 증가하는 x의 값의 범위는 $y' \geq 0$임을 이용하여 구한다.

STEP1 y' 구하기

$y=-4x^3+300x^2$에서

$y'=-12x^2+600x=-12x(x-50)$

STEP2 판매 이익이 증가하는 x의 값의 범위 구하기

판매 이익이 증가하려면

$-12x(x-50) \geq 0$, $x(x-50) \leq 0$

$\therefore 0 < x \leq 50$ ($\because 0 < x < 75$)

필수유형 02　　149쪽

02-1　답 $0 \leq a \leq 6$

해결전략 | 삼차함수 $f(x)$가 모든 실수 x에 대하여 감소하려면 이차부등식 $f'(x) \leq 0$이어야 한다.

STEP1 $f'(x)$의 조건 구하기

$f(x)=-x^3+ax^2-2ax$에서

$f'(x)=-3x^2+2ax-2a$

함수 $f(x)$가 모든 실수 x에 대하여 감소하려면 부등식

$f'(x) \leq 0$, 즉 $-3x^2+2ax-2a \leq 0$

이 항상 성립해야 한다.

STEP2 a의 값의 범위 구하기

따라서 이차방정식 $-3x^2+2ax-2a=0$의 판별식을 D라고 하면

$\dfrac{D}{4}=a^2-(-3)\times(-2a) \leq 0$, $a^2-6a \leq 0$

$a(a-6) \leq 0$　　$\therefore 0 \leq a \leq 6$

▶ 참고　함수 $f(x)$가 구간 $(-\infty, \infty)$에서 감소하려면 $f'(x) \leq 0$이어야 한다.

02-2　답 6

해결전략 | $x_1 < x_2$이면 $f(x_1) < f(x_2)$를 만족시키는 함수 $f(x)$는 증가함수임을 이용한다.

STEP1 $f'(x)$의 조건 구하기

$f(x)=\dfrac{1}{3}x^3-ax^2+(a+6)x+2$에서

$f'(x)=x^2-2ax+a+6$

주어진 조건을 만족시키는 함수 $f(x)$는 실수 전체의 집합에서 증가하므로 부등식

$f'(x) \geq 0$, 즉 $x^2-2ax+a+6 \geq 0$

이 항상 성립해야 한다.

STEP2 정수 a의 개수 구하기

따라서 이차방정식 $x^2-2ax+a+6=0$의 판별식을 D라고 하면

$\dfrac{D}{4}=(-a)^2-(a+6) \leq 0$

$a^2-a-6 \leq 0$, $(a+2)(a-3) \leq 0$

$\therefore -2 \leq a \leq 3$

따라서 정수 a의 개수는 -2, -1, 0, 1, 2, 3의 6이다.

02-3　답 -6

해결전략 | 함수 $f(x)$의 역함수가 존재하려면 $f(x)$가 실수 전체의 집합에서 증가하거나 감소해야 함을 이용한다.

STEP1 $f'(x)$의 조건 구하기

$f(x)=-x^3+4x^2+ax-3$에서

$f'(x)=-3x^2+8x+a$

함수 $f(x)$의 역함수가 존재하려면 $f(x)$가 실수 전체의 집합에서 증가하거나 감소해야 한다.

그런데 $f'(x)$의 최고차항의 계수가 음수이므로 부등식 $f'(x)\le 0$, 즉 $-3x^2+8x+a\le 0$

이 항상 성립해야 한다.

STEP2 a의 최댓값 구하기

따라서 이차방정식 $-3x^2+8x+a=0$의 판별식을 D라고 하면

$$\frac{D}{4}=4^2-(-3)\times a\le 0$$

$3a+16\le 0$ $\therefore a\le -\dfrac{16}{3}$

따라서 정수 a의 최댓값은 -6이다.

02-4 답 3

해결전략 | 주어진 조건을 만족시키는 함수 $f(x)$는 일대일대응임을 이용한다.

STEP1 $f'(x)$의 조건 구하기

$f(x)=x^3+kx^2+(k+6)x+4$에서

$f'(x)=3x^2+2kx+k+6$

조건 ㈎, ㈏를 만족시키는 함수 $f(x)$는 일대일대응이므로 실수 전체의 집합에서 증가하거나 감소해야 한다.

그런데 $f'(x)$의 최고차항의 계수가 양수이므로 부등식 $f'(x)\ge 0$, 즉 $3x^2+2kx+k+6\ge 0$이 항상 성립해야 한다.

STEP2 k의 값의 범위 구하기

따라서 이차방정식 $3x^2+2kx+k+6=0$의 판별식을 D라고 하면

$$\frac{D}{4}=k^2-3(k+6)\le 0$$

$k^2-3k-18\le 0$, $(k+3)(k-6)\le 0$

$\therefore -3\le k\le 6$

STEP3 k의 최댓값과 최솟값의 합 구하기

따라서 k의 최댓값은 6, 최솟값은 -3이므로 구하는 합은

$6+(-3)=3$

02-5 답 $a\le -3$

해결전략 | 모든 실수 x에 대하여 이차부등식 $f'(x)\le 0$이 성립하도록 하는 조건을 구한다.

STEP1 $f'(x)$의 조건 구하기

$f(x)=(a+2)x^3-3x^2+ax-1$에서

$f'(x)=3(a+2)x^2-6x+a$

함수 $f(x)$가 모든 실수 x에 대하여 감소하려면 부등식 $f'(x)\le 0$, 즉 $3(a+2)x^2-6x+a\le 0$

이 항상 성립해야 한다.

STEP2 a의 값의 범위 구하기

이차함수 $y=f'(x)$의 그래프가 위로 볼록해야 하므로

$3(a+2)<0$

$\therefore a<-2$ ······ ㉠

또, 이차방정식 $3(a+2)x^2-6x+a=0$의 판별식을 D라고 하면

$$\frac{D}{4}=(-3)^2-3(a+2)\times a\le 0$$

$-3a^2-6a+9\le 0$, $a^2+2a-3\ge 0$

$(a+3)(a-1)\ge 0$

$\therefore a\le -3$ 또는 $a\ge 1$ ······ ㉡

㉠, ㉡에서 $a\le -3$

02-6 답 $-\dfrac{5}{2}$

해결전략 | 절댓값 기호 안의 식이 0이 되도록 하는 값을 기준으로 구간을 나누어 $f'(x)$를 구한다.

STEP1 $x\ge 2a$에서 $f'(x)>0$임을 알기

(i) $x\ge 2a$일 때

$\quad x-2a\ge 0$이므로

$\qquad f(x)=x^3+6x^2+15x-30a+3$

$\quad \therefore f'(x)=3x^2+12x+15$

$\qquad\qquad =3(x+2)^2+3>0$

따라서 $x\ge 2a$에서 함수 $f(x)$는 증가한다.

STEP2 $x<2a$에서 조건을 만족시키는 a의 값의 범위 구하기

(ii) $x<2a$일 때

$\quad x-2a<0$이므로

$\qquad f(x)=x^3+6x^2-15x+30a+3$

$\quad \therefore f'(x)=3x^2+12x-15=3(x+5)(x-1)$

$\quad f'(x)\ge 0$에서 $x\le -5$ 또는 $x\ge 1$

이때 $x<2a$에서 $f'(x)\ge 0$이어야 하므로

$\quad 2a\le -5$ $\therefore a\le -\dfrac{5}{2}$

STEP3 a의 최댓값 구하기

(i), (ii)에 의하여 $a\le -\dfrac{5}{2}$

따라서 a의 최댓값은 $-\dfrac{5}{2}$이다.

03-1 답 -3

해결전략 | 함수 $f(x)$가 닫힌구간 $[0, 3]$에서 증가하려면 이 구간에서 $f'(x) \geq 0$이어야 한다.

STEP 1 $f'(x)$의 조건 구하기

$f(x) = \frac{1}{3}x^3 - x^2 + (k+4)x$에서

$f'(x) = x^2 - 2x + k + 4$

함수 $f(x)$가 닫힌구간 $[0, 3]$에서 증가하려면 이 구간에서

$f'(x) = x^2 - 2x + k + 4 \geq 0$ ...... ㉠

이어야 한다.

STEP 2 $f'(x)$의 최솟값 구하기

$f'(x) = (x-1)^2 + k + 3$이므로
$0 \leq x \leq 3$일 때, 함수 $f'(x)$는
$x = 1$에서 최솟값
$f'(1) = k + 3$
을 갖는다.

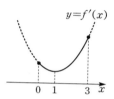

STEP 3 k의 최솟값 구하기

따라서 부등식 ㉠이 성립하려면

$k + 3 \geq 0$ ∴ $k \geq -3$

즉, k의 최솟값은 -3이다.

03-2 답 -7

해결전략 | 함수 $f(x)$가 닫힌구간 $[-2, 1]$에서 감소하려면 이 구간에서 $f'(x) \leq 0$이어야 한다.

STEP 1 $f'(x)$의 조건 구하기

$f(x) = x(x^2 + 2x + a)$에서

$f'(x) = (x^2 + 2x + a) + x(2x + 2)$
$\qquad = 3x^2 + 4x + a$

함수 $f(x)$가 닫힌구간 $[-2, 1]$에서 감소하려면 이 구간에서

$f'(x) = 3x^2 + 4x + a \leq 0$ ...... ㉠

이어야 한다.

STEP 2 $f'(x)$의 최댓값 구하기

$f'(x) = 3\left(x + \frac{2}{3}\right)^2 + a - \frac{4}{3}$이므로 $-2 \leq x \leq 1$일 때, 함수 $f'(x)$는 $x = 1$에서 최댓값

$f'(1) = a + 7$

을 갖는다.

STEP 3 a의 최댓값 구하기

따라서 부등식 ㉠이 성립하려면

$a + 7 \leq 0$ ∴ $a \leq -7$

즉, a의 최댓값은 -7이다.

03-3 답 $k \leq 48$

해결전략 | 함수 $f(x)$가 $x \geq 4$에서 감소하려면 이 구간에서 $f'(x) \leq 0$이어야 하므로 ($f'(x)$의 최댓값)≤ 0이 성립하는 범위를 구한다.

STEP 1 $f'(x)$의 조건 구하기

$f(x) = -x^3 - 6x^2 + 2kx + 4$에서

$f'(x) = -3x^2 - 12x + 2k$

함수 $f(x)$가 $x \geq 4$에서 감소하려면 이 구간에서

$f'(x) = -3x^2 - 12x + 2k \leq 0$ ...... ㉠

이어야 한다.

STEP 2 $f'(x)$의 최댓값 구하기

$f'(x) = -3(x+2)^2 + 2k + 12$이므로 $x \geq 4$일 때, 함수 $f'(x)$는 $x = 4$에서 최댓값

$f'(4) = 2k - 96$

을 갖는다.

STEP 3 k의 값의 범위 구하기

따라서 부등식 ㉠이 성립하려면

$2k - 96 \leq 0$ ∴ $k \leq 48$

03-4 답 $\frac{3}{4}$

해결전략 | 함수 $f(x)$가 닫힌구간 $[-a, a]$에서 증가하려면 이 구간에서 $f'(x) \geq 0$이어야 하므로 ($f'(x)$의 최솟값)≥ 0이 성립하는 범위를 구한다.

STEP 1 $f'(x)$의 조건 구하기

$f(x) = x^3 + 2ax^2 + ax - 2$에서

$f'(x) = 3x^2 + 4ax + a$

함수 $f(x)$가 닫힌구간 $[-a, a]$에서 증가하려면 이 구간에서

$f'(x) = 3x^2 + 4ax + a \geq 0$ ...... ㉠

이어야 한다.

STEP 2 $f'(x)$의 최솟값 구하기

$f'(x) = 3\left(x + \frac{2}{3}a\right)^2 - \frac{4}{3}a^2 + a$이므로 $-a \leq x \leq a$일 때, 함수 $f'(x)$는 $x = -\frac{2}{3}a$에서 최솟값

$f'\left(-\frac{2}{3}a\right) = -\frac{4}{3}a^2 + a$

를 갖는다.

STEP 3 a의 최댓값 구하기

따라서 부등식 ㉠이 성립하려면

$-\dfrac{4}{3}a^2+a\geq0$, $4a^2-3a\leq0$

$a(4a-3)\leq0$ $\qquad \therefore 0<a\leq\dfrac{3}{4}\ (\because a>0)$

따라서 a의 최댓값은 $\dfrac{3}{4}$이다.

03-5 답 4

해결전략 | $f'(x)$의 최댓값 또는 최솟값을 구하기 어려운 경우에는 부등식의 해를 구하여 이용한다.

STEP 1 $f'(x)$의 조건 구하기

$f(x)=-\dfrac{1}{3}x^3+ax^2-1$에서

$f'(x)=-x^2+2ax$

함수 $f(x)$가 $0<x<3$에서 증가하고, $x>10$에서 감소하려면

$0<x<3$에서 $f'(x)=-x^2+2ax\geq0$ $\qquad$ ……㉠

$x>10$에서 $f'(x)=-x^2+2ax\leq0$ $\qquad$ ……㉡

이어야 한다.

STEP 2 부등식 ㉠을 만족시키는 a의 값의 범위 구하기

부등식 ㉠에서

$-x(x-2a)\geq0$, $x(x-2a)\leq0$

이때 $a<0$이면 $2a\leq x\leq0$

그런데 $0<x<3$에서 $f'(x)\geq0$이어야 하므로

$a>0$

즉, 부등식 ㉠의 해가 $0\leq x\leq2a$이므로

$2a\geq3$ $\qquad \therefore a\geq\dfrac{3}{2}$ $\qquad$ ……㉢

STEP 3 부등식 ㉡을 만족시키는 a의 값의 범위 구하기

부등식 ㉡에서

$-x(x-2a)\leq0$, $x(x-2a)\geq0$

$\therefore x\leq0$ 또는 $x\geq2a\ (\because a>0)$

따라서 $2a\leq10$이어야 하므로

$a\leq5$ $\qquad$ ……㉣

STEP 4 정수 a의 개수 구하기

㉢, ㉣에서 $\dfrac{3}{2}\leq a\leq5$

즉, 정수 a의 개수는 2, 3, 4, 5의 4이다.

03-6 답 9

해결전략 | 주어진 조건을 만족시키는 함수 $f(x)$는 닫힌구간 $[-1,\,0]$에서 감소하는 함수임을 이용한다.

STEP 1 $f'(x)$의 조건 구하기

$f(x)=x^3-ax^2-(a+6)x-3$에서

$f'(x)=3x^2-2ax-a-6$

함수 $f(x)$가 닫힌구간 $[-1,\,0]$에서 주어진 조건을 만족시키려면 이 구간에서 감소해야 하므로

$f'(x)=3x^2-2ax-a-6\leq0$ $\qquad$ ……㉠

이어야 한다.

STEP 2 구간을 나누어 a의 값의 범위 구하기

$f'(x)=3\left(x-\dfrac{a}{3}\right)^2-\dfrac{a^2}{3}-a-6$이므로

(i) $\dfrac{a}{3}\leq-1$, 즉 $a\leq-3$일 때

함수 $f'(x)$는 $x=0$에서 최대이므로 최댓값은

$f'(0)=-a-6$

따라서 부등식 ㉠이 성립하려면

$-a-6\leq0$ $\qquad \therefore a\geq-6$

그런데 $a\leq-3$이므로

$-6\leq a\leq-3$

(ii) $\dfrac{a}{3}\geq0$, 즉 $a\geq0$일 때

함수 $f'(x)$는 $x=-1$에서 최대이므로 최댓값은

$f'(-1)=a-3$

따라서 부등식 ㉠이 성립하려면

$a-3\leq0$ $\qquad \therefore a\leq3$

그런데 $a\geq0$이므로

$0\leq a\leq3$

STEP 3 a의 최댓값과 최솟값의 차 구하기

(i), (ii)에 의하여 a의 최댓값은 3, 최솟값은 -6이므로 구하는 차는

$3-(-6)=9$

▶참고 $-1<\dfrac{a}{3}<0$, 즉 $-3<a<0$인 경우에는 a의 값이 최대 또는 최소가 될 수 없다.

필수유형 04 $\qquad\qquad\qquad$ 153쪽

04-1 답 (1) $[-2,\,3]$ (2) $(-\infty,\,-2]$, $[1,\,4]$

해결전략 | 도함수의 그래프가 x축을 기준으로 아래쪽에 있는 구간에서 함수는 감소한다.

(1) STEP 1 그래프에서 $f'(x)$의 부호 판별하기

$y=f'(x)$의 그래프에서

$x\leq-2$ 또는 $x\geq3$이면 $f'(x)\geq0$

$-2\leq x\leq3$이면 $f'(x)\leq0$

STEP2 감소하는 구간 구하기

따라서 함수 $f(x)$가 감소하는 구간은 $[-2, 3]$이다.

(2) STEP1 그래프에서 $g'(x)$의 부호 판별하기

$y=g'(x)$의 그래프에서

$-2 \leq x \leq 1$ 또는 $x \geq 4$이면 $g'(x) \geq 0$

$x \leq -2$ 또는 $1 \leq x \leq 4$이면 $g'(x) \leq 0$

STEP2 감소하는 구간 구하기

따라서 함수 $g(x)$가 감소하는 구간은 $(-\infty, -2]$, $[1, 4]$이다.

04-2 답 -2

해결전략 | 함수 $y=f'(x)$의 그래프가 x축의 아래쪽, 즉 $f'(x) \leq 0$인 구간이 함수 $f(x)$가 감소하는 구간이다.

STEP1 그래프에서 $f'(x)$의 부호 판별하기

$y=f'(x)$의 그래프에서

$-3 \leq x \leq -1$ 또는 $x \geq 2$이면 $f'(x) \geq 0$

$x \leq -3$ 또는 $-1 \leq x \leq 2$이면 $f'(x) \leq 0$

STEP2 ab의 최솟값 구하기

따라서 함수 $f(x)$가 감소하는 구간은

$(-\infty, -3]$, $[-1, 2]$

이므로 $a=-1$, $b=2$일 때, ab의 최솟값은 -2이다.

▶참고 구간 $(-\infty, -3]$에서 a, b를 정하면 $ab>0$

따라서 ab의 값이 최소가 될 수 없다.

04-3 답 $(-\infty, a]$, $[c, f]$

해결전략 | $f'(x)$, $g'(x)$의 그래프의 위치 관계를 이용하여 $h'(x)$의 부호를 구한다.

STEP1 그래프에서 $h'(x)$의 부호 판별하기

$h(x)=f(x)-g(x)$에서

$h'(x)=f'(x)-g'(x)$

$y=f'(x)$, $y=g'(x)$의 그래프에서

$x \leq a$ 또는 $c \leq x \leq f$이면 $f'(x) \geq g'(x)$

$\therefore h'(x) \geq 0$

$a \leq x \leq c$ 또는 $x \geq f$이면 $f'(x) \leq g'(x)$

$\therefore h'(x) \leq 0$

STEP2 $h(x)$가 증가하는 구간 구하기

따라서 함수 $h(x)$가 증가하는 구간은

$(-\infty, a]$, $[c, f]$

04-4 답 5

해결전략 | $AB \leq 0$이면 $A \leq 0$, $B \geq 0$ 또는 $A \geq 0$, $B \leq 0$임을 이용한다.

STEP1 부등식의 해 파악하기

$f'(x)\{f'(x)-2\} \leq 0$에서

$f'(x) \leq 0$, $f'(x) \geq 2$ 또는 $f'(x) \geq 0$, $f'(x) \leq 2$

STEP2 그래프에서 각 경우의 해 구하기

(i) $f'(x) \leq 0$, $f'(x) \geq 2$일 때

열린구간 $(-3, 7)$에서 $f'(x) \leq 0$을 만족시키는 정수 x의 값은

$2, 3, 4, 5, 6$

$f'(x) \geq 2$를 만족시키는 정수 x의 값은

$0, 1, 2, 3, 4$

따라서 $f'(x) \leq 0$, $f'(x) \geq 2$를 동시에 만족시키는 정수 x의 값은 $2, 3, 4$

(ii) $f'(x) \geq 0$, $f'(x) \leq 2$일 때

열린구간 $(-3, 7)$에서 $f'(x) \geq 0$을 만족시키는 정수 x의 값은

$-2, -1, 0, 1, 2$

$f'(x) \leq 2$를 만족시키는 정수 x의 값은

$-2, -1, 5, 6$

따라서 $f'(x) \geq 0$, $f'(x) \leq 2$를 동시에 만족시키는 정수 x의 값은 $-2, -1$

STEP3 부등식을 만족시키는 정수 x의 개수 구하기

(i), (ii)에 의하여 주어진 부등식을 만족시키는 정수 x의 개수는 $-2, -1, 2, 3, 4$의 5이다.

▶참고 $(-\infty, 2]$에서 증가하므로 $f'(x) \geq 0$

$[2, \infty)$에서 감소하므로 $f'(x) \leq 0$

필수유형 05   155쪽

05-1 답 -10

해결전략 | 함수 $f(x)$의 증감표를 그려 극대와 극소를 찾는다.

STEP1 $f'(x)=0$의 해 구하기

$f(x)=-2x^3+6x-5$에서

$f'(x)=-6x^2+6=-6(x+1)(x-1)$

$f'(x)=0$에서 $x=-1$ 또는 $x=1$

STEP2 증감표 작성하기

함수 $f(x)$의 증가와 감소를 표로 나타내면 다음과 같다.

x	$\cdots$	-1	$\cdots$	1	$\cdots$
$f'(x)$	$-$	0	$+$	0	$-$
$f(x)$	$\searrow$	극소	$\nearrow$	극대	$\searrow$

STEP3 $aM-bN$의 값 구하기

따라서 함수 $f(x)$는 $x=1$에서 극대이므로

$a=1$, $M=f(1)=-2+6-5=-1$

$x=-1$에서 극소이므로

$b=-1$, $N=f(-1)=2-6-5=-9$

$\therefore aM-bN=1\times(-1)-(-1)\times(-9)=-10$

05-2 $\quad\boxed{\text{답}}\ -\dfrac{70}{3}$

해결전략 | 함수 $f(x)$의 증감표를 그려 극대와 극소를 찾는다.

STEP1 $f'(x)=0$의 해 구하기

$f(x)=\dfrac{1}{4}x^4-\dfrac{8}{3}x^3+6x^2+2$에서

$f'(x)=x^3-8x^2+12x=x(x-2)(x-6)$

$f'(x)=0$에서 $x=0$ 또는 $x=2$ 또는 $x=6$

STEP2 증감표 작성하기

함수 $f(x)$의 증가와 감소를 표로 나타내면 다음과 같다.

x	$\cdots$	0	$\cdots$	2	$\cdots$	6	$\cdots$
$f'(x)$	$-$	0	$+$	0	$-$	0	$+$
$f(x)$	$\searrow$	극소	$\nearrow$	극대	$\searrow$	극소	$\nearrow$

STEP3 극값의 합 구하기

따라서 함수 $f(x)$는 $x=0$, $x=6$에서 극소, $x=2$에서 극대이므로 모든 극값의 합은

$f(0)+f(2)+f(6)=2+\dfrac{26}{3}+(-34)=-\dfrac{70}{3}$

05-3 $\quad\boxed{\text{답}}\ ②$

해결전략 | 함수 $f(x)$의 증감표를 이용하여 $y=f(x)$의 그래프를 그린다.

STEP1 $f'(x)=0$의 해 구하기

$f(x)=\dfrac{1}{4}x^4+x^3+\dfrac{9}{8}x^2-1$에서

$f'(x)=x^3+3x^2+\dfrac{9}{4}x=x\left(x+\dfrac{3}{2}\right)^2$

$f'(x)=0$에서 $x=-\dfrac{3}{2}$ 또는 $x=0$

STEP2 증감표 작성하기

함수 $f(x)$의 증가와 감소를 표로 나타내면 다음과 같다.

x	$\cdots$	$-\dfrac{3}{2}$	$\cdots$	0	$\cdots$
$f'(x)$	$-$	0	$-$	0	$+$
$f(x)$	$\searrow$		$\searrow$	극소	$\nearrow$

STEP3 옳지 않은 것 찾기

① $x\geq0$에서 $f'(x)\geq0$이므로 함수 $f(x)$는 증가한다.

② $f'\left(-\dfrac{3}{2}\right)=0$이지만 $x=-\dfrac{3}{2}$의 좌우에서 $f'(x)$의 부호가 바뀌지 않으므로 극값을 갖지 않는다.

③ $f(x)$는 $x=0$에서 극소이므로 극솟값은 $f(0)=-1$

④, ⑤ 함수 $y=f(x)$의 그래프는 오른쪽 그림과 같으므로 x축과 서로 다른 두 점에서 만나고, 모든 사분면을 지난다.

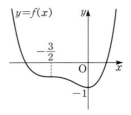

> **🎯 풍쌤의 비법**
>
> 다항함수 $f(x)$에 대하여 $f'(x)$가 $(x-a)^2$을 인수로 가지면 $f'(a)=0$이지만 $f(x)$는 $x=a$에서 극값을 갖지 않는다.

05-4 $\quad\boxed{\text{답}}\ y=-x+7$

해결전략 | 함수 $f(x)$의 증감표를 그려 극대와 극소를 찾는다.

STEP1 $f'(x)=0$의 해 구하기

$f(x)=2x^3-9x^2+12x+1$에서

$f'(x)=6x^2-18x+12=6(x-1)(x-2)$

$f'(x)=0$에서 $x=1$ 또는 $x=2$

STEP2 증감표 작성하기

함수 $f(x)$의 증가와 감소를 표로 나타내면 다음과 같다.

x	$\cdots$	1	$\cdots$	2	$\cdots$
$f'(x)$	$+$	0	$-$	0	$+$
$f(x)$	$\nearrow$	극대	$\searrow$	극소	$\nearrow$

STEP3 극대, 극소인 점을 지나는 직선의 방정식 구하기

따라서 함수 $f(x)$는 $x=1$에서 극대, $x=2$에서 극소이고, $f(1)=6$, $f(2)=5$이므로 두 점 $(1,\ 6)$, $(2,\ 5)$를 지나는 직선의 방정식은

$y-6=\dfrac{5-6}{2-1}(x-1)$

$\therefore y=-x+7$

05-5 $\quad\boxed{\text{답}}\ 4$

해결전략 | 함수 $f(x)$의 증감표를 그려 극대와 극소를 찾는다.

STEP1 $Q'(t)=0$의 해 구하기

$Q(t)=t^3-5t^2+8t$에서

$Q'(t)=3t^2-10t+8=(3t-4)(t-2)$

$Q'(t)=0$에서 $t=\dfrac{4}{3}$ 또는 $t=2$

STEP2 증감표 작성하기

함수 $Q(t)$의 증가와 감소를 표로 나타내면 다음과 같다.

t	0	$\cdots$	$\dfrac{4}{3}$	$\cdots$	2	$\cdots$
$Q'(t)$		$+$	0	$-$	0	$+$
$Q(t)$		↗	극대	↘	극소	↗

STEP 3 극솟값 구하기

따라서 함수 $Q(t)$는 $t=2$에서 극소이므로 구하는 극솟
값은 $Q(2)=8-20+16=4$

05-6 🔲 $\dfrac{81}{16}$

해결전략 | 두 함수 $y=f(x)$, $y=g(x)$의 그래프가 $x=a$에
서 접하면 $f(x)-g(x)$는 $(x-a)^2$을 인수로 갖는다.

STEP 1 $h'(x)=0$의 해 구하기

$y=f(x)$, $y=g(x)$의 그래프가 $x=-2$, $x=1$에서 접하
고, $g(x)$의 최고차항의 계수가 1이므로

$h(x)=(x+2)^2(x-1)^2$

$\therefore h'(x)=2(x+2)(x-1)^2+2(x+2)^2(x-1)$
$\qquad\quad =2(x+2)(x-1)\{(x-1)+(x+2)\}$
$\qquad\quad =2(x+2)(x-1)(2x+1)$

$h'(x)=0$에서 $x=-2$ 또는 $x=-\dfrac{1}{2}$ 또는 $x=1$

STEP 2 $h(x)$의 증감표 작성하기

함수 $h(x)$의 증가와 감소를 표로 나타내면 다음과 같다.

x	$\cdots$	-2	$\cdots$	$-\dfrac{1}{2}$	$\cdots$	1	$\cdots$
$h'(x)$	$-$	0	$+$	0	$-$	0	$+$
$h(x)$	↘	극소	↗	극대	↘	극소	↗

STEP 3 극댓값 구하기

따라서 함수 $h(x)$는 $x=-\dfrac{1}{2}$에서 극대이므로 구하는

극댓값은

$h\left(-\dfrac{1}{2}\right)=\left(\dfrac{3}{2}\right)^2\times\left(-\dfrac{3}{2}\right)^2=\dfrac{81}{16}$

필수유형 06
157쪽

06-1 🔲 3

해결전략 | 함수 $f(x)$가 $x=1$에서 극솟값 -1을 가지므로
$f'(1)=0$, $f(1)=-1$이다.

STEP 1 a, b에 대한 방정식 세우기

$f(x)=x^3+ax^2+bx+1$에서
$f'(x)=3x^2+2ax+b$

함수 $f(x)$가 $x=1$에서 극솟값 -1을 가지므로

$f'(1)=0$, $f(1)=-1$

$f'(1)=3+2a+b=0$에서

$2a+b=-3$ ……㉠

$f(1)=1+a+b+1=-1$에서

$a+b=-3$ ……㉡

STEP 2 a, b의 값 구하기

㉠, ㉡을 연립하여 풀면 $a=0$, $b=-3$

STEP 3 증감표 작성하기

$f(x)=x^3-3x+1$, $f'(x)=3x^2-3=3(x+1)(x-1)$
이므로 $f'(x)=0$에서 $x=-1$ 또는 $x=1$

함수 $f(x)$의 증가와 감소를 표로 나타내면 다음과 같다.

x	$\cdots$	-1	$\cdots$	1	$\cdots$
$f'(x)$	$+$	0	$-$	0	$+$
$f(x)$	↗	극대	↘	극소	↗

STEP 4 극댓값 구하기

따라서 함수 $f(x)$는 $x=-1$에서 극대이므로 구하는 극
댓값은 $f(-1)=-1+3+1=3$

06-2 🔲 -24

해결전략 | 함수 $f(x)$가 $x=a$에서 극값을 가지면 $f'(a)=0$
임을 이용한다.

STEP 1 a, b, c에 대한 방정식 세우기

$f(x)=-2x^3+ax^2+bx+c$에서
$f'(x)=-6x^2+2ax+b$

함수 $f(x)$가 $x=-2$에서 극솟값, $x=-1$에서 극댓값 2
를 가지므로

$f'(-2)=0$, $f'(-1)=0$, $f(-1)=2$

$f'(-2)=-24-4a+b=0$에서

$4a-b=-24$ ……㉠

$f'(-1)=-6-2a+b=0$에서

$2a-b=-6$ ……㉡

$f(-1)=2+a-b+c=2$에서

$a-b+c=0$ ……㉢

STEP 2 $a+b+c$의 값 구하기

㉠, ㉡을 연립하여 풀면 $a=-9$, $b=-12$

이를 ㉢에 대입하면 $c=-3$

$\therefore a+b+c=-9+(-12)+(-3)=-24$

06-3 🔲 -2

해결전략 | 함수 $f(x)$의 극댓값과 극솟값을 a로 나타낸다.

STEP 1 $f'(x)=0$의 해 구하기

$f(x)=x^3+6ax^2+9a^2x+4$에서

$f'(x)=3x^2+12ax+9a^2=3(x+3a)(x+a)$

$f'(x)=0$에서 $x=-3a$ 또는 $x=-a$

STEP2 a의 값 구하기

따라서 함수 $f(x)$는 $x=-3a$, $x=-a$에서 극값을 가지므로 극댓값과 극솟값의 합은

$f(-3a)+f(-a)=4+(4-4a^3)=8-4a^3$

즉, $8-4a^3=40$이므로 $4a^3=-32$

$a^3=-8$ ∴ $a=-2$ (∵ a는 실수)

▶**참고** $a=-2$이므로 $f(x)=x^3-12x^2+36x+4$는 $x=2$에서 극댓값 $f(2)=36$, $x=6$에서 극솟값 $f(6)=4$를 갖는다.

06-4 답 $\dfrac{1}{2}$

해결전략 | 각 구간에서의 $f'(x)$를 구한 후 $f'(x)=0$을 만족시키는 x의 값을 찾는다.

STEP1 $f'(x)=0$의 해 구하기

$f(x)=\begin{cases} x^3+ax & (x<0) \\ ax(x^2-12) & (x\geq 0) \end{cases}$ 에서

$f'(x)=\begin{cases} 3x^2+a & (x<0) \\ 3ax^2-12a & (x>0) \end{cases}$

$f'(x)=0$에서 $3ax^2-12a=0$ (∵ $3x^2+a>0$)

$3a(x+2)(x-2)=0$

∴ $x=2$ (∵ $x>0$)

STEP2 증감표 작성하기

$a>0$이므로 함수 $f(x)$의 증가와 감소를 표로 나타내면 다음과 같다.

x	$\cdots$	0	$\cdots$	2	$\cdots$
$f'(x)$	$+$		$-$	0	$+$
$f(x)$	↗	극대	↘	극소	↗

STEP3 a의 값 구하기

따라서 함수 $f(x)$는 $x=2$에서 극소이므로

$f(2)=-16a=-8$ ∴ $a=\dfrac{1}{2}$

▶**참고** $f'(0)$의 값은 정의되지 않지만 함수 $f(x)$는 $x=0$에서 극댓값을 갖는다.

06-5 답 3

해결전략 | 증감표를 그려 사차함수 $f(x)$의 극대가 되는 x의 값을 찾는다.

STEP1 $f'(x)=0$의 해 구하기

$f(x)=-x^4+8a^2x^2-1$에서

$f'(x)=-4x^3+16a^2x=-4x(x+2a)(x-2a)$

$f'(x)=0$에서 $x=-2a$ 또는 $x=0$ 또는 $x=2a$

STEP2 증감표 작성하기

$a>0$이므로 함수 $f(x)$의 증가와 감소를 표로 나타내면 다음과 같다.

x	$\cdots$	$-2a$	$\cdots$	0	$\cdots$	$2a$	$\cdots$
$f'(x)$	$+$	0	$-$	0	$+$	0	$-$
$f(x)$	↗	극대	↘	극소	↗	극대	↘

STEP3 $a+b$의 값 구하기

따라서 함수 $f(x)$는 $x=-2a$, $x=2a$에서 극대이고, $b>1$이므로

$b=2a$, $2-2b=-2a$

두 식을 연립하여 풀면 $a=1$, $b=2$

∴ $a+b=1+2=3$

06-6 답 -8

해결전략 | 주어진 조건을 이용하여 $f(x)$와 $f'(x)$의 함숫값을 구한다.

STEP1 주어진 조건 해석하기

조건 ㈎에서 $x\longrightarrow 1$일 때, (분모) $\longrightarrow 0$이고 극한값이 존재하므로

$\displaystyle\lim_{x\to 1}f(x)=f(1)=0$

∴ $\displaystyle\lim_{x\to 1}\dfrac{f(x)}{x-1}=\lim_{x\to 1}\dfrac{f(x)-f(1)}{x-1}=f'(1)=3$

└→ $x=1$에서의 미분계수의 정의야.

또, 조건 ㈏에서 $f'(-2)=0$

STEP2 a, b, c에 대한 방정식 세우기

$f(x)=x^3+ax^2+bx+c$에서

$f'(x)=3x^2+2ax+b$

$f'(1)=3$에서 $3+2a+b=3$

∴ $2a+b=0$ ⋯⋯ ㉠

$f'(-2)=0$에서 $12-4a+b=0$

∴ $4a-b=12$ ⋯⋯ ㉡

$f(1)=0$에서 $1+a+b+c=0$

∴ $a+b+c=-1$ ⋯⋯ ㉢

STEP3 abc의 값 구하기

㉠, ㉡을 연립하여 풀면 $a=2$, $b=-4$

이를 ㉢에 대입하면 $c=1$

∴ $abc=2\times(-4)\times 1=-8$

🏅 **풍쌤의 비법**

미분가능한 함수 $f(x)$에 대하여 $\displaystyle\lim_{x\to a}\dfrac{f(x)}{x-a}=b$이면

$f(a)=0$, $f'(a)=b$

07-1 답 ㄱ, ㄴ

해결전략 | 함수 $y=f'(x)$의 그래프를 이용하여 함수 $f(x)$의 증가와 감소, 극대와 극소를 찾는다.

ㄱ. $x \geq 0$에서 $f'(x) \leq 0$이므로 구간 $[0, \infty)$에서 함수 $f(x)$는 감소한다. (참)

ㄴ. $f'(0)=0$이고, $x=0$의 좌우에서 $f'(x)$의 부호가 양$(+)$에서 음$(-)$으로 바뀌므로 함수 $f(x)$는 $x=0$에서 극댓값을 갖는다. (참)

ㄷ. $f'(d)=0$이지만 $x=d$의 좌우에서 $f'(x)$의 부호가 바뀌지 않으므로 함수 $f(x)$는 $x=d$에서 극값을 갖지 않는다. (거짓)

따라서 옳은 것은 ㄱ, ㄴ이다.

07-2 답 8

해결전략 | 주어진 그래프를 이용하여 이차함수 $f'(x)$의 식을 구한다.

STEP 1 $f(x)$의 각 항의 계수 구하기

$f(x)=x^3+ax^2+bx+c$ (a, b, c는 상수)로 놓으면
$f'(x)=3x^2+2ax+b$

$y=f'(x)$의 그래프에서 $f'(0)=0$, $f'(4)=0$이므로 이차방정식 $f'(x)=0$의 두 실근이 0, 4이다.

따라서 이차방정식의 근과 계수의 관계에 의하여

$-\dfrac{2a}{3}=0+4=4$, $\dfrac{b}{3}=0 \times 4=0$

$\therefore a=-6$, $b=0$

STEP 2 $f(x)$의 상수항 구하기

함수 $f(x)=x^3-6x^2+c$의 증가와 감소를 표로 나타내면 다음과 같다.

x	$\cdots$	0	$\cdots$	4	$\cdots$
$f'(x)$	$+$	0	$-$	0	$+$
$f(x)$	↗	극대	↘	극소	↗

따라서 함수 $f(x)$는 $x=4$에서 극솟값 -24를 가지므로
$f(4)=64-96+c=-24$ $\therefore c=8$

STEP 3 극댓값 구하기

즉, $f(x)=x^3-6x^2+8$이고, $f(x)$는 $x=0$에서 극대이므로 극댓값은 $f(0)=8$

07-3 답 19

해결전략 | 주어진 조건을 이용하여 도함수 $f'(x)$의 식을 구한다.

STEP 1 $f(x)$의 각 항의 계수 구하기

$f'(x)$가 이차함수이므로 $f(x)$는 삼차함수이다.
$f(x)=ax^3+bx^2+cx+d$ (a, b, c, d는 상수)로 놓으면
$f'(x)=3ax^2+2bx+c$

$y=f'(x)$의 그래프의 꼭짓점의 좌표가 $(1, -1)$이므로
$f'(x)=3a(x-1)^2-1$
$\qquad =3ax^2-6ax+3a-1$

따라서 $2b=-6a$, $c=3a-1$이므로
$b=-3a$, $c=3a-1$

또, $y=f'(x)$의 그래프가 원점을 지나므로
$3a-1=0$ $\longrightarrow f'(0)=0$

$\therefore a=\dfrac{1}{3}$, $b=-1$, $c=0$

STEP 2 $f(x)$의 상수항 구하기

$y=f'(x)$의 그래프의 축이 직선 $x=1$이고 $f'(0)=0$이므로 $f'(2)=0$ $\longrightarrow x=1$에 대하여 대칭인 함수

함수 $f(x)$의 증가와 감소를 표로 나타내면 다음과 같다.

x	$\cdots$	0	$\cdots$	2	$\cdots$
$f'(x)$	$+$	0	$-$	0	$+$
$f(x)$	↗	극대	↘	극소	↗

따라서 함수 $f(x)=\dfrac{1}{3}x^3-x^2+d$는 $x=0$에서 극대, $x=2$에서 극소이므로

$f(0)+f(2)=\dfrac{10}{3}$

$d+\left(d-\dfrac{4}{3}\right)=\dfrac{10}{3}$, $2d=\dfrac{14}{3}$

$\therefore d=\dfrac{7}{3}$

STEP 3 $f(5)$의 값 구하기

즉, $f(x)=\dfrac{1}{3}x^3-x^2+\dfrac{7}{3}$이므로

$f(5)=\dfrac{125}{3}-25+\dfrac{7}{3}=19$

07-4 답 a, c

해결전략 | $y=f'(x)$, $y=g'(x)$의 그래프를 이용하여 $h'(x)=0$의 해를 구한다.

STEP 1 $h(x)$의 증감표 작성하기

$h(x)=g(x)-f(x)$에서
$h'(x)=g'(x)-f'(x)$
$h'(x)=0$에서 $x=a$, $x=0$, $x=c$ $\longrightarrow$ 두 그래프 $y=g'(x)$, $y=f'(x)$가 만나는 점의 x좌표

함수 $h(x)$의 증가와 감소를 표로 나타내면 다음과 같다.

x	$\cdots$	a	$\cdots$	0	$\cdots$	c	$\cdots$
$h'(x)$	$-$	0	$+$	0	$-$	0	$+$
$h(x)$	$\searrow$	극소	$\nearrow$	극대	$\searrow$	극소	$\nearrow$

STEP 2 극솟값을 갖는 x의 값 구하기

따라서 함수 $h(x)$는 $x=a$, $x=c$에서 극솟값을 갖는다.

07-5 답 3

해결전략 | $y=f'(x)$의 그래프를 이용하여 $f'(x)$를 구한다.

STEP 1 $f'(x)$ 구하기

$f(x)$가 삼차함수이므로 $f'(x)$는 이차함수이고,

$f'(-2)=f'(1)=0$이므로

$f'(x)=a(x+2)(x-1)$ $(a<0)$

로 놓을 수 있다. $\quad\longrightarrow y=f'(x)$의 그래프가 위로 볼록

또, $y=f'(x)$의 그래프가 점 $(0, 1)$을 지나므로

$-2a=1 \qquad \therefore a=-\dfrac{1}{2}$

$\therefore f'(x)=-\dfrac{1}{2}(x+2)(x-1)=-\dfrac{1}{2}x^2-\dfrac{1}{2}x+1$

STEP 2 $g(x)$의 증감표 작성하기

$g(x)=f(x)+x^2-x$에서

$g'(x)=f'(x)+2x-1=-\dfrac{1}{2}x^2+\dfrac{3}{2}x=-\dfrac{1}{2}x(x-3)$

$g'(x)=0$에서 $x=0$ 또는 $x=3$

함수 $g(x)$의 증가와 감소를 표로 나타내면 다음과 같다.

x	$\cdots$	0	$\cdots$	3	$\cdots$
$g'(x)$	$-$	0	$+$	0	$-$
$g(x)$	$\searrow$	극소	$\nearrow$	극대	$\searrow$

STEP 3 a의 값 구하기

따라서 함수 $g(x)$는 $x=3$에서 극댓값을 가지므로

$a=3$

발전유형 **08**   161쪽

08-1 답 $a<0$, $b>0$, $c>0$

해결전략 | 함수 $f(x)$가 $x=a$에서 극값을 가지면 $f'(a)=0$ 임을 이용하여 함수 $y=f'(x)$의 그래프를 유추한다.

STEP 1 $f'(x)=0$의 두 실근 구하기

함수 $f(x)$가 $x=a$에서 극소이고, $x=\beta$에서 극대이므로

$f'(a)=0$, $f'(\beta)=0$

STEP 2 a, b, c의 부호 구하기

$y=f(x)$의 그래프에서 $f(0)=c>0$

$f(x)=-x^3+ax^2+bx+c$에서

$f'(x)=-3x^2+2ax+b$

따라서 이차방정식 $-3x^2+2ax+b=0$의 두 실근이 a, β이므로 이차방정식의 근과 계수의 관계에 의하여

$-\dfrac{2a}{3}=a+\beta<0$ $(\because |a|>|\beta|)$, $\dfrac{b}{-3}=a\beta<0$

$\therefore a<0$, $b>0$

08-2 답 $a>0$, $b<0$, $c<0$, $d>0$

해결전략 | 함수 $f(x)$가 $x=a$에서 극값을 가지면 $f'(a)=0$ 임을 이용하여 함수 $y=f'(x)$의 그래프를 유추한다.

STEP 1 $f'(x)=0$의 두 실근의 부호 구하기

함수 $f(x)$가 $x=a$에서 극대이고, $x=\beta$에서 극소라고 하면 $y=f(x)$의 그래프에서

$a<0$, $\beta<0$이고

$f'(a)=0$, $f'(\beta)=0$

STEP 2 a, b, c, d의 부호 구하기

$y=f(x)$의 그래프에서 $a>0$, $d>0$

또, $f(x)=ax^3-bx^2-cx+d$에서

$f'(x)=3ax^2-2bx-c$

따라서 이차방정식 $3ax^2-2bx-c=0$의 두 실근이 a, β 이므로 이차방정식의 근과 계수의 관계에 의하여

$-\dfrac{-2b}{3a}=a+\beta<0$, $\dfrac{-c}{3a}=a\beta>0$

이때 $a>0$이므로 $b<0$, $c<0$

> **풍쌤의 비법**
>
> 삼차함수 $f(x)=ax^3+bx^2+cx+d$의 그래프에서 최 고차항의 계수의 부호를 알 수 있다.
>
> ① $a>0$일 때   ② $a<0$일 때
>
>   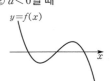

08-3 답 ④

해결전략 | $y=f(x)$의 그래프가 원점에 대하여 대칭이므로 $x=a$에서 극대이면 $x=-a$에서 극소이다.

STEP 1 $f'(x)=0$의 두 실근 구하기

함수 $y=f(x)$의 그래프가 원점에 대하여 대칭이므로

$f(x)$가 $x=\alpha$에서 극대라고 하면 $x=-\alpha$에서 극소이므로

$$f'(\alpha)=0, \ f'(-\alpha)=0$$

STEP2 a, b, c의 부호 구하기

$y=f(x)$의 그래프에서 $a>0$

또, $f(x)=ax^3+bx^2+cx$에서

$$f'(x)=3ax^2+2bx+c$$

따라서 이차방정식 $3ax^2+2bx+c=0$의 두 실근이 α, $-\alpha$이므로 이차방정식의 근과 계수의 관계에 의하여

$$-\frac{2b}{3a}=\alpha+(-\alpha)=0, \ \frac{c}{3a}=\alpha\times(-\alpha)<0$$

이때 $a>0$이므로 $b=0$, $c<0$

STEP3 옳은 것 찾기

① $a+b=a>0$ ② $a-c>0$

③ $b+c=c<0$ ④ $\dfrac{a}{c}<0$

⑤ $\dfrac{b}{c}=0$

따라서 옳은 것은 ④이다.

08-4 답 8

해결전략 | 그래프를 이용하여 a, b, c, d의 부호를 알아낸 후 주어진 식의 값을 구한다.

STEP1 $f'(x)=0$의 두 실근의 부호 구하기

함수 $f(x)$가 $x=\alpha$에서 극소이고, $x=\beta$에서 극대라고 하면

$\alpha>0$, $\beta>0$이고

$$f'(\alpha)=0, \ f'(\beta)=0$$

STEP2 a, b, c, d의 부호 구하기

$y=f(x)$의 그래프에서 $a<0$, $d>0$

또, $f(x)=ax^3+bx^2-cx+d$에서

$$f'(x)=3ax^2+2bx-c$$

따라서 이차방정식 $3ax^2+2bx-c=0$의 두 실근이 α, β이므로 이차방정식의 근과 계수의 관계에 의하여

$$-\frac{2b}{3a}=\alpha+\beta>0, \ \frac{-c}{3a}=\alpha\beta>0$$

이때 $a<0$이므로 $b>0$, $c>0$

STEP3 식의 값 구하기

$$\therefore \frac{|a|}{a}+\frac{2|b|}{b}+\frac{3|c|}{c}+\frac{4|d|}{d}$$

$$=\frac{-a}{a}+\frac{2b}{b}+\frac{3c}{c}+\frac{4d}{d}$$

$$=-1+2+3+4=8$$

09-1 답 4

해결전략 | 삼차함수 $f(x)$가 극값을 갖지 않으면 $f'(x)=0$이 중근 또는 허근을 갖는다.

STEP1 $f'(x)$의 조건 구하기

$f(x)=-\dfrac{1}{3}x^3-ax^2+3ax-3$에서

$$f'(x)=-x^2-2ax+3a$$

함수 $f(x)$가 극값을 갖지 않으려면 이차방정식 $f'(x)=0$이 중근 또는 허근을 가져야 한다.

STEP2 정수 a의 개수 구하기

따라서 이차방정식 $-x^2-2ax+3a=0$의 판별식을 D라고 하면

$$\frac{D}{4}=(-a)^2-(-1)\times 3a\le 0$$

$$a^2+3a\le 0, \ a(a+3)\le 0$$

$$\therefore -3\le a\le 0$$

따라서 정수 a의 개수는 $-3, -2, -1, 0$의 4이다.

09-2 답 10

해결전략 | 삼차함수 $f(x)$가 극값을 가지면 $f'(x)=0$이 서로 다른 두 실근을 갖는다.

STEP1 $f'(x)$의 조건 구하기

$f(x)=ax^3-ax^2+3x-5$에서

$$f'(x)=3ax^2-2ax+3$$

함수 $f(x)$가 극값을 가지려면 이차방정식 $f'(x)=0$이 서로 다른 두 실근을 가져야 한다.

STEP2 자연수 a의 최솟값 구하기

따라서 이차방정식 $3ax^2-2ax+3=0$의 판별식을 D라고 하면

$$\frac{D}{4}=(-a)^2-3a\times 3>0$$

$$a^2-9a>0, \ a(a-9)>0$$

$$\therefore a<0 \ \text{또는} \ a>9$$

따라서 자연수 a의 최솟값은 10이다.

09-3 답 1

해결전략 | 삼차함수 $f(x)$가 극값을 갖지 않으면 $f'(x)=0$이 중근 또는 허근을 갖는다.

STEP1 $f'(x)$의 조건 구하기

$f(x)=\dfrac{1}{3}x^3+6ax^2+9x-4$에서

$$f'(x)=x^2+12ax+9$$

함수 $f(x)$가 극값을 갖지 않으려면 이차방정식 $f'(x)=0$이 중근 또는 허근을 가져야 한다.

STEP2 $M-m$의 값 구하기

따라서 이차방정식 $x^2+12ax+9=0$의 판별식을 D라고 하면

$$\frac{D}{4}=(6a)^2-9\le 0$$

$$36a^2\le 9,\ a^2\le\frac{1}{4}$$

$$\therefore\ -\frac{1}{2}\le a\le\frac{1}{2}$$

따라서 $M=\frac{1}{2},\ m=-\frac{1}{2}$이므로

$$M-m=\frac{1}{2}-\left(-\frac{1}{2}\right)=1$$

09-4 目 5

해결전략 | 삼차함수 $f(x)$가 극값을 가지면 $f'(x)=0$이 서로 다른 두 실근을 갖는다.

STEP1 $f'(x)$의 조건 구하기

$f(x)=x^3+ax^2+(a^2-4a)x+3$에서

$f'(x)=3x^2+2ax+a^2-4a$

함수 $f(x)$가 극값을 가지려면 이차방정식 $f'(x)=0$이 서로 다른 두 실근을 가져야 한다.

STEP2 정수 a의 개수 구하기

따라서 이차방정식 $3x^2+2ax+a^2-4a=0$의 판별식을 D라고 하면

$$\frac{D}{4}=a^2-3(a^2-4a)>0$$

$$-2a^2+12a>0,\ a(a-6)<0$$

$$\therefore\ 0<a<6$$

따라서 정수 a의 개수는 1, 2, 3, 4, 5의 5이다.

09-5 目 7

해결전략 | $f'(x)=0$의 판별식을 이용하여 a, b에 대한 부등식을 구한다.

STEP1 $f'(x)$의 조건 구하기

$f(x)=\frac{1}{3}x^3+ax^2-(b^2-7)x+1$에서

$f'(x)=x^2+2ax-(b^2-7)$

함수 $f(x)$가 극값을 갖지 않으려면 이차방정식 $f'(x)=0$이 중근 또는 허근을 가져야 한다.

STEP2 a^2+b^2의 최댓값 구하기

따라서 이차방정식 $x^2+2ax-(b^2-7)=0$의 판별식을

D라고 하면

$$\frac{D}{4}=a^2+(b^2-7)\le 0\qquad\therefore\ a^2+b^2\le 7$$

따라서 a^2+b^2의 최댓값은 7이다.

09-6 目 13

해결전략 | $f'(x)=0$의 판별식을 이용하여 a, b에 대한 부등식을 구한다.

STEP1 $f'(x)$의 조건 구하기

$f(x)=ax^3+(b+2)x^2-\frac{1}{3}(a-4)x-4$에서

$f'(x)=3ax^2+2(b+2)x-\frac{1}{3}(a-4)$

함수 $f(x)$가 극값을 갖지 않으려면 이차방정식 $f'(x)=0$이 중근 또는 허근을 가져야 한다.

STEP2 a, b에 대한 부등식 세우기

따라서 이차방정식 $3ax^2+2(b+2)x-\frac{1}{3}(a-4)=0$의

판별식을 D라고 하면

$$\frac{D}{4}=(b+2)^2-3a\times\left\{-\frac{1}{3}(a-4)\right\}\le 0$$

$$a^2-4a+(b+2)^2\le 0$$

$$\therefore\ (a-2)^2+(b+2)^2\le 4$$

STEP3 순서쌍 (a, b)의 개수 구하기

(ⅰ) $a-2=\pm 2$, 즉 $a=4$ 또는 $a=0$일 때

$(b+2)^2\le 0$이므로 $b=-2$

(ⅱ) $a-2=\pm 1$, 즉 $a=3$ 또는 $a=1$일 때

$(b+2)^2\le 3$이므로 b의 값은

$-3,\ -2,\ -1$

(ⅲ) $a-2=0$, 즉 $a=2$일 때

$(b+2)^2\le 4$이므로 b의 값은

$-4,\ -3,\ -2,\ -1,\ 0$

(ⅰ)~(ⅲ)에 의하여 순서쌍 (a, b)의 개수는

$2\times 1+2\times 3+1\times 5=13$

▶ **참고** $a=0$, $b=-2$이면 $f(x)=\frac{4}{3}x-4$이므로 $f(x)$는 극값을 갖지 않는다. ⟶ 일차함수는 직선이므로 극값이 없어.

필수유형 ⑩   165쪽

10-1 目 4

해결전략 | 사차함수 $f(x)$가 극댓값과 극솟값을 모두 가지려면 $f'(x)=0$이 서로 다른 세 실근을 가져야 함을 이용한다.

STEP 1 $f'(x)$의 조건 구하기

$f(x)=\dfrac{1}{4}x^4-2x^3+ax^2$에서

$f'(x)=x^3-6x^2+2ax$

사차함수 $f(x)$가 극댓값과 극솟값을 모두 가지려면 삼차방정식 $f'(x)=0$이 서로 다른 세 실근을 가져야 한다.

STEP 2 자연수 a의 최댓값 구하기

$x^3-6x^2+2ax=0$에서

$x(x^2-6x+2a)=0$

위의 방정식이 서로 다른 세 실근을 가지려면 이차방정식 $x^2-6x+2a=0$이 $x\ne0$인 서로 다른 두 실근을 가져야 하므로

$a\ne0$ ...... ㉠

또, 이차방정식 $x^2-6x+2a=0$의 판별식을 D라고 하면

$\dfrac{D}{4}=(-3)^2-2a>0$ $\therefore a<\dfrac{9}{2}$

이때 ㉠에 의하여

$a<0$ 또는 $0<a<\dfrac{9}{2}$

따라서 자연수 a의 최댓값은 4이다.

▶**참고** 사차함수 $f(x)$의 최고차항의 계수가 양수이므로 반드시 극솟값을 갖는다.

10-2 답 $a>\dfrac{2\sqrt{2}}{3}$

해결전략 | 최고차항의 계수가 양수인 사차함수가 극댓값을 가지면 극값을 갖는 x의 값이 3개임을 이용한다.

STEP 1 $f'(x)$의 조건 구하기

$f(x)=x^4+4ax^3+4x^2$에서

$f'(x)=4x^3+12ax^2+8x$

최고차항의 계수가 양수인 사차함수 $f(x)$가 극댓값을 가지려면 삼차방정식 $f'(x)=0$이 서로 다른 세 실근을 가져야 한다.

STEP 2 양수 a의 값의 범위 구하기

$4x^3+12ax^2+8x=0$에서

$4x(x^2+3ax+2)=0$

위의 방정식이 서로 다른 세 실근을 가지려면 이차방정식 $x^2+3ax+2=0$이 $x\ne0$인 서로 다른 두 실근을 가져야 하므로 이차방정식 $x^2+3ax+2=0$의 판별식을 D라고 하면

$D=(3a)^2-4\times2>0,\ a^2>\dfrac{8}{9}$

$\therefore a>\dfrac{2\sqrt{2}}{3}$ $(\because a>0)$

10-3 답 $-\dfrac{1}{4}<a<2$ 또는 $a>2$

해결전략 | 최고차항의 계수가 음수인 사차함수가 극솟값을 가지면 극값을 갖는 x의 값이 3개임을 이용한다.

STEP 1 $f'(x)$의 조건 구하기

$f(x)=-x^4+2(a+1)x^2-4ax$에서

$f'(x)=-4x^3+4(a+1)x-4a$

최고차항의 계수가 음수인 사차함수 $f(x)$가 극솟값을 가지려면 삼차방정식 $f'(x)=0$이 서로 다른 세 실근을 가져야 한다.

STEP 2 a의 값의 범위 구하기

$-4x^3+4(a+1)x-4a=0$에서

$-4(x-1)(x^2+x-a)=0$

위의 방정식이 서로 다른 세 실근을 가지려면 이차방정식 $x^2+x-a=0$이 $x\ne1$인 서로 다른 두 실근을 가져야 하므로

$1+1-a\ne0$ $\therefore a\ne2$ ...... ㉠

또, 이차방정식 $x^2+x-a=0$의 판별식을 D라고 하면

$D=1^2-4\times(-a)>0$ $\therefore a>-\dfrac{1}{4}$

이때 ㉠에 의하여

$-\dfrac{1}{4}<a<2$ 또는 $a>2$

10-4 답 $a\le-\dfrac{1}{8}$ 또는 $a=0$

해결전략 | 최고차항의 계수가 양수인 사차함수 $f(x)$가 극댓값을 갖지 않으므로 $f'(x)=0$이 서로 다른 세 실근을 갖지 않는다.

STEP 1 $f'(x)$의 조건 구하기

$f(x)=\dfrac{1}{4}x^4-\dfrac{1}{3}x^3-ax^2$에서

$f'(x)=x^3-x^2-2ax$

최고차항의 계수가 양수인 사차함수 $f(x)$가 극댓값을 갖지 않으려면 삼차방정식 $f'(x)=0$이 서로 다른 두 실근 또는 하나의 실근을 가져야 한다.

STEP 2 a의 값의 범위 구하기

$x^3-x^2-2ax=0$에서

$x(x^2-x-2a)=0$

위의 방정식이 서로 다른 두 실근 또는 하나의 실근을 가지려면 이차방정식 $x^2-x-2a=0$이 $x=0$을 근으로 갖거나 중근 또는 허근을 가져야 한다.

(i) $x=0$을 근으로 가질 때

    $a=0$

(ii) 중근 또는 허근을 가질 때

이차방정식 $x^2-x-2a=0$의 판별식을 D라고 하면

$$D=(-1)^2-4\times(-2a)\leq0$$

$$\therefore a\leq-\frac{1}{8}$$

(i), (ii)에 의하여 $a\leq-\dfrac{1}{8}$ 또는 $a=0$

10-5 　[답] 2

해결전략 | 최고차항의 계수가 음수인 사차함수 $f(x)$가 극솟값을 갖지 않으므로 $f'(x)=0$이 서로 다른 세 실근을 갖지 않는다.

STEP 1 $f'(x)$의 조건 구하기

$f(x)=-\dfrac{1}{4}x^4+ax^3+2ax^2$에서

$f'(x)=-x^3+3ax^2+4ax$

최고차항의 계수가 음수인 사차함수 $f(x)$가 극댓값만을 가지려면 삼차방정식 $f'(x)=0$이 서로 다른 두 실근 또는 하나의 실근을 가져야 한다.

STEP 2 정수 a의 개수 구하기

$-x^3+3ax^2+4ax=0$에서

$-x(x^2-3ax-4a)=0$

위의 방정식이 서로 다른 두 실근 또는 하나의 실근을 가지려면 이차방정식 $x^2-3ax-4a=0$이 $x=0$을 근으로 갖거나 중근 또는 허근을 가져야 한다.

(i) $x=0$을 근으로 가질 때

$a=0$

(ii) 중근 또는 허근을 가질 때

이차방정식 $x^2-3ax-4a=0$의 판별식을 D라고 하면

$$D=(-3a)^2-4\times(-4a)\leq0$$

$$9a^2+16a\leq0,\ a(9a+16)\leq0$$

$$\therefore -\frac{16}{9}\leq a\leq0$$

(i), (ii)에 의하여 $-\dfrac{16}{9}\leq a\leq0$

따라서 정수 a의 개수는 -1, 0의 2이다.

10-6 　[답] $\dfrac{2}{3}$

해결전략 | 최고차항의 계수가 양수인 사차함수 $f(x)$는 반드시 극솟값을 가지므로 극값을 하나만 가지려면 $f'(x)=0$이 서로 다른 세 실근을 갖지 않는다.

STEP 1 $f'(x)$의 조건 구하기

$f(x)=x^4-ax^3+(3a+4)x$에서

$f'(x)=4x^3-3ax^2+3a+4$

사차함수 $f(x)$가 극값을 하나만 가지려면 삼차방정식 $f'(x)=0$이 서로 다른 두 실근 또는 하나의 실근을 가져야 한다.

STEP 2 $\alpha+\beta+\gamma$의 값 구하기

$4x^3-3ax^2+3a+4=0$에서

$(x+1)\{4x^2-(3a+4)x+3a+4\}=0$

위의 방정식이 서로 다른 두 실근 또는 하나의 실근을 가지려면 이차방정식 $4x^2-(3a+4)x+3a+4=0$이 $x=-1$을 근으로 갖거나 중근 또는 허근을 가져야 한다.

(i) $x=-1$을 근으로 가질 때

$4x^2-(3a+4)x+3a+4=0$에 $x=-1$을 대입하면

$6a=-12$ ∴ $a=-2$

(ii) 중근 또는 허근을 가질 때

이차방정식 $4x^2-(3a+4)x+3a+4=0$의 판별식을 D라고 하면

$$D=(3a+4)^2-4\times4\times(3a+4)\leq0$$

$$(3a+4)(3a-12)\leq0$$

$$\therefore -\frac{4}{3}\leq a\leq4$$

(i), (ii)에 의하여 $a=-2$ 또는 $-\dfrac{4}{3}\leq a\leq4$

따라서 $\alpha=-2$, $\beta=-\dfrac{4}{3}$, $\gamma=4$이므로

$$\alpha+\beta+\gamma=-2+\left(-\frac{4}{3}\right)+4=\frac{2}{3}$$

▶참고 $P(x)=4x^3-3ax^2+3a+4$로 놓으면

$P(-1)=0$

-1	4	$-3a$	0	$3a+4$
		-4	$3a+4$	$-3a-4$
	4	$-3a-4$	$3a+4$	0

위의 조립제법에 의하여 $P(x)$를 인수분해하면

$P(x)=(x+1)\{4x^2-(3a+4)x+3a+4\}$

발전유형 11 　　　　167쪽

11-1 　[답] 3

해결전략 | 주어진 범위에서 함수 $f(x)$가 극값을 가지면 그 범위에서 $f'(x)=0$임을 이용한다.

STEP 1 $f'(x)=0$의 근의 조건 구하기

$f(x)=-x^3+(a-3)x^2+ax+2$에서

$f'(x)=-3x^2+2(a-3)x+a$

함수 $f(x)$가 $x=\alpha$에서 극솟값, $x=\beta$에서 극댓값을 갖

는다고 하면 이차방정식 $f'(x)=0$의 서로 다른 두 실근이 α, β이고
$$-2<\alpha<-1,\ \beta>-1$$

STEP 2 $y=f'(x)$의 그래프 그리기

따라서 함수 $y=f'(x)$의 그래프가 오른쪽 그림과 같아야 하므로
$$f'(-2)<0,\ f'(-1)>0$$

STEP 3 $p+q$의 값 구하기

$f'(-2)=-3a<0$에서
$a>0$
$f'(-1)=-a+3>0$에서
$a<3$
$\therefore\ 0<a<3$
즉, $p=0$, $q=3$이므로
$$p+q=3$$

11-2 답 2

해결전략 | 주어진 범위에서 함수 $f(x)$가 극값을 가지면 그 범위에서 $f'(x)=0$임을 이용한다.

STEP 1 $f'(x)=0$의 근의 조건 구하기

$f(x)=x^3-2ax^2-ax-4$에서
$$f'(x)=3x^2-4ax-a$$
최고차항의 계수가 양수인 삼차함수 $f(x)$가 $x=\alpha$에서 극댓값, $x=\beta$에서 극솟값을 갖는다고 하면 이차방정식 $f'(x)=0$의 서로 다른 두 실근이 α, β이고
$$-1<\alpha<1,\ 2<\beta<3$$

STEP 2 $y=f'(x)$의 그래프 그리기

따라서 함수 $y=f'(x)$의 그래프가 오른쪽 그림과 같아야 하므로
$$f'(-1)>0,\ f'(1)<0,$$
$$f'(2)<0,\ f'(3)>0$$

STEP 3 정수 a의 값 구하기

$f'(-1)=3+3a>0$에서 $a>-1$
$f'(1)=3-5a<0$에서 $a>\dfrac{3}{5}$
$f'(2)=12-9a<0$에서 $a>\dfrac{4}{3}$
$f'(3)=27-13a>0$에서 $a<\dfrac{27}{13}$
$$\therefore\ \dfrac{4}{3}<a<\dfrac{27}{13}$$
따라서 정수 a의 값은 2이다.

11-3 답 4

해결전략 | 주어진 범위에서 함수 $f(x)$가 극값을 가지면 그 범위에서 $f'(x)=0$임을 이용한다.

STEP 1 $f'(x)=0$의 근의 조건 구하기

$f(x)=-x^3+ax^2+a^2x+2$에서
$$f'(x)=-3x^2+2ax+a^2$$
최고차항의 계수가 음수인 삼차함수 $f(x)$가 $x=\alpha$에서 극솟값, $x=\beta$에서 극댓값을 갖는다고 하면 이차방정식 $f'(x)=0$의 서로 다른 두 실근이 α, β이고
$$-1<\alpha<1,\ \beta>1$$

STEP 2 $y=f'(x)$의 그래프 그리기

따라서 함수 $y=f'(x)$의 그래프가 오른쪽 그림과 같아야 하므로
$$f'(-1)<0,\ f'(1)>0$$

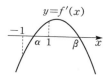

STEP 3 $p+q$의 값 구하기

$f'(-1)=-3-2a+a^2<0$에서
$(a+1)(a-3)<0$
$\therefore\ -1<a<3$ ······ ㉠
$f'(1)=-3+2a+a^2>0$에서
$(a+3)(a-1)>0$
$\therefore\ a<-3$ 또는 $a>1$ ······ ㉡
㉠, ㉡에서 $1<a<3$
따라서 $p=1$, $q=3$이므로
$$p+q=1+3=4$$

11-4 답 2

해결전략 | $f'(x)=0$의 두 실근이 모두 양수임을 이용한다.

STEP 1 $f'(x)=0$의 근의 조건 구하기

$f(x)=\dfrac{1}{3}x^3-ax^2+(4a-6)x+4$에서
$$f'(x)=x^2-2ax+4a-6$$
함수 $f(x)$가 $x=\alpha$, $x=\beta$에서 극값을 갖는다고 하면 이차방정식 $f'(x)=0$의 서로 다른 두 실근이 α, β이고
$$\alpha>0,\ \beta>0$$

STEP 2 정수 a의 최솟값 구하기

따라서 이차방정식 $x^2-2ax+4a-6=0$이 서로 다른 두 양의 실근을 가져야 하므로

(i) 이차방정식 $x^2-2ax+4a-6=0$의 판별식을 D라고 하면
$$\dfrac{D}{4}=(-a)^2-(4a-6)>0$$
$$a^2-4a+6=(a-2)^2+2>0$$

따라서 모든 실수 a에 대하여 항상 성립한다.

(ii) $\alpha+\beta=2a>0$이므로 $a>0$

(iii) $\alpha\beta=4a-6>0$이므로 $a>\dfrac{3}{2}$

(i)~(iii)에 의하여 $a>\dfrac{3}{2}$

따라서 정수 a의 최솟값은 2이다.

> **풍쌤의 비법**
>
> 이차방정식 $ax^2+bx+c=0$의 두 근 α, β가 모두 양수
> 이려면 다음이 모두 성립해야 한다.
> ① 판별식 D에 대하여 $D=b^2-4ac\geq0$
> ② $\alpha+\beta=-\dfrac{b}{a}>0$이므로 $ab<0$
> ③ $\alpha\beta=\dfrac{c}{a}>0$이므로 $ac>0$

11-5 답 $-\dfrac{1}{3}<a<0$

해결전략 | $f'(x)=0$의 두 실근이 열린구간 $(-2, 2)$에 존재할 조건을 이용한다.

STEP1 $f'(x)=0$의 근의 조건 구하기

$f(x)=-\dfrac{1}{3}x^3+2ax^2-4ax+1$에서

$f'(x)=-x^2+4ax-4a$

함수 $f(x)$가 $x=\alpha$에서 극솟값, $x=\beta$에서 극댓값을 갖는다고 하면 이차방정식 $f'(x)=0$의 서로 다른 두 실근이 α, β이고

$-2<\alpha<\beta<2$

STEP2 $y=f'(x)$의 그래프 그리기

따라서 함수 $y=f'(x)$의 그래프가 오른쪽 그림과 같아야 한다.

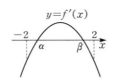

STEP3 a의 값의 범위 구하기

(i) 이차방정식

$-x^2+4ax-4a=0$의 판별식을 D라고 하면

$\dfrac{D}{4}=(2a)^2-(-1)\times(-4a)>0$

$a(a-1)>0$ $\therefore a<0$ 또는 $a>1$

(ii) $f'(-2)=-4-12a<0$에서 $a>-\dfrac{1}{3}$

$f'(2)=-4+4a<0$에서 $a<1$

$\therefore -\dfrac{1}{3}<a<1$

(iii) 축의 방정식이 $x=-\dfrac{4a}{-2}=2a$이므로

$-2<2a<2$ $\therefore -1<a<1$

(i)~(iii)에 의하여 $-\dfrac{1}{3}<a<0$

> **풍쌤의 비법**
>
> 이차방정식 $f(x)=ax^2+bx+c=0$ $(a>0)$의 서로
> 다른 두 근이 열린구간 (p, q)에 존재하려면 다음이 모
> 두 성립해야 한다.
> ① 이차방정식 $f(x)=0$의 판별식 D에 대하여
> $\quad D=b^2-4ac>0$
> ② $f(p)>0$, $f(q)>0$
> ③ $p<-\dfrac{b}{2a}<q$
>
> **▶참고** $a<0$이면 ② $f(p)<0$, $f(q)<0$이 성립해야 한다.

11-6 답 $2\leq a<6$

해결전략 | 함수 $f(x)$가 극값을 갖는 경우와 갖지 않는 경우로 나누어 생각한다.

STEP1 $f'(x)=0$의 근의 조건 구하기

$f(x)=x^3-3(a-3)x^2+3(a-1)x$에서

$f'(x)=3x^2-6(a-3)x+3a-3$

함수 $f(x)$가 $x\leq1$에서 극값을 갖지 않으려면 $f(x)$가 극값을 갖지 않거나 $x>1$에서 극값을 가져야 한다.

즉, 이차방정식 $f'(x)=0$이 중근 또는 허근을 갖거나 두 실근이 모두 1보다 커야 한다.

STEP2 $f(x)$가 $x\leq1$에서 극값을 갖지 않도록 하는 a의 값의 범위 구하기

(i) $f'(x)=0$이 중근 또는 허근을 갖는 경우

이차방정식 $3x^2-6(a-3)x+3a-3=0$,

즉 $x^2-2(a-3)x+a-1=0$의 판별식을 D라고 하면

$\dfrac{D}{4}=(a-3)^2-(a-1)\leq0$

$a^2-7a+10\leq0$, $(a-2)(a-5)\leq0$

$\therefore 2\leq a\leq5$

STEP3 $f(x)$가 $x>1$에서 극값을 갖도록 하는 a의 값의 범위 구하기

(ii) 이차방정식 $f'(x)=0$의 두 실근이 1보다 큰 경우

$y=f'(x)$의 그래프가 오른쪽 그림과 같아야 한다.

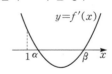

① 이차방정식

$x^2-2(a-3)x+a-1=0$

의 판별식을 D라고 하면

$$\frac{D}{4} = \{-(a-3)^2\} - (a-1) > 0$$

$$(a-2)(a-5) > 0 \qquad \therefore \ a < 2 \ \text{또는} \ a > 5$$

② $f'(1) = -3a + 18 > 0$에서 $a < 6$

③ 축의 방정식이 $x = -\dfrac{-2(a-3)}{2} = a - 3$이므로

$\quad a - 3 > 1 \qquad \therefore \ a > 4$

①~③에서 $5 < a < 6$

STEP 4 a의 값의 범위 구하기

(i), (ii)에 의하여 $2 \le a < 6$

발전유형 ⑫ 169쪽

12-1 🔲 ②

해결전략 | $f'(x)$의 부호를 이용하여 $y = f(x)$의 그래프를 유추한다.

① 닫힌구간 $[b, c]$에서 $f'(x) \ge 0$이므로 함수 $f(x)$는 증가한다.
   $\therefore f(b) < f(c)$

② 닫힌구간 $[i, j]$에서 $f'(x) \ge 0$이므로 함수 $f(x)$는 증가한다.
   $\therefore f(i) < f(j)$

③ 닫힌구간 $[g, h]$에서 $f'(x) \le 0$이므로 함수 $f(x)$는 감소한다.

④ $f'(d) \ne 0$이므로 함수 $f(x)$는 $x = d$에서 극값을 갖지 않는다.

⑤ $f'(h) = 0$이고 $x = h$의 좌우에서 $f'(x)$의 부호가 음$(-)$에서 양$(+)$으로 바뀌므로 함수 $f(x)$는 $x = h$에서 극솟값을 갖는다.

12-2 🔲 ㄱ, ㄷ

해결전략 | $y = f'(x)$, $y = g'(x)$의 그래프의 위치 관계를 이용하여 함수 $h(x)$의 증감표를 작성한다.

STEP 1 $h(x)$의 증감표 작성하기

$h(x) = f(x) - g(x)$에서

$h'(x) = f'(x) - g'(x)$

$h'(x) = 0$에서 $x = 1$ 또는 $x = 5$

함수 $h(x)$의 증가와 감소를 표로 나타내면 다음과 같다.

x	$\cdots$	1	$\cdots$	5	$\cdots$
$h'(x)$	$-$	0	$+$	0	$+$
$h(x)$	↘	극소	↗		↗

STEP 2 보기의 참, 거짓 판별하기

ㄱ. 닫힌구간 $[1, 5]$에서 $h'(x) \ge 0$이므로 함수 $h(x)$는 증가한다. (참)

ㄴ. 함수 $h(x)$는 $x = 1$에서만 극값을 가지므로 한 개의 극값을 갖는다. (거짓)

ㄷ. $y = h(x)$의 그래프의 개형은 오른쪽 그림과 같으므로
   $h(a) \ge h(1)$ (참)

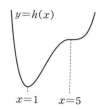
$x=1 \qquad x=5$

따라서 옳은 것은 ㄱ, ㄷ이다.

12-3 🔲 ⑤

해결전략 | $f'(x)$의 부호를 이용하여 $y = f(x)$의 그래프를 유추한다.

STEP 1 $f(x)$의 증감표 작성하기

함수 $f(x)$의 증가와 감소를 표로 나타내면 다음과 같다.

x	$\cdots$	-1	$\cdots$	0	$\cdots$	1	$\cdots$
$f'(x)$	$+$	0	$-$	0	$-$		$+$
$f(x)$	↗	극대	↘		↘	극소	↗

STEP 2 $y = f(x)$의 그래프 유추하기

이때 $f(0) = 0$에서 함수 $y = f(x)$의 그래프는 원점을 지나므로 오른쪽 그림과 같다.

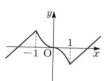

12-4 🔲 ㄱ, ㄴ

해결전략 | $y = g(x)$의 그래프를 이용하여 $f'(x)$의 부호를 구하고, 함수 $f(x)$의 증감표를 작성한다.

STEP 1 $f(x)$의 증감표 작성하기

$g(x) = \dfrac{f'(x)}{x}$에서 $f'(x) = xg(x)$

$\underline{f'(x) = 0}$에서 ⟶ $xg(x) = 0$이므로 $x = 0$ 또는 $g(x) = 0$

$x = b$ 또는 $x = 0$ 또는 $x = c$ 또는 $x = d$

따라서 함수 $f(x)$의 증가와 감소를 표로 나타내면 다음과 같다.

x	$\cdots$	b	$\cdots$	0	$\cdots$	c	$\cdots$	d	$\cdots$
$g(x)$	$+$	0	$-$		$+$	0	$-$	0	$+$
$f'(x)$	$-$	0	$+$		$+$	0	$-$	0	$+$
$f(x)$	↘	극소	↗		↗	극대	↘	극소	↗

STEP 2 보기의 참, 거짓 판별하기

ㄱ. 열린구간 $(b, 0)$에서 $f'(x)>0$이므로 함수 $f(x)$는 증가한다. (참)

ㄴ. $f'(b)=0$이고 $x=b$의 좌우에서 $f'(x)$의 부호가 음$(-)$에서 양$(+)$으로 바뀌므로 함수 $f(x)$는 $x=b$에서 극솟값을 갖는다. (참)

ㄷ. 함수 $f(x)$는 $x=b$, $x=c$, $x=d$에서 극값을 가지므로 3개의 극값을 갖는다. (거짓)

따라서 옳은 것은 ㄱ, ㄴ이다.

필수유형 ⑬ 171쪽

13-1 冒 3

해결전략 | 닫힌구간 $[-1, 3]$에서 함수 $f(x)$의 증감표를 작성하여 최솟값을 찾는다.

STEP1 $f'(x)=0$의 해 구하기

$f(x)=x^3-3x+5$에서

$f'(x)=3x^2-3=3(x+1)(x-1)$

$f'(x)=0$에서 $x=-1$ 또는 $x=1$

STEP2 최솟값 구하기

닫힌구간 $[-1, 3]$에서 함수 $f(x)$의 증가와 감소를 표로 나타내면 다음과 같다.

x	-1	$\cdots$	1	$\cdots$	3
$f'(x)$	0	$-$	0	$+$	
$f(x)$	7	$\searrow$	3	$\nearrow$	23

따라서 닫힌구간 $[-1, 3]$에서 함수 $f(x)$의 최솟값은 3이다.

13-2 冒 2

해결전략 | 닫힌구간 $[-1, 2]$에서 함수 $f(x)$의 증감표를 작성하여 최댓값과 최솟값을 찾는다.

STEP1 $f'(x)=0$의 해 구하기

$f(x)=-x^3+3x^2-1$에서

$f'(x)=-3x^2+6x=-3x(x-2)$

$f'(x)=0$에서 $x=0$ 또는 $x=2$

STEP2 $a+b$의 값 구하기

닫힌구간 $[-1, 2]$에서 함수 $f(x)$의 증가와 감소를 표로 나타내면 다음과 같다.

x	-1	$\cdots$	0	$\cdots$	2
$f'(x)$		$-$	0	$+$	0
$f(x)$	3	$\searrow$	-1	$\nearrow$	3

따라서 닫힌구간 $[-1, 2]$에서 함수 $f(x)$의 최댓값은 3, 최솟값은 -1이므로

$a=3$, $b=-1$

$\therefore a+b=3+(-1)=2$

13-3 冒 25

해결전략 | 닫힌구간 $[-3, 1]$에서 함수 $f(x)$의 증감표를 작성하여 최댓값과 최솟값을 찾는다.

STEP1 $f'(x)=0$의 해 구하기

$f(x)=x^4-8x^2-3$에서

$f(x)=4x^3-16x=4x(x+2)(x-2)$

$f'(x)=0$에서 $x=-2$ 또는 $x=0$ $(\because -3\le x\le 1)$

STEP2 $M-N$의 값 구하기

닫힌구간 $[-3, 1]$에서 함수 $f(x)$의 증가와 감소를 표로 나타내면 다음과 같다.

x	-3	$\cdots$	-2	$\cdots$	0		1
$f'(x)$		$-$	0	$+$	0	$-$	
$f(x)$	6	$\searrow$	-19	$\nearrow$	-3	$\searrow$	-10

따라서 닫힌구간 $[-3, 1]$에서 함수 $f(x)$의 최댓값은 6, 최솟값은 -19이므로

$M=6$, $N=-19$

$\therefore M-N=6-(-19)=25$

13-4 冒 1

해결전략 | 도함수 $y=f'(x)$의 그래프를 이용하여 함수 $f(x)$의 증감표를 작성한다.

STEP1 $f'(x)=0$의 해 구하기

$y=f'(x)$의 그래프에서

$f'(-2)=0$, $f'(1)=0$

STEP2 a의 값 구하기

함수 $f(x)$의 증가와 감소를 표로 나타내면 다음과 같다.

x	$\cdots$	-2	$\cdots$	1	$\cdots$
$f'(x)$	$-$	0	$-$	0	$+$
$f(x)$	$\searrow$		$\searrow$	극소	$\nearrow$

따라서 함수 $f(x)$는 $x=1$에서 극소이면서 최소이므로

$a=1$

13-5 冒 $\dfrac{11}{2}$

해결전략 | 함수 $f(x)$의 극값이 닫힌구간 $[-n, n]$에 포함되는 경우와 포함되지 않는 경우로 나누어 생각한다.

134 정답과 풀이

STEP 1 $f'(x)=0$의 해 구하기

$f(x)=-x^4-2x^3-1$에서

$f'(x)=-4x^3-6x^2=-2x^2(2x+3)$

$f'(x)=0$에서 $x=-\dfrac{3}{2}$ 또는 $x=0$

STEP 2 $g(1)$의 값 구하기

(i) $n=1$일 때

닫힌구간 $[-1,\ 1]$에서 함수 $f(x)$의 증가와 감소를 표로 나타내면 다음과 같다.

x	-1	$\cdots$	0	$\cdots$	1
$f'(x)$		$-$	0	$-$	
$f(x)$	0	$\searrow$		$\searrow$	-4

따라서 닫힌구간 $[-1,\ 1]$에서 함수 $f(x)$의 최댓값은 0이므로

$g(1)=0$

STEP 3 $n\geq 2$일 때 $g(n)$의 값 구하기

(ii) $n\geq 2$일 때

닫힌구간 $[-n,\ n]$에서 함수 $f(x)$의 증가와 감소를 표로 나타내면 다음과 같다.

x	$-n$	$\cdots$	$-\dfrac{3}{2}$	$\cdots$	0	$\cdots$	n
$f'(x)$		$+$	0	$-$	0	$-$	
$f(x)$		$\nearrow$	$\dfrac{11}{16}$	$\searrow$		$\searrow$	

따라서 닫힌구간 $[-n,\ n]$에서 함수 $f(x)$는

$x=-\dfrac{3}{2}$에서 극대이면서 최대이므로

$g(n)=\dfrac{11}{16}$

STEP 4 $g(1)+g(2)+g(3)+\cdots+g(9)$의 값 구하기

(i), (ii)에서

$g(1)+g(2)+g(3)+\cdots+g(9)=0+\dfrac{11}{16}\times 8=\dfrac{11}{2}$

13-6 🗓 **19**

해결전략 | 함수 $g(x)$의 치역이 함수 $f(x)$의 정의역임을 이용하여 함수 $f(x)$의 증감표를 작성한다.

STEP 1 $g(x)$의 치역 구하기

$g(x)=-x^2+2x-2$

$=-(x-1)^2-1$

이므로 $g(x)\leq -1$

STEP 2 $f'(t)=0$의 해 구하기

$g(x)=t$라고 하면 $t\leq -1$이고

$(f\circ g)(x)=f(g(x))=f(t)$

$f(t)=t^3-12t+3$에서

$f'(t)=3t^2-12=3(t+2)(t-2)$

$f'(t)=0$에서 $t=-2$ ($\because\ t\leq -1$)

STEP 3 $(f\circ g)(x)$의 최댓값 구하기

$t\leq -1$에서 함수 $f(t)$의 증가와 감소를 표로 나타내면 다음과 같다.

t	$\cdots$	-2	$\cdots$	-1
$f'(t)$	$+$	0	$-$	
$f(t)$	$\nearrow$	19	$\searrow$	14

따라서 $t\leq -1$에서 함수 $f(t)$는 $t=-2$일 때 극대이면서 최대이므로 구하는 최댓값은 19이다.

필수유형 **14**   173쪽

14-1 🗓 **-9**

해결전략 | 주어진 구간에서 최대가 될만한 함숫값인 함수 $f(x)$의 극값과 양 끝점에서의 함숫값을 a로 나타내어 최댓값을 찾는다.

STEP 1 $f'(x)=0$의 해 구하기

$f(x)=x^3+3x^2+a$에서

$f'(x)=3x^2+6x=3x(x+2)$

$f'(x)=0$에서 $x=-2$ 또는 $x=0$

STEP 2 a의 값 구하기

닫힌구간 $[-3,\ 3]$에서 함수 $f(x)$의 증가와 감소를 표로 나타내면 다음과 같다.

x	-3	$\cdots$	-2	$\cdots$	0	$\cdots$	3
$f'(x)$		$+$	0	$-$	0	$+$	
$f(x)$	a	$\nearrow$	$a+4$	$\searrow$	a	$\nearrow$	$a+54$

따라서 닫힌구간 $[-3,\ 3]$에서 함수 $f(x)$의 최댓값은 $a+54$이므로

$a+54=45$ $\therefore\ a=-9$

14-2 🗓 **16**

해결전략 | 주어진 구간에서 최소가 될만한 함숫값인 함수 $f(x)$의 극값과 양 끝 점에서의 함숫값을 a로 나타내고, 주어진 최솟값을 이용하여 a의 값과 최댓값을 구한다.

STEP 1 $f'(x)=0$의 해 구하기

$f(x)=-x^3+3x^2+a$에서

$f'(x)=-3x^2+6x=-3x(x-2)$

$f'(x)=0$에서 $x=0$ 또는 $x=2$

STEP 2 a의 값 구하기

닫힌구간 $[-2, 2]$에서 함수 $f(x)$의 증가와 감소를 표로 나타내면 다음과 같다.

x	-2	$\cdots$	0	$\cdots$	2
$f'(x)$		$-$	0	$+$	0
$f(x)$	$a+20$	$\searrow$	a	$\nearrow$	$a+4$

따라서 닫힌구간 $[-2, 2]$에서 함수 $f(x)$의 최솟값은 a이므로 $a=-4$

STEP 3 최댓값 구하기

즉, 함수 $f(x)$의 최댓값은

$a+20=-4+20=16$

14-3 답 16

해결전략 | 주어진 구간에서 최소가 될만한 함숫값인 함수 $f(x)$의 극값과 양 끝 점에서의 함숫값을 a로 나타내고, 주어진 최솟값을 이용하여 a의 값과 최댓값을 구한다.

STEP 1 $f'(x)=0$의 해 구하기

$f(x)=ax^4+2ax^2-4a$에서

$f'(x)=4ax^3+4ax=4ax(x^2+1)$

$f'(x)=0$에서 $x=0$

STEP 2 a의 값 구하기

$a<0$이므로 닫힌구간 $[-1, 1]$에서 함수 $f(x)$의 증가와 감소를 표로 나타내면 다음과 같다.

x	-1	$\cdots$	0	$\cdots$	1
$f'(x)$		$+$	0	$-$	
$f(x)$	$-a$	$\nearrow$	$-4a$	$\searrow$	$-a$

따라서 닫힌구간 $[-1, 1]$에서 함수 $f(x)$의 최솟값은 $-a$이므로

$-a=4$ $\therefore a=-4$

STEP 3 최댓값 구하기

즉, 함수 $f(x)$의 최댓값은

$-4a=-4\times(-4)=16$

14-4 답 4

해결전략 | 주어진 구간에서 최대 · 최소가 될만한 함숫값인 함수 $f(x)$의 극값과 양 끝점에서의 함숫값을 k로 나타내어 최댓값, 최솟값을 찾는다.

STEP 1 $f'(x)=0$의 해 구하기

$f(x)=x^4-2x^2+k$에서

$f'(x)=4x^3-4x=4x(x+1)(x-1)$

$f'(x)=0$에서 $x=-1$ 또는 $x=0$ 또는 $x=1$

STEP 2 k의 값 구하기

닫힌구간 $[-2, 1]$에서 함수 $f(x)$의 증가와 감소를 표로 나타내면 다음과 같다.

x	-2	$\cdots$	-1	$\cdots$	0	$\cdots$	1
$f'(x)$		$-$	0	$+$	0	$-$	0
$f(x)$	$k+8$	$\searrow$	$k-1$	$\nearrow$	k	$\searrow$	$k-1$

따라서 닫힌구간 $[-2, 1]$에서 함수 $f(x)$의 최댓값은 $k+8$, 최솟값은 $k-1$이므로

$(k+8)+(k-1)=15$, $2k=8$

$\therefore k=4$

14-5 답 $-\dfrac{5}{2}$

해결전략 | 주어진 구간에서 최대 · 최소가 될만한 함숫값인 함수 $f(x)$의 극값과 양 끝점에서의 함숫값을 a, b로 나타내어 최댓값, 최솟값을 이용하여 a, b의 관계식을 구한다.

STEP 1 $f'(x)=0$의 해 구하기

$f(x)=ax^3-3ax^2+b$에서

$f'(x)=3ax^2-6ax=3ax(x-2)$

$f'(x)=0$에서 $x=0$ 또는 $x=2$

STEP 2 $a+b$의 값 구하기

$a>0$이므로 닫힌구간 $[0, 4]$에서 함수 $f(x)$의 증가와 감소를 표로 나타내면 다음과 같다.

x	0	$\cdots$	2	$\cdots$	4
$f'(x)$	0		0	$+$	
$f(x)$	b	$\searrow$	$b-4a$	$\nearrow$	$b+16a$

따라서 닫힌구간 $[0, 4]$에서 함수 $f(x)$의 최댓값은 $b+16a$, 최솟값은 $b-4a$이므로

$b+16a=5$, $b-4a=-5$

위의 두 식을 연립하여 풀면 $a=\dfrac{1}{2}$, $b=-3$

$\therefore a+b=\dfrac{1}{2}+(-3)=-\dfrac{5}{2}$

14-6 답 1

해결전략 | 사차함수 $f(x)$가 $x=\alpha$에서 최댓값을 가지려면 $x=\alpha$에서 극대임을 이용한다.

STEP 1 a, b의 값 구하기

$f(x)=ax^4+2x^3-4x^2+b$에서

$f'(x)=4ax^3+6x^2-8x$

이때 사차함수 $f(x)$가 $x=4$에서 최댓값을 가지므로

$a<0$이고 $x=4$에서 극댓값 5를 갖는다.

즉, $f'(4)=0$이므로

$256a+64=0$ $\therefore a=-\dfrac{1}{4}$

또, $f(4)=5$이므로

$-64+128-64+b=5$ $\therefore b=5$

STEP 2 $f'(x)=0$의 해 구하기

$f'(x)=-x^3+6x^2-8x=-x(x-2)(x-4)$이므로

$f'(x)=0$에서 $x=0$ 또는 $x=2$ 또는 $x=4$

STEP 3 극솟값 구하기

함수 $f(x)=-\dfrac{1}{4}x^4+2x^3-4x^2+5$의 증가와 감소를 표로 나타내면 다음과 같다.

x	$\cdots$	0	$\cdots$	2	$\cdots$	4	$\cdots$
$f'(x)$	+	0	−	0	+	0	−
$f(x)$	↗	5	↘	1	↗	5	↘

따라서 함수 $f(x)$는 $x=2$에서 극소이므로 구하는 극솟값은

$f(2)=1$

필수유형 15   175쪽

15-1   답 $\dfrac{512}{27}$

해결전략 | 점 A, B, C, D의 좌표를 t로 나타내어 사다리꼴 ABCD의 넓이의 최댓값을 구한다.

STEP 1 사다리꼴의 꼭짓점의 좌표 정하기

곡선 $y=-2x^2+8$과 x축의 교점의 x좌표는

$-2x^2+8=0$에서 $x^2=4$

$\therefore x=-2$ 또는 $x=2$

$\therefore A(-2,\,0),\,B(2,\,0)$

또, 곡선 $y=-2x^2+8$ 위의 점 C의 x좌표를 $t\ (0<t<2)$라고 하면

$C(t,\,-2t^2+8),\,D(-t,\,-2t^2+8)$

STEP 2 넓이에 대한 함수식 세우기

사다리꼴 ABCD의 넓이를 $S(t)$라고 하면

$S(t)=\dfrac{1}{2}\times(2t+4)\times(-2t^2+8)$

$\qquad =-2t^3-4t^2+8t+16$

STEP 3 넓이의 최댓값 구하기

따라서 $S'(t)=-6t^2-8t+8=-2(t+2)(3t-2)$이므로

$S'(t)=0$에서 $t=\dfrac{2}{3}\ (\because 0<t<2)$

함수 $S(t)$의 증가와 감소를 표로 나타내면 다음과 같다.

t	(0)	$\cdots$	$\dfrac{2}{3}$	$\cdots$	(2)
$S'(t)$		+	0	−	
$S(t)$		↗	$\dfrac{512}{27}$	↘	

따라서 함수 $S(t)$는 $t=\dfrac{2}{3}$에서 극대이면서 최대이므로 구하는 최댓값은 $\dfrac{512}{27}$이다.

15-2   답 27

해결전략 | 점 A, B, C, D의 좌표를 t로 나타내어 직사각형 ABCD의 넓이의 최댓값을 구한다.

STEP 1 넓이에 대한 함수식 세우기

곡선 $y=-x^2+k$ 위의 점 D의 x좌표를 $t\ (0<t<\sqrt{k})$라고 하면

$D(t,\,-t^2+k)$

즉, $A(-t,\,-t^2+k),\,C(t,\,0)$이므로 직사각형 ABCD의 넓이를 $S(t)$라고 하면

$S(t)=\overline{AD}\times\overline{CD}$

$\qquad =2t\times(-t^2+k)=-2t^3+2kt$

STEP 2 k의 값 구하기

따라서 $S'(t)=-6t^2+2k=-2(3t^2-k)$이므로

$S'(t)=0$에서 $t=\sqrt{\dfrac{k}{3}}\ (\because 0<t<\sqrt{k})$

함수 $S(t)$의 증가와 감소를 표로 나타내면 다음과 같다.

t	(0)	$\cdots$	$\sqrt{\dfrac{k}{3}}$	$\cdots$	$(\sqrt{k})$
$S'(t)$		+	0	−	
$S(t)$		↗	$\dfrac{4k\sqrt{k}}{3\sqrt{3}}$	↘	

따라서 함수 $S(t)$는 $t=\sqrt{\dfrac{k}{3}}$에서 극대이면서 최대이므로

$\dfrac{4k\sqrt{k}}{3\sqrt{3}}=108,\ \dfrac{k^3}{3^3}=27^2=3^6=9^3$

$k^3=(3\times9)^3$ $\therefore k=27$

15-3   답 $\dfrac{6+2\sqrt{3}}{3}$

해결전략 | 주어진 곡선의 축을 이용하여 직사각형의 가로, 세로의 길이를 t에 대한 식으로 나타낸다.

STEP 1 넓이에 대한 함수식 세우기

곡선 $y=-x^2+4x=-(x-2)^2+4$의 축의 방정식이 $x=2$이므로

$\mathrm{B}(4-t,\ 0)$

또, $\mathrm{D}(t,\ -t^2+4t)$이므로 직사각형 ABCD의 넓이를 $S(t)$라고 하면

$$S(t)=\overline{\mathrm{BC}}\times\overline{\mathrm{CD}}$$
$$=\{t-(4-t)\}\times(-t^2+4t)$$
$$=-2t^3+12t^2-16t$$

STEP 2 넓이가 최대일 때의 t의 값 구하기

따라서 $S'(t)=-6t^2+24t-16$이므로

$S'(t)=0$에서 $3t^2-12t+8=0$

$$\therefore t=\frac{6+2\sqrt{3}}{3}\ (\because 2<t<4)$$

함수 $S(t)$의 증가와 감소를 표로 나타내면 다음과 같다.

t	(2)	$\cdots$	$\dfrac{6+2\sqrt{3}}{3}$	$\cdots$	(4)
$S'(t)$		$+$	0	$-$	
$S(t)$		↗	극대	↘	

따라서 함수 $S(t)$는 $t=\dfrac{6+2\sqrt{3}}{3}$에서 극대이면서 최대이다.

15-4 답 $3\sqrt{3}$

해결전략 | 사각형 ABCD는 직사각형이므로 점 A와 점 D의 x좌표가 같음을 이용하여 각 꼭짓점의 좌표를 t로 나타낸다.

STEP 1 넓이에 대한 함수식 세우기

곡선 $y=-x^2+\dfrac{9}{4}$ 위의 점 A의 x좌표를 $t\left(0<t<\dfrac{3}{2}\right)$ 라고 하면

$$\mathrm{A}\left(t,\ -t^2+\frac{9}{4}\right),\ \mathrm{B}\left(-t,\ -t^2+\frac{9}{4}\right)$$

즉, 곡선 $y=x^2-\dfrac{9}{4}$ 위의 두 점 C, D의 좌표는

$$\left(-t,\ t^2-\frac{9}{4}\right),\ \left(t,\ t^2-\frac{9}{4}\right)$$

이므로 직사각형 ABCD의 넓이를 $S(t)$라고 하면

$$S(t)=\overline{\mathrm{AB}}\times\overline{\mathrm{AD}}$$
$$=2t\times\left(-2t^2+\frac{9}{2}\right)$$
$$=-4t^3+9t$$

STEP 2 넓이의 최댓값 구하기

따라서 $S'(t)=-12t^2+9=-12\left(t-\dfrac{\sqrt{3}}{2}\right)\left(t+\dfrac{\sqrt{3}}{2}\right)$ 이므로

$S'(t)=0$에서 $t=\dfrac{\sqrt{3}}{2}\left(\because 0<t<\dfrac{3}{2}\right)$

함수 $S(t)$의 증가와 감소를 표로 나타내면 다음과 같다.

t	(0)	$\cdots$	$\dfrac{\sqrt{3}}{2}$	$\cdots$	$\left(\dfrac{3}{2}\right)$
$S'(t)$		$+$	0	$-$	
$S(t)$		↗	$3\sqrt{3}$	↘	

따라서 함수 $S(t)$는 $t=\dfrac{\sqrt{3}}{2}$에서 극대이면서 최대이므로 구하는 최댓값은 $3\sqrt{3}$이다.

15-5 답 144

해결전략 | 점 P의 x좌표를 이용하여 삼각형 OHP의 넓이를 나타낸다.

STEP 1 넓이에 대한 함수식 세우기

곡선 $y=-\dfrac{1}{3}x^2+6x$ 위의 점 P의 x좌표를 $t\ (0<t<18)$ 라고 하면

$$\mathrm{P}\left(t,\ -\frac{1}{3}t^2+6t\right)$$

즉, $\mathrm{H}(t,\ 0)$이므로 삼각형 OHP의 넓이를 $S(t)$라고 하면

$$S(t)=\frac{1}{2}\times\overline{\mathrm{OH}}\times\overline{\mathrm{PH}}$$
$$=\frac{1}{2}\times t\times\left(-\frac{1}{3}t^2+6t\right)$$
$$=-\frac{1}{6}t^3+3t^2$$

STEP 2 넓이의 최댓값 구하기

따라서 $S'(t)=-\dfrac{1}{2}t^2+6t=-\dfrac{1}{2}t(t-12)$이므로

$S'(t)=0$에서 $t=12\ (\because 0<t<18)$

함수 $S(t)$의 증가와 감소를 표로 나타내면 다음과 같다.

t	(0)	$\cdots$	12	$\cdots$	(18)
$S'(t)$		$+$	0	$-$	
$S(t)$		↗	144	↘	

따라서 함수 $S(t)$는 $t=12$에서 극대이면서 최대이므로 구하는 최댓값은 144이다.

필수유형 16 177쪽

16-1 답 $54\ \mathrm{cm}^3$

해결전략 | 잘라 낸 정사각형의 한 변의 길이를 x로 나타내어 부피를 x에 대한 함수로 나타낸다.

STEP 1 부피에 대한 함수식 세우기

잘라 내는 정사각형의 한 변의 길이를 x cm $\left(0<x<\dfrac{9}{2}\right)$ 라고 하면 상자의 밑면은 한 변의 길이가 $(9-2x)$ cm인 정사각형이고, 높이는 x cm이므로 상자의 부피를 $V(x)$ cm³라고 하면

$$V(x)=x(9-2x)^2=4x^3-36x^2+81x$$

STEP 2 부피의 최댓값 구하기

따라서

$$V'(x)=12x^2-72x+81=3(2x-3)(2x-9)$$이므로

$V'(x)=0$에서 $x=\dfrac{3}{2}\left(\because 0<x<\dfrac{9}{2}\right)$

함수 $V(x)$의 증가와 감소를 표로 나타내면 다음과 같다.

x	(0)	$\cdots$	$\dfrac{3}{2}$	$\cdots$	$\left(\dfrac{9}{2}\right)$
$V'(x)$		$+$	0	$-$	
$V(x)$		↗	54	↘	

따라서 함수 $V(x)$는 $x=\dfrac{3}{2}$에서 극대이면서 최대이므로 최댓값은 54이다.

즉, 구하는 부피의 최댓값은 54 cm³이다.

16-2 🄰 4

해결전략 | 직각삼각형의 성질을 이용하여 삼각기둥의 부피를 x에 대한 함수로 나타낸다.

STEP 1 부피에 대한 함수식 세우기

상자의 밑면은 한 변의 길이가 $(24-2x)$ cm인 정삼각형이고, 높이는 $x\tan 30°=\dfrac{\sqrt{3}}{3}x$ (cm)이므로 상자의 부피를 $V(x)$ cm³라고 하면

$$V(x)=\dfrac{\sqrt{3}}{4}(24-2x)^2\times\dfrac{\sqrt{3}}{3}x$$
$$=x^3-24x^2+144x$$

STEP 2 부피가 최대가 되도록 하는 x의 값 구하기

따라서

$$V'(x)=3x^2-48x+144=3(x-4)(x-12)$$이므로

$V'(x)=0$에서 $x=4\ (\because 0<x<12)$

함수 $V(x)$의 증가와 감소를 표로 나타내면 다음과 같다.

x	(0)	$\cdots$	4	$\cdots$	(12)
$V'(x)$		$+$	0	$-$	
$V(x)$		↗	극대	↘	

따라서 함수 $V(x)$는 $x=4$에서 극대이면서 최대이므로 구하는 x의 값은 4이다.

🎯 **풍쌤의 비법**

정삼각형의 높이와 넓이

한 변의 길이가 a인 정삼각형의 높이를 h, 넓이를 S라고 하면

① $h=\dfrac{\sqrt{3}}{2}a$　② $S=\dfrac{\sqrt{3}}{4}a^2$

16-3 🄰 5

해결전략 | 높이를 이용하여 원기둥의 밑면의 반지름의 길이를 나타낸다.

STEP 1 부피에 대한 함수식 세우기

원기둥의 높이를 $x\,(0<x<15)$라고 하면 밑면의 반지름의 길이는 $15-x$이므로 원기둥의 부피를 $V(x)$라고 하면

$$V(x)=x\times(15-x)^2\pi=(x^3-30x^2+225x)\pi$$

STEP 2 부피가 최대가 되도록 하는 높이 구하기

따라서

$$V'(x)=(3x^2-60x+225)\pi=3(x-5)(x-15)\pi$$

이므로 $V'(x)=0$에서 $x=5\ (\because 0<x<15)$

함수 $V(x)$의 증가와 감소를 표로 나타내면 다음과 같다.

x	(0)	$\cdots$	5	$\cdots$	(15)
$V'(x)$		$+$	0	$-$	
$V(x)$		↗	극대	↘	

따라서 함수 $V(x)$는 $x=5$에서 극대이면서 최대이므로 구하는 높이는 5이다.

16-4 🄰 81

해결전략 | 직육면체의 부피를 a를 이용하여 나타내고 주어진 범위에서의 최댓값을 찾는다.

STEP 1 부피에 대한 함수식 세우기

직육면체의 부피를 $V(a)$라고 하면

$$V(a)=a^2\times(a-6)^2=a^4-12a^3+36a^2$$

STEP 2 부피의 최댓값 구하기

따라서 $V'(a)=4a^3-36a^2+72a=4a(a-3)(a-6)$이므로 $V'(a)=0$에서 $a=3\ (\because 0<a<6)$

함수 $V(a)$의 증가와 감소를 표로 나타내면 다음과 같다.

a	(0)	$\cdots$	3	$\cdots$	(6)
$V'(a)$		$+$	0	$-$	
$V(a)$		↗	81	↘	

따라서 함수 $V(a)$는 $a=3$에서 극대이면서 최대이므로 직육면체의 부피의 최댓값은 81이다.

16-5 답 $16\pi\ \text{cm}^2$

해결전략 | 삼각형의 닮음을 이용하여 원기둥의 높이와 밑면의 반지름의 길이 사이의 관계식을 구한다.

STEP 1 원기둥의 높이와 밑면의 반지름의 길이 사이의 관계식 구하기

원기둥의 밑면의 반지름의 길이를 $x\ \text{cm}\ (0<x<3)$, 높이를 $h\ \text{cm}$라고 하면 삼각형의 닮음에 의하여

$$6:3=(6-h):x$$
$$2x=6-h$$
$$\therefore h=6-2x$$

STEP 2 부피에 대한 함수식 세우기

원기둥의 부피를 $V(x)\ \text{cm}^3$라고 하면
$$V(x)=\pi x^2 h=\pi x^2(6-2x)$$
$$=(-2x^3+6x^2)\pi$$

STEP 3 부피가 최대가 되도록 하는 x의 값 구하기

따라서 $V'(x)=(-6x^2+12x)\pi=-6x(x-2)\pi$이므로 $V'(x)=0$에서 $x=2\ (\because 0<x<3)$

함수 $V(x)$의 증가와 감소를 표로 나타내면 다음과 같다.

x	(0)	$\cdots$	2	$\cdots$	(3)
$V'(x)$		$+$	0	$-$	
$V(x)$		↗	극대	↘	

따라서 함수 $V(x)$는 $x=2$에서 극대이면서 최대이다.

STEP 4 겉넓이 구하기

$x=2$일 때 $h=2$이므로 구하는 원기둥의 겉넓이는
$$2\times(\pi\times2^2)+(2\times2\pi\times2)=16\pi\ (\text{cm}^2)$$

16-6 답 $16\ \text{cm}$

해결전략 | 피타고라스 정리를 이용하여 원뿔의 밑면의 반지름의 길이와 높이 사이의 관계식을 구한다.

STEP 1 원뿔의 밑면의 반지름의 길이와 높이 사이의 관계식 구하기

오른쪽 그림과 같이 구의 중심을 O, 원뿔의 높이를 $h\ \text{cm}$ $(0<h<24)$, 밑면의 반지름의 길이를 $r\ \text{cm}$라고 하면

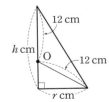

$$12^2=r^2+(h-12)^2$$
$$\therefore r^2=144-(h-12)^2=-h^2+24h$$

STEP 2 부피에 대한 함수식 세우기

원뿔의 부피를 $V(h)\ \text{cm}^3$라고 하면
$$V(h)=\frac{1}{3}\pi r^2 h=\frac{1}{3}\pi(-h^2+24h)h$$
$$=\left(-\frac{1}{3}h^3+8h^2\right)\pi$$

STEP 3 부피가 최대가 되도록 하는 높이 구하기

따라서 $V'(h)=(-h^2+16h)\pi=-h(h-16)\pi$이므로 $V'(h)=0$에서 $h=16\ (\because 0<h<24)$

함수 $V(h)$의 증가와 감소를 표로 나타내면 다음과 같다.

h	(0)	$\cdots$	16	$\cdots$	(24)
$V'(h)$		$+$	0	$-$	
$V(h)$		↗	극대	↘	

따라서 함수 $V(h)$는 $h=16$에서 극대이면서 최대이므로 구하는 원뿔의 높이는 $16\ \text{cm}$이다.

유형 특강   179쪽

1 답 풀이 참조

해결전략 | 함수의 차수와 최고차항의 계수, 도함수가 0이 되는 x의 값만을 이용하여 그래프의 개형을 간단하게 확인해 본다.

(1) **STEP 1** 함수의 차수와 최고차항의 계수 확인하기

$f(x)=-x^3+12x^2-45x+5$로 놓으면 함수 $f(x)$는 삼차함수이고, 삼차항의 계수가 음수이므로 그래프는 왼쪽 위에서 출발하여 오른쪽 아래로 내려간다.

STEP 2 $f'(x)=0$이 되는 x의 값 구하기
$$f'(x)=-3x^2+24x-45$$
$$=-3(x-3)(x-5)$$

이므로
$$f'(x)=0\text{에서 }x=3\text{ 또는 }x=5$$

STEP 3 함수 $y=f(x)$의 그래프의 개형 그리기

이때 방정식 $f'(x)=0$은 중근을 갖지 않으므로 함수 $f(x)$는 $x=3$, $x=5$에서 극값을 갖는다.

따라서 주어진 함수의 그래프는 오른쪽 그림과 같이 왼쪽 위에서 출발하여 오른쪽 아래로 내려가는 그래프이며 $x=3$에서 극소, $x=5$에서 극대이다.

(2) **STEP 1** 함수의 차수와 최고차항의 계수 확인하기

$f(x)=\frac{1}{2}x^4-4x^3+9x^2-8x-3$으로 놓으면 함수

$f(x)$는 사차함수이고, 최고차항의 계수가 양수이므로 그래프는 왼쪽 위에서 출발하여 오른쪽 위로 올라간다.

STEP2 $f'(x)=0$이 되는 x의 값 구하기

$$f'(x)=2x^3-12x^2+18x-8$$
$$=2(x-1)^2(x-4)$$

이므로

$f'(x)=0$에서 $x=1$(중근) 또는 $x=4$

STEP3 함수 $y=f(x)$의 그래프의 개형 그리기

이때 방정식 $f'(x)=0$은 $x=1$에서 중근을 가지므로 함수 $f(x)$는 $x=1$에서 극값을 갖지 않고, $x=4$에서 극값을 갖는다.

따라서 주어진 함수의 그래프는 오른쪽 그림과 같이 왼쪽 위에서 출발하여 오른쪽 위로 올라가는 그래프이며 $x=4$에서 극소이다.

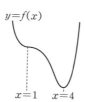

(3) **STEP1** 함수의 차수와 최고차항의 계수 확인하기

$f(x)=2x^3-6x^2+6x-4$로 놓으면 함수 $f(x)$는 삼차함수이고, 최고차항의 계수가 양수이므로 그래프는 왼쪽 아래에서 출발하여 오른쪽 위로 올라간다.

STEP2 $f'(x)=0$이 되는 x의 값 구하기

$$f'(x)=6x^2-12x+6=6(x-1)^2$$

이므로

$f'(x)=0$에서 $x=1$(중근)

STEP3 함수 $y=f(x)$의 그래프의 개형 그리기

이때 방정식 $f'(x)=0$은 $x=1$에서 중근을 가지므로 함수 $f(x)$는 $x=1$에서 극값을 갖지 않는다.

즉, 극값이 없다.

따라서 주어진 함수의 그래프는 오른쪽 그림과 같이 왼쪽 아래에서 출발하여 오른쪽 위로 올라가는 그래프이며 극값은 없다.

(4) **STEP1** 함수의 차수와 최고차항의 계수 확인하기

$f(x)=-\dfrac{1}{4}x^4+x^3+5x^2+2$로 놓으면 함수 $f(x)$는 사차함수이고, 최고차항의 계수가 음수이므로 그래프는 왼쪽 아래에서 출발하여 오른쪽 아래로 내려간다.

STEP2 $f'(x)=0$이 되는 x의 값 구하기

$$f'(x)=-x^3+3x^2+10x$$
$$=-x(x+2)(x-5)$$

이므로

$f'(x)=0$에서 $x=-2$ 또는 $x=0$ 또는 $x=5$

STEP3 함수 $y=f(x)$의 그래프의 개형 그리기

이때 방정식 $f'(x)=0$은 중근을 갖지 않으므로 함수 $f(x)$는 $x=-2$, $x=0$, $x=5$에서 극값을 갖는다.

따라서 주어진 함수의 그래프는 오른쪽 그림과 같이 왼쪽 아래에서 출발하여 오른쪽 아래로 다시 내려가는 그래프이며 $x=-2$, $x=5$에서 극대, $x=0$에서 극소이다.

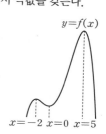

실전 연습 문제 180~184쪽

01 ②	02 ③	03 ④	04 ①
05 $a\le -1$	06 ④	07 ②	08 ③	09 16
10 5	11 ①	12 -1	13 ⑤	14 ②
15 $-\dfrac{25}{3}$	16 b, d	17 ④	18 ③	19 ⑤
20 ⑤	21 ③	22 ③	23 12	24 ①
25 1년 후	26 ⑤	27 $\dfrac{2\sqrt{6}}{3}$		

01

해결전략 | $f(x)$가 증가하려면 $f'(x)\ge 0$이어야 함을 이용한다.

STEP1 $f'(x)=0$의 해 구하기

$f(x)=-3x^3+6x^2+12x-3$에서

$f'(x)=-9x^2+12x+12=-3(3x+2)(x-2)$

$f'(x)=0$에서 $x=-\dfrac{2}{3}$ 또는 $x=2$

STEP2 $b-a$의 최댓값 구하기

함수 $f(x)$의 증가와 감소를 표로 나타내면 다음과 같다.

x	$\cdots$	$-\dfrac{2}{3}$	$\cdots$	2	$\cdots$
$f'(x)$	$-$	0	$+$	0	$-$
$f(x)$	$\searrow$		$\nearrow$		$\searrow$

따라서 함수 $f(x)$는 닫힌구간 $\left[-\dfrac{2}{3},\ 2\right]$에서 증가하므로 $b-a$의 최댓값은

$2-\left(-\dfrac{2}{3}\right)=\dfrac{8}{3}$ → b가 최대, a가 최소일 때가 $b-a$의 최댓값이야.

02

해결전략 | $h(x)=f(x)-g(x)$로 놓고 함수 $h(x)$의 증가, 감소를 파악한다.

STEP1 $h(x)=f(x)-g(x)$의 증가, 감소 파악하기

$h(x)=f(x)-g(x)$로 놓으면

$h'(x)=f'(x)-g'(x)$

이때 $f'(x)>g'(x)$이므로

$h'(x)>0$

즉, 함수 $h(x)$는 실수 전체의 집합에서 증가한다.

STEP2 보기의 참, 거짓 판별하기

ㄱ. $h(0)=f(0)-g(0)=0$이고 함수 $h(x)$가 증가하므로 $h(-1)<0$

   즉, $f(-1)-g(-1)<0$이므로

   $f(-1)<g(-1)$ (참)

ㄴ. $h(1)>0$이므로 $f(1)-g(1)>0$

   $\therefore f(1)>g(1)$ (참)

ㄷ. $h(1)-h(3)<0$이므로

   $f(1)-g(1)<f(3)-g(3)$

   $\therefore f(1)-f(3)<g(1)-g(3)$ (거짓)

따라서 옳은 것은 ㄱ, ㄴ이다.

03

해결전략 | 함수 $f(x)$가 실수 전체의 집합에서 증가하려면 모든 실수 x에 대하여 $f'(x)\geq0$임을 이용한다.

STEP1 $f'(x)$의 조건 구하기

$f(x)=x^3+ax^2+2ax$에서

$f'(x)=3x^2+2ax+2a$

삼차함수 $f(x)$가 구간 $(-\infty, \infty)$에서 증가하려면 부등식 $f'(x)\geq0$, 즉 $3x^2+2ax+2a\geq0$

이 항상 성립해야 한다.

STEP2 $M-m$의 값 구하기

따라서 이차방정식 $3x^2+2ax+2a=0$의 판별식을 D라고 하면

$\dfrac{D}{4}=a^2-3\times2a\leq0$

$a(a-6)\leq0$

$\therefore 0\leq a\leq6$

따라서 $M=6$, $m=0$이므로

$M-m=6$

04

해결전략 | 함수 $f(x)$의 역함수가 존재하려면 모든 실수 x에 대하여 $f(x)$가 증가하거나 감소해야 함을 이용한다.

STEP1 $f'(x)$의 조건 구하기

$f(x)=\dfrac{1}{3}x^3-ax^2+3ax$에서

$f'(x)=x^2-2ax+3a$

최고차항의 계수가 양수인 삼차함수 $f(x)$의 역함수가 존재하려면 $f(x)$가 실수 전체의 집합에서 증가해야 하므로 부등식

$f'(x)\geq0$, 즉 $x^2-2ax+3a\geq0$

이 항상 성립해야 한다.

STEP2 a의 최댓값 구하기

따라서 이차방정식 $x^2-2ax+3a=0$의 판별식을 D라고 하면

$\dfrac{D}{4}=(-a)^2-3a\leq0$

$a(a-3)\leq0$

$\therefore 0\leq a\leq3$

따라서 a의 최댓값은 3이다.

05

해결전략 | 주어진 구간에서 $f'(x)\geq0$이어야 함을 이용한다.

STEP1 $f'(x)$의 조건 구하기

$f(x)=-\dfrac{1}{3}x^3+x^2-3ax$에서

$f'(x)=-x^2+2x-3a$

함수 $f(x)$가 닫힌구간 $[0, 3]$에서 증가하려면 이 구간에서

$f'(x)=-x^2+2x-3a\geq0$ ⸱⸱⸱⸱⸱⸱ ㉠

이어야 한다. ⸱⸱⸱⸱⸱⸱ ❶

STEP2 $f'(x)$의 최솟값 구하기

$f'(x)=-(x-1)^2-3a+1$이므로 $0\leq x\leq3$일 때, 함수 $f'(x)$는 $x=3$에서 최솟값

$f'(3)=-3a-3$

을 갖는다. ⸱⸱⸱⸱⸱⸱ ❷

STEP3 a의 값의 범위 구하기

따라서 부등식 ㉠이 성립하려면

$-3a-3\geq0$ $\therefore a\leq-1$ ⸱⸱⸱⸱⸱⸱ ❸

채점 요소	배점
❶ $f'(x)$의 조건 구하기	30 %
❷ 주어진 구간에서 $f'(x)$의 최솟값 구하기	50 %
❸ a의 값의 범위 구하기	20 %

06

해결전략 | 함수 $f(x)$가 $x=a$에서 극값 b를 가지면
$f'(a)=0, f(a)=b$임을 이용한다.

STEP1 $f(a)$, $f'(a)$의 값 구하기

함수 $f(x)$가 $x=\alpha$에서 극값 β를 가지므로
$f'(\alpha)=0, f(\alpha)=\beta$

STEP2 $g'(a)$의 값 구하기

$g(x)=x^3f(x)$에서 $g'(x)=3x^2f(x)+x^3f'(x)$
$\therefore g'(\alpha)=3\alpha^2f(\alpha)+\alpha^3f'(\alpha)=3\alpha^2\beta$

07

해결전략 | $f'(x)=0$의 해를 기준으로 함수 $f(x)$의 증감표를 작성한다.

STEP1 $f'(x)=0$의 해 구하기

$f(x)=x^3-6x^2+9x+1$에서
$f'(x)=3x^2-12x+9=3(x-1)(x-3)$
$f'(x)=0$에서 $x=1$ 또는 $x=3$

STEP2 $a+M$의 값 구하기

함수 $f(x)$의 증가와 감소를 표로 나타내면 다음과 같다.

x	$\cdots$	1	$\cdots$	3	$\cdots$
$f'(x)$	$+$	0	$-$	0	$+$
$f(x)$	↗	극대	↘	극소	↗

따라서 함수 $f(x)$는 $x=1$에서 극대이므로 극댓값은
$f(1)=5$
즉, $a=1$, $M=5$이므로
$a+M=1+5=6$

08

해결전략 | $f'(x)=0$의 해를 기준으로 함수 $f(x)$의 증감표를 작성한다.

STEP1 $f'(x)=0$의 해 구하기

$f(x)=-x^4-2x^3+5x^2+1$에서
$f'(x)=-4x^3-6x^2+10x$
$\qquad=-2x(2x+5)(x-1)$
$f'(x)=0$에서 $x=-\dfrac{5}{2}$ 또는 $x=0$ 또는 $x=1$

STEP2 증감표 작성하기

함수 $f(x)$의 증가와 감소를 표로 나타내면 다음과 같다.

x	$\cdots$	$-\dfrac{5}{2}$	$\cdots$	0	$\cdots$	1	$\cdots$
$f'(x)$	$+$	0	$-$	0	$+$	0	$-$
$f(x)$	↗	극대	↘	극소	↗	극대	↘

STEP3 보기의 참, 거짓 판별하기

ㄱ. 닫힌구간 $[0, 1]$에서 $f'(x) \geq 0$이므로 함수 $f(x)$는 증가한다. (참)

ㄴ. $f'\left(-\dfrac{5}{2}\right)=0$이고 $x=-\dfrac{5}{2}$의 좌우에서 $f'(x)$의 부호가 양$(+)$에서 음$(-)$으로 바뀌므로 함수 $f(x)$는 $x=-\dfrac{5}{2}$에서 극댓값을 갖는다. (참)

ㄷ. $f(0)=1$이므로 $y=f(x)$의 그래프의 개형은 오른쪽 그림과 같다.
따라서 x축과 두 점에서 만난다. (거짓)

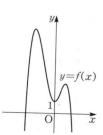

따라서 옳은 것은 ㄱ, ㄴ이다.

09

해결전략 | 함수 $f(x)$가 $x=a$에서 극값 b를 가지면
$f'(a)=0, f(a)=b$임을 이용한다.

STEP1 $g'(1)$, $g(1)$의 값 구하기

함수 $g(x)$가 $x=1$에서 극솟값 24를 가지므로
$g'(1)=0, g(1)=24$

STEP2 $f(1)-f'(1)$의 값 구하기

$g(x)=(x^3+2)f(x)$에서
$g(1)=3f(1)$이므로 $f(1)=8$
또, $g'(x)=3x^2f(x)+(x^3+2)f'(x)$이므로
$g'(1)=3f(1)+3f'(1)=24+3f'(1)$
즉, $24+3f'(1)=0$이므로 $f'(1)=-8$
$\therefore f(1)-f'(1)=8-(-8)=16$

10

해결전략 | 함수 $f(x)$가 $x=a$에서 극값을 가지면 $f'(a)=0$임을 이용한다.

STEP1 a, b의 값 구하기

$f(x)=2x^3+ax^2+bx+c$에서
$f'(x)=6x^2+2ax+b$
이때 함수 $f(x)$가 $x=-1$, $x=1$에서 극값을 가지므로
$f'(-1)=0, f'(1)=0$
즉, 이차방정식 $f'(x)=0$의 두 실근이 -1, 1이므로 이차방정식의 근과 계수의 관계에 의하여
$-\dfrac{2a}{6}=0, \dfrac{b}{6}=-1$
$\therefore a=0, b=-6$

⋯⋯ ➊

STEP 2 c의 값 구하기

따라서 $f'(x)=6x^2-6=6(x+1)(x-1)$이므로

$f'(x)=0$에서 $x=-1$ 또는 $x=1$

함수 $f(x)$의 증가와 감소를 표로 나타내면 다음과 같다.

x	$\cdots$	-1	$\cdots$	1	$\cdots$
$f'(x)$	$+$	0	$-$	0	$+$
$f(x)$	↗	극대	↘	극소	↗

따라서 함수 $f(x)=2x^3-6x+c$는 $x=1$에서 극소이므로

$f(1)=-4+c=-3$ $\therefore c=1$ …… ❷

STEP 3 $f(2)$의 값 구하기

즉, $f(x)=2x^3-6x+1$이므로

$f(2)=16-12+1=5$ …… ❸

채점 요소	배점
❶ a, b의 값 구하기	50 %
❷ c의 값 구하기	30 %
❸ $f(2)$의 값 구하기	20 %

> **⊙ 풍쌤의 비법**
>
> 삼차함수 $f(x)$가 $x=\alpha$, $x=\beta$ ($\alpha<\beta$)에서 극값을 가질 때
> ① 최고차항의 계수가 양수이면 $x=\alpha$에서 극대, $x=\beta$에서 극소이다.
> ② 최고차항의 계수가 음수이면 $x=\alpha$에서 극소, $x=\beta$에서 극대이다.

11

해결전략 | 함수 $f(x)$의 극값을 a에 대한 식으로 나타낸다.

STEP 1 $f'(x)=0$의 해 구하기

$f(x)=x^3-3x^2+a$에서

$f'(x)=3x^2-6x=3x(x-2)$

$f'(x)=0$에서 $x=0$ 또는 $x=2$

STEP 2 $f(x)$의 극값 구하기

함수 $f(x)$의 증가와 감소를 표로 나타내면 다음과 같다.

x	$\cdots$	0	$\cdots$	2	$\cdots$
$f'(x)$	$+$	0	$-$	0	$+$
$f(x)$	↗	극대	↘	극소	↗

따라서 함수 $f(x)$는 $x=0$에서 극대이므로 극댓값은

$f(0)=a$

$x=2$에서 극소이므로 극솟값은

$f(2)=a-4$

STEP 3 a의 값 구하기

이때 모든 극값의 곱이 -4이므로

$a(a-4)=-4$, $a^2-4a+4=0$

$(a-2)^2=0$ $\therefore a=2$

12

해결전략 | $f(x)$, $f'(x)$의 부호를 이용하여 함수 $g(x)$의 증감표를 작성한다.

STEP 1 $g'(x)=0$의 해 구하기

$g(x)=\{f(x)\}^2$에서 $g'(x)=2f(x)f'(x)$

$g'(x)=0$에서 $f(x)=0$ 또는 $f'(x)=0$

$f(x)=0$의 해는 $x=a$ 또는 $x=c$ 또는 $x=e$

$f'(x)=0$의 해는 $x=b$ 또는 $x=c$ 또는 $x=d$

STEP 2 $g(x)$의 증감표 작성하기

함수 $g(x)$의 증가와 감소를 표로 나타내면 다음과 같다.

x	$\cdots$	a	$\cdots$	b	$\cdots$	c	$\cdots$	d	$\cdots$	e	$\cdots$
$f'(x)$	$+$	$+$	$+$	0	$-$	0	$+$	0	$-$	$-$	$-$
$f(x)$	$-$	0	$+$	$+$	$+$	0	$+$	$+$	$+$	0	$-$
$g'(x)$	$-$	0	$+$	0	$-$	0	$+$	0	$-$	0	$+$
$g(x)$	↘	극소	↗	극대	↘	극소	↗	극대	↘	극소	↗

STEP 3 $m-n$의 값 구하기

따라서 함수 $g(x)$는 $x=b$, $x=d$에서 극대, $x=a$, $x=c$, $x=e$에서 극소이므로 $m=2$, $n=3$

$\therefore m-n=2-3=-1$

13

해결전략 | 함수 $g(x)$가 $x=-3$에서 극값을 가지면 $g'(-3)=0$임을 이용한다.

STEP 1 $g'(x)$ 구하기

$g(x)=f(x)-kx$에서

$g'(x)=f'(x)-k$

STEP 2 k의 값 구하기

이때 함수 $g(x)$가 $x=-3$에서 극값을 가지므로

$g'(-3)=f'(-3)-k=0$

$\therefore k=f'(-3)=8$

14

해결전략 | 증가, 감소, 극대, 극소의 정의와 성질을 이용하여 참, 거짓을 판별한다.

① [반례] $f(x)=-x^3$이면 $f(x)$는 감소함수이지만 $f'(0)=0$이다.

③ $f'(a)=0$이어도 $x=a$의 좌우에서 $f'(x)$의 부호가

바뀌지 않으면 $x=a$에서 극값을 갖지 않는다.

④ $f(x)$가 상수함수이면 모든 x의 값에서 극대이면서 극소이다.

⑤ $x=a$의 좌우에서 $f(x)$가 감소하다 증가하면
$f(a) \leq f(x)$

따라서 $f(x)$는 $x=a$에서 극소이다.

그러므로 옳은 것은 ②이다.

15

해결전략 | $y=f'(x)$의 그래프를 이용하여 $f'(x)=0$의 해를 구한다.

STEP1 $f'(x)=0$의 해 구하기

$f(x)=x^4+ax^3+bx^2+cx+d$ (a, b, c, d는 상수)로 놓으면

$f'(x)=4x^3+3ax^2+2bx+c$

$y=f'(x)$의 그래프에서 $f'(-2)=f'(0)=f'(1)=0$이므로 삼차방정식 $f'(x)=0$의 세 실근은 -2, 0, 1이다.

STEP2 $f(x)$의 각 항의 계수 구하기

삼차방정식의 근과 계수의 관계에 의하여

$-\dfrac{3a}{4}=-2+0+1=-1$

$\dfrac{2b}{4}=-2\times0+0\times1+1\times(-2)=-2$

$-\dfrac{c}{4}=(-2)\times0\times1=0$

$\therefore a=\dfrac{4}{3}$, $b=-4$, $c=0$ ······ ❶

STEP3 $f(x)$의 상수항 구하기

$y=f'(x)$의 그래프를 이용하여 함수 $f(x)$의 증가와 감소를 표로 나타내면 다음과 같다.

x	$\cdots$	-2	$\cdots$	0	$\cdots$	1	
$f'(x)$	$-$	0	$+$	0	$-$	0	$+$
$f(x)$	↘	극소	↗	극대	↘	극소	↗

따라서 함수 $f(x)=x^4+\dfrac{4}{3}x^3-4x^2+d$는 $x=0$에서 극댓값을 가지므로

$f(0)=2$ $\therefore d=2$ ······ ❷

STEP4 모든 극솟값의 합 구하기

즉, $f(x)=x^4+\dfrac{4}{3}x^3-4x^2+2$이고 함수 $f(x)$는

$x=-2$, $x=1$에서 극소이므로 극솟값은

$f(-2)=-\dfrac{26}{3}$, $f(1)=\dfrac{1}{3}$

따라서 모든 극솟값의 합은 $-\dfrac{26}{3}+\dfrac{1}{3}=-\dfrac{25}{3}$ ······ ❸

채점 요소	배점
❶ $f(x)$의 x^3, x^2, x 항의 계수 구하기	60 %
❷ $f(x)$의 상수항 구하기	20 %
❸ 모든 극솟값의 합 구하기	20 %

🎯 풍쌤의 비법

삼차방정식 $ax^3+bx^2+cx+d=0$의 세 근이 α, β, γ 이면 근과 계수의 관계에 의하여

$\alpha+\beta+\gamma=-\dfrac{b}{a}$, $\alpha\beta+\beta\gamma+\gamma\alpha=\dfrac{c}{a}$, $\alpha\beta\gamma=-\dfrac{d}{a}$

16

해결전략 | 주어진 그래프에서 $f'(x)=0$의 세 실근의 부호를 알아낸다.

STEP1 $f'(x)=0$의 세 실근의 부호 구하기

함수 $f(x)$가 극값을 갖는 x의 값을 α, β, γ라고 하면

$f'(\alpha)=0$, $f'(\beta)=0$, $f'(\gamma)=0$이고

$\alpha>0$, $\beta>0$, $\gamma>0$

STEP2 양수인 것 찾기

$f(x)=ax^4+bx^3+cx^2+dx+e$에서

$f'(x)=4ax^3+3bx^2+2cx+d$

삼차방정식 $4ax^3+3bx^2+2cx+d=0$의 세 실근이 α, β, γ이므로 삼차방정식의 근과 계수의 관계에 의하여

$-\dfrac{3b}{4a}=\alpha+\beta+\gamma>0$, $\dfrac{2c}{4a}=\alpha\beta+\beta\gamma+\gamma\alpha>0$,

$-\dfrac{d}{4a}=\alpha\beta\gamma>0$

이때 $y=f(x)$의 그래프에서 $a<0$, $e<0$이므로

$b>0$, $c<0$, $d>0$

따라서 양수인 것은 b, d이다.

17

해결전략 | 삼차함수 $f(x)$가 극값을 가지려면 $f'(x)=0$이 서로 다른 두 실근을 가져야 함을 이용한다.

STEP1 $f'(x)$의 조건 구하기

$f(x)=\dfrac{1}{3}x^3+\dfrac{a}{2}x^2+(a+3)x-2$에서

$f'(x)=x^2+ax+a+3$

이때 함수 $f(x)$가 극값을 가지려면 이차방정식

$f'(x)=0$이 서로 다른 두 실근을 가져야 한다.

STEP2 자연수 a의 최솟값 구하기

따라서 이차방정식 $x^2+ax+a+3=0$의 판별식을 D라

고 하면

$D=a^2-4(a+3)>0$, $a^2-4a-12>0$

$(a+2)(a-6)>0$

$\therefore a<-2$ 또는 $a>6$

따라서 자연수 a의 최솟값은 7이다.

18

해결전략 | 사차함수 $f(x)$가 극댓값을 갖지 않으려면 $f'(x)=0$이 서로 다른 두 실근 또는 한 실근을 가져야 한다.

STEP1 $f'(x)$의 조건 구하기

$f(x)=x^4+ax^3+ax^2$에서

$f'(x)=4x^3+3ax^2+2ax$

최고차항의 계수가 양수인 사차함수 $f(x)$가 극댓값을 갖지 않으려면 삼차방정식 $f'(x)=0$이 서로 다른 두 실근 또는 한 실근을 가져야 한다.

STEP2 정수 a의 개수 구하기

$4x^3+3ax^2+2ax=0$에서

$x(4x^2+3ax+2a)=0$

위의 방정식이 서로 다른 두 실근 또는 한 실근을 가지려면 이차방정식 $4x^2+3ax+2a=0$이 $x=0$을 근으로 갖거나 중근 또는 허근을 가져야 한다.

(ⅰ) $x=0$을 근으로 가질 때

$a=0$

(ⅱ) 중근 또는 허근을 가질 때

이차방정식 $4x^2+3ax+2a=0$의 판별식을 D라고 하면

$D=(3a)^2-4\times4\times2a\leq0$

$9a^2-32a\leq0$, $a(9a-32)\leq0$

$\therefore 0\leq a\leq\dfrac{32}{9}$

(ⅰ), (ⅱ)에 의하여

$0\leq a\leq\dfrac{32}{9}$

따라서 정수 a의 개수는 0, 1, 2, 3의 4이다.

19

해결전략 | 주어진 조건을 만족시키는 $y=f'(x)$의 그래프의 개형을 생각한다.

STEP1 조건을 만족시키는 $y=f'(x)$의 그래프 그리기

$f(x)=x^3-ax^2+2ax+1$에서

$f'(x)=3x^2-2ax+2a$

함수 $f(x)$가 열린구간 $(0, 3)$에서 극값을 1개 가지려면 $y=f'(x)$의 그래프가 다음 그림과 같아야 한다.

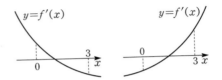

STEP2 자연수 a의 최솟값 구하기

즉, $f'(0)f'(3)<0$이어야 하므로

$2a(27-4a)<0$, $a(4a-27)>0$

$\therefore a<0$ 또는 $a>\dfrac{27}{4}$

따라서 자연수 a의 최솟값은 7이다.

20

해결전략 | $y=f'(x)$, $y=g'(x)$의 그래프를 이용하여 함수 $h(x)$의 증감표를 작성한다.

STEP1 $h'(x)=0$의 해 구하기

$h(x)=f(x)-g(x)$에서

$h'(x)=f'(x)-g'(x)$

$h'(x)=0$에서 $x=b$ 또는 $x=e$

STEP2 $h(x)$의 증감표 작성하기

함수 $h(x)$의 증가와 감소를 표로 나타내면 다음과 같다.

x	$\cdots$	b	$\cdots$	e	$\cdots$
$h'(x)$	$-$	0	$-$	0	$+$
$h(x)$	$\searrow$		$\searrow$	극소	$\nearrow$

STEP3 옳은 것 찾기

① 구간 $[a, b]$에서 $h'(x)\leq0$이므로 감소한다.

② 구간 $[e, \infty)$에서 $h'(x)\geq0$이므로 증가한다.

③ $h'(b)=0$이지만 $x=b$의 좌우에서 함수의 부호가 바뀌지 않으므로 $x=b$에서 극값을 갖지 않는다.

④ $x=e$에서 극솟값을 가지므로 극값을 갖는 x의 값은 1개이다.

⑤ $x=e$에서 극소이면서 최소이다.

그러므로 옳은 것은 ⑤이다.

21

해결전략 | 주어진 구간에서 극값과 양 끝 점에서의 함숫값을 구하여 대소를 비교한다.

STEP1 $f'(x)=0$의 해 구하기

$f(x)=x^3-3x^2+4$에서

$f'(x)=3x^2-6x=3x(x-2)$

$f'(x)=0$에서 $x=2$ $(\because 1\leq x\leq4)$

STEP2 $M+N$의 값 구하기

닫힌구간 $[1, 4]$에서 함수 $f(x)$의 증가와 감소를 표로 나타내면 다음과 같다.

x	1	$\cdots$	2	$\cdots$	4
$f'(x)$		$-$	0	$+$	
$f(x)$	2	$\searrow$	0	$\nearrow$	20

따라서 닫힌구간 $[1, 4]$에서 함수 $f(x)$의 최댓값은 20, 최솟값은 0이므로

$M=20, N=0$

$\therefore M+N=20$

22

해결전략 | $f'(x)=0$의 해를 이용하여 함수 $f(x)$의 증감표를 작성한다.

STEP 1 $f'(x)=0$의 해 구하기

$f(x)=-\dfrac{1}{4}x^4+x^3-4x-1$에서

$f'(x)=-x^3+3x^2-4=-(x+1)(x-2)^2$

$f'(x)=0$에서 $x=-1$ 또는 $x=2$

STEP 2 증감표 작성하기

함수 $f(x)$의 증가와 감소를 표로 나타내면 다음과 같다.

x	$\cdots$	-1	$\cdots$	2	$\cdots$
$f'(x)$	$+$	0	$-$	0	$-$
$f(x)$	$\nearrow$	극대	$\searrow$		$\searrow$

STEP 3 옳은 것 찾기

① 닫힌구간 $[-2, -1]$에서 $f'(x) \geq 0$이므로 증가한다.

② 닫힌구간 $[2, 3]$에서 $f'(x) \leq 0$이므로 감소한다.

④ $f'(2)=0$이지만 $x=2$의 좌우에서 $f'(x)$의 부호가 바뀌지 않으므로 $x=2$에서 극값을 갖지 않는다.

⑤ 열린구간 $(-2, 2)$에서 최댓값은 존재하지만 최솟값은 존재하지 않는다.

23

해결전략 | 주어진 구간에서 극값과 양 끝 점에서의 함숫값을 a에 대한 식으로 나타낸다.

STEP 1 $f'(x)=0$의 해 구하기

$f(x)=x^3+ax^2-a^2x+2$에서

$f'(x)=3x^2+2ax-a^2=(x+a)(3x-a)$

$f'(x)=0$에서 $x=-a$ 또는 $x=\dfrac{a}{3}$

STEP 2 증감표 작성하기

$a>0$이므로 닫힌구간 $[-a, a]$에서 함수 $f(x)$의 증가와 감소를 표로 나타내면 다음과 같다.

x	$-a$	$\cdots$	$\dfrac{a}{3}$	$\cdots$	a
$f'(x)$	0	$-$	0	$+$	$+$
$f(x)$	$2+a^3$	$\searrow$	$2-\dfrac{5}{27}a^3$	$\nearrow$	$2+a^3$

STEP 3 $a+M$의 값 구하기

따라서 닫힌구간 $[-a, a]$에서 함수 $f(x)$는 $x=-a$ 또는 $x=a$에서 최댓값 $2+a^3$, $x=\dfrac{a}{3}$에서 최솟값 $2-\dfrac{5}{27}a^3$ 을 가지므로

$M=2+a^3, \ 2-\dfrac{5}{27}a^3=\dfrac{14}{27}$

$\therefore a=2, \ M=10$

$\therefore a+M=2+10=12$

24

해결전략 | $y=f'(x)$의 그래프를 이용하여 함수 $f(x)$의 증가, 감소, 극대, 극소를 파악한다.

STEP 1 증감표 작성하기

$y=f'(x)$의 그래프에서

$f'(-5)=f'(-2)=f'(5)=0$

따라서 함수 $f(x)$의 증가와 감소를 표로 나타내면 다음과 같다.

x	$\cdots$	-5	$\cdots$	-2	$\cdots$	5	$\cdots$
$f'(x)$	$-$	0	$+$	0	$+$	0	$-$
$f(x)$	$\searrow$	극소	$\nearrow$		$\nearrow$	극대	$\searrow$

STEP 2 보기의 참, 거짓 판별하기

ㄱ. 닫힌구간 $[-5, 5]$에서 $f'(x) \geq 0$이므로 함수 $f(x)$는 증가한다. (참)

ㄴ. 함수 $f(x)$는 $x=-5$에서 극소, $x=5$에서 극대이므로 2개의 극값을 갖는다. (거짓)

ㄷ. 열린구간 $(-6, 3)$에서 함수 $f(x)$는 최댓값을 갖지 않는다. (거짓)

따라서 옳은 것은 ㄱ이다.

25

해결전략 | $P'(t)$를 이용하여 최댓값을 구한다.

STEP 1 $P'(t)=0$의 해 구하기

$P(t)=-\dfrac{1}{4}t^4+3t^3-12t^2+16t$에서

$P'(t)=-t^3+9t^2-24t+16$

$\quad\quad=-(t-1)(t-4)^2$

$P'(t)=0$에서 $t=1$ 또는 $t=4$

STEP2 몇 년 후에 이익이 최대가 되는지 구하기

닫힌구간 $[0,\ 4]$에서 함수 $P(t)$의 증가와 감소를 표로 나타내면 다음과 같다.

t	0	$\cdots$	1	$\cdots$	4
$P'(t)$		$+$	0	$-$	0
$P(t)$		$\nearrow$	극대	$\searrow$	0

따라서 닫힌구간 $[0,\ 4]$에서 함수 $P(t)$는 $t=1$일 때 극대이면서 최대이므로 1년 후에 이익이 최대가 된다.

26

해결전략 | 함수 $g(x)$가 $x=0$에서 연속이고 미분가능함을 이용하여 $f(x)$를 구한다.

STEP1 $f(x)$의 상수항과 x의 계수 구하기

$g(x)=\begin{cases} \dfrac{1}{2} & (x<0) \\ f(x) & (x\geq 0) \end{cases}$ 에서

$g'(x)=\begin{cases} 0 & (x<0) \\ f'(x) & (x>0) \end{cases}$

이때 함수 $g(x)$가 실수 전체의 집합에서 미분가능하므로 $x=0$에서 미분가능하다.

즉, $x=0$에서 연속이므로

$\lim\limits_{x\to 0-} g(x)=\lim\limits_{x\to 0+} g(x)=g(0)$

$\therefore f(0)=\dfrac{1}{2}$

또, $g'(0)$의 값이 존재해야 하므로

$\lim\limits_{x\to 0-} g'(x)=\lim\limits_{x\to 0+} g'(x)$

$\therefore f'(0)=0$

따라서 $f(x)=x^3+ax^2+bx+c$ ($a,\ b,\ c$는 상수)라고 하면 $f'(x)=3x^2+2ax+b$이므로

$c=\dfrac{1}{2},\ b=0$

$\therefore f(x)=x^3+ax^2+\dfrac{1}{2}$

STEP2 ㄱ의 참, 거짓 판별하기

ㄱ. $g(0)+g'(0)=\dfrac{1}{2}+0=\dfrac{1}{2}$ (참)

STEP3 ㄴ의 참, 거짓 판별하기

ㄴ. $f'(x)=3x^2+2ax=x(3x+2a)$

이므로 $f'(x)=0$에서 $x=0$ 또는 $x=-\dfrac{2}{3}a$

이때 $a\geq 0$이면 $x\geq 0$에서 $f'(x)\geq 0$이므로 $g(x)$의 최솟값이 $\dfrac{1}{2}$이다.

이는 주어진 조건을 만족시키지 않으므로 $a<0$

$\therefore g(1)=f(1)=a+\dfrac{3}{2}<\dfrac{3}{2}$ (참)

STEP4 ㄷ의 참, 거짓 판별하기

ㄷ. $a<0$이므로 $x>0$에서 함수 $g(x)$의 증가와 감소를 표로 나타내면 다음과 같다.

x	(0)	$\cdots$	$-\dfrac{2}{3}a$	$\cdots$
$g'(x)$		$-$	$+$	$+$
$g(x)$		$\searrow$	극소	$\nearrow$

따라서 함수 $g(x)$는 $x=-\dfrac{2}{3}a$에서 극소이면서 최소이므로

$g\left(-\dfrac{2}{3}a\right)=f\left(-\dfrac{2}{3}a\right)=0$

$-\dfrac{8}{27}a^3+\dfrac{4}{9}a^3+\dfrac{1}{2}=0,\ \dfrac{4}{27}a^3=-\dfrac{1}{2}$

$a^3=-\dfrac{27}{8}$ $\qquad \therefore a=-\dfrac{3}{2}$

즉, $f(x)=x^3-\dfrac{3}{2}x^2+\dfrac{1}{2}$이므로

$g(2)=f(2)=8-6+\dfrac{1}{2}=\dfrac{5}{2}$ (참)

따라서 ㄱ, ㄴ, ㄷ 모두 옳다.

27

해결전략 | 직육면체의 높이를 a에 대한 식으로 나타내어 부피에 대한 함수를 구한다.

STEP1 높이를 a에 대한 식으로 나타내기

직육면체의 높이를 h라고 하면 겉넓이가 16이므로

$2\times a^2+4a\times h=16$

$\therefore h=\dfrac{8-a^2}{2a}$ ⋯⋯ ❶

STEP2 부피에 대한 함수식 세우기

직육면체의 부피를 $V(a)$라고 하면

$V(a)=a^2h=a^2\times \dfrac{8-a^2}{2a}$

$\qquad =-\dfrac{1}{2}a^3+4a$ ⋯⋯ ❷

STEP3 부피가 최대일 때의 a의 값 구하기

따라서 $V'(a)=-\dfrac{3}{2}a^2+4$이므로

$V'(a)=0$에서 $\dfrac{3}{2}a^2=4$

$a^2=\dfrac{8}{3}$ $\quad \therefore a=\dfrac{2\sqrt{6}}{3}$ ($\because a>0$)

함수 $V(a)$의 증가와 감소를 표로 나타내면 다음과 같다.

a	(0)	$\cdots$	$\dfrac{2\sqrt{6}}{3}$	$\cdots$
$V'(a)$		$+$	0	$-$
$V(a)$		$\nearrow$	극대	$\searrow$

따라서 함수 $V(a)$는 $a=\dfrac{2\sqrt{6}}{3}$에서 극대이면서 최대이므로 구하는 a의 값은 $\dfrac{2\sqrt{6}}{3}$이다. $\cdots\cdots$ ❸

채점 요소	배점
❶ 높이를 a에 대한 식으로 나타내기	30 %
❷ 부피에 대한 함수식 세우기	30 %
❸ 부피가 최대일 때의 a의 값 구하기	40 %

상위권 도약 문제   185~186쪽

01 ②	02 10	03 54	04 6
05 -3	06 ②	07 ②	08 $2\sqrt{2}$

01

해결전략 | 모든 실수 x에 대하여 $f'(x)\geq0$임을 이용한다.

STEP 1 $f'(x)$의 조건 구하기

$f(x)=x^3+3(a+2)x^2-3(b^2-2)x+2$에서
$f'(x)=3x^2+6(a+2)x-3(b^2-2)$
함수 $f(x)$가 모든 실수 x에 대하여 증가하려면 부등식
$f'(x)\geq0$, 즉 $x^2+2(a+2)x-(b^2-2)\geq0$
이 항상 성립해야 한다.

STEP 2 a, b에 대한 부등식 세우기

따라서 이차방정식 $x^2+2(a+2)x-(b^2-2)=0$의 판별식을 D라고 하면
$$\dfrac{D}{4}=(a+2)^2+(b^2-2)\leq0$$
$$\therefore (a+2)^2+b^2\leq2$$

STEP 3 $a+b$의 최솟값 구하기

이때 a, b가 정수이므로

(i) $b=0$일 때
    $(a+2)^2\leq2$이므로 a의 값은 -3, -2, -1

(ii) $b=\pm1$일 때
    $(a+2)^2\leq1$이므로 a의 값은 -3, -2, -1

(i), (ii)에 의하여 $a+b$의 값은

-4, -3, -2, -1, 0
따라서 $a+b$의 최솟값은 -4이다.

02

해결전략 | 함수 $g(x)$의 인수에 따라 $y=g(x)$의 그래프의 개형을 그려 본다.

STEP 1 조건을 만족시키는 $g(x)$ 구하기

(i) $g(x)=3(x-1)(x-2)(x-3)$인 경우
    $y=g(x)$의 그래프가 오른쪽 그림과 같으므로 $x=2$에서 극값을 갖지 않는다.
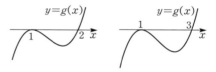

(ii) $g(x)$가 $(x-1)^2$을 인수로 갖는 경우
    $y=g(x)$의 그래프가 다음 그림과 같으므로 $x=2$에서 극댓값을 갖지 않는다.

(iii) $g(x)$가 $(x-2)^2$을 인수로 갖는 경우
    $g(x)$가 $x=2$에서 극댓값을 가지려면 $y=g(x)$의 그래프가 오른쪽 그림과 같아야 하므로
    $g(x)=3(x-2)^2(x-3)$

(iv) $g(x)$가 $(x-3)^2$을 인수로 갖는 경우
    $g(x)$가 $x=2$에서 극댓값을 가지려면 $y=g(x)$의 그래프가 오른쪽 그림과 같아야 하므로
    $g(x)=3(x-1)(x-3)^2$
    이때 $g'(x)=3(x-3)^2+6(x-1)(x-3)$이므로
    $g'(2)\neq0$
    따라서 $x=2$에서 극값을 갖지 않는다.

(i)~(iv)에 의하여 $g(x)=3(x-2)^2(x-3)$

STEP 2 $p+q$의 값 구하기

즉, $f(x)g(x)=(x-1)^2(x-2)^2(x-3)^2$에서
$$f(x)=\dfrac{1}{3}(x-1)^2(x-3)$$
$$\therefore f'(x)=\dfrac{2}{3}(x-1)(x-3)+\dfrac{1}{3}(x-1)^2$$
$$\therefore f'(0)=\dfrac{2}{3}\times(-1)\times(-3)+\dfrac{1}{3}\times(-1)^2=\dfrac{7}{3}$$
따라서 $p=3$, $q=7$이므로
$p+q=3+7=10$

03

해결전략 | 주어진 등식을 만족시키는 함수 $f'(x)$를 구한다.

STEP1 $f'(x)$ 구하기

$f(x+y)=f(x)+f(y)-xy(x+y)$에 $x=0$, $y=0$을 대입하면

$f(0)=2f(0)$ $\therefore f(0)=0$

$f'(0)=\lim\limits_{x\to0}\dfrac{f(x)-f(0)}{x}=\lim\limits_{x\to0}\dfrac{f(x)}{x}$이므로

$\lim\limits_{x\to0}\dfrac{f(x)}{x}=9$ ...... ㉠

따라서 도함수의 정의에 의하여

$$f'(x)=\lim_{h\to0}\dfrac{f(x+h)-f(x)}{h}$$
$$=\lim_{h\to0}\dfrac{f(h)-xh(x+h)}{h}$$
$$=\lim_{h\to0}\dfrac{f(h)}{h}-x^2=-x^2+9\ (\because ㉠)$$

STEP2 증감표 작성하기

$f'(x)=-(x+3)(x-3)$이므로

$f'(x)=0$에서 $x=-3$ 또는 $x=3$

함수 $f(x)$의 증가와 감소를 표로 나타내면 다음과 같다.

x	$\cdots$	-3	$\cdots$	3	$\cdots$
$f'(x)$	$-$	0	$+$	0	$-$
$f(x)$	$\searrow$	극소	$\nearrow$	극대	$\searrow$

STEP3 $\alpha^3-\beta^3$의 값 구하기

따라서 함수 $f(x)$는 $x=3$에서 극대이고 $x=-3$에서 극소이므로

$\alpha=3$, $\beta=-3$

$\therefore \alpha^3-\beta^3=27-(-27)=54$

04

해결전략 | 함수 $g(x)$가 $x=3$에서 연속이고 미분가능함을 이용하여 a, b의 값을 구한다.

STEP1 a, b의 관계식 구하기

함수 $g(x)=\begin{cases} b-f(x) & (x<3) \\ f(x) & (x\geq3) \end{cases}$가 실수 전체의 집합에서

미분가능하므로 $x=3$에서 미분가능하다.

따라서 $x=3$에서 연속이므로

$\lim\limits_{x\to3-}g(x)=\lim\limits_{x\to3+}g(x)=g(3)$

$b-f(3)=f(3)$

$\therefore b=2f(3)=6a-34$ ...... ㉠

STEP2 a, b의 값 구하기

또, $g'(x)=\begin{cases} -f'(x) & (x<3) \\ f'(x) & (x>3) \end{cases}$이고 $g'(3)$의 값이 존재

하므로

$\lim\limits_{x\to3-}g'(x)=\lim\limits_{x\to3+}g'(x)$

$-f'(3)=f'(3)$ $\therefore f'(3)=0$

이때 $f'(x)=3x^2-12x+a$이므로

$27-36+a=0$ $\therefore a=9$

$\therefore f(x)=x^3-6x^2+9x+10$

또, $a=9$를 ㉠에 대입하면

$b=20$

STEP3 $g(x)$의 극솟값 구하기

따라서 $g'(x)=\begin{cases} -3x^2+12x-9 & (x<3) \\ 3x^2-12x+9 & (x\geq3) \end{cases}$이므로

$g'(x)=\begin{cases} -3(x-1)(x-3) & (x<3) \\ 3(x-1)(x-3) & (x\geq3) \end{cases}$

$g'(x)=0$에서 $x=1$ 또는 $x=3$

함수 $g(x)$의 증가와 감소를 표로 나타내면 다음과 같다.

x	$\cdots$	1	$\cdots$	3	$\cdots$
$g'(x)$	$-$	0	$+$	0	$+$
$g(x)$	$\searrow$	극소	$\nearrow$		$\nearrow$

따라서 함수 $g(x)$는 $x=1$에서 극소이므로 구하는 극솟값은

$g(1)=b-f(1)=20-14=6$

05

해결전략 | 조건 ㈎, ㈏를 만족시키는 함수 $f(x)$가 극값을 갖는 x의 값을 모두 구한다.

STEP1 $f(x)$가 극값을 갖는 x의 값 구하기

조건 ㈎에서 $f(x)=f(4-x)$이므로 x 대신 $x+2$를 대입하면

$f(x+2)=f(2-x)$

즉, $y=f(x)$의 그래프는 직선 $x=2$에 대하여 대칭이므로

$f'(2)=0$

또, 조건 ㈏에서

$f'(1)=0$, $f(1)=-4$

조건 ㈎에 의하여 함수 $f(x)$는 직선 $x=2$에 대하여 대칭이고 $x=1$에서 극소이므로 $x=3$에서 극솟값 -4를 갖는다.

$\therefore f'(3)=0$, $f(3)=-4$

STEP2 $f(x)$의 각 항의 계수 구하기

$f(x)=x^4+ax^3+bx^2+cx+d$ $(a, b, c, d$는 상수)로 놓으면

$f'(x)=4x^3+3ax^2+2bx+c$

이때 삼차방정식 $f'(x)=0$의 세 근이 1, 2, 3이므로 근과 계수의 관계에 의하여

$-\dfrac{3a}{4}=1+2+3=6,\ \dfrac{2b}{4}=1\times2+2\times3+3\times1=11,$

$-\dfrac{c}{4}=1\times2\times3=6$

$\therefore a=-8,\ b=22,\ c=-24$

STEP3 $f(x)$의 상수항 구하기

따라서 $f(x)=x^4-8x^3+22x^2-24x+d$이고, $f(1)=-4$이므로

$d-9=-4 \qquad \therefore d=5$

STEP4 $f(2)$의 값 구하기

즉, $f(x)=x^4-8x^3+22x^2-24x+5$이므로

$f(2)=16-64+88-48+5=-3$

06

해결전략 | 조건을 만족시키는 삼차함수 $y=f(x)$의 그래프의 개형을 생각한다.

STEP1 $f(x)$의 식을 α, β로 나타내기

조건 ㈎에서 $f(x)=0$은 $x=\alpha$ 또는 $x=\beta$를 중근으로 갖는다.

이때 $x=\beta$가 중근이면 $y=f(x)$의 그래프는 오른쪽 그림과 같으므로 극솟값이 0이다.

따라서 조건 ㈏를 만족시키지 않으므로 $f(x)=0$은 $x=\alpha$를 중근으로 갖는다.

$\therefore f(x)=(x-\alpha)^2(x-\beta)$

STEP2 ㄱ의 참, 거짓 판별하기

ㄱ. $f'(x)=2(x-\alpha)(x-\beta)+(x-\alpha)^2$이므로

$f'(\alpha)=0$ (참)

STEP3 ㄴ의 참, 거짓 판별하기

ㄴ. $f'(x)=(x-\alpha)(3x-\alpha-2\beta)$이므로

$f'(x)=0$에서 $x=\alpha$ 또는 $x=\dfrac{\alpha+2\beta}{3}$

이때 $\alpha<\dfrac{\alpha+2\beta}{3}$이므로 함수 $f(x)$는 $x=\dfrac{\alpha+2\beta}{3}$

에서 극솟값을 갖는다.

즉, $f\left(\dfrac{\alpha+2\beta}{3}\right)=-4$이므로

$\left\{-\dfrac{2}{3}(\alpha-\beta)\right\}^2\times\dfrac{\alpha-\beta}{3}=-4,\ (\alpha-\beta)^3=-27$

$\alpha-\beta=-3 \qquad \therefore \beta=\alpha+3$ (참)

STEP4 ㄷ의 참, 거짓 판별하기

ㄷ. $f(0)=16$이면 $\alpha^2\beta=-16$

ㄴ에서 $\beta=\alpha+3$이므로

$\alpha^2(\alpha+3)=-16,\ \alpha^3+3\alpha^2+16=0$

$(\alpha+4)(\alpha^2-\alpha+4)=0$

$\therefore \alpha=-4\ (\because \alpha^2-\alpha+4\neq0)$

즉, $\beta=\alpha+3=-1$이므로

$\alpha^2+\beta^2=(-4)^2+(-1)^2=17$ (거짓)

따라서 옳은 것은 ㄱ, ㄴ이다.

07

해결전략 | 함수 $f(x)$의 최댓값을 a에 대한 식으로 나타내어 a의 값의 범위에 따라 $g(a)$의 최댓값과 최솟값을 구한다.

STEP1 $f(x)$의 증감표 작성하기

$f(x)=x^2(x-3)$에서

$f'(x)=3x^2-6x=3x(x-2)$

$f'(x)=0$에서 $x=0$ 또는 $x=2$

함수 $f(x)$의 증가와 감소를 표로 나타내면 다음과 같다.

x	$\cdots$	0	$\cdots$	2	$\cdots$
$f'(x)$	$+$	0	$-$	0	$+$
$f(x)$	$\nearrow$	0	$\searrow$	-4	$\nearrow$

STEP2 $g(a)$ 값의 범위 구하기

(ⅰ) $-3\leq a<-1$일 때

닫힌구간 $[a, a+1]$에서 함수 $f(x)$는 증가하므로 $f(x)$의 최댓값은 $f(a+1)$이다.

$\therefore g(a)=f(a+1)$

이때 $-2\leq a+1<0$이므로 $-20\leq f(a+1)<0$

$\therefore -20\leq g(a)<0$

(ⅱ) $-1\leq a\leq0$일 때

닫힌구간 $[a, a+1]$에서 함수 $f(x)$는 $x=0$일 때 극대이면서 최대이므로

$g(a)=f(0)=0$

(ⅲ) $0<a\leq1$일 때

닫힌구간 $[a, a+1]$에서 함수 $f(x)$는 감소하므로 $f(x)$의 최댓값은 $f(a)$이다.

$\therefore g(a)=f(a)$

이때 $0<a\leq1$에서 $-2\leq f(a)<0$이므로

$-2\leq g(a)<0$

(ⅰ)~(ⅲ)에 의하여 $-20 \leq g(a) \leq 0$

STEP 3 $p+q$의 값 구하기

따라서 $p=-20$, $q=0$이므로

$p+q=-20$

08

해결전략 | 직육면체의 가로의 길이와 높이 사이의 관계식을 구하여 부피에 대한 함수를 세운다.

STEP 1 직육면체의 가로의 길이와 높이 사이의 관계식 구하기

사각뿔에 내접하는 직육면체는 밑면이 정사각형이므로 밑면의 한 변의 길이를 x $(0<x<3)$, 높이를 y라고 하자.

오른쪽 그림과 같이 사각뿔의 꼭짓점을 지나고 직육면체의 옆면과 평행한 평면으로 자른 단면을 $\triangle \mathrm{ABC}$, 점 A에서 선분 BC에 내린 수선의 발을 H라고 하면

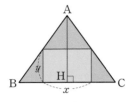

$\overline{\mathrm{AB}}=\dfrac{\sqrt{3}}{2} \times 3=\dfrac{3\sqrt{3}}{2}$

$\therefore \overline{\mathrm{AH}}=\sqrt{\left(\dfrac{3\sqrt{3}}{2}\right)^2-\left(\dfrac{3}{2}\right)^2}=\dfrac{3\sqrt{2}}{2}$

삼각형의 닮음에 의하여

$3 : \dfrac{3\sqrt{2}}{2}=x : \left(\dfrac{3\sqrt{2}}{2}-y\right)$ ▶ $\overline{\mathrm{BC}} : \overline{\mathrm{AH}}$

$\dfrac{3\sqrt{2}}{2}x=\dfrac{9\sqrt{2}}{2}-3y$ $\therefore y=\dfrac{\sqrt{2}}{2}(3-x)$

STEP 2 부피에 대한 함수식 구하기

따라서 직육면체의 부피를 $V(x)$라고 하면

$V(x)=x^2 y=\dfrac{\sqrt{2}}{2}x^2(3-x)=-\dfrac{\sqrt{2}}{2}x^3+\dfrac{3\sqrt{2}}{2}x^2$

STEP 3 부피의 최댓값 구하기

따라서 $V'(x)=-\dfrac{3\sqrt{2}}{2}x^2+3\sqrt{2}x=-\dfrac{3\sqrt{2}}{2}x(x-2)$

이므로 $V'(x)=0$에서 $x=2$ ($\because 0<x<3$)

함수 $V(x)$의 증가와 감소를 표로 나타내면 다음과 같다.

x	(0)	$\cdots$	2	$\cdots$	(3)
$V'(x)$		$+$	0	$-$	
$V(x)$		$\nearrow$	$2\sqrt{2}$	$\searrow$	

따라서 함수 $V(x)$는 $x=2$에서 극대이면서 최대이므로 구하는 최댓값은 $2\sqrt{2}$이다.

개념확인   188~189쪽

01 답 (1) 3 (2) 2

(1) $f(x)=x^3-3x^2+3$으로 놓으면

$f'(x)=3x^2-6x=3x(x-2)$

$f'(x)=0$에서 $x=0$ 또는 $x=2$

함수 $f(x)$의 증가와 감소를 표로 나타내면 다음과 같다.

x	$\cdots$	0	$\cdots$	2	$\cdots$
$f'(x)$	$+$	0	$-$	0	$+$
$f(x)$	$\nearrow$	3	$\searrow$	-1	$\nearrow$

따라서 함수 $y=f(x)$의 그래프는 오른쪽 그림과 같이 x축과 세 점에서 만나므로 방정식 $f(x)=0$, 즉 $x^3-3x^2+3=0$의 서로 다른 실근의 개수는 3이다.

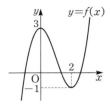

(2) $f(x)=x^4-2x^2-1$로 놓으면

$f'(x)=4x^3-4x=4x(x+1)(x-1)$

$f'(x)=0$에서 $x=-1$ 또는 $x=0$ 또는 $x=1$

함수 $f(x)$의 증가와 감소를 표로 나타내면 다음과 같다.

x	$\cdots$	-1	$\cdots$	0	$\cdots$	1	$\cdots$
$f'(x)$	$-$	0	$+$	0	$-$	0	$+$
$f(x)$	$\searrow$	-2	$\nearrow$	-1	$\searrow$	-2	$\nearrow$

따라서 함수 $y=f(x)$의 그래프는 오른쪽 그림과 같이 x축과 두 점에서 만나므로 방정식 $f(x)=0$, 즉 $x^4-2x^2-1=0$의 서로 다른 실근의 개수는 2이다.

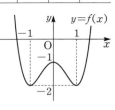

02 답 풀이 참조

$f(x)=x^3-4x^2-3x+18$로 놓으면

$f'(x)=3x^2-8x-3=(3x+1)(x-3)$

$f'(x)=0$에서 $x=3$ ($\because x \geq 0$)

$x \geq 0$에서 함수 $f(x)$의 증가와 감소를 표로 나타내면 다음과 같다.

x	0	$\cdots$	3	$\cdots$
$f'(x)$		$-$	0	$+$
$f(x)$	18	$\searrow$	0	$\nearrow$

따라서 $x \geq 0$에서 함수 $f(x)$의 최솟값이 0이므로 부등식 $f(x) \geq 0$, 즉 $x^3 - 4x^2 - 3x + 18 \geq 0$이 성립한다.

03 답 (1) -5 (2) 14

(1) 점 P의 속도를 v라고 하면
$$v = \frac{dx}{dt} = 9t^2 - 4t - 10$$
따라서 $t=1$에서의 점 P의 속도는
$$9 - 4 - 10 = -5$$

(2) 점 P의 가속도를 a라고 하면
$$a = \frac{dv}{dt} = 18t - 4$$
따라서 $t=1$에서의 점 P의 가속도는
$$18 - 4 = 14$$

04 답 10

시각 t에서의 넓이 S의 변화율은
$$\frac{dS}{dt} = 6t - 2$$
따라서 $t=2$에서의 넓이 S의 변화율은
$$12 - 2 = 10$$

필수유형 01   191쪽

01-1 답 (1) 1 (2) 4

해결전략 | 함수 $y=f(x)$의 그래프와 x축의 교점의 개수를 조사한다.

(1) STEP1 $y=f(x)$의 그래프 그리기
$f(x) = x^3 + 6x^2 + 9x - 1$로 놓으면
$f'(x) = 3x^2 + 12x + 9 = 3(x+3)(x+1)$
$f'(x) = 0$에서 $x = -3$ 또는 $x = -1$
함수 $f(x)$의 증가와 감소를 표로 나타내면 다음과 같다.

x	$\cdots$	-3	$\cdots$	-1	$\cdots$
$f'(x)$	$+$	0	$-$	0	$+$
$f(x)$	$\nearrow$	-1	$\searrow$	-5	$\nearrow$

따라서 함수 $y=f(x)$의 그래프는 오른쪽 그림과 같다.

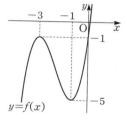

STEP2 서로 다른 실근의 개수 구하기
$y=f(x)$의 그래프가 x축과 한 점에서 만나므로 방정식 $f(x)=0$, 즉 $x^3 + 6x^2 + 9x - 1 = 0$의 서로 다른 실근의 개수는 1이다.

(2) STEP1 $y=f(x)$의 그래프 그리기
$f(x) = 3x^4 - 4x^3 - 12x^2 + 2$로 놓으면
$f'(x) = 12x^3 - 12x^2 - 24x = 12x(x+1)(x-2)$
$f'(x) = 0$에서 $x=-1$ 또는 $x=0$ 또는 $x=2$
함수 $f(x)$의 증가와 감소를 표로 나타내면 다음과 같다.

x	$\cdots$	-1	$\cdots$	0	$\cdots$	2	$\cdots$
$f'(x)$	$-$	0	$+$	0	$-$	0	$+$
$f(x)$	$\searrow$	-3	$\nearrow$	2	$\searrow$	-30	$\nearrow$

따라서 함수 $y=f(x)$의 그래프는 오른쪽 그림과 같다.

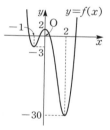

STEP2 서로 다른 실근의 개수 구하기
$y=f(x)$의 그래프가 x축과 네 점에서 만나므로 방정식 $f(x)=0$, 즉
$3x^4 - 4x^3 - 12x^2 + 2 = 0$의 서로 다른 실근의 개수는 4이다.

01-2 답 2

해결전략 | 함수 $y = -2x^4 + 4x^2$의 그래프와 직선 $y=k$의 교점의 개수가 2인 경우를 구한다.

STEP1 $y = -2x^4 + 4x^2$의 그래프 그리기
$2x^4 - 4x^2 + k = 0$에서
$-2x^4 + 4x^2 = k$
$f(x) = -2x^4 + 4x^2$으로 놓으면
$f'(x) = -8x^3 + 8x = -8x(x+1)(x-1)$
$f'(x) = 0$에서 $x=-1$ 또는 $x=0$ 또는 $x=1$
함수 $f(x)$의 증가와 감소를 표로 나타내면 다음과 같다.

x	$\cdots$	-1	$\cdots$	0	$\cdots$	1	$\cdots$
$f'(x)$	$+$	0	$-$	0	$+$	0	$-$
$f(x)$	$\nearrow$	2	$\searrow$	0	$\nearrow$	2	$\searrow$

따라서 함수 $y=f(x)$의 그래프는 오른쪽 그림과 같다.

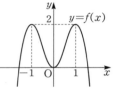

STEP2 k의 최댓값 구하기
방정식 $f(x)=k$가 서로 다른 두 실근을 가지려면 $y=f(x)$의 그래프와 직선 $y=k$가 두 점에서 만나야 하므로 $k=2$ 또는 $k<0$
즉, k의 최댓값은 2이다.

01-3 🖪 4

해결전략 | 함수 $y=x^3-3x^2-9x$의 그래프와 직선 $y=k$의 교점의 개수가 3인 경우를 구한다.

STEP1 $y=x^3-3x^2-9x$의 그래프 그리기
$x^3-3x^2-9x-k=0$에서 $x^3-3x^2-9x=k$
$f(x)=x^3-3x^2-9x$로 놓으면
$f'(x)=3x^2-6x-9=3(x+1)(x-3)$
$f'(x)=0$에서 $x=-1$ 또는 $x=3$
함수 $f(x)$의 증가와 감소를 표로 나타내면 다음과 같다.

x	$\cdots$	-1	$\cdots$	3	$\cdots$
$f'(x)$	$+$	0	$-$	0	$+$
$f(x)$	$\nearrow$	5	$\searrow$	-27	$\nearrow$

따라서 함수 $y=f(x)$의 그래프는 오른쪽 그림과 같다.

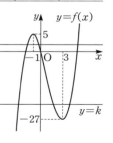

STEP2 정수 k의 최댓값 구하기
주어진 방정식의 서로 다른 실근의 개수가 3이려면 $y=f(x)$의 그래프와 직선 $y=k$의 교점이 3개이어야 하므로
$-27<k<5$
따라서 정수 k의 최댓값은 4이다.

01-4 🖪 $k<-5$ 또는 $k>\dfrac{19}{9}$

해결전략 | $y=f'(x)$의 그래프를 이용하여 함수 $f(x)$의 식을 구한다.

STEP1 $f(x)$ 구하기
$f(x)=ax^3+bx^2+cx+d$ (a, b, c, d는 상수)로 놓으면
$f'(x)=3ax^2+2bx+c$
$y=f'(x)$의 그래프에서
$f'(0)=2$, $f'(-1)=0$, $f'(3)=0$이므로
$c=2$

$3a-2b+2=0$ ...... ㉠
$27a+6b+2=0$ ...... ㉡

㉠, ㉡을 연립하여 풀면 $a=-\dfrac{2}{9}$, $b=\dfrac{2}{3}$
이때 $f(0)=-1$에서 $d=-1$이므로
$f(x)=-\dfrac{2}{9}x^3+\dfrac{2}{3}x^2+2x-1$

STEP2 $y=f(x)$의 그래프 그리기
함수 $f(x)$의 증가와 감소를 표로 나타내면 다음과 같다.

x	$\cdots$	-1	$\cdots$	3	$\cdots$
$f'(x)$	$-$	0	$+$	0	$-$
$f(x)$	$\searrow$	$-\dfrac{19}{9}$	$\nearrow$	5	$\searrow$

따라서 함수 $y=f(x)$의 그래프는 오른쪽 그림과 같다.

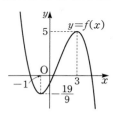

STEP3 k의 값의 범위 구하기
방정식 $f(x)+k=0$이 오직 하나의 실근을 가지려면 $y=f(x)$의 그래프와 직선 $y=-k$의 교점이 1개이어야 하므로
$-k>5$ 또는 $-k<-\dfrac{19}{9}$
$\therefore k<-5$ 또는 $k>\dfrac{19}{9}$

01-5 🖪 26

해결전략 | $f(k)$는 함수 $y=x^3-12x$의 그래프와 직선 $y=20-4k$의 교점의 개수임을 이용한다.

STEP1 $y=x^3-12x$의 그래프 그리기
$x^3-12x+4k-20=0$에서 $x^3-12x=20-4k$
$g(x)=x^3-12x$로 놓으면
$g'(x)=3x^2-12=3(x+2)(x-2)$
$g'(x)=0$에서 $x=-2$ 또는 $x=2$
함수 $g(x)$의 증가와 감소를 표로 나타내면 다음과 같다.

x	$\cdots$	-2	$\cdots$	2	$\cdots$
$g'(x)$	$+$	0	$-$	0	$+$
$g(x)$	$\nearrow$	16	$\searrow$	-16	$\nearrow$

따라서 함수 $y=g(x)$의 그래프는 오른쪽 그림과 같다.

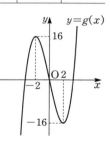

STEP2 $f(k)$의 값 구하기
주어진 방정식의 서로 다른 실근의 개수는 $y=g(x)$의 그래프와 직선 $y=20-4k$의 교점의 개수와 같으므로

(ⅰ) $20-4k>16$ 또는 $20-4k<-16$, 즉 $k<1$ 또는 $k>9$일 때

　교점의 개수가 1이므로 $f(k)=1$

(ⅱ) $20-4k=16$ 또는 $20-4k=-16$, 즉 $k=1$ 또는 $k=9$일 때

　교점의 개수가 2이므로 $f(k)=2$

(ⅲ) $-16<20-4k<16$, 즉 $1<k<9$일 때

　교점의 개수가 3이므로 $f(k)=3$

STEP 3 식의 값 구하기

(ⅰ)~(ⅲ)에 의하여

$f(1)+f(2)+f(3)+\cdots+f(10)$

$=2+3\times7+2+1=26$

01-6 답 2

해결전략 | 조건을 만족시키는 함수 $f(x)$의 그래프를 이용한다.

STEP 1 $y=f(x)$의 그래프의 개형 그리기

$f(-x)=-f(x)$에서 $y=f(x)$의 그래프는 원점에 대하여 대칭이다.

또, $|f(x)|=2$의 서로 다른 실근이 4개이므로 $y=f(x)$, $y=|f(x)|$의 그래프가 다음 그림과 같아야 한다.

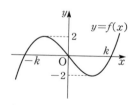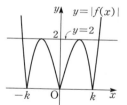

STEP 2 $f(x)$ 구하기

양수 k에 대하여

$f(x)=x(x+k)(x-k)=x^3-k^2x$로 놓으면

$f'(x)=3x^2-k^2$

$f'(x)=0$에서 $x=\pm\dfrac{k}{\sqrt{3}}$

함수 $f(x)$의 증가와 감소를 표로 나타내면 다음과 같다.

x	$\cdots$	$-\dfrac{k}{\sqrt{3}}$	$\cdots$	$\dfrac{k}{\sqrt{3}}$	$\cdots$
$f'(x)$	$+$	0	$-$	0	$+$
$f(x)$	↗	극대	↘	극소	↗

따라서 함수 $f(x)$는 $x=\dfrac{k}{\sqrt{3}}$에서 극솟값 -2를 가져야 하므로

$f\left(\dfrac{k}{\sqrt{3}}\right)=\dfrac{k^3}{3\sqrt{3}}-\dfrac{k^3}{\sqrt{3}}=-2$, $k^3=3\sqrt{3}$

$\therefore k=\sqrt{3}$

$\therefore f(x)=x^3-3x$

STEP 3 $f(-1)$의 값 구하기

$\therefore f(-1)=-1+3=2$

필수유형 02　193쪽

02-1 답 -14

해결전략 | 함수 $y=-2x^3-3x^2+12x+3$의 그래프와 직선 $y=a$의 교점의 x좌표의 부호를 조사한다.

STEP 1 $y=-2x^3-3x^2+12x+3$의 그래프 그리기

$f(x)=-2x^3-3x^2+12x+3$으로 놓으면

$f'(x)=-6x^2-6x+12=-6(x+2)(x-1)$

$f'(x)=0$에서 $x=-2$ 또는 $x=1$

함수 $f(x)$의 증가와 감소를 표로 나타내면 다음과 같다.

x	$\cdots$	-2	$\cdots$	1	$\cdots$
$f'(x)$	$-$	0	$+$	0	$-$
$f(x)$	↘	-17	↗	10	↘

따라서 함수 $y=f(x)$의 그래프는 오른쪽 그림과 같다.

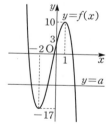

STEP 2 $M+m$의 값 구하기

주어진 방정식이 한 개의 양의 실근과 서로 다른 두 개의 음의 실근을 가지려면 $y=f(x)$의 그래프와 직선 $y=a$의 교점의 x좌표가 1개는 양수이고 2개는 음수이어야 하므로

$-17<a<3$

따라서 정수 a의 최댓값은 2, 최솟값은 -16이므로

$M=2$, $m=-16$

$\therefore M+m=2+(-16)=-14$

02-2 답 5

해결전략 | 함수 $y=3x^3-9x-2$의 그래프와 직선 $y=a$의 교점의 x좌표의 부호를 조사한다.

STEP 1 $y=3x^3-9x-2$의 그래프 그리기

$f(x)=g(x)$에서

$4x^3-2=x^3+9x+a$

$\therefore 3x^3-9x-2=a$

$h(x)=3x^3-9x-2$로 놓으면

$h'(x)=9x^2-9=9(x+1)(x-1)$

$h'(x)=0$에서 $x=-1$ 또는 $x=1$

함수 $h(x)$의 증가와 감소를 표로 나타내면 다음과 같다.

x	$\cdots$	-1	$\cdots$	1	$\cdots$
$h'(x)$	$+$	0	$-$	0	$+$
$h(x)$	↗	4	↘	-8	↗

따라서 함수 $y=h(x)$의 그래프는 오른쪽 그림과 같다.

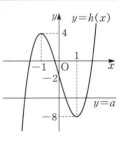

STEP2 정수 a의 개수 구하기
주어진 방정식이 서로 다른 두 개의 양의 실근과 한 개의 음의 실근을 가지려면 $y=h(x)$의 그래프와 직선 $y=a$의 교점의 x좌표가 1개는 음수이고 2개는 양수이어야 하므로
$$-8<a<-2$$
따라서 정수 a의 개수는 $-7, -6, \cdots, -3$의 5이다.

02-3 답 26

해결전략 | $f(k)$는 함수 $y=2x^3-6x^2$의 그래프와 직선 $y=k$의 교점 중 x좌표가 양수인 점의 개수임을 이용한다.

STEP1 $y=2x^3-6x^2$의 그래프 그리기
$2x^3-6x^2-k=0$에서 $2x^3-6x^2=k$
$g(x)=2x^3-6x^2$으로 놓으면
$g'(x)=6x^2-12x=6x(x-2)$
$g'(x)=0$에서 $x=0$ 또는 $x=2$
함수 $g(x)$의 증가와 감소를 표로 나타내면 다음과 같다.

x	$\cdots$	0	$\cdots$	2	$\cdots$
$g'(x)$	$+$	0	$-$	0	$+$
$g(x)$	↗	0	↘	-8	↗

따라서 함수 $y=g(x)$의 그래프는 오른쪽 그림과 같다.

STEP2 $f(k)$의 값 구하기
$f(k)$는 $y=g(x)$의 그래프와 직선 $y=k$의 교점 중 x좌표가 양수인 점의 개수이므로
$k<-8$이면 $f(k)=0$
$k=-8$이면 $f(k)=1$
$-8<k<0$이면 $f(k)=2$
$k\geq0$이면 $f(k)=1$

STEP3 식의 값 구하기
$$\therefore f(-10)+f(-9)+f(-8)+\cdots+f(10)$$
$$=0\times2+1+2\times7+1\times11=26$$

02-4 답 8

해결전략 | 함수 $y=-2x^3-6x^2$의 그래프와 직선 $y=a$의 교점 중 2개의 x좌표가 $-2\leq x\leq2$를 만족시키는 a의 값의 범위를 구한다.

STEP1 $y=-2x^3-6x^2$의 그래프 그리기
$2x^3+6x^2+a=0$에서 $-2x^3-6x^2=a$
$f(x)=-2x^3-6x^2$으로 놓으면
$f'(x)=-6x^2-12x=-6x(x+2)$
$f'(x)=0$에서 $x=-2$ 또는 $x=0$
함수 $f(x)$의 증가와 감소를 표로 나타내면 다음과 같다.

x	$\cdots$	-2	$\cdots$	0	$\cdots$
$f'(x)$	$-$	0	$+$	0	$-$
$f(x)$	↘	-8	↗	0	↘

따라서 함수 $y=f(x)$의 그래프는 오른쪽 그림과 같다.

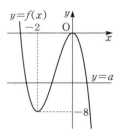

STEP2 정수 a의 개수 구하기
주어진 방정식이 $-2\leq x\leq2$에서 서로 다른 두 실근을 가지려면 $y=f(x)$의 그래프와 직선 $y=a$의 교점이 3개이고 교점 중 2개의 x좌표가 $-2\leq x\leq2$를 만족시켜야 하므로
$$-8\leq a<0 \quad \longrightarrow a=0이면 -2\leq x\leq2에서 한 실근(중근)을 갖는다.$$
따라서 정수 a의 개수는 $-8, -7, \cdots, -1$의 8이다.

02-5 답 ㄱ, ㄷ

해결전략 | $y=f'(x)$의 그래프를 이용하여 $y=f(x)$의 그래프의 개형을 그린다.

STEP1 $y=f(x)$의 그래프 그리기
$y=f'(x)$의 그래프에서 $f'(-1)=f'(2)=0$
함수 $f(x)$의 증가와 감소를 표로 나타내면 다음과 같다.

x	$\cdots$	-1	$\cdots$	2	$\cdots$
$f'(x)$	$+$	0	$-$	0	$+$
$f(x)$	↗	극대	↘	극소	↗

따라서 함수 $f(x)$는 $x=-1$에서 극대, $x=2$에서 극소이므로 $y=f(x)$의 그래프의 개형은 오른쪽 그림과 같다.

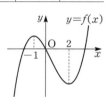

STEP2 보기의 참, 거짓 판별하기
ㄱ. $a>f(-1)$이면 직선 $y=a$는 $y=f(x)$의 그래프와 한 점에서 만나고 교점의 x좌표가 양수이므로 방정식 $f(x)=a$는 한 개의 양의 실근을 갖는다. (참)

ㄴ. $f(2)<a<f(0)$이면 방정식 $f(x)=a$는 서로 다른 두 개의 양의 실근과 한 개의 음의 실근을 갖고, $f(0)<a<f(-1)$이면 서로 다른 두 개의 음의 실근과 한 개의 양의 실근을 갖는다. (거짓)

ㄷ. $a=f(2)$이면 직선 $y=a$는 $y=f(x)$의 그래프와 두 점에서 만나고 교점의 x좌표가 1개는 2, 1개는 음수이므로 방정식 $f(x)=a$는 한 개의 양의 실근과 한 개의 음의 실근을 갖는다. (참)

따라서 옳은 것은 ㄱ, ㄷ이다.

02-6 답 $a>1$

해결전략 | $g(x)=0$의 두 실근이 α, β이면 $g(f(x))=0$의 근은 $f(x)=\alpha$, $f(x)=\beta$의 근임을 이용한다.

STEP1 $y=f(x)$의 그래프의 조건 구하기

$(g \circ f)(x)=g(f(x))=0$에서
$\{f(x)\}^2+5a^2 f(x)=0$, $f(x)\{f(x)+5a^2\}=0$
$\therefore f(x)=0$ 또는 $f(x)=-5a^2$

따라서 주어진 방정식이 한 개의 양의 실근과 한 개의 음의 실근을 가지려면 함수 $y=f(x)$의 그래프와 직선 함수 $y=0$, $y=-5a^2$의 교점의 x좌표가 1개는 양수, 1개는 음수이어야 한다.

STEP2 $y=f(x)$의 그래프 그리기

$f(x)=x^3-3x^2-a$에서
$f'(x)=3x^2-6x=3x(x-2)$
$f'(x)=0$에서 $x=0$ 또는 $x=2$
함수 $f(x)$의 증가와 감소를 표로 나타내면 다음과 같다.

x	$\cdots$	0	$\cdots$	2	$\cdots$
$f'(x)$	$+$	0	$-$	0	$+$
$f(x)$	$\nearrow$	$-a$	$\searrow$	$-a-4$	$\nearrow$

STEP3 a의 값의 범위 구하기

$-a \geq 0$, 즉 $a \leq 0$이면 $y=f(x)$의 그래프는 x축, 즉 직선 $y=0$과 2개 이상의 점에서 만나므로 조건을 만족시키지 않는다.
$\therefore a>0$ ...... ㉠
따라서 함수 $y=f(x)$의 그래프는 오른쪽 그림과 같다.

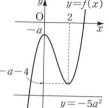

이때 $y=f(x)$의 그래프와 직선 $y=0$의 교점이 1개이고 교점의 x좌표가 양수이므로 $y=f(x)$의 그래프와 직선 $y=-5a^2$의 교점이 1개이고 교점의 x좌표가 음수이어야 한다.

$-5a^2<-a-4$, $5a^2-a-4>0$
$(5a+4)(a-1)>0$
$\therefore a<-\dfrac{4}{5}$ 또는 $a>1$ ...... ㉡

㉠, ㉡에서 $a>1$

필수유형 **03**   195쪽

03-1 답 15

해결전략 | (극댓값)$\times$(극솟값)<0인 k의 값의 범위를 구한다.

STEP1 증감표 작성하기

$f(x)=4x^3-12x+k$로 놓으면
$f'(x)=12x^2-12=12(x+1)(x-1)$
$f'(x)=0$에서 $x=-1$ 또는 $x=1$
함수 $f(x)$의 증가와 감소를 표로 나타내면 다음과 같다.

x	$\cdots$	-1	$\cdots$	1	$\cdots$
$f'(x)$	$+$	0	$-$	0	$+$
$f(x)$	$\nearrow$	$k+8$	$\searrow$	$k-8$	$\nearrow$

STEP2 정수 k의 개수 구하기

주어진 방정식이 서로 다른 세 실근을 가지려면
$(k+8)(k-8)<0$
$\therefore -8<k<8$
따라서 정수 k의 개수는 $-7, -6, \cdots, 7$의 15이다.

03-2 답 12

해결전략 | (극댓값)$\times$(극솟값)$=0$인 k의 값을 구한다.

STEP1 증감표 작성하기

$f(x)=x^3-x^2-8x+k$로 놓으면
$f'(x)=3x^2-2x-8=(3x+4)(x-2)$
$f'(x)=0$에서 $x=-\dfrac{4}{3}$ 또는 $x=2$
함수 $f(x)$의 증가와 감소를 표로 나타내면 다음과 같다.

x	$\cdots$	$-\dfrac{4}{3}$	$\cdots$	2	$\cdots$
$f'(x)$	$+$	0	$-$	0	$+$
$f(x)$	$\nearrow$	$k+\dfrac{176}{27}$	$\searrow$	$k-12$	$\nearrow$

STEP2 k의 값 구하기

주어진 방정식의 서로 다른 실근의 개수가 2이려면
$\left(k+\dfrac{176}{27}\right)(k-12)=0$
$\therefore k=12 \ (\because k>0)$

03-3 답 21

해결전략 | (극댓값)×(극솟값)>0인 a의 값의 범위를 구한다.

STEP1 증감표 작성하기

$f(x)=2x^3-3x^2-12x+a$로 놓으면

$f'(x)=6x^2-6x-12=6(x+1)(x-2)$

$f'(x)=0$에서 $x=-1$ 또는 $x=2$

함수 $f(x)$의 증가와 감소를 표로 나타내면 다음과 같다.

x	$\cdots$	-1	$\cdots$	2	$\cdots$
$f'(x)$	$+$	0	$-$	0	$+$
$f(x)$	↗	$a+7$	↘	$a-20$	↗

STEP2 자연수 a의 최솟값 구하기

주어진 방정식이 한 개의 실근을 가지려면

$(a+7)(a-20)>0$

$\therefore a<-7$ 또는 $a>20$

따라서 자연수 a의 최솟값은 21이다.

03-4 답 ④

해결전략 | 방정식 $f(x)=0$의 해의 조건을 만족시키는 함수 $f(x)$의 극값의 부호를 구한다.

STEP1 증감표 작성하기

$y=f'(x)$의 그래프에서 $f'(\alpha)=0$, $f'(\beta)=0$

함수 $f(x)$의 증가와 감소를 표로 나타내면 다음과 같다.

x	$\cdots$	α	$\cdots$	β	$\cdots$
$f'(x)$	$+$	0	$-$	0	$+$
$f(x)$	↗	극대	↘	극소	↗

STEP2 $f(\alpha)$, $f(\beta)$의 부호 구하기

방정식 $f(x)=0$이 서로 다른 세 실근을 가지므로

$f(\alpha)f(\beta)<0$

$\therefore f(\alpha)>0$, $f(\beta)<0$ $(\because f(\alpha)>f(\beta))$

STEP3 옳은 것 찾기

① $f(\alpha)+f(\beta)$의 값의 부호는 알 수 없다.

② $f(\alpha)-f(\beta)>0$

③ $\{f(\alpha)\}^2-\{f(\beta)\}^2$의 값의 부호는 알 수 없다.

④ $f(\alpha)-f(\beta)>0$이므로 $\{f(\alpha)\}^3-\{f(\beta)\}^3>0$

⑤ $f(0)$의 값의 부호를 알 수 없으므로 $f(\alpha)f(0)f(\beta)$의 값의 부호는 알 수 없다.

03-5 답 12

해결전략 | 삼차방정식이 서로 다른 두 실근을 가지면 한 실근과 중근을 갖는 것이므로 (극댓값)×(극솟값)=0이다.

STEP1 증감표 작성하기

$f(x)=\dfrac{1}{3}mx^3-\dfrac{1}{2}nx^2+1$로 놓으면

$f'(x)=mx^2-nx=x(mx-n)$

$f'(x)=0$에서 $x=0$ 또는 $x=\dfrac{n}{m}$

함수 $f(x)$의 증가와 감소를 표로 나타내면 다음과 같다.

x	$\cdots$	0	$\cdots$	$\dfrac{n}{m}$	$\cdots$
$f'(x)$	$+$	0	$-$	0	$+$
$f(x)$	↗	1	↘	$1-\dfrac{n^3}{6m^2}$	↗

STEP2 $m+n$의 값 구하기

주어진 방정식이 서로 다른 두 실근을 가지려면

$1-\dfrac{n^3}{6m^2}=0 \qquad \therefore n^3=6m^2$

이때 m, n은 한 자리 자연수이므로

$m=6$, $n=6$

$\therefore m+n=6+6=12$

필수유형 **04**   197쪽

04-1 답 $-20<k<7$

해결전략 | 곡선 $y=f(x)$와 직선 $y=-k$의 교점의 개수를 이용한다.

STEP1 곡선 $y=f(x)$와 직선 $y=-k$로 변형하기

곡선 $y=2x^3+3x^2-10x$와 직선 $y=2x-k$가 서로 다른 세 점에서 만나려면 방정식 $2x^3+3x^2-10x=2x-k$, 즉 $2x^3+3x^2-12x=-k$가 서로 다른 세 실근을 가져야 한다.

따라서 $f(x)=2x^3+3x^2-12x$로 놓으면 곡선 $y=f(x)$와 직선 $y=-k$가 서로 다른 세 점에서 만나야 한다.

STEP2 $y=f(x)$의 그래프 그리기

$f'(x)=6x^2+6x-12=6(x+2)(x-1)$이므로

$f'(x)=0$에서 $x=-2$ 또는 $x=1$

함수 $f(x)$의 증가와 감소를 표로 나타내면 다음과 같다.

x	$\cdots$	-2	$\cdots$	1	$\cdots$
$f'(x)$	$+$	0	$-$	0	$+$
$f(x)$	↗	20	↘	-7	↗

따라서 함수 $y=f(x)$의 그래프는 오른쪽 그림과 같다.

STEP3 k의 값의 범위 구하기

직선 $y=-k$가 $y=f(x)$의 그래프와 서로 다른 세 점에서 만나려면

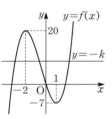

$-7 < -k < 20$

$\therefore -20 < k < 7$

◉→ 다른 풀이

방정식 $2x^3 + 3x^2 - 10x = 2x - k$, 즉

$2x^3 + 3x^2 - 12x + k = 0$이 서로 다른 세 실근을 가져야

하므로 $g(x) = 2x^3 + 3x^2 - 12x + k$로 놓으면

$g'(x) = 6x^2 + 6x - 12 = 6(x+2)(x-1)$

$g'(x) = 0$에서 $x = -2$ 또는 $x = 1$

따라서 방정식 $g(x) = 0$이 서로 다른 세 실근을 가지려면

$g(-2)g(1) < 0$, $(k+20)(k-7) < 0$

$\therefore -20 < k < 7$

04-2 답 2

해결전략 | 곡선 $y = f(x)$와 직선 $y = 2a$의 교점의 개수를 이용한다.

STEP1 곡선 $y = f(x)$와 직선 $y = 2a$로 변형하기

두 곡선 $y = x^3 - 3x^2$, $y = 3x^2 - 9x + 2a$가 서로 다른 두 점에서 만나려면 방정식 $x^3 - 3x^2 = 3x^2 - 9x + 2a$,

즉 $x^3 - 6x^2 + 9x = 2a$가 서로 다른 두 실근을 가져야 한다.

따라서 $f(x) = x^3 - 6x^2 + 9x$로 놓으면 곡선 $y = f(x)$와 직선 $y = 2a$가 서로 다른 두 점에서 만나야 한다.

STEP2 $y = f(x)$의 그래프 그리기

$f'(x) = 3x^2 - 12x + 9 = 3(x-1)(x-3)$이므로

$f'(x) = 0$에서 $x = 1$ 또는 $x = 3$

함수 $f(x)$의 증가와 감소를 표로 나타내면 다음과 같다.

x	$\cdots$	1	$\cdots$	3	$\cdots$
$f'(x)$	$+$	0	$-$	0	$+$
$f(x)$	↗	4	↘	0	↗

따라서 함수 $y = f(x)$의 그래프는 오른쪽 그림과 같다.

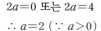

STEP3 a의 값 구하기

직선 $y = 2a$가 $y = f(x)$의 그래프와 서로 다른 두 점에서 만나려면

$2a = 0$ 또는 $2a = 4$

$\therefore a = 2 \; (\because a > 0)$

◉→ 다른 풀이

방정식 $x^3 - 3x^2 = 3x^2 - 9x + 2a$,

즉 $x^3 - 6x^2 + 9x - 2a = 0$이 서로 다른 두 실근을 가져야

하므로 $g(x) = x^3 - 6x^2 + 9x - 2a$로 놓으면

$g'(x) = 3x^2 - 12x + 9 = 3(x-1)(x-3)$

$g'(x) = 0$에서 $x = 1$ 또는 $x = 3$

따라서 방정식 $g(x) = 0$이 서로 다른 두 실근을 가지려면

$g(1)g(3) = 0$, $(4-2a) \times (-2a) = 0$

$a(a-2) = 0$

$\therefore a = 2 \; (\because a > 0)$

04-3 답 6

해결전략 | 그래프의 교점의 개수가 4가 되도록 하는 k의 값의 범위를 a에 대한 식으로 나타낸다.

STEP1 곡선 $y = h(x)$와 직선 $y = k$로 변형하기

$f(x) = x^4 + a$, $g(x) = 4x^2 + k$의 그래프의 교점의 개수가 4이려면 방정식 $x^4 + a = 4x^2 + k$, 즉 $x^4 - 4x^2 + a = k$가 서로 다른 네 실근을 가져야 한다.

따라서 $h(x) = x^4 - 4x^2 + a$로 놓으면 곡선 $y = h(x)$와 직선 $y = k$가 서로 다른 네 점에서 만나야 한다.

STEP2 $y = h(x)$의 그래프 그리기

$h'(x) = 4x^3 - 8x = 4x(x+\sqrt{2})(x-\sqrt{2})$이므로

$h'(x) = 0$에서 $x = -\sqrt{2}$ 또는 $x = 0$ 또는 $x = \sqrt{2}$

함수 $h(x)$의 증가와 감소를 표로 나타내면 다음과 같다.

x	$\cdots$	$-\sqrt{2}$	$\cdots$	0	$\cdots$	$\sqrt{2}$	$\cdots$
$h'(x)$	$-$	0	$+$	0	$-$	0	$+$
$h(x)$	↘	$a-4$	↗	a	↘	$a-4$	↗

따라서 함수 $y = h(x)$의 그래프는 오른쪽 그림과 같다.

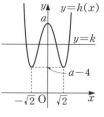

STEP3 a의 값 구하기

직선 $y = k$와 $y = h(x)$의 그래프가 서로 다른 네 점에서 만나려면

$a - 4 < k < a$

따라서 정수 k의 최솟값은 $a-3$이므로

$a - 3 = 3$

$\therefore a = 6$

04-4 답 $a > -3$

해결전략 | a의 값의 범위를 나누어 곡선 $y = 2x^3 - ax^2 - 1$의 개형을 그려 본다.

STEP1 곡선 $y = f(x)$의 조건으로 변형하기

두 곡선 $y = 2x^3 - 1$, $y = ax^2$이 한 점에서 만나려면 방정식 $2x^3 - 1 = ax^2$, 즉 $2x^3 - ax^2 - 1 = 0$이 오직 하나의 실근을 가져야 한다.

따라서 $f(x) = 2x^3 - ax^2 - 1$로 놓으면 곡선 $y = f(x)$가 x축과 한 점에서 만나야 한다.

$f'(x)=6x^2-2ax=2x(3x-a)$이므로 $f'(x)=0$에서

$x=0$ 또는 $x=\dfrac{a}{3}$

(i) $a>0$일 때

　함수 $f(x)$의 증가와 감소를 표로 나타내면 다음과 같다.

x	$\cdots$	0	$\cdots$	$\dfrac{a}{3}$	$\cdots$
$f'(x)$	$+$	0	$-$	0	$+$
$f(x)$	↗	-1	↘	$-\dfrac{a^3}{27}-1$	↗

　따라서 함수 $y=f(x)$의 그래프
는 오른쪽 그림과 같으므로 x축
과 한 점에서 만난다.

(ii) $a=0$일 때

　$f'(x)\geq0$에서 함수 $f(x)$는 증
가하는 함수이므로 $y=f(x)$의 그래프는 x축과 한 점
에서 만난다.

(iii) $a<0$일 때,

　함수 $f(x)$의 증가와 감소를 표로 나타내면 다음과 같다.

x	$\cdots$	$\dfrac{a}{3}$	$\cdots$	0	$\cdots$
$f'(x)$	$+$	0	$-$	0	$+$
$f(x)$	↗	$-\dfrac{a^3}{27}-1$	↘	-1	↗

　따라서 오른쪽 그림에서

　$-\dfrac{a^3}{27}-1<0$

　$a^3+27>0$

　$(a+3)(a^2-3a+9)>0$

　$\therefore -3<a<0\ (\because a^2-3a+9>0)$

(i)～(iii)에 의하여 $a>-3$

◉→ 다른 풀이

$f(x)=2x^3-ax^2-1$로 놓으면

$f'(x)=6x^2-2ax=2x(3x-a)$

$f'(x)=0$에서 $x=0$ 또는 $x=\dfrac{a}{3}$

(i) $a=0$일 때

　함수 $f(x)$가 극값을 갖지 않으므로 방정식 $f(x)=0$
은 오직 하나의 실근을 갖는다.

(ii) $a\neq0$일 때

　함수 $f(x)$는 $x=0$, $x=\dfrac{a}{3}$에서 극값을 가지므로 방
정식 $f(x)=0$이 오직 하나의 실근을 가지려면

　$f(0)f\left(\dfrac{a}{3}\right)>0$, $(-1)\times\left(-\dfrac{a^3}{27}-1\right)>0$

$\dfrac{1}{27}a^3+1>0$, $a^3+27>0$

$(a+3)(a^2-3a+9)>0$

$\therefore -3<a<0$ 또는 $a>0\ (\because a^2-3a+9>0)$

(i), (ii)에 의하여 $a>-3$

04-5　답 19

해결전략 | 주어진 조건을 이용하여 함수 $f(x)$의 극값을 구
한다.

STEP 1 $f(x)$의 극값 구하기

조건 ㈎에서 $x \longrightarrow 0$일 때, (분모) $\longrightarrow 0$이고 극한값이 존
재하므로 (분자) $\longrightarrow 0$이다.

즉, $\displaystyle\lim_{x\to0}\{f(x)-3\}=0$　$\therefore f(0)=3$

$\therefore \displaystyle\lim_{x\to0}\dfrac{f(x)-3}{x}=\lim_{x\to0}\dfrac{f(x)-f(0)}{x}=f'(0)=0$

또, 조건 ㈏에서 곡선 $y=f(x)$와 직선 $y=-1$의 교점의
개수가 2이므로 함수 $f(x)$는 극값 -1을 갖는다.

STEP 2 $f(x)$의 계수 구하기

$f(x)=x^3+ax^2+bx+c\ (a,\ b,\ c$는 상수$)$로 놓으면

$f(0)=3$에서 $c=3$

$f'(x)=3x^2+2ax+b$이므로 $f'(0)=0$에서

$b=0$

따라서 $f'(x)=3x^2+2ax=x(3x+2a)$이므로

$f'(x)=0$에서 $x=0$ 또는 $x=-\dfrac{2a}{3}$

이때 $f(0)=3$이므로 함수 $f(x)$는 $x=-\dfrac{2a}{3}$에서 극값
-1을 가지므로　→ $x=0$에서 극값을 갖고 $f(0)=3$이니까 $x=-\frac{2}{3}a$에서 극값 -1을 가져야 해.

$f\left(-\dfrac{2a}{3}\right)=-\dfrac{8}{27}a^3+\dfrac{4}{9}a^3+3=-1$

$\dfrac{4}{27}a^3=-4$, $a^3=-27$

$\therefore a=-3\ (\because a$는 실수$)$

STEP 3 $f(4)$의 값 구하기

따라서 $f(x)=x^3-3x^2+3$이므로

$f(4)=64-48+3=19$

04-6　답 -14

해결전략 | 접점을 미지수로 놓고, 접선의 방정식을 세운 다
음 방정식이 서로 다른 세 실근을 가짐을 이용한다.

STEP 1 접선의 방정식 세우기

$f(x)=x^3+6x^2+11x-3$으로 놓으면

$f'(x)=3x^2+12x+11$

접점의 좌표를 $(t,\ t^3+6t^2+11t-3)$이라고 하면

$f'(t)=3t^2+12t+11$이므로 접선의 방정식은

$y-(t^3+6t^2+11t-3)=(3t^2+12t+11)(x-t)$

이 직선이 점 $(0,\ k)$를 지나므로

$k-(t^3+6t^2+11t-3)=-3t^3-12t^2-11t$

$\therefore 2t^3+6t^2+k+3=0$ ...... ㉠

STEP 2 $g(t)$의 증감표 작성하기

점 $(0,\ k)$에서 곡선 $y=f(x)$에 서로 다른 세 개의 접선을 그으려면 접점이 3개이어야 하므로 방정식 ㉠이 서로 다른 세 실근을 가져야 한다.

$g(t)=2t^3+6t^2+k+3$으로 놓으면

$g'(t)=6t^2+12t=6t(t+2)$

$g'(t)=0$에서 $t=-2$ 또는 $t=0$

함수 $g(t)$의 증가와 감소를 표로 나타내면 다음과 같다.

t	$\cdots$	-2	$\cdots$	0	$\cdots$
$g'(t)$	$+$	0	$-$	0	$+$
$g(t)$	↗	$k+11$	↘	$k+3$	↗

STEP 3 $\alpha+\beta$의 값 구하기

방정식 $g(t)=0$이 서로 다른 세 실근을 가지려면

$(k+11)(k+3)<0$

$\therefore -11<k<-3$

즉, $\alpha=-11$, $\beta=-3$이므로

$\alpha+\beta=-11+(-3)=-14$

필수유형 05 199쪽

05-1 답 풀이 참조

해결전략 | $f(x)$의 최솟값 >0임을 보인다.

STEP 1 $f(x)$의 최솟값 구하기

$f(x)=x^4-4x+4$로 놓으면

$f'(x)=4x^3-4=4(x-1)(x^2+x+1)$

$f'(x)=0$에서 $x=1$ $(\because x^2+x+1>0)$

함수 $f(x)$의 증가와 감소를 표로 나타내면 다음과 같다.

x	$\cdots$	1	$\cdots$
$f'(x)$	$-$	0	$+$
$f(x)$	↘	1	↗

함수 $f(x)$는 $x=1$에서 극소이면서 최소이므로 최솟값은

$f(1)=1$

STEP 2 부등식이 성립함을 보이기

따라서 모든 실수 x에 대하여 $f(x)>0$이므로 부등식

$x^4-4x+4>0$이 성립한다.

05-2 답 2

해결전략 | $f(x)$의 최솟값 ≥ 0임을 이용한다.

STEP 1 $f(x)$의 최솟값 구하기

$f(x)=2x^4-4x^2+k$로 놓으면

$f'(x)=8x^3-8x=8x(x+1)(x-1)$

$f'(x)=0$에서 $x=-1$ 또는 $x=0$ 또는 $x=1$

함수 $f(x)$의 증가와 감소를 표로 나타내면 다음과 같다.

x	$\cdots$	-1	$\cdots$	0	$\cdots$	1	$\cdots$
$f'(x)$	$-$	0	$+$	0	$-$	0	$+$
$f(x)$	↘	$k-2$	↗	k	↘	$k-2$	↗

함수 $f(x)$는 $x=-1$ 또는 $x=1$에서 최소이므로 최솟값은

$f(-1)=f(1)=k-2$

STEP 2 k의 최솟값 구하기

따라서 모든 실수 x에 대하여 부등식

$f(x)\geq 0$, 즉 $2x^4-4x^2+k\geq 0$

이 성립하려면

$k-2\geq 0$

$\therefore k\geq 2$

즉, k의 최솟값은 2이다.

05-3 답 $-2<k<2$

해결전략 | $f(x)$의 최솟값 >0임을 이용한다.

STEP 1 $f(x)$의 최솟값 구하기

$f(x)=x^4+4k^3x+48$로 놓으면

$f'(x)=4x^3+4k^3=4(x+k)(x^2-kx+k^2)$

$f'(x)=0$에서 $x=-k$ $(\because x^2-kx+k^2>0)$

함수 $f(x)$의 증가와 감소를 표로 나타내면 다음과 같다.

x	$\cdots$	$-k$	$\cdots$
$f'(x)$	$-$	0	$+$
$f(x)$	↘	$-3k^4+48$	↗

함수 $f(x)$는 $x=-k$에서 극소이면서 최소이므로 최솟값은

$f(-k)=-3k^4+48$

STEP 2 k의 값의 범위 구하기

따라서 모든 실수 x에 대하여 부등식

$f(x)>0$, 즉 $x^4+4k^3x+48>0$

이 성립하려면

$-3k^4+48>0$, $k^4-16<0$

$(k^2+4)(k+2)(k-2)<0$

$\therefore -2<k<2$ $(\because k^2+4>0)$

05-4 답 6

해결전략 | $(f(x)$의 최솟값)≥0임을 이용한다.

STEP1 $f(x)$의 최솟값 구하기

$f(x)=x^4-4x-a^2+a+9$로 놓으면

$f'(x)=4x^3-4=4(x-1)(x^2+x+1)$

$f'(x)=0$에서 $x=1$ ($\because x^2+x+1>0$)

함수 $f(x)$의 증가와 감소를 표로 나타내면 다음과 같다.

x	$\cdots$	1	$\cdots$
$f'(x)$	$-$	0	$+$
$f(x)$	$\searrow$	$-a^2+a+6$	$\nearrow$

함수 $f(x)$는 $x=1$에서 극소이면서 최소이므로 최솟값은

$f(1)=-a^2+a+6$

STEP2 정수 a의 개수 구하기

따라서 모든 실수 x에 대하여 부등식

$f(x)\geq0$, 즉 $x^4-4x-a^2+a+9\geq0$

이 성립하려면

$-a^2+a+6\geq0$, $(a+2)(a-3)\leq0$

$\therefore -2\leq a\leq3$

따라서 정수 a의 개수는 -2, -1, $\cdots$, 3의 6이다.

05-5 답 4

해결전략 | $(f(x)$의 최솟값)>0임을 이용한다.

STEP1 $f(x)$의 최솟값 구하기

$f(x)=x^4+2ax^2-4(a+1)x+a^2$으로 놓으면

$f'(x)=4x^3+4ax-4a-4=4(x-1)(x^2+x+a+1)$

$f'(x)=0$에서 $x=1$ ($\because a>0$이므로 $x^2+x+a+1>0$)

함수 $f(x)$의 증가와 감소를 표로 나타내면 다음과 같다.

x	$\cdots$	1	$\cdots$
$f'(x)$	$-$	0	$+$
$f(x)$	$\searrow$	a^2-2a-3	$\nearrow$

함수 $f(x)$는 $x=1$에서 극소이면서 최소이므로 최솟값은

$f(1)=a^2-2a-3$

STEP2 자연수 a의 최솟값 구하기

따라서 모든 실수 x에 대하여 부등식

$f(x)>0$, 즉 $x^4+2ax^2-4(a+1)x+a^2>0$

이 성립하려면

$a^2-2a-3>0$, $(a+1)(a-3)>0$

$\therefore a<-1$ 또는 $a>3$

따라서 자연수 a의 최솟값은 4이다.

05-6 답 $k\geq3$

해결전략 | $(f(x)$의 최솟값)≥0임을 이용한다.

STEP1 $f(x)$의 최솟값 구하기

$f(x)=x^4+2(2k-3)x^2+8(2k+1)x+8k^2$으로 놓으면

$f'(x)=4x^3+4(2k-3)x+16k+8$

$\qquad=4(x+2)(x^2-2x+2k+1)$

$f'(x)=0$에서 $x=-2$ ($\because x^2-2x+2k+1>0$)

함수 $f(x)$의 증가와 감소를 표로 나타내면 다음과 같다.

x	$\cdots$	-2	$\cdots$
$f'(x)$	$-$	0	$+$
$f(x)$	$\searrow$	$8k^2-16k-24$	$\nearrow$

함수 $f(x)$는 $x=-2$에서 극소이면서 최소이므로 최솟값은

$f(-2)=8k^2-16k-24$

STEP2 k의 값의 범위 구하기

따라서 모든 실수 x에 대하여 부등식

$f(x)\geq0$, 즉 $x^4+2(2k-3)x^2+8(2k+1)x+8k^2\geq0$

이 성립하려면

$8k^2-16k-24\geq0$, $(k+1)(k-3)\geq0$

$\therefore k\geq3$ ($\because k>0$)

필수유형 06   201쪽

06-1 답 풀이 참조

해결전략 | $x\geq0$에서 $(f(x)$의 최솟값)≥0임을 보인다.

STEP1 $x\geq0$에서 $f(x)$의 최솟값 구하기

$f(x)=x^3-x^2-x+1$로 놓으면

$f'(x)=3x^2-2x-1=(3x+1)(x-1)$

$f'(x)=0$에서 $x=1$ ($\because x\geq0$)

$x\geq0$에서 함수 $f(x)$의 증가와 감소를 표로 나타내면 다음과 같다.

x	0	$\cdots$	1	$\cdots$
$f'(x)$		$-$	0	$+$
$f(x)$	1	$\searrow$	0	$\nearrow$

$x\geq0$에서 함수 $f(x)$는 $x=1$일 때 극소이면서 최소이므로 최솟값은

$f(1)=0$

STEP2 부등식이 성립함을 보이기

따라서 $x\geq0$에서 $f(x)\geq0$이므로 부등식

$x^3-x^2-x+1\geq0$이 성립한다.

06-2 답 $k \leq -2$

해결전략 | $x \geq -1$에서 $(f(x)$의 최솟값$) \geq 0$임을 이용한다.

STEP1 $x \geq -1$에서 $f(x)$의 최솟값 구하기

$f(x) = x^3 - 3x - k$로 놓으면

$f'(x) = 3x^2 - 3 = 3(x+1)(x-1)$

$f'(x) = 0$에서 $x = -1$ 또는 $x = 1$

$x \geq -1$에서 함수 $f(x)$의 증가와 감소를 표로 나타내면 다음과 같다.

x	-1	$\cdots$	1	$\cdots$
$f'(x)$	0	$-$	0	$+$
$f(x)$	$2-k$	$\searrow$	$-2-k$	$\nearrow$

$x \geq -1$에서 함수 $f(x)$는 $x = 1$일 때 극소이면서 최소이므로 최솟값은

$f(1) = -2-k$

STEP2 k의 값의 범위 구하기

따라서 $x \geq -1$에서 부등식 $f(x) \geq 0$, 즉 $x^3 - 3x - k \geq 0$이 성립하려면

$-2 - k \geq 0$

$\therefore k \leq -2$

06-3 답 -5

해결전략 | $1 < x < 3$에서 $(f(x)$의 최솟값$) > 0$임을 이용한다.

STEP1 $1 < x < 3$에서 $f(x)$의 최솟값 구하기

$f(x) = x^3 - 3x^2 - a$로 놓으면

$f'(x) = 3x^2 - 6x = 3x(x-2)$

$f'(x) = 0$에서 $x = 2$ ($\because 1 < x < 3$)

$1 < x < 3$에서 함수 $f(x)$의 증가와 감소를 표로 나타내면 다음과 같다.

x	(1)	$\cdots$	2	$\cdots$	(3)
$f'(x)$		$-$	0	$+$	
$f(x)$		$\searrow$	$-4-a$	$\nearrow$	

$1 < x < 3$에서 함수 $f(x)$는 $x = 2$일 때 극소이면서 최소이므로 최솟값은

$f(2) = -4 - a$

STEP2 정수 a의 최댓값 구하기

따라서 $1 < x < 3$에서 부등식

$f(x) > 0$, 즉 $x^3 - 3x^2 - a > 0$이 성립하려면

$-4 - a > 0$

$\therefore a < -4$

따라서 정수 a의 최댓값은 -5이다.

06-4 답 3

해결전략 | $x \geq 0$에서 $(f(x)$의 최솟값$) \geq 0$임을 이용한다.

STEP1 $x \geq 0$에서 $f(x)$의 최솟값 구하기

$f(x) = x^3 - kx^2 + 4$로 놓으면

$f'(x) = 3x^2 - 2kx = x(3x - 2k)$

$f'(x) = 0$에서 $x = 0$ 또는 $x = \dfrac{2}{3}k$

$x \geq 0$에서 함수 $f(x)$의 증가와 감소를 표로 나타내면 다음과 같다.

x	0	$\cdots$	$\dfrac{2}{3}k$	$\cdots$
$f'(x)$	0	$-$	0	$+$
$f(x)$	4	$\searrow$	$-\dfrac{4}{27}k^3 + 4$	$\nearrow$

$x \geq 0$에서 함수 $f(x)$는 $x = \dfrac{2}{3}k$일 때 극소이면서 최소이므로 최솟값은

$f\left(\dfrac{2}{3}k\right) = -\dfrac{4}{27}k^3 + 4$

STEP2 k의 최댓값 구하기

따라서 $x \geq 0$에서 부등식 $f(x) \geq 0$, 즉 $x^3 - kx^2 + 4 \geq 0$이 성립하려면

$-\dfrac{4}{27}k^3 + 4 \geq 0$, $k^3 - 27 \leq 0$

$(k-3)(k^2 + 3k + 9) \leq 0$

$\therefore 0 < k \leq 3$ ($\because k^2 + 3k + 9 > 0$, $k > 0$)

따라서 양수 k의 최댓값은 3이다.

06-5 답 $k \leq -2\sqrt{3}$ 또는 $k \geq 2\sqrt{3}$

해결전략 | $f'(x) > 0$이고 $f(a) \geq 0$이면 $x > a$에서 $f(x) > 0$이다.

STEP1 $x > 3$에서 $f'(x) > 0$임을 보이기

$f(x) = x^3 - 12x + k^2 - 3$으로 놓으면

$f'(x) = 3x^2 - 12 = 3(x+2)(x-2)$

따라서 $x > 3$에서 $f'(x) > 0$이므로 함수 $f(x)$는 증가한다.

STEP2 k의 값의 범위 구하기

$x > 3$에서 부등식 $f(x) > 0$이 성립하려면

$f(3) = k^2 - 12 \geq 0$

$k^2 \geq 12$ $\therefore k \leq -2\sqrt{3}$ 또는 $k \geq 2\sqrt{3}$

▶**참고** $f(3) = 0$이고 $f'(x) > 0$이면

$f(x) > f(3) = 0$

즉, 주어진 부등식이 성립한다.

따라서 $f(3) > 0$으로 생각하지 않도록 주의한다.

06-6 답 5

해결전략 | $x \geq 0$에서 $(f(x)$의 최솟값$) \geq 0$임을 이용한다.

STEP 1 $x \geq 0$에서 $f(x)$의 최솟값 구하기

$f(x) = x^{n+1} - (n+1)x - n(n-6)$으로 놓으면

$f'(x) = (n+1)x^n - (n+1) = (n+1)(x^n - 1)$

$f'(x) = 0$에서 $x = 1$ $(\because x \geq 0)$

$x \geq 0$에서 함수 $f(x)$의 증가와 감소를 표로 나타내면 다음과 같다.

x	0	$\cdots$	1	$\cdots$
$f'(x)$		$-$	0	$+$
$f(x)$		$\searrow$	$-n^2+5n$	$\nearrow$

$x \geq 0$에서 함수 $f(x)$는 $x = 1$일 때 극소이면서 최소이므로 최솟값은

$f(1) = -n^2 + 5n$

STEP 2 자연수 n의 개수 구하기

따라서 $x \geq 0$에서 부등식 $f(x) \geq 0$, 즉

$x^{n+1} - (n+1)x - n(n-6) \geq 0$이 성립하려면

$-n^2 + 5n \geq 0$, $n(n-5) \leq 0$

$\therefore 0 \leq n \leq 5$

따라서 자연수 n의 개수는 1, 2, 3, 4, 5의 5이다.

▶**참고** $x^n = 1$의 실근은 n이 짝수이면 $x = \pm 1$, n이 홀수이면 $x = 1$
따라서 $x \geq 0$에서 $x^n = 1$, 즉 $x^n - 1 = 0$의 실근은 $x = 1$뿐이다.

필수유형 07
203쪽

07-1 답 $k > 20$

해결전략 | $(f(x) - g(x)$의 최솟값$) > 0$임을 이용한다.

STEP 1 $h(x) > 0$ 꼴로 나타내기

$f(x) > g(x)$에서

$3x^4 + 5x^3 - 4 > -3x^3 - k$

$\therefore 3x^4 + 8x^3 + k - 4 > 0$

$h(x) = 3x^4 + 8x^3 + k - 4$로 놓으면 모든 실수 x에 대하여 부등식 $h(x) > 0$이 성립해야 한다.

STEP 2 $h(x)$의 최솟값 구하기

$h'(x) = 12x^3 + 24x^2 = 12x^2(x+2)$이므로

$h'(x) = 0$에서 $x = -2$ 또는 $x = 0$

함수 $h(x)$의 증가와 감소를 표로 나타내면 다음과 같다.

x	$\cdots$	-2	$\cdots$	0	$\cdots$
$h'(x)$	$-$	0	$+$		$+$
$h(x)$	$\searrow$	$k-20$	$\nearrow$		$\nearrow$

함수 $h(x)$는 $x = -2$에서 극소이면서 최소이므로 최솟

값은

$h(-2) = k - 20$

STEP 3 k의 값의 범위 구하기

따라서 모든 실수 x에 대하여 부등식 $h(x) > 0$이 성립하려면

$k - 20 > 0$ $\qquad \therefore k > 20$

07-2 답 10

해결전략 | $(g(x) - f(x)$의 최솟값$) > 0$임을 이용한다.

STEP 1 부등식으로 나타내기

$y = f(x)$의 그래프가 $y = g(x)$의 그래프보다 항상 아래쪽에 있으므로 모든 실수 x에 대하여 부등식

$x^3 + 2x^2 - 12x < x^4 - 3x^3 + k$, 즉

$x^4 - 4x^3 - 2x^2 + 12x + k > 0$이 성립한다.

STEP 2 $g(x) - f(x)$의 최솟값 구하기

$h(x) = x^4 - 4x^3 - 2x^2 + 12x + k$로 놓으면

$h'(x) = 4x^3 - 12x^2 - 4x + 12 = 4(x+1)(x-1)(x-3)$

$h'(x) = 0$에서 $x = -1$ 또는 $x = 1$ 또는 $x = 3$

함수 $h(x)$의 증가와 감소를 표로 나타내면 다음과 같다.

x	$\cdots$	-1	$\cdots$	1	$\cdots$	3	$\cdots$
$h'(x)$	$-$	0	$+$	0	$-$	0	$+$
$h(x)$	$\searrow$	$k-9$	$\nearrow$	$k+7$	$\searrow$	$k-9$	$\nearrow$

함수 $h(x)$는 $x = -1$ 또는 $x = 3$에서 최소이므로 최솟값은

$h(-1) = h(3) = k - 9$

STEP 3 정수 k의 최솟값 구하기

따라서 모든 실수 x에 대하여 부등식 $h(x) > 0$이 성립하려면

$k - 9 > 0$ $\qquad \therefore k > 9$

따라서 정수 k의 최솟값은 10이다.

07-3 답 20

해결전략 | 주어진 범위에서 함수 $f(x) - g(x)$의 최솟값을 구한다.

STEP 1 $h(x) \geq 0$ 꼴로 나타내기

부등식 $f(x) \geq g(x)$에서 $x^3 - 3x^2 + a \geq -x^3 + 12x$

$\therefore 2x^3 - 3x^2 - 12x + a \geq 0$

$h(x) = 2x^3 - 3x^2 - 12x + a$로 놓으면 $1 < x < 3$에서 부등식 $h(x) \geq 0$이 항상 성립해야 한다.

STEP 2 $1 < x < 3$에서 $h(x)$의 최솟값 구하기

$h'(x) = 6x^2 - 6x - 12 = 6(x+1)(x-2)$이므로

$h'(x)=0$에서 $x=2$ $(\because 1<x<3)$

$1<x<3$에서 함수 $h(x)$의 증가와 감소를 표로 나타내면 다음과 같다.

x	1	$\cdots$	2	$\cdots$	3
$h'(x)$		$-$	0	$+$	
$h(x)$		$\searrow$	$a-20$	$\nearrow$	

$1<x<3$에서 함수 $h(x)$는 $x=2$일 때 극소이면서 최소이므로 최솟값은

$h(2)=a-20$

STEP 3 a의 최솟값 구하기

따라서 $1<x<3$에서 부등식 $h(x)\geq 0$이 성립하려면

$a-20\geq 0$ $\qquad \therefore a\geq 20$

따라서 실수 a의 최솟값은 20이다.

07-4 답 $k<-\dfrac{40}{27}$

해결전략 | 주어진 범위에서 $x^3-2x^2<4x-k$이어야 하므로 함수 x^3-2x^2-4x+k의 최댓값을 구한다.

STEP 1 부등식으로 나타내기

$-1\leq x\leq 1$에서 $y=x^3-2x^2$의 그래프가 직선 $y=4x-k$보다 아래쪽에 있으려면 $-1\leq x\leq 1$에서 부등식

$x^3-2x^2<4x-k$, 즉 $x^3-2x^2-4x+k<0$이 항상 성립해야 한다.

STEP 2 $f(x)$의 최댓값 구하기

$f(x)=x^3-2x^2-4x+k$로 놓으면

$f'(x)=3x^2-4x-4=(3x+2)(x-2)$

$f'(x)=0$에서 $x=-\dfrac{2}{3}$ $\left(\because -1\leq x\leq 1\right)$

$-1\leq x\leq 1$에서 함수 $f(x)$의 증가와 감소를 표로 나타내면 다음과 같다.

x	-1	$\cdots$	$-\dfrac{2}{3}$	$\cdots$	1
$f'(x)$		$+$	0	$-$	
$f(x)$	$k+1$	$\nearrow$	$k+\dfrac{40}{27}$	$\searrow$	$k-5$

$-1\leq x\leq 1$에서 함수 $f(x)$는 $x=-\dfrac{2}{3}$일 때 극대이면서 최대이므로 최댓값은

$f\left(-\dfrac{2}{3}\right)=k+\dfrac{40}{27}$

STEP 3 k의 값의 범위 구하기

따라서 $-1\leq x\leq 1$에서 부등식 $f(x)<0$이 성립하려면

$k+\dfrac{40}{27}<0$ $\qquad \therefore k<-\dfrac{40}{27}$

07-5 답 $k>7$

해결전략 | $f(x)$의 최솟값과 $g(x)$의 최댓값을 이용한다.

STEP 1 조건 파악하기

임의의 두 실수 x_1, x_2에 대하여 $f(x_1)>g(x_2)$가 성립하려면

$(f(x)$의 최솟값$)>(g(x)$의 최댓값$)$ $\qquad \cdots\cdots$ ㉠

이어야 한다.

STEP 2 $f(x)$의 최솟값 구하기

$f(x)=x^4-2x^2+k$에서

$f'(x)=4x^3-4x=4x(x+1)(x-1)$

$f'(x)=0$에서 $x=-1$ 또는 $x=0$ 또는 $x=1$

함수 $f(x)$의 증가와 감소를 표로 나타내면 다음과 같다.

x	$\cdots$	-1	$\cdots$	0	$\cdots$	1	$\cdots$
$f'(x)$	$-$	0	$+$	0	$-$	0	$+$
$f(x)$	$\searrow$	$k-1$	$\nearrow$	k	$\searrow$	$k-1$	$\nearrow$

함수 $f(x)$는 $x=-1$ 또는 $x=1$에서 최소이므로 최솟값은

$f(-1)=f(1)=k-1$

STEP 3 $g(x)$의 최댓값 구하기

$g(x)=-6x^2+12x=-6(x-1)^2+6$이므로 $g(x)$의 최댓값은 6이다.

STEP 4 k의 값의 범위 구하기

따라서 ㉠에서 $k-1>6$이어야 하므로

$k>7$

📍 풍쌤의 비법

임의의 두 실수 x_1, x_2와 두 함수 $f(x)$, $g(x)$에 대하여

① $f(x_1)>g(x_1)$
➡ $(f(x)-g(x)$의 최솟값$)>0$

② $f(x_1)>g(x_2)$
➡ $(f(x)$의 최솟값$)>(g(x)$의 최댓값$)$

07-6 답 34

해결전략 | 두 부등식 $f(x)-12x\leq k$, $g(x)-12x\geq k$가 항상 성립하기 위한 k의 값의 범위를 구한다.

STEP 1 부등식 변형하기

$f(x)\leq 12x+k\leq g(x)$에서

$f(x)-12x\leq k\leq g(x)-12x$

STEP 2 $f(x)-12x\leq k$가 항상 성립하도록 하는 k의 값의 범위 구하기

$F(x)=f(x)-12x$로 놓으면

$F(x)=-x^4-2x^3-x^2-12x$

$$\therefore F'(x) = -4x^3 - 6x^2 - 2x - 12$$
$$= -2(x+2)(2x^2 - x + 3)$$

$F'(x) = 0$에서 $x = -2$ $(\because 2x^2 - x + 3 > 0)$

함수 $F(x)$의 증가와 감소를 표로 나타내면 다음과 같다.

x	$\cdots$	-2	$\cdots$
$F'(x)$	$+$	0	$-$
$F(x)$	$\nearrow$	20	$\searrow$

함수 $F(x)$는 $x = -2$에서 극대이면서 최대이므로 최댓값은

$$F(-2) = 20$$

따라서 부등식 $F(x) \leq k$가 항상 성립하려면

$$k \geq 20$$

STEP 3 $g(x) - 12x \geq k$가 항상 성립하도록 하는 k의 값의 범위 구하기

$G(x) = g(x) - 12x$로 놓으면

$$G(x) = 3x^2 - 12x + a$$
$$= 3(x-2)^2 + a - 12$$

따라서 함수 $G(x)$의 최솟값이 $a - 12$이므로 부등식 $G(x) \geq k$가 항상 성립하려면

$$k \leq a - 12$$

STEP 4 a의 값 구하기

즉, $20 \leq k \leq a - 12$를 만족시키는 자연수 k의 개수가 3이므로

$$22 \leq a - 12 < 23$$
$$\therefore 34 \leq a < 35$$

따라서 자연수 a의 값은 34이다.

필수유형 08   205쪽

08-1 답 (1) 속도: -7, 가속도: 4 (2) 2

해결전략 | 위치를 미분하면 속도, 속도를 미분하면 가속도이고, 운동 방향을 바꿀 때 $v=0$임을 이용한다.

(1) **STEP 1** 시각 t에서의 속도, 가속도 구하기

점 P의 속도를 v, 가속도를 a라고 하면

$$v = \frac{dx}{dt} = 3t^2 - 2t - 8$$

$$a = \frac{dv}{dt} = 6t - 2$$

STEP 2 $t=1$에서의 점 P의 속도, 가속도 구하기

따라서 $t=1$에서의 점 P의 속도와 가속도는

$$v = -7, \ a = 4$$

(2) 운동 방향을 바꿀 때 $v=0$이므로

$$3t^2 - 2t - 8 = 0, \ (3t+4)(t-2) = 0$$
$$\therefore t = 2 \ (\because t > 0)$$

08-2 답 속도: -2, 가속도: 2

해결전략 | 위치를 미분하면 속도, 속도를 미분하면 가속도이고, 원점을 지날 때 $x=0$임을 이용한다.

STEP 1 시각 t에서의 속도, 가속도 구하기

점 P의 속도를 v, 가속도를 a라고 하면

$$v = \frac{dx}{dt} = 3t^2 - 10t + 6$$

$$a = \frac{dv}{dt} = 6t - 10$$

STEP 2 원점을 지나는 시각 구하기

점 P가 원점을 지날 때 $x=0$이므로

$$t^3 - 5t^2 + 6t = 0, \ t(t-2)(t-3) = 0$$
$$\therefore t = 2 \ 또는 \ t = 3 \ (\because t > 0)$$

STEP 3 원점을 처음으로 다시 지나는 순간의 속도, 가속도 구하기

따라서 $t=2$일 때 점 P가 처음으로 다시 원점을 지나므로 이때의 속도와 가속도는

$$v = -2, \ a = 2$$

08-3 답 3

해결전략 | 주어진 조건을 이용하여 a, b에 대한 방정식을 세운다.

STEP 1 시각 t에서의 속도, 가속도 구하기

점 P의 시각 t에서의 속도는

$$\frac{dx}{dt} = 3t^2 + 2at + b$$

점 P의 시각 t에서의 가속도는

$$\frac{dv}{dt} = 6t + 2a$$

STEP 2 $a+b$의 값 구하기

$t=1$에서 점 P가 운동 방향을 바꾸면 속도가 0이므로

$$3 + 2a + b = 0 \quad \therefore 2a + b = -3 \quad \cdots\cdots \ \bigcirc$$

$t=2$에서 점 P의 가속도가 0이므로

$$12 + 2a = 0 \quad \therefore a = -6$$

$a = -6$을 $\bigcirc$에 대입하면

$$-12 + b = -3 \quad \therefore b = 9$$

$$\therefore a + b = -6 + 9 = 3$$

08-4 답 ㄱ, ㄷ

해결전략 | 위치를 미분하면 속도, 속도를 미분하면 가속도이고, 운동 방향을 바꿀 때 $v=0$임을 이용한다.

STEP1 시각 t에서의 속도, 가속도 구하기

점 P의 속도를 v, 가속도를 a라고 하면

$$v=\frac{dx}{dt}=t^2-10t+9$$

$$a=\frac{dv}{dt}=2t-10$$

STEP2 보기의 참, 거짓 판별하기

ㄱ. $t=2$일 때, $v=-7$

　　$t=8$일 때, $v=-7$

　　따라서 점 P의 속도는 같다. (참)

ㄴ. $t=4$일 때, $a=-2$

　　따라서 점 P의 가속도는 음수이다. (거짓)

ㄷ. 운동 방향을 바꿀 때 $v=0$이므로

　　$t^2-10t+9=0$, $(t-1)(t-9)=0$

　　$\therefore t=1$ 또는 $t=9$

　　따라서 점 P는 운동 방향을 두 번 바꾼다. (참)

따라서 옳은 것은 ㄱ, ㄷ이다.

08-5 답 $\frac{3}{4}<t<2$

해결전략 | 서로 반대 방향으로 움직일 때, 속도의 부호가 서로 다름을 이용한다.

STEP1 시각 t에서의 속도 구하기

점 P의 속도를 $v_P(t)$, 점 Q의 속도를 $v_Q(t)$라고 하면

$v_P(t)=x_P{}'(t)=-4t+3$

$v_Q(t)=x_Q{}'(t)=-2t+4$

STEP2 서로 반대 방향으로 움직일 때의 t의 값의 범위 구하기

두 점 P, Q가 서로 반대 방향으로 움직이면

$v_P(t)v_Q(t)<0$이므로

$(-4t+3)(-2t+4)<0$, $(4t-3)(t-2)<0$

$\therefore \frac{3}{4}<t<2$

08-6 답 $\frac{1}{2}$

해결전략 | 위치를 미분하면 속도, 속도를 미분하면 가속도임을 이용한다.

STEP1 시각 t에서의 속도, 가속도 구하기

점 P의 속도를 $v_P(t)$, 가속도를 $a_P(t)$라고 하면

$v_P(t)=x_P{}'(t)=2t^2-2t-4$

$a_P(t)=v_P{}'(t)=4t-2$

점 Q의 속도를 $v_Q(t)$, 가속도를 $a_Q(t)$라고 하면

$v_Q(t)=x_Q{}'(t)=4t$

$a_Q(t)=v_Q{}'(t)=4$

STEP2 가속도가 같아지는 시각 구하기

두 점 P, Q의 가속도가 같으려면

$4t-2=4$　　$\therefore t=\frac{3}{2}$

STEP3 가속도가 같을 때의 두 점 P, Q 사이의 거리 구하기

$t=\frac{3}{2}$일 때, 두 점 P, Q의 위치는

$$x_P\left(\frac{3}{2}\right)=-6, \quad x_Q\left(\frac{3}{2}\right)=-\frac{11}{2}$$

따라서 $t=\frac{3}{2}$일 때, 두 점 P, Q 사이의 거리는

$$-\frac{11}{2}-(-6)=\frac{1}{2}$$

필수유형 **09**　　　　　207쪽

09-1 답 (1) 시각: $\frac{5}{2}$초, 높이: $\frac{125}{4}$ m　(2) -25 m/s

해결전략 | 최고 높이에 도달하면 $v=0$이고 지면에 떨어지면 $x=0$이다.

(1) STEP1 시각 t에서의 속도 구하기

　　물 로켓의 속도를 v m/s라고 하면

$$v=\frac{dx}{dt}=25-10t$$

　　STEP2 최고 높이에 도달할 때의 시각과 높이 구하기

　　물 로켓이 최고 높이에 도달하면 $v=0$이므로

　　$25-10t=0$에서 $t=\frac{5}{2}$

　　$t=\frac{5}{2}$일 때, $x=\frac{125}{4}$

　　따라서 물 로켓은 $\frac{5}{2}$초 후에 최고 높이에 도달하고,

　　그때의 높이는 $\frac{125}{4}$ m이다.

(2) STEP1 지면에 떨어지는 시각 구하기

　　지면에 떨어질 때 $x=0$이므로

　　$25t-5t^2=0$, $t(t-5)=0$

　　$\therefore t=5$ ($\because t>0$)

　　STEP2 지면에 떨어지는 순간의 속도 구하기

　　$t=5$일 때, $v=-25$

　　따라서 물 로켓이 지면에 떨어지는 순간의 속도는

　　-25 m/s이다.

09-2 답 시각: 4초, 높이: 32 m

해결전략 | 최고 높이에 도달하면 $v=0$이다.

STEP 1 시각 t에서의 속도 구하기

감자의 속도를 v m/s라고 하면

$$v=\frac{dh}{dt}=16-4t$$

STEP 2 최고 높이에 도달할 때의 시각과 높이 구하기

감자가 최고 높이에 도달하면 $v=0$이므로

$16-4t=0$에서 $t=4$

$t=4$일 때, $h=32$

따라서 감자는 4초 후에 최고 높이에 도달하고, 그때의 높이는 32 m이다.

09-3 답 $-10\sqrt{5}$ m/s

해결전략 | 지면에 떨어지면 $h=0$이다.

STEP 1 시각 t에서의 속도 구하기

물체의 속도를 v m/s라고 하면

$$v=\frac{dh}{dt}=-10t$$

STEP 2 지면에 떨어질 때의 시각 구하기

지면에 떨어질 때 $h=0$이므로

$-5t^2+25=0$에서 $t^2=5$

$\therefore t=\sqrt{5}\ (\because t>0)$

STEP 3 지면에 떨어지는 순간의 속도 구하기

$t=\sqrt{5}$일 때, $v=-10\sqrt{5}$

따라서 물체가 지면에 떨어지는 순간의 속도는 $-10\sqrt{5}$ m/s이다.

09-4 답 $\frac{25}{2}$ m

해결전략 | 자동차가 정지할 때 $v=0$임을 이용한다.

STEP 1 자동차의 속도 구하기

자동차의 속도를 v m/s라고 하면

$$v=\frac{dx}{dt}=10-4t$$

STEP 2 정지할 때의 시각 구하기

자동차가 정지할 때 $v=0$이므로

$10-4t=0$ $\quad\therefore t=\dfrac{5}{2}$

STEP 3 정지할 때까지 움직인 거리 구하기

$t=\dfrac{5}{2}$일 때, $x=\dfrac{25}{2}$

따라서 자동차가 정지할 때까지 움직인 거리는 $\dfrac{25}{2}$ m이다.

09-5 답 -20 m/s

해결전략 | 공이 경사면과 처음으로 충돌할 때, 지면으로부터의 높이를 이용하여 충돌하는 시각을 구한다.

STEP 1 경사면과 처음으로 충돌할 때의 시각 구하기

오른쪽 그림과 같이 공이 경사면과 처음으로 충돌할 때,

$$\overline{OB}=\frac{\overline{OA}}{\sin 30°}=\frac{0.5}{\frac{1}{2}}=1\,(m)$$

$h=1$일 때,

$21-5t^2=1$, $t^2=4$

$\therefore t=2\ (\because t>0)$

따라서 $t=2$일 때, 공이 처음으로 경사면과 충돌한다.

STEP 2 충돌하는 순간의 속도 구하기

한편, 공의 속도를 $v(t)$ m/s라고 하면

$v(t)=h'(t)=-10t$

$\therefore v(2)=-20$

따라서 공이 경사면과 충돌하는 순간의 속도는 -20 m/s이다.

필수유형 10   209쪽

10-1 답 ㄱ, ㄴ

해결전략 | 속도의 그래프에서 점 P의 운동 방향, 가속도, 속력을 파악한다.

ㄱ. $t=b$, $t=d$에서 $v=0$이므로 점 P는 운동 방향을 두 번 바꾼다. (참)

ㄴ. $a<t<b$에서 접선의 기울기가 양수이므로 가속도는 양수이다. (참)

ㄷ. 주어진 그래프에서 $|v(a)|>|v(c)|$이므로 $t=a$에서 속력이 최대이다. (거짓)

따라서 옳은 것은 ㄱ, ㄴ이다.

10-2 답 ②

해결전략 | 속도의 그래프에서 가속도는 접선의 기울기와 같음을 이용한다.

STEP 1 구간을 나누어 가속도 구하기

(ⅰ) $0<t<1$일 때

오른쪽 그림과 같이 두 점 $(0, 0)$, $(1, k)$를 잇는 직선과 그래프가 만나는 점의 t좌표를 α라고 하면 $0 < t < \alpha$에서 접선의 기울기가 증가하고 $\alpha < t < 1$에서 접선의 기울기가 감소한다. 따라서 $t = \alpha$에서 접선의 기울기가 최대이고

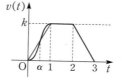

$a(\alpha) = v'(\alpha) > k$

(ii) $1 < t < 2$일 때

속도가 일정하므로

$a(t) = 0$

(iii) $2 < t < 3$일 때

접선의 기울기가 $-k$이므로 $a(t) = -k$

STEP 2 가속도의 그래프의 개형 찾기

(i)~(iii)에 의하여 $a(t)$의 그래프의 개형으로 가장 알맞은 것은 ②이다.

10-3 답 ㄱ

해결전략 | 위치의 그래프에서 속도는 접선의 기울기와 같음을 이용한다.

ㄱ. $x(t)$의 그래프는 $t = b$에서 원점을 지나므로 $0 < t < d$에서 점 P는 원점을 한 번 지난다. (참)

ㄴ. $t = c$에서 접선의 기울기가 0이고 $t = c$의 좌우에서 접선의 기울기가 음수$(-)$에서 양수$(+)$로 바뀌므로 점 P는 $t = c$에서 운동 방향을 바꾼다. (거짓)

ㄷ. $0 < t < a$에서 속도가 양수이고, $t = a$에서 속도가 0이므로 $t = a$에서 속도가 최대인 것은 아니다. (거짓)

따라서 옳은 것은 ㄱ이다.

10-4 답 ㄷ

해결전략 | 위치의 그래프에서 속도는 접선의 기울기와 같음을 이용한다.

ㄱ. 점 P는 $t = b$에서 처음으로 원점을 지나고, $t = b$에서 접선의 기울기가 음수이므로 속도는 음수이다. (거짓)

ㄴ. 점 P는 $t = a$에서 처음으로 운동 방향을 바꾸고, $t = a$의 좌우에서 속도가 양$(+)$에서 음$(-)$으로 바뀌므로 가속도는 음수이다. (거짓)

ㄷ. 점 P는 $t = e$에서 마지막으로 운동 방향을 바꾸고, $x(e) > 0$이므로 점 P의 위치는 양수이다. (참)

따라서 옳은 것은 ㄷ이다.

필수유형 ⑪   211쪽

11-1 답 (1) 0.9 m/s   (2) 1.6 m/s

해결전략 | 삼각형의 닮음을 이용하여 그림자의 길이를 구한다.

(1) **STEP 1 그림자의 길이를 t로 나타내기**

t초 후 가로등 바로 밑에서 학생까지의 거리는 $0.7t$ m 이므로 그림자의 길이를 l m라고 하면

$(l + 0.7t) : 3.2 = l : 1.8$

$3.2l = 1.8l + 1.26t$

$1.4l = 1.26t$

$\therefore l = 0.9t$

STEP 2 그림자의 길이의 변화율 구하기

따라서 그림자의 길이 l의 변화율은

$$\frac{dl}{dt} = 0.9 \text{ (m/s)}$$

(2) **STEP 1 그림자의 끝까지의 거리를 t로 나타내기**

t초 후 가로등 바로 밑에서 그림자의 앞 끝까지의 거리를 $f(t)$ m라고 하면

$f(t) = 0.9t + 0.7t = 1.6t$

STEP 2 그림자의 앞 끝이 움직이는 속도 구하기

따라서 그림자의 앞 끝이 움직이는 속도는

$$\frac{d}{dt} f(t) = 1.6 \text{ (m/s)}$$

11-2 답 $6.4\pi \text{ cm}^2/\text{s}$

해결전략 | t초 후 원의 넓이를 t에 대한 식으로 나타낸 다음 미분하여 넓이의 변화율을 구한다.

STEP 1 원의 넓이를 t로 나타내기

t초 후 가장 바깥쪽 원의 반지름의 길이는 $0.8t$ cm이므로 이 원의 넓이를 $S(t)$ cm²라고 하면

$S(t) = \pi \times (0.8t)^2 = 0.64t^2\pi$

STEP 2 $t = 5$일 때 원의 넓이의 변화율 구하기

원의 넓이의 변화율은 $S'(t) = 1.28t\pi$이므로

$S'(5) = 6.4\pi$

따라서 5초 후의 가장 바깥쪽의 원의 넓이의 변화율은 $6.4\pi \text{ cm}^2/\text{s}$이다.

11-3 답 27π

해결전략 | 정육각형에 내접하는 원의 반지름의 길이를 t에 대한 식으로 나타내어 내접하는 원의 넓이를 구한다.

STEP 1 원의 반지름의 길이를 t로 나타내기

t초 후의 정육각형의 한 변의 길이는

$2\sqrt{3} + \sqrt{3}t = \sqrt{3}(t + 2)$

오른쪽 그림과 같이 한 변의 길이가 $\sqrt{3}(t+2)$인 정육각형에 내접하는 원의 반지름의 길이 r는 한 변의 길이가 $\sqrt{3}(t+2)$인 정삼각형의 높이와 같으므로

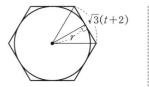

$$r=\frac{\sqrt{3}}{2}\times\{\sqrt{3}(t+2)\}=\frac{3}{2}(t+2)=\frac{3}{2}t+3$$

STEP2 원의 넓이의 변화율 구하기

t초 후의 원의 넓이를 $S(t)$라고 하면

$$S(t)=\pi\times\left(\frac{3}{2}t+3\right)^2=\left(\frac{9}{4}t^2+9t+9\right)\pi$$

$$\therefore S'(t)=\left(\frac{9}{2}t+9\right)\pi$$

STEP3 $t=4$일 때 원의 넓이의 변화율 구하기

따라서 $t=4$일 때 원의 넓이의 변화율은

$$S'(4)=\left(\frac{9}{2}\times4+9\right)\pi=27\pi$$

11-4 🖹 36

해결전략 ┃ 정삼각형의 한 변의 길이를 t에 대한 식으로 나타내어 내접하는 원의 넓이를 구한다.

STEP1 원의 반지름의 길이를 t로 나타내기

t초 후의 정삼각형의 한 변의 길이는
$12\sqrt{3}+3\sqrt{3}t=3\sqrt{3}(t+4)$

정삼각형에 내접하는 원의 중심은 정삼각형의 무게중심과 같으므로 오른쪽 그림과 같이 한 변의 길이가 $3\sqrt{3}(t+4)$인 정삼각형에 내접하는 원의 반지름의 길이를 r라고 하면

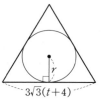

$$r=\frac{1}{3}\times\frac{\sqrt{3}}{2}\times3\sqrt{3}(t+4)$$

$$=\frac{3}{2}(t+4)$$

STEP2 원의 넓이의 변화율 구하기

t초 후의 원의 넓이를 $S(t)$라고 하면

$$S(t)=\pi\times\left\{\frac{3}{2}(t+4)\right\}^2=\frac{9\pi}{4}(t+4)^2$$

$$\therefore S'(t)=\frac{9\pi}{2}(t+4)$$

STEP3 a의 값 구하기

한편, 정삼각형의 한 변의 길이가 $24\sqrt{3}$이면
$3\sqrt{3}(t+4)=24\sqrt{3}$에서 $t=4$
따라서 $t=4$일 때 원의 넓이의 변화율은

$$S'(4)=\frac{9\pi}{2}\times8=36\pi$$

$$\therefore a=36$$

11-5 🖹 6

해결전략 ┃ t초 후의 삼각형의 넓이를 t에 대한 식으로 나타낸다.

STEP1 삼각형 PBQ의 넓이를 t로 나타내기

t초 후의 $\overline{AP}$의 길이는 $2t$이므로
$\overline{PB}=12-2t$

t초 후의 $\overline{BQ}$의 길이는 $3t$이므로 삼각형 PBQ의 넓이를 $S(t)$라고 하면

$$S(t)=\frac{1}{2}\times(12-2t)\times3t=-3t^2+18t$$

STEP2 넓이가 처음으로 24가 되는 시각 구하기

$S(t)=24$에서 $-3t^2+18t=24$
$t^2-6t+8=0,\ (t-2)(t-4)=0$

$$\therefore t=2\ \text{또는}\ t=4$$

따라서 $t=2$일 때 삼각형 PBQ의 넓이가 처음으로 24가 된다.

STEP3 넓이가 24일 때 넓이의 변화율 구하기

이때 $S'(t)=-6t+18$이므로 $t=2$일 때 삼각형의 넓이의 변화율은
$S'(2)=6$

11-6 🖹 $\frac{27}{2}\pi\ \text{cm}^3/\text{s}$

해결전략 ┃ 그릇과 담겨 있는 물이 서로 닮음임을 이용하여 물의 부피를 t에 대한 식으로 나타낸다.

STEP1 물의 높이와 수면의 반지름의 길이를 t에 대한 식으로 나타내기

물의 높이를 h cm라고 하면

$$h=1.5t=\frac{3}{2}t$$

수면의 반지름의 길이를 r cm라고 하면

$$10:5=h:r\qquad\therefore r=\frac{1}{2}h=\frac{3}{4}t$$

STEP2 물의 부피의 변화율 구하기

물의 부피를 $V(t)\ \text{cm}^3$라고 하면

$$V(t)=\frac{1}{3}\times\pi r^2\times h$$

$$=\frac{1}{3}\times\frac{9}{16}t^2\pi\times\frac{3}{2}t=\frac{9}{32}t^3\pi$$

$$\therefore V'(t)=\frac{27}{32}t^2\pi$$

STEP 3 높이가 6 cm일 때 물의 부피의 변화율 구하기

한편, $h=6$에서 $\dfrac{3}{2}t=6$ $\therefore t=4$

$\therefore V'(4)=\dfrac{27}{32}\times 4^2\pi=\dfrac{27}{2}\pi$

즉, 물의 높이가 6 cm일 때 부피의 변화율은
$\dfrac{27}{2}\pi$ cm³/s이다.

실전 연습 문제
212~214쪽

01 ③	**02** 11	**03** ③	**04** ②	**05** ⑤
06 ①	**07** ④	**08** ⑤	**09** 5	**10** ④
11 ⑤	**12** $k\le -5$	**13** 3	**14** 22	**15** ①
16 27	**17** ③			

01

해결전략 | 함수의 그래프를 이용하여 방정식의 실근의 개수를 구한다.

STEP 1 a의 값 구하기

$f(x)=x^3-3x^2+3x-2$로 놓으면
$f'(x)=3x^2-6x+3=3(x-1)^2\ge 0$

따라서 함수 $f(x)$는 실수 전체의 집합에서 증가하므로 함수 $y=f(x)$의 그래프는 오른쪽 그림과 같이 x축과 한 점에서 만난다.

$\therefore a=1$

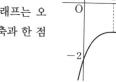

STEP 2 $a+b$의 값 구하기

$g(x)=x^4-4x^2+3$으로 놓으면
$g'(x)=4x^3-8x=4x(x+\sqrt{2})(x-\sqrt{2})$
$g'(x)=0$에서 $x=-\sqrt{2}$ 또는 $x=0$ 또는 $x=\sqrt{2}$
함수 $g(x)$의 증가와 감소를 표로 나타내면 다음과 같다.

x	$\cdots$	$-\sqrt{2}$	$\cdots$	0	$\cdots$	$\sqrt{2}$	$\cdots$
$g'(x)$	$-$	0	$+$	0	$-$	0	$+$
$g(x)$	$\searrow$	-1	$\nearrow$	3	$\searrow$	-1	$\nearrow$

따라서 함수 $y=g(x)$의 그래프는 오른쪽 그림과 같이 x축과 네 점에서 만나므로
$b=4$

$\therefore a+b=1+4=5$

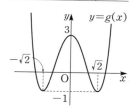

02

해결전략 | 방정식을 $f(x)=a$ 꼴로 변형하여 $y=f(x)$의 그래프를 그린다.

STEP 1 $y=-3x^3+9x^2$의 그래프 그리기

$3x^3-9x^2+a=0$에서 $-3x^3+9x^2=a$
$f(x)=-3x^3+9x^2$으로 놓으면
$f'(x)=-9x^2+18x=-9x(x-2)$
$f'(x)=0$에서 $x=0$ 또는 $x=2$
함수 $f(x)$의 증가와 감소를 표로 나타내면 다음과 같다.

x	$\cdots$	0	$\cdots$	2	$\cdots$
$f'(x)$	$-$	0	$+$	0	$-$
$f(x)$	$\searrow$	0	$\nearrow$	12	$\searrow$

따라서 함수 $y=f(x)$의 그래프는 오른쪽 그림과 같다. ……❶

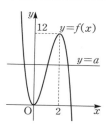

STEP 2 정수 a의 개수 구하기

주어진 방정식이 서로 다른 세 실근을 가지려면 $y=f(x)$의 그래프와 직선 $y=a$가 서로 다른 세 점에서 만나야 하므로
$0<a<12$ ……❷

따라서 정수 a의 개수는 1, 2, $\cdots$, 11의 11이다. ……❸

채점 요소	배점
❶ $y=-3x^3+9x^2$의 그래프 그리기	40 %
❷ a의 값의 범위 구하기	50 %
❸ 정수 a의 개수 구하기	10 %

다른 풀이

$g(x)=3x^3-9x^2+a$로 놓으면
$g'(x)=9x^2-18x=9x(x-2)$
$g'(x)=0$에서 $x=0$ 또는 $x=2$
따라서 방정식 $g(x)=0$이 서로 다른 세 실근을 가지려면
$g(0)g(2)<0$
$a(a-12)<0$
$\therefore 0<a<12$
따라서 정수 a의 개수는 1, 2, $\cdots$, 11의 11이다.

03

해결전략 | $y=f'(x)$의 그래프를 이용하여 $y=f(x)$의 그래프를 그려 본다.

STEP 1 증감표 작성하기

$y=f'(x)$의 그래프에서 $f'(a)=0$, $f'(b)=0$이므로 함수 $f(x)$의 증가와 감소를 표로 나타내면 다음과 같다.

x	$\cdots$	a	$\cdots$	b	$\cdots$
$f'(x)$	$+$	0	$+$	0	$-$
$f(x)$	$\nearrow$		$\nearrow$	극대	$\searrow$

STEP2 조건을 만족시키는 $f(b)$의 값의 범위 구하기

이때 방정식 $f(x)=0$이 실근을
갖지 않으려면 함수 $y=f(x)$의
그래프가 x축과 만나지 않아야 하
므로 오른쪽 그림과 같아야 한다.

$\therefore f(b)<0$

▶**참고** ④ $f(a)f(b)>0$은 $f(x)=0$이
실근을 갖지 않도록 하는 필요조건이다.

04

해결전략 | $y=|f(x)|$의 그래프는 $y=f(x)$의 그래프에
서 $f(x)<0$인 부분을 x축에 대하여 대칭이동한 것임을 이용
한다.

STEP1 $y=|f(x)|$의 그래프 그리기

$f(x)=x^3-3x^2-9x+10$에서

$f'(x)=3x^2-6x-9=3(x+1)(x-3)$

$f'(x)=0$에서 $x=-1$ 또는 $x=3$

함수 $f(x)$의 증가와 감소를 표로 나타내면 다음과 같다.

x	$\cdots$	-1	$\cdots$	3	$\cdots$
$f'(x)$	$+$	0	$-$	0	$+$
$f(x)$	$\nearrow$	15	$\searrow$	-17	$\nearrow$

따라서 함수 $y=|f(x)|$의 그래
프는 오른쪽 그림과 같다.

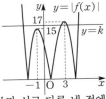

STEP2 $\beta-\alpha$의 값 구하기

방정식 $|f(x)|=k$가 서
로 다른 네 실근을 가지려면
$y=|f(x)|$의 그래프와 직선 $y=k$가 서로 다른 네 점에
서 만나야 하므로

$15<k<17$

따라서 $\alpha=15$, $\beta=17$이므로

$\beta-\alpha=17-15=2$

05

해결전략 | $y=f'(x)$, $y=g'(x)$의 그래프를 이용하여 함수
$h(x)$의 증감표를 작성한다.

STEP1 $h(x)$의 증감표 작성하기

$h(x)=f(x)-g(x)$에서

$h'(x)=f'(x)-g'(x)$

$h'(x)=0$에서 $x=a$ 또는 $x=b$

함수 $h(x)$의 증가와 감소를 표로 나타내면 다음과 같다.

x	$\cdots$	a	$\cdots$	b	$\cdots$
$h'(x)$	$+$	0	$-$	0	$+$
$h(x)$	$\nearrow$	극대	$\searrow$	극소	$\nearrow$

STEP2 보기의 참, 거짓 판별하기

ㄱ. $h'(a)=0$이고 $x=a$의 좌우에서 $h'(x)$의 값이 양
$(+)$에서 음$(-)$으로 바뀌므로 함수 $h(x)$는 $x=a$
에서 극댓값을 갖는다. (참)

ㄴ. $h(b)=0$이면 함수 $y=h(x)$
의 그래프는 오른쪽 그림과 같
이 x축과 두 점에서 만난다.
따라서 방정식 $h(x)=0$의
서로 다른 실근의 개수는 2이
다. (참)

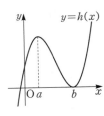

ㄷ. 함수 $h(x)$는 닫힌구간 $[\alpha, \beta]$에서 연속이고 열린구
간 (α, β)에서 미분가능하므로 평균값 정리에 의하
여

$$\frac{h(\beta)-h(\alpha)}{\beta-\alpha}=h'(\gamma)$$

를 만족시키는 γ가 열린구간 (α, β)에 존재한다.
열린구간 $(0, b)$에서

$h'(x)<h'(0)=5$

$\therefore h'(\gamma)<5$

따라서 $\dfrac{h(\beta)-h(\alpha)}{\beta-\alpha}=h'(\gamma)<5$이므로

$h(\beta)-h(\alpha)<5(\beta-\alpha)$ (참)

따라서 ㄱ, ㄴ, ㄷ 모두 옳다.

06

해결전략 | 주어진 방정식을 $h(x)=a$ 꼴로 변형한 후
$y=h(x)$의 그래프를 이용한다.

STEP1 $y=h(x)$의 그래프 그리기

$f(x)=g(x)$에서

$3x^3-x^2-3x=x^3-4x^2+9x+a$

$\therefore 2x^3+3x^2-12x=a$

$h(x)=2x^3+3x^2-12x$로 놓으면

$h'(x)=6x^2+6x-12=6(x+2)(x-1)$

$h'(x)=0$에서 $x=-2$ 또는 $x=1$

함수 $h(x)$의 증가와 감소를 표로 나타내면 다음과 같다.

x	$\cdots$	-2	$\cdots$	1	$\cdots$
$h'(x)$	$+$	0	$-$	0	$+$
$h(x)$	↗	20	↘	-7	↗

따라서 함수 $y=h(x)$의 그 래프는 오른쪽 그림과 같다.

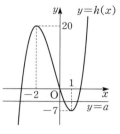

STEP 2 정수 a의 개수 구하기

방정식 $h(x)=a$가 두 개의 양의 실근과 한 개의 음의 실근을 가지려면

$-7<a<0$

따라서 정수 a의 개수는 -6, -5, $\cdots$, -1의 6이다.

07

해결전략 | 주어진 방정식을 $f(x)=k$ 꼴로 변형한 후 $y=f(x)$의 그래프를 이용한다.

STEP 1 $y=f(x)$의 그래프 그리기

$3x^4-12x+k-3=0$에서 $-3x^4+12x+3=k$

$f(x)=-3x^4+12x+3$으로 놓으면

$f'(x)=-12x^3+12=-12(x-1)(x^2+x+1)$

$f'(x)=0$에서 $x=1$ $(\because x^2+x+1>0)$

함수 $f(x)$의 증가와 감소를 표로 나타내면 다음과 같다.

x	$\cdots$	1	$\cdots$
$f'(x)$	$+$	0	$-$
$f(x)$	↗	12	↘

따라서 함수 $y=f(x)$의 그래프 는 오른쪽 그림과 같다.

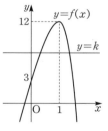

STEP 2 모든 정수 k의 값의 합 구하기

주어진 방정식이 서로 다른 두 개의 양의 실근을 가지려면

$3<k<12$

따라서 모든 정수 k의 값의 합은

$4+5+\cdots+11=60$

08

해결전략 | 주어진 방정식을 $f(x)=a$ 꼴로 변형한 후 $y=f(x)$의 그래프와 직선 $y=a$의 교점의 x좌표를 이용한다.

STEP 1 $y=f(x)$의 그래프 그리기

$2x^3+3x^2-12x+a=0$에서 $-2x^3-3x^2+12x=a$

$f(x)=-2x^3-3x^2+12x$로 놓으면

$f'(x)=-6x^2-6x+12=-6(x+2)(x-1)$

$f'(x)=0$에서 $x=-2$ 또는 $x=1$

함수 $f(x)$의 증가와 감소를 표로 나타내면 다음과 같다.

x	$\cdots$	-2	$\cdots$	1	$\cdots$
$f'(x)$	$-$	0	$+$	0	$-$
$f(x)$	↘	-20	↗	7	↘

따라서 함수 $y=f(x)$의 그래 프는 오른쪽 그림과 같다.

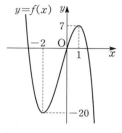

STEP 2 옳은 것 찾기

① $a=7$이면 주어진 방정식은 한 개의 양의 실근(중근)과 한 개의 음의 실근을 갖는다.

② $a=-20$이면 주어진 방정식은 한 개의 양의 실근과 한 개의 음의 실근(중근)을 갖는다.

③ $-7<a<0$이면 주어진 방정식은 한 개의 양의 실근과 두 개의 음의 실근을 갖는다.

④ 주어진 방정식은 $0<a<7$이면 두 개의 양의 실근과 한 개의 음의 실근을 갖고, $a=7$이면 한 개의 양의 실근(중근)과 한 개의 음의 실근을 갖는다.

또, $7<a<20$이면 한 개의 음의 실근을 갖는다.

09

해결전략 | 접점의 좌표를 미지수로 놓고, 접선의 방정식을 세운 다음 방정식이 서로 다른 두 실근을 가짐을 이용한다.

STEP 1 접선의 방정식 세우기

$f(x)=x^3+5$로 놓으면

$f'(x)=3x^2$

접점의 좌표를 (t, t^3+5)라고 하면 $f'(t)=3t^2$이므로 접선의 방정식은

$y-(t^3+5)=3t^2(x-t)$

이 직선이 점 $(1, a)$를 지나므로

$a-t^3-5=3t^2-3t^3$

$\therefore 2t^3-3t^2+a-5=0$ $\cdots\cdots$ ㉠

$\cdots\cdots$ ❶

STEP 2 $g(t)$의 증감표 작성하기

점 $(1, a)$에서 서로 다른 두 개의 접선을 그으려면 방정식 ㉠이 서로 다른 두 실근을 가져야 한다.

$g(t)=2t^3-3t^2+a-5$로 놓으면

$g'(t)=6t^2-6t=6t(t-1)$

$g'(t)=0$에서 $t=0$ 또는 $t=1$

함수 $g(t)$의 증가와 감소를 표로 나타내면 다음과 같다.

t	$\cdots$	0	$\cdots$	1	$\cdots$
$g'(t)$	$+$	0	$-$	0	$+$
$g(t)$	$\nearrow$	$a-5$	$\searrow$	$a-6$	$\nearrow$

...... ❷

STEP3 a의 값 구하기

방정식 $g(t)=0$이 서로 다른 두 실근을 가지려면

$(a-5)(a-6)=0$

$\therefore a=5$ $(\because a\neq6)$ ...... ❸

채점 요소	배점
❶ 접선의 방정식과 지나는 점 이용하여 식 세우기	30 %
❷ $g(t)$의 증감표 작성하기	40 %
❸ a의 값 구하기	30 %

10

해결전략 | $y=f(x)$의 그래프를 이용하여 보기의 참, 거짓을 판별한다.

STEP1 증감표 작성하기

$f(x)=3x^4-8x^3+6x^2-1$에서

$f'(x)=12x^3-24x^2+12x=12x(x-1)^2$

$f'(x)=0$에서 $x=0$ 또는 $x=1$

함수 $f(x)$의 증가와 감소를 표로 나타내면 다음과 같다.

x	$\cdots$	0	$\cdots$	1	$\cdots$
$f'(x)$	$-$	0	$+$	0	$+$
$f(x)$	$\searrow$	-1	$\nearrow$	0	$\nearrow$

STEP2 보기의 참, 거짓 판별하기

ㄱ. $f'(1)=0$이지만 $x=1$의 좌우에서 $f'(x)$의 부호가 바뀌지 않으므로 $x=1$에서 극값을 갖지 않는다.

(거짓)

ㄴ. 함수 $y=f(x)$의 그래프가 오른쪽 그림과 같이 x축과 두 점에서 만나므로 방정식 $f(x)=0$은 서로 다른 두 실근을 갖는다. (참)

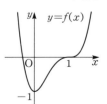

ㄷ. $f(x)$는 $x=0$에서 극소이면서 최소이므로 $f(x)$의 최솟값은

$f(0)=-1$

즉, 모든 실수 x에 대하여 부등식 $f(x)\geq-1$이 성립한다. (참)

따라서 옳은 것은 ㄴ, ㄷ이다.

11

해결전략 | 부등식의 좌변의 최솟값이 0 이상임을 이용한다.

STEP1 $f(x)$의 최솟값 구하기

$f(x)=3x^4-8x^3+36x+a$로 놓으면

$f'(x)=12x^3-24x^2+36=12(x+1)(x^2-3x+3)$

$f'(x)=0$에서 $x=-1$ $(\because x^2-3x+3>0)$

함수 $f(x)$의 증가와 감소를 표로 나타내면 다음과 같다.

x	$\cdots$	-1	$\cdots$
$f'(x)$	$-$	0	$+$
$f(x)$	$\searrow$	$a-25$	$\nearrow$

함수 $f(x)$는 $x=-1$에서 극소이면서 최소이므로 최솟값은

$f(-1)=a-25$

STEP2 a의 최솟값 구하기

따라서 모든 실수 x에 대하여 부등식 $f(x)\geq0$, 즉

$3x^4-8x^3+36x+a\geq0$이 성립하려면

$a-25\geq0$ $\therefore a\geq25$

따라서 a의 최솟값은 25이다.

12

해결전략 | $x\geq0$에서 부등식의 좌변의 최솟값이 k 이상이어야 함을 이용한다.

STEP1 $x\geq0$에서 $f(x)$의 최솟값 구하기

$f(x)=4x^3-3x^2-6x$로 놓으면

$f'(x)=12x^2-6x-6=6(2x+1)(x-1)$

$f'(x)=0$에서 $x=1$ $(\because x\geq0)$

$x\geq0$에서 함수 $f(x)$의 증가와 감소를 표로 나타내면 다음과 같다.

x	0	$\cdots$	1	$\cdots$
$f'(x)$		$-$	0	$+$
$f(x)$	0	$\searrow$	-5	$\nearrow$

$x\geq0$에서 함수 $f(x)$는 $x=1$에서 극소이면서 최소이므로 최솟값은

$f(1)=-5$ ...... ❶

STEP2 k의 값의 범위 구하기

따라서 $x\geq0$에서 부등식 $f(x)\geq k$, 즉

$4x^3-3x^2-6x\geq k$가 성립하려면

$k\leq-5$ ...... ❷

채점 요소	배점
❶ $x\geq0$에서 좌변의 최솟값 구하기	70 %
❷ k의 값의 범위 구하기	30 %

13

해결전략 | 주어진 부등식을 $h(x) \geq 0$ 꼴로 변형한 후 주어진 구간에서 $h(x)$의 최솟값을 구한다.

STEP1 주어진 부등식을 $h(x) \geq 0$ 꼴로 변형하기

$f(x) \geq 3g(x)$에서 $f(x) - 3g(x) \geq 0$

$x^3 + 3x^2 - k - 3(2x^2 + 3x - 10) \geq 0$

$\therefore x^3 - 3x^2 - 9x + 30 - k \geq 0$

STEP2 $h(x)$의 최솟값 구하기

$h(x) = x^3 - 3x^2 - 9x + 30 - k$로 놓으면

$h'(x) = 3x^2 - 6x - 9 = 3(x+1)(x-3)$

$h'(x) = 0$에서 $x = -1$ 또는 $x = 3$

$-1 \leq x \leq 4$에서 함수 $h(x)$의 증가와 감소를 표로 나타내면 다음과 같다.

x	-1	$\cdots$	3	$\cdots$	4
$h'(x)$	0	$-$	0	$+$	
$h(x)$	$35-k$	$\searrow$	$3-k$	$\nearrow$	$10-k$

$-1 \leq x \leq 4$에서 함수 $h(x)$는 $x = 3$일 때 극소이면서 최소이므로 최솟값은

$h(3) = 3 - k$

STEP3 k의 최댓값 구하기

따라서 닫힌구간 $[-1, 4]$에서 부등식 $h(x) \geq 0$, 즉 $f(x) \geq 3g(x)$가 성립하려면

$3 - k \geq 0$ $\therefore k \leq 3$

따라서 k의 최댓값은 3이다.

14

해결전략 | 위치에 대한 함수를 미분하여 속도, 속도에 대한 함수를 미분하여 가속도에 대한 함수를 구한다.

STEP1 시각 t에서의 속도, 가속도 구하기

점 P의 속도를 v, 가속도를 a라고 하면

$v = \dfrac{dx}{dt} = -t^2 + 6t$

$a = \dfrac{dv}{dt} = -2t + 6$

STEP2 k의 값 구하기

점 P의 가속도가 0이면 $-2t + 6 = 0$에서

$t = 3$

따라서 $t = 3$일 때 점 P의 위치가 40이므로

$-\dfrac{1}{3} \times 3^3 + 3 \times 3^2 + k = 40$, $18 + k = 40$

$\therefore k = 22$

15

해결전략 | 위치에 대한 함수를 미분하여 속도, 속도에 대한 함수를 미분하여 가속도에 대한 함수를 구한다.

STEP1 시각 t에서의 속도, 가속도 구하기

점 P의 속도를 v, 가속도를 a라고 하면

$v = \dfrac{dx}{dt} = 3t^2 - 18t + 30$

$a = \dfrac{dv}{dt} = 6t - 18$

STEP2 속도가 6이 되는 시각 구하기

속도가 6이면 $v = 6$이므로

$3t^2 - 18t + 30 = 6$에서

$t^2 - 6t + 8 = 0$, $(t-2)(t-4) = 0$

$\therefore t = 2$ 또는 $t = 4$

STEP3 속도가 처음으로 6이 되는 순간의 가속도 구하기

따라서 $t = 2$에서 속도가 처음으로 6이 되므로 이때의 가속도는

$a = 12 - 18 = -6$

16

해결전략 | 두 점 P, Q의 위치에 대한 함수를 각각 미분하여 속도에 대한 함수를 구한다.

STEP1 시각 t에서의 두 점 P, Q의 속도 구하기

점 P의 속도를 v_1, 점 Q의 속도를 v_2라고 하면

$v_1 = \dfrac{dx_1}{dt} = 3t^2 - 4t + 3$

$v_2 = \dfrac{dx_2}{dt} = 2t + 12$

STEP2 속도가 같아지는 시각 구하기

두 점 P, Q의 속도가 같으려면 $v_1 = v_2$이므로

$3t^2 - 4t + 3 = 2t + 12$에서

$3t^2 - 6t - 9 = 0$, $(t+1)(t-3) = 0$

$\therefore t = 3 \ (\because t > 0)$

따라서 $t = 3$에서 두 점 P, Q의 속도가 같아진다.

STEP3 두 점 P, Q 사이의 거리 구하기

$t = 3$일 때, 점 P의 위치는 $x_1 = 18$

점 Q의 위치는 $x_2 = 45$

따라서 두 점 P, Q 사이의 거리는

$45 - 18 = 27$

17

해결전략 | 삼각형의 닮음을 이용하여 수면의 반지름의 길이를 t에 대한 식으로 나타낸다.

STEP1 음료수의 높이와 수면의 반지름의 길이를 t에 대한 식으로 나타내기

음료수의 높이를 h cm라고 하면

$h=2t$

수면의 반지름의 길이를 r cm라고 하면

오른쪽 그림에서

$8:2=(8+2t):r$

$8r=16+4t$

$\therefore r=\dfrac{1}{2}t+2$

STEP2 수면의 넓이의 변화율 구하기

따라서 수면의 넓이를 $S(t)$ cm²라고 하면

$S(t)=\pi r^2=\pi \times \left(\dfrac{1}{2}t+2\right)^2$

$\therefore S'(t)=2\pi \times \left(\dfrac{1}{2}t+2\right) \times \dfrac{1}{2}=\left(\dfrac{1}{2}t+2\right)\pi$

STEP3 높이가 4 cm일 때 수면의 넓이의 변화율 구하기

한편, 수면의 높이가 4 cm이려면 $t=2$이어야 하므로

$S'(2)=3\pi$

따라서 구하는 넓이의 변화율은 3π cm²/s이다.

상위권 도약 문제

215~216쪽

| 01 ⑤ | 02 $\dfrac{1}{3}$ | 03 ⑤ | 04 -1 |
| 05 $0<a<8$ | | 06 ① | 07 ③ |

01

해결전략 | $y=f'(x)$의 그래프를 이용하여 $y=f(x)$의 그래프의 개형을 그려 본다.

STEP1 $f(x)$의 극값 구하기

$y=f'(x)$의 그래프에서 $f'(0)=0$, $f'(2)=0$이므로 함수 $f(x)$의 증가와 감소를 표로 나타내면 다음과 같다.

x	$\cdots$	0	$\cdots$	2	$\cdots$
$f'(x)$	$+$	0	$-$	0	$+$
$f(x)$	↗	극대	↘	극소	↗

따라서 함수 $f(x)$는 $x=0$에서 극댓값, $x=2$에서 극솟값을 갖는다.

STEP2 보기의 참, 거짓 판별하기

ㄱ. $f(0)<0$이면 $f(2)<f(0)<0$

$\therefore |f(0)|<|f(2)|$ (참)

ㄴ. $f(0)>f(2)$이므로 $f(0)f(2)\geq 0$이면

$f(0)>f(2)\geq 0$ 또는 $f(2)<f(0)\leq 0$

(ⅰ) $f(0)>f(2)\geq 0$일 때

$y=f(x)$의 그래프가 [그림 1]과 같으므로 $y=|f(x)|$의 그래프는 [그림 2]와 같다.

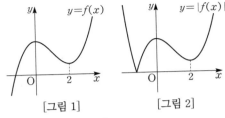

[그림 1] [그림 2]

(ⅱ) $f(2)<f(0)\leq 0$일 때

$y=f(x)$의 그래프가 [그림 3]과 같으므로 $y=|f(x)|$의 그래프는 [그림 4]와 같다.

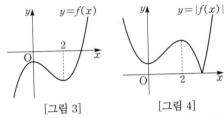

[그림 3] [그림 4]

(ⅰ), (ⅱ)에 의하여 함수 $|f(x)|$가 $x=a$에서 극소인 a의 값의 개수는 2이다. (참)

ㄷ. $f(0)+f(2)=0$이면

$f(0)=-f(2)$ $\therefore |f(0)|=|f(2)|$

따라서 $y=|f(x)|$의 그래프는 다음 그림과 같으므로 직선 $y=f(0)$과의 교점의 개수가 4이다.

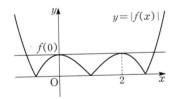

즉, 방정식 $|f(x)|=f(0)$의 서로 다른 실근의 개수는 4이다. (참)

따라서 ㄱ, ㄴ, ㄷ 모두 옳다.

▶**참고** ㄴ. $a\neq 2$일 때, 함수 $|f(x)|$는 $x=a$에서 미분가능하지 않지만, 극솟값을 갖는다.

02

해결전략 | 조건을 만족시키는 함수 $f(x)$의 인수를 구한다.

STEP1 조건을 만족시키는 $f(x)$ 구하기

조건 ㈎에서 $f(-1)=0$이므로 $f(x)$는 $x+1$을 인수로 갖는다.

또, 조건 (나)에서 −1이 아닌 상수 a에 대하여 $f(a)=0$이라고 하면 $3 \leq a \leq 5$이고 조건 (가)에서 $|f(x)|$가 $x=a$에서 미분가능하므로 $f(x)$는 $(x-a)^2$을 인수로 갖는다.

$\therefore f(x)=(x+1)(x-a)^2 \ (3 \leq a \leq 5)$

STEP2 $\dfrac{f'(0)}{f(0)}$의 값을 a에 대한 식으로 나타내기

따라서
$$f'(x)=(x-a)^2+2(x+1)(x-a)$$
$$=(x-a)(3x+2-a)$$

이므로
$$f(0)=a^2, \ f'(0)=-a(2-a)$$
$$\therefore \frac{f'(0)}{f(0)}=\frac{-a(2-a)}{a^2}=\frac{a-2}{a}=1-\frac{2}{a}$$

STEP3 $\dfrac{f'(0)}{f(0)}$의 최솟값 구하기

$g(a)=1-\dfrac{2}{a}$로 놓으면 $3 \leq a \leq 5$에서 함수 $y=g(a)$의 그래프는 다음 그림과 같다.

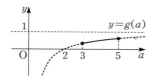

따라서 함수 $g(a)$는 $a=3$에서 최소이므로 $g(a)$의 최솟값은
$$g(3)=1-\frac{2}{3}=\frac{1}{3}$$

즉, $\dfrac{f'(0)}{f(0)}$의 최솟값은 $\dfrac{1}{3}$이다.

03

해결전략 | 함수 $f(t)$가 불연속인 점에서 $f(t)g(t)$가 연속이어야 함을 이용한다.

STEP1 $f(t)$ 구하기

$(x-1)\{x^2(x-3)-t\}=0$에서
$x=1$ 또는 $x^2(x-3)=t$
$h(x)=x^2(x-3)=x^3-3x^2$으로 놓으면
$h'(x)=3x^2-6x=3x(x-2)$
$h'(x)=0$에서 $x=0$ 또는 $x=2$
함수 $h(x)$의 증가와 감소를 표로 나타내면 다음과 같다.

x	$\cdots$	0	$\cdots$	2	$\cdots$
$h'(x)$	$+$	0	$-$	0	$+$
$h(x)$	↗	0	↘	-4	↗

따라서 함수 $y=h(x)$의 그래프는 오른쪽 그림과 같으므로 $t>0$이면 교점이 1개, $t=0$ 또는 $t=-4$이면 교점이 2개, $-4<t<0$이면 교점이 3개이다.

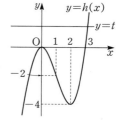

특히, $h(1)=-2$이므로 함수 $y=f(t)$의 그래프는 다음과 같다.

$$f(t)=\begin{cases} 2 & (t>0) \\ 3 & (t=0) \\ 4 & (-2<t<0) \\ 3 & (t=-2) \\ 4 & (-4<t<-2) \\ 3 & (t=-4) \\ 2 & (t<-4) \end{cases}$$

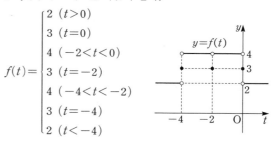

STEP2 $f(t)g(t)$가 연속일 조건 구하기

따라서 함수 $f(t)$는 $t=-4$, $t=-2$, $t=0$에서 불연속이므로 함수 $f(t)g(t)$가 $t=-4$, $t=-2$, $t=0$에서 연속이면 실수 전체의 집합에서 연속이다.

$t=-4$에서 연속이려면
$$f(-4)g(-4)=\lim_{t \to -4+}f(t)g(t)=\lim_{t \to -4-}f(t)g(t)$$
이어야 하므로
$$3g(-4)=4g(-4)=2g(-4)$$
$$\therefore g(-4)=0$$

또, $t=-2$, $t=0$에서도 연속이어야 하므로 같은 방법으로 구하면
$$g(-2)=0, \ g(0)=0$$

STEP3 $g(1)$의 값 구하기

즉, 함수 $g(x)$는 $x+4$, $x+2$, x를 인수로 갖고, 조건 (가)에서 삼차 이하의 다항함수이므로
$$g(x)=ax(x+4)(x+2) \ (a는 \ 0이 \ 아닌 \ 상수)$$
로 놓을 수 있다.

이때 조건 (나)에서 $g(-3)=6$이므로
$$3a=6 \qquad \therefore a=2$$
즉, $g(x)=2x(x+4)(x+2)$이므로
$$g(1)=2 \times 1 \times 5 \times 3=30$$

> 🎯 **풍쌤의 비법**
>
> 함수 $f(x)$는 $x=a$에서 불연속이고 함수 $g(x)$는 $x=a$에서 연속일 때, 함수 $f(x)g(x)$가 $x=a$에서 연속이려면
> $$g(a)=0$$
> 이어야 한다.

04

해결전략 | k의 값에 따라 주어진 방정식의 실근의 개수를 구한다.

STEP1 $g(x)$의 극값 구하기

$g(x)=x^3+3x^2-k-2$로 놓으면

$g'(x)=3x^2+6x=3x(x+2)$

$g'(x)=0$에서 $x=-2$ 또는 $x=0$

함수 $g(x)$의 증가와 감소를 표로 나타내면 다음과 같다.

x	$\cdots$	-2	$\cdots$	0	$\cdots$
$g'(x)$	$+$	0	$-$	0	$+$
$g(x)$	↗	$2-k$	↘	$-2-k$	↗

STEP2 $f(k)$ 구하기

따라서 함수 $g(x)$는 $x=-2$, $x=0$에서 극값을 가지므로 $g(x)=0$의 서로 다른 실근의 개수 $f(k)$는 다음과 같다.

(i) $g(-2)g(0)<0$, 즉 $-2<k<2$일 때

$f(k)=3$

(ii) $g(-2)g(0)=0$, 즉 $k=-2$ 또는 $k=2$일 때

$f(k)=2$

(iii) $g(-2)g(0)>0$, 즉 $k<-2$ 또는 $k>2$일 때

$f(k)=1$

STEP3 m의 값 곱 구하기

(i)~(iii)에 의하여 함수 $y=f(k)$의 그래프는 다음 그림과 같다.

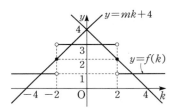

이때 직선 $y=mk+4$는 점 $(0, 4)$를 지나는 직선이므로 $f(k)=mk+4$가 서로 다른 세 실근을 가지려면 직선 $y=mk+4$가 점 $(-2, 2)$ 또는 점 $(2, 2)$를 지나야 한다.

직선 $y=mk+4$가 점 $(-2, 2)$를 지날 때

$2=-2m+4$ $\therefore m=1$

직선 $y=mk+4$가 점 $(2, 2)$를 지날 때

$2=2m+4$ $\therefore m=-1$

따라서 모든 m의 값의 곱은 $1\times(-1)=-1$

05

해결전략 | $f'(t)=0$이 서로 다른 두 양의 실근을 가짐을 이용한다.

STEP1 시각 t에서의 속도 구하기

점 P의 속도는 $f'(t)=4t^3-12t+a$

이때 $t>0$이므로 점 P가 운동 방향을 두 번 바꾸려면 방정식 $f'(t)=0$이 서로 다른 두 양의 실근을 가져야 한다.

STEP2 $y=g(t)$의 그래프 그리기

$f'(t)=0$에서 $-4t^3+12t=a$

$g(t)=-4t^3+12t$로 놓으면

$g'(t)=-12t^2+12=-12(t+1)(t-1)$

$g'(t)=0$에서 $t=1$ ($\because t>0$)

$t>0$에서 함수 $g(t)$의 증가와 감소를 표로 나타내면 다음과 같다.

t	(0)	$\cdots$	1	$\cdots$
$g'(t)$		$+$	0	$-$
$g(t)$	(0)	↗	8	↘

따라서 $t>0$에서 함수 $y=g(t)$의 그래프는 오른쪽 그림과 같다.

STEP3 a의 값의 범위 구하기

$t>0$에서 직선 $y=a$가 $y=g(t)$의 그래프와 서로 다른 두 점에서 만나려면

$0<a<8$

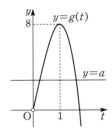

06

해결전략 | $\overline{AP}$의 길이를 t에 대한 식으로 나타내어 원 C의 넓이를 t에 대한 함수로 나타낸다.

STEP1 원 C의 넓이를 t로 나타내기

오른쪽 그림과 같이 점 A에서 $\overline{BC}$에 내린 수선의 발을 H라고 하면 $4<t<6$일 때, 점 P는 변 BC 위에 있으므로 t초 후에 $\overline{BP}$의 길이는 $(t-4)$ cm

$\overline{PH}=2-(t-4)=6-t$ (cm)

→ $t=4$일 때 점 P는 점 B와 같고 $t=6$일 때 점 P는 점 H와 같다.

$\overline{AH}=\dfrac{\sqrt{3}}{2}\times4=2\sqrt{3}$ (cm)이므로 △APH에서 피타고라스 정리에 의하여

$\overline{AP}^2=(6-t)^2+(2\sqrt{3})^2=t^2-12t+48$

따라서 원 C의 넓이를 $S(t)$ cm²라고 하면

$S(t)=\pi\times\overline{AP}^2=(t^2-12t+48)\pi$

STEP2 $t=5$일 때 원 C의 넓이의 변화율 구하기

따라서 원 C의 넓이의 변화율은

$S'(t)=(2t-12)\pi$ $\therefore S'(5)=-2\pi$

따라서 구하는 원 C의 넓이의 변화율은 -2π cm²/s이다.

07

해결전략 | 평행선 사이의 거리의 비를 이용하여 점 C의 가속도를 구한다.

STEP 1 ㄱ의 참, 거짓 판별하기

ㄱ. 광원 A의 속도는 $\dfrac{dx}{dt}=-\dfrac{1}{2}$

물체 B의 속도는 $\dfrac{dy}{dt}=2t-\dfrac{11}{2}$

$t=\dfrac{5}{2}$일 때, $\dfrac{dy}{dt}=-\dfrac{1}{2}=\dfrac{dx}{dt}$

즉, 광원과 물체의 속도가 같아진다. (참)

STEP 2 ㄴ의 참, 거짓 판별하기

ㄴ. 두 직선 l, n 사이의 거리가 3이므로 $\overline{AC}=3$이려면 광원 A, 물체 B, 그림자 C가 일직선 위에 있어야 한다.

즉, A, B의 벽으로부터의 거리가 같아야 하므로

$4-\dfrac{1}{2}t=t^2-\dfrac{11}{2}t+10$, $t^2-5t+6=0$

$(t-2)(t-3)=0$ ∴ $t=2$ 또는 $t=3$

따라서 $\overline{AC}=3$인 순간은 $t=2$, $t=3$의 두 번이다.

(참)

STEP 3 ㄷ의 참, 거짓 판별하기

ㄷ. $x-y=-t^2+5t-6=-\left(t-\dfrac{5}{2}\right)^2+\dfrac{1}{4}$

이므로 $2<t<3$에서 $x-y>0$ ∴ $x>y$

즉, $2<t<3$에서 광원 A가 물체 B보다 벽에서 멀리 떨어져 있으므로 벽에서부터 그림자 C까지의 거리를 z라고 하면 오른쪽 그림에서

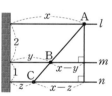

$(x-z):(x-y)=3:2$

$2x-2z=3x-3y$, $2z=3y-x$

∴ $z=\dfrac{3}{2}y-\dfrac{1}{2}x$

$=\left(\dfrac{3}{2}t^2-\dfrac{33}{4}t+15\right)-\left(2-\dfrac{1}{4}t\right)$

$=\dfrac{3}{2}t^2-8t+13$

따라서 그림자 C의 속도를 v, 가속도를 a라고 하면

$v=\dfrac{dz}{dt}=3t-8$

∴ $a=\dfrac{dv}{dt}=3$ (거짓)

따라서 옳은 것은 ㄱ, ㄴ이다.

---

07 부정적분

개념확인 218~219쪽

01 답 (1) $5x+C$ (단, C는 적분상수)

(2) $2x^2+C$ (단, C는 적분상수)

(3) x^3+C (단, C는 적분상수)

02 답 (1) $3x^2+C$ (단, C는 적분상수)

(2) $3x^2$

03 답 (1) $\dfrac{1}{10}x^{10}+C$ (단, C는 적분상수)

(2) $6x+C$ (단, C는 적분상수)

(3) $\dfrac{1}{2}x^2+C$ (단, C는 적분상수)

04 답 (1) $2x^5+C$ (단, C는 적분상수)

(2) x^4-2x^3+x+C (단, C는 적분상수)

(3) $\dfrac{1}{6}(2x+3)^3+C$ (단, C는 적분상수)

(4) $-\dfrac{1}{4}(-x+8)^4+C$ (단, C는 적분상수)

(1) $\displaystyle\int 10x^4dx=10\int x^4dx=10\times\dfrac{1}{5}x^5+C=2x^5+C$

(2) $\displaystyle\int (4x^3-6x^2+1)dx$

$=4\displaystyle\int x^3dx-6\int x^2dx+\int dx$

$=4\times\dfrac{1}{4}x^4-6\times\dfrac{1}{3}x^3+x+C$

$=x^4-2x^3+x+C$

(3) $\displaystyle\int (2x+3)^2dx=\dfrac{1}{2}\times\dfrac{1}{3}\times(2x+3)^3+C$

$=\dfrac{1}{6}(2x+3)^3+C$

(4) $\displaystyle\int (-x+8)^3dx=(-1)\times\dfrac{1}{4}\times(-x+8)^4+C$

$=-\dfrac{1}{4}(-x+8)^4+C$

필수유형 01 221쪽

01-1 답 6

해결전략 | 부정적분의 정의와 항등식의 성질을 이용하여 a, b, c의 값을 구한다.

STEP 1 부정적분의 정의 이용하기

$\displaystyle\int (4x^3+ax-3)dx=bx^4+x^2-cx+2$에서 부정적분의 정의에 의하여

$$4x^3 + ax - 3 = (bx^4 + x^2 - cx + 2)'$$
$$= 4bx^3 + 2x - c$$

STEP2 계수를 비교하여 $a+b+c$의 값 구하기

위의 등식은 x에 대한 항등식이므로

$$4b = 4, \ 2 = a, \ -c = -3$$

따라서 $a=2$, $b=1$, $c=3$이므로

$$a + b + c = 2 + 1 + 3 = 6$$

01-2 답 9

해결전략 | $\int \{f(x) + a\}dx = g(x)$이면

$f(x) + a = g'(x)$임을 이용하여 $f(x)$를 구한다.

STEP1 $f(x)$ 구하기

$\int \{f(x) - 1\}dx = 3x^2 + 2x - 6$에서 부정적분의 정의에

의하여

$$f(x) - 1 = (3x^2 + 2x - 6)'$$
$$= 6x + 2$$
$$\therefore f(x) = 6x + 3$$

STEP2 $f(1)$의 값 구하기

$$\therefore f(1) = 6 + 3 = 9$$

01-3 답 6

해결전략 | $\int (x+a)f(x)dx = g(x)$이면

$(x+a)f(x) = g'(x)$임을 이용하여 $f(x)$를 구한다.

STEP1 $f(x)$ 구하기

$\int (x-2)f(x)dx = 2x^3 - 6x^2 + 7$에서 부정적분의 정의

에 의하여

$$(x-2)f(x) = (2x^3 - 6x^2 + 7)'$$
$$= 6x^2 - 12x = 6x(x-2)$$

위의 등식은 x에 대한 항등식이므로

$$f(x) = 6x$$

STEP2 $f(1)$의 값 구하기

$$\therefore f(1) = 6$$

> **◎ 풍쌤의 비법**
>
> 위의 풀이에서 $f(x)$를 구하지 않고, 곧바로
> $(x-2)f(x) = 6x^2 - 12x$의 양변에 $x=1$을 대입하여
> $-f(1) = -6$에서 $f(1) = 6$을 구할 수도 있다.

01-4 답 4

해결전략 | $\int xf(x)dx = g(x)$이면 $g'(x) = xf(x)$임을 이

용하여 $f(x)$를 구한다.

STEP1 $f(x)$ 구하기

$\int xf(x)dx = 2x^3 - 4x^2 + C$에서 부정적분의 정의에 의

하여

$$xf(x) = (2x^3 - 4x^2 + C)'$$
$$= 6x^2 - 8x = x(6x - 8)$$

위의 등식은 x에 대한 항등식이므로

$$f(x) = 6x - 8$$

STEP2 $f(2)$의 값 구하기

$$\therefore f(2) = 12 - 8 = 4$$

01-5 답 6

해결전략 | 함수 $f(x)$의 한 부정적분이 $F(x)$이면

$F'(x) = f(x)$임을 이용한다.

STEP1 $f(x)$ 구하기

$$f(x) = F'(x)$$
$$= (x^3 + ax^2 + bx)'$$
$$= 3x^2 + 2ax + b$$

STEP2 $b-a$의 값 구하기

$f(0) = 3$에서 $b = 3$

$f'(x) = 6x + 2a$이므로

$f'(1) = 0$에서 $6 + 2a = 0$

$$\therefore a = -3$$
$$\therefore b - a = 3 - (-3) = 6$$

01-6 답 -15

해결전략 | 곱의 미분법을 이용하여 양변을 x에 대하여 미분

하여 $h(x)$를 구한다.

STEP1 $h(x)$ 구하기

$\int h(x)dx = f(x)g(x)$에서 부정적분의 정의에 의하여

$$h(x) = \{f(x)g(x)\}'$$
$$= f'(x)g(x) + f(x)g'(x)$$
$$= 2x(2x^2 - 5x + 1) + (x^2 - 1)(4x - 5)$$
$$= (4x^3 - 10x^2 + 2x) + (4x^3 - 5x^2 - 4x + 5)$$
$$= 8x^3 - 15x^2 - 2x + 5$$

STEP2 함수 $h(x)$의 이차항의 계수 구하기

따라서 함수 $h(x)$의 이차항의 계수는 -15이다.

필수유형 02   223쪽

02-1 답 -13

해결전략 | 미분한 후 적분하면 적분상수 C가 생긴다는 점을 이용하여 $F(x)$를 간단히 한다.

STEP 1 $F(x)$ 간단히 하기

$$F(x) = \int \left\{ \frac{d}{dx}\left(\frac{1}{2}x^3 - 3x^2 \right) \right\} dx$$

$$= \frac{1}{2}x^3 - 3x^2 + C$$

STEP 2 적분상수 구하기

$F(1) = \frac{1}{2}$이므로

$\frac{1}{2} - 3 + C = \frac{1}{2}$ $\therefore C = 3$

STEP 3 $F(-2)$의 값 구하기

따라서 $F(x) = \frac{1}{2}x^3 - 3x^2 + 3$이므로

$F(-2) = -4 - 12 + 3 = -13$

02-2 답 5

해결전략 | 적분한 후 미분하면 원래의 식이 된다는 점을 이용하여 좌변을 간단히 한 다음 $f(x)$를 구한다.

STEP 1 $f(x)$ 구하기

$\frac{d}{dx}\left\{ \int x^2 f(x)dx \right\} = x^2 f(x)$이므로

$x^2 f(x) = 3x^3 - x^2 = x^2(3x-1)$

위의 등식은 x에 대한 항등식이므로

$f(x) = 3x - 1$

STEP 2 $f(2)$의 값 구하기

$\therefore f(2) = 6 - 1 = 5$

02-3 답 12

해결전략 | 적분한 후 미분하면 원래의 식이 된다는 점을 이

용하여 좌변을 간단히 한 다음 양변의 계수를 비교하여 a, b, c의 값을 구한다.

STEP 1 등식의 좌변 간단히 하기

$\frac{d}{dx}\left\{ \int (x^2 + 7x + a)dx \right\} = x^2 + 7x + a$이므로

$x^2 + 7x + a = bx^2 + cx + 4$

STEP 2 $a + b + c$의 값 구하기

위의 등식이 모든 실수 x에 대하여 성립하므로

$b = 1$, $c = 7$, $a = 4$

$\therefore a + b + c = 4 + 1 + 7 = 12$

02-4 답 14

해결전략 | 적분한 후 미분하면 원래의 식이 된다는 점을 이용하여 좌변을 간단히 한다.

STEP 1 등식의 좌변 간단히 하기

$\frac{d}{dx}\left\{ \int (x-2)f(x)dx \right\} = (x-2)f(x)$이므로

$(x-2)f(x) = 4x^3 - x^2 + k$

STEP 2 $f(x)$ 구하기

위의 등식의 양변에 $x = 2$를 대입하면

$0 = 32 - 4 + k$ $\therefore k = -28$

따라서

$(x-2)f(x) = 4x^3 - x^2 - 28 = (x-2)(4x^2 + 7x + 14)$

이므로

$f(x) = 4x^2 + 7x + 14$

STEP 3 $f(0)$의 값 구하기

$\therefore f(0) = 14$

◉→ 다른 풀이

STEP 2 k의 값 구하기

위의 등식의 양변에 $x = 2$를 대입하면

$0 = 32 - 4 + k$ $\therefore k = -28$

STEP 3 $f(0)$의 값 구하기

따라서 $(x-2)f(x) = 4x^3 - x^2 - 28$이므로 이 식의 양변에 $x = 0$을 대입하면

$-2f(0) = -28$ $\therefore f(0) = 14$

02-5 답 -10

해결전략 | 미분한 후 적분하면 적분상수 C가 생긴다는 점을 이용하여 $f(x)$를 구한다.

STEP1 $\int\left\{\dfrac{d}{dx}f(x)\right\}dx=5x^3-2x^2$의 좌변 간단히 하기

$\int\left\{\dfrac{d}{dx}f(x)\right\}dx=f(x)+C$이므로

$f(x)+C=5x^3-2x^2$

STEP2 $f(x)$ 구하기

$f(1)=2$이므로

$2+C=5-2$ ∴ $C=1$

∴ $f(x)=5x^3-2x^2-1$

STEP3 $g(-1)$의 값 구하기

따라서 $g(x)=f(x)+2x=5x^3-2x^2+2x-1$이므로

$g(-1)=-5-2-2-1=-10$

02-6 답 5

해결전략 | 미분한 후 적분하면 적분상수 C가 생긴다는 점을 이용하여 $F(x)$를 간단히 한다.

STEP1 $F(x)$를 간단히 하여 $f(x)$ 대입하기

$$F(x)=\int\left[\frac{d}{dx}\int\left\{\frac{d}{dx}f(x)\right\}dx\right]dx$$
$$=\int\left[\frac{d}{dx}\{f(x)+C_1\}\right]dx$$
$$=f(x)+C_2$$
$$=10x^{10}+9x^9+8x^8+\cdots+2x^2+x+C_2$$

STEP2 $F(x)$ 구하기

$F(0)=-50$이므로 $C_2=-50$

$F(x)=10x^{10}+9x^9+8x^8+\cdots+2x^2+x-50$

STEP3 $F(1)$의 값 구하기

$$\therefore F(1)=10+9+8+\cdots+2+1-50$$
$$=55-50=5$$

필수유형 03   225쪽

03-1 답 2

해결전략 | 적분한 후 미분하면 원래의 식이 된다는 점을 이용하여 방정식을 간단히 한 다음 삼차방정식의 근과 계수의 관계를 이용한다.

STEP1 방정식 간단히 하기

$\dfrac{d}{dx}\int(4x^2-5x)dx=4x^2-5x$,

$\dfrac{d}{dx}\int(3x^3-6)dx=3x^3-6$

이므로 주어진 방정식은

$3x^3+4x^2-5x-6=0$

STEP2 모든 근의 곱 구하기

따라서 주어진 삼차방정식의 모든 근의 곱은 삼차방정식의 근과 계수의 관계에 의하여 $-\dfrac{-6}{3}=2$이다.

> ◎ 풍쌤의 비법
>
> **삼차방정식의 근과 계수의 관계**
>
> a, b, c, d가 실수인 삼차방정식 $ax^3+bx^2+cx+d=0$
> 의 세 근을 α, β, γ라고 하면
>
> $\alpha+\beta+\gamma=-\dfrac{b}{a}$, $\alpha\beta+\beta\gamma+\gamma\alpha=\dfrac{c}{a}$, $\alpha\beta\gamma=-\dfrac{d}{a}$

03-2 답 2

해결전략 | 양변을 x에 대하여 적분하여 $f(x)+g(x)$, $f(x)-g(x)$를 구한 다음 주어진 조건을 이용하여 적분상수를 구한다.

STEP1 $f(x)+g(x)$, $f(x)-g(x)$ 구하기

$\dfrac{d}{dx}\{f(x)+g(x)\}=3$의 양변을 x에 대하여 적분하면

$f(x)+g(x)=\int 3dx=3x+C_1$

$\dfrac{d}{dx}\{f(x)-g(x)\}=3x^2+1$의 양변을 x에 대하여 적분하면

$f(x)-g(x)=\int(3x^2+1)dx=x^3+x+C_2$

이때 $f(0)=1$, $g(0)=2$이므로

$f(0)+g(0)=C_1=3$, $f(0)-g(0)=C_2=-1$

∴ $f(x)+g(x)=3x+3$ ······ ㉠

$f(x)-g(x)=x^3+x-1$ ······ ㉡

STEP2 $f(x)$, $g(x)$ 구하기

㉠+㉡을 하면

$2f(x)=x^3+4x+2$

∴ $f(x)=\dfrac{1}{2}x^3+2x+1$

㉠-㉡을 하면

$2g(x)=-x^3+2x+4$

∴ $g(x)=-\dfrac{1}{2}x^3+x+2$

STEP3 $f(1)-g(-1)$의 값 구하기

∴ $f(1)-g(-1)=\left(\dfrac{1}{2}+2+1\right)-\left(\dfrac{1}{2}-1+2\right)=2$

03-3 답 4

해결전략 | 적분한 후 미분하면 원래의 식이 된다는 점을 이용하여 $f(x)$를 간단히 한 다음 $f(x)=(x+p)^2+q$ 꼴로 고친다.

STEP1 $f(x)$를 간단히 한 다음 $f(x)=(x+p)^2+q$ 꼴로 고치기

$$f(x)=\frac{d}{dx}\int(x^2+6x+k)dx$$
$$=x^2+6x+k$$
$$=(x+3)^2+k-9$$

STEP2 k의 값 구하기

이때 함수 $f(x)$의 최솟값이 -5이므로

$$k-9=-5 \qquad \therefore k=4$$

03-4 답 $k>\dfrac{1}{5}$

해결전략 | 적분한 후 미분하면 원래의 식이 된다는 점을 이용하여 부등식을 간단히 한다.

STEP1 부등식 간단히 하기

$\dfrac{d}{dx}\int(5x^2-2x+k)dx=5x^2-2x+k$이므로 주어진 부등식은 $5x^2-2x+k>0$

STEP2 k의 값의 범위 구하기

모든 실수 x에 대하여 주어진 부등식이 성립하려면 이차방정식 $5x^2-2x+k=0$의 판별식을 D라고 할 때, $D<0$이어야 하므로

$$\frac{D}{4}=1-5k<0 \qquad \therefore k>\frac{1}{5}$$

03-5 답 1

해결전략 | 미분한 후 적분하면 적분상수 C가 생긴다는 점을 이용하여 식을 간단히 한 다음 주어진 조건을 이용하여 적분상수를 구한다.

STEP1 주어진 식 적분하기

$\dfrac{d}{dx}\{f(x)+g(x)\}=4x+1$의 양변을 x에 대하여 적분하면

$$f(x)+g(x)=\int(4x+1)dx=2x^2+x+C_1$$

$\dfrac{d}{dx}\{f(x)g(x)\}=6x^2-8x+3$의 양변을 x에 대하여 적분하면

$$f(x)g(x)=\int(6x^2-8x+3)dx=2x^3-4x^2+3x+C_2$$

STEP2 $f(x)$, $g(x)$ 구하기

이때 $f(0)=-2$, $g(0)=3$이므로

$$f(0)+g(0)=C_1=1, \quad f(0)g(0)=C_2=-6$$
$$\therefore f(x)+g(x)=2x^2+x+1,$$
$$f(x)g(x)=2x^3-4x^2+3x-6=(x-2)(2x^2+3)$$

이때 $(x-2)+(2x^2+3)=2x^2+x+1=f(x)+g(x)$

이고 $f(x)$는 $f(0)=-2$인 일차함수, $g(x)$는 $g(0)=3$인 이차함수이므로

$$f(x)=x-2, \quad g(x)=2x^2+3$$

STEP3 $f(-2)+g(1)$의 값 구하기

$$\therefore f(-2)+g(1)=(-2-2)+(2+3)=1$$

◉→ 다른 풀이

STEP1 $f(x)$, $g(x)$를 미지수를 이용하여 나타내고 $f(x)+g(x)$, $f(x)g(x)$를 간단히 하기

$f(x)$가 일차함수, $g(x)$가 이차함수이고 $f(0)=-2$, $g(0)=3$이므로

$$f(x)=ax-2, \quad g(x)=bx^2+cx+3$$
$$(a, b, c는 상수, a\neq 0, b\neq 0)$$

로 놓으면

$$f(x)+g(x)=(ax-2)+(bx^2+cx+3)$$
$$=bx^2+(a+c)x+1$$
$$f(x)g(x)=(ax-2)(bx^2+cx+3)$$
$$=abx^3+(ac-2b)x^2+(3a-2c)x-6$$

STEP2 a, b, c의 값 구하기

$\dfrac{d}{dx}\{f(x)+g(x)\}=2bx+a+c$이므로

$2bx+a+c=4x+1$에서 $b=2$, $a+c=1$

$$\frac{d}{dx}\{f(x)g(x)\}=3abx^2+2(ac-2b)x+3a-2c$$
$$=6ax^2+2(ac-4)x+3a-2c$$

이므로

$6ax^2+2(ac-4)x+3a-2c=6x^2-8x+3$에서

$6a=6$, $2(ac-4)=-8$, $3a-2c=3$

$$\therefore a=1, \quad c=0$$

STEP3 $f(-2)+g(1)$의 값 구하기

따라서 $f(x)=x-2$, $g(x)=2x^2+3$이므로

$$f(-2)+g(1)=(-2-2)+(2+3)=1$$

03-6 답 5

해결전략 | 부정적분과 미분의 관계를 이용하여 $g(x)$와 $h(x)$를 구한다.

STEP1 $g(x)$ 구하기

$\dfrac{d}{dx}\displaystyle\int f(x)dx=f(x)$이므로

$g(x)=f(x)=x^2+3x$

STEP2 $h(x)$ 구하기

$\displaystyle\int\left\{\dfrac{d}{dx}f(x)\right\}dx=f(x)+C$이므로

$h(x)=f(x)+C=x^2+3x+C$

$h(-2)=1$이므로

$4-6+C=1$ ∴ $C=3$

∴ $h(x)=x^2+3x+3$

STEP3 $g(1)+h(-2)$의 값 구하기

∴ $g(1)+h(-1)=(1+3)+(1-3+3)=5$

필수유형 ④   227쪽

04-1 답 (1) $\dfrac{2}{3}x^3+\dfrac{1}{2}x^2-3x+C$ (단, C는 적분상수)

(2) $\dfrac{1}{2}xy^2+(1+3x^2)y+C$ (단, C는 적분상수)

(3) $\dfrac{1}{3}y^3-\dfrac{1}{2}y^2+y+C$ (단, C는 적분상수)

(4) x^2+2x+C (단, C는 적분상수)

해결전략 | 복잡한 피적분함수식을 전개하거나 인수분해하여 분자, 분모를 약분하면 식이 간단해지므로 간단해진 식을 부정적분의 성질과 x^n의 부정적분을 이용한다. 이때 적분변수를 확인하여 변수와 상수를 혼동하지 않도록 한다.

(1) $\displaystyle\int(x-1)(2x+3)dx$

$=\displaystyle\int(2x^2+x-3)dx$

$=2\displaystyle\int x^2dx+\int xdx-\int 3dx$

$=\dfrac{2}{3}x^3+\dfrac{1}{2}x^2-3x+C$ (단, C는 적분상수)

(2) 적분변수가 y이므로 x를 상수로 보고 y에 대하여 적분하면

$\displaystyle\int(1+xy+3x^2)dy$

$=x\displaystyle\int ydy+\int(1+3x^2)dy$

$=\dfrac{1}{2}xy^2+(1+3x^2)y+C$ (단, C는 적분상수)

(3) $\displaystyle\int\dfrac{y^4+y^2+1}{y^2+y+1}dy$

$=\displaystyle\int\dfrac{(y^2+y+1)(y^2-y+1)}{y^2+y+1}dy$

$=\displaystyle\int(y^2-y+1)dy$

$=\displaystyle\int y^2dy-\int ydy+\int dy$

$=\dfrac{1}{3}y^3-\dfrac{1}{2}y^2+y+C$ (단, C는 적분상수)

(4) $\displaystyle\int(1+\sqrt{x})^2dx+\int(1-\sqrt{x})^2dx$

$=\displaystyle\int\{(1+\sqrt{x})^2+(1-\sqrt{x})^2\}dx$

$=\displaystyle\int(1+2\sqrt{x}+x+1-2\sqrt{x}+x)dx$

$=\displaystyle\int(2x+2)dx=2\int xdx+\int 2dx$

$=x^2+2x+C$ (단, C는 적분상수)

04-2 답 8

해결전략 | 부정적분을 한 다음 주어진 조건을 이용하여 적분상수를 구한다.

STEP1 부정적분하기

$f(x)=\displaystyle\int(4x^3+3x^2+2x+1)dx$

$=x^4+x^3+x^2+x+C$

STEP2 적분상수 구하기

$f(0)=-2$이므로 $C=-2$

STEP3 $f(-2)$의 값 구하기

따라서 $f(x)=x^4+x^3+x^2+x-2$이므로

$f(-2)=16-8+4-2-2=8$

04-3 답 62

해결전략 | 피적분함수를 하나의 부정적분으로 나타내고 약분하여 피적분함수를 간단히 한 후 부정적분을 한다. 그 다음 주어진 조건을 이용하여 적분상수를 구한다.

STEP1 부정적분하기

$f(x)=\displaystyle\int\dfrac{x^3}{x+1}dx+\int\dfrac{1}{x+1}dx$

$=\displaystyle\int\dfrac{x^3+1}{x+1}dx$

$=\displaystyle\int\dfrac{(x+1)(x^2-x+1)}{x+1}dx$

$=\displaystyle\int(x^2-x+1)dx$

$=\dfrac{1}{3}x^3-\dfrac{1}{2}x^2+x+C$

STEP 2 적분상수 구하기

$f(0)=2$이므로 $C=2$

STEP 3 $f(6)$의 값 구하기

따라서 $f(x)=\dfrac{1}{3}x^3-\dfrac{1}{2}x^2+x+2$이므로

$f(6)=72-18+6+2=62$

04-4 답 -8

해결전략 | 피적분함수를 하나로 합쳐 전개하여 식을 간단히 한 다음 부정적분을 한다. 그 다음 주어진 조건을 이용하여 적분상수를 구한다.

STEP 1 부정적분하기

$$f(x)=\int(\sqrt{x}-2)^2dx+\int(\sqrt{x}+2)^2dx$$
$$=\int\{(\sqrt{x}-2)^2+(\sqrt{x}+2)^2\}dx$$
$$=\int(x-2\sqrt{x}+4+x+2\sqrt{x}+4)dx$$
$$=\int(2x+8)dx$$
$$=x^2+8x+C$$

STEP 2 적분상수 구하기

$f(0)=4$이므로 $C=4$

STEP 3 $f(-2)$의 값 구하기

따라서 $f(x)=x^2+8x+4$이므로

$f(-2)=4-16+4=-8$

> **풍쌤의 비법**
>
> 각각의 함수의 부정적분을 구하는 과정은 복잡하지만 하나의 함수로 합치면 소거되는 항이 있어 간단히 부정적분을 구할 수 있다.

04-5 답 $\dfrac{2}{11}$

해결전략 | 부정적분을 구한 다음 주어진 조건을 이용하여 적분상수를 구한다.

STEP 1 부정적분하기

$$f(x)=\int\left(x+\frac{1}{2}x^2+\frac{1}{3}x^3+\cdots+\frac{1}{10}x^{10}\right)dx$$
$$=\frac{1}{1\times2}x^2+\frac{1}{2\times3}x^3+\frac{1}{3\times4}x^4+\cdots$$
$$+\frac{1}{10\times11}x^{11}+C$$

STEP 2 적분상수 구하기

$f(1)=\dfrac{12}{11}$이므로

$$\frac{1}{1\times2}+\frac{1}{2\times3}+\frac{1}{3\times4}+\cdots+\frac{1}{10\times11}+C$$
$$=\left(1-\frac{1}{2}\right)+\left(\frac{1}{2}-\frac{1}{3}\right)+\left(\frac{1}{3}-\frac{1}{4}\right)+\cdots$$
$$+\left(\frac{1}{10}-\frac{1}{11}\right)+C$$
$$=1-\frac{1}{11}+C$$
$$=\frac{10}{11}+C=\frac{12}{11}$$
$$\therefore C=\frac{2}{11}$$

STEP 3 $f(0)$의 값 구하기

따라서

$$f(x)=\frac{1}{1\times2}x^2+\frac{1}{2\times3}x^3+\frac{1}{3\times4}x^4+\cdots$$
$$+\frac{1}{10\times11}x^{11}+\frac{2}{11}$$

이므로

$$f(0)=\frac{2}{11}$$

> **풍쌤의 비법**
>
> **부분분수로의 변형**
>
> $\dfrac{1}{AB}=\dfrac{1}{B-A}\left(\dfrac{1}{A}-\dfrac{1}{B}\right)$ (단, $A\neq B$)

04-6 답 4

해결전략 | $\{xf(x)\}'=f(x)+xf'(x)$임을 이용하여 $g(x)$를 간단히 한다.

STEP 1 $g(x)$ 간단히 하기

$$g(x)=\int xf'(x)dx+\int f(x)dx$$
$$=\int\{xf'(x)+f(x)\}dx$$
$$=\int\left[\frac{d}{dx}\{xf(x)\}\right]dx$$
$$=xf(x)+C$$
$$=x\times\frac{x+2}{x}+C$$
$$=x+2+C$$

STEP 2 적분상수 구하기

$g(1)=0$이므로

$1+2+C=0$ $\therefore C=-3$

STEP 3 $g(5)$의 값 구하기

따라서 $g(x)=x-1$이므로

$g(5)=5-1=4$

05-1 답 2

해결전략 | $f'(x)$를 적분하여 $f(x)$를 구한 다음 주어진 조건을 이용하여 적분상수를 구한다.

STEP1 $f'(x)$ 적분하기

$$f(x)=\int f'(x)dx=\int(-3x^2+2)dx$$
$$=-x^3+2x+C$$

STEP2 적분상수 구하기

$f(1)=4$이므로

$-1+2+C=4 \qquad \therefore C=3$

STEP3 $f(-1)$의 값 구하기

따라서 $f(x)=-x^3+2x+3$이므로

$f(-1)=1-2+3=2$

05-2 답 -13

해결전략 | $f'(x)$를 적분하여 $f(x)$를 구한 다음 주어진 조건을 이용하여 적분상수와 a의 값을 구한다.

STEP1 $f'(x)$ 적분하기

$$f(x)=\int f'(x)dx=\int(3x^2+2ax+1)dx$$
$$=x^3+ax^2+x+C$$

STEP2 $f(x)$ 구하기

$f(0)=1$, $f(1)=2$이므로

$C=1$, $1+a+1+C=2$

$\therefore a=-1$, $C=1$

$\therefore f(x)=x^3-x^2+x+1$

STEP3 $f(-2)$의 값 구하기

$\therefore f(-2)=-8-4-2+1=-13$

05-3 답 $\frac{1}{2}x^4-\frac{2}{3}x^3+\frac{1}{2}x^2+4x+C$ (단, C는 적분상수)

해결전략 | $f'(x)$를 적분하여 $f(x)$를 구한 다음 주어진 조건을 이용하여 적분상수를 구한다.

STEP1 $f'(x)$ 적분하기

$f'(x)=6x^2-4x+1$이므로

$$f(x)=\int f'(x)dx=\int(6x^2-4x+1)dx$$
$$=2x^3-2x^2+x+C_1$$

STEP2 $f(x)$ 구하기

$f(0)=4$이므로 $C_1=4$

$\therefore f(x)=2x^3-2x^2+x+4$

STEP3 $f(x)$를 바르게 적분한 식 구하기

따라서 $f(x)$를 바르게 적분한 식은

$$\int(2x^3-2x^2+x+4)dx=\frac{1}{2}x^4-\frac{2}{3}x^3+\frac{1}{2}x^2+4x+C$$
(단, C는 적분상수)

05-4 답 $\frac{13}{5}$

해결전략 | 분수식이 나올 경우 인수분해 공식을 이용하여 약분한 다음 적분한다.

STEP1 $f'(x)$ 적분하기

$$f(x)=\int f'(x)dx=\int\frac{x^8-1}{x^4+1}dx$$
$$=\int\frac{(x^4+1)(x^4-1)}{x^4+1}dx=\int(x^4-1)dx$$
$$=\frac{1}{5}x^5-x+C$$

STEP2 적분상수 구하기

$f(1)=1$이므로

$\frac{1}{5}-1+C=1 \qquad \therefore C=\frac{9}{5}$

STEP3 $f(-1)$의 값 구하기

따라서 $f(x)=\frac{1}{5}x^5-x+\frac{9}{5}$이므로

$f(-1)=-\frac{1}{5}+1+\frac{9}{5}=\frac{13}{5}$

> **풍쌤의 비법**
>
> 분수식을 간단히 할 때는 대부분 인수분해 공식이 사용된다. 기본적인 인수분해 공식을 기억해 두도록 하자.
> ① $a^2-b^2=(a+b)(a-b)$
> ② $a^3-b^3=(a-b)(a^2+ab+b^2)$
> ③ $a^3+b^3=(a+b)(a^2-ab+b^2)$

05-5 답 4

해결전략 | 주어진 조건의 식을 적분하여 $f(x)$, $g(x)$를 구한 다음 적분상수를 구한다.

STEP1 $f(x)g(x)$ 구하기

$f'(x)g(x)+f(x)g'(x)=\frac{d}{dx}\{f(x)g(x)\}$이므로

조건 ㈎에서

$\frac{d}{dx}\{f(x)g(x)\}=3x^2-8x+5$

위의 식의 양변을 x에 대하여 적분하면

$$\int\left[\frac{d}{dx}\{f(x)g(x)\}\right]dx=\int(3x^2-8x+5)dx$$
$$f(x)g(x)=x^3-4x^2+5x+C \quad \cdots\cdots \text{ⓐ}$$

조건 ㈏ $f(x)=(x-2)g(x)$에서 $f(2)=0$이므로
ⓐ의 양변에 $x=2$를 대입하면
$$f(2)g(2)=8-16+10+C$$
$$0=2+C \quad \therefore C=-2$$
$$\therefore f(x)g(x)=x^3-4x^2+5x-2$$
$$=(x-2)(x-1)^2 \quad \cdots\cdots \text{ⓑ}$$

STEP 2 $g(x)$ 구하기
조건 ㈏의 $f(x)=(x-2)g(x)$를 ⓑ에 대입하면
$$(x-2)\{g(x)\}^2=(x-2)(x-1)^2$$
위의 등식은 x에 대한 항등식이므로
$$\{g(x)\}^2=(x-1)^2$$
$$\therefore g(x)=x-1 \ (\because \text{㈐}) \quad \cdots\cdots \text{ⓒ}$$

STEP 3 $f(x)$ 구하기
ⓒ을 ⓑ에 대입하면
$$f(x)(x-1)=(x-2)(x-1)^2$$
위의 등식은 x에 대한 항등식이므로
$$f(x)=(x-2)(x-1)=x^2-3x+2$$

STEP 4 $f(3)+g(3)$의 값 구하기
$$\therefore f(3)+g(3)=(9-9+2)+(3-1)=4$$

05-6 답 -7

해결전략 | $f'(x)$를 적분하고 $f(0)=1$을 이용하여 $f(x)$를 구한 다음 $f(x)$를 적분하고 $F(1)=-\dfrac{3}{2}$을 이용하여 $F(x)$를 구한다.

STEP 1 $f(x)$ 구하기
$f'(x)=6x(x-2)=6x^2-12x$이므로
$$f(x)=\int f'(x)dx=\int(6x^2-12x)dx$$
$$=2x^3-6x^2+C_1$$
$f(0)=1$이므로 $C_1=1$
$$\therefore f(x)=2x^3-6x^2+1$$

STEP 2 $F(x)$ 구하기
$$\therefore F(x)=\int f(x)dx=\int(2x^3-6x^2+1)dx$$
$$=\frac{1}{2}x^4-2x^3+x+C_2$$
$F(1)=-\dfrac{3}{2}$이므로
$$\frac{1}{2}-2+1+C_2=-\frac{3}{2} \quad \therefore C_2=-1$$

$$\therefore F(x)=\frac{1}{2}x^4-2x^3+x-1$$

STEP 3 나머지 구하기
따라서 $F(x)$를 $x-2$로 나누었을 때의 나머지는
$$F(2)=8-16+2-1=-7$$

> **🎯 풍쌤의 비법**
>
> **나머지정리**
> 다항식 $P(x)$를 일차식 $x-a$로 나누었을 때의 나머지는 $P(a)$이다.

필수유형 **06**   231쪽

06-1 답 $f(x)=-3x^2+2x+2$

해결전략 | $\{xf(x)\}'=f(x)+xf'(x)$임을 이용하여 주어진 등식의 양변을 x에 대하여 미분해 $f'(x)$를 구한다. 그 다음 $f'(x)$를 적분하여 $f(x)$를 구한다.

STEP 1 $f'(x)$ 구하기
함수 $f(x)$의 한 부정적분이 $F(x)$이므로
$$F'(x)=f(x) \quad \cdots\cdots \text{ⓐ}$$
$F(x)=xf(x)+\underline{x^2(2x-1)}$의 양변을 x에 대하여 미분
$\quad\quad\quad\quad\quad\quad \rightarrow 2x^3-x^2$
하면
$$F'(x)=f(x)+xf'(x)+6x^2-2x$$
$$f(x)=f(x)+xf'(x)+6x^2-2x \ (\because \text{ⓐ})$$
$$xf'(x)=-6x^2+2x=x(-6x+2)$$
위의 등식은 x에 대한 항등식이므로
$$f'(x)=-6x+2$$

STEP 2 $f(x)$ 구하기
$$\therefore f(x)=\int f'(x)dx=\int(-6x+2)dx$$
$$=-3x^2+2x+C$$
$f(1)=1$이므로
$$-3+2+C=1 \quad \therefore C=2$$
$$\therefore f(x)=-3x^2+2x+2$$

06-2 답 $f(x)=-8x^3+9x^2-1$

해결전략 | 주어진 등식의 양변을 x에 대하여 미분하여 $f'(x)$를 구한 다음 적분한다.

STEP 1 $f'(x)$ 구하기
함수 $f(x)$의 한 부정적분이 $F(x)$이므로
$$F'(x)=f(x) \quad \cdots\cdots \text{ⓐ}$$
$F(x)-xf(x)=6x^4-6x^3$의 양변을 x에 대하여 미분하

면
$$f(x)-f(x)-xf'(x)=24x^3-18x^2 \ (\because \text{㉠})$$
$$xf'(x)=-24x^3+18x^2=x(-24x^2+18x)$$
위의 등식은 x에 대한 항등식이므로
$$f'(x)=-24x^2+18x$$
STEP 2 $f(x)$ 구하기
$$\therefore f(x)=\int f'(x)dx=\int(-24x^2+18x)dx$$
$$=-8x^3+9x^2+C$$
$f(1)=0$이므로
$$-8+9+C=0 \qquad \therefore C=-1$$
$$\therefore f(x)=-8x^3+9x^2-1$$

06-3 답 -8

해결전략 | 주어진 등식의 양변을 x에 대하여 미분하여 $f'(x)$를 구한 다음 적분하여 $f(x)$를 구한다.

STEP 1 $f'(x)$ 구하기
함수 $f(x)$의 한 부정적분이 $F(x)$이므로
$$F'(x)=f(x) \qquad \qquad \cdots\cdots \text{㉠}$$
$xf(x)-F(x)=x^3-4x^2$의 양변을 x에 대하여 미분하면
$$f(x)+xf'(x)-f(x)=3x^2-8x \ (\because \text{㉠})$$
$$xf'(x)=3x^2-8x=x(3x-8)$$
위의 등식은 x에 대한 항등식이므로
$$f'(x)=3x-8$$
STEP 2 $f(x)$ 구하기
$$\therefore f(x)=\int f'(x)dx=\int(3x-8)dx$$
$$=\frac{3}{2}x^2-8x+C$$
$f(-1)=10$이므로
$$\frac{3}{2}+8+C=10 \qquad \therefore C=\frac{1}{2}$$
$$\therefore f(x)=\frac{3}{2}x^2-8x+\frac{1}{2}$$
STEP 3 $f'(2)+f(1)$의 값 구하기
$$\therefore f'(2)+f(1)=(6-8)+\left(\frac{3}{2}-8+\frac{1}{2}\right)=-8$$

06-4 답 8

해결전략 | 주어진 등식의 양변을 x에 대하여 미분하여 $f'(x)$를 구한 다음 적분하여 $f(x)$를 구한다. 그 다음

$f(x)=a(x+p)^2+q$ 꼴로 고쳐서 최댓값을 구한다.

STEP 1 $f'(x)$ 구하기
$$\int f(x)dx=(x+2)f(x)+x^3-12x+C$$의 양변을 x에 대하여 미분하면
$$f(x)=f(x)+(x+2)f'(x)+3x^2-12$$
$$(x+2)f'(x)=-3x^2+12=-3(x+2)(x-2)$$
위의 등식은 x에 대한 항등식이므로
$$f'(x)=-3(x-2)=-3x+6$$
STEP 2 $f(x)$ 구하기
$$\therefore f(x)=\int f'(x)dx=\int(-3x+6)dx$$
$$=-\frac{3}{2}x^2+6x+C$$
$f(0)=2$이므로 $C=2$
STEP 3 최댓값 구하기
따라서 $f(x)=-\frac{3}{2}x^2+6x+2=-\frac{3}{2}(x-2)^2+8$이므로
함수 $f(x)$는 $x=2$일 때, 최댓값 8을 갖는다.

06-5 답 30

해결전략 | 주어진 등식의 양변을 x에 대하여 미분하여 $f'(x)$를 구한 다음 적분한다.

STEP 1 $f'(x)$ 구하기
$$\int \{f(x)+12x^2\}dx=(x+2)f(x)-3x^4-4x^3$$의 양변을 x에 대하여 미분하면
$$f(x)+12x^2=f(x)+(x+2)f'(x)-12x^3-12x^2$$
$$(x+2)f'(x)=12x^3+24x^2=12x^2(x+2)$$
위의 등식은 x에 대한 항등식이므로
$$f'(x)=12x^2$$
STEP 2 $f(x)$ 구하기
$$\therefore f(x)=\int f'(x)dx=\int 12x^2dx=4x^3+C$$
이때 $f(1)=2$이므로
$$4+C=2 \qquad \therefore C=-2$$
$$\therefore f(x)=4x^3-2$$
STEP 3 $f(2)$의 값 구하기
$$\therefore f(2)=32-2=30$$

06-6 답 9

해결전략 | 주어진 등식의 양변을 x에 대하여 미분한 다음 양변의 차수를 비교하여 $f(x)$의 차수를 유추한다.
STEP 1 양변을 x에 대하여 미분하기

$f(x)+\int xf(x)dx=\dfrac{1}{4}x^4-\dfrac{1}{3}x^3+\dfrac{5}{2}x^2-x$의 양변을 x
에 대하여 미분하면
$$f'(x)+xf(x)=x^3-x^2+5x-1 \qquad \cdots\cdots \ \text{㉠}$$
STEP2 $f(x)$의 차수를 유추하여 식 설정하기

$f(x)$를 n차 함수라고 하면 $xf(x)$는 $(n+1)$차 함수이
므로 ㉠에서
$$n+1=3 \qquad \therefore n=2$$
즉, $f(x)$가 이차함수이므로
$f(x)=ax^2+bx+c$ (a, b, c는 상수, $a\neq0$)로 놓으면
$$f'(x)=2ax+b$$
STEP3 $f(x)$, $f'(x)$를 대입하여 미지수 구하기

$f(x)=ax^2+bx+c$, $f'(x)=2ax+b$를 ㉠에 대입하면
$$2ax+b+x(ax^2+bx+c)=x^3-x^2+5x-1$$
$$\therefore ax^3+bx^2+(2a+c)x+b=x^3-x^2+5x-1$$
위의 등식이 모든 실수 x에 대하여 성립하므로
$$a=1,\ b=-1,\ 2a+c=5$$
$$\therefore c=3$$
STEP4 $f(3)$의 값 구하기

따라서 $f(x)=x^2-x+3$이므로
$$f(3)=9-3+3=9$$

필수유형 07   233쪽

07-1 답 $-\dfrac{9}{2}$

해결전략 | 각 구간별로 적분한 다음 주어진 조건과 함수가
$x=-1$에서 연속임을 이용하여 적분상수를 구한다.
STEP1 $f'(x)$ 적분하기

$f(x)=\int f'(x)dx$이므로

(i) $x<-1$일 때, $f(x)=\int kdx=kx+C_1$

(ii) $x\geq-1$일 때, $f(x)=\int(x-3)dx=\dfrac{1}{2}x^2-3x+C_2$

(i), (ii)에 의하여 함수 $f(x)$는
$$f(x)=\begin{cases} kx+C_1 & (x<-1) \\ \dfrac{1}{2}x^2-3x+C_2 & (x\geq-1) \end{cases}$$
STEP2 k의 값 구하기

$f(-2)=6$이므로 $-2k+C_1=6 \qquad \cdots\cdots \ \text{㉠}$

$f(0)=-2$이므로 $C_2=-2$

이때 함수 $f(x)$는 $x=-1$에서 연속이므로

$f(-1)=\lim\limits_{x\to-1-}f(x)=\lim\limits_{x\to-1+}f(x)$에서
$$-k+C_1=\dfrac{1}{2}+3+C_2$$
$$\therefore -k+C_1=\dfrac{3}{2} \qquad \cdots\cdots \ \text{㉡}$$
㉠, ㉡을 연립하여 풀면
$$C_1=-3,\ k=-\dfrac{9}{2}$$

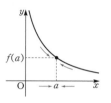

풍쌤의 비법

함수 $f(x)$가 $x=a$에서 연속일 조건
(1) 함수 $f(x)$는 $x=a$에서 정의되어 있다.
(2) 극한값 $\lim\limits_{x\to a}f(x)$가 존재한다.
$$\Longleftrightarrow \lim\limits_{x\to a+}f(x)=\lim\limits_{x\to a-}f(x)$$
(3) $\lim\limits_{x\to a}f(x)=f(a)$

07-2 답 4

해결전략 | 각 구간별로 적분한 다음 주어진 조건과 함수가
연속임을 이용하여 적분상수를 구한다.
STEP1 $f'(x)$ 적분하기

$f(x)=\int f'(x)dx$이므로

(i) $x\leq1$일 때, $f(x)=\int3x^2dx=x^3+C_1$

(ii) $x>1$일 때, $f(x)=\int(4x-1)dx=2x^2-x+C_2$

(i), (ii)에 의하여 함수 $f(x)$는
$$f(x)=\begin{cases} x^3+C_1 & (x<1) \\ 2x^2-x+C_2 & (x\geq1) \end{cases}$$
STEP2 $f(x)$ 구하기

$f(0)=-2$이므로 $C_1=-2$

이때 함수 $f(x)$는 모든 실수 x에 대하여 미분가능하므
로 모든 실수 x에 대하여 연속이다.

즉, 함수 $f(x)$는 $x=1$에서 연속이므로

$f(1)=\lim\limits_{x\to1-}f(x)=\lim\limits_{x\to1+}f(x)$에서

$1+C_1=2-1+C_2 \qquad \therefore C_2=C_1=-2$

$\therefore f(x)=\begin{cases} x^3-2 & (x<1) \\ 2x^2-x-2 & (x\geq1) \end{cases}$

STEP 3 $f(2)$의 값 구하기

$\therefore f(2)=8-2-2=4$

> ◎ 풍쌤의 비법
>
> **미분가능성과 연속성**
> (1) 함수 $f(x)$의 $x=a$에서의 미분계수 $f'(a)$가 존재할 때, 함수 $f(x)$는 $x=a$에서 미분가능하다고 한다.
> (2) 함수 $f(x)$가 $x=a$에서 미분가능하면 $f(x)$는 $x=a$에서 연속이다.

07-3 답 10

해결전략 | 각 구간별로 적분한 다음 주어진 조건과 함수가 연속임을 이용하여 적분상수를 구한다.

STEP 1 $f'(x)$ 적분하기

$f(x)=\int f'(x)dx$이므로

(i) $x<1$일 때, $f(x)=\int(x^2-2x)dx=\frac{1}{3}x^3-x^2+C_1$

(ii) $x>1$일 때, $f(x)=\int 4xdx=2x^2+C_2$

(i), (ii)에 의하여 함수 $f(x)$는

$$f(x)=\begin{cases}\frac{1}{3}x^3-x^2+C_1 & (x<1)\\ 2x^2+C_2 & (x>1)\end{cases}$$

STEP 2 $f(x)$ 구하기

$f(0)=3$이므로 $C_1=3$

또, 함수 $f(x)$는 모든 실수 x에 대하여 연속이므로 $x=1$에서도 연속이다.

즉, $f(1)=\lim_{x\to 1-}f(x)=\lim_{x\to 1+}f(x)$에서

$\frac{1}{3}-1+C_1=2+C_2$, $\frac{1}{3}-1+3=2+C_2$

$\therefore C_1=\frac{1}{3}$

$$\therefore f(x)=\begin{cases}\frac{1}{3}x^3-x^2+3 & (x<1)\\ 2x^2+\frac{1}{3} & (x\geq 1)\end{cases}$$

STEP 3 $f(-1)+f(2)$의 값 구하기

$\therefore f(-1)+f(2)=\left(-\frac{1}{3}-1+3\right)+\left(8+\frac{1}{3}\right)=10$

07-4 답 7

해결전략 | 그래프를 나타내는 함수식을 각 구간별로 적분한 다음 주어진 조건과 함수가 연속임을 이용하여 적분상수를 구한다.

STEP 1 $f'(x)$ 적분하기

그래프가 나타내는 함수식을 구하면

$f'(x)=\begin{cases}-2 & (x<0)\\ 2x-2 & (x\geq 0)\end{cases}$이므로

$$f(x)=\begin{cases}-2x+C_1 & (x<0)\\ x^2-2x+C_2 & (x\geq 0)\end{cases}$$

STEP 2 $f(x)$ 구하기

함수 $y=f(x)$의 그래프가 점 $(2, 1)$을 지나므로

$4-4+C_2=1$ $\therefore C_2=1$

또, 함수 $f(x)$가 모든 실수 x에 대하여 연속이므로 $x=0$에서도 연속이다.

즉, $f(0)=\lim_{x\to 0-}f(x)=\lim_{x\to 0+}f(x)$에서

$C_2=C_1=1$

$$\therefore f(x)=\begin{cases}-2x+1 & (x<0)\\ x^2-2x+1 & (x\geq 0)\end{cases}$$

STEP 3 $f(-1)+f(3)$의 값 구하기

$\therefore f(-1)+f(3)=(2+1)+(9-6+1)=7$

07-5 답 12

해결전략 | 그래프를 나타내는 함수식을 각 구간별로 적분한 다음 주어진 조건과 함수가 연속임을 이용하여 적분상수를 구한다.

STEP 1 $f'(x)$ 적분하기

그래프를 나타내는 함수식을 구하면

$f'(x)=\begin{cases}4 & (x<2)\\ -2x+8 & (x\geq 2)\end{cases}$이므로

$$f(x)=\begin{cases}4x+C_1 & (x<2)\\ -x^2+8x+C_2 & (x\geq 2)\end{cases}$$

STEP 2 $f(x)$ 구하기

함수 $y=f(x)$의 그래프가 원점을 지나므로

$f(0)=0$ $\therefore C_1=0$

또, 함수 $f(x)$가 모든 실수 x에 대하여 연속이므로 $x=2$에서도 연속이다.

즉, $f(2)=\lim_{x\to 2-}f(x)=\lim_{x\to 2+}f(x)$에서

$8=-4+16+C_2$ $\therefore C_2=-4$

$$\therefore f(x)=\begin{cases}4x & (x<2)\\ -x^2+8x-4 & (x\geq 2)\end{cases}$$

STEP 3 $f(4)$의 값 구하기

$\therefore f(4)=-16+32-4=12$

07-6 답 24

해결전략 | 절댓값 기호를 없앤 함수식을 각 구간별로 적분한 다음 주어진 조건과 함수가 연속임을 이용하여 적분상수를 구한다.

STEP1 $f'(x)$ 적분하기

$f'(x)=\begin{cases}3x & (x<0)\\ x & (x\geq 0)\end{cases}$ 이므로

$f(x)=\begin{cases}\dfrac{3}{2}x^2+C_1 & (x<0)\\[2mm] \dfrac{1}{2}x^2+C_2 & (x\geq 0)\end{cases}$

STEP2 $f(x)$ 구하기

$f(0)=-2$이므로 $C_2=-2$

또, 함수 $f(x)$가 모든 실수 x에 대하여 연속이므로 $x=0$에서도 연속이다.

즉, $f(0)=\lim\limits_{x\to 0-}f(x)=\lim\limits_{x\to 0+}f(x)$에서

$C_2=C_1=-2$

$\therefore f(x)=\begin{cases}\dfrac{3}{2}x^2-2 & (x<0)\\[2mm] \dfrac{1}{2}x^2-2 & (x\geq 0)\end{cases}$

STEP3 $f(4)f(-2)$의 값 구하기

$\therefore f(4)f(-2)=(8-2)\times(6-2)=24$

필수유형 08 235쪽

08-1 답 $f(x)=\dfrac{3}{2}x^2+x+3$

해결전략 | 곡선 $y=f(x)$ 위의 점 $(x, f(x))$에서의 접선의 기울기는 도함수 $f'(x)$와 같으므로 적분하여 $f(x)$를 구한다.

STEP1 $f'(x)$ 구하기

곡선 $y=f(x)$ 위의 점 $(x, f(x))$에서의 접선의 기울기가 $3x+1$이므로

$f'(x)=3x+1$

STEP2 $f(x)$ 구하기

$\therefore f(x)=\displaystyle\int f'(x)dx=\int (3x+1)dx$
$\qquad =\dfrac{3}{2}x^2+x+C$

곡선 $y=f(x)$가 점 $(0, 3)$을 지나므로

$f(0)=C=3$

$\therefore f(x)=\dfrac{3}{2}x^2+x+3$

08-2 답 7

해결전략 | 임의의 점 $(x, f(x))$에서의 접선의 기울기는 도함수 $f'(x)$와 같으므로 적분하여 $f(x)$를 구한다.

STEP1 $f'(x)$ 구하기

함수 $f(x)$의 그래프 위의 점 $(x, f(x))$에서의 접선의 기울기가 $4x-1$이므로

$f'(x)=4x-1$

STEP2 $f(x)$ 구하기

$\therefore f(x)=\displaystyle\int f'(x)dx=\int (4x-1)dx=2x^2-x+C$

$f(0)=1$이므로 $C=1$

$\therefore f(x)=2x^2-x+1$

STEP3 $f(2)$의 값 구하기

$\therefore f(2)=8-2+1=7$

08-3 답 52

해결전략 | 임의의 점 $(x, f(x))$에서의 접선의 기울기는 도함수 $f'(x)$와 같으므로 적분하여 $f(x)$를 구한다.

STEP1 $f'(x)$ 설정하기

곡선 $y=f(x)$ 위의 점 $(x, f(x))$에서의 접선의 기울기가 x^2에 정비례하므로 $f'(x)=ax^2$ (a는 상수)으로 놓는다.

STEP2 $f(x)$ 구하기

$f(x)=\displaystyle\int f'(x)dx=\int ax^2dx=\dfrac{a}{3}x^3+C$

이때 곡선 $y=f(x)$가 두 점 $(-1, 0)$, $(0, -2)$를 지나므로

$f(-1)=-\dfrac{a}{3}+C=0$ ...... ㉠

$f(0)=C=-2$ ...... ㉡

㉡을 ㉠에 대입하여 풀면 $a=-6$

$\therefore f(x)=-2x^3-2$

STEP3 $f(-3)$의 값 구하기

$\therefore f(-3)=54-2=52$

08-4 답 -6

해결전략 | 임의의 점 $(x, f(x))$에서의 접선의 기울기는 도함수 $f'(x)$와 같으므로 적분한 다음 곡선이 지나는 점과 이차방정식의 근과 계수의 관계를 이용하여 $f(x)$를 구한다.

STEP1 $f'(x)$ 구하기

곡선 $y=f(x)$ 위의 점 $(x, f(x))$에서의 접선의 기울기가 $-9x+k$이므로

$f'(x)=-9x+k$

STEP2 적분상수 구하기

$$\therefore f(x)=\int f'(x)dx=\int (-9x+k)dx$$
$$=-\frac{9}{2}x^2+kx+C$$

곡선 $y=f(x)$가 점 $(0,\ -6)$을 지나므로
$f(0)=C=-6$

STEP3 $f(x)$ 구하기

$$\therefore f(x)=-\frac{9}{2}x^2+kx-6$$

방정식 $-\frac{9}{2}x^2+kx-6=0$, 즉 $9x^2-2kx+12=0$의 모든 근의 합이 2이므로 이차방정식의 근과 계수의 관계에 의하여 $\frac{2k}{9}=2$ $\therefore k=9$

$$\therefore f(x)=-\frac{9}{2}x^2+9x-6$$

STEP4 $f(2)$의 값 구하기

$$\therefore f(2)=-18+18-6=-6$$

⊙ 풍쌤의 비법

이차방정식의 근과 계수의 관계
a, b, c가 실수인 이차방정식 $ax^2+bx+c=0$의 두 근을 α, β라고 하면
$$\alpha+\beta=-\frac{b}{a},\ \alpha\beta=\frac{c}{a}$$

08-5 답 10

해결전략 | 임의의 점 $(x,\ f(x))$에서의 접선의 기울기는 도함수 $f'(x)$와 같으므로 적분한 다음 최솟값을 이용하여 $f(x)$를 구한다.

STEP1 $f'(x)$ 구하기

곡선 $y=f(x)$ 위의 점 $(x,\ f(x))$에서의 접선의 기울기가 $2x-6$이므로 $f'(x)=2x-6$

STEP2 $f(x)$ 구하기

$$\therefore f(x)=\int f'(x)dx=\int (2x-6)dx$$
$$=x^2-6x+C=(x-3)^2-9+C$$

함수 $f(x)$의 최솟값이 -6이므로
$-9+C=-6$ $\therefore C=3$
$$\therefore f(x)=x^2-6x+3$$

STEP3 최댓값 구하기

따라서 닫힌구간 $[-1,\ 4]$에서 함수 $f(x)$는 $x=-1$일 때 최댓값을 가지므로 $f(x)$의 최댓값은
$f(-1)=1+6+3=10$

08-6 답 -12

해결전략 | 주어진 등식의 양변을 x에 대하여 미분하여 $f'(x)$를 구한 다음 적분하여 $f(x)$를 구한다.

STEP1 $f'(x)$ 구하기

$f(x)=\int (kx^2-4x+4)dx$의 양변을 x에 대하여 미분하면
$$f'(x)=kx^2-4x+4$$

STEP2 $f(x)$ 구하기

곡선 $y=f(x)$ 위의 점 $(1,\ 2)$에서 접선의 기울기가 9이므로
$$f'(1)=k=9$$
$$\therefore f(x)=\int (9x^2-4x+4)dx$$
$$=3x^3-2x^2+4x+C$$

곡선 $y=f(x)$가 점 $(1,\ 2)$를 지나므로
$f(1)=3-2+4+C=2$ $\therefore C=-3$
$$\therefore f(x)=3x^3-2x^2+4x-3$$

STEP3 $f(-1)$의 값 구하기

$$\therefore f(-1)=-3-2-4-3=-12$$

필수유형 **09**   237쪽

09-1 답 -3

해결전략 | 주어진 극한식을 간단히 하여 $f'(x)$를 구한 다음 적분하여 $f(x)$를 구한다.

STEP1 극한식 간단히 하기

$$\lim_{h\to 0}\frac{f(x-h)-f(x-2h)}{h}$$
$$=\lim_{h\to 0}\frac{\{f(x-h)-f(x)\}-\{f(x-2h)-f(x)\}}{h}$$
$$=\lim_{h\to 0}\frac{f(x-h)-f(x)}{-h}\times (-1)$$
$$+\lim_{h\to 0}\frac{f(x-2h)-f(x)}{-2h}\times 2$$
$$=-f'(x)+2f'(x)=f'(x)$$

STEP2 $f(x)$ 구하기

즉, $f'(x)=4x^3+6$이므로
$$f(x)=\int f'(x)dx=\int (4x^3+6)dx$$
$$=x^4+6x+C$$

이때 $f(1)=0$이므로
$1+6+C=0$ $\therefore C=-7$

$$\therefore f(x) = x^4 + 6x - 7$$

STEP 3 $f(-2)$의 값 구하기

$$\therefore f(-2) = 16 - 12 - 7 = -3$$

09-2 답 18

해결전략 | 주어진 등식의 양변을 x에 대하여 미분하여 $f'(x)$를 구하고 극한식을 간단히 하여 그 값을 구한다.

STEP 1 주어진 극한식을 간단히 하기

$$\lim_{h \to 0} \frac{f(1+h) - f(1-h)}{h}$$

$$= \lim_{h \to 0} \frac{\{f(1+h) - f(1)\} - \{f(1-h) - f(1)\}}{h}$$

$$= \lim_{h \to 0} \frac{f(1+h) - f(1)}{h} + \lim_{h \to 0} \frac{f(1-h) - f(1)}{-h}$$

$$= f'(1) + f'(1) = 2f'(1)$$

STEP 2 $f'(x)$ 구하기

$f(x) = \int (x+2)(x^2 - 2x + 4)\,dx$의 양변을 x에 대하여 미분하면

$$f'(x) = (x+2)(x^2 - 2x + 4) = x^3 + 8$$

STEP 3 주어진 극한식의 값 구하기

따라서 구하는 값은

$$2f'(1) = 2 \times (1+8) = 18$$

09-3 답 19

해결전략 | $f(x)$를 적분상수를 포함한 식으로 나타내고 주어진 조건을 적용시켜 적분상수와 미정계수를 구한다.

STEP 1 $f(x)$ 간단히 하기

$\int \left\{ \dfrac{d}{dx}(4x^3 - ax^2) \right\} dx = 4x^3 - ax^2 + C$이므로

$$f(x) = 4x^3 - ax^2 + C \qquad \cdots\cdots \ \bigcirc$$

STEP 2 $f(1) = 6$을 이용하여 관계식 세우기

이때 $f(1) = 6$이므로 $f(1) = 4 - a + C = 6$

$$\therefore a - C = -2 \qquad \cdots\cdots \ \bigcirc$$

STEP 3 a의 값 구하기

$\lim\limits_{x \to 1} \dfrac{f(x) - f(1)}{x-1} = f'(1)$이므로 $f'(1) = 2$

$\bigcirc$에서 $f'(x) = 12x^2 - 2ax$이므로

$$f'(1) = 12 - 2a = 2 \qquad \therefore a = 5$$

$a = 5$를 $\bigcirc$에 대입하면 $C = 7$

STEP 4 $f(2)$의 값 구하기

따라서 $f(x) = 4x^3 - 5x^2 + 7$이므로

$$f(2) = 32 - 20 + 7 = 19$$

09-4 답 -30

해결전략 | $f(x) = \int (x^2 - 4x + a)\,dx$의 양변을 x에 대하여 미분하고 미분계수의 정의를 이용하여 a의 값을 구한 다음 $f(0) = 6$을 이용하여 $f(x)$를 구한다.

STEP 1 극한식 간단히 하기

$$\lim_{x \to -3} \frac{f(x) - f(-3)}{x+3} = \lim_{x \to -3} \frac{f(x) - f(-3)}{x - (-3)}$$

$$= f'(-3) = 12$$

STEP 2 a의 값 구하기

$f(x) = \int (x^2 - 4x + a)\,dx$의 양변을 x에 대하여 미분하면

$$f'(x) = x^2 - 4x + a$$

$f'(-3) = 12$이므로

$$9 + 12 + a = 12 \qquad \therefore a = -9$$

STEP 3 $f(x)$ 구하기

$$f(x) = \int (x^2 - 4x - 9)\,dx = \frac{1}{3}x^3 - 2x^2 - 9x + C$$

$f(0) = 6$이므로 $C = 6$

$$\therefore f(x) = \frac{1}{3}x^3 - 2x^2 - 9x + 6$$

STEP 4 $f(3)$의 값 구하기

$$\therefore f(3) = 9 - 18 - 27 + 6 = -30$$

09-5 답 $f(x) = 2x^2 + 5x - 7$

해결전략 | 조건 ㈎를 이용하여 $f'(x)$를 적분한 다음 조건 ㈏를 이용하여 적분상수와 미정계수를 구해 $f(x)$를 구한다.

STEP 1 $f'(x)$ 구하기

조건 ㈏에서 $x \longrightarrow 1$일 때 (분모) $\longrightarrow 0$이고 극한값이 존재하므로 (분자) $\longrightarrow 0$이다.

즉, $f(1) = 0$이므로

$$\lim_{x \to 1} \frac{f(x)}{x-1} = \lim_{x \to 1} \frac{f(x) - f(1)}{x-1}$$

$$= f'(1) = 2a - 1$$

$f'(1) = 4 + a = 2a - 1$에서 $a = 5$

$$\therefore f'(x) = 4x + 5$$

STP 2 $f(x)$ 구하기

$$f(x) = \int f'(x)\,dx = \int (4x+5)\,dx$$

$$= 2x^2 + 5x + C$$

$f(1) = 2 + 5 + C = 0$에서 $C = -7$

$$\therefore f(x) = 2x^2 + 5x - 7$$

풍쌤의 비법

두 함수 $f(x)$, $g(x)$에 대하여

$\lim\limits_{x \to a} \dfrac{f(x)}{g(x)} = \alpha$ (α는 실수)이고 $\lim\limits_{x \to a} g(x) = 0$이면

$\lim\limits_{x \to a} f(x) = 0$임을 이용하여 $f(x)$ 또는 $g(x)$에 포함되어 있는 미정계수를 구할 수 있다.

09-6 답 $f(x) = 2x^2 - 7x + 6$

해결전략 | 주어진 식으로부터 $f'(x)$를 유추하여 설정한 다음 적분하여 $f(x)$를 구한다.

STEP 1 $f'(x)$ 설정하기

조건 ㈎에서 $\lim\limits_{x \to \infty} \dfrac{f'(x)}{x-1} = 4$이므로 $f'(x)$는 일차항의 계수가 4인 일차함수이다.

즉, $f'(x) = 4x + k$ (k는 상수)로 놓을 수 있다.

STEP 2 $f'(x)$ 구하기

조건 ㈏에서 $x \longrightarrow 2$일 때 (분모) $\longrightarrow 0$이고 극한값이 존재하므로 (분자) $\longrightarrow 0$이다.

즉, $f(2) = 0$이므로

$\lim\limits_{x \to 2} \dfrac{f(x)}{x-2} = \lim\limits_{x \to 2} \dfrac{f(x) - f(2)}{x - 2} = f'(2) = 1$

$f'(2) = 8 + k = 1$에서 $k = -7$

$\therefore f'(x) = 4x - 7$

STEP 3 $f(x)$ 구하기

$f(x) = \displaystyle\int f'(x)dx = \int (4x - 7)dx$

$\qquad = 2x^2 - 7x + C$

$f(2) = 8 - 14 + C = 0$에서 $C = 6$

$\therefore f(x) = 2x^2 - 7x + 6$

풍쌤의 비법

다항함수 $f(x)$에 대하여 $\lim\limits_{x \to \infty} \dfrac{f(x)}{x^n} = a$ (a는 실수)이면

① $a \neq 0$일 때, $f(x)$는 최고차항의 계수가 a인 n차함수

② $a = 0$일 때, $f(x)$는 $(n-1)$차 이하의 함수

필수유형 ⑩   239쪽

10-1 답 -8

해결전략 | 주어진 식에 $a = 0$, $b = 0$을 대입하여 $f(0)$의 값을 구하고, 도함수의 정의에 주어진 식을 적용시킨다.

STEP 1 $f(0)$의 값 구하기

$f(a+b) = f(a) + f(b)$에 $a = 0$, $b = 0$을 대입하면

$f(0) = f(0) + f(0)$

$\therefore f(0) = 0$

STEP 2 $f'(x)$ 구하기

도함수의 정의에 의하여 $f'(x)$를 구하면

$f'(x) = \lim\limits_{h \to 0} \dfrac{f(x+h) - f(x)}{h}$

$\qquad = \lim\limits_{h \to 0} \dfrac{f(x) + f(h) - f(x)}{h}$

$\qquad = \lim\limits_{h \to 0} \dfrac{f(h)}{h}$

$\qquad = \lim\limits_{h \to 0} \dfrac{f(0+h) - f(0)}{h - 0}$

$\qquad = f'(0) = 2$

STEP 3 $f(x)$ 구하기

$\therefore f(x) = \displaystyle\int f'(x)dx = \int 2dx = 2x + C$

$f(0) = 0$이므로 $C = 0$

$\therefore f(x) = 2x$

STEP 4 $f(-4)$의 값 구하기

$\therefore f(-4) = -8$

⊛→ **다른 풀이**

STEP 2 $f'(0) = 2$에 미분계수의 정의 적용하기

$f'(0) = 2$이므로 미분계수의 정의에 의하여

$f'(0) = \lim\limits_{h \to 0} \dfrac{f(0+h) - f(0)}{h}$

$\qquad = \lim\limits_{h \to 0} \dfrac{f(0) + f(h) - f(0)}{h}$

$\qquad = \lim\limits_{h \to 0} \dfrac{f(h)}{h} = 2$ ...... ㉠

STEP 3 $f'(x)$ 구하기

도함수의 정의에 의하여 $f'(x)$를 구하면

$f'(x) = \lim\limits_{h \to 0} \dfrac{f(x+h) - f(x)}{h}$

$\qquad = \lim\limits_{h \to 0} \dfrac{f(x) + f(h) - f(x)}{h}$

$\qquad = \lim\limits_{h \to 0} \dfrac{f(h)}{h} = 2$ ($\because$ ㉠)

10-2 답 -1

해결전략 | 주어진 식에 $a = 0$, $b = 0$을 대입하여 $f(0)$의 값을 구한 다음 미분계수와 도함수의 정의를 이용하여 $f'(0)$, $f'(x)$를 구하는 과정에 주어진 식을 적용시킨다.

STEP 1 $f(0)$의 값 구하기

$f(a+b)=f(a)+f(b)+3$에 $a=0$, $b=0$을 대입하면

$f(0)=f(0)+f(0)+3$

$\therefore f(0)=-3$

STEP2 $f'(0)=-2$에 미분계수의 정의 적용하기

미분계수의 정의에 의하여 $f'(0)$의 값을 구하면

$$f'(0)=\lim_{h\to 0}\frac{f(h)-f(0)}{h-0}$$

$$=\lim_{h\to 0}\frac{f(h)+3}{h}=-2 \qquad \cdots\cdots \text{㉠}$$

STEP3 $f'(x)$ 구하기

도함수의 정의에 의하여 $f'(x)$를 구하면

$$f'(x)=\lim_{h\to 0}\frac{f(x+h)-f(x)}{h}$$

$$=\lim_{h\to 0}\frac{f(x)+f(h)+3-f(x)}{h}$$

$$=\lim_{h\to 0}\frac{f(h)+3}{h}=-2 \ (\because \text{㉠})$$

STEP4 $f(x)$ 구하기

$$\therefore f(x)=\int f'(x)dx=\int (-2)dx=-2x+C$$

$f(0)=-3$이므로 $C=-3$

$\therefore f(x)=-2x-3$

STEP5 $f(-1)$의 값 구하기

$\therefore f(-1)=2-3=-1$

10-3 답 -20

해결전략 | 주어진 식에 $x=0$, $y=0$을 대입하여 $f(0)$의 값을 구한 다음 미분계수와 도함수의 정의를 이용하여 $f'(1)$, $f'(x)$를 구하는 과정에 주어진 식을 적용시킨다.

STEP1 $f(0)$의 값 구하기

$f(x+y)=f(x)+f(y)-xy$에 $x=0$, $y=0$을 대입하면

$f(0)=f(0)+f(0)$

$\therefore f(0)=0$

STEP2 $f'(1)=2$에 미분계수의 정의 적용하기

$f'(1)=2$이므로 미분계수의 정의에 의하여

$$f'(1)=\lim_{h\to 0}\frac{f(1+h)-f(1)}{h}$$

$$=\lim_{h\to 0}\frac{f(1)+f(h)-h-f(1)}{h}$$

$$=\lim_{h\to 0}\frac{f(h)}{h}-1=2$$

$$\therefore \lim_{h\to 0}\frac{f(h)}{h}=3 \qquad \cdots\cdots \text{㉠}$$

STEP3 $f'(x)$ 구하기

도함수의 정의에 의하여 $f'(x)$를 구하면

$$f'(x)=\lim_{h\to 0}\frac{f(x+h)-f(x)}{h}$$

$$=\lim_{h\to 0}\frac{f(x)+f(h)-xh-f(x)}{h}$$

$$=\lim_{h\to 0}\frac{f(h)}{h}-x=3-x \ (\because \text{㉠})$$

STEP4 $f(x)$ 구하기

$$\therefore f(x)=\int f'(x)dx=\int (3-x)dx$$

$$=-\frac{1}{2}x^2+3x+C$$

이때 $f(0)=0$이므로 $C=0$

$$\therefore f(x)=-\frac{1}{2}x^2+3x$$

STEP5 $f(-4)$의 값 구하기

$\therefore f(-4)=-8-12=-20$

10-4 답 20

해결전략 | 주어진 식에 $x=0$, $y=0$을 대입하여 $f(0)$의 값을 구하고, 도함수의 정의에 주어진 식을 적용시킨다.

STEP1 $f(0)$의 값 구하기

$f(x+y)=f(x)+f(y)+2xy$에 $x=0$, $y=0$을 대입하면

$f(0)=f(0)+f(0)$

$\therefore f(0)=0$

STEP2 $f'(x)$ 구하기

도함수의 정의에 의하여 $f'(x)$를 구하면

$$f'(x)=\lim_{h\to 0}\frac{f(x+h)-f(x)}{h}$$

$$=\lim_{h\to 0}\frac{f(x)+f(h)+2xh-f(x)}{h}$$

$$=\lim_{h\to 0}\frac{f(h)}{h}+2x$$

$$=\lim_{h\to 0}\frac{f(0+h)-f(0)}{h-0}+2x$$

$$=f'(0)+2x$$

STEP3 $f(x)$ 구하기

$f'(0)=a$라고 하면 $f'(x)=2x+a$이므로

$$f(x)=\int f'(x)dx=\int (2x+a)dx=x^2+ax+C$$

$f(0)=0$이므로 $C=0$

$\therefore f(x)=x^2+ax$

이때 $f(1)=2$이므로

$f(1)=1+a=2 \qquad \therefore a=1$

$\therefore f(x)=x^2+x$

STEP4 $f(-5)$의 값 구하기

$\therefore f(-5)=25-5=20$

10-5 답 3

해결전략 | 주어진 식에 $x=0$, $y=0$을 대입하여 $f(0)$의 값을 구한 다음 미분계수와 도함수의 정의를 이용하여 $f'(1)$, $f'(x)$를 구하는 과정에 주어진 식을 적용시킨다.

STEP1 $f(0)$의 값 구하기

$f(x+y)=f(x)+f(y)+xy(x+y)+3$에

$x=0$, $y=0$을 대입하면

$f(0)=f(0)+f(0)+3$

$\therefore f(0)=-3$

STEP2 $f'(1)=0$에 미분계수의 정의 적용하기

$f'(1)=0$이므로 미분계수의 정의에 의하여

$$f'(1)=\lim_{h\to 0}\frac{f(1+h)-f(1)}{h}$$

$$=\lim_{h\to 0}\frac{f(1)+f(h)+h(1+h)+3-f(1)}{h}$$

$$=\lim_{h\to 0}\frac{f(h)+3}{h}+1=0$$

$$\therefore \lim_{h\to 0}\frac{f(h)+3}{h}=-1 \qquad \cdots\cdots ㉠$$

STEP3 $f'(x)$ 구하기

도함수의 정의에 의하여 $f'(x)$를 구하면

$$f'(x)=\lim_{h\to 0}\frac{f(x+h)-f(x)}{h}$$

$$=\lim_{h\to 0}\frac{f(x)+f(h)+xh(x+h)+3-f(x)}{h}$$

$$=\lim_{h\to 0}\left\{\frac{f(h)+3}{h}+x(x+h)\right\}$$

$$=x^2-1 \ (\because ㉠)$$

STEP4 $f(x)$ 구하기

$$\therefore f(x)=\int f'(x)dx=\int(x^2-1)dx$$

$$=\frac{1}{3}x^3-x+C$$

$f(0)=-3$이므로 $C=-3$

$$\therefore f(x)=\frac{1}{3}x^3-x-3$$

STEP5 $f(3)$의 값 구하기

$$\therefore f(3)=9-3-3=3$$

10-6 답 12

해결전략 | 주어진 식에 $x=0$, $y=0$을 대입하여 $f(0)$의 값을 구하고, 도함수의 정의에 주어진 식을 적용시켜 $f'(x)$, $f(x)$를 구한 다음 이것을 주어진 극한식에 대입하여 $f'(0)$의 값을 구한다.

STEP1 $f(0)$의 값 구하기

$f(x+y)=f(x)+f(y)-xy+\dfrac{1}{2}$에

$x=0$, $y=0$을 대입하면

$f(0)=f(0)+f(0)+\dfrac{1}{2}$

$\therefore f(0)=-\dfrac{1}{2}$

STEP2 $f'(x)$ 구하기

도함수의 정의에 의하여 $f'(x)$를 구하면

$$f'(x)=\lim_{h\to 0}\frac{f(x+h)-f(x)}{h}$$

$$=\lim_{h\to 0}\frac{f(x)+f(h)-xh+\dfrac{1}{2}-f(x)}{h}$$

$$=\lim_{h\to 0}\frac{f(h)-xh+\dfrac{1}{2}}{h}$$

$$=\lim_{h\to 0}\left\{\frac{f(h)-f(0)}{h}-x\right\} \ \left(\because f(0)=-\frac{1}{2}\right)$$

$$=-x+f'(0)$$

STEP3 $f(x)$ 구하기

$$\therefore f(x)=\int f'(x)dx=\int\{-x+f'(0)\}dx$$

$$=-\frac{1}{2}x^2+f'(0)x+C$$

$f(0)=-\dfrac{1}{2}$이므로 $C=-\dfrac{1}{2}$

$$\therefore f(x)=-\frac{1}{2}x^2+f'(0)x-\frac{1}{2}$$

STEP4 $f'(0)$의 값 구하기

$$\lim_{x\to 1}\frac{f(x)-f'(x)}{x^2-1}$$

$$=\lim_{x\to 1}\frac{\left\{-\frac{1}{2}x^2+f'(0)x-\frac{1}{2}\right\}-\{-x+f'(0)\}}{x^2-1}$$

$$=\lim_{x\to 1}\frac{-\frac{1}{2}(x-1)^2+f'(0)(x-1)}{x^2-1}$$

$$=\lim_{x\to 1}\frac{-\frac{1}{2}(x-1)}{x+1}+\lim_{x\to 1}\frac{f'(0)}{x+1}$$

$$=0+\frac{f'(0)}{2}=6$$

$$\therefore f'(0)=12$$

필수유형 11   241쪽

11-1 답 $f(x)=-x^3+6x^2+4$

해결전략 | 그래프를 보고 $f'(x)$를 구한 다음 극댓값, 극솟값

을 이용하여 $f(x)$를 구한다.

STEP 1 $f(x)$ 구하기

$f'(x)=ax(x-4)$ $(a<0)$로 놓으면

$$f(x)=\int f'(x)dx=\int ax(x-4)dx$$
$$=\int(ax^2-4ax)dx$$
$$=\frac{a}{3}x^3-2ax^2+C$$

STEP 2 극대 · 극소 판정하기

$f'(x)=0$에서 $x=0$ 또는 $x=4$

함수 $f(x)$의 증가, 감소를 표로 나타내면 다음과 같다.

x	$\cdots$	0	$\cdots$	4	$\cdots$
$f'(x)$	−	0	+	0	−
$f(x)$	↘	극소	↗	극대	↘

따라서 함수 $f(x)$는 $x=0$에서 극솟값, $x=4$에서 극댓값을 갖는다.

STEP 3 $f(x)$ 구하기

$f(0)=4$이므로 $C=4$

$f(4)=36$이므로 $\frac{64}{3}a-32a+C=36$

$-\frac{32}{3}a+4=36$ $\qquad \therefore a=-3$

$\therefore f(x)=-x^3+6x^2+4$

11-2 답 $\frac{22}{3}$

해결전략 | 그래프를 보고 $f'(x)$를 구한 다음 극댓값을 이용하여 이용하여 $f(x)$를 구한다.

STEP 1 $f'(x)$ 구하기

$f'(x)=a(x+1)^2-1$ $(a>0)$로 놓으면

$f'(0)=0$이므로

$a-1=0$ $\qquad \therefore a=1$

$\therefore f'(x)=x^2+2x=x(x+2)$

STEP 2 극댓값을 갖는 경우 찾기

$f'(x)=0$에서 $x=-2$ 또는 $x=0$

함수 $f(x)$의 증가, 감소를 표로 나타내면 다음과 같다.

x	$\cdots$	-2	$\cdots$	0	$\cdots$
$f'(x)$	+	0	−	0	+
$f(x)$	↗	극대	↘	극소	↗

따라서 함수 $f(x)$는 $x=-2$에서 극댓값을 가지므로 $f(-2)=2$

STEP 3 $f(x)$ 구하기

$$f(x)=\int f'(x)dx=\int(x^2+2x)dx$$
$$=\frac{1}{3}x^3+x^2+C$$

$f(-2)=2$이므로

$-\frac{8}{3}+4+C=2$ $\qquad \therefore C=\frac{2}{3}$

$\therefore f(x)=\frac{1}{3}x^3+x^2+\frac{2}{3}$

STEP 4 $f(2)$의 값 구하기

$\therefore f(2)=\frac{8}{3}+4+\frac{2}{3}=\frac{22}{3}$

11-3 답 $-\frac{29}{3}$

해결전략 | $f(x)$를 미분하여 $f'(x)$를 구하고, 극댓값을 이용하여 $f(x)$를 구한 다음 극솟값을 구한다.

STEP 1 $f'(x)$ 구하기

$f(x)=\int(x^2-2x-3)dx$의 양변을 x에 대하여 미분하면

$f'(x)=x^2-2x-3=(x+1)(x-3)$

STEP 2 극대 · 극소 판정하기

$f'(x)=0$에서 $x=-1$ 또는 $x=3$

함수 $f(x)$의 증가, 감소를 표로 나타내면 다음과 같다.

x	$\cdots$	-1	$\cdots$	3	$\cdots$
$f'(x)$	+	0	−	0	+
$f(x)$	↗	극대	↘	극소	↗

따라서 함수 $f(x)$는 $x=-1$에서 극댓값, $x=3$에서 극솟값을 가지므로 $f(-1)=1$

STEP 3 $f(x)$ 구하기

$$f(x)=\int f'(x)dx=\int(x^2-2x-3)dx$$
$$=\frac{1}{3}x^3-x^2-3x+C$$

$f(-1)=1$이므로

$-\frac{1}{3}-1+3+C=1$ $\qquad \therefore C=-\frac{2}{3}$

$\therefore f(x)=\frac{1}{3}x^3-x^2-3x-\frac{2}{3}$

STEP 4 $f(x)$의 극솟값 구하기

따라서 $f(x)$의 극솟값은

$f(3)=9-9-9-\frac{2}{3}=-\frac{29}{3}$

11-4 답 20

해결전략 | 이차함수 $f'(x)$의 식을 유추한 다음 적분하여 $f(x)$를 구한다.

STEP1 $f'(x)$ 구하기

$f(x)$의 최고차항이 x^3이므로 $f'(x)$의 최고차항은 $3x^2$이다.

조건 ㈏에서 $f'(2)=0$

조건 ㈎에서 $f'(-2)=f'(2)=0$이므로

$f'(x)=3(x+2)(x-2)=3x^2-12$

STEP2 $f(x)$ 구하기

$f(x)=\int f'(x)dx=\int (3x^2-12)dx$

$\qquad =x^3-12x+C$

또, 조건 ㈏에서 $f(2)=-5$이므로

$8-24+C=-5 \qquad \therefore C=11$

$\therefore f(x)=x^3-12x+11$

STEP3 $f(-3)$의 값 구하기

$\therefore f(-3)=-27+36+11=20$

◉ ▶ 다른 풀이

해결전략 | 삼차함수 $f(x)$의 식을 가정한 다음 $f'(x)$를 구하여 해결한다.

STEP1 $f'(x)$ 구하기

$f(x)=x^3+ax^2+bx+c$ (a, b, c는 상수)로 놓으면

$f'(x)=3x^2+2ax+b$이므로

$f'(-x)=3x^2-2ax+b$

조건 ㈎에서 $3x^2+2ax+b=3x^2-2ax+b$

$\therefore a=0$

$\therefore f'(x)=3x^2+b$

STEP2 $f(x)$ 구하기

조건 ㈏에서 $f'(2)=0$이므로

$12+b=0 \qquad \therefore b=-12$

$\therefore f'(x)=3x^2-12$

$f(x)=\int f'(x)dx=\int (3x^2-12)dx=x^3-12x+C$

또, 조건 ㈏에서 $f(2)=-5$이므로

$8-24+C=-5 \qquad \therefore C=11$

$\therefore f(x)=x^3-12x+11$

STEP3 $f(-3)$의 값 구하기

$\therefore f(-3)=-27+36+11=20$

11-5 目 $-6\sqrt{3}$

해결전략 | 등식의 양변을 x에 대하여 미분하여 $f(x)$를 구한 다음 $f'(x)$를 이용하여 극대 · 극소를 판정한다.

STEP1 $f(x)$ 구하기

주어진 등식의 양변을 x에 대하여 미분하면

$1-f(x)=-x^3+9x+1$

$\therefore f(x)=x^3-9x$

STEP2 극대 · 극소 판정하기

$f'(x)=3x^2-9=3(x+\sqrt{3})(x-\sqrt{3})$이므로

$f'(x)=0$에서 $x=-\sqrt{3}$ 또는 $x=\sqrt{3}$

함수 $f(x)$의 증가, 감소를 표로 나타내면 다음과 같다.

x	$\cdots$	$-\sqrt{3}$	$\cdots$	$\sqrt{3}$	$\cdots$
$f'(x)$	$+$	0	$-$	0	$+$
$f(x)$	↗	극대	↘	극소	↗

따라서 함수 $f(x)$는 $x=-\sqrt{3}$에서 극댓값, $x=\sqrt{3}$에서 극솟값을 갖는다.

STEP3 $\alpha+\beta+\gamma$의 값 구하기

$\alpha=-\sqrt{3}$, $\beta=\sqrt{3}$이고,

$f(\sqrt{3})=3\sqrt{3}-9\sqrt{3}=-6\sqrt{3}$이므로

$\gamma=-6\sqrt{3}$

$\therefore \alpha+\beta+\gamma=-\sqrt{3}+\sqrt{3}+(-6\sqrt{3})=-6\sqrt{3}$

11-6 目 56

해결전략 | $f'(x)$의 최고차항의 계수가 3임을 이용하여 $f'(x)$의 식을 구한 다음 극대인 경우를 찾는다.

STEP1 $f'(x)$ 구하기

$f(x)$의 최고차항이 x^3이므로 $f'(x)$의 최고차항은 $3x^2$이다.

이때 $f'(2)=f'(8)=0$이므로

$f'(x)=3(x-2)(x-8)$

STEP2 극대인 경우 찾기

$f'(x)=0$에서 $x=2$ 또는 $x=8$

함수 $f(x)$의 증가, 감소를 표로 나타내면 다음과 같다.

x	$\cdots$	2	$\cdots$	8	$\cdots$
$f'(x)$	$+$	0	$-$	0	$+$
$f(x)$	↗	극대	↘	극소	↗

따라서 함수 $f(x)$는 $x=2$에서 극댓값을 가지므로

$f(2)=66$

STEP3 $f(x)$ 구하기

$f(x)=\int f'(x)dx=\int 3(x-2)(x-8)dx$

$\qquad =\int (3x^2-30x+48)dx$

$\qquad =x^3-15x^2+48x+C$

$f(2)=66$이므로

$f(2)=8-60+96+C=66$

$\therefore C=22$

$\therefore f(x) = x^3 - 15x^2 + 48x + 22$

STEP 4 $f(1)$의 값 구하기

$\therefore f(1) = 1 - 15 + 48 + 22 = 56$

◉→ **다른 풀이**

해결전략 | 삼차함수 $f(x)$의 식을 가정한 다음 $f'(x)$를 구하여 해결한다.

STEP 1 $f(x)$ 구하기

$f(x) = x^3 + ax^2 + bx + c$ (a, b, c는 상수)로 놓으면

$f'(x) = 3x^2 + 2ax + b$

$f'(2) = f'(8) = 0$이므로

$f'(2) = 12 + 4a + b = 0$

$f'(8) = 192 + 16a + b = 0$

위의 두 식을 연립하여 풀면

$a = -15$, $b = 48$

$\therefore f(x) = x^3 - 15x^2 + 48x + c$

함수 $f(x)$의 증가, 감소를 표로 나타내면 다음과 같다.

x	$\cdots$	2	$\cdots$	8	$\cdots$
$f'(x)$	+	0	−	0	+
$f(x)$	↗	극대	↘	극소	↗

따라서 함수 $f(x)$는 $x=2$에서 극댓값을 가지므로

$f(2) = 8 - 60 + 96 + c = 66$

$\therefore c = 22$

$\therefore f(x) = x^3 - 15x^2 + 48x + 22$

STEP 2 $f(1)$의 값 구하기

$\therefore f(1) = 1 - 15 + 48 + 22 = 56$

01

해결전략 | 등식의 양변을 x에 대하여 미분하여 $g(x)$를 먼저 구하고 주어진 조건을 적용시킨다.

STEP 1 $g(x)$ 구하기

$\int g(x)dx = x^4 f(x) + 4$의 양변을 x에 대하여 미분하면

$g(x) = 4x^3 f(x) + x^4 f'(x)$

STEP 2 $g(1)$의 값 구하기

$\therefore g(1) = 4f(1) + f'(1)$

$\qquad = 4 \times (-1) + 6$

$\qquad = 2$

02

해결전략 | 적분한 후 미분하면 원래의 식이 된다는 점을 이용하여 주어진 등식을 간단히 나타낸다.

STEP 1 등식의 좌변 간단히 하기

$\dfrac{d}{dx}\left\{\int(ax^3 - 4x^2 + 7)dx\right\} = ax^3 - 4x^2 + 7$이므로

$ax^3 - 4x^2 + 7 = 5x^3 + bx^2 + c$

STEP 2 $a+b+c$의 값 구하기

위의 등식이 모든 실수 x에 대하여 성립하므로

$a = 5$, $b = -4$, $c = 7$

$\therefore a + b + c = 5 + (-4) + 7 = 8$

03

해결전략 | 미분한 후 적분하면 적분상수를 포함한 식이 생긴다. 이때 주어진 조건을 이용하여 적분상수를 구한다.

STEP 1 $F(x)$를 간단히 하여 $f(x)$ 대입하기

$F(x) = \int\left\{\dfrac{d}{dx}f(x)\right\}dx = f(x) + C$

$\therefore F(x) = 10x^{10} + 9x^9 + \cdots + 2x^2 + x + C$

STEP 2 $F(x)$ 구하기

$F(0) = 4$이므로 $C = 4$

$\therefore F(x) = 10x^{10} + 9x^9 + \cdots + 2x^2 + x + 4$

STEP 3 $F(-1)$의 값 구하기

$\therefore F(-1) = 10 - 9 + 8 - 7 + \cdots + 2 - 1 + 4 = 9$

04

해결전략 | 미분한 후 적분하면 적분상수 C가 생긴다는 점을 이용하여 식을 간단히 한 다음 $f(x) = (x+p)^2 + q$ 꼴로 고쳐 최솟값을 이용한다.

STEP 1 $f(x)$ 간단히 하기

$f(x) = \int\left\{\dfrac{d}{dx}(x^2 + 4x - 3)\right\}dx$

$\qquad = x^2 + 4x - 3 + C$

$\qquad = (x+2)^2 + C - 7$

STEP 2 적분상수 구하기

함수 $f(x)$의 최솟값이 2이므로

$C - 7 = 2 \qquad \therefore C = 9$

STEP3 $f(2)$의 값 구하기

따라서 $f(x)=x^2+4x+6$이므로

$f(2)=4+8+6=18$

05

해결전략 | 미분한 후 적분하면 원래의 식에 적분상수가 붙음을 이용하여 $f(x)$를 구한다.

STEP1 $f(x)$의 식 정리하기

$f(x)=\int\left\{\dfrac{d}{dx}(x^2+2x)\right\}dx$

$\qquad =x^2+2x+C$

$\qquad =(x+1)^2+C-1$ ······ ❶

STEP2 적분상수 구하기

$y=f(x)$의 그래프가 직선 $y=4$에 접하므로 꼭짓점 $(-1,\ C-1)$은 직선 $y=4$ 위에 있다.

즉, $C-1=4$이므로 $C=5$ ······ ❷

STEP3 모든 실근의 합 구하기

$\therefore f(x)=(x+1)^2+4=x^2+2x+5$

이때 $f(x)=8$에서 $x^2+2x+5=8$

$x^2+2x-3=0,\ (x+3)(x-1)=0$

$\therefore x=-3$ 또는 $x=1$

따라서 구하는 모든 실근의 합은

$-3+1=-2$ ······ ❸

채점 요소	배점
❶ $f(x)$의 식 정리하기	40 %
❷ 적분상수 구하기	30 %
❸ 모든 실근의 합 구하기	30 %

06

해결전략 | 조건 (가), (나)의 식을 연립하여 $f(x)$, $g(x)$를 구한 다음 주어진 조건을 적용하여 적분상수를 구한다.

STEP1 $f(x)$ 구하기

조건 (가), (나)의 두 식을 변끼리 더하면

$2f(x)=\int(2x^2+4x)dx+\int(x^2-8x)dx$

$\qquad =\int(3x^2-4x)dx=x^3-2x^2+C_1$

$\therefore f(x)=\dfrac{1}{2}x^3-x^2+\dfrac{C_1}{2}$

조건 (다)에서 $f(0)=2$이므로 $C_1=4$

$\therefore f(x)=\dfrac{1}{2}x^3-x^2+2$

STEP2 $g(x)$ 구하기

조건 (가), (나)의 두 식을 변끼리 빼면

$2g(x)=\int(x^2+12x)dx=\dfrac{1}{3}x^3+6x^2+C_2$

$\therefore g(x)=\dfrac{1}{6}x^3+3x^2+\dfrac{C_2}{2}$

조건 (다)에서 $g(0)=0$이므로 $C_2=0$

$\therefore g(x)=\dfrac{1}{6}x^3+3x^2$

STEP3 $f(1)-g(3)$의 값 구하기

$\therefore f(1)-g(3)=\left(\dfrac{1}{2}-1+2\right)-\left(\dfrac{9}{2}+27\right)=-30$

07

해결전략 | 피적분함수를 합쳐서 하나의 함수로 간단히 나타내어 적분한다.

STEP1 $f(x)$ 간단히 하기

$f(x)=\int\dfrac{2x^2}{x+2}dx+\int\dfrac{3x}{x+2}dx-\int\dfrac{2}{x+2}dx$

$\qquad =\int\dfrac{2x^2+3x-2}{x+2}dx$

$\qquad =\int\dfrac{(x+2)(2x-1)}{x+2}dx$

$\qquad =\int(2x-1)dx=x^2-x+C$ ······ ❶

STEP2 적분상수 구하기

$f(0)=-4$이므로 $C=-4$ ······ ❷

$\therefore f(x)=x^2-x-4$

STEP3 모든 근의 곱 구하기

따라서 방정식 $f(x)=0$의 모든 근의 곱은 이차방정식의 근과 계수의 관계에 의하여 -4이다. ······ ❸

채점 요소	배점
❶ $f(x)$ 간단히 하기	60 %
❷ 적분상수 구하기	20 %
❸ 모든 근의 곱 구하기	20 %

08

해결전략 | 미분과 적분의 관계를 이용하여 주어진 식을 변형하여 보기의 참, 거짓을 판단한다.

STEP1 ㄱ의 참, 거짓 판단하기

ㄱ. 주어진 식의 좌변을 정리하면

$\int f'(x)dx-\int 2xdx=\int\{f'(x)-2x\}dx$

$\qquad\qquad\qquad\qquad\quad =f(x)-x^2+C$

$$\therefore \int f'(x)dx - \int 2xdx = f(x) - x^2 + C \text{ (참)}$$

STEP 2 ㄴ의 참, 거짓 판단하기

ㄴ. 주어진 식의 좌변을 x에 대하여 미분하면

$$f'(x)f(x)$$

주어진 식의 우변을 x에 대하여 미분하면

$$2f(x)f'(x)$$

$$\therefore \int f'(x)f(x)dx \neq \{f(x)\}^2 + C \text{ (거짓)}$$

STEP 3 ㄷ의 참, 거짓 판단하기

ㄷ. 주어진 식의 좌변을 정리하면

$$\int f(x)dx + \int xf'(x)dx = \int \{f(x) + xf'(x)\}dx$$

이때 $f(x) + xf'(x) = \dfrac{d}{dx}xf(x)$ 이므로

$$\int \{f(x) + xf'(x)\}dx = \int \left\{\dfrac{d}{dx}xf(x)\right\}dx$$
$$= xf(x) + C$$

$$\therefore \int f(x)dx + \int xf'(x)dx = xf(x) + C \text{ (참)}$$

따라서 옳은 것은 ㄱ, ㄷ이다.

09

해결전략 | 수직인 두 직선의 기울기의 곱이 -1이고, y절편이 같음을 이용하여 직선의 방정식을 먼저 구한다.

STEP 1 $f'(x)$ 구하기

직선 $y = -\dfrac{1}{2}x + 1$과 수직인 직선의 기울기는 2이고 두 직선이 y축 위의 한 점에서 만나므로 y절편은 1이다.

따라서 $y = f'(x)$의 그래프의 식은 $f'(x) = 2x + 1$

STEP 2 $f(x)$ 구하기

$$f(x) = \int f'(x)dx = \int (2x + 1)dx = x^2 + x + C$$

이때 $f(0) = f'(0) = 1$이므로 $C = 1$

$$\therefore f(x) = x^2 + x + 1$$

STEP 3 $f(2)$의 값 구하기

$$\therefore f(2) = 4 + 2 + 1 = 7$$

10

해결전략 | 미분한 식을 적분하고 주어진 조건을 이용하여 $f(x)$를 구한 다음 이를 적분한다.

STEP 1 $f'(x)$ 적분하기

$f'(x) = -3x^2 + 4x - 5$이므로

$$f(x) = \int f'(x)dx = \int (-3x^2 + 4x - 5)dx$$
$$= -x^3 + 2x^2 - 5x + C_1 \qquad \cdots\cdots \text{❶}$$

STEP 2 $f(x)$ 구하기

$f(1) = 1$이므로

$$-1 + 2 - 5 + C_1 = 1 \qquad \therefore C_1 = 5$$

$$\therefore f(x) = -x^3 + 2x^2 - 5x + 5 \qquad \cdots\cdots \text{❷}$$

STEP 3 바르게 적분한 식 구하기

따라서 $f(x)$를 바르게 적분한 식은

$$\int (-x^3 + 2x^2 - 5x + 5)dx$$
$$= -\dfrac{1}{4}x^4 + \dfrac{2}{3}x^3 - \dfrac{5}{2}x^2 + 5x + C \text{ (단, } C\text{는 적분상수)}$$

$$\cdots\cdots \text{❸}$$

채점 요소	배점
❶ $f'(x)$ 적분하기	40 %
❷ $f(x)$ 구하기	30 %
❸ 바르게 적분한 식 구하기	30 %

11

해결전략 | 주어진 등식의 양변을 x에 대하여 미분하여 $f(x)$, $f'(x)$의 관계식을 구한 다음 $f(x)$의 식을 설정하여 대입한다.

STEP 1 $f(x)$, $f'(x)$의 관계식 구하기

$x^2 f(x) - \int xf(x)dx = 4x^3 - x^2$의 양변을 x에 대하여 미분하면

$$2xf(x) + x^2 f'(x) - xf(x) = 12x^2 - 2x$$
$$xf(x) = -x^2 f'(x) + 12x^2 - 2x$$

위의 등식은 x에 대한 항등식이므로

$$f(x) = -xf'(x) + 12x - 2 \qquad \cdots\cdots \text{㉠}$$

STEP 2 $f(x) = ax + b$로 놓고 대입하기

$f(x)$가 일차함수이므로 $f(x) = ax + b$ $(a \neq 0)$로 놓으면 $f'(x) = a$이므로 ㉠에서

$$ax + b = -ax + 12x - 2$$
$$ax + b = (-a + 12)x - 2$$

STEP 3 a, b의 값 구하기

위의 등식은 x에 대한 항등식이므로

$$a = -a + 12, \ b = -2$$

$$\therefore a = 6$$

STEP 4 k의 값 구하기

따라서 $f(x) = 6x - 2$이므로

$f(k) = 10$에서 $6k - 2 = 10$

$$6k = 12 \qquad \therefore k = 2$$

12

해결전략 | 주어진 등식의 양변을 x에 대하여 미분하여 $f(x)$

를 먼저 구한다.

STEP1 $f(x)$ 구하기

이차함수 $f(x)$의 한 부정적분이 $F(x)$이므로

$F'(x)=f(x)$ …… ㉠

$F(x)-\displaystyle\int (x+1)f(x)dx=-4x^4+2x^3-5x^2$의 양변을

x에 대하여 미분하면

$f(x)-(x+1)f(x)=-16x^3+6x^2-10x$ ($\because$ ㉠)

$-xf(x)=-16x^3+6x^2-10x$

$\qquad\quad=-x(16x^2-6x+10)$

위의 등식은 x에 대한 항등식이므로

$f(x)=16x^2-6x+10$

STEP2 모든 근의 곱 구하기

따라서 방정식 $f(x)=0$의 모든 근의 곱은 이차방정식의

근과 계수의 관계에 의하여

$\dfrac{10}{16}=\dfrac{5}{8}$

13

해결전략 | 차수를 비교하여 $g(x)$와 $x^2+f(x)$의 차수를 판단한 다음 $f(x)$를 설정하여 대입한다.

STEP1 $g(x)$ 유추하기

$f(x)$가 이차함수이고 $f(x)g(x)$가 사차함수이므로 $g(x)$는 이차함수이다.

이때 $g(x)=\displaystyle\int \{x^2+f(x)\}dx$이므로 $x^2+f(x)$는 일차함수이다.

따라서 $x^2+f(x)=ax+b$ (a, b는 상수, $a\neq 0$)로 놓으면

$f(x)=-x^2+ax+b$

$g(x)=\displaystyle\int (x^2-x^2+ax+b)dx=\int (ax+b)dx$

$\qquad\;=\dfrac{a}{2}x^2+bx+C$

STEP2 $f(x)g(x)$의 식과 비교하여 미정계수 구하기

$f(x)g(x)=(-x^2+ax+b)\left(\dfrac{a}{2}x^2+bx+C\right)$

$\qquad\qquad=-\dfrac{a}{2}x^4+\left(\dfrac{a^2}{2}-b\right)x^3+\left(\dfrac{3}{2}ab-C\right)x^2$

$\qquad\qquad\qquad\qquad\qquad +(aC+b^2)x+bC$

$\therefore -\dfrac{a}{2}x^4+\left(\dfrac{a^2}{2}-b\right)x^3+\left(\dfrac{3}{2}ab-C\right)x^2$

$\qquad\qquad\qquad\qquad\qquad +(aC+b^2)x+bC$

$\qquad\;=-2x^4+8x^3$

위의 등식의 양변의 계수를 비교하면

$-\dfrac{a}{2}=-2$, $\dfrac{a^2}{2}-b=8$, $\dfrac{3}{2}ab-C=0$,

$aC+b^2=0$, $bC=0$

$\therefore a=4$, $b=0$, $C=0$

STEP3 $g(1)$의 값 구하기

따라서 $f(x)=-x^2+2x$, $g(x)=2x^2$이므로

$g(1)=2$

◉ → 다른 풀이

STEP2 $f(x)g(x)$의 식과 비교하여 미정계수 구하기

$f(x)g(x)=-2x^4+8x^3$이므로 $g(x)$의 최고차항은 2이다.

즉, $\dfrac{a}{2}=2$ $\therefore a=4$

따라서 $f(x)=-x^2+4x+b$, $g(x)=2x^2+bx+C$이고

$f(x)g(x)$의 상수항의 계수가 0이므로 $b=0$ 또는 $c=0$

또, 일차항의 계수가 0이므로 $b^2+4c=0$

$\therefore b=0$, $c=0$

               ↳ (i) $b=0$이면 $4c=0$ $\therefore c=0$
                 (ii) $c=0$이면 $b^2=0$ $\therefore b=0$

14

해결전략 | 절댓값 기호를 포함한 함수는 기준이 되는 x의 값을 기준으로 나누어 표현하고, 그 기준이 되는 x의 값에서 함수가 연속임을 이용하여 적분상수를 구한다.

STEP1 $f'(x)$를 구간을 나누어 나타내기

$f'(x)=x+|x-1|$을 절댓값 기호 안의 식의 값이 0이 되는 x의 값 $x=1$을 기준으로 구간을 나누어 나타내면

(i) $x<1$일 때, $f'(x)=x-(x-1)=1$

(ii) $x\geq 1$일 때, $f'(x)=x+(x-1)=2x-1$

(i), (ii)에 의하여 함수 $f'(x)$는

$f'(x)=\begin{cases} 1 & (x<1) \\ 2x-1 & (x\geq 1) \end{cases}$

STEP2 $f(x)$ 구하기

따라서 $f(x)=\begin{cases} x+C_1 & (x<1) \\ x^2-x+C_2 & (x\geq 1) \end{cases}$이고 $f(-1)=3$

이므로

$-1+C_1=3$ $\therefore C_1=4$

이때 함수 $f(x)$는 모든 실수 x에 대하여 연속이므로 $x=1$에서도 연속이다.

즉, $f(1)=\lim\limits_{x\to 1-}f(x)=\lim\limits_{x\to 1+}f(x)$에서

$1+C_1=C_2=5$

$\therefore f(x)=\begin{cases} x+4 & (x<1) \\ x^2-x+5 & (x\geq 1) \end{cases}$

STEP 3 $f(0)+f(2)$의 값 구하기

$\therefore f(0)+f(2)=4+(4-2+5)=11$

15

해결전략 | 접점의 좌표를 (a, b)로 놓고 $f'(a)=-1$, $f(a)=b$임을 이용하여 a, b의 값을 구한다.

STEP 1 $f'(a)=-1$임을 이용하여 접점의 좌표 구하기

곡선 $y=f(x)$가 직선 $y=-x+3$에 접하므로 직선 $y=-x+3$과 곡선 $y=f(x)$의 접점의 좌표를 (a, b)로 놓으면 $f'(a)=-1$이다.

즉, $f'(x)=6x^2+12x+5$에 대하여

$f'(a)=6a^2+12a+5=-1$이므로

$6(a+1)^2=0$ $\quad \therefore a=-1$

이때 점 (a, b)가 직선 $y=-x+3$ 위에 있으므로

$b=-a+3$에서 $b=1+3=4$

따라서 접점의 좌표는 $(-1, 4)$이다. $\quad\quad$ ……❶

STEP 2 $f(x)$ 구하기

$f(x)=\int f'(x)dx=\int(6x^2+12x+5)dx$

$\quad\quad =2x^3+6x^2+5x+C$

이때 곡선 $y=f(x)$가 접점 $(-1, 4)$를 지나므로

$f(-1)=-2+6-5+C=4$

$\therefore C=5$

$\therefore f(x)=2x^3+6x^2+5x+5$ $\quad\quad$ ……❷

STEP 3 $f(-2)$의 값 구하기

$\therefore f(-2)=-16+24-10+5=3$ $\quad\quad$ ……❸

채점 요소	배점
❶ $f'(a)=-1$임을 이용하여 접점의 좌표 구하기	40 %
❷ $f(x)$ 구하기	40 %
❸ $f(-2)$의 값 구하기	20 %

16

해결전략 | 주어진 조건을 이용하여 $f'(x)$를 구한 다음 적분하여 $f(x)$를 구한다.

STEP 1 $f'(x)$ 구하기

$\lim\limits_{x \to 1} \dfrac{f(x)}{x-1}=2a$에서 $x \longrightarrow 1$일 때 (분모) $\longrightarrow 0$이고 극한값이 존재하므로 (분자) $\longrightarrow 0$이다.

즉, $f(1)=0$이므로

$\lim\limits_{x \to 1} \dfrac{f(x)}{x-1}=\lim\limits_{x \to 1} \dfrac{f(x)-f(1)}{x-1}=f'(1)=2a$

$f'(1)=11+a=2a$이므로 $a=11$

$\therefore f'(x)=3x^2+8x+11$

STEP 2 $f(x)$ 구하기

$f(x)=\int f'(x)dx=\int(3x^2+8x+11)dx$

$\quad\quad =x^3+4x^2+11x+C$

$f(1)=1+4+11+C=0$에서 $C=-16$

$\therefore f(x)=x^3+4x^2+11x-16$

STEP 3 $f(0)$의 값 구하기

$\therefore f(0)=-16$

17

해결전략 | 주어진 식에 $a=0$, $b=0$을 대입하여 $f(0)$의 값을 구한 다음 미분계수와 도함수의 정의를 이용하여 $f'(1)$과 $f'(x)$를 구하는 과정에 주어진 식을 적용시킨다.

STEP 1 $f(0)$의 값 구하기

$f(a+b)=f(a)+f(b)-ab$에 $a=0$, $b=0$을 대입하면

$f(0)=f(0)+f(0)$

$\therefore f(0)=0$

STEP 2 $f'(1)=9$에 미분계수의 정의 적용하기

$f'(1)=9$이므로 미분계수의 정의에 의하여

$f'(1)=\lim\limits_{h \to 0} \dfrac{f(1+h)-f(1)}{h}$

$\quad\quad =\lim\limits_{h \to 0} \dfrac{f(1)+f(h)-h-f(1)}{h}$

$\quad\quad =\lim\limits_{h \to 0} \dfrac{f(h)}{h}-1=9$

$\therefore \lim\limits_{h \to 0} \dfrac{f(h)}{h}=10$ $\quad\quad$ ……㉠

STEP 3 $f'(x)$ 구하기

도함수의 정의에 의하여 $f'(x)$를 구하면

$f'(x)=\lim\limits_{h \to 0} \dfrac{f(x+h)-f(x)}{h}$

$\quad\quad =\lim\limits_{h \to 0} \dfrac{f(x)+f(h)-xh-f(x)}{h}$

$\quad\quad =\lim\limits_{h \to 0} \dfrac{f(h)}{h}-x=10-x \ (\because ㉠)$

STEP 4 $f(x)$ 구하기

$f(x)=\int f'(x)dx=\int(-x+10)dx$

$\quad\quad =-\dfrac{1}{2}x^2+10x+C$

$f(0)=0$이므로 $C=0$

$\therefore f(x)=-\dfrac{1}{2}x^2+10x$

STEP 5 $f'(2)+f(2)$의 값 구하기

$\therefore f'(2)+f(2)=(10-2)+(-2+20)=26$

18

해결전략 | 그래프를 보고 $f'(x)$의 식을 구한 다음 극대인 경우를 찾는다. 이때 그래프를 보고 극대, 극소인 경우를 판단하도록 한다.

STEP1 $f'(x)$ 구하기

도함수 $y=f'(x)$에서 그래프는 위로 볼록하고, x축과 x좌표가 -1, 3인 점에서 만나므로

$f'(x)=a(x+1)(x-3)$ $(a<0)$로 놓을 수 있다.

주어진 그래프에서 $f'(0)=6$이므로

$f'(0)=-3a=6$ $\qquad \therefore a=-2$

$\therefore f'(x)=-2(x+1)(x-3)=-2x^2+4x+6$

STEP2 $f(x)$ 구하기

$$f(x)=\int f'(x)dx=\int(-2x^2+4x+6)dx$$
$$=-\frac{2}{3}x^3+2x^2+6x+C$$

$y=f(x)$의 그래프가 점 $(0, -8)$을 지나므로

$f(0)=C=-8$

$\therefore f(x)=-\frac{2}{3}x^3+2x^2+6x-8$

STEP3 극댓값 구하기

$f'(x)=0$에서 $x=-1$ 또는 $x=3$

함수 $f(x)$의 증가, 감소를 표로 나타내면 다음과 같다.

x	$\cdots$	-1	$\cdots$	3	$\cdots$
$f'(x)$	$-$	0	$+$	0	$-$
$f(x)$	$\searrow$	극소	$\nearrow$	극대	$\searrow$

따라서 함수 $f(x)$는 $x=3$에서 극댓값을 가지므로

$f(3)=-18+18+18-8=10$

상위권 도약 문제 245~246쪽

01 90	**02** -1	**03** 10	**04** 12
05 3	**06** -5	**07** 4	**08** 64

01

해결전략 | 미분과 적분의 관계를 이용하여 $f_5(x)$와 $f_8(x)$를 구해 본다.

STEP1 $f_9(x)$, $f_8(x)$, $\cdots$를 구하기

$f_{n+1}(x)=\int f_n(x)dx$의 양변을 x에 대하여 미분하면

$f_n(x)={f_{n+1}}'(x)$

$f_{10}(x)=x^{12}+1$이므로

$f_9(x)={f_{10}}'(x)=12x^{11}$

$f_8(x)={f_9}'(x)=12\times11x^{10}$

$f_7(x)={f_8}'(x)=12\times11\times10x^9$

$f_6(x)={f_7}'(x)=12\times11\times10\times9x^8$

$f_5(x)={f_6}'(x)=12\times11\times10\times9\times8x^7$

STEP2 식의 값 구하기

$\therefore \dfrac{f_5(2)}{f_8(2)}=\dfrac{12\times11\times10\times9\times8\times2^7}{12\times11\times2^{10}}=90$

02

해결전략 | $\{f(x)g(x)\}'=f'(x)g(x)+f(x)g'(x)$에서 부정적분을 이용하여 $f(x)g(x)$를 구한다.

STEP1 $f(x)g(x)$ 구하기

$\{f(x)g(x)\}'=f'(x)g(x)+f(x)g'(x)$이므로

$$f(x)g(x)=\int\{f'(x)g(x)+f(x)g'(x)\}dx$$
$$=\int(3x^2-19)dx$$
$$=x^3-19x+C$$

위의 식에 $x=0$을 대입하면

$f(0)g(0)=C$에서 $(-10)\times(-3)=C$

$\therefore C=30$

$\therefore f(x)g(x)=x^3-19x+30$
$\qquad\qquad\quad=(x+5)(x-2)(x-3)$

STEP2 $f(x)$, $g(x)$ 구하기

$f(x)$, $g(x)$는 최고차항의 계수가 1인 다항함수이고

$f(0)=-10$, $g(0)=-3$이므로

$f(x)=(x+5)(x-2)$, $g(x)=x-3$

STEP3 식의 값 구하기

$$\therefore \lim_{x\to1}\frac{f(x)g(x)}{(f\circ g)(x)}=\frac{f(1)g(1)}{(f\circ g)(1)}$$
$$=\frac{(-6)\times(-2)}{f(-2)}$$
$$=\frac{12}{-12}=-1$$

03

해결전략 | 미분과 적분의 관계를 이용하여 $f_n(x)$를 구해 본다.

STEP1 ${f_{i+1}}'(x)$를 적분한 다음 $i=1$, 2, 3, $\cdots$을 대입하여 규칙 찾기

$f_{i+1}(x)=\int(n+i)f_i(x)dx$의 양변에 $i=1$, 2, 3, $\cdots$을 차례대로 대입해 보면

$$f_2(x) = \int (n+1) f_1(x) dx = \int x^{n+1} dx$$
$$= \frac{1}{n+2} x^{n+2} + C_1$$

$f_2(0) = 0$이므로 $C_1 = 0$

$$\therefore f_2(x) = \frac{1}{n+2} x^{n+2}$$

$$f_3(x) = \int (n+2) f_2(x) dx = \int x^{n+2} dx$$
$$= \frac{1}{n+3} x^{n+3} + C_2$$

$f_3(0) = 0$이므로 $C_2 = 0$

$$\therefore f_3(x) = \frac{1}{n+3} x^{n+3}$$
$$\vdots$$

따라서 $f_i(x) = \dfrac{1}{n+i} x^{n+i}$이다.

STEP 2 n의 값 구하기

$\dfrac{1}{f_i(x)} = \dfrac{n+i}{x^{n+i}}$이므로 $\dfrac{1}{f_i(1)} = n+i$

$$\frac{1}{f_1(1)} + \frac{1}{f_2(1)} + \frac{1}{f_3(1)} + \cdots + \frac{1}{f_n(1)}$$
$$= (n+1) + (n+2) + (n+3) + \cdots + (n+10)$$
$$= 10n + 55$$

따라서 $10n + 55 = 155$이므로

$10n = 100 \qquad \therefore n = 10$

◉→ **다른 풀이**

STEP 2 $\sum\limits_{i=1}^{n} \dfrac{1}{f_i(1)}$ 을 n에 대한 식으로 나타내기

$$\sum_{i=1}^{n} \frac{1}{f_i(1)} = \sum_{i=1}^{n} (n+i) = \sum_{i=1}^{n} n + \sum_{i=1}^{n} i$$
$$= n^2 + \frac{n(n+1)}{2} = \frac{3n^2 + n}{2} = 155$$

STEP 3 n의 값 구하기

$3n^2 + n = 310$, $3n^2 + n - 310 = 0$

$(3n + 31)(n - 10) = 0$

$\therefore n = 10$ ($\because n$은 자연수)

◎ **풍쌤의 비법**

수열의 합 $\sum$

(1) $\sum\limits_{k=1}^{n} k = \dfrac{n(n+1)}{2}$

(2) $\sum\limits_{k=1}^{n} k^2 = \dfrac{n(n+1)(2n+1)}{6}$

(3) $\sum\limits_{k=1}^{n} k^3 = \left\{ \dfrac{n(n+1)}{2} \right\}^2$

04

해결전략 | 주어진 식에서 $f(x)$의 차수를 유추하여 $f(x)$의 식을 설정한 다음 대입하여 미정계수를 구한다.

STEP 1 $f'(x) + xf(x)$ 구하기

$$\frac{d}{dx}\{f(x) + g(x)\} = f'(x) + g'(x)$$
$$= x^3 + 6x^2 - 2x + 6$$

$g(x) = \int xf(x) dx$의 양변을 x에 대하여 미분하면

$g'(x) = xf(x)$

$\therefore f'(x) + xf(x) = x^3 + 6x^2 - 2x + 6$ ⋯⋯ ㉠

STEP 2 $f(x)$를 설정하여 대입하기

$f(x)$의 차수를 n이라고 하면 ㉠의 좌변의 차수는 $n+1$이고, 우변의 차수가 3이므로 $f(x)$는 이차식이다.

우변의 x^3의 계수가 1이므로

$f(x) = x^2 + ax + b$ (a, b는 상수)로 놓으면

$f'(x) = 2x + a$

이것을 ㉠에 대입하면

$(2x + a) + x(x^2 + ax + b) = x^3 + 6x^2 - 2x + 6$

STEP 3 $f(2)$의 값 구하기

$x^3 + ax^2 + (b+2)x + a = x^3 + 6x^2 - 2x + 6$

양변의 계수를 비교하면

$a = 6$, $b = -4$

따라서 $f(x) = x^2 + 6x - 4$이므로

$f(2) = 4 + 12 - 4 = 12$

05

해결전략 | 구간을 나누어 $f'(x)$를 구한 다음 적분한다. 이때 함수 $f(x)$가 연속임을 이용하여 적분상수를 구한다.

STEP 1 $x < 0$일 때, $f(x)$ 구하기

(i) $x < 0$일 때,

$f'(x) = -2x + 1$이므로

$$f(x) = \int f'(x) dx = \int (-2x + 1) dx$$
$$= -x^2 + x + C_1$$

$f(-2) = 0$이므로

$-4 - 2 + C_1 = 0 \qquad \therefore C_1 = 6$

$\therefore f(x) = -x^2 + x + 6$

STEP 2 $x > 0$일 때, $f(x)$ 구하기

(ii) $x > 0$일 때,

$f'(x) = a(x-1)^2 - 1$ ($a < 0$)로 놓으면

$$f(x) = \int f'(x) dx = \int \{a(x-1)^2 - 1\} dx$$

$$= \int (ax^2 - 2ax + a - 1)dx$$

$$= \frac{a}{3}x^3 - ax^2 + (a-1)x + C_2$$

$f(2) = 0$이므로

$$\frac{2}{3}a - 2 + C_2 = 0 \qquad \therefore C_2 = 2 - \frac{2}{3}a$$

$$\therefore f(x) = \frac{a}{3}x^3 - ax^2 + (a-1)x + 2 - \frac{2}{3}a$$

STEP 3 함수 $f(x)$가 연속임을 이용하여 미정계수 구하기

함수 $f(x)$는 모든 실수 x에 대하여 연속이므로 $x=0$에서 연속이다.

즉, $f(0) = \lim\limits_{x \to 0+} f(x) = \lim\limits_{x \to 0-} f(x)$에서

$$2 - \frac{2}{3}a = 6 \qquad \therefore a = -6$$

STEP 4 $f(1)$의 값 구하기

따라서 $x > 0$에서 $f(x) = -2x^3 + 6x^2 - 7x + 6$이므로

$$f(1) = -2 + 6 - 7 + 6 = 3$$

06

해결전략 | 주어진 식에 $a=0$, $b=0$을 대입하여 $f(0)$의 값을 구한 다음 미분계수와 도함수의 정의에 주어진 식을 적용시킨다.

STEP 1 $f(0)$의 값 구하기

$f(a+b) = f(a) + f(b) + kab$에 $a=0$, $b=0$을 대입하면

$$f(0) = f(0) + f(0)$$

$$\therefore f(0) = 0$$

STEP 2 $f'(-2) = 4$에 미분계수의 정의 적용하기

$f'(-2) = 4$이므로 미분계수의 정의에 의하여

$$f'(-2) = \lim_{h \to 0} \frac{f(-2+h) - f(-2)}{h}$$

$$= \lim_{h \to 0} \frac{f(-2) + f(h) - 2kh - f(-2)}{h}$$

$$= \lim_{h \to 0} \frac{f(h)}{h} - 2k = 4$$

$$\therefore \lim_{h \to 0} \frac{f(h)}{h} = 4 + 2k \qquad \cdots\cdots \ \bigcirc$$

STEP 3 $f'(x)$ 구하기

도함수의 정의에 의하여 $f'(x)$를 구하면

$$f'(x) = \lim_{h \to 0} \frac{f(x+h) - f(x)}{h}$$

$$= \lim_{h \to 0} \frac{f(x) + f(h) + kxh - f(x)}{h}$$

$$= \lim_{h \to 0} \left\{ \frac{f(h)}{h} + kx \right\}$$

$$= 4 + 2k + kx \ (\because \ \bigcirc)$$

STEP 4 k의 값 구하기

$$f(x) = \int f'(x)dx = \int (4 + 2k + kx)dx$$

$$= \frac{k}{2}x^2 + (2k+4)x + C$$

$f(0) = 0$이므로 $C = 0$

또, $f(-2) = 2$이므로 $2k - 2(2k+4) = 2$

$$-2k = 10 \qquad \therefore k = -5$$

07

해결전략 | $f'(x)$의 식을 유추하여 적분한 다음 주어진 극값을 이용하여 미정계수를 구한다.

STEP 1 $f'(x)$의 식 설정하기

$f'(2-x) = f'(2+x)$이므로 $y = f'(x)$의 그래프는 직선 $x=2$에 대하여 대칭이다.

함수 $f(x)$가 $x=4$에서 극댓값 4를 가지므로

$$f(4) = 4, \ f'(4) = 0$$

이때 $y = f'(x)$의 그래프는 직선 $x=2$에 대하여 대칭이므로

$$f'(4) = f'(0) = 0$$

따라서 이차함수 $y = f'(x)$의 그래프는 위로 볼록한 포물선이고 x축과 두 점 $(0, 0)$, $(4, 0)$에서 만나므로

$$f'(x) = ax(x-4) \ (a < 0)$$로 놓을 수 있다.

STEP 2 $f'(x)$ 적분하기

$$f(x) = \int f'(x)dx = \int ax(x-4)dx$$

$$= \int (ax^2 - 4ax)dx = \frac{a}{3}x^3 - 2ax^2 + C$$

STEP 3 극대, 극소를 판정하여 미정계수와 적분상수 구하기

$f'(x) = 0$에서 $x=0$ 또는 $x=4$

함수 $f(x)$의 증가, 감소를 표로 나타내면 다음과 같다.

x	$\cdots$	0	$\cdots$	4	$\cdots$
$f'(x)$	$-$	0	$+$	0	$-$
$f(x)$	$\searrow$	극소	$\nearrow$	극대	$\searrow$

따라서 함수 $f(x)$는 $x=0$에서 극솟값 -4를 갖고, $x=4$에서 극댓값 4를 가지므로

$$f(0) = C = -4$$

$$f(4) = \frac{64}{3}a - 32a - 4 = 4 \qquad \therefore a = -\frac{3}{4}$$

STEP 4 $f(-2)$의 값 구하기

따라서 $f(x) = -\frac{1}{4}x^3 + \frac{3}{2}x^2 - 4$이므로

$$f(-2) = 2 + 6 - 4 = 4$$

$f(p-x)=f(p+x)$의 의미

$x=p$를 기준으로 왼쪽, 오른쪽으로 일정한 간격만큼 떨어진 x의 값에 대한 함숫값이 같으므로 함수 $y=f(x)$의 그래프는 직선 $x=p$에 대하여 대칭인 함수이다.

※ 일반적으로 $f(A)=f(B)$에서 $A+B=$(상수)이면 $f(x)$는 대칭인 함수이다.

08

해결전략 | $xF(x)$의 식을 구하여 극대, 극소를 판정하고 극솟값을 이용하여 p의 값을 구한다.

STEP 1 $F(x)$ 구하기

$f(x)=3x^2+2ax+b$의 부정적분 중 하나가 $F(x)$이므로

$F(x)=\int f(x)dx=\int (3x^2+2ax+b)dx$
$\quad\quad =x^3+ax^2+bx+C$

STEP 2 계수를 비교하여 a, b를 p로 나타내기

이때 a, b는 양수이고 $F(x)=k(x+p)^3$이므로

$k=1$, $p>0$ ($\because$ a, b는 양수)

즉, $x^3+ax^2+bx+C=x^3+3px^2+3p^2x+p^3$이므로

$a=3p$, $b=3p^2$ $\quad\quad\quad\quad$ ...... ㉠

STEP 3 $xF(x)$의 극대, 극소인 경우 판단하기

$xF(x)=x(x+p)^3$에서

$\{xF(x)\}'=(x+p)^3+3x(x+p)^2$
$\quad\quad\quad\quad =(x+p)^2(4x+p)$

$\{xF(x)\}'=0$에서 $x=-p$ 또는 $x=-\dfrac{p}{4}$

함수 $xF(x)$의 증가, 감소를 표로 나타내면 다음과 같다.

x	$\cdots$	$-p$	$\cdots$	$-\dfrac{p}{4}$	$\cdots$
$\{xF(x)\}'$	$-$	0	$-$	0	$+$
$xF(x)$	$\searrow$		$\searrow$	극소	$\nearrow$

STEP 4 p의 값 구하기

따라서 $xF(x)$는 $x=-\dfrac{p}{4}$에서 극솟값 $-\dfrac{1}{3}$을 가지므로

$\left(-\dfrac{p}{4}\right)\times\left(\dfrac{3}{4}p\right)^3=-\dfrac{1}{3}$, $p^4=\dfrac{4^4}{3^4}$

$\therefore p=\dfrac{4}{3}$ ($\because p>0$) $\quad\quad\quad$ ...... ㉡

STEP 5 $3ab$의 값 구하기

㉡을 ㉠에 대입하면 $a=4$, $b=\dfrac{16}{3}$

$\therefore 3ab=3\times 4\times \dfrac{16}{3}=64$

08 정적분

01 답 (1) 1 (2) 56 (3) 6 (4) 24

(1) $\displaystyle\int_0^1 2x\,dx=\left[x^2\right]_0^1=1$

(2) $\displaystyle\int_0^4 (5x+4)dx=\left[\dfrac{5}{2}x^2+4x\right]_0^4=40+16=56$

(3) $\displaystyle\int_{-2}^1 (3y^2-1)dy=\left[y^3-y\right]_{-2}^1$
$\quad\quad\quad\quad\quad\quad =(1-1)-(-8+2)=6$

(4) $\displaystyle\int_3^1 (-3x^2+1)dx=\int_1^3 (3x^2-1)dx$
$\quad\quad\quad\quad\quad\quad\quad =\left[x^3-x\right]_1^3$
$\quad\quad\quad\quad\quad\quad\quad =(27-3)-(1-1)=24$

02 답 (1) 9 (2) -10 (3) 12

(1) $\displaystyle\int_1^2 (3x^2+2x-1)dx=\left[x^3+x^2-x\right]_1^2$
$\quad\quad\quad\quad\quad\quad\quad\quad\quad =(8+4-2)-(1+1-1)=9$

(2) $\displaystyle\int_5^3 \dfrac{x^2}{x-1}dx-\int_5^3 \dfrac{1}{x-1}dx$
$\quad =\displaystyle\int_5^3 \dfrac{x^2-1}{x-1}dx=\int_5^3 \dfrac{(x+1)(x-1)}{x-1}dx$
$\quad =-\displaystyle\int_3^5 (x+1)dx$
$\quad =-\left[\dfrac{1}{2}x^2+x\right]_3^5$
$\quad =-\left\{\left(\dfrac{25}{2}+5\right)-\left(\dfrac{9}{2}+3\right)\right\}=-10$

(3) $\displaystyle\int_0^2 (x^2+1)dx+\int_2^3 (t^2+1)dt$
$\quad =\displaystyle\int_0^2 (x^2+1)dx+\int_2^3 (x^2+1)dx$
$\quad =\displaystyle\int_0^3 (x^2+1)dx$
$\quad =\left[\dfrac{1}{3}x^3+x\right]_0^3$
$\quad =9+3=12$

03 답 (1) 2 (2) 32

(1) $\displaystyle\int_{-1}^1 (2x+1)dx=\int_{-1}^1 1\,dx=2\int_0^1 1\,dx$
$\quad\quad\quad\quad\quad\quad =2\left[x\right]_0^1=2$

(2) $\displaystyle\int_{-2}^{2}(5x^4+3x^3-6x^2)dx=\int_{-2}^{2}(5x^4-6x^2)dx$

$$=2\int_{0}^{2}(5x^4-6x^2)dx$$

$$=2\left[x^5-2x^3\right]_{0}^{2}$$

$$=2(32-16)=32$$

04 답 (1) x^2-2x (2) $12x+12$

(1) $\displaystyle\frac{d}{dx}\int_{1}^{x}(t^2-2t)dt=x^2-2x$

(2) $\displaystyle\frac{d}{dx}\int_{x}^{x+2}(3t^2-3)dt=\{3(x+2)^2-3\}-(3x^2-3)$

$$=3x^2+12x+9-3x^2+3$$

$$=12x+12$$

05 답 (1) 3 (2) 12

(1) $F'(x)=x^2+2x+3$이라고 하면

$$\lim_{h\to 0}\frac{1}{h}\int_{0}^{h}(x^2+2x+3)dx=\lim_{h\to 0}\frac{F(h)-F(0)}{h}$$

$$=F'(0)=3$$

(2) $F'(x)=(x+2)(x+3)$이라고 하면

$$\lim_{x\to 1}\frac{1}{x-1}\int_{1}^{x}(t+2)(t+3)dt=\lim_{x\to 1}\frac{F(x)-F(1)}{x-1}$$

$$=F'(1)=3\times 4=12$$

필수유형 01 　　　　　　　　　　　251쪽

01-1 답 (1) 24 (2) -8 (3) $\dfrac{1}{5}$

해결전략 | 주어진 식을 간단히 정리한 다음 적분한다.

STEP 1 정적분 계산하기

(1) $\displaystyle\int_{-1}^{3}(x+1)(x^2-x+1)dx$

$$=\int_{-1}^{3}(x^3+1)dx$$

$$=\left[\frac{1}{4}x^4+x\right]_{-1}^{3}$$

$$=\left(\frac{81}{4}+3\right)-\left(\frac{1}{4}-1\right)=24$$

(2) $\displaystyle\int_{0}^{1}9(x^2-1)(x^2+1)(x^4+1)dx$

$$=\int_{0}^{1}9(x^4-1)(x^4+1)dx=\int_{0}^{1}9(x^8-1)dx$$

$$=\int_{0}^{1}(9x^8-9)dx$$

$$=\left[x^9-9x\right]_{0}^{1}$$

$$=1-9=-8$$

(3) $\displaystyle\int_{0}^{1}(1-2t)^4dt=\left[\frac{1}{5}\times\left(-\frac{1}{2}\right)\times(1-2t)^5\right]_{0}^{1}$

$$=\left[-\frac{1}{10}(1-2t)^5\right]_{0}^{1}$$

$$=\frac{1}{10}-\left(-\frac{1}{10}\right)=\frac{1}{5}$$

01-2 답 2

해결전략 | 정적분을 계산하여 a에 대한 방정식을 세워 해결한다.

STEP 1 정적분 계산하기

$$\int_{0}^{a}(3x^2-4)dx=\left[x^3-4x\right]_{0}^{a}=a^3-4a$$

STEP 2 양수 a의 값 구하기

즉, $a^3-4a=0$이므로

$a(a+2)(a-2)=0$

이때 $a>0$이므로 $a=2$

01-3 답 14

해결전략 | 정적분의 정의를 이용하여 주어진 식을 간단히 한다.

STEP 1 정적분 계산하기

$$\int_{1}^{4}\{3f'(x)-4x\}dx=\left[3f(x)-2x^2\right]_{1}^{4}$$

$$=\{3f(4)-32\}-\{3f(1)-2\}$$

$$=3f(4)-36\ (\because f(1)=2)$$

STEP 2 $f(4)$의 값 구하기

즉, $3f(4)-36=6$이므로 $3f(4)=42$

$\therefore f(4)=14$

01-4 답 200

해결전략 | 정적분을 계산하여 n에 대한 방정식을 세워 해결한다.

STEP 1 정적분 계산하기

$$\int_{0}^{1}(1+2x+3x^2+\cdots+nx^{n-1})dx$$

$$= \left[x + x^2 + x^3 + \cdots + x^n \right]_0^1$$
$$= \underbrace{1 + 1 + 1 + \cdots + 1}_{n\text{개}} = n$$

STEP 2 n의 값 구하기

정적분의 값이 200이므로

$n = 200$

01-5 🔲 $\dfrac{3}{8}$

해결전략 | $f(x)$와 $f(1)$의 값을 주어진 식에 대입하여 k의 값을 구한다.

STEP 1 정적분 계산하기

$$\int_0^1 f(x)\,dx = \int_0^1 (2x^3 - 8kx)\,dx$$
$$= \left[\frac{1}{2}x^4 - 4kx^2 \right]_0^1 = \frac{1}{2} - 4k$$

STEP 2 k의 값 구하기

이때 $f(1) = 2 - 8k$이므로 주어진 식은

$\dfrac{1}{2} - 4k = 2 - 8k$, $4k = \dfrac{3}{2}$

$\therefore k = \dfrac{3}{8}$

01-6 🔲 $\dfrac{7}{24}$

해결전략 | $f(x)$를 주어진 식에 대입하여 정적분을 계산한 다음 a의 값을 구한다.

STEP 1 $\displaystyle\int_0^2 \{f(x)\}^2 dx$의 값 구하기

$$\int_0^2 \{f(x)\}^2 dx = \int_0^2 (2x-1)^2 dx$$
$$= \int_0^2 (4x^2 - 4x + 1)\,dx$$
$$= \left[\frac{4}{3}x^3 - 2x^2 + x \right]_0^2$$
$$= \frac{32}{3} - 8 + 2 = \frac{14}{3}$$

STEP 2 $\displaystyle\int_0^2 2f(x)\,dx$의 값 구하기

$$\int_0^2 2f(x)\,dx = \int_0^2 (4x-2)\,dx$$
$$= \left[2x^2 - 2x \right]_0^2$$
$$= 8 - 4 = 4$$

STEP 3 a의 값 구하기

따라서 주어진 등식에서

$\dfrac{14}{3} = a \times 4^2$ $\therefore a = \dfrac{7}{24}$

02-1 🔲 3

해결전략 | 정적분을 계산한 다음 방정식을 세워 양수 k의 값을 구한다.

STEP 1 정적분 계산하기

$$\int_{-1}^2 (3x^2 - 2kx + 4)\,dx = \left[x^3 - kx^2 + 4x \right]_{-1}^2$$
$$= (16 - 4k) - (-5 - k)$$
$$= -3k + 21$$

STEP 2 방정식 풀기

즉, $-3k + 21 = k^2 + 3$이므로

$k^2 + 3k - 18 = 0$

$(k+6)(k-3) = 0$

이때 $k > 0$이므로 $k = 3$

02-2 🔲 6

해결전략 | 정적분을 계산한 다음 이차부등식을 세워 푼다.

STEP 1 정적분 계산하기

$f(x) = -4x^3 + 2kx$이므로

$$\int_0^1 (-4x^3 + 2kx)\,dx = \left[-x^4 + kx^2 \right]_0^1$$
$$= -1 + k$$

STEP 2 이차부등식 풀기

즉, $-1 + k \geq k^2 - 7$이므로

$k^2 - k - 6 \leq 0$, $(k+2)(k-3) \leq 0$

$\therefore -2 \leq k \leq 3$

STEP 3 정수 k의 개수 구하기

따라서 구하는 정수 k의 개수는 -2, -1, 0, 1, 2, 3의 6이다.

02-3 🔲 $f(x) = x^3 - x^2 + 5x + 4$

해결전략 | 적분상수 C를 포함한 $f(x)$를 주어진 등식에 대입하여 정적분을 계산한다.

STEP 1 부정적분을 하여 적분상수 C를 포함한 $f(x)$ 구하기

$f'(x) = 3x^2 - 2x + 5$이므로

$$f(x) = \int (3x^2 - 2x + 5)\,dx = x^3 - x^2 + 5x + C$$

STEP 2 $f(x)$를 주어진 등식에 대입하여 정적분 계산하기

$$\int_{-1}^0 f(x)\,dx = \int_{-1}^0 (x^3 - x^2 + 5x + C)\,dx$$
$$= \left[\frac{1}{4}x^4 - \frac{1}{3}x^3 + \frac{5}{2}x^2 + Cx \right]_{-1}^0$$
$$= -\frac{37}{12} + C$$

STEP 3 $f(x)$ 구하기

즉, $-\dfrac{37}{12}+C=\dfrac{11}{12}$이므로 $C=4$

$\therefore f(x)=x^3-x^2+5x+4$

> 🎯 **풍쌤의 비법**
>
> **접선의 기울기**
> 함수 $y=f(x)$의 그래프 위의 점 $(x, f(x))$에서의 접선의 기울기 ➡ $f'(x)$

02-4 답 11

해결전략 | 정적분을 계산하여 구한 이차식을 완전제곱식으로 변형하여 최솟값을 구한다.

STEP 1 정적분 계산하기

$$\int_{-4}^{k}(4x+6)dx=\Big[2x^2+6x\Big]_{-4}^{k}$$
$$=2k^2+6k-8$$

STEP 2 완전제곱식으로 변형하여 최소가 되는 경우 찾기

$2k^2+6k-8=2\Big(k+\dfrac{3}{2}\Big)^2-\dfrac{25}{2}$이므로 $k=-\dfrac{3}{2}$일 때

최솟값 $-\dfrac{25}{2}$를 갖는다.

STEP 3 $m-n$의 값 구하기

따라서 $m=-\dfrac{3}{2}$, $n=-\dfrac{25}{2}$이므로

$m-n=-\dfrac{3}{2}-\Big(-\dfrac{25}{2}\Big)=11$

02-5 답 9

해결전략 | 정적분을 계산하여 구한 이차식을 완전제곱식으로 변형하여 최솟값을 구한다.

STEP 1 정적분 계산하기

$$\int_{1}^{2}(3x^2-2ax+a^2-4)dx$$
$$=\Big[x^3-ax^2+a^2x-4x\Big]_{1}^{2}$$
$$=(8-4a+2a^2-8)-(1-a+a^2-4)$$
$$=a^2-3a+3$$

STEP 2 완전제곱식으로 변형하여 최소가 되는 경우 찾기

$f(a)=a^2-3a+3=\Big(a-\dfrac{3}{2}\Big)^2+\dfrac{3}{4}$

즉, $f(a)$는 $a=\dfrac{3}{2}$일 때 최솟값 $\dfrac{3}{4}$을 갖는다.

STEP 3 $8mn$의 값 구하기

따라서 $m=\dfrac{3}{2}$, $n=\dfrac{3}{4}$이므로

$8mn=8\times\dfrac{3}{2}\times\dfrac{3}{4}=9$

02-6 답 8

해결전략 | 조건 ㈎와 ㈏를 만족시키는 경우를 찾아 식을 세우고 a, b의 값을 구한다.

STEP 1 미분계수의 정의를 이용하여 a, b의 관계식 구하기

조건 ㈎에서

$$\lim_{x\to 1}\dfrac{f(x)-f(1)}{x^2-1}=\lim_{x\to 1}\Big\{\dfrac{f(x)-f(1)}{x-1}\times\dfrac{1}{x+1}\Big\}$$
$$=\dfrac{1}{2}f'(1)=-4$$

$\therefore f'(1)=-8$

$f'(x)=2ax+b$이므로 $2a+b=-8$ ⋯⋯ ㉠

STEP 2 정적분을 계산하여 a, b의 관계식 구하기

조건 ㈏에서

$$\int_{0}^{1}f(x)dx=\int_{0}^{1}(ax^2+bx)dx$$
$$=\Big[\dfrac{a}{3}x^3+\dfrac{b}{2}x^2\Big]_{0}^{1}$$
$$=\dfrac{a}{3}+\dfrac{b}{2}=-\dfrac{10}{3}$$

$\therefore 2a+3b=-20$ ⋯⋯ ㉡

STEP 3 $f(-2)$의 값 구하기

㉠, ㉡을 연립하여 풀면 $a=-1$, $b=-6$

따라서 $f(x)=-x^2-6x$이므로

$f(-2)=-4+12=8$

> 🎯 **풍쌤의 비법**
>
> 미분가능한 함수 $f(x)$에 대하여
> $$\lim_{x\to a}\dfrac{f(x)-f(a)}{x-a}=b\ (b\text{는 실수}) \Rightarrow f'(a)=b$$

필수유형 03 255쪽

03-1 답 198

해결전략 | 적분변수를 통일시켜 하나의 정적분으로 나타낸 다음 인수분해를 이용하여 정적분을 계산하기 편한 식으로 간단히 한다.

STEP 1 적분변수를 통일시켜 하나의 정적분으로 나타내기

$$\int_{0}^{9}\dfrac{x^3}{x+2}dx+\int_{0}^{9}\dfrac{8}{y+2}dy$$
$$=\int_{0}^{9}\dfrac{x^3}{x+2}dx+\int_{0}^{9}\dfrac{8}{x+2}dx$$
$$=\int_{0}^{9}\dfrac{x^3+8}{x+2}dx=\int_{0}^{9}\dfrac{(x+2)(x^2-2x+4)}{x+2}dx$$
$$=\int_{0}^{9}(x^2-2x+4)dx$$

STEP2 정적분 계산하기

$$\therefore \int_0^9 (x^2 - 2x + 4)dx = \left[\frac{1}{3}x^3 - x^2 + 4x\right]_0^9$$
$$= 243 - 81 + 36 = 198$$

03-2 답 8

해결전략 | 적분 구간을 같게 만들어 하나의 정적분으로 나타내어 계산한다.

STEP1 적분 구간을 같게 만들어 하나의 정적분으로 나타내기

$$\int_0^2 (2x^2 + 1)dx + 2\int_2^2 (x - x^2)dx - \int_2^0 1dx$$
$$= \int_0^2 (2x^2 + 1)dx + \int_0^2 (2x - 2x^2)dx + \int_0^2 1dx$$
$$= \int_0^2 (2x^2 + 1 + 2x - 2x^2 + 1)dx$$
$$= \int_0^2 (2x + 2)dx$$

STEP2 정적분 계산하기

$$\therefore \int_0^2 (2x + 2)dx = \left[x^2 + 2x\right]_0^2$$
$$= 4 + 4 = 8$$

03-3 답 10

해결전략 | 적분 구간을 같게 만들어 하나의 정적분으로 나타낸 다음 k에 대한 방정식을 세워 푼다.

STEP1 적분 구간을 같게 만들어 하나의 정적분으로 나타내기

$$\int_0^2 (x^2 + 4x + k)dx - 2\int_2^0 (x^2 - 3x)dx$$
$$= \int_0^2 (x^2 + 4x + k)dx + \int_0^2 (2x^2 - 6x)dx$$
$$= \int_0^2 \{(x^2 + 4x + k) + (2x^2 - 6x)\}dx$$
$$= \int_0^2 (3x^2 - 2x + k)dx$$

STEP2 정적분 계산하기

$$\therefore \int_0^2 (3x^2 - 2x + k)dx = \left[x^3 - x^2 + kx\right]_0^2$$
$$= 4 + 2k$$

STEP3 k의 값 구하기

즉, $4 + 2k = 24$이므로

$$2k = 20 \qquad \therefore k = 10$$

03-4 답 4

해결전략 | 하나의 정적분으로 나타내어 계산한 다음 최소가 되는 상수 k의 값을 구한다.

STEP1 하나의 정적분으로 나타내기

$$2\int_1^k (x - 2)dx - \int_1^k 4dx = \int_1^k (2x - 4)dx - \int_1^k 4dx$$
$$= \int_1^k \{(2x - 4) - 4\}dx$$
$$= \int_1^k (2x - 8)dx$$

STEP2 정적분 계산하기

$$\therefore \int_1^k (2x - 8)dx = \left[x^2 - 8x\right]_1^k = k^2 - 8k + 7$$

STEP3 k의 값 구하기

$k^2 - 8k + 7 = (k - 4)^2 - 9$이므로 $k = 4$일 때 최솟값을 갖는다.

03-5 답 10

해결전략 | 적분 구간을 같게 만들어 하나의 정적분으로 나타내어 계산한 다음 최솟값을 구한다.

STEP1 적분 구간을 같게 만들어 하나의 정적분으로 나타내기

$$\int_1^3 (x + k)^2 dx + \int_3^1 (4 - 2x^2)dx$$
$$= \int_1^3 (x^2 + 2kx + k^2)dx - \int_1^3 (4 - 2x^2)dx$$
$$= \int_1^3 \{(x^2 + 2kx + k^2) - (4 - 2x^2)\}dx$$
$$= \int_1^3 (3x^2 + 2kx + k^2 - 4)dx$$

STEP2 정적분 계산하기

$$\therefore \int_1^3 (3x^2 + 2kx + k^2 - 4)dx$$
$$= \left[x^3 + kx^2 + (k^2 - 4)x\right]_1^3$$
$$= (3k^2 + 9k + 15) - (k^2 + k - 3)$$
$$= 2k^2 + 8k + 18$$

STEP3 최솟값 구하기

$2k^2 + 8k + 18 = 2(k + 2)^2 + 10$이므로 $k = -2$일 때 최솟값 10을 갖는다.

03-6 답 23

해결전략 | 주어진 조건을 이용할 수 있도록 식을 나누어 적분한다.

STEP1 $\int_1^2 f(x)dx$의 값 구하기

$\int_2^1 f(x)dx = 3$에서 $\int_1^2 f(x)dx = -3$

STEP2 $\int_1^2 \{f(x) - 2\}^2 dx$의 값 구하기

$$\therefore \int_1^2 \{f(x) - 2\}^2 dx$$
$$= \int_1^2 [\{f(x)\}^2 - 4f(x) + 4]dx$$

$$= \int_1^2 \{f(x)\}^2 dx - 4\int_1^2 f(x)dx + \int_1^2 4dx$$

$$= 7 - 4 \times (-3) + \left[4x \right]_1^2$$

$$= 7 + 12 + (8 - 4) = 23$$

필수유형 04　　　　　　　　　　257쪽

04-1　📝 (1) 224　(2) -23　(3) $-\dfrac{65}{3}$

해결전략 | 적분 구간을 합쳐서 하나로 나타낸 다음 계산한다.

(1) $\displaystyle\int_{-1}^2 (5x^4 - 6x + 1)dx + \int_2^3 (5y^4 - 6y + 1)dy$

$$= \int_{-1}^2 (5x^4 - 6x + 1)dx + \int_2^3 (5x^4 - 6x + 1)dx$$

$$= \int_{-1}^3 (5x^4 - 6x + 1)dx$$

$$= \left[x^5 - 3x^2 + x \right]_{-1}^3$$

$$= (243 - 27 + 3) - (-1 - 3 - 1) = 224$$

(2) $\displaystyle\int_{-2}^{-1} (x-1)(3x+1)dx - \int_{-3}^{-1} (x-1)(3x+1)dx$

$$= \int_{-2}^{-1} (x-1)(3x+1)dx + \int_{-1}^{-3} (x-1)(3x+1)dx$$

$$= \int_{-2}^{-3} (x-1)(3x+1)dx = \int_{-2}^{-3} (3x^2 - 2x - 1)dx$$

$$= \left[x^3 - x^2 - x \right]_{-2}^{-3}$$

$$= (-27 - 9 + 3) - (-8 - 4 + 2) = -23$$

(3) $\displaystyle\int_{-2}^3 (-x^2 + 4)dx + \int_3^5 (-x^2 + 4)dx$
$$- \int_{-2}^0 (-x^2 + 4)dx$$

$$= \int_0^5 (-x^2 + 4)dx$$

$$= \left[-\frac{1}{3}x^3 + 4x \right]_0^5$$

$$= -\frac{125}{3} + 20 = -\frac{65}{3}$$

04-2　📝 -10

해결전략 | 정적분의 성질을 이용하여 하나의 정적분으로 나타낸 다음 계산한다.

STEP1 하나의 정적분으로 나타내기

$$\int_0^4 f(x)dx - \int_2^8 f(x)dx + \int_4^8 f(x)dx$$

$$= \int_0^4 f(x)dx + \int_4^8 f(x)dx - \int_2^8 f(x)dx$$

$$= \int_0^2 f(x)dx$$

STEP2 정적분 계산하기

$$\therefore \int_0^2 f(x)dx = \int_0^2 (2x^3 - 3x^2 - 5)dx$$

$$= \left[\frac{1}{2}x^4 - x^3 - 5x \right]_0^2$$

$$= 8 - 8 - 10 = -10$$

04-3　📝 18

해결전략 | 정적분의 성질을 이용하여 하나의 정적분으로 나타낸다.

STEP1 하나의 정적분으로 나타내기

$$\int_0^3 (x+1)^2 dx - \int_{-1}^3 (x-1)^2 dx + \int_{-1}^0 (x-1)^2 dx$$

$$= \int_0^3 (x+1)^2 dx - \int_0^3 (x-1)^2 dx - \int_0^{-1} (x-1)^2 dx$$

$$= \int_0^3 (x+1)^2 dx - \int_0^3 (x-1)^2 dx$$

$$= \int_0^3 (x^2 + 2x + 1 - x^2 + 2x - 1)dx$$

$$= \int_0^3 4x\, dx$$

STEP2 정적분 계산하기

$$\therefore \int_0^3 4x\, dx = \left[2x^2 \right]_0^3 = 18$$

04-4　📝 2800

해결전략 | 정적분의 성질을 이용하여 하나의 정적분으로 나타낸다.

STEP1 하나의 정적분으로 나타내기

$$\int_0^1 f(x)dx + \int_1^2 f(x)dx + \int_2^3 f(x)dx$$
$$+ \cdots + \int_9^{10} f(x)dx$$

$$= \int_0^{10} f(x)dx$$

STEP2 정적분 계산하기

$f(x) = x^3 + 6x$이므로

$$\int_0^{10} f(x)dx = \int_0^{10} (x^3 + 6x)dx$$

$$= \left[\frac{1}{4}x^4 + 3x^2 \right]_0^{10} = 2800$$

04-5　📝 5

해결전략 | 주어진 조건을 이용할 수 있도록 $\displaystyle\int_3^5 f(x)dx$의

적분 구간을 나누어 계산한다.

$$\int_3^5 f(x)dx$$
$$=\int_3^{-2} f(x)dx+\int_{-2}^5 f(x)dx$$
$$=-\int_{-2}^3 f(x)dx$$
$$\qquad+\left\{\int_{-2}^{-1} f(x)dx+\int_{-1}^4 f(x)dx+\int_4^5 f(x)dx\right\}$$
$$=-6+(3+5+3)=5$$

04-6 답 8

해결전략 | 주어진 등식을 이용하여 $\int_0^2 f(x)dx$의 값을 구한 다음 $f(x)=3x^2+ax+b$로 놓고 $\int_0^2 f(x)dx$, $\int_{-2}^0 f(x)dx$에 대입하여 2개의 식을 세워 a, b의 값을 구한다.

STEP1 $\int_0^2 f(x)dx$의 값 구하기

$$\int_{-2}^2 f(x)dx=\int_{-2}^0 f(x)dx+\int_0^2 f(x)dx$$

이때 $\int_{-2}^2 f(x)dx=\int_0^2 f(x)dx=\int_{-2}^0 f(x)dx$이므로

$$\int_0^2 f(x)dx=\int_0^2 f(x)dx+\int_0^2 f(x)dx$$

$$\therefore \int_0^2 f(x)dx=0$$

STEP2 $\int_0^2 f(x)dx=0$임을 이용하여 a, b에 대한 식 세우기

즉, $\int_{-2}^2 f(x)dx=0$, $\int_0^2 f(x)dx=0$, $\int_{-2}^0 f(x)dx=0$
이므로
$f(x)=3x^2+ax+b$ (a, b는 상수)로 놓으면

$$\int_0^2 f(x)dx=\int_0^2 (3x^2+ax+b)dx$$
$$=\left[x^3+\frac{a}{2}x^2+bx\right]_0^2$$
$$=8+2a+2b=0 \qquad \cdots\cdots \ㄱ$$

STEP3 $\int_{-2}^0 f(x)dx=0$임을 이용하여 a, b에 대한 식 세우기

$$\int_{-2}^0 f(x)dx=\int_{-2}^0 (3x^2+ax+b)dx$$
$$=\left[x^3+\frac{a}{2}x^2+bx\right]_{-2}^0$$
$$=8-2a+2b=0 \qquad \cdots\cdots \ㄴ$$

STEP4 $f(2)$의 값 구하기

ㄱ, ㄴ을 연립하여 풀면 $a=0$, $b=-4$
따라서 $f(x)=3x^2-4$이므로
$f(2)=12-4=8$

05-1 답 $\dfrac{37}{3}$

해결전략 | $x=1$을 기준으로 적분 구간을 나누어 정적분을 계산한다.

STEP1 $x=1$을 기준으로 적분 구간 나누기

$$\int_0^3 f(x)dx=\int_0^1 f(x)dx+\int_1^3 f(x)dx$$
$$=\int_0^1 (x^2+2)dx+\int_1^3 (2x+1)dx$$

STEP2 정적분 계산하기

$$\therefore \int_0^1 (x^2+2)dx+\int_1^3 (2x+1)dx$$
$$=\left[\frac{1}{3}x^3+2x\right]_0^1+\left[x^2+x\right]_1^3$$
$$=\frac{7}{3}+(12-2)=\frac{37}{3}$$

05-2 답 -19

해결전략 | $xf(x-1)$을 구한 다음 적분 구간을 나누어 정적분을 계산한다.

STEP1 $xf(x-1)$ 구하기

$$f(x-1)=\begin{cases}6(x-1)-2 & (x-1<0) \\ -2 & (x-1\geq0)\end{cases}$$
$$=\begin{cases}6x-8 & (x<1) \\ -2 & (x\geq1)\end{cases}$$

이므로

$$xf(x-1)=\begin{cases}x(6x-8) & (x<1) \\ -2x & (x\geq1)\end{cases}=\begin{cases}6x^2-8x & (x<1) \\ -2x & (x\geq1)\end{cases}$$

STEP2 정적분 계산하기

$$\int_0^4 f(x)dx=\int_0^4 (-2)dx=\left[-2x\right]_0^4=-8$$

$$\int_{-1}^4 xf(x-1)dx=\int_{-1}^1 (6x^2-8x)dx+\int_1^4 (-2x)dx$$
$$=\left[2x^3-4x^2\right]_{-1}^1+\left[-x^2\right]_1^4$$
$$=(-2+6)+(-16+1)=-11$$

$$\therefore \int_0^4 f(x)dx+\int_{-1}^4 xf(x-1)dx=-8-11=-19$$

> 🎯 풍쌤의 비법
>
> 함수 $f(x)$가 $x=0$을 기준으로 함수식이 달라지므로 함수 $f(x-1)$은 $x-1=0$, 즉 $x=1$을 기준으로 함수식이 달라짐에 유의한다.

05-3 답 −6

해결전략 | $x=1$을 기준으로 적분 구간을 나누어 정적분을 계산한다.

$f(x)=\begin{cases}(-x+1)(3x+1)\ (x<1)\\(x-1)(3x+1)\ \ (x\geq1)\end{cases}$

$=\begin{cases}-3x^2+2x+1\ (x<1)\\3x^2-2x-1\ \ (x\geq1)\end{cases}$

이므로

$\int_{-2}^{2}f(x)dx$

$=\int_{-2}^{1}(-3x^2+2x+1)dx+\int_{1}^{2}(3x^2-2x-1)dx$

$=\Big[-x^3+x^2+x\Big]_{-2}^{1}+\Big[x^3-x^2-x\Big]_{1}^{2}$

$=-9+3=-6$

05-4 답 35

해결전략 | $x=1$을 기준으로 적분 구간을 나누어 정적분을 계산한다.

STEP1 적분 구간을 나누어 정적분 계산하기

$\int_{0}^{2}xf(x)dx=\int_{0}^{1}xf(x)dx+\int_{1}^{2}xf(x)dx$

$=\int_{0}^{1}x(x^2-1)dx+\int_{1}^{2}x(x-1)dx$

$=\int_{0}^{1}(x^3-x)dx+\int_{1}^{2}(x^2-x)dx$

$=\Big[\frac{1}{4}x^4-\frac{1}{2}x^2\Big]_{0}^{1}+\Big[\frac{1}{3}x^3-\frac{1}{2}x^2\Big]_{1}^{2}$

$=-\frac{1}{4}+\Big(\frac{2}{3}+\frac{1}{6}\Big)=\frac{7}{12}$

STEP2 $60k$의 값 구하기

따라서 $k=\frac{7}{12}$이므로

$60k=60\times\frac{7}{12}=35$

05-5 답 14

해결전략 | 그래프를 보고 $f(x)$를 구한 다음 구간에 따라 정적분을 계산한다.

STEP1 그래프를 보고 $f(x)$ 구하기

$f(x)=\begin{cases}8\ \ \ \ \ \ (x\leq0)\\-4x+8\ (x\geq0)\end{cases}$

STEP2 적분 구간을 나누어 정적분 계산하기

$\therefore \int_{-1}^{3}f(x)dx=\int_{-1}^{0}8dx+\int_{0}^{3}(-4x+8)dx$

$=\Big[8x\Big]_{-1}^{0}+\Big[-2x^2+8x\Big]_{0}^{3}$

$=8+6=14$

05-6 답 3

해결전략 | $x=2$를 기준으로 구간을 나누어 정적분을 계산한다.

STEP1 적분 구간을 나누어 정적분 계산하기

$\int_{0}^{a}f(x)dx=\int_{0}^{2}(3x^2-4)dx+\int_{2}^{a}4xdx$

$=\Big[x^3-4x\Big]_{0}^{2}+\Big[2x^2\Big]_{2}^{a}$

$=0+(2a^2-8)=2a^2-8$

STEP2 a의 값 구하기

즉, $2a^2-8=10$이므로

$a^2=9$ $\therefore a=3\ (\because a>2)$

필수유형 **06** 261쪽

06-1 답 10

해결전략 | 절댓값 기호 안의 식이 0이 되는 $x=3$을 기준으로 적분 구간을 나누어 정적분을 계산한다.

STEP1 $|x-3|$을 구간을 나누어 나타내기

$|x-3|=\begin{cases}-x+3\ (x<3)\\x-3\ \ (x\geq3)\end{cases}$

STEP2 정적분 계산하기

$\therefore \int_{1}^{4}(x+|x-3|)dx$

$=\int_{1}^{3}\{x+(-x+3)\}dx+\int_{3}^{4}\{x+(x-3)\}dx$

$=\int_{1}^{3}3dx+\int_{3}^{4}(2x-3)dx$

$=\Big[3x\Big]_{1}^{3}+\Big[x^2-3x\Big]_{3}^{4}$

$=(9-3)+(4-0)=10$

06-2 답 3

해결전략 | $x=0$을 기준으로 적분 구간을 나누어 정적분을 계산한 다음 a에 대한 방정식을 세워 푼다.

STEP1 $|x|$를 구간을 나누어 나타내기

$|x|=\begin{cases}-x\ (x<0)\\x\ \ (x\geq0)\end{cases}$

$$\therefore \int_{-2}^{a}(2|x|-3)dx$$

$$=\int_{-2}^{0}(-2x-3)dx+\int_{0}^{a}(2x-3)dx$$

$$=\left[-x^2-3x\right]_{-2}^{0}+\left[x^2-3x\right]_{0}^{a}$$

$$=-2+(a^2-3a)$$

$$=a^2-3a-2$$

STEP 3 a의 값 구하기

즉, $a^2-3a-2=-2$이므로

$$a^2-3a=0,\ a(a-3)=0$$

$$\therefore a=3\ (\because a>0)$$

06-3 달 $\dfrac{5}{2}$

해결전략 | 절댓값 기호가 없는 식으로 나타낸 다음 적분 구간을 나누어 정적분을 계산한다.

STEP 1 $|x^2-1|$을 구간을 나누어 나타내기

$$|x^2-1|=\begin{cases}x^2-1 & (x\le-1\ \text{또는}\ x\ge1)\\-x^2+1 & (-1<x<1)\end{cases}$$

STEP 2 정적분 계산하기

$$\therefore \int_{-1}^{2}\frac{|x^2-1|}{x+1}dx$$

$$=\int_{-1}^{1}\frac{-x^2+1}{x+1}dx+\int_{1}^{2}\frac{x^2-1}{x+1}dx$$

$$=-\int_{-1}^{1}\frac{(x+1)(x-1)}{x+1}dx+\int_{1}^{2}\frac{(x+1)(x-1)}{x+1}dx$$

$$=-\int_{-1}^{1}(x-1)dx+\int_{1}^{2}(x-1)dx$$

$$=-\left[\frac{1}{2}x^2-x\right]_{-1}^{1}+\left[\frac{1}{2}x^2-x\right]_{1}^{2}$$

$$=-\left(-\frac{1}{2}-\frac{3}{2}\right)+\left(0+\frac{1}{2}\right)=\frac{5}{2}$$

06-4 달 10

해결전략 | 먼저 절댓값 기호 안의 식이 0이 되게 하는 $x=-1$, $x=1$을 기준으로 구간을 나누어 $f(x)$를 구하고 그래프를 그린다. 그런 다음 $f(x)$의 최솟값 a를 구해 정적분을 계산한다.

STEP 1 구간을 나누어 $f(x)$의 식 구하기

$$f(x)=|1+x|+|1-x|$$

$$=\begin{cases}-(1+x)+(1-x) & (x<-1)\\(1+x)+(1-x) & (-1\le x<1)\\(1+x)-(1-x) & (x\ge1)\end{cases}$$

$$=\begin{cases}-2x & (x<-1)\\2 & (-1\le x<1)\\2x & (x\ge1)\end{cases}$$

즉, 함수 $y=f(x)$의 그래프는 다음 그림과 같다.

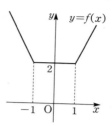

STEP 2 a의 값 구하기

따라서 함수 $f(x)$는 $-1\le x\le1$에서 최솟값 2를 가지므로 $a=2$

STEP 3 $\displaystyle\int_{-2}^{a}f(x)dx$의 값 구하기

$$\therefore \int_{-2}^{a}f(x)dx$$

$$=\int_{-2}^{2}f(x)dx$$

$$=\int_{-2}^{-1}(-2x)dx+\int_{-1}^{1}2dx+\int_{1}^{2}2xdx$$

$$=\left[-x^2\right]_{-2}^{-1}+\left[2x\right]_{-1}^{1}+\left[x^2\right]_{1}^{2}$$

$$=(-1+4)+(2+2)+(4-1)=10$$

06-5 달 7

해결전략 | 먼저 절댓값 기호 안의 식이 0이 되게 하는 $x=-1$, $x=0$, $x=1$을 기준으로 구간을 나누어 $f(x)$를 구하고 그래프를 그린다. 그런 다음 $f(x)$의 최솟값을 구해 정적분을 계산한다.

STEP 1 구간을 나누어 $f(x)$ 구하기

$$f(x)=|x+1|+|x-1|+|x|$$

$$=\begin{cases}-(x+1)-(x-1)-x & (x<-1)\\(x+1)-(x-1)-x & (-1\le x<0)\\(x+1)-(x-1)+x & (0\le x<1)\\(x+1)+(x-1)+x & (x\ge1)\end{cases}$$

$$=\begin{cases}-3x & (x<-1)\\-x+2 & (-1\le x<0)\\x+2 & (0\le x<1)\\3x & (x\ge1)\end{cases}$$

STEP 2 a, b의 값 구하기

즉, 함수 $y=f(x)$의 그래프는 다음 그림과 같다.

함수 $f(x)$는 $x=0$에서 최솟값 2를 가지므로
$a=0$, $b=2$

STEP 3 $\int_a^b (x)dx$의 값 구하기

$$\therefore \int_a^b f(x)dx = \int_0^2 f(x)dx$$
$$= \int_0^1 (x+2)dx + \int_1^2 3xdx$$
$$= \left[\frac{1}{2}x^2 + 2x \right]_0^1 + \left[\frac{3}{2}x^2 \right]_1^2$$
$$= \frac{5}{2} + \left(6 - \frac{3}{2} \right) = 7$$

06-6 閏 11

해결전략 | $x=n$을 기준으로 구간을 나누어 정적분을 계산하여 $f(n)$을 구한 다음 주어진 식의 값을 구한다.

STEP 1 $x=n$을 기준으로 구간을 나누어 정적분 계산하기

$$|x-n| = \begin{cases} -x+n & (x<n) \\ x-n & (x \geq n) \end{cases}$$ 이므로

$$f(n) = \int_n^{2n} |x-n|dx$$
$$= \int_0^n (-x+n)dx + \int_n^{2n} (x-n)dx$$
$$= \left[-\frac{1}{2}x^2 + nx \right]_0^n + \left[\frac{1}{2}x^2 - nx \right]_n^{2n}$$
$$= \frac{n^2}{2} + \left(0 + \frac{n^2}{2} \right) = n^2$$

STEP 2 식의 값 구하기

$$\therefore \frac{f(1)+f(2)+f(3)+f(4)+f(5)}{5}$$
$$= \frac{1^2+2^2+3^2+4^2+5^2}{5}$$
$$= \frac{55}{5} = 11$$

◉→ 다른 풀이

STEP 2 식의 값 구하기

$$\therefore \frac{f(1)+f(2)+f(3)+f(4)+f(5)}{5}$$
$$= \frac{1}{5} \sum_{k=1}^n f(k) = \frac{1}{5} \sum_{k=1}^n k^2 = \frac{1}{5} \times \frac{5 \times 6 \times 11}{6} = 11$$

필수유형 07   263쪽

07-1 閏 40

해결전략 | 우함수와 기함수로 피적분함수를 나눈 다음 정적분을 계산한다.

$$\int_{-1}^1 f(x)dx$$
$$= \int_{-1}^1 (1+2x+3x^2+\cdots+40x^{39})dx$$
$$= \int_{-1}^1 (1+3x^2+\cdots+39x^{38})dx$$
$$\qquad\qquad + \int_{-1}^1 (2x+4x^3+\cdots+40x^{39})dx$$
$$= 2\int_0^1 (1+3x^2+\cdots+39x^{38})dx$$
$$= 2\left[x+x^3+\cdots+x^{39} \right]_0^1 = 2 \times 20 = 40$$

07-2 閏 25

해결전략 | 우함수와 기함수를 이용하여 적분 식을 간단히 하여 정적분을 계산한 다음 a에 대한 방정식을 세워 푼다.

STEP 1 정적분 계산하기

$$\int_{-a}^a (3x^2+2x)dx = 2\int_0^a 3x^2 dx$$
$$= 2\left[x^3 \right]_0^a = 2a^3$$

STEP 2 a의 값 구하기

즉, $2a^3 = \frac{1}{4}$이므로

$$a^3 = \frac{1}{8} \qquad \therefore a = \frac{1}{2} \ (\because a는 실수)$$

$$\therefore 50a = 50 \times \frac{1}{2} = 25$$

07-3 閏 2

해결전략 | 우함수와 기함수를 이용하여 적분 식을 간단히 하여 정적분을 계산한 다음 a에 대한 방정식을 세워 푼다.

STEP 1 정적분 계산하기

$$\int_{-a}^a (3x^2-x-2)dx = 2\int_0^a (3x^2-2)dx$$
$$= 2\left[x^3-2x \right]_0^a = 2(a^3-2a)$$

STEP 2 a의 값 구하기

즉, $2(a^3-2a) = 10-a$이므로
$2a^3-3a-10=0$, $(a-2)(2a^2+4a+5)=0$
$$\therefore a = 2 \ (\because a는 실수)$$

07-4 답 $-\dfrac{3}{2}$

해결전략 | 우함수와 기함수를 이용하여 적분 식을 간단히 하여 정적분을 계산한 다음 a에 대한 방정식을 세워 푼다.

STEP1 정적분 계산하기

$$\int_{-a}^{a}(-2x^3+3x^2+5x+a)dx=2\int_{0}^{a}(3x^2+a)dx$$
$$=2\Big[x^3+ax\Big]_{0}^{a}$$
$$=2a^3+2a^2$$

STEP2 실수 a의 값 구하기

즉, $2a^3+2a^2=(a+1)^2$이므로

$2a^3+a^2-2a-1=0$

$(a+1)(2a+1)(a-1)=0$

$\therefore a=-1$ 또는 $a=-\dfrac{1}{2}$ 또는 $a=1$

STEP3 모든 음의 실수 a의 값의 합 구하기

따라서 구하는 모든 음의 실수 a의 값의 합은

$-1+\left(-\dfrac{1}{2}\right)=-\dfrac{3}{2}$

07-5 답 -4

해결전략 | 우함수와 기함수로 피적분함수를 나눈 다음 정적분을 계산한다.

STEP1 우함수, 기함수 판단하기

$f(x)=x^3|x|$, $g(x)=x|x|$, $h(x)=|x|$로 놓으면

$f(-x)=(-x)^3|-x|=-x^3|x|=-f(x)$,

$g(-x)=(-x)|-x|=-x|x|=-g(x)$,

$h(-x)=|-x|=|x|=h(x)$

이므로 $x^3|x|$, $x|x|$는 기함수, $|x|$는 우함수이다.

STEP2 정적분 계산하기

$$\therefore \int_{-2}^{2}|x|(x^3+2x-1)dx$$
$$=\int_{-2}^{2}(x^3|x|+2x|x|-|x|)dx$$
$$=2\int_{0}^{2}(-|x|)dx=2\int_{0}^{2}(-x)dx$$
$$=\Big[-x^2\Big]_{0}^{2}=-4$$

07-6 답 3

해결전략 | $f(x)=ax+b$ (a, b는 상수)로 놓고 주어진 조건에 대입하여 a, b의 값을 구한다.

STEP1 a의 값 구하기

$f(x)=ax+b$ (a, b는 상수, $a\neq0$)라고 하면

$\int_{-1}^{1}xf(x)dx=6$에서

$$\int_{-1}^{1}xf(x)dx=\int_{-1}^{1}x(ax+b)dx$$
$$=\int_{-1}^{1}(ax^2+bx)dx=2a\int_{0}^{1}x^2dx$$
$$=2a\Big[\dfrac{1}{3}x^3\Big]_{0}^{1}=2a\times\dfrac{1}{3}=\dfrac{2}{3}a$$

즉, $\dfrac{2}{3}a=6$이므로 $a=9$

STEP2 b의 값 구하기

$\int_{-1}^{1}x^2f(x)dx=-4$에서

$$\int_{-1}^{1}x^2f(x)dx=\int_{-1}^{1}x^2(ax+b)dx$$
$$=\int_{-1}^{1}(ax^3+bx^2)dx=2b\int_{0}^{1}x^2dx$$
$$=2b\Big[\dfrac{1}{3}x^3\Big]_{0}^{1}=2b\times\dfrac{1}{3}=\dfrac{2}{3}b$$

즉, $\dfrac{2}{3}b=-4$이므로 $b=-6$

STEP3 $f(1)$의 값 구하기

따라서 $f(x)=9x-6$이므로

$f(1)=9-6=3$

필수유형 08 265쪽

08-1 답 20

해결전략 | $f(x)$, $g(x)$가 우함수인지 기함수인지 판단하고, 우함수와 기함수의 성질과 주어진 조건을 이용하여 정적분을 계산한다.

STEP1 $f(x)$, $g(x)$가 우함수인지 기함수인지 확인하기

$f(x)=f(-x)$에서 $f(x)$는 우함수,

$g(x)=-g(-x)$에서 $g(-x)=-g(x)$이므로

$g(x)$는 기함수이다.

STEP2 정적분 계산하기

$$\therefore \int_{-2}^{2}\{2f(x)-3g(x)\}dx$$
$$=2\int_{-2}^{2}f(x)dx-3\int_{-2}^{2}g(x)dx$$
$$=4\int_{0}^{2}f(x)dx$$
$$=4\times5=20$$

08-2 답 8

해결전략 | $x^3f(x)$, $xf(x)$가 우함수인지 기함수인지 판단하고, 우함수와 기함수의 성질과 주어진 조건을 이용하여 정적

분을 계산한다.

STEP1 $x^3f(x)$, $xf(x)$가 우함수인지 기함수인지 확인하기

$f(-x)=f(x)$에서 $f(x)$는 우함수이므로

$g(x)=xf(x)$, $h(x)=x^3f(x)$로 놓으면

$g(-x)=-xf(-x)=-xf(x)=-g(x)$

$h(-x)=(-x)^3f(-x)=-x^3f(x)=-h(x)$

따라서 $xf(x)$, $x^3f(x)$는 모두 기함수이다.

STEP2 정적분 계산하기

$\therefore \int_{-1}^{1}(4x^3-x+1)f(x)dx$

$=4\int_{-1}^{1}x^3f(x)dx-\int_{-1}^{1}xf(x)dx+\int_{-1}^{1}f(x)dx$

$=2\int_{0}^{1}f(x)dx$

$=2\times4=8$

🎯 **풍쌤의 비법**

우함수, 기함수의 곱

위의 문제에서 다항함수 $f(x)$는 우함수이므로 상수항 또는 차수가 짝수인 항의 합으로 이루어진 함수이다.

따라서 $x^3f(x)$는 차수가 3+(짝수), 즉 홀수인 항의 합으로 이루어진 함수이므로 기함수이고, $xf(x)$도 마찬가지로 기함수이다.

08-3 답 6

해결전략 | $f(x)$가 우함수임을 이용하여 $\int_{0}^{6}f(x)dx$의 값을 구한 다음 $\int_{3}^{6}f(x)dx$의 값을 구한다.

STEP1 $\int_{0}^{6}f(x)dx$의 값 구하기

$f(-x)=f(x)$에서 $f(x)$는 우함수이므로

$\int_{-6}^{6}f(x)dx=2\int_{0}^{6}f(x)dx=18$

$\therefore \int_{0}^{6}f(x)dx=9$

STEP2 $\int_{3}^{6}f(x)dx$의 값 구하기

$\therefore \int_{3}^{6}f(x)dx=\int_{0}^{6}f(x)dx-\int_{0}^{3}f(x)dx$

$=9-3=6$

08-4 답 -32

해결전략 | $f(x)$, $xf(x)$, $x^2f(x)$가 우함수인지 기함수인지 확인한 후 정적분을 계산한다.

STEP1 $f(x)$가 우함수인지 기함수인지 확인하기

$f(-x)+f(x)=0$에서 $f(-x)=-f(x)$이므로

$f(x)$는 기함수이다.

STEP2 $f(x)$가 곱해진 함수가 우함수인지 기함수인지 확인하기

$g(x)=xf(x)$, $h(x)=x^2f(x)$로 놓으면

$g(-x)=-xf(-x)=xf(x)=g(x)$,

$h(-x)=(-x)^2f(-x)=-x^2f(x)=-h(x)$

이므로 $xf(x)$는 우함수, $x^2f(x)$는 기함수이다.

STEP3 정적분 계산하기

$\therefore \int_{-1}^{1}(3x^2-2x+9)f(x)dx$

$=\int_{-1}^{1}3x^2f(x)dx-\int_{-1}^{1}2xf(x)dx+\int_{-1}^{1}9f(x)dx$

$=0-2\int_{-1}^{1}xf(x)dx+0=-4\int_{0}^{1}xf(x)dx$

$=-4\times8=-32$

08-5 답 1

해결전략 | $f(x)$, $xf(x)$가 우함수인지 기함수인지 확인한 후 정적분을 계산하여 a에 대한 방정식을 세워 푼다.

STEP1 $f(x)$, $xf(x)$가 우함수인지 기함수인지 확인하기

$f(x)-f(-x)=0$에서 $f(-x)=f(x)$이므로 $f(x)$는 우함수이고, $xf(x)$는 기함수이다.

STEP2 정적분 계산하기

$\therefore \int_{-5}^{5}(x-a)f(x)dx=\int_{-5}^{5}xf(x)dx-\int_{-5}^{5}af(x)dx$

$=0-2a\int_{0}^{5}f(x)dx$

$=-2a\times(-3)=6a$

STEP3 a의 값 구하기

즉, $6a=6$이므로 $a=1$

08-6 답 3

해결전략 | $f(x)$가 기함수인 것과 정적분의 성질을 이용하여 $\int_{-2}^{3}f(x)dx$를 $\int_{0}^{2}f(x)dx$, $\int_{0}^{3}f(x)dx$를 사용하여 나타낸다.

STEP1 $f(x)$가 우함수인지 기함수인지 확인하기

$f(x)=-f(-x)$에서 $f(-x)=-f(x)$이므로 $f(x)$는 기함수이다.

STEP2 정적분 계산하기

$\therefore \int_{-2}^{3}f(x)dx=\int_{-2}^{2}f(x)dx+\int_{2}^{3}f(x)dx$

$=\int_{2}^{3}f(x)dx$

$=\int_{0}^{3}f(x)dx-\int_{0}^{2}f(x)dx$

$=k^2-(-1)=k^2+1$

STEP 3 모든 상수 k의 값의 합 구하기

이때 $\int_{-2}^{3} f(x)dx=3k-1$이므로

$k^2+1=3k-1$, $k^2-3k+2=0$

$(k-1)(k-2)=0$, $k=1$ 또는 $k=2$

따라서 모든 상수 k의 값의 합은 $1+2=3$

09-1 답 $\dfrac{14}{3}$

해결전략 | 먼저 조건 ㉮를 이용하여 $\int_{0}^{1} f(x)dx$의 값을 구한 다음 주기함수의 성질을 이용하여 $\int_{-7}^{7} f(x)dx$를 $\int_{0}^{1} f(x)dx$로 나타내어 그 값을 구한다.

STEP 1 $\int_{0}^{1} f(x)dx$의 값 구하기

조건 ㉮에서

$\int_{0}^{1} f(x)dx=\int_{0}^{1} x^2 dx=\left[\dfrac{1}{3}x^3\right]_{0}^{1}=\dfrac{1}{3}$

STEP 2 $\int_{-7}^{7} f(x)dx$의 값 구하기

조건 ㉯에서 $f(x)$는 주기가 1인 주기함수이므로

$\int_{-7}^{-6} f(x)dx=\int_{-6}^{-5} f(x)dx=\cdots=\int_{6}^{7} f(x)dx$

$\therefore \int_{-7}^{7} f(x)dx=14\int_{0}^{1} f(x)dx=14\times\dfrac{1}{3}=\dfrac{14}{3}$

09-2 답 28

해결전략 | 대칭함수와 주기함수의 성질을 이용하여 구간을 나누어 정적분의 값을 구한다.

STEP 1 함수 $y=f(x)$의 그래프가 직선 $x=1$에서 대칭임을 이용하기

조건 ㉮에서 함수 $y=f(x)$의 그래프는 직선 $x=1$에 대하여 대칭이므로

$\int_{0}^{1} f(x)dx=\int_{1}^{2} f(x)dx$

STEP 2 주기함수의 성질을 이용하여 정적분 계산하기

조건 ㉯에서 $f(x)$는 주기가 2인 주기함수이므로

$\int_{-2}^{-1} f(x)dx=\int_{0}^{1} f(x)dx=\int_{2}^{3} f(x)dx=\int_{4}^{5} f(x)dx$,

$\int_{-1}^{0} f(x)dx=\int_{1}^{2} f(x)dx=\int_{3}^{4} f(x)dx$

STEP 3 $\int_{2}^{5} f(x)dx$의 값 구하기

조건 ㉰에서 $\int_{0}^{3} f(x)dx=12$이므로

$\int_{0}^{3} f(x)dx=\int_{0}^{1} f(x)dx+\int_{1}^{2} f(x)dx+\int_{2}^{3} f(x)dx$

$=3\int_{0}^{1} f(x)dx=12$

$\therefore \int_{0}^{1} f(x)dx=4$

$\therefore \int_{-2}^{5} f(x)dx=7\int_{0}^{1} f(x)dx=7\times 4=28$

09-3 답 40

해결전략 | 대칭함수와 주기함수의 성질을 이용하여 구간을 나누어 정적분의 값을 구한다.

STEP 1 $\int_{0}^{2} f(x)dx$의 값 구하기

조건 ㉮에서 함수 $y=f(x)$의 그래프는 직선 $x=1$에 대하여 대칭이므로

$\int_{1}^{2} f(x)dx=\int_{0}^{1} f(x)dx=4$

$\therefore \int_{0}^{2} f(x)dx=2\int_{0}^{1} f(x)dx=2\times 4=8$

STEP 2 $f(x)$가 주기함수임을 알기

조건 ㉯에서 $x-1=t$로 놓으면 $x=t+1$이므로

$f(t)=f(t+2)$

즉, $f(x)$는 주기가 2인 주기함수이다.

STEP 3 $\int_{-4}^{6} f(x)dx$의 값 구하기

$\therefore \int_{-4}^{6} f(x)dx$

$=\int_{-4}^{-2} f(x)dx+\int_{-2}^{0} f(x)dx+\cdots+\int_{4}^{6} f(x)dx$

$=5\int_{0}^{2} f(x)dx=5\times 8=40$

> 🎯 풍쌤의 비법
>
> 위 문제의 $\int_{-4}^{6} f(x)dx$에서 적분 구간의 길이는
> $6-(-4)=10$이고 $f(x)$는 주기가 2인 함수이므로
> $\int_{-4}^{6} f(x)dx$는 주기가 5번 반복된다. 이때 주기함수에
> 서 한 주기의 정적분의 값은 항상 같으므로
> $\int_{-4}^{6} f(x)dx=5\int_{0}^{2} f(x)dx$

09-4 답 40

해결전략 | 함수 $f(x)$가 우함수이고 주기함수임을 이용하여 정적분의 값을 구한다.

STEP1 $f(x)$가 우함수임을 이용하여 $\int_{-1}^{1} f(x)dx$의 값 구하기

조건 ㈎에서 $f(x)$는 우함수이므로 $xf(x)$는 기함수이다.

조건 ㈐에서

$$\int_{-1}^{1}(2x+3)f(x)dx=\int_{-1}^{1}2xf(x)dx+\int_{-1}^{1}3f(x)dx$$
$$=0+3\int_{-1}^{1}f(x)dx=15$$

$$\therefore \int_{-1}^{1}f(x)dx=5$$

STEP2 $\int_{-6}^{10} f(x)dx$의 값 구하기

조건 ㈏에서 $f(x)$는 주기가 2인 주기함수이므로

$$\int_{0}^{2}f(x)dx=\int_{-1}^{1}f(x)dx=5$$

$$\therefore \int_{-6}^{10}f(x)dx$$
$$=\int_{-6}^{-4}f(x)dx+\int_{-4}^{-2}f(x)dx+\int_{-2}^{0}f(x)dx$$
$$+\cdots+\int_{8}^{10}f(x)dx$$

$$=8\int_{0}^{2}f(x)dx=8\times5=40$$

필수유형 ⑩ 　　　　　　　　269쪽

10-1 답 $\dfrac{13}{6}$

해결전략 | $\int_{0}^{1}tf(t)dt$가 상수임을 이용하여
$f(x)=x^2-2x+k$ (k는 상수)로 놓고 해결한다.

STEP1 $\int_{0}^{1}tf(t)dt=k$ (k는 상수)로 놓기

$$\int_{0}^{1}tf(t)dt=k \text{ (k는 상수)} \qquad \cdots\cdots \text{㉠}$$

라고 하면 $f(x)=x^2-2x+k$

STEP2 k의 값 구하기

이것을 ㉠에 대입하면

$$\int_{0}^{1}t(t^2-2t+k)dt=\int_{0}^{1}(t^3-2t^2+kt)dt$$
$$=\left[\frac{1}{4}t^4-\frac{2}{3}t^3+\frac{k}{2}t^2\right]_{0}^{1}$$
$$=-\frac{5}{12}+\frac{k}{2}=k$$

$$\therefore k=-\frac{5}{6}$$

STEP3 $f(3)$의 값 구하기

따라서 $f(x)=x^2-2x-\dfrac{5}{6}$이므로

$$f(3)=9-6-\frac{5}{6}=\frac{13}{6}$$

🎯 풍쌤의 비법

$f(x)=g(x)+\displaystyle\int_{a}^{b}f(t)dt$ (a, b는 상수) 꼴에서 함수 $f(x)$ 구하는 방법

❶ $\displaystyle\int_{a}^{b}f(t)dt=k$ (k는 상수)로 놓는다.
　　➡ $f(x)=g(x)+k$ 　　　　　　 $\cdots\cdots$ ㉠

❷ ㉠을 $\displaystyle\int_{a}^{b}f(t)dt=k$에 대입한
　　$\displaystyle\int_{a}^{b}\{g(t)+k\}dt=k$를 풀어 k의 값을 구한다.

❸ k의 값을 ㉠에 대입하여 $f(x)$를 구한다.

10-2 답 -7

해결전략 | $\int_{0}^{3}tf'(t)dt$가 상수임을 이용하여
$f(x)=-x^2+6x+k$ (k는 상수)로 놓고 해결한다.

STEP1 $\int_{0}^{3}tf'(t)dt=k$ (k는 상수)로 놓고 $f'(x)$ 구하기

$$\int_{0}^{3}tf'(t)dt=k \text{ (k는 상수)} \qquad \cdots\cdots \text{㉠}$$

라고 하면 $f(x)=-x^2+6x+k$

$$\therefore f'(x)=-2x+6$$

STEP2 k의 값 구하기

이것을 ㉠에 대입하면

$$\int_{0}^{3}t(-2t+6)dt=\int_{0}^{3}(-2t^2+6t)dt$$
$$=\left[-\frac{2}{3}t^3+3t^2\right]_{0}^{3}=9=k$$

$$\therefore k=9$$

STEP3 $f(-2)$의 값 구하기

따라서 $f(x)=-x^2+6x+9$이므로

$$f(-2)=-4-12+9=-7$$

10-3 답 16

해결전략 | $\int_{0}^{1}f(t)dt$가 상수임을 이용하여
$f(x)=12x^2+2kx+k$ (k는 상수)로 놓고 해결한다.

STEP1 $\int_{0}^{1}f(t)dt=k$ (k는 상수)로 놓기

$$f(x)=12x^2+\int_{0}^{1}(2x+1)f(t)dt$$
$$=12x^2+2x\int_{0}^{1}f(t)dt+\int_{0}^{1}f(t)dt$$

이때 $\displaystyle\int_{0}^{1}f(t)dt=k$ (k는 상수) 　　 $\cdots\cdots$ ㉠

라고 하면 $f(x)=12x^2+2kx+k$

이것을 ㉠에 대입하면

$$\int_0^1 (12t^2+2kt+k)dt=\left[4t^3+kt^2+kt\right]_0^1$$
$$=4+2k=k$$

$$\therefore k=-4$$

STEP 3 $f(-1)$의 값 구하기

따라서 $f(x)=12x^2-8x-4$이므로

$$f(-1)=12+8-4=16$$

10-4 답 -8

해결전략 | 정적분의 성질을 이용하여 $f(x)$의 식을 간단히 정리한 다음 $\int_2^4 f(t)dt$가 상수임을 이용하여 b의 값을 구한다.

STEP 1 $f(x)$의 식을 간단히 정리하기

$$f(x)=2x+\int_{-1}^2 f(t)dt-\int_{-1}^4 f(t)dt$$
$$=2x-\left\{\int_2^{-1}f(t)dt+\int_{-1}^4 f(t)dt\right\}$$
$$=2x-\int_2^4 f(t)dt$$

STEP 2 a, b의 값 판단하기

$2x-\int_2^4 f(t)dt=ax+b$이고

$\int_2^4 f(t)dt$는 상수이므로

$$a=2,\ b=-\int_2^4 f(t)dt \qquad\cdots\cdots ㉠$$

STEP 3 ab의 값 구하기

㉠에 $f(x)=2x+b$를 대입하면

$$b=-\int_2^4 (2t+b)dt$$
$$=-\left[t^2+bt\right]_2^4$$
$$=-\{(16+4b)-(4+2b)\}=-12-2b$$

이므로 $3b=-12$ $\therefore b=-4$

$$\therefore ab=2\times(-4)=-8$$

10-5 답 15

해결전략 | $\int_0^2 f(t)dt$가 상수임을 이용하여

$f(x)=12x^2-2x+k$ (k는 상수)로 놓고 k의 값을 구한 다음 부등식의 해를 구한다.

STEP 1 $\int_0^2 f(t)dt=k$ (k는 상수)로 놓기

$f(x)=12x^2-2x+\int_0^2 f(t)dt$에서

$$\int_0^2 f(t)dt=k \ (k는 상수) \qquad\cdots\cdots ㉠$$

라고 하면 $f(x)=12x^2-2x+k$

STEP 2 k의 값 구하기

이것을 ㉠에 대입하면

$$\int_0^2 (12t^2-2t+k)dt=\left[4t^3-t^2+kt\right]_0^2$$
$$=28+2k=k$$

$$\therefore k=-28$$

STEP 3 부등식의 해 구하기

즉, $f(x)=12x^2-2x-28$이므로

부등식 $f(x)<g(x)$에서

$$12x^2-2x-28<11x^2+3x-22$$
$$x^2-5x-6<0,\ (x+1)(x-6)<0$$
$$\therefore -1<x<6$$

STEP 4 모든 자연수 x의 값의 합 구하기

따라서 부등식 $f(x)<g(x)$를 만족시키는 모든 자연수 x의 값은 1, 2, 3, 4, 5이므로 구하는 합은

$$1+2+3+4+5=15$$

10-6 답 34

해결전략 | $\int_0^1 \{f(t)+g(t)\}dt$, $\int_0^1 \{f(t)-g(t)\}dt$의 값이 상수임을 이용하여 미지수로 놓고 해결한다.

STEP 1 $f(x)$, $g(x)$ 정하기

$$\int_0^1 \{f(t)+g(t)\}dt=a,$$
$$\int_0^1 \{f(t)-g(t)\}dt=b \ (a,\ b는 상수)$$

라고 하면

$$f(x)=3x^2+a,\ g(x)=4x^3+b$$

STEP 2 b의 값 구하기

$$\int_0^1 \{f(t)+g(t)\}dt=\int_0^1 \{4t^3+3t^2+(a+b)\}dt$$
$$=\left[t^4+t^3+(a+b)t\right]_0^1=2+a+b$$

즉, $2+a+b=a$이므로 $b=-2$

STEP 3 a의 값 구하기

$$\int_0^1 \{f(t)-g(t)\}dt=\int_0^1 \{-4t^3+3t^2+(a-b)\}dt$$
$$=\left[-t^4+t^3+(a-b)t\right]_0^1$$
$$=a-b$$

즉, $a-b=b$이므로 $a=2b=2\times(-2)=-4$

STEP 4 $f(-1)g(-2)$의 값 구하기

따라서 $f(x)=3x^2-4$, $g(x)=4x^3-2$이므로

$$f(-1)g(-2)=(-1)\times(-34)=34$$

11-1 답 −9

해결전략 | 적분변수와 상수로 구분하여 좌변의 적분 식을 분리한 다음 양변을 x에 대하여 미분한다.

STEP1 적분 식 분리하기

$\int_0^x (x-t)f'(t)dt = x^4 - 2x^3$에서

$x\int_0^x f'(t)dt - \int_0^x tf'(t)dt = x^4 - 2x^3$

STEP2 양변을 x에 대하여 미분하여 $f(x)-f(0)$ 구하기

위 등식의 양변을 x에 대하여 미분하면

$\int_0^x f'(t)dt + xf'(x) - xf'(x) = 4x^3 - 6x^2$

$\int_0^x f'(t)dt = 4x^3 - 6x^2, \left[f(t)\right]_0^x = 4x^3 - 6x^2$

$\therefore f(x) - f(0) = 4x^3 - 6x^2$

STEP3 $f(1)$의 값 구하기

이때 $f(0) = -7$이므로

$f(x) = 4x^3 - 6x^2 - 7$

$\therefore f(1) = 4 - 6 - 7 = -9$

11-2 답 2

해결전략 | $\int_a^a g(x)dx = 0$, $\dfrac{d}{dx}\int_a^x g(t)dt = g(x)$임을 이용한다.

STEP1 $f(-2)$의 값 구하기

$f(x) = \int_{-2}^x (t^2 + t)dt$의 양변에 $x = -2$를 대입하면

$f(-2) = 0$

STEP2 $f'(x)$ 구하기

$f(x) = \int_{-2}^x (t^2 + t)dt$의 양변을 x에 대하여 미분하면

$f'(x) = x^2 + x$

STEP3 $f(-2)+f'(-2)$의 값 구하기

따라서 $f'(-2) = 4 - 2 = 2$이므로

$f(-2) + f'(-2) = 0 + 2 = 2$

11-3 답 2

해결전략 | 주어진 등식의 양변에 $x=1$을 대입하여 a의 값을 구한 다음 양변을 x에 대하여 미분하여 $f(x)$를 구한다.

STEP1 a의 값 구하기

$\int_1^x f(t)dt = x^3 + ax^2 - 3x + 1$의 양변에 $x = 1$을 대입하면

$0 = 1 + a - 3 + 1 \qquad \therefore a = 1$

STEP2 $f(a)$의 값 구하기

$\int_1^x f(t)dt = x^3 + x^2 - 3x + 1$의 양변을 x에 대하여 미분하면

$f(x) = 3x^2 + 2x - 3$

$\therefore f(a) = f(1) = 3 + 2 - 3 = 2$

11-4 답 4

해결전략 | 주어진 등식의 양변을 x에 대하여 미분하여 $f'(x)$를 구한 다음 정적분을 계산한다.

STEP1 $f'(x)$ 구하기

$f(x) = \int_x^{x+1} (t-1)^3 dt$의 양변을 x에 대하여 미분하면

$f'(x) = x^3 - (x-1)^3 = x^3 - (x^3 - 3x^2 + 3x - 1)$

$\qquad = 3x^2 - 3x + 1$

STEP2 $\int_0^2 f'(x)dx$의 값 구하기

$\therefore \int_0^2 f'(x)dx = \int_0^2 (3x^2 - 3x + 1)dx$

$\qquad\qquad = \left[x^3 - \dfrac{3}{2}x^2 + x\right]_0^2 = 4$

11-5 답 4

해결전략 | $f(x) = ax + b$로 놓고 대입한 다음 양변을 x에 대하여 미분하여 $f(x)$를 구한다.

STEP1 $f(x) = ax + b$로 놓고 대입하기

$f(x) = ax + b$ (a, b는 상수, $a \neq 0$)라고 하면

$(f \circ f)(x) = a(ax + b) + b = a^2 x + ab + b$

$(f \circ f)(x) = \int_0^x f(t)dt + x^2 - 4x - 5$에서

$a^2 x + ab + b = \int_0^x f(t)dt + x^2 - 4x - 5$

STEP2 a, b의 값 구하기

위 등식의 양변을 x에 대하여 미분하면

$a^2 = f(x) + 2x - 4$

$a^2 = ax + b + 2x - 4$

$(a+2)x - a^2 + b - 4 = 0$

위의 등식이 모든 실수 x에 대하여 성립해야 하므로

$a + 2 = 0$, $-a^2 + b - 4 = 0$

$\therefore a = -2$, $b = 8$

STEP3 $f(2)$의 값 구하기

따라서 $f(x) = -2x + 8$이므로

$f(2) = -4 + 8 = 4$

11-6 답 1

해결전략 | $\int_a^a g(x)dx=0$, $\dfrac{d}{dx}\int_a^x g(t)dt=g(x)$임을 이용한다.

STEP1 $f(1)$의 값 구하기

$xf(x)=x^4-x^2+\displaystyle\int_1^x f(t)dt$의 양변에 $x=1$을 대입하면

$f(1)=1-1+0=0$ ...... ㉠

STEP2 $f'(x)$ 구하기

$xf(x)=x^4-x^2+\displaystyle\int_1^x f(t)dt$의 양변을 x에 대하여 미분하면

$f(x)+xf'(x)=4x^3-2x+f(x)$

$xf'(x)=4x^3-2x$

$\therefore f'(x)=4x^2-2$

STEP3 $f(x)$ 구하기

$f(x)=\displaystyle\int f'(x)dx=\int(4x^2-2)dx=\dfrac{4}{3}x^3-2x+C$

이고 ㉠에서 $f(1)=0$이므로

$\dfrac{4}{3}-2+C=0$ $\therefore C=\dfrac{2}{3}$

$\therefore f(x)=\dfrac{4}{3}x^3-2x+\dfrac{2}{3}$

STEP4 a의 값 구하기

$f(a)=0$에서

$\dfrac{4}{3}a^3-2a+\dfrac{2}{3}=0$, $2a^3-3a+1=0$

$(a-1)(2a^2+2a-1)=0$

$\therefore a=1$ ($\because a$는 정수)

필수유형 12   273쪽

12-1 답 -6

해결전략 | 함수 $f(x)$가 $x=k$에서 극값을 가질 조건이 $f'(k)=0$임을 이용한다.

STEP1 $f'(x)$ 구하기

$f(x)=\displaystyle\int_1^x(t^2+at+8)dt$의 양변을 x에 대하여 미분하면

$f'(x)=x^2+ax+8$

STEP2 a의 값 구하기

이때 함수 $f(x)$는 $x=2$에서 극값을 가지므로

$f'(2)=0$

즉, $4+2a+8=0$이므로 $a=-6$

12-2 답 $\dfrac{16}{3}$

해결전략 | 함수 $f(x)$가 $x=k$에서 극값을 가질 조건이 $f'(k)=0$임을 이용한다.

STEP1 $f'(x)$를 구하여 극댓값, 극솟값을 갖는 x의 값 구하기

$f(x)=\displaystyle\int_0^x(t-2)(t-a)dt$의 양변을 x에 대하여 미분하면

$f'(x)=(x-2)(x-a)$

$f'(x)=0$에서 $x=2$ 또는 $x=a$

즉, 함수 $f(x)$는 $x=2$에서 극댓값을 갖고 $x=a$에서 극솟값을 갖는다.

STEP2 a의 값 구하기

함수 $f(x)$는 $x=2$에서 극댓값 $\dfrac{20}{3}$을 가지므로

$f(2)=\displaystyle\int_0^2(t-2)(t-a)dt$

$=\displaystyle\int_0^2\{t^2-(a+2)t+2a\}dt$

$=\left[\dfrac{1}{3}t^3-\dfrac{a+2}{2}t^2+2at\right]_0^2$

$=\dfrac{6a-4}{3}=\dfrac{20}{3}$

$6a-4=20$ $\therefore a=4$

STEP3 극솟값 구하기

따라서 $f(x)$는 $x=4$에서 극솟값을 가지므로 구하는 극솟값은

$f(4)=\displaystyle\int_0^4(t-2)(t-4)dt$

$=\displaystyle\int_0^4(t^2-6t+8)dt$

$=\left[\dfrac{1}{3}t^3-3t^2+8t\right]_0^4=\dfrac{16}{3}$

12-3 답 19

해결전략 | 함수 $f(x)$의 극대·극소를 판단하여 a, b의 값을 구한다.

STEP1 $f(x)$의 극대·극소 판단하기

$f(x)=\displaystyle\int_0^x(t^2+2t-3)dt$의 양변을 x에 대하여 미분하면

$f'(x)=x^2+2x-3=(x+3)(x-1)$

$f'(x)=0$에서 $x=-3$ 또는 $x=1$

함수 $f(x)$의 증가, 감소를 표로 나타내면 다음과 같다.

x	$\cdots$	-3	$\cdots$	1	$\cdots$
$f'(x)$	$+$	0	$-$	0	$+$
$f(x)$	↗	극대	↘	극소	↗

STEP 2 a의 값 구하기

따라서 $f(x)$는 $x=-3$에서 극댓값 a를 가지므로

$$a=f(-3)=\int_0^{-3}(t^2+2t-3)dt$$

$$=\left[\frac{1}{3}t^3+t^2-3t\right]_0^{-3}=9$$

STEP 3 $a-6b$의 값 구하기

또, $f(x)$는 $x=1$에서 극솟값 b를 가지므로

$$b=f(1)=\int_0^1(t^2+2t-3)dt$$

$$=\left[\frac{1}{3}t^3+t^2-3t\right]_0^1=-\frac{5}{3}$$

$$\therefore a-6b=9-6\times\left(-\frac{5}{3}\right)=19$$

12-4 답 54

해결전략 | 함수 $f(x)$가 $x=k$에서 극값 s를 가지면
$f(k)=s$, $f'(k)=0$임을 이용하여 a, b에 대한 두 식을 세워
a, b의 값을 구한다.

STEP 1 $f'(x)$ 구하기

$f(x)=\int_0^x(-3t^2-at+b)dt$의 양변을 x에 대하여 미분
하면 $f'(x)=-3x^2-ax+b$

STEP 2 $f(x)$가 $x=-3$에서 극솟값 -27을 갖는 조건 알기

함수 $f(x)$가 $x=-3$에서 극솟값 -27을 가지므로
$f(-3)=-27$, $f'(-3)=0$

STEP 3 a, b에 대한 식 세우기

$f(-3)=-27$에서

$$f(-3)=\int_0^{-3}(-3t^2-at+b)dt$$

$$=\left[-t^3-\frac{1}{2}at^2+bt\right]_0^{-3}$$

$$=27-\frac{9}{2}a-3b=-27$$

$$\therefore 3a+2b=36 \qquad\qquad \cdots\cdots ㉠$$

$f'(-3)=0$에서 $-27+3a+b=0$

$$\therefore 3a+b=27 \qquad\qquad \cdots\cdots ㉡$$

STEP 4 a, b의 값 구하기

㉠, ㉡을 연립하여 풀면 $a=6$, $b=9$

$$\therefore ab=6\times9=54$$

12-5 답 $-\frac{1}{2}<a<\frac{1}{2}$

해결전략 | 삼차방정식이 서로 다른 세 실근을 가질 조건이
(극댓값)×(극솟값)<0임을 이용하여 해결한다.

STEP 1 $F'(x)$ 구하기

사차함수 $F(x)$가 극댓값을 가지려면 삼차방정식
$F'(x)=0$, 즉 $f(x)=0$이 서로 다른 세 실근을 가져야
한다.

$F(x)=\int_0^x f(t)dt$의 양변을 x에 대하여 미분하면

$$F'(x)=f(x)=x^3-3x+4a$$

STEP 2 $f(x)$가 극댓값, 극솟값을 갖는 x의 값 구하기

$f'(x)=3x^2-3=3(x+1)(x-1)$

$f'(x)=0$에서 $x=-1$ 또는 $x=1$

함수 $f(x)$의 증가, 감소를 표로 나타내면 다음과 같다.

x	$\cdots$	-1	$\cdots$	1	$\cdots$
$f'(x)$	$+$	0	$-$	0	$+$
$f(x)$	↗	극대	↘	극소	↗

따라서 함수 $f(x)$는 $x=-1$에서 극대, $x=1$에서 극소
이다.

STEP 3 a의 값의 범위 구하기

즉, $f(-1)f(1)<0$이어야 하므로

$(4a+2)(4a-2)<0$, $(2a+1)(2a-1)<0$

$$\therefore -\frac{1}{2}<a<\frac{1}{2}$$

⊙ 풍쌤의 비법

사차함수가 극댓값 또는 극솟값을 갖거나 갖지 않을 조건

(1) 최고차항의 계수가 양수일 때 — 항상 극솟값을 갖는다.

① 사차함수 $f(x)$가 극댓값을 갖는다.
➡ 삼차방정식 $f'(x)=0$이 서로 다른 세 실근을 갖
는다.

② 사차함수 $f(x)$가 극댓값을 갖지 않는다.
➡ 삼차방정식 $f'(x)=0$이 한 실근과 두 허근 또는
한 실근과 중근 또는 삼중근을 갖는다.

(2) 최고차항의 계수가 음수일 때 — 항상 극댓값을 갖는다.

① 사차함수 $f(x)$가 극솟값을 갖는다.
➡ 삼차방정식 $f'(x)=0$이 서로 다른 세 실근을 갖
는다.

② 사차함수 $f(x)$가 극솟값을 갖지 않는다.
➡ 삼차방정식 $f'(x)=0$이 한 실근과 두 허근 또는
한 실근과 중근 또는 삼중근을 갖는다.

12-6 답 -4

해결전략 | $g'(x)=(x-2)f'(x)$임과 $g(x)$가 $x=0$에서만
극값을 가짐을 이용하여 $f'(x)$를 구한다.

STEP 1 $g'(x)$ 구하기

함수 $g(x) = \int_2^x (t-2)f'(t)$의 양변을 x에 대하여 미분하면

$g'(x) = (x-2)f'(x)$

삼차함수 $g(x)$가 $x=0$에서만 극값을 가지므로

$g'(x) = ax(x-2)^2$ (a는 상수)로 놓을 수 있다.

STEP 2 $f'(x)$ 구하기

즉, $\overline{f'(x) = ax(x-2)}$ 이고 $\quad \xrightarrow{\quad} g(x) = (x-2) \times ax(x-2) = (x-2)^2 f'(x)$

삼차함수 $f(x)$의 최고차항의 계수가 1이므로

$a=3$

$\therefore f'(x) = 3x(x-2)$

STEP 3 $g(0)$의 값 구하기

$\therefore g(0) = \int_2^0 3t(t-2)^2 dt$

$\qquad = \int_2^0 (3t^3 - 12t^2 + 12t) dt$

$\qquad = \left[\dfrac{3}{4}t^4 - 4t^3 + 6t^2 \right]_2^0 = -4$

필수유형 ⑬   275쪽

13-1 📖 **4**

해결전략 | 주어진 등식의 양변을 x에 대하여 미분하여 $\int_0^x f(t) dt$를 구한 다음 다시 양변을 x에 대하여 미분하여 $f(x)$를 구한다.

STEP 1 $\int_0^x f(t)dt$ 구하기

$\int_0^x (x-t)f(t)dt = -\dfrac{1}{4}x^4 + x^3 + \dfrac{1}{2}x^2$에서

$x\int_0^x f(t)dt - \int_0^x tf(t)dt = -\dfrac{1}{4}x^4 + x^3 + \dfrac{1}{2}x^2$

위 등식의 양변을 x에 대하여 미분하면

$\int_0^x f(t)dt + xf(x) - xf(x) = -x^3 + 3x^2 + x$

$\therefore \int_0^x f(t)dt = -x^3 + 3x^2 + x$

STEP 2 $f(x)$ 구하기

위 등식의 양변을 다시 x에 대하여 미분하면

$f(x) = -3x^2 + 6x + 1$

STEP 3 $f(x)$의 최댓값 구하기

따라서 $f(x) = -3(x-1)^2 + 4$이므로

$f(x)$는 $x=1$일 때 최댓값 4를 갖는다.

13-2 📖 **-2**

해결전략 | $f'(x)$를 구하여 먼저 극대, 극소를 판정한 다음 주어진 구간에서 최대, 최소인 경우를 찾는다.

STEP 1 $f'(x)$ 구하기

$f(x) = \int_{-2}^{x+1} (t^3 - t) dt$의 양변을 x에 대하여 미분하면

$f'(x) = (x+1)^3 - (x+1)$

$\qquad = x^3 + 3x^2 + 2x$

$\qquad = x(x+1)(x+2)$

STEP 2 $f(x)$가 극값을 갖는 x의 값 구하기

$f'(x) = 0$에서 $x=-2$ 또는 $x=-1$ 또는 $x=0$

$-2 \le x \le 0$에서 함수 $f(x)$의 증가, 감소를 표로 나타내면 다음과 같다.

x	-2	$\cdots$	-1	$\cdots$	0
$f'(x)$	0	$+$	0	$-$	0
$f(x)$		↗	극대	↘	

STEP 3 최댓값 구하기

따라서 함수 $f(x)$는 $x=-1$에서 극대이면서 최대이므로 최댓값은

$f(-1) = \int_{-2}^0 (t^3 - t) dt$

$\qquad = \left[\dfrac{1}{4}t^4 - \dfrac{1}{2}t^2 \right]_{-2}^0 = -2$

13-3 📖 **6**

해결전략 | 주어진 구간에서 극값, 양 끝 값에서의 함숫값 중에서 최대, 최소를 판정한다.

STEP 1 $f'(x)$ 구하기

$f(x) = \int_x^{x+1} (t^3 - t + 2) dt$의 양변을 x에 대하여 미분하면

$f'(x) = \{(x+1)^3 - (x+1) + 2\} - (x^3 - x + 2)$

$\qquad = 3x^2 + 3x = 3x(x+1)$

STEP 2 $f(x)$가 극값을 갖는 x의 값 구하기

$f'(x) = 0$에서 $x=-1$ 또는 $x=0$

$-1 \le x \le 1$에서 함수 $f(x)$의 증가, 감소를 표로 나타내면 다음과 같다.

x	-1	$\cdots$	0	$\cdots$	1
$f'(x)$	0	$-$	0	$+$	
$f(x)$		↘	극소	↗	

STEP 3 $f(-1)$, $f(0)$, $f(1)$의 값 구하기

$f(-1) = \int_{-1}^0 (t^3 - t + 2) dt$

$\qquad = \left[\dfrac{1}{4}t^4 - \dfrac{1}{2}t^2 + 2t \right]_{-1}^0 = \dfrac{9}{4}$

$$f(0) = \int_0^1 (t^3 - t + 2) dt$$

$$= \left[\frac{1}{4}t^4 - \frac{1}{2}t^2 + 2t \right]_0^1 = \frac{7}{4}$$

$$f(1) = \int_1^2 (t^3 - t + 2) dt$$

$$= \left[\frac{1}{4}t^4 - \frac{1}{2}t^2 + 2t \right]_1^2 = 6 - \frac{7}{4} = \frac{17}{4}$$

STEP4 $M+m$의 값 구하기

따라서 $-1 \le x \le 1$에서 함수 $f(x)$의 최댓값은 $\frac{17}{4}$, 최솟값은 $\frac{7}{4}$이다.

즉, $M = \frac{17}{4}$, $m = \frac{7}{4}$이므로

$$M + m = \frac{17}{4} + \frac{7}{4} = 6$$

> **⊚ 풍쌤의 비법**
>
> **함수의 최대 · 최소**
> 구간 $[a, b]$에서 연속인 함수 $f(x)$에 대하여
> ❶ 구간 $[a, b]$에서 $f(x)$의 극값을 구한다.
> ❷ $f(a)$, $f(b)$의 값을 구한다.
> ❸ 극값과 $f(a)$, $f(b)$의 값 중 가장 큰 값이 최댓값, 가장 작은 값이 최솟값이다.

13-4   답 4

해결전략 | 주어진 구간에서 극값, 양 끝 값에서의 함숫값 중에서 최대, 최소를 판정한다.

STEP1 $f(x)$가 극값을 갖는 x의 값 구하기

$f(x) = \int_{-2}^x (2 - |t|) dt$의 양변을 x에 대하여 미분하면

$f'(x) = 2 - |x|$

$f'(x) = 0$에서 $x = 2$ ($\because 0 \le x \le 4$)

$0 \le x \le 4$에서 함수 $f(x)$의 증가, 감소를 표로 나타내면 다음과 같다.

x	0	$\cdots$	2	$\cdots$	4
$f'(x)$		$+$	0	$-$	
$f(x)$		↗	극대	↘	

STEP2 최댓값 구하기

따라서 함수 $f(x)$는 $x = 2$에서 극대이면서 최대이므로 최댓값은

$$f(2) = \int_{-2}^2 (2 - |t|) dt$$

$$= 2 \int_0^2 (2 - |t|) dt$$

$$= 2 \int_0^2 (2 - t) dt$$

$$= 2 \left[2t - \frac{1}{2}t^2 \right]_0^2$$

$$= 2 \times 2 = 4$$

> **⊚ 풍쌤의 비법**
>
> 함수 $y = 2 - |t|$의 그래프는 y축에 대하여 대칭이므로 우함수이다.

13-5   답 -1

해결전략 | $f(x)$의 식을 설정한 다음 주어진 식에 대입하여 $\int_0^1 f(t) dt$의 값을 먼저 구한다.

STEP1 $\int_0^1 f(t) dt = k$ (k는 상수)로 놓기

$$f(x) = 4x^2 - 6 \int_0^1 x f(t) dt = 4x^2 - 6x \int_0^1 f(t) dt$$

이때 $\int_0^1 f(t) dt = k$ (k는 상수) ...... ㉠

라고 하면 $f(x) = 4x^2 - 6kx$

STEP2 k의 값 구하기

이것을 ㉠에 대입하면

$$\int_0^1 (4t^2 - 6kt) dt = \left[\frac{4}{3}t^3 - 3kt^2 \right]_0^1 = \frac{4}{3} - 3k = k$$

$$\therefore k = \frac{1}{3}$$

STEP3 $\frac{a}{b}$의 값 구하기

$$\therefore f(x) = 4x^2 - 2x = 4 \left(x - \frac{1}{4} \right)^2 - \frac{1}{4}$$

따라서 함수 $f(x)$는 $x = \frac{1}{4}$에서 최솟값 $-\frac{1}{4}$을 갖는다.

즉, $a = \frac{1}{4}$, $b = -\frac{1}{4}$이므로

$$\underline{\frac{a}{b} = \frac{1}{4} \div \left(-\frac{1}{4} \right)} = \frac{1}{4} \times (-4) = -1$$
$$\qquad \longrightarrow \frac{a}{b} = a \div b$$

13-6   답 -5

해결전략 | 주어진 등식의 양변을 x에 대하여 미분하여 $\int_0^x f(2t) dt$를 구한 다음 다시 양변을 x에 대하여 미분하여 $f(x)$를 구한다.

STEP1 $\int_0^x f(2t) dt$ 구하기

$\int_0^x (t - x) f(2t) dt = x^4 - 2x^3 + 4x^2$에서

$$\int_0^x tf(2t)dt - x\int_0^x f(2t)dt = x^4 - 2x^3 + 4x^2$$

위 등식의 양변을 x에 대하여 미분하면

$$xf(2x) - \int_0^x f(2t)dt - xf(2x) = 4x^3 - 6x^2 + 8x$$

$$\therefore \int_0^x f(2t)dt = -4x^3 + 6x^2 - 8x$$

STEP 2 $f(x)$ 구하기

위 등식의 양변을 x에 대하여 미분하면

$$f(2x) = -12x^2 + 12x - 8$$

이때 $2x = k$라고 하면 $x = \dfrac{1}{2}k$이므로

$$f(k) = -3k^2 + 6k - 8, \text{ 즉 } f(x) = -3x^2 + 6x - 8$$

STEP 3 $f(x)$의 최댓값 구하기

따라서 $f(x) = -3x^2 + 6x - 8 = -3(x-1)^2 - 5$이므로

함수 $f(x)$는 $x=1$에서 최댓값 -5를 갖는다.

필수유형 14   277쪽

14-1   답 9

해결전략 | 그래프를 이용하여 $\displaystyle\int_2^x f(t)dt$의 식을 구한 다음

양변을 x에 대하여 미분하여 $f(x)$를 구한다.

STEP 1 $f(x)$ 구하기

주어진 그래프에 의하여

$$F(x) = a(x-1)(x-2)$$
$$= a(x^2 - 3x + 2) \ (a < 0)$$

으로 놓으면

$$\int_2^x f(t)dt = a(x^2 - 3x + 2)$$

위 등식의 양변을 x에 대하여 미분하면

$$f(x) = a(2x - 3)$$

STEP 2 a의 값 구하기

함수 $y = f(x)$의 그래프가 점 $(2, 3)$을 지나므로

$$3 = a(4-3) \qquad \therefore a = 3$$

STEP 3 $f(3)$의 값 구하기

따라서 $f(x) = 3(2x-3) = 6x - 9$이므로

$$f(3) = 18 - 9 = 9$$

14-2   답 3

해결전략 | $g'(x)$를 구하여 $g(x)$의 극대, 극소를 판정한 다음 최소인 경우를 찾는다.

STEP 1 $g'(x)$ 구하기

주어진 그래프에 의하여

$f(x) = k(x-2)(x-6) \ (k>0)$으로 놓고

$g(x) = \displaystyle\int_x^{x+2} f(t)dt$의 양변을 x에 대하여 미분하면

$$g'(x) = f(x+2) - f(x)$$
$$= kx(x-4) - k(x-2)(x-6)$$
$$= k(x^2 - 4x - x^2 + 8x - 12)$$
$$= k(4x - 12)$$

STEP 2 $g(x)$가 극값을 갖는 x의 값 구하기

$g'(x) = 0$에서 $x = 3$

함수 $g(x)$의 증가, 감소를 표로 나타내면 다음과 같다.

x	$\cdots$	3	$\cdots$
$g'(x)$	$-$	0	$+$
$g(x)$	$\searrow$	극소	$\nearrow$

STEP 3 a의 값 구하기

따라서 함수 $g(x)$는 $x=3$에서 극소이면서 최소이므로

$$a = 3$$

14-3   답 -4

해결전략 | $S'(x)$를 구하여 먼저 $S(x)$의 극대, 극소를 판정한 다음 주어진 구간에서 최대, 최소인 경우를 찾는다.

STEP 1 $S(x)$가 극값을 갖는 만족시키는 x의 값 구하기

$S(x) = \displaystyle\int_0^x f(t)dt$의 양변을 x에 대하여 미분하면

$$S'(x) = f(x)$$

$S'(x) = 0$을 만족시키는 x의 값은 주어진 그래프에 의하여

$x=1$ 또는 $x=5 \ (\because \ 0 \le x \le 5)$

구간 $[0, 5]$에서 함수 $S(x)$의 증가, 감소를 표로 나타내면 다음과 같다.

x	0	$\cdots$	1	$\cdots$	5
$S'(x)$		$+$	0	$-$	0
$S(x)$		$\nearrow$	극대	$\searrow$	

STEP 2 $S(0), S(1), S(5)$의 값 구하기

$$S(0) = 0$$

$$S(1) = \int_0^1 f(t)dt = 1$$

$$S(5) = \int_0^5 f(t)dt = \int_0^1 f(t)dt + \int_1^5 f(t)dt$$
$$= 1 + (-6) = -5$$

STEP 3 최댓값과 최솟값의 합 구하기

따라서 구간 $[0, 5]$에서 함수 $S(x)$의 최댓값은 1, 최솟값은 -5이므로 구하는 합은

$$1 + (-5) = -4$$

14-4 답 $-\dfrac{8}{3}$

해결전략 | $f(x)$의 식을 구하여 $F(x)$의 극대, 극소를 판정한 다음 극솟값을 구한다.

STEP1 $f(x)$ 구하기

주어진 그래프에 의하여

$f(x)=ax(x-2)$ $(a>0)$

라고 하자.

이때 함수 $y=f(x)$의 그래프의 축의 방정식은 $x=1$이고, $f(x)$의 최솟값이 -2이므로

$f(1)=-2$에서 $-a=-2$ $\therefore a=2$

$\therefore f(x)=2x(x-2)=2x^2-4x$

STEP2 극솟값 구하기

$F(x)=\displaystyle\int_0^x f(t)dt$의 양변을 x에 대하여 미분하면

$F'(x)=f(x)=2x(x-2)$

$F'(x)=0$에서 $x=0$ 또는 $x=2$

함수 $F(x)$의 증가, 감소를 표로 나타내면 다음과 같다.

x	$\cdots$	0	$\cdots$	2	$\cdots$
$F'(x)$	$+$	0	$-$	0	$+$
$F(x)$	$\nearrow$	극대	$\searrow$	극소	$\nearrow$

따라서 함수 $F(x)$는 $x=2$에서 극소이므로 극솟값은

$F(2)=\displaystyle\int_0^2 f(t)dt=\int_0^2 (2t^2-4t)dt$

$\qquad =\left[\dfrac{2}{3}t^3-2t^2\right]_0^2=-\dfrac{8}{3}$

필수유형 15 279쪽

15-1 답 6

해결전략 | $\displaystyle\lim_{x\to 0}\dfrac{1}{x}\int_a^{x+a}f(t)dt=f(a)$임을 이용하여 주어진 두 극한식을 정리하고 A, B의 값을 구한다.

STEP1 A의 값 구하기

$f(t)=5t^2-2t+3$, $F'(t)=f(t)$라고 하면

$\displaystyle\lim_{x\to 0}\dfrac{1}{x}\int_0^x (5t^2-2t+3)dt$

$=\displaystyle\lim_{x\to 0}\dfrac{1}{x}\int_0^x f(t)dt=\lim_{x\to 0}\dfrac{1}{x}\Big[F(t)\Big]_0^x$

$=\displaystyle\lim_{x\to 0}\dfrac{F(x)-F(0)}{x}=F'(0)=f(0)=3$

$\therefore A=3$

STEP2 B의 값 구하기

$g(t)=t^2-4$, $G'(t)=g(t)$라고 하면

$\displaystyle\lim_{h\to 0}\dfrac{1}{h}\int_1^{1+h}(t^2-4)dt=\lim_{h\to 0}\dfrac{1}{h}\int_1^{1+h}g(t)dt$

$\qquad\qquad =\displaystyle\lim_{h\to 0}\dfrac{G(1+h)-G(1)}{h}$

$\qquad\qquad =G'(1)=g(1)=-3$

$\therefore B=-3$

STEP3 $A-B$의 값 구하기

$\therefore A-B=3-(-3)=6$

15-2 답 $\dfrac{10}{3}$

해결전략 | $F'(x)=f(x)$로 놓고 미분계수의 정의를 이용하여 주어진 극한식을 간단히 정리한 다음 주어진 조건을 이용하여 a, b에 대한 관계식을 세운다.

STEP1 극한식 간단히 하기

$F'(x)=f(x)$라고 하면

$\displaystyle\lim_{h\to 0}\dfrac{1}{h}\int_2^{2+h}f(x)dx=\lim_{h\to 0}\dfrac{1}{h}\Big[F(x)\Big]_2^{2+h}$

$\qquad\qquad =\displaystyle\lim_{h\to 0}\dfrac{F(2+h)-F(2)}{h}$

$\qquad\qquad =F'(2)=f(2)$

STEP2 주어진 조건을 이용하여 a, b에 대한 식 세우기

$f(2)=4$에서

$8+4a-4+b=4$ $\therefore 4a+b=0$ $\qquad\cdots\cdots$ ㉠

또, $f(-1)=-1$에서

$-1+a+2+b=-1$ $\therefore a+b=-2$ $\qquad\cdots\cdots$ ㉡

STEP3 a, b의 값 구하기

㉠, ㉡을 연립하여 풀면

$a=\dfrac{2}{3}$, $b=-\dfrac{8}{3}$

$\therefore a-b=\dfrac{2}{3}-\left(-\dfrac{8}{3}\right)=\dfrac{10}{3}$

15-3 답 -27

해결전략 | $f(x)=x^3-4x^2$, $F'(x)=f(x)$로 놓고 미분계수의 정의를 이용하여 주어진 극한식을 간단히 정리한다.

STEP1 $f(x)=x^3-4x^2$, $F'(x)=f(x)$로 놓고 주어진 극한식 정리하기

$f(x)=x^3-4x^2$, $F'(x)=f(x)$라고 하면

$\displaystyle\lim_{h\to 0}\dfrac{1}{h}\int_3^{3+3h}(x^3-4x^2)dx=\lim_{h\to 0}\dfrac{1}{h}\int_3^{3+3h}f(x)dx$

$\qquad\qquad =\displaystyle\lim_{h\to 0}\dfrac{1}{h}\Big[F(x)\Big]_3^{3+3h}$

$\qquad\qquad =\displaystyle\lim_{h\to 0}\dfrac{F(3+3h)-F(3)}{h}$

$$=3\lim_{h\to 0}\frac{F(3+3h)-F(3)}{3h}$$
$$=3F'(3)=3f(3)$$

STEP 2 극한값 구하기

이때 $f(x)=x^3-4x^2$이므로

$3f(3)=3\times(-9)=-27$

> **◎ 풍쌤의 비법**
>
> $f(x)$의 한 부정적분을 $F(x)$라고 하면
>
> $$\lim_{h\to 0}\frac{1}{h}\int_a^{a+bh}f(x)dx$$
> $$=\lim_{h\to 0}\frac{F(a+bh)-F(a)}{h}$$
> $$=\lim_{h\to 0}\frac{F(a+bh)-F(a)}{bh}\times b$$
> $$=bF'(a)=bf(a)$$

15-4 답 6

해결전략 | 먼저 $f'(x)$를 구한 다음 미분계수의 정의를 이용하여 주어진 극한식을 간단히 정리한다.

STEP 1 $f'(x)$ 구하기

$f(x)=\int_0^x(10t^2-2t+6)dt$의 양변을 x에 대하여 미분하면

$f'(x)=10x^2-2x+6$

STEP 2 $\lim\limits_{x\to 0}\dfrac{1}{x}\displaystyle\int_0^x f'(x)$의 값 구하기

$$\therefore \lim_{x\to 0}\frac{1}{x}\int_0^x f'(t)dt=\lim_{x\to 0}\frac{1}{x}\Big[\,f(x)\,\Big]_0^x$$
$$=\lim_{x\to 0}\frac{f(x)-f(0)}{x}$$
$$=f'(0)=6$$

15-5 답 -4

해결전략 | $f(t)=|t-6a|$, $F'(t)=f(t)$로 놓고 미분계수의 정의를 이용하여 주어진 극한식을 간단히 정리한 다음 a에 대한 방정식을 세워 푼다.

STEP 1 극한식 간단히 하기

$f(t)=|t-6a|$, $F'(t)=f(t)$라고 하면

$$\lim_{x\to 0}\frac{1}{x}\int_0^x|t-6a|dt=\lim_{x\to 0}\frac{1}{x}\int_0^x f(t)dt$$
$$=\lim_{x\to 0}\frac{1}{x}\Big[\,F(t)\,\Big]_0^x$$
$$=\lim_{x\to 0}\frac{F(x)-F(0)}{x}$$

$$=F'(0)=f(0)$$
$$=|-6a|=-6a \ (\because a<0)$$

STEP 2 a의 값 구하기

즉, $-6a=2a^2-8$이므로

$2a^2+6a-8=0$, $(a+4)(a-1)=0$

$\therefore a=-4 \ (\because a<0)$

15-6 답 12

해결전략 | $F'(x)=f(x)$로 놓고 미분계수의 정의를 이용하여 주어진 두 극한식을 간단히 정리하여 a, b에 대한 관계식을 세운다.

STEP 1 b의 값 구하기

$F'(x)=f(x)$라고 하면

$$\lim_{h\to 0}\frac{1}{h}\int_0^h f(x)dx=\lim_{h\to 0}\frac{1}{h}\Big[\,F(x)\,\Big]_0^h$$
$$=\lim_{h\to 0}\frac{F(h)-F(0)}{h}$$
$$=F'(0)=f(0)=b$$

$\therefore b=2$

STEP 2 a의 값 구하기

$$\lim_{h\to 0}\frac{1}{h}\int_{1-3h}^{1+h}f(x)dx$$
$$=\lim_{h\to 0}\frac{1}{h}\Big[\,F(x)\,\Big]_{1-3h}^{1+h}$$
$$=\lim_{h\to 0}\frac{F(1+h)-F(1-3h)}{h}$$
$$=\lim_{h\to 0}\frac{F(1+h)-F(1)+F(1)-F(1-3h)}{h}$$
$$=\lim_{h\to 0}\frac{F(1+h)-F(1)}{h}+3\lim_{h\to 0}\frac{F(1-3h)-F(1)}{-3h}$$
$$=F'(1)+3F'(1)$$
$$=4F'(1)=4f(1)$$
$$=4(2-a+b)$$

즉, $4(2-a+b)=4$이므로

$4-a=1$ $\quad\therefore a=3$

STEP 3 $f(2)$의 값 구하기

따라서 $f(x)=2x^3-3x+2$이므로

$f(2)=16-6+2=12$

> **◎ 풍쌤의 비법**
>
> $F(1)$의 값을 더하고 빼면 어차피 그 값은 0이고, -3을 분자, 분모에 곱하면 어차피 그 값은 1이므로 식에는 전혀 영향을 주지 않는다.

16-1 답 **9**

해결전략 | $\lim\limits_{x \to a} \dfrac{1}{x-a} \displaystyle\int_a^x f(t)dt = f(a)$임을 이용하여 주어진 두 극한식을 정리하고 그 합을 구한다.

STEP 1 $\lim\limits_{x \to 1} \dfrac{1}{x-1} \displaystyle\int_x^1 f(t)dt$의 값 구하기

$F'(x) = f(x)$라고 하면

$\lim\limits_{x \to 1} \dfrac{1}{x-1} \displaystyle\int_x^1 f(t)dt = \lim\limits_{x \to 1} \dfrac{-1}{x-1} \displaystyle\int_1^x f(t)dt$

$= -\lim\limits_{x \to 1} \dfrac{1}{x-1} \Big[F(t) \Big]_1^x$

$= -\lim\limits_{x \to 1} \dfrac{F(x)-F(1)}{x-1}$

$= -F'(1) = -f(1)$

$= -(-1) = 1$

STEP 2 $\lim\limits_{x \to 2} \dfrac{2}{x-2} \displaystyle\int_2^x f(t)dt$의 값 구하기

$\lim\limits_{x \to 2} \dfrac{2}{x-2} \displaystyle\int_2^x f(t)dt = 2\lim\limits_{x \to 2} \dfrac{1}{x-2} \displaystyle\int_2^x f(t)dt$

$= 2\lim\limits_{x \to 2} \dfrac{1}{x-2} \Big[F(t) \Big]_2^x$

$= 2\lim\limits_{x \to 2} \dfrac{F(x)-F(2)}{x-2}$

$= 2F'(2) = 2f(2)$

$= 2 \times 4 = 8$

STEP 3 극한값의 합 구하기

따라서 구하는 극한값의 합은

$1 + 8 = 9$

16-2 답 **2**

해결전략 | $F'(x) = f(x)$로 놓고 미분계수의 정의를 이용하여 주어진 극한식을 간단히 정리한 다음 a에 대한 방정식을 세워 푼다.

STEP 1 극한식 간단히 정리하기

$F'(x) = f(x)$라고 하면

$\lim\limits_{x \to 1} \dfrac{1}{x-1} \displaystyle\int_1^{x^2} f(t)dt$

$= \lim\limits_{x \to 1} \dfrac{1}{x-1} \Big[F(x) \Big]_1^{x^2} = \lim\limits_{x \to 1} \dfrac{F(x^2)-F(1)}{x-1}$

$= \lim\limits_{x \to 1} \left\{ \dfrac{F(x^2)-F(1)}{x^2-1} \times (x+1) \right\}$

$= 2F'(1) = 2f(1) = 2(4-a)$

STEP 2 a의 값 구하기

즉, $2(4-a) = 4$이므로

$4-a = 2$ $\therefore a = 2$

16-3 답 **4**

해결전략 | $F(t) = \displaystyle\int \{f(t)\}^2 f'(t)dt$로 놓고 정적분의 정의와 미분계수의 정의를 이용하여 극한식을 간단히 한 다음 주어진 조건을 이용하여 극한값을 구한다.

STEP 1 $\displaystyle\int_2^x \{f(t)\}^2 f'(t)dt$를 정적분의 정의를 이용하여 나타내기

$F(t) = \displaystyle\int \{f(t)\}^2 f'(t)dt$라고 하면

$F'(t) = \{f(t)\}^2 f'(t)$이므로

$\displaystyle\int_2^x \{f(t)\}^2 f'(t)dt = \Big[F(t) \Big]_2^x = F(x) - F(2)$

STEP 2 극한값 구하기

$\therefore \lim\limits_{x \to 2} \dfrac{1}{x-2} \displaystyle\int_2^x \{f(t)\}^2 f'(t)dt$

$= \lim\limits_{x \to 2} \dfrac{F(x)-F(2)}{x-2}$

$= F'(2) = \{f(2)\}^2 f'(2)$

$= 1^2 \times 4 = 4$

16-4 답 **-9**

해결전략 | 먼저 $x=1$에서 극솟값을 가질 조건을 이용하여 $f(x)$를 구한 다음 미분계수의 정의를 이용하여 극한값을 구한다.

STEP 1 $f(x)$ 구하기

$f(x) = x^3 - ax^2 + x + 1$이 $x=1$에서 극솟값을 가지므로

$f'(1) = 0$

$f'(x) = 3x^2 - 2ax + 1$이므로

$3 - 2a + 1 = 0$ $\therefore a = 2$

$\therefore f(x) = x^3 - 2x^2 + x + 1$

STEP 2 극한값 구하기

$F'(x) = f(x)$라고 하면

$\lim\limits_{x \to -1} \dfrac{1}{x+1} \displaystyle\int_{-1}^{x^3} f(t)dt$

$= \lim\limits_{x \to -1} \dfrac{1}{x+1} \Big[F(t) \Big]_{-1}^{x^3}$

$= \lim\limits_{x \to -1} \dfrac{F(x^3)-F(-1)}{x+1}$

$= \lim\limits_{x \to -1} \left\{ \dfrac{F(x^3)-F(-1)}{x^3-(-1)} \times (x^2-x+1) \right\}$

$= 3F'(-1) = 3f(-1)$

$$= 3 \times (-3) = -9$$

16-5 답 $\dfrac{5}{2}$

해결전략 | 주어진 등식의 양변을 x에 대하여 연속으로 미분하여 $f(x)$를 구한 다음 미분계수의 정의를 이용하여 극한값을 구한다.

STEP1 적분변수와 상수를 분리하기

$\displaystyle\int_1^x (x-t)f(t)dt = x^3-x^2-x+1$에서

$$x\int_1^x f(t)dt - \int_1^x tf(t)dt = x^3-x^2-x+1$$

STEP2 $f(x)$ 구하기

위 등식의 양변을 x에 대하여 미분하면

$$\int_1^x f(t)dt + xf(x) - xf(x) = 3x^2-2x-1$$

$$\therefore \int_1^x f(t)dt = 3x^2-2x-1$$

위 등식의 양변을 다시 x에 대하여 미분하면

$$f(x) = 6x-2$$

STEP3 극한값 구하기

$F'(t) = f(t)$라고 하면

$$\begin{aligned}\lim_{x\to2}\frac{1}{x^2-4}\int_2^x f(t)dt &= \lim_{x\to2}\frac{1}{x^2-4}\Big[F(t)\Big]_2^x \\ &= \lim_{x\to2}\frac{F(x)-F(2)}{(x+2)(x-2)} \\ &= \lim_{x\to2}\left\{\frac{F(x)-F(2)}{x-2}\times\frac{1}{x+2}\right\} \\ &= \frac{1}{4}F'(2) = \frac{1}{4}f(2) \\ &= \frac{1}{4}\times10 = \frac{5}{2}\end{aligned}$$

16-6 답 10

해결전략 | 먼저 $g(t)=t(k-t)$, $G'(t)=g(t)$로 놓고 극한식을 간단히 하여 $f(k)$의 식을 구한다.

STEP1 $f(k)$의 값 구하기

$g(t)=t(k-t)$, $G'(t)=g(t)$라고 하면

$$\begin{aligned}\lim_{x\to2}\frac{1}{x-2}\int_2^x t(k-t)dt &= \lim_{x\to2}\frac{1}{x-2}\int_2^x g(t)dt \\ &= \lim_{x\to2}\frac{1}{x-2}\Big[G(t)\Big]_2^x \\ &= \lim_{x\to2}\frac{G(x)-G(2)}{x-2} \\ &= G'(2) = g(2) \\ &= 2(k-2) = 2k-4\end{aligned}$$

$$\therefore f(k) = 2k-4$$

STEP2 $f(1)+f(2)+f(3)+f(4)+f(5)$의 값 구하기

$$\begin{aligned}\therefore f(1)&+f(2)+f(3)+f(4)+f(5) \\ &= -2+0+2+4+6 \\ &= 10\end{aligned}$$

실전 연습 문제　　　　　　　　282~286쪽

01 66	02 ②	03 -1	04 13	05 $\dfrac{56}{3}$
06 5	07 4	08 $\dfrac{43}{2}$	09 $\dfrac{8}{3}$	10 18
11 ④	12 $\dfrac{1}{2}$	13 17	14 40	15 $\dfrac{16}{9}$
16 ②	17 1	18 ①	19 9	20 20
21 ⑤	22 -2	23 ①	24 40	25 7
26 -54	27 $\dfrac{16}{3}$	28 $\dfrac{8}{3}$	29 10	30 11

01

해결전략 | 식을 전개한 다음 정적분한다. 위끝과 아래끝이 같은 경우 정적분의 값은 0이다.

$$\begin{aligned}\int_1^{-2}&4(x+3)(x-2)dx + \int_2^2(2y-1)(2y+1)dy \\ &= \int_1^{-2}(4x^2+4x-24)dx + 0 \\ &= \left[\frac{4}{3}x^3+2x^2-24x\right]_1^{-2} \\ &= \left(-\frac{32}{3}+8+48\right) - \left(\frac{4}{3}+2-24\right) = 66\end{aligned}$$

02

해결전략 | 정적분을 계산하여 a에 대한 방정식을 세워 푼다.

STEP1 정적분 계산하기

$$\int_0^1(4x^3+a)dx = \Big[x^4+ax\Big]_0^1 = 1+a$$

STEP2 a의 값 구하기

즉, $1+a=8$이므로 $a=7$

03

해결전략 | $f(x)$를 주어진 등식에 대입하여 좌변을 적분한 다음 양변을 비교한다.

STEP1 $f(x)$를 대입하여 적분하기

$$\int_0^1 f(x)\,dx = \int_0^1 (3x^2 + 4ax)\,dx$$
$$= \left[x^3 + 2ax^2 \right]_0^1 = 1 + 2a \qquad \cdots\cdots \text{❶}$$

STEP2 a의 값 구하기

이때 $f(1) = 3 + 4a$이므로

$3 + 4a = 1 + 2a,\ 2a = -2$

$\therefore a = -1 \qquad\qquad\qquad\qquad \cdots\cdots \text{❷}$

채점 요소	배점
❶ $f(x)$를 대입하여 정적분 계산하기	60 %
❷ a의 값 구하기	40 %

04

해결전략 | 정적분을 계산하여 구한 이차식을 완전제곱식으로 변형하여 최솟값을 구한다.

STEP1 정적분 계산하기

$$\int_{-3}^{k} (6x + 12)\,dx = \left[3x^2 + 12x \right]_{-3}^{k} = 3k^2 + 12k + 9$$

STEP2 완전제곱식으로 변형하여 최소가 되는 경우 찾기

$3k^2 + 12k + 9 = 3(k+2)^2 - 3$이므로 $k = -2$일 때 최솟값 -3을 갖는다.

STEP3 $m^2 + n^2$의 값 구하기

따라서 $m = -2$, $n = -3$이므로

$m^2 + n^2 = 4 + 9 = 13$

05

해결전략 | 적분 구간을 같게 만든 다음 하나의 정적분으로 나타내어 계산한다.

STEP1 $A + B - C$를 하나의 정적분으로 나타내기

$A + B - C$

$$= \int_0^2 (x^2 - 5x + 2)\,dx + \int_0^2 (x^2 + 5x)\,dx$$
$$- \int_2^0 (-x^2 + 6)\,dx$$

$$= \int_0^2 (x^2 - 5x + 2)\,dx + \int_0^2 (x^2 + 5x)\,dx$$
$$+ \int_0^2 (-x^2 + 6)\,dx$$

$$= \int_0^2 \{ (x^2 - 5x + 2) + (x^2 + 5x) + (-x^2 + 6) \}\,dx$$

$$= \int_0^2 (x^2 + 8)\,dx$$

STEP2 정적분 계산하기

$$\therefore \int_0^2 (x^2 + 8)\,dx = \left[\frac{1}{3}x^3 + 8x \right]_0^2 = \frac{8}{3} + 16 = \frac{56}{3}$$

06

해결전략 | $\int_a^c f(x)\,dx + \int_c^b f(x)\,dx = \int_a^b f(x)\,dx$임을 이용하여 $\int_{-1}^{0} f(x)\,dx$를 주어진 조건으로 나타내어 그 값을 구한다.

STEP1 $\int_{-1}^{0} f(x)\,dx$의 값 구하기

$$\int_{-1}^{0} f(x)\,dx = \int_{-1}^{1} f(x)\,dx + \int_{1}^{4} f(x)\,dx + \int_{4}^{0} f(x)\,dx$$
$$= 2 + 6 + (-5) = 3$$

STEP2 정적분 계산하기

$$\therefore \int_{-1}^{0} \{ f(x) + 6x^2 \}\,dx = \int_{-1}^{0} f(x)\,dx + \int_{-1}^{0} 6x^2\,dx$$
$$= 3 + \left[2x^3 \right]_{-1}^{0} = 3 + 2 = 5$$

07

해결전략 | $\int_n^{n+4} f(x)\,dx$를 n에 대한 식으로 나타낸 다음 $\int_{12}^{13} f(x)\,dx = \int_0^{13} f(x)\,dx - \int_0^{12} f(x)\,dx$임을 이용하여 정적분의 값을 구한다.

STEP1 $\int_0^{12} f(x)\,dx$의 값 구하기

$\int_0^{12} f(x)\,dx$

$$= \int_0^4 f(x)\,dx + \int_4^8 f(x)\,dx + \int_8^{12} f(x)\,dx$$

$$= \int_0^1 x\,dx + \int_4^5 x\,dx + \int_8^9 x\,dx$$

$$= \left[\frac{1}{2}x^2 \right]_0^1 + \left[\frac{1}{2}x^2 \right]_4^5 + \left[\frac{1}{2}x^2 \right]_8^9$$

$$= \frac{1}{2} + \frac{9}{2} + \frac{17}{2} = \frac{27}{2}$$

STEP2 $\int_0^{13} f(x)\,dx$의 값 구하기

또, 조건 ㈎에서 $\int_0^1 f(x)\,dx = 1$이므로

$\int_0^{13} f(x)\,dx$

$$= \int_0^1 f(x)\,dx + \int_1^5 f(x)\,dx$$
$$+ \int_5^9 f(x)\,dx + \int_9^{13} f(x)\,dx$$

$$= 1 + \int_1^2 x\,dx + \int_5^6 x\,dx + \int_9^{10} x\,dx$$

$$= 1 + \left[\frac{1}{2}x^2 \right]_1^2 + \left[\frac{1}{2}x^2 \right]_5^6 + \left[\frac{1}{2}x^2 \right]_9^{10}$$

$$= 1 + \frac{3}{2} + \frac{11}{2} + \frac{19}{2} = \frac{35}{2}$$

STEP3 $\int_{12}^{13}f(x)dx$의 값 구하기

$\therefore \int_{12}^{13}f(x)dx=\int_{0}^{13}f(x)dx-\int_{0}^{12}f(x)dx$

$\qquad\qquad\qquad =\dfrac{35}{2}-\dfrac{27}{2}=4$

08

해결전략 | 절댓값 기호가 없는 식으로 나타낸 다음 적분 구간을 나누어 정적분을 계산한다.

STEP1 구간을 나누어 분자의 식 나타내기

$|x^2-16|=\begin{cases} x^2-16 & (x\le-4\ \text{또는}\ x\ge4) \\ -x^2+16 & (-4\le x\le4) \end{cases}$ ······ ❶

STEP2 적분 구간을 나누어 정적분 계산하기

$\int_{-5}^{2}\dfrac{|x^2-16|}{x+4}dx$

$=\int_{-5}^{-4}\dfrac{x^2-16}{x+4}dx+\int_{-4}^{2}\dfrac{-x^2+16}{x+4}dx$

$=\int_{-5}^{-4}(x-4)dx-\int_{-4}^{2}(x-4)dx$ ······ ❷

$=\left[\dfrac{1}{2}x^2-4x\right]_{-5}^{-4}-\left[\dfrac{1}{2}x^2-4x\right]_{-4}^{2}$

$=\left(24-\dfrac{65}{2}\right)-(-6-24)=\dfrac{43}{2}$ ······ ❸

채점 요소	배점
❶ 구간을 나누어 분자의 식 구하기	20 %
❷ 정적분 간단히 하기	40 %
❸ 정적분 계산하기	40 %

09

해결전략 | 합성함수를 구한 다음 절댓값 기호가 없는 식으로 나타내어 구간을 나누어 정적분을 계산한다.

STEP1 합성함수를 구간으로 나누어 나타내기

$f(x)=|x-3|$, $g(x)=x^2+2$이므로

$(f\circ g)(x)=f(g(x))=f(x^2+2)=|x^2-1|$

$\qquad\qquad =\begin{cases} x^2-1 & (x\le-1\ \text{또는}\ x\ge1) \\ -x^2+1 & (-1\le x\le1) \end{cases}$

STEP2 적분 구간을 나누어 정적분 계산하기

$\int_{-2}^{1}(f\circ g)(x)dx$

$=\int_{-2}^{-1}(x^2-1)dx+\int_{-1}^{1}(-x^2+1)dx$

$=\left[\dfrac{1}{3}x^3-x\right]_{-2}^{-1}+\left[-\dfrac{1}{3}x^3+x\right]_{-1}^{1}$

$=\left(\dfrac{2}{3}+\dfrac{2}{3}\right)+\left(\dfrac{2}{3}+\dfrac{2}{3}\right)=\dfrac{8}{3}$

10

해결전략 | $1\le t\le x$, $x\le t\le4$일 때로 나누어 $f(x)$를 절댓값 기호가 없는 식으로 나타낸다.

STEP1 구간을 나누어 $f(x)$ 구하기

구간 $[1,\ 4]$에서

$|t-x|=\begin{cases} -t+x & (1\le t\le x) \\ t-x & (x\le t\le4) \end{cases}$이므로

$f(x)=\int_{1}^{4}2|t-x|dt$

$\qquad =2\int_{1}^{x}(-t+x)dt+2\int_{x}^{4}(t-x)dt$

STEP2 정적분을 계산하여 완전제곱식으로 변형하기

$f(x)=2\left[-\dfrac{1}{2}t^2+xt\right]_{1}^{x}+2\left[\dfrac{1}{2}t^2-xt\right]_{x}^{4}$

$\qquad =2\left(\dfrac{1}{2}x^2-x+\dfrac{1}{2}\right)+2\left(\dfrac{1}{2}x^2-4x+8\right)$

$\qquad =2x^2-10x+17=2\left(x-\dfrac{5}{2}\right)^2+\dfrac{9}{2}$

STEP3 $M+2m$의 값 구하기

따라서 함수 $y=f(x)$의 그래프는 오른쪽 그림과 같으므로 $1\le x\le4$에서 함수 $f(x)$의 최댓값은 9, 최솟값은 $\dfrac{9}{2}$이다.

즉, $M=9$, $m=\dfrac{9}{2}$이므로

$M+2m=9+2\times\dfrac{9}{2}=18$

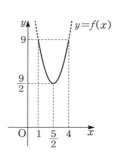

11

해결전략 | 우함수와 기함수를 이용하여 정적분을 계산한다.

STEP1 하나의 정적분으로 나타내기

$\int_{-3}^{3}(x^3+4x^2)dx+\int_{3}^{-3}(x^3+x^2)dx$

$=\int_{-3}^{3}(x^3+4x^2)dx-\int_{-3}^{3}(x^3+x^2)dx$

$=\int_{-3}^{3}(x^3+4x^2-x^3-x^2)dx$

$=\int_{-3}^{3}3x^2dx$

$=2\int_{0}^{3}3x^2dx$

STEP2 정적분 계산하기

$\therefore 2\int_{0}^{3}3x^2dx=2\left[x^3\right]_{0}^{3}=2\times27=54$

12

해결전략 | 우함수와 기함수를 이용하여 정적분을 계산한다.

STEP1 적분 식 간단히 정리하기

$$\int_{-a}^{a}(x^3+3x^2-9x+a)dx=2\int_{0}^{a}(3x^2+a)dx$$
$$=2\Big[x^3+ax\Big]_{0}^{a}$$
$$=2a^3+2a^2$$

STEP2 a의 값 구하기

즉, $2a^3+2a^2=3a^2$이므로

$2a^3-a^2=0$, $a^2(2a-1)=0$

$\therefore a=\dfrac{1}{2}\ (\because a\neq0)$

13

해결전략 | 우함수와 기함수를 이용하여 정적분의 값을 구한다.

STEP1 $f(x)$를 적분상수 C를 포함하여 나타내기

조건 ㈎에서 양변을 x에 대하여 미분하면

$f(x)=2f(x)f'(x)$

$f(x)\{1-2f'(x)\}=0$ $\therefore f'(x)=\dfrac{1}{2}(\because f(x)\neq0)$

따라서 $f(x)$는 일차함수이므로 $f(x)=\dfrac{1}{2}x+C(C$는 상수)로 놓을 수 있다.

STEP2 C의 값 구하기

$f(x)$의 식을 조건 ㈏에 대입하면

$$\int_{-2}^{2}\Big(\dfrac{1}{2}x+C\Big)dx=2\int_{0}^{2}Cdx$$
$$=2\Big[Cx\Big]_{0}^{2}=4C=60$$

$\therefore C=15$

STEP3 $f(4)$의 값 구하기

따라서 $f(x)=\dfrac{1}{2}x+15$이므로

$f(4)=2+15=17$

14

해결전략 | $f(x)$가 주기함수이고 우함수임을 이용하여 정적분의 값을 계산한다.

STEP1 $\int_{0}^{1}f(x)dx$의 값 구하기

조건 ㈎에서

$$\int_{0}^{1}f(x)dx=\int_{0}^{1}x^2dx=\Big[\dfrac{1}{3}x^3\Big]_{0}^{1}=\dfrac{1}{3}$$

STEP2 함수 $f(x)$의 성질 파악하기

조건 ㈏에서 $f(x)$는 우함수이므로

$$\int_{-1}^{1}f(x)dx=2\int_{0}^{1}f(x)dx=2\times\dfrac{1}{3}=\dfrac{2}{3}$$

또, 조건 ㈏에서 $f(x)$는 주기가 2인 주기함수이므로

$$\int_{-1}^{0}f(x)dx=\int_{1}^{2}f(x)dx \qquad \therefore \int_{0}^{2}f(x)dx=\dfrac{2}{3}$$

$$\therefore \int_{-60}^{-58}f(x)dx=\int_{-58}^{-56}f(x)dx=\cdots=\int_{58}^{60}f(x)dx$$

STEP3 $\int_{-60}^{60}f(x)dx$의 값 구하기

$$\therefore \int_{-60}^{60}f(x)dx=60\int_{0}^{2}f(x)dx$$
$$=60\times\dfrac{2}{3}=40$$

> **◎ 풍쌤의 비법**
>
> 주기함수에서 한 주기의 정적분의 값은 항상 같다.
> 위의 문제에서
> $$\int_{0}^{2}f(x)dx=\int_{0}^{1}f(x)dx+\int_{1}^{2}f(x)dx$$
> $$=\int_{0}^{1}f(x)dx+\int_{-1}^{0}f(x)dx$$
> $$=\int_{-1}^{1}f(x)dx$$

15

해결전략 | 적분 구간이 상수인 정적분의 값은 상수이므로 주어진 식에서 정적분의 값을 상수 a, b로 놓고 함수식을 간단히 나타낸다.

STEP1 $\int_{0}^{1}g(t)dt=a$, $\int_{0}^{1}f(t)dt=b$로 놓기

$$\int_{0}^{1}g(t)dt=a\ (a는 상수) \qquad \cdots\cdots\ \ominus$$

$$\int_{0}^{1}f(t)dt=b\ (b는 상수) \qquad \cdots\cdots\ \oplus$$

라고 하면 $f(x)=x^2-a$, $g(x)=bx$

STEP2 a, b의 값 구하기

이를 각각 ㉠, ㉡에 대입하면

$$a=\int_{0}^{1}g(t)dt=\int_{0}^{1}btdt=\Big[\dfrac{1}{2}bt^2\Big]_{0}^{1}=\dfrac{1}{2}b$$

$\therefore b=2a \qquad\qquad\qquad\qquad \cdots\cdots\ \oplus$

$$b=\int_{0}^{1}f(t)dt=\int_{0}^{1}(t^2-a)dt$$
$$=\Big[\dfrac{1}{3}t^3-at\Big]_{0}^{1}=\dfrac{1}{3}-a$$

$\therefore a+b=\dfrac{1}{3} \qquad\qquad\qquad \cdots\cdots\ \circledR$

㉢, ㉣을 연립하여 풀면

$a=\dfrac{1}{9}$, $b=\dfrac{2}{9}$

STEP3 $f(-1)+g(4)$의 값 구하기

따라서 $f(x)=x^2-\dfrac{1}{9}$, $g(x)=\dfrac{2}{9}x$이므로

$$f(-1)+g(4)=\frac{8}{9}+\frac{8}{9}=\frac{16}{9}$$

16

해결전략 | 양변을 x에 대하여 미분하여 $f'(x)$를 구한다.

STEP1 $f'(x)$ 구하기

$f(x)=\int_1^x (t-2)(t-3)dt$의 양변을 x에 대하여 미분하면

$f'(x)=(x-2)(x-3)$

STEP2 $f'(4)$의 값 구하기

$\therefore f'(4)=(4-2)\times(4-3)=2$

17

해결전략 | 양변을 x에 대하여 미분하여 $f(x)$를 구한 다음 정적분을 계산한다.

STEP1 $f(x)$ 구하기

$\int_1^x f(t)dt=3x^2-x-2$의 양변을 x에 대하여 미분하면

$f(x)=6x-1$

$\therefore f(x^2)=6x^2-1$

STEP2 정적분 계산하기

$$\therefore \int_0^1 f(x^2)dx=\int_0^1 (6x^2-1)dx$$
$$=\left[2x^3-x\right]_0^1=1$$

18

해결전략 | 그래프에서 증가, 감소를 확인하여 함수 $y=f(x)$의 그래프를 유추한다.

STEP1 함수 $y=f(x)$의 그래프 유추하기

$F(x)=\int_0^x f(t)dt$의 양변을 x에 대하여 미분하면

$F'(x)=f(x)$

이므로 $f(x)$는 $F(x)$의 도함수이다.

그런데 주어진 함수 $y=F(x)$의 그래프에서

$0\leq x\leq a$에서 감소하므로 $f(x)\leq 0$

$a\leq x\leq c$에서 증가하므로 $f(x)\geq 0$

$c\leq x\leq d$에서 감소하므로 $f(x)\leq 0$

$x\geq d$에서 증가하므로 $f(x)\geq 0$

따라서 함수 $y=f(x)$의 그래프의 개형은 오른쪽 그림과 같다.

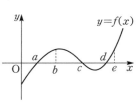

STEP2 주어진 x의 값에서의 $f(x)$의 부호 알기

함수 $y=f(x)$의 그래프에서

$f(a)=0$, $f(b)>0$, $f(c)=0$, $f(d)=0$, $f(e)>0$

STEP3 보기의 참, 거짓 판단하기

ㄱ. $f(x)=0$을 만족시키는 x의 값은 a, c, d의 3개이다. (참)

ㄴ. $f(d)=0$이므로 $f(b)f(d)f(e)=0$ (거짓)

ㄷ. $c<x<d$일 때 $f(x)<0$이고
   $x>d$일 때 $f(x)>0$이다. (거짓)

따라서 옳은 것은 ㄱ뿐이다.

19

해결전략 | 주어진 등식의 양변에 $x=2$를 대입하여 a의 값을 구하고 적분변수와 상수로 적분 식을 분리한 다음 양변을 x에 대하여 연속으로 미분하여 $f(x)$를 구한다.

STEP1 a의 값 구하기

$\int_2^x (x-t)f(t)dt=x^3+ax^2+4$의 양변에 $x=2$를 대입하면

$0=8+4a+4$ $\quad \therefore a=-3$ $\qquad \cdots\cdots$ ❶

STEP2 b의 값 구하기

$\int_2^x (x-t)f(t)dt=x^3-3x^2+4$에서

$x\int_2^x f(t)dt-\int_2^x tf(t)dt=x^3-3x^2+4$

위 등식의 양변을 x에 대하여 미분하면

$\int_2^x f(t)dt+xf(x)-xf(x)=3x^2-6x$

$\therefore \int_2^x f(t)dt=3x^2-6x$

위 등식의 양변을 다시 x에 대하여 미분하면

$f(x)=6x-6$ $\quad \therefore b=f(3)=12$ $\qquad \cdots\cdots$ ❷

STEP3 $a+b$의 값 구하기

$\therefore a+b=-3+12=9$ $\qquad \cdots\cdots$ ❸

채점 요소	배점
❶ a의 값 구하기	40 %
❷ b의 값 구하기	40 %
❸ $a+b$의 값 구하기	20 %

20

해결전략 | 주어진 등식의 양변에 $x=a$를 대입하여 a의 값을 구한 다음 양변을 x에 대하여 미분하여 $f(x)$를 구한다.

STEP1 a의 값 구하기

$\int_a^x f(t)dt=2x^2+ax-12$의 양변에 $x=a$를 대입하면

$0=2a^2+a^2-12$, $a^2=4$

$\therefore a=2$ ($\because a>0$)

STEP2 $f(x)$ 구하기

$\int_2^x f(t)dt=2x^2+2x-12$의 양변을 x에 대하여 미분하면

$f(x)=4x+2$

STEP3 $af(a)$의 값 구하기

따라서 $f(a)=f(2)=8+2=10$이므로

$af(a)=2\times10=20$

21

해결전략 | 먼저 주어진 등식에서 다항함수 $f(x)$의 차수를 파악한다.

STEP1 다항함수 $f(x)$의 차수 파악하기

$f(x)$의 차수를 n ($n\geq2$인 자연수)이라고 하면 주어진 등식의 좌변의 차수는 n^2, 우변의 차수는 $n+1$이므로

$n^2=n+1$ $\therefore n^2-n-1=0$

그런데 위의 식을 만족시키는 자연수 n은 존재하지 않으므로 $f(x)$는 일차 이하의 다항식이다.

STEP2 $f(x)=ax+b$로 놓고 주어진 등식 정리하기

$f(x)=ax+b$ (a, b는 상수)로 놓으면

$f(f(x))=f(ax+b)=a(ax+b)+b=a^2x+ab+b$

$\int_0^x f(t)dt=\int_0^x(at+b)dt=\left[\frac{1}{2}at^2+bt\right]_0^x=\frac{1}{2}ax^2+bx$

즉, 주어진 등식은

$a^2x+ab+b=\frac{1}{2}ax^2+bx-2x^2+15x+5$

$\therefore a^2x+ab+b=\left(\frac{1}{2}a-2\right)x^2+(b+15)x+5$

STEP3 a, b의 값 구하기

양변의 동류항의 계수를 비교하면

$0=\frac{1}{2}a-2$, $a^2=b+15$, $ab+b=5$

$\therefore a=4$, $b=1$

STEP4 $f(1)$의 값 구하기

따라서 $f(x)=4x+1$이므로

$f(1)=4+1=5$

22

해결전략 | $f(x)$가 $(x-2)^2$으로 나누어떨어지는 조건을 이용하여 a의 값을 구하고 주어진 등식의 양변을 x에 대하여 미분한다.

STEP1 a의 값 구하기

함수 $f(x)=x^2-ax+\int_2^x g(t)dt$가 $(x-2)^2$으로 나누어떨어지므로

$f(2)=4-2a+0=0$ $\therefore a=2$

STEP2 $f(x)$를 $(x-2)^2$으로 나누었을 때의 몫 $Q(x)$로 나타내기

따라서 $f(x)=x^2-2x+\int_2^x g(t)dt$이고 양변을 x에 대하여 미분하면

$f'(x)=2x-2+g(x)$ ...... ㉠

한편, $f(x)$를 $(x-2)^2$으로 나누었을 때의 몫을 $Q(x)$라고 하면

$f(x)=(x-2)^2Q(x)$

STEP3 $f'(x)$ 구하기

위 등식의 양변을 x에 대하여 미분하면

$f'(x)=2(x-2)Q(x)+(x-2)^2Q'(x)$

$=(x-2)\{2Q(x)+(x-2)Q'(x)\}$

STEP4 나머지 구하기

따라서 $f'(2)=0$이므로 $x=2$를 ㉠에 대입하면

$0=4-2+g(2)$ $\therefore g(2)=-2$

따라서 $g(x)$를 $x-2$로 나누었을 때의 나머지는 -2이다.

> ⊚ **풍쌤의 비법**
>
> **인수정리와 나머지정리**
>
> (1) 다항식 $P(x)$가 일차식 $x-\alpha$로 나누어떨어지면
>
> $P(\alpha)=0$
>
> (2) 다항식 $P(x)$를 일차식 $x-\alpha$로 나누었을 때의 나머지를 R라고 하면
>
> $R=P(\alpha)$

23

해결전략 | 주어진 등식의 양변을 x에 대하여 미분하여 $f'(x)$를 구하고, 적분 식에 $x=1$을 대입하여 $f(1)$의 값을 구한다.

STEP1 $f'(x)$, $f(x)$ 구하기

주어진 등식의 양변을 x에 대하여 미분하면

$f(x)=f(x)+xf'(x)-12x^3+4x$

$xf'(x)=12x^3-4x$

$f'(x)=12x^2-4$

$\therefore f(x)=\int(12x^2-4)dx=4x^3-4x+C$ ...... ㉠

STEP2 적분상수 구하기

주어진 등식의 양변에 $x=1$을 대입하면

$\int_1^1 f(t)=f(1)-3+2=0$ $\therefore f(1)=1$

⊙에서 $f(1)=4-4+C=1$ $\quad \therefore C=1$

STEP 3 $f(0)$의 값 구하기

따라서 $f(x)=4x^3-4x+1$이므로

$f(0)=1$

24

해결전략 | 주어진 등식에 $x=1$을 대입하여 $\int_0^1 f(t)dt$의 값을 구한 다음 식에 다시 대입한다.

STEP 1 $\int_0^1 f(t)dt$의 값 구하기

주어진 식의 양변에 $x=1$을 대입하면

$$\int_0^1 f(t)dt=1-2-2\int_0^1 f(t)dt$$

$3\int_0^1 f(t)dt=-1$ $\quad \therefore \int_0^1 f(t)dt=-\dfrac{1}{3}$

STEP 2 $f(x)$ 구하기

$\int_0^x f(t)dt=x^3-2x^2+\dfrac{2}{3}x$의 양변을 x에 대하여 미분하면

$f(x)=3x^2-4x+\dfrac{2}{3}$

STEP 3 $60a$의 값 구하기

$f(0)=\dfrac{2}{3}$이므로 $a=\dfrac{2}{3}$

$\therefore 60a=60\times\dfrac{2}{3}=40$

25

해결전략 | 주어진 등식의 양변을 x에 대하여 미분하여 $f'(x)$를 구한 다음 함수 $f(x)$가 $x=k$에서 극값을 가질 조건이 $f'(k)=0$임을 이용한다.

STEP 1 $f'(x)$ 구하기

$f(x)=\int_x^{x+a}(t^2-3t)dt$의 양변을 x에 대하여 미분하면

$f'(x)=\{(x+a)^2-3(x+a)\}-(x^2-3x)$

$\quad\quad =2ax+a^2-3a$ $\quad\quad\quad\quad\quad$ ······ ❶

STEP 2 a의 값 구하기

이때 함수 $f(x)$가 $x=-2$에서 극솟값을 가지므로

$f'(-2)=0$ $\quad\quad\quad\quad\quad\quad\quad\quad$ ······ ❷

즉, $-4a+a^2-3a=0$이므로 $a^2-7a=0$

$a(a-7)=0$

$\therefore a=7 \ (\because a>0)$ $\quad\quad\quad\quad\quad$ ······ ❸

채점 요소	배점
❶ $f'(x)$ 구하기	40 %
❷ $f'(-2)=0$임을 알기	20 %
❸ a의 값 구하기	40 %

26

해결전략 | 주어진 등식의 양변을 x에 대하여 미분하여 $f'(x)$를 구한 다음 극대가 되는 경우를 찾는다.

STEP 1 $f'(x)$ 구하기

$f(x)=\int_0^x(3t^2+at+b)dt$의 양변을 x에 대하여 미분하면

$f'(x)=3x^2+ax+b$

STEP 2 조건을 이용하여 a, b에 대한 관계식 세우기

함수 $f(x)$는 $x=2$에서 극댓값 2를 가지므로

$f'(2)=0$, $f(2)=2$

$f'(2)=12+2a+b=0$에서

$2a+b=-12$ $\quad\quad\quad\quad\quad\quad\quad$ ······ ⊙

$f(2)=\int_0^2(3t^2+at+b)dt$

$\quad\quad =\left[t^3+\dfrac{a}{2}t^2+bt\right]_0^2$

$\quad\quad =8+2a+2b=2$

에서 $a+b=-3$ $\quad\quad\quad\quad\quad\quad$ ······ ⊙

STEP 3 ab의 값 구하기

⊙, ⊙을 연립하여 풀면

$a=-9$, $b=6$

$\therefore ab=(-9)\times 6=-54$

27

해결전략 | 주어진 등식의 양변을 x에 대하여 미분하여 $f'(x)$를 구하여 극대, 극소가 되는 x의 값을 구한다.

STEP 1 $f'(x)$ 구하기

$f(x)=\int_0^x(2t^3-2t^2-4t)dt$의 양변을 x에 대하여 미분하면

$f'(x)=2x^3-2x^2-4x=2x(x+1)(x-2)$

STEP 2 $f(x)$가 극값을 갖는 x의 값 구하기

$f'(x)=0$에서 $x=-1$ 또는 $x=0$ 또는 $x=2$

$-1\le x\le 2$에서 함수 $f(x)$의 증가, 감소를 표로 나타내면 다음과 같다.

x	-1	$\cdots$	0	$\cdots$	2
$f'(x)$	0	$+$	0	$-$	0
$f(x)$		↗	극대	↘	

STEP 3 $f(-1)$, $f(0)$, $f(2)$의 값 구하기

$f(-1)=\int_0^{-1}(2t^3-2t^2-4t)dt$

$\quad\quad\quad =-\int_{-1}^0(2t^3-2t^2-4t)dt$

$$=-\left[\frac{1}{2}t^4-\frac{2}{3}t^3-2t^2\right]_{-1}^{0}$$

$$=-\frac{5}{6}$$

$$f(0)=\int_0^0(2t^3-2t^2-4t)dt=0$$

$$f(2)=\int_0^2(2t^3-2t^2-4t)dt$$

$$=\left[\frac{1}{2}t^4-\frac{2}{3}t^3-2t^2\right]_0^2$$

$$=-\frac{16}{3}$$

STEP 4 $M-m$의 값 구하기

따라서 $-1\le x\le2$에서 함수 $f(x)$의 최댓값 $M=0$, 최

솟값 $m=-\frac{16}{3}$이므로

$$M-m=0-\left(-\frac{16}{3}\right)=\frac{16}{3}$$

28

해결전략 | $F'(x)=f(x)$이므로 $f(x)=0$이 되는 x의 값에

서 극대, 극소가 된다.

STEP 1 $f(x)$ 구하기

이차함수 $y=f(x)$의 그래프가 원점과 점 $(4,\,0)$을 지나

므로

$$f(x)=ax(x-4)\ (a>0)$$

로 놓자.

함수 $y=f(x)$의 그래프의 꼭짓점의 좌표가 $(2,\,-1)$이

므로

$$-1=-4a\qquad\therefore a=\frac{1}{4}$$

$$\therefore f(x)=\frac{1}{4}x(x-4)=\frac{1}{4}x^2-x\qquad\cdots\cdots\text{❶}$$

STEP 2 $F'(x)=0$인 x의 값 구하기

$F(x)=\int_{-2}^{x}f(t)dt$의 양변을 x에 대하여 미분하면

$$F'(x)=f(x)=\frac{1}{4}x(x-4)$$

$F'(x)=0$에서 $x=0$ 또는 $x=4$

함수 $F(x)$의 증가, 감소를 표로 나타내면 다음과 같다.

x	$\cdots$	0	$\cdots$	2	$\cdots$
$F'(x)$	$+$	0	$-$	0	$+$
$F(x)$	↗	극대	↘	극소	↗

STEP 3 극댓값 구하기

따라서 함수 $F(x)$는 $x=0$에서 극대이고 극댓값은

$$\cdots\cdots\text{❷}$$

$$F(0)=\int_{-2}^{0}f(t)dt$$

$$=\int_{-2}^{0}\left(\frac{1}{4}t^2-t\right)dt$$

$$=\left[\frac{1}{12}t^3-\frac{1}{2}t^2\right]_{-2}^{0}$$

$$=-\left(-\frac{2}{3}-2\right)=\frac{8}{3}\qquad\cdots\cdots\text{❸}$$

채점 요소	배점
❶ $f(x)$ 구하기	40 %
❷ 극대인 x의 값 구하기	20 %
❸ 극댓값 구하기	40 %

29

해결전략 | $f(x)=x^2-8x+a$, $F'(x)=f(x)$로 놓고 미분

계수의 정의를 이용하여 주어진 극한식을 간단히 정리한 다

음 a에 대한 방정식을 세워 푼다.

STEP 1 극한식 간단히 정리하기

$f(x)=x^2-8x+a$, $F'(x)=f(x)$라고 하면

$$\lim_{h\to0}\frac{1}{h}\int_{1-2h}^{1+h}(x^2-8x+a)dx$$

$$=\lim_{h\to0}\frac{1}{h}\int_{1-2h}^{1+h}f(x)dx$$

$$=\lim_{h\to0}\left[F(x)\right]_{1-2h}^{1+h}$$

$$=\lim_{h\to0}\frac{F(1+h)-F(1-2h)}{h}$$

$$=\lim_{h\to0}\frac{\{F(1+h)-F(1)\}-\{F(1-2h)-F(1)\}}{h}$$

$$=\lim_{h\to0}\frac{F(1+h)-F(1)}{h}+2\lim_{h\to0}\frac{F(1-2h)-F(1)}{-2h}$$

$$=F'(1)+2F'(1)$$

$$=3F'(1)=3f(1)$$

$$=3(a-7)$$

STEP 2 a의 값 구하기

즉, $3(a-7)=9$이므로

$$a=10$$

30

해결전략 | $F'(x)=f(x)$로 놓고 미분계수의 정의를 이용하

여 주어진 극한식을 간단히 정리한 다음 a에 대한 방정식을

세워 푼다.

STEP 1 극한식 간단히 정리하기

$F'(t)=f(t)$라고 하면

$$\lim_{x\to1}\frac{1}{x-1}\int_1^{x^2}f(t)dt=\lim_{x\to1}\frac{1}{x-1}\left[F(t)\right]_1^{x^2}$$

$$=\lim_{x\to 1}\frac{F(x^2)-F(1)}{x-1}$$

$$=\lim_{x\to 1}\left\{\frac{F(x^2)-F(1)}{x^2-1}\times(x+1)\right\}$$

$$=2F'(1)=2f(1)$$

$$=2(a-8)$$

STEP2 a의 값 구하기

즉, $2(a-8)=6$이므로

$$a-8=3 \qquad \therefore a=11$$

<table>
<tr><td colspan="5">상위권 도약 문제   287~288쪽</td></tr>
<tr><td>01 ㄱ, ㄷ</td><td>02 16</td><td>03 2</td><td>04 ④</td><td>05 5</td></tr>
<tr><td>06 6</td><td>07 0</td><td>08 ④</td><td></td><td></td></tr>
</table>

01

해결전략 | 함수 $f(x)$에서 적분변수와 상수를 구분하여 적분식을 정리한 다음 양변을 x에 대하여 미분하여 $f'(x)$를 구한다.

STEP1 우변 전개하기

$f(x)=-x-\int_0^x(x-t)t^2dt$에서

$$f(x)=-x-x\int_0^x t^2dt+\int_0^x t^3dt \qquad \cdots\cdots \ \text{㉠}$$

STEP2 양변을 x에 대하여 미분하기

ㄱ. ㉠의 양변을 x에 대하여 미분하면

$$f'(x)=-1-\int_0^x t^2dt-x^3+x^3$$

$$=-1-\int_0^x t^2dt$$

$$\therefore f'(0)=-1-\int_0^0 t^2dt=-1 \ (\text{참})$$

STEP3 $f'(x)$를 구하여 $f(x)$의 증가, 감소 확인하기

ㄴ. $f'(x)=-1-\int_0^x t^2dt$

$$=-1-\left[\frac{1}{3}t^3\right]_0^x$$

$$=-1-\frac{1}{3}x^3<0 \ (\because x>0)$$

따라서 $x>0$일 때, 함수 $f(x)$는 감소한다. (거짓)

STEP4 최솟값 구하기

ㄷ. ㄴ에서 함수 $f(x)$는 $x>0$일 때 감소하므로 닫힌구간 $[0,3]$에서 함수 $f(x)$의 최솟값은 $f(3)$이므로

$$f(3)=-3-\int_0^3(3-t)t^2dt$$

$$=-3-\int_0^3(-t^3+3t^2)dt$$

$$=-3-\left[-\frac{1}{4}t^4+t^3\right]_0^3=-\frac{39}{4} \ (\text{참})$$

따라서 옳은 것은 ㄱ, ㄷ이다.

02

해결전략 | 조건 ㈎를 이용하여 조건 ㈏의 식을 간단히 나타내어 $\int_0^a f(x)dx$를 a에 대한 식으로 나타낸다.

STEP1 조건 ㈎를 이용하여 조건 ㈏의 좌변 변형하기

조건 ㈎에서 $f(x)$는 우함수이므로

$$\int_{-a}^a f(x)dx=2\int_0^a f(x)dx$$

조건 ㈏에서

$$\int_{-a}^a\{f(x)+3x^2\}dx=2\int_0^a f(x)dx+2\int_0^a 3x^2dx$$

$$=2\int_0^a f(x)dx+2\Big[x^3\Big]_0^a$$

$$=2\int_0^a f(x)dx+2a^3$$

STEP2 $g(a)$ 구하기

즉, $2\int_0^a f(x)dx+2a^3=24a$이므로

$$\int_0^a f(x)dx=-a^3+12a$$

$f(x)$는 우함수이므로

$$g(a)=\int_{-a}^0 f(x)dx=\int_0^a f(x)dx=-a^3+12a$$

STEP3 극댓값 구하기

$g'(a)=-3a^2+12=-3(a+2)(a-2)$이므로

$g'(a)=0$에서 $a=-2$ 또는 $a=2$

함수 $g(a)$의 증가, 감소를 표로 나타내면 다음과 같다.

a	$\cdots$	-2	$\cdots$	2	$\cdots$
$g'(a)$	$-$	0	$+$	0	$-$
$g(a)$	$\searrow$	극소	$\nearrow$	극대	$\searrow$

따라서 함수 $g(a)$는 $a=2$에서 극대이므로 극댓값은

$$g(2)=-8+24=16$$

03

해결전략 | 절댓값 기호 안의 식의 값이 0이 되는 값 $x=a$를 기준으로 구간을 나누어 나타낸다.

STEP1 구간을 나누어 $f(x)$ 구하기

$\int_a^x f(t)dt=(x-2)|x-a|$를 절댓값 기호 안의 식의 값

이 0이 되는 값 $x=a$를 기준으로 구간을 나누어 나타내면

(ⅰ) $x<a$일 때

$$\int_a^x f(t)dt=-(x-2)(x-a)$$
$$=-x^2+(a+2)x-2a$$

위 등식의 양변을 x에 대하여 미분하면

$$f(x)=-2x+a+2$$

(ⅱ) $x\geq a$일 때

$$\int_a^x f(t)dt=(x-2)(x-a)$$
$$=x^2-(a+2)x+2a$$

위 등식의 양변을 x에 대하여 미분하면

$$f(x)=2x-a-2$$

(ⅰ), (ⅱ)에 의하여

$$f(x)=\begin{cases} -2x+a+2 & (x<a) \\ 2x-a-2 & (x\geq a) \end{cases}$$

STEP2 함수 $f(x)$가 모든 실수에서 연속임을 이용하여 a의 값 구하기

이때 함수 $f(x)$는 모든 실수에서 연속이므로 $x=a$에서도 연속이다.

즉, 함수 $f(x)$는 $x=a$에서 연속이므로

$\lim\limits_{x\to a-}f(x)=\lim\limits_{x\to a+}f(x)$에서

$$\lim_{x\to a-}(-2x+a+2)=\lim_{x\to a+}(2x-a-2)$$
$$-a+2=a-2,\ -2a=-4$$
$$\therefore a=2$$

04

해결전략 | 분자, 분모 각각을 정적분으로 정의된 함수의 극한 꼴로 변형하여 간단히 한다.

STEP1 정적분으로 정의된 함수의 극한 꼴로 변형하기

$$\lim_{b\to a}\frac{\displaystyle\int_{a^2}^{b^2}f(x)dx}{\displaystyle\int_a^b f(x)dx}$$

$$=\lim_{b\to a}\frac{\dfrac{1}{b^2-a^2}\displaystyle\int_{a^2}^{b^2}f(x)dx}{\dfrac{1}{b^2-a^2}\displaystyle\int_a^b f(x)dx}$$

$$=\lim_{b\to a}\left\{\frac{\dfrac{1}{b^2-a^2}\displaystyle\int_{a^2}^{b^2}f(x)dx}{\dfrac{1}{b-a}\displaystyle\int_a^b f(x)dx}\times(b+a)\right\}$$

$$=\frac{\lim\limits_{b\to a}\dfrac{1}{b^2-a^2}\displaystyle\int_{a^2}^{b^2}f(x)dx}{\lim\limits_{b\to a}\dfrac{1}{b-a}\displaystyle\int_a^b f(x)dx}\times\lim_{b\to a}(b+a)$$

$$=\frac{\lim\limits_{b\to a}\dfrac{1}{b^2-a^2}\displaystyle\int_{a^2}^{b^2}f(x)dx}{\lim\limits_{b\to a}\dfrac{1}{b-a}\displaystyle\int_a^b f(x)dx}\times 2a \qquad\cdots\cdots\ \text{㉠}$$

STEP2 분자의 식 간단히 나타내기

이때 함수 $f(x)$의 한 부정적분을 $F(x)$라고 하면

㉠의 $\lim\limits_{b\to a}\dfrac{1}{b^2-a^2}\displaystyle\int_{a^2}^{b^2}f(x)dx$에서

$$\lim_{b\to a}\frac{1}{b^2-a^2}\int_{a^2}^{b^2}f(x)dx=\lim_{b\to a}\frac{1}{b^2-a^2}\Big[F(x)\Big]_{a^2}^{b^2}$$
$$=\lim_{b\to a}\frac{F(b^2)-F(a^2)}{b^2-a^2}$$
$$=F'(a^2)=f(a^2)$$

STEP3 분모의 식 간단히 나타내기

㉠의 $\lim\limits_{b\to a}\dfrac{1}{b-a}\displaystyle\int_a^b f(x)dx$에서

$$\lim_{b\to a}\frac{1}{b-a}\int_a^b f(x)dx=\lim_{b\to a}\frac{1}{b-a}\Big[F(x)\Big]_a^b$$
$$=\lim_{b\to a}\frac{F(b)-F(a)}{b-a}$$
$$=F'(a)=f(a)$$

STEP4 주어진 식 간단히 나타내기

$$\therefore \lim_{b\to a}\frac{\displaystyle\int_{a^2}^{b^2}f(x)dx}{\displaystyle\int_a^b f(x)dx}=\frac{f(a^2)}{f(a)}\times 2a=\frac{2af(a^2)}{f(a)}$$

05

해결전략 | 정적분의 성질을 이용하여 $f(x)$를 간단히 한 다음 양변을 x에 대하여 미분한다.

STEP1 $f(x)$ 간단히 정리하기

조건 (나)에서

$$f(x)=\int_x^{x+1}f(t)dt-\int_x^{x-1}f(t)dt-3\int_0^1 f(t)dt$$
$$=\int_x^{x+1}f(t)dt+\int_{x-1}^x f(t)dt-3\int_0^1 f(t)dt$$
$$=\int_{x-1}^{x+1}f(t)dt-3\int_0^1 f(t)dt$$

STEP2 $f'(x)$ 구하기

위 등식의 양변을 x에 대하여 미분하면

$$f'(x)=f(x+1)-f(x-1)$$

STEP3 조건 ㈎, ㈏를 이용하여 $f'(1)$의 값 구하기

조건 (다)에 의하여

$$f'(x)=f(x+1)-f(x-1)=f(2x)$$

$$\therefore f'(1)=f(2)=5\ (\because \text{조건 ㈎})$$

                   ↳ $y=1$을 대입한 식이야.

06

해결전략 | 주어진 등식의 양변을 h로 나누고 극한을 취하여 식을 간단히 정리한다.

STEP 1 양변에 극한 취하기

$g(x+h)-g(x)=\displaystyle\int_x^{x+h}f(t)dt$에서

$$\dfrac{g(x+h)-g(x)}{h}=\dfrac{1}{h}\int_x^{x+h}f(t)dt$$

위 등식의 양변에 극한을 취하면

$$\lim_{h\to0}\dfrac{g(x+h)-g(x)}{h}=\lim_{h\to0}\dfrac{1}{h}\int_x^{x+h}f(t)dt$$

$\therefore\ g'(x)=f(x)$

STEP 2 $g(x)$ 구하기

따라서

$$g(x)=\int f(x)dx=\int(x^2-4x)dx$$
$$=\dfrac{1}{3}x^3-2x^2+C$$

STEP 3 모든 근의 합 구하기

$g(x)=0$에서 $\dfrac{1}{3}x^3-2x^2+C=0$

따라서 삼차방정식의 근과 계수의 관계에 의하여 모든 근의 합은

$$\dfrac{2}{\dfrac{1}{3}}=6$$

07

해결전략 | 그래프를 보고 $f(x)$의 식을 구한 다음 두 번 적분하여 $F(x)$를 구한다.

STEP 1 $F(x)$ 구하기

함수 $y=f(x)$의 그래프가 $x=-1$과 $x=1$에서 각각 극솟값과 극댓값을 가진다.

따라서 $f'(x)=a(x+1)(x-1)=ax^2-a\ (a<0)$로 놓으면

$f(x)=\displaystyle\int f'(x)dx$이므로

$$f(x)=\int(ax^2-a)dx=\dfrac{1}{3}ax^3-ax+C \qquad\cdots\cdots\ \ominus$$

STEP 2 $F(x)$ 구하기

이때 함수 $f(x)$의 최고차항의 계수가 -1이므로

$\dfrac{1}{3}a=-1 \qquad\therefore\ a=-3 \qquad\cdots\cdots\ \bigcirc$

또, 함수 $y=f(x)$의 그래프에서 $f(0)=0$이므로 $x=0$을 $\ominus$에 대입하면

$f(0)=C=0 \qquad\cdots\cdots\ \bigcirc\!\bigcirc$

$\bigcirc$, $\bigcirc\!\bigcirc$을 $\ominus$에 대입하면

$f(x)=-x^3+3x$

$\therefore\ F(x)=\displaystyle\int_0^x f(t)dt=\int_0^x(-t^3+3t)dt$

STEP 3 함수 $F(x)$의 증가, 감소 판단하기

위 등식의 양변을 x에 대하여 미분하면

$F'(x)=-x^3+3x=-x(x+\sqrt{3})(x-\sqrt{3})$

$F'(x)=0$에서 $x=0$ 또는 $x=\sqrt{3}\ (\because\ -1\leq x\leq2)$

닫힌구간 $[-1,\ 2]$에서 함수 $F(x)$의 증가, 감소를 표로 나타내면 다음과 같다.

x	-1	$\cdots$	0	$\cdots$	$\sqrt{3}$	$\cdots$	2
$F'(x)$		$-$	0	$+$	0	$-$	
$F(x)$		$\searrow$	극소	$\nearrow$	극대	$\searrow$	

STEP 4 최솟값 구하기

$F(0)=\displaystyle\int_0^0(-t^3+3t)dt=0$

$F(2)=\displaystyle\int_0^2(-t^3+3t)dt=\left[-\dfrac{1}{4}t^4+\dfrac{3}{2}t^2\right]_0^2=2$

따라서 함수 $F(x)$의 최솟값은 0이다.

08

해결전략 | 구간에 따라 $g(x)$를 구한 후 보기의 참, 거짓을 판단한다.

STEP 1 구간에 따라 $g(x)$ 구하기

(i) $x<1$일 때, $f(x)=-1$이므로

$$g(x)=\int_{-1}^x(t-1)f(t)dt=\int_{-1}^x(1-t)dt$$
$$=\left[t-\dfrac{t^2}{2}\right]_{-1}^x$$
$$=-\dfrac{1}{2}x^2+x+\dfrac{3}{2}$$

(ii) $x\geq1$일 때, $f(x)=-x+2$이므로

$$g(x)=\int_{-1}^1(1-t)dt+\int_1^x(t-1)(-t+2)dt$$
$$=\left[t-\dfrac{t^2}{2}\right]_{-1}^1+\left[-\dfrac{1}{3}t^3+\dfrac{3}{2}t^2-2t\right]_1^x$$
$$=-\dfrac{1}{3}x^3+\dfrac{3}{2}x^2-2x+\dfrac{17}{6}$$

STEP 2 구간 $(1,\ 2)$에서 $g'(x)$의 부호 확인하기

ㄱ. $x\geq1$일 때

$$g'(x)=-x^2+3x-2$$
$$=-(x-1)(x-2)$$

따라서 구간 $(1,\ 2)$에서 $g'(x)>0$이므로 $g(x)$는 구간 $(1,\ 2)$에서 증가한다. (참)

STEP 3 $g(x)$의 미분가능성 판단하기

ㄴ. $g(x)$는 $x=1$에서 연속이고

$$\lim_{x \to 1+} \frac{g(x)-g(1)}{x-1}$$

$$=\lim_{x \to 1+} \frac{\left(-\frac{1}{3}x^3+\frac{3}{2}x^2-2x+\frac{17}{6}\right)-2}{x-1}$$

$$=\lim_{x \to 1+} \frac{2x^3-9x^2+12x-5}{-6(x-1)}$$

$$=\lim_{x \to 1+} \frac{(x-1)^2(2x-5)}{-6(x-1)}$$

$$=\lim_{x \to 1+} \frac{(x-1)(2x-5)}{-6}=0$$

$$\lim_{x \to 1-} \frac{g(x)-g(1)}{x-1}$$

$$=\lim_{x \to 1-} \frac{\left(-\frac{1}{2}x^2+x+\frac{3}{2}\right)-2}{x-1}$$

$$=\lim_{x \to 1-} \frac{(x-1)^2}{-2(x-1)}$$

$$=\lim_{x \to 1-} \frac{x-1}{-2}=0$$

$$\therefore g'(1)=\lim_{x \to 1} \frac{g(x)-g(1)}{x-1}=0$$

따라서 $g(x)$는 $x=1$에서 미분가능하다. (참)

STEP 4 $y=g(x)$의 그래프를 이용하여 실근 존재 판단하기

ㄷ. 함수 $y=g(x)$의 그 래프가 오른쪽 그림 과 같으므로 방정식 $g(x)=k$가 서로 다른 세 실근을 갖도록 하 는 실수 k는 존재하지 않는다. (거짓)

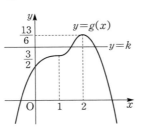

따라서 옳은 것은 ㄱ, ㄴ이다.

---

09 정적분의 활용

개념확인   290~291쪽

01 답 (1) $\dfrac{32}{3}$ (2) $\dfrac{1}{6}$

(1) 곡선 $y=-(x+1)(x-3)$과 x축의 교점의 x좌표는 $-(x+1)(x-3)=0$에서 $x=-1$ 또는 $x=3$

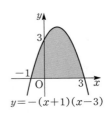

$y=-(x+1)(x-3)$
$\quad =-x^2+2x+3$

이고 닫힌구간 $[-1,\ 3]$에서 $y \geq 0$이므로 구하는 넓이는

$$\int_{-1}^{3} (-x^2+2x+3)dx=\left[-\frac{1}{3}x^3+x^2+3x\right]_{-1}^{3}$$

$$=9-\left(-\frac{5}{3}\right)=\frac{32}{3}$$

(2) 곡선 $y=x^2-x$와 x축의 교 점의 x좌표는 $x^2-x=0$에서 $x(x-1)=0$ $\therefore x=0$ 또는 $x=1$ 닫힌구간 $[0,\ 1]$에서 $y \leq 0$이 므로 구하는 넓이는

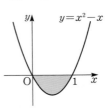

$$\int_{0}^{1} \{-(x^2-x)\}dx=-\int_{0}^{1} (x^2-x)dx$$

$$=-\left[\frac{1}{3}x^3-\frac{1}{2}x^2\right]_{0}^{1}=\frac{1}{6}$$

02 답 (1) $\dfrac{9}{8}$ (2) $\dfrac{9}{2}$

(1) 곡선 $y=-2x^2$과 직선 $y=-x-1$의 교점의 x좌 표는 $-2x^2=-x-1$에서 $2x^2-x-1=0$ $(2x+1)(x-1)=0$ $\therefore x=-\dfrac{1}{2}$ 또는 $x=1$

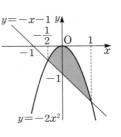

닫힌구간 $\left[-\dfrac{1}{2},\ 1\right]$에서 $-2x^2 \geq -x-1$이므로 구하는 넓이는

$$\int_{-\frac{1}{2}}^{1} \{-2x^2-(-x-1)\}dx$$

$$=\int_{-\frac{1}{2}}^{1} (-2x^2+x+1)dx$$

$$= \left[-\frac{2}{3}x^3 + \frac{1}{2}x^2 + x \right]_{-\frac{1}{2}}^{1}$$

$$= \frac{5}{6} - \left(-\frac{7}{24} \right) = \frac{9}{8}$$

(2) 곡선 $y = x^2 - 1$과 직선
$y = -x + 1$의 교점의 x좌
표는 $x^2 - 1 = -x + 1$에서
$x^2 + x - 2 = 0$
$(x+2)(x-1) = 0$
$\therefore x = -2$ 또는 $x = 1$

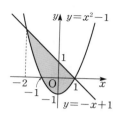

닫힌구간 $[-2, 1]$에서 $x^2 - 1 \le -x + 1$이므로 구하는 넓이는

$$\int_{-2}^{1} \{(-x+1) - (x^2-1)\} dx$$

$$= \int_{-2}^{1} (-x^2 - x + 2) dx$$

$$= \left[-\frac{1}{3}x^3 - \frac{1}{2}x^2 + 2x \right]_{-2}^{1}$$

$$= \frac{7}{6} - \left(-\frac{10}{3} \right) = \frac{9}{2}$$

03 답 (1) $\dfrac{8}{3}$ (2) 4

(1) 두 곡선 $y = x^2$, $y = -x^2 + 2$의
교점의 x좌표는
$x^2 = -x^2 + 2$에서
$2x^2 - 2 = 0$
$2(x+1)(x-1) = 0$
$\therefore x = -1$ 또는 $x = 1$

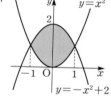

닫힌구간 $[-1, 1]$에서 $x^2 \le -x^2 + 2$이므로 구하는 넓이는

$$\int_{-1}^{1} \{(-x^2+2) - x^2\} dx = \int_{-1}^{1} (-2x^2 + 2) dx$$

(우함수)

$$= 4 \int_{0}^{1} (-x^2 + 1) dx$$

$$= 4 \left[-\frac{1}{3}x^3 + x \right]_{0}^{1}$$

$$= 4 \times \frac{2}{3} = \frac{8}{3}$$

(2) 두 곡선 $y = 2x^2 - 7x + 5$,
$y = -x^2 + 5x - 4$의 교점의
x좌표는
$2x^2 - 7x + 5 = -x^2 + 5x - 4$
에서
$3x^2 - 12x + 9 = 0$
$3(x-1)(x-3) = 0$
$\therefore x = 1$ 또는 $x = 3$

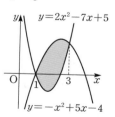

닫힌구간 $[1, 3]$에서 $2x^2 - 7x + 5 \le -x^2 + 5x - 4$이
므로 구하는 도형의 넓이는

$$\int_{1}^{3} \{(-x^2+5x-4) - (2x^2-7x+5)\} dx$$

$$= \int_{1}^{3} (-3x^2 + 12x - 9) dx$$

$$= \left[-x^3 + 6x^2 - 9x \right]_{1}^{3}$$

$$= 0 - (-4) = 4$$

🎯 **풍쌤의 비법**

두 곡선의 교점의 x좌표
두 곡선 $y = f(x)$, $y = g(x)$의 교점의 x좌표는 방정식
$f(x) = g(x)$, 즉 $f(x) - g(x) = 0$의 실근과 같다.

---

04 답 (1) $\dfrac{16}{3}$ (2) $-\dfrac{2}{3}$

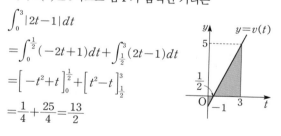

$t = 0$일 때 위치가 0이야.

(1) $0 + \int_{0}^{4} (t^2 - 2t) dt = \left[\frac{1}{3}t^3 - t^2 \right]_{0}^{4} = \frac{16}{3}$

(2) $\int_{1}^{2} (t^2 - 2t) dt = \left[\frac{1}{3}t^3 - t^2 \right]_{1}^{2}$

$$= -\frac{4}{3} - \left(-\frac{2}{3} \right) = -\frac{2}{3}$$

05 답 $\dfrac{13}{2}$

닫힌구간 $\left[0, \dfrac{1}{2} \right]$에서 $v(t) \le 0$이고 닫힌구간 $\left[\dfrac{1}{2}, 3 \right]$
에서 $v(t) \ge 0$이므로 점 P가 움직인 거리는

$$\int_{0}^{3} |2t - 1| dt$$

$$= \int_{0}^{\frac{1}{2}} (-2t + 1) dt + \int_{\frac{1}{2}}^{3} (2t - 1) dt$$

$$= \left[-t^2 + t \right]_{0}^{\frac{1}{2}} + \left[t^2 - t \right]_{\frac{1}{2}}^{3}$$

$$= \frac{1}{4} + \frac{25}{4} = \frac{13}{2}$$

🔵 **필수유형 01**   293쪽

01-1 답 (1) $\dfrac{32}{3}$ (2) $\dfrac{9}{2}$ (3) $\dfrac{37}{12}$ (4) 8

해결전략 | 곡선과 x축의 교점의 x좌표를 구한 다음 정적분
을 이용하여 넓이를 구한다.

(1) **STEP1 곡선과 x축의 교점의 x좌표 구하기**

곡선 $y=-x^2+4x$와 x축의

교점의 x좌표는

$-x^2+4x=0$에서

$x(x-4)=0$

$\therefore x=0$ 또는 $x=4$

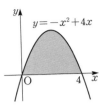

STEP2 넓이 구하기

닫힌구간 $[0, 4]$에서 $y\geq0$이므로 구하는 넓이는

$$\int_0^4 (-x^2+4x)dx=\left[-\frac{1}{3}x^3+2x^2\right]_0^4=\frac{32}{3}$$

◉― 다른 풀이

STEP2 공식을 이용하여 넓이 구하기

구하는 넓이는

$$\frac{|-1|\times(4-0)^3}{6}=\frac{32}{3}$$

◎ 풍쌤의 비법

포물선과 x축으로 둘러싸인 도형의 넓이

포물선 $y=a(x-\alpha)(x-\beta)$ $(a\neq0,\ \alpha<\beta)$와 x축으로 둘러싸인 도형의 넓이 S는

$$S=\frac{|a|(\beta-\alpha)^3}{6}$$

(2) **STEP1 곡선과 x축의 교점의 x좌표 구하기**

곡선 $y=x^2-x-2$와 x축의

교점의 x좌표는

$x^2-x-2=0$에서

$(x+1)(x-2)=0$

$\therefore x=-1$ 또는 $x=2$

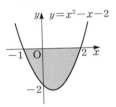

STEP2 넓이 구하기

닫힌구간 $[-1, 2]$에서 $y\leq0$이므로 구하는 넓이는

$$-\int_{-1}^2 (x^2-x-2)dx=-\left[\frac{1}{3}x^3-\frac{1}{2}x^2-2x\right]_{-1}^2=\frac{9}{2}$$

(3) **STEP1 곡선과 x축의 교점의 x좌표 구하기**

곡선 $y=x^3-2x^2-x+2$와

x축의 교점의 x좌표는

$x^3-2x^2-x+2=0$에서

$(x+1)(x-1)(x-2)=0$

$\therefore x=-1$ 또는 $x=1$

또는 $x=2$

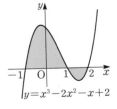

STEP2 넓이 구하기

닫힌구간 $[-1, 1]$에서 $y\geq0$, 닫힌구간 $[1, 2]$에서 $y\leq0$이므로 구하는 넓이는

$$\int_{-1}^1 (x^3-2x^2-x+2)dx-\int_1^2 (x^3-2x^2-x+2)dx$$

$$=\left[\frac{1}{4}x^4-\frac{2}{3}x^3-\frac{1}{2}x^2+2x\right]_{-1}^1$$
$$\qquad-\left[\frac{1}{4}x^4-\frac{2}{3}x^3-\frac{1}{2}x^2+2x\right]_1^2$$

$$=\frac{8}{3}-\left(-\frac{5}{12}\right)=\frac{37}{12}$$

(4) **STEP1 곡선과 x축의 교점의 x좌표 구하기**

곡선 $y=x^3-4x$와 x축의 교

점의 x좌표는 $x^3-4x=0$에서

$x(x+2)(x-2)=0$

$\therefore x=-2$ 또는 $x=0$

또는 $x=2$

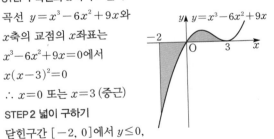

STEP2 넓이 구하기

닫힌구간 $[-2, 0]$에서 $y\geq0$이고, 닫힌구간 $[0, 2]$에서 $y\leq0$이므로 구하는 넓이는

$$\int_{-2}^0 (x^3-4x)dx-\int_0^2 (x^3-4x)dx$$

$$=\left[\frac{1}{4}x^4-2x^2\right]_{-2}^0-\left[\frac{1}{4}x^4-2x^2\right]_0^2$$

$$=4-(-4)=8$$

01-2 🔖 183

해결전략 | 곡선과 x축의 교점의 x좌표를 구한 다음 정적분을 이용하여 넓이를 구한다.

STEP1 곡선과 x축의 교점의 x좌표 구하기

곡선 $y=x^3-6x^2+9x$와

x축의 교점의 x좌표는

$x^3-6x^2+9x=0$에서

$x(x-3)^2=0$

$\therefore x=0$ 또는 $x=3$ (중근)

STEP2 넓이 구하기

닫힌구간 $[-2, 0]$에서 $y\leq0$,

닫힌구간 $[0, 3]$에서 $y\geq0$이므로 곡선 $y=x^3-6x^2+9x$

와 x축 및 두 직선 $x=-2$, $x=3$으로 둘러싸인 도형의

넓이는

$$-\int_{-2}^0 (x^3-6x^2+9x)dx+\int_0^3 (x^3-6x^2+9x)dx$$

$$=-\left[\frac{1}{4}x^4-2x^3+\frac{9}{2}x^2\right]_{-2}^0+\left[\frac{1}{4}x^4-2x^3+\frac{9}{2}x^2\right]_0^3$$

$$=38+\frac{27}{4}=\frac{179}{4}$$

STEP3 $a+b$의 값 구하기

따라서 $a=4$, $b=179$이므로

$a+b=4+179=183$

01-3 🖹 $\dfrac{1}{2}$

해결전략 | 곡선과 x축의 교점의 x좌표를 구한 다음 정적분을 이용하여 넓이를 구하여 a에 대한 식으로 나타낸다.

STEP1 곡선과 x축의 교점의 x좌표 구하기

곡선 $y=ax-x^2$과 x축의 교점의
x좌표는 $ax-x^2=0$에서
$x(a-x)=0$
$\therefore x=0$ 또는 $x=a \ (a>0)$

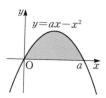

STEP2 넓이를 a에 대한 식으로 나타내기

닫힌구간 $[0, a]$에서 $y\ge 0$이므로 곡선 $y=ax-x^2$과 x축으로 둘러싸인 도형의 넓이는

$$\int_0^a (ax-x^2)dx=\left[\dfrac{a}{2}x^2-\dfrac{1}{3}x^3\right]_0^a=\dfrac{a^3}{6}$$

STEP3 a의 값 구하기

따라서 $\dfrac{a^3}{6}=\dfrac{1}{48}$이므로

$a^3=\dfrac{1}{8}$ $\quad \therefore a=\dfrac{1}{2} \ (\because a$는 양수$)$

01-4 🖹 2

해결전략 | 곡선의 개형을 그린 후 정적분을 이용하여 넓이를 구해 a에 대한 식으로 나타낸다.

STEP1 곡선의 개형 확인하기

$a>0$이므로 곡선 $y=ax^3$과 x축
및 두 직선 $x=-3$, $x=1$로 둘러
싸인 도형은 오른쪽 그림과 같다.

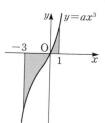

STEP2 넓이를 a에 대한 식으로 나타내기

닫힌구간 $[-3, 0]$에서 $y\le 0$, 닫
힌구간 $[0, 1]$에서 $y\ge 0$이므로
곡선 $y=ax^3$과 x축 및 두 직선 $x=-3$, $x=1$로 둘러싸
인 도형의 넓이는

$$-\int_{-3}^0 ax^3 dx+\int_0^1 ax^3 dx=-\left[\dfrac{a}{4}x^4\right]_{-3}^0+\left[\dfrac{a}{4}x^4\right]_0^1$$
$$=\dfrac{81}{4}a+\dfrac{a}{4}=\dfrac{41}{2}a$$

STEP3 a의 값 구하기

따라서 $\dfrac{41}{2}a=41$이므로 $a=2$

01-5 🖹 $\dfrac{35}{12}$

해결전략 | 곡선과 x축의 교점의 x좌표를 구한 다음 정적분

을 이용하여 S_1, S_2의 값을 구한다.

STEP1 S_1의 값 구하기

곡선 $y=-x^2-x$와 x축의 교점
의 x좌표는 $-x^2-x=0$에서
$x(x+1)=0$
$\therefore x=-1$ 또는 $x=0$
닫힌구간 $[-1, 0]$에서
$-x^2-x\ge 0$이므로

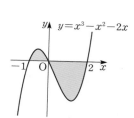

$$S_1=\int_{-1}^0 (-x^2-x)dx$$
$$=\left[-\dfrac{1}{3}x^3-\dfrac{1}{2}x^2\right]_{-1}^0=\dfrac{1}{6}$$

STEP2 S_2의 값 구하기

곡선 $y=x^3-x^2-2x$와 x축
의 교점의 x좌표는
$x^3-x^2-2x=0$에서
$x(x+1)(x-2)=0$
$\therefore x=-1$ 또는 $x=0$
　또는 $x=2$

닫힌구간 $[-1, 0]$에서 $x^3-x^2-2x\ge 0$, 닫힌구간
$[0, 2]$에서 $x^3-x^2-2x\le 0$이므로

$$S_2=\int_{-1}^0 (x^3-x^2-2x)dx-\int_0^2 (x^3-x^2-2x)dx$$
$$=\left[\dfrac{1}{4}x^4-\dfrac{1}{3}x^3-x^2\right]_{-1}^0-\left[\dfrac{1}{4}x^4-\dfrac{1}{3}x^3-x^2\right]_0^2$$
$$=\dfrac{5}{12}-\left(-\dfrac{8}{3}\right)=\dfrac{37}{12}$$

STEP3 S_2-S_1의 값 구하기

$$\therefore S_2-S_1=\dfrac{37}{12}-\dfrac{1}{6}=\dfrac{35}{12}$$

01-6 🖹 $\sqrt{3}$

해결전략 | 곡선과 x축의 교점의 x좌표를 구한 다음 정적
분을 이용하여 S_1, S_2를 a에 대한 식으로 나타낸다. 그다음
$2S_1=S_2$에 대입하여 a의 값을 구한다.

STEP1 S_1의 값 구하기

곡선 $y=x(x+a)(x-a)$와 x축의 교점의 x좌표는
$x(x+a)(x-a)=0$에서
$x=-a$ 또는 $x=0$ 또는 $x=a$
이때 $0<a<3$이므로 곡선
$y=x(x+a)(x-a)$, 즉
$y=x^3-a^2x$와 x축으로 둘러
싸인 도형은 오른쪽 그림과 같
다.

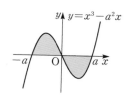

닫힌구간 $[-a, 0]$에서 $x^3-a^2x \geq 0$, 닫힌구간 $[0, a]$에서 $x^3-a^2x \leq 0$이므로

$$S_1 = \int_{-a}^{0}(x^3-a^2x)dx - \int_{0}^{a}(x^3-a^2x)dx$$

$$= \left[\frac{1}{4}x^4 - \frac{a^2}{2}x^2\right]_{-a}^{0} - \left[\frac{1}{4}x^4 - \frac{a^2}{2}x^2\right]_{0}^{a}$$

$$= \frac{a^4}{4} - \left(-\frac{a^4}{4}\right) = \frac{a^4}{2}$$

STEP 2 S_2의 값 구하기

곡선 $y=x^2-3x$와 x축의 교점의 x좌표는

$x^2-3x=0$에서

$x(x-3)=0$

$\therefore x=0$ 또는 $x=3$

이때 $0<a<3$이므로 곡선
$y=x^2-3x$와 x축 및 두 직선
$x=-a$, $x=a$로 둘러싸인 도형
은 오른쪽 그림과 같다.

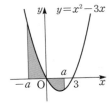

닫힌구간 $[-a, 0]$에서
$x^2-3x \geq 0$, 닫힌구간 $[0, a]$에서 $x^2-3x \leq 0$이므로

$$S_2 = \int_{-a}^{0}(x^2-3x)dx - \int_{0}^{a}(x^2-3x)dx$$

$$= \left[\frac{1}{3}x^3 - \frac{3}{2}x^2\right]_{-a}^{0} - \left[\frac{1}{3}x^3 - \frac{3}{2}x^2\right]_{0}^{a}$$

$$= \frac{a^3}{3} + \frac{3}{2}a^2 - \left(\frac{a^3}{3} - \frac{3}{2}a^2\right) = 3a^2$$

STEP 3 a의 값 구하기

이때 $2S_1 = S_2$이므로

$2 \times \dfrac{a^4}{2} = 3a^2$, $a^2=3$

$\therefore a=\sqrt{3} \ (\because 0<a<3)$

$x=ay^2$ 꼴의 그래프의 개형

(1) $a>0$일 때 ➡ 왼쪽으로 볼록

(2) $a<0$일 때 ➡ 오른쪽으로 볼록

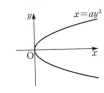 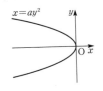

02-2 답 $\dfrac{2}{3}$

해결전략 | $x=g(y)$ 꼴로 고치고 곡선과 y축의 교점의 y좌표를 구한 다음 정적분을 이용하여 넓이를 구한다.

STEP 1 곡선과 y축의 교점의 y좌표 구하기

곡선 $y=\sqrt{x+1}$과 y축의 교점의
y좌표는 $x=0$일 때이므로 $y=1$
$y=\sqrt{x+1}$에서
$x=y^2-1 \ (y \geq 0)$

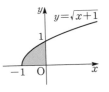

STEP 2 넓이 구하기

닫힌구간 $[0, 1]$에서 $y^2-1 \leq 0$이므로 구하는 넓이는

$$-\int_{0}^{1}(y^2-1)dy = -\left[\frac{1}{3}y^3 - y\right]_{0}^{1} = \frac{2}{3}$$

02-3 답 8

해결전략 | 곡선과 y축의 교점의 y좌표를 구한 다음 정적분을 이용하여 넓이를 구한다.

STEP 1 곡선과 y축의 교점의 y좌표 구하기

곡선 $x=-y^3+4y$와 y축의 교점의 y좌표는 $-y^3+4y=0$에서

$y^3-4y=0$

$y(y+2)(y-2)=0$

$\therefore y=-2$ 또는 $y=0$ 또는 $y=2$

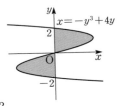

STEP 2 넓이 구하기

닫힌구간 $[-2, 0]$에서 $-y^3+4y \leq 0$, 닫힌구간 $[0, 2]$에서 $-y^3+4y \geq 0$이므로 구하는 넓이는

$$-\int_{-2}^{0}(-y^3+4y)dy + \int_{0}^{2}(-y^3+4y)dy$$

$$= -\left[-\frac{1}{4}y^4 + 2y^2\right]_{-2}^{0} + \left[-\frac{1}{4}y^4 + 2y^2\right]_{0}^{2}$$

$$= 4+4 = 8$$

필수유형 02 295쪽

02-1 답 $\dfrac{8}{3}$

해결전략 | $x=g(y)$ 꼴로 고치고 곡선의 개형을 파악하여 넓이를 구한다.

STEP 1 $x=g(y)$ 꼴로 바꾸기

$y=\sqrt{x}$에서 $x=y^2 \ (y \geq 0)$

STEP 2 넓이 구하기

닫힌구간 $[0, 2]$에서 $y^2 \geq 0$이므로 구하는 넓이는

$$\int_{0}^{2}y^2 dy = \left[\frac{1}{3}y^3\right]_{0}^{2} = \frac{8}{3}$$

02-4 답 $\dfrac{8}{3}$

해결전략 | $x=g(y)$ 꼴로 고치고 곡선과 y축의 교점의 y좌표를 구한 다음 정적분을 이용하여 넓이를 구한다.

STEP1 곡선과 y축의 교점의 y좌표 구하기

곡선 $y^2=x+1$, 즉 $x=y^2-1$과
y축의 교점의 y좌표는
$y^2-1=0$에서
$(y+1)(y-1)=0$
$\therefore y=-1$ 또는 $y=1$

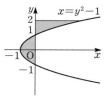

STEP2 넓이 구하기

닫힌구간 $[-1,\,1]$에서 $y^2-1\leq0$, 닫힌구간 $[1,\,2]$에서 $y^2-1\geq0$이므로 구하는 넓이는

$$-\int_{-1}^{1}(y^2-1)dy+\int_{1}^{2}(y^2-1)dy$$
$$=-\left[\dfrac{1}{3}y^3-y\right]_{-1}^{1}+\left[\dfrac{1}{3}y^3-y\right]_{1}^{2}$$
$$=\dfrac{4}{3}+\dfrac{4}{3}=\dfrac{8}{3}$$

02-5 답 0

해결전략 | 곡선과 y축의 교점의 y좌표를 구한 다음 정적분을 이용하여 넓이를 구한다.

STEP1 곡선과 y축의 교점의 y좌표 구하기

곡선 $x=(y+2)(y-2)$와
y축의 교점의 y좌표는
$(y+2)(y-2)=0$에서
$y=-2$ 또는 $y=2$

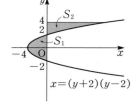

STEP2 S_1의 값 구하기

닫힌구간 $[-2,\,2]$에서
$y^2-4\leq0$이므로
$$S_1=-\int_{-2}^{2}(y^2-4)dy=-\left[\dfrac{1}{3}y^3-4y\right]_{-2}^{2}$$
$$=\dfrac{16}{3}+\dfrac{16}{3}=\dfrac{32}{3}$$

STEP3 S_2의 값 구하기

닫힌구간 $[2,\,4]$에서 $y^2-4\geq0$이므로
$$S_2=\int_{2}^{4}(y^2-4)dy=\left[\dfrac{1}{3}y^3-4y\right]_{2}^{4}$$
$$=\dfrac{16}{3}-\left(-\dfrac{16}{3}\right)=\dfrac{32}{3}$$

STEP4 S_2-S_1의 값 구하기

$$\therefore S_2-S_1=\dfrac{32}{3}-\dfrac{32}{3}=0$$

◉→ 다른 풀이

STEP2 S_2-S_1의 값 구하기

닫힌구간 $[-2,\,2]$에서 $y^2-4\leq0$, 닫힌구간 $[2,\,4]$에서 $y^2-4\geq0$이므로

$$S_2-S_1=\int_{2}^{4}(y^2-4)dy-\left\{-\int_{-2}^{2}(y^2-4)dy\right\}$$
$$=\int_{2}^{4}(y^2-4)dy+\int_{-2}^{2}(y^2-4)dy$$
$$=\int_{-2}^{4}(y^2-4)dy$$
$$=\left[\dfrac{1}{3}y^3-4y\right]_{-2}^{4}$$
$$=\dfrac{16}{3}-\dfrac{16}{3}=0$$

02-6 답 $2\sqrt{2}$

해결전략 | 곡선과 y축의 교점의 y좌표를 구한 다음 정적분을 이용하여 넓이를 구하고 a에 대한 식으로 나타낸다.

STEP1 곡선의 개형 파악하기

곡선 $x=y(y-k)^2$과 y축의 교
점의 y좌표는
$y(y-k)^2=0$에서
$y=0$ 또는 $y=k$ (중근)
이때 $k>0$이므로 곡선
$x=y(y-k)^2$과 y축으로 둘러
싸인 도형은 오른쪽 그림과 같다.

STEP2 넓이를 k에 대한 식으로 나타내기

닫힌구간 $[0,\,k]$에서 $y(y-k)^2\geq0$이므로
곡선 $x=y(y-k)^2$, 즉 $x=y^3-2ky^2+k^2y$와 y축으로 둘러싸인 도형의 넓이는
$$\int_{0}^{k}(y^3-2ky^2+k^2y)dy$$
$$=\left[\dfrac{1}{4}y^4-\dfrac{2k}{3}y^3+\dfrac{k^2}{2}y^2\right]_{0}^{k}$$
$$=\dfrac{1}{12}k^4$$

STEP3 k의 값 구하기

따라서 $\dfrac{1}{12}k^4=\dfrac{16}{3}$이므로 $k^4=64$
$k=2\sqrt{2}$ $(\because k>0)$

필수유형 **03**　　　　　　　　　　297쪽

03-1 답 ⑴ $\dfrac{9}{2}$　⑵ $\dfrac{9}{2}$

해결전략 | 곡선과 직선의 교점의 x좌표를 구한 다음 정적분

을 이용하여 넓이를 구한다.

(1) **STEP1 곡선과 직선의 교점의 x좌표 구하기**

곡선 $y=x^2-2x-1$과 직
선 $y=-x+1$의 교점의 x
좌표는
$x^2-2x-1=-x+1$에서
$x^2-x-2=0$
$(x+1)(x-2)=0$
$\therefore x=-1$ 또는 $x=2$

STEP2 넓이 구하기

닫힌구간 $[-1,\,2]$에서 $x^2-2x-1\leq -x+1$이므로
구하는 넓이는

$$\int_{-1}^{2}\{(-x+1)-(x^2-2x-1)\}dx$$
$$=\int_{-1}^{2}(-x^2+x+2)dx$$
$$=\left[-\frac{1}{3}x^3+\frac{1}{2}x^2+2x\right]_{-1}^{2}=\frac{9}{2}$$

◉→ **다른 풀이**

STEP2 공식을 이용하여 넓이 구하기

구하는 넓이는

$$\frac{|1|\times\{2-(-1)\}^3}{6}=\frac{9}{2}$$

> ◎ **풍쌤의 비법**
>
> **포물선과 직선으로 둘러싸인 도형의 넓이**
> 포물선 $y=ax^2+bx+c$와 직선 $y=mx+n$이 서로 다른 두 점에서 만나고, 두 교점의 x좌표가 α, β $(\alpha<\beta)$일 때, 포물선과 직선으로 둘러싸인 도형의 도형의 넓이 S는
> $$S=\frac{|a|(\beta-\alpha)^3}{6}$$

(2) **STEP1 곡선과 직선의 교점의 x좌표 구하기**

곡선 $y=-x^2+4$와 직선
$y=x+2$의 교점의 x좌표는
$-x^2+4=x+2$에서
$x^2+x-2=0$
$(x+2)(x-1)=0$
$\therefore x=-2$ 또는 $x=1$

STEP2 넓이 구하기

닫힌구간 $[-2,\,1]$에서 $-x^2+4\geq x+2$이므로 구하
는 넓이는

$$\int_{-2}^{1}\{(-x^2+4)-(x+2)\}dx$$

$$=\int_{-2}^{1}(-x^2-x+2)dx$$
$$=\left[-\frac{1}{3}x^3-\frac{1}{2}x^2+2x\right]_{-2}^{1}=\frac{9}{2}$$

03-2 답 50

해결전략 | 곡선과 직선의 교점의 x좌표를 구한 다음 정적분
을 이용하여 넓이를 구한다.

STEP1 곡선과 직선의 교점의 x좌표 구하기

곡선 $y=x^3$과 직선 $y=x$의 교
점의 x좌표는 $x^3=x$에서
$x^3-x=0$
$x(x+1)(x-1)=0$
$\therefore x=-1$ 또는 $x=0$
　　또는 $x=1$

STEP2 넓이 구하기

닫힌구간 $[-1,\,0]$에서 $x^3\geq x$, 닫힌구간 $[0,\,1]$에서
$x^3\leq x$이므로 구하는 넓이는

$$S=\int_{-1}^{0}(x^3-x)dx+\int_{0}^{1}(x-x^3)dx$$
$$=\left[\frac{1}{4}x^4-\frac{1}{2}x^2\right]_{-1}^{0}+\left[\frac{1}{2}x^2-\frac{1}{4}x^4\right]_{0}^{1}$$
$$=\frac{1}{4}+\frac{1}{4}=\frac{1}{2}$$
$$\therefore 100S=100\times\frac{1}{2}=50$$

03-3 답 $\frac{1}{2}$

해결전략 | 곡선과 직선의 교점의 x좌표를 구한 다음 정적분
을 이용하여 넓이를 구한다.

STEP1 곡선과 직선의 교점의 x좌표 구하기

곡선 $y=x^3-3x^2+3x-1$
과 직선 $y=x-1$의 교점
의 x좌표는
$x^3-3x^2+3x-1=x-1$
에서
$x^3-3x^2+2x=0$
$x(x-1)(x-2)=0$
$\therefore x=0$ 또는 $x=1$ 또는 $x=2$

STEP2 넓이 구하기

닫힌구간 $[0,\,1]$에서 $x^3-3x^2+3x-1\geq x-1$, 닫힌구간
$[1,\,2]$에서 $x^3-3x^2+3x-1\leq x-1$이므로 구하는 넓이
는

$$\int_0^1 \{(x^3-3x^2+3x-1)-(x-1)\}dx$$
$$\qquad +\int_1^2 \{(x-1)-(x^3-3x^2+3x-1)\}dx$$
$$=\int_0^1 (x^3-3x^2+2x)dx+\int_1^2 (-x^3+3x^2-2x)dx$$
$$=\left[\frac{1}{4}x^4-x^3+x^2\right]_0^1+\left[-\frac{1}{4}x^4+x^3-x^2\right]_1^2$$
$$=\frac{1}{4}+\frac{1}{4}=\frac{1}{2}$$

03-4 답 $\dfrac{9}{2}$

해결전략 | 곡선과 직선의 교점의 y좌표를 구한 다음 정적분을 이용하여 넓이를 구한다.

STEP1 곡선과 직선의 교점의 y좌표 구하기

곡선 $x=y^2$과 직선 $y=x-2$,
즉 $x=y+2$의 교점의 y좌표는
$y^2=y+2$에서
$y^2-y-2=0$
$(y+1)(y-2)=0$
$\therefore y=-1$ 또는 $y=2$

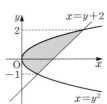

STEP2 넓이 구하기

닫힌구간 $[-1,2]$에서 $y^2\le y+2$이므로 구하는 넓이는
$$\int_{-1}^2 \{(y+2)-y^2\}dy=\int_{-1}^2 (-y^2+y+2)dy$$
$$=\left[-\frac{1}{3}y^3+\frac{1}{2}y^2+2y\right]_{-1}^2=\frac{9}{2}$$

03-5 답 2

해결전략 | 곡선과 직선의 교점의 x좌표를 구한 다음 정적분을 이용하여 넓이를 구하고 a에 대한 식으로 나타낸다.

STEP1 곡선과 직선의 교점의 x좌표 구하기

곡선 $y=x^2-x$와 직선 $y=ax$
의 교점의 x좌표는
$x^2-x=ax$에서
$x^2-(a+1)x=0$
$x\{x-(a+1)\}=0$
$\therefore x=0$ 또는 $x=a+1$

STEP2 넓이 구하기

닫힌구간 $[0,a+1]$에서 $x^2-x\le ax$이므로 곡선
$y=x^2-x$와 직선 $y=ax$로 둘러싸인 도형의 넓이는
$$\int_0^{a+1} \{ax-(x^2-x)\}dx$$
$$=\int_0^{a+1}\{-x^2+(a+1)x\}dx$$

$$=\left[-\frac{1}{3}x^3+\frac{a+1}{2}x^2\right]_0^{a+1}=\frac{(a+1)^3}{6}$$

STEP3 a의 값 구하기

따라서 $\dfrac{(a+1)^3}{6}=\dfrac{9}{2}$이므로
$(a+1)^3=27$, $a+1=3$
$\therefore a=2$

03-6 답 $\dfrac{13}{6}$

해결전략 | 절댓값 기호 안이 0이 되는 x의 값을 기준으로 범위를 나누어 곡선과 직선의 교점의 x좌표를 구한 다음 정적분을 이용하여 넓이를 구한다.

STEP1 곡선과 직선의 교점의 x좌표 구하기

$$y=x|x-2|=\begin{cases}-x^2+2x & (x<2) \\ x^2-2x & (x\ge2)\end{cases}$$

$y=x|x-2|$의 그래프와 직선 $y=x$의 교점의 x좌표는

(i) $x<2$일 때
$-x^2+2x=x$에서
$x^2-x=0$, $x(x-1)=0$
$\therefore x=0$ 또는 $x=1$

(ii) $x\ge2$일 때
$x^2-2x=x$에서
$x^2-3x=0$, $x(x-3)=0$
$\therefore x=3$ $(\because x\ge2)$

STEP2 넓이 구하기

닫힌구간 $[0,1]$에서 $-x^2+2x\ge x$, 닫힌구간 $[1,2]$에서 $-x^2+2x\le x$, 닫힌구간 $[2,3]$에서 $x^2-2x\le x$이므로 구하는 넓이는
$$\int_0^1 \{(-x^2+2x)-x\}dx+\int_1^2 \{x-(-x^2+2x)\}dx$$
$$\qquad +\int_2^3 \{x-(x^2-2x)\}dx$$
$$=\int_0^1 (-x^2+x)dx+\int_1^2 (x^2-x)dx$$
$$\qquad +\int_2^3 (-x^2+3x)dx$$
$$=\left[-\frac{1}{3}x^3+\frac{1}{2}x^2\right]_0^1+\left[\frac{1}{3}x^3-\frac{1}{2}x^2\right]_1^2+\left[-\frac{1}{3}x^3+\frac{3}{2}x^2\right]_2^3$$
$$=\frac{1}{6}+\frac{5}{6}+\frac{7}{6}=\frac{13}{6}$$

필수유형 04 299쪽

04-1 답 $\dfrac{1}{3}$

해결전략 | 두 곡선의 교점의 x좌표를 구한 다음 정적분을 이용하여 넓이를 구한다.

STEP1 두 곡선의 교점의 x좌표 구하기

두 곡선 $y=x^2-2x+1$,
$y=-x^2+4x-3$의 교점의
x좌표는
$x^2-2x+1=-x^2+4x-3$
에서
$2x^2-6x+4=0$
$(x-1)(x-2)=0$
$\therefore x=1$ 또는 $x=2$

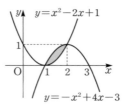

STEP2 넓이 구하기

닫힌구간 $[1, 2]$에서 $-x^2+4x-3 \geq x^2-2x+1$이므로 구하는 넓이는

$$\int_1^2 \{(-x^2+4x-3)-(x^2-2x+1)\}dx$$
$$=\int_1^2 (-2x^2+6x-4)dx$$
$$=\left[-\frac{2}{3}x^3+3x^2-4x\right]_1^2=\frac{1}{3}$$

04-2 답 2

해결전략 | 두 곡선의 교점의 x좌표를 구한 다음 정적분을 이용하여 넓이를 구한다.

STEP1 두 곡선의 교점의 x좌표 구하기

두 곡선 $y=x^2$, $y=-x^2+2x$의
교점의 x좌표는
$x^2=-x^2+2x$에서
$2x^2-2x=0$
$x(x-1)=0$
$\therefore x=0$ 또는 $x=1$

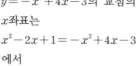

STEP2 넓이 구하기

닫힌구간 $[0, 1]$에서 $x^2 \leq -x^2+2x$, 닫힌구간 $[1, 2]$에서 $x^2 \geq -x^2+2x$이므로 구하는 넓이는

$$\int_0^1 \{(-x^2+2x)-x^2\}dx+\int_1^2 \{x^2-(-x^2+2x)\}dx$$
$$=\int_0^1 (-2x^2+2x)dx+\int_1^2 (2x^2-2x)dx$$
$$=\left[-\frac{2}{3}x^3+x^2\right]_0^1+\left[\frac{2}{3}x^3-x^2\right]_1^2=\frac{1}{3}+\frac{5}{3}=2$$

04-3 답 $\frac{1}{2}$

해결전략 | 두 곡선의 교점의 x좌표를 구한 다음 정적분을 이용하여 넓이를 구한다.

STEP1 두 곡선의 교점의 x좌표 구하기

두 곡선 $y=-x^3+2x^2$,
$y=-x^2+2x$의 교점의 x좌표는
$-x^3+2x^2=-x^2+2x$에서
$x^3-3x^2+2x=0$
$x(x-1)(x-2)=0$
$\therefore x=0$ 또는 $x=1$ 또는 $x=2$

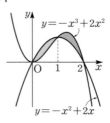

STEP2 넓이 구하기

닫힌구간 $[0, 1]$에서 $-x^3+2x^2 \leq -x^2+2x$, 닫힌구간 $[1, 2]$에서 $-x^3+2x^2 \geq -x^2+2x$이므로 구하는 넓이는

$$\int_0^1 \{(-x^2+2x)-(-x^3+2x^2)\}dx$$
$$+\int_1^2 \{(-x^3+2x^2)-(-x^2+2x)\}dx$$
$$=\int_0^1 (x^3-3x^2+2x)dx+\int_1^2 (-x^3+3x^2-2x)dx$$
$$=\left[\frac{1}{4}x^4-x^3+x^2\right]_0^1+\left[-\frac{1}{4}x^4+x^3-x^2\right]_1^2$$
$$=\frac{1}{4}+\frac{1}{4}=\frac{1}{2}$$

04-4 답 $\frac{9}{4}$

해결전략 | 두 곡선의 교점의 x좌표를 구한 다음 정적분을 이용하여 넓이를 구한다.

STEP1 두 곡선의 교점의 x좌표 구하기

두 곡선 $y=x^2$과 $y=x^3-2x$의 교점의 x좌표는
$x^3-2x=x^2$에서
$x^3-x^2-2x=0$
$x(x+1)(x-2)=0$
$\therefore x=-1$ 또는 $x=0$ 또는 $x=2$

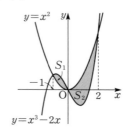

STEP2 S_1, S_2의 값 구하기

닫힌구간 $[-1, 0]$에서 $x^3-2x \geq x^2$, 닫힌구간 $[0, 2]$에서 $x^3-2x \leq x^2$이므로

$$S_1=\int_{-1}^0 \{(x^3-2x)-x^2\}dx=\int_{-1}^0 (x^3-x^2-2x)dx$$
$$=\left[\frac{1}{4}x^4-\frac{1}{3}x^3-x^2\right]_{-1}^0=\frac{5}{12}$$
$$S_2=\int_0^2 \{x^2-(x^3-2x)\}dx=\int_0^2 (-x^3+x^2+2x)dx$$
$$=\left[-\frac{1}{4}x^4+\frac{1}{3}x^3+x^2\right]_0^2=\frac{8}{3}$$

STEP3 S_2-S_1의 값 구하기

$$\therefore S_2-S_1=\frac{8}{3}-\frac{5}{12}=\frac{9}{4}$$

◉→ 다른 풀이

STEP 2 $S_2 - S_1$의 값 구하기

닫힌구간 $[-1, 0]$에서 $x^3 - 2x \geq x^2$, 닫힌구간 $[0, 2]$에서 $x^3 - 2x \leq x^2$이므로

$S_2 - S_1$

$= \int_0^2 \{x^2 - (x^3 - 2x)\}dx - \int_{-1}^0 \{(x^3 - 2x) - x^2\}dx$

$= \int_0^2 (-x^3 + x^2 + 2x)dx + \int_{-1}^0 (-x^3 + x^2 + 2x)dx$

$= \int_{-1}^2 (-x^3 + x^2 + 2x)dx$

$= \left[-\dfrac{1}{4}x^4 + \dfrac{1}{3}x^3 + x^2 \right]_{-1}^2$

$= \dfrac{8}{3} - \dfrac{5}{12} = \dfrac{9}{4}$

04-5 탑 $\dfrac{16}{3}$

해결전략 | 두 곡선의 교점의 x좌표를 구한 다음 그래프를 그려 정적분을 이용하여 S_1, S_2의 값을 구한다. 이때 $S_1 + S_2$는 곡선 $y = x(x-4)$와 x축으로 둘러싸인 도형의 넓이임을 이용한다.

STEP 1 두 곡선의 교점의 x좌표 구하기

두 곡선 $y = x(x-4)$, $y = -x^2$의 교점의 x좌표는

$x(x-4) = -x^2$에서

$2x^2 - 4x = 0$

$x(x-2) = 0$

$\therefore x = 0$ 또는 $x = 2$

STEP 2 S_2의 값 구하기

구간 $[0, 2]$에서 $-x^2 \geq x(x-4)$이므로

$S_2 = \int_0^2 \{-x^2 - (x^2 - 4x)\}dx$

$= \int_0^2 (-2x^2 + 4x)dx$

$= \left[-\dfrac{2}{3}x^3 + 2x^2 \right]_0^2 = \dfrac{8}{3}$

STEP 3 S_1의 값 구하기

한편, $S_1 + S_2 = \int_0^4 (-x^2 + 4x)dx$이므로

$S_1 = \int_0^4 (-x^2 + 4x)dx - \dfrac{8}{3}$

$= \left[-\dfrac{1}{3}x^3 + 2x^2 \right]_0^4 - \dfrac{8}{3}$

$= \dfrac{32}{3} - \dfrac{8}{3} = 8$

STEP 4 $S_1 - S_2$의 값 구하기

$\therefore S_1 - S_2 = 8 - \dfrac{8}{3} = \dfrac{16}{3}$

04-6 탑 24

해결전략 | 두 곡선의 교점의 x좌표를 이용하여 함수 $f(x) - g(x)$의 식을 세우고, 넓이가 1임을 이용하여 미정계수를 구한다.

STEP 1 $f(x) - g(x)$의 식 세우기

두 곡선 $y = f(x)$, $y = g(x)$의 교점의 x좌표는

$x = -1$ 또는 $x = 0$ 또는 $x = 1$이므로

$f(x) - g(x) = ax(x+1)(x-1)$ (a는 상수)로 놓을 수 있다.

STEP 2 넓이를 이용하여 a의 값 구하기

$-1 \leq x \leq 0$에서 두 곡선 $y = f(x)$, $y = g(x)$로 둘러싸인 도형의 넓이가 1이므로

$\int_{-1}^0 \{f(x) - g(x)\}dx = 1$

즉, $\int_{-1}^0 ax(x-1)(x+1)dx = 1$이므로

$\int_{-1}^0 a(x^3 - x)dx = 1$

$a\left[\dfrac{1}{4}x^4 - \dfrac{1}{2}x^2 \right]_{-1}^0 = 1$

$\dfrac{a}{4} = 1$ $\therefore a = 4$

STEP 3 $f(2) - g(2)$의 값 구하기

따라서 $f(x) - g(x) = 4x(x-1)(x+1) = 4x^3 - 4x$이므로

$f(2) - g(2) = 4 \times 2^3 - 4 \times 2 = 24$

필수유형 05   301쪽

05-1 탑 $\dfrac{8}{3}$

해결전략 | 접선의 방정식을 구한 다음 곡선과 접선의 교점의 x좌표를 구하고 정적분을 이용하여 넓이를 구한다.

STEP 1 접선의 방정식 구하기

$f(x) = 2x^3 - 4x^2 + x + 5$로 놓으면

$f'(x) = 6x^2 - 8x + 1$

곡선 위의 점 $(0, 5)$에서의 접선의 기울기는

$f'(0) = 1$이므로 접선의 방정식은

$y - 5 = 1 \times (x - 0)$ $\therefore y = x + 5$

STEP 2 곡선과 접선의 교점의 x좌표 구하기

곡선 $y = 2x^3 - 4x^2 + x + 5$와 직선 $y = x + 5$의 교점의 x좌표는

$2x^3-4x^2+x+5=x+5$에서

$2x^3-4x^2=0$

$x^2(x-2)=0$

$\therefore x=0$ (중근) 또는 $x=2$

STEP3 넓이 구하기

닫힌구간 $[0,\ 2]$에서

$x+5\geq 2x^3-4x^2+x+5$

이므로 구하는 넓이는

$\displaystyle\int_0^2 \{(x+5)-(2x^3-4x^2+x+5)\}dx$

$=\displaystyle\int_0^2 (-2x^3+4x^2)dx$

$=\left[-\dfrac{1}{2}x^4+\dfrac{4}{3}x^3\right]_0^2=\dfrac{8}{3}$

05-2 답 $\dfrac{4}{3}$

해결전략 | 접선의 방정식을 구한 다음 곡선과 접선의 교점의 x좌표를 구하고 정적분을 이용하여 넓이를 구한다.

STEP1 접선의 방정식 구하기

$f(x)=x^3-x^2+4$로 놓으면

$f'(x)=3x^2-2x$

곡선 위의 점 $(1,\ 4)$에서의 접선의 기울기는

$f'(1)=3-2=1$

이므로 접선의 방정식은

$y-4=1\times(x-1)$　　$\therefore y=x+3$

STEP2 곡선과 접선의 교점의 x좌표 구하기

곡선 $y=x^3-x^2+4$와 직선

$y=x+3$의 교점의 x좌표는

$x^3-x^2+4=x+3$에서

$x^3-x^2-x+1=0$

$(x+1)(x-1)^2=0$

$\therefore x=-1$ 또는 $x=1$(중근)

STEP3 넓이 구하기

닫힌구간 $[-1,\ 1]$에서

$x^3-x^2+4\geq x+3$이므로 구하는 넓이는

$\displaystyle\int_{-1}^1 \{(x^3-x^2+4)-(x+3)\}dx$

$=\displaystyle\int_{-1}^1 (x^3-x^2-x+1)dx=2\displaystyle\int_0^1(-x^2+1)dx$

$=2\left[-\dfrac{1}{3}x^3+x\right]_0^1=\dfrac{4}{3}$

05-3 답 $\dfrac{1}{3}$

해결전략 | 접선의 방정식을 구한 다음 정적분을 이용하여 넓이를 구한다.

STEP1 접선의 방정식 구하기

$f(x)=x^2+3x+3$으로

놓으면 $f'(x)=2x+3$

곡선 위의 점 $(-1,\ 1)$에서의

접선의 기울기는

$f'(-1)=-2+3=1$

이므로 접선의 방정식은

$y-1=1\times\{x-(-1)\}$　　$\therefore y=x+2$

STEP2 넓이 구하기

닫힌구간 $[-1,\ 0]$에서 $x^2+3x+3\geq x+2$이므로 구하는 넓이는

$\displaystyle\int_{-1}^0 \{(x^2+3x+3)-(x+2)\}dx$

$=\displaystyle\int_{-1}^0 (x^2+2x+1)dx$

$=\left[\dfrac{1}{3}x^3+x^2+x\right]_{-1}^0=\dfrac{1}{3}$

05-4 답 $\dfrac{3}{2}$

해결전략 | 접선의 방정식을 구한 다음 정적분을 이용하여 넓이를 구하고 a에 대한 식으로 나타낸다.

STEP1 접선의 방정식 구하기

$f(x)=ax^2$으로 놓으면

$f'(x)=2ax$

곡선 위의 점 $(1,\ a)$에서의 접선의 기울기는 $f'(1)=2a$

이므로 접선의 방정식은

$y-a=2a(x-1)$　　$\therefore y=2ax-a$

STEP2 넓이를 a에 대한 식으로 나타내기

이때 $a>0$이므로 곡선 $y=ax^2$과 접선 및 두 직선 $x=-2$, $x=2$로 둘러싸인 도형은 오른쪽 그림과 같으므로 도형의 넓이는

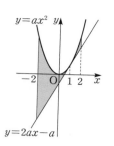

$$\int_{-2}^{2}\{ax^2-(2ax-a)\}dx$$
$$=2\int_{0}^{2}(ax^2+a)dx$$
$$=2\left[\frac{a}{3}x^3+ax\right]_{0}^{2}=\frac{28}{3}a$$

STEP3 a의 값 구하기

따라서 $\frac{28}{3}a=14$이므로 $a=\frac{3}{2}$

05-5 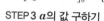 **11**

해결전략 | 접선의 방정식을 구한 다음 정적분을 이용하여 넓이를 구한다.

STEP1 접선의 방정식 구하기

$f(x)=-x^2+x+6$으로 놓으면 $f'(x)=-2x+1$ 곡선 위의 점 $(1, 6)$에서의 접선의 기울기는 $f'(1)=-1$ 이므로 접선의 방정식은 $y-6=-(x-1)$ $\quad \therefore y=-x+7$

STEP2 넓이 구하기

따라서 구하는 도형의 넓이는

$$\int_{0}^{7}(-x+7)dx-\int_{0}^{3}(-x^2+x+6)dx$$
$$=\left[-\frac{1}{2}x^2+7x\right]_{0}^{7}-\left[-\frac{1}{3}x^3+\frac{1}{2}x^2+6x\right]_{0}^{3}$$
$$=\frac{49}{2}-\frac{27}{2}=11$$

> **📍 풍쌤의 비법**
>
> 곡선 $y=-x^2+x+6$과 직선 $y=-x+7$ 및 x축, y축으로 둘러싸인 도형의 넓이를
> $$\int_{0}^{7}\{(-x+7)-(-x^2+x+6)\}dx$$
> 로 구하지 않도록 주의하자. 닫힌구간 $[3, 7]$에서는 직선과 x축으로만 둘러싸여 있기 때문이다.
> 한편, 위의 풀이에서 $\int_{0}^{7}(-x+7)dx$ 대신 삼각형의 넓이를 이용하여 $\frac{1}{2}\times7\times7$로 풀 수도 있다.

05-6 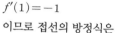 $\frac{2}{3}$

해결전략 | 접점의 좌표를 (a, a^2-3a+5)로 놓고 접선이 점 $(2, 2)$를 지남을 이용하여 접선의 방정식을 구한 다음 곡선과 접선, 두 접선끼리 만나는 점의 x좌표를 구한다.

STEP1 접선의 방정식 구하기

$f(x)=x^2-3x+5$로 놓으면 $f'(x)=2x-3$ 곡선 위의 점 (a, a^2-3a+5)에서의 접선의 기울기는 $f'(a)=2a-3$이므로 접선의 방정식은 $y=(2a-3)(x-a)+a^2-3a+5$ 이 직선이 점 $(2, 2)$를 지나므로 $2=(2a-3)(2-a)+a^2-3a+5$ $a^2-4a+3=0$, $(a-1)(a-3)=0$ $\therefore a=1$ 또는 $a=3$ 따라서 접선의 방정식은 $y=-x+4$ 또는 $y=3x-4$

STEP2 곡선과 접선의 교점의 x좌표 구하기

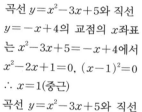

곡선 $y=x^2-3x+5$와 직선 $y=-x+4$의 교점의 x좌표는 $x^2-3x+5=-x+4$에서 $x^2-2x+1=0$, $(x-1)^2=0$ $\therefore x=1$(중근) 곡선 $y=x^2-3x+5$와 직선 $y=3x-4$의 교점의 x좌표는 $x^2-3x+5=3x-4$에서 $x^2-6x+9=0$, $(x-3)^2=0$ $\therefore x=3$(중근)

STEP3 넓이 구하기

따라서 구하는 넓이는

$$\int_{1}^{3}(x^2-3x+5)dx-\int_{1}^{2}(-x+4)dx-\int_{2}^{3}(3x-4)dx$$
$$=\left[\frac{1}{3}x^3-\frac{3}{2}x^2+5x\right]_{1}^{3}-\left[-\frac{1}{2}x^2+4x\right]_{1}^{2}-\left[\frac{3}{2}x^2-4x\right]_{2}^{3}$$
$$=\frac{20}{3}-\frac{5}{2}-\frac{7}{2}=\frac{2}{3}$$

⊕ · 다른 풀이

STEP3 넓이 구하기

따라서 구하는 넓이는

→ 직선과 $x=2$, $x=3$으로 둘러싸인 사다리꼴의 넓이

$$\int_{1}^{3}(x^2-3x+5)dx-\frac{1}{2}\times(3+2)\times1-\frac{1}{2}\times(2+5)\times1$$
$$=\left[\frac{1}{3}x^3-\frac{3}{2}x^2+5x\right]_{1}^{3}-\frac{5}{2}-\frac{7}{2}$$

→ 직선과 $x=1$, $x=2$로 둘러싸인 사다리꼴의 넓이

$$=\frac{20}{3}-\frac{5}{2}-\frac{7}{2}=\frac{2}{3}$$

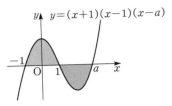

풍쌤의 비법

곡선 밖의 한 점이 주어진 경우의 접선의 방정식

곡선 $y=f(x)$ 밖의 한 점 (a, b)가 주어졌을 때

❶ 접점의 좌표를 $(t, f(t))$로 놓는다.

❷ $y-f(t)=f'(t)(x-t)$에 점 (a, b)를 대입하여 t 의 값을 구한다.

❸ ❷의 식에 t의 값을 대입하여 접선의 방정식을 구한다.

필수유형 06   303쪽

06-1   답 6

해결전략 | 곡선과 x축으로 둘러싸인 두 도형의 넓이가 같을 경우 정적분의 값이 0이 됨을 이용하여 미지수를 구한다.

STEP1 곡선과 x축의 교점의 x좌표 구하기

곡선 $y=x^3-(a+3)x^2+3ax$와 x축의 교점의 x좌표는

$x^3-(a+3)x^2+3ax=0$

에서

$x(x-3)(x-a)=0$

$\therefore x=0$ 또는 $x=3$

    또는 $x=a$

STEP2 두 도형의 넓이가 같을 조건 이용하여 식 세우기

곡선과 x축으로 둘러싸인 두 도형의 넓이가 서로 같으므로

$$\int_0^a \{x^3-(a+3)x^2+3ax\}dx=0$$

STEP3 a의 값 구하기

$$\left[\frac{1}{4}x^4-\frac{a+3}{3}x^3+\frac{3a}{2}x^2\right]_0^a=0$$

$$\frac{1}{4}a^4-\frac{1}{3}(a+3)a^3+\frac{3}{2}a^3=0$$

$$-\frac{1}{12}a^4+\frac{1}{2}a^3=0, \ a^4-6a^3=0$$

$$a^3(a-6)=0 \qquad \therefore a=6 \ (\because a>3)$$

06-2   답 3

해결전략 | 곡선과 x축으로 둘러싸인 두 도형의 넓이가 같을 경우 정적분의 값이 0이 됨을 이용하여 미지수를 구한다.

STEP1 곡선과 x축의 교점의 x좌표 구하기

곡선 $y=(x+1)(x-1)(x-a)$와 x축의 교점의 x좌표 는 $(x+1)(x-1)(x-a)=0$에서

$x=-1$ 또는 $x=1$ 또는 $x=a$

STEP2 두 도형의 넓이가 같을 조건 이용하여 식 세우기

곡선과 x축으로 둘러싸인 두 도형의 넓이가 서로 같으므로

$$\int_{-1}^a (x+1)(x-1)(x-a)dx=0$$

$$\int_{-1}^a (x^3-ax^2-x+a)dx=0$$

STEP3 a의 값 구하기

$$\left[\frac{1}{4}x^4-\frac{a}{3}x^3-\frac{1}{2}x^2+ax\right]_{-1}^a=0$$

$$-\frac{1}{12}a^4+\frac{1}{2}a^2+\frac{2}{3}a+\frac{1}{4}=0$$

$$a^4-6a^2-8a-3=0$$

$$(a+1)^3(a-3)=0$$

$$\therefore a=3 \ (\because a>1)$$

06-3   답 $\dfrac{1}{4}$

해결전략 | 곡선과 x축으로 둘러싸인 두 도형의 넓이가 같을 경우 정적분의 값이 0이 됨을 이용하여 미지수를 구한다.

STEP1 곡선과 x축의 교점의 x좌표 구하기

곡선 $y=x(x-2a)(x-1)$ 과 x축의 교점의 x좌표는 $x(x-2a)(x-1)=0$에서

$x=0$ 또는 $x=2a$

또는 $x=1$ $\rightarrow 0<a<\dfrac{1}{2}$에서 $0<2a<1$

STEP2 두 도형의 넓이가 같을 조건 이용하여 식 세우기

곡선과 x축으로 둘러싸인 두 도형의 넓이가 서로 같으므로

$$\int_0^1 x(x-2a)(x-1)dx=0$$

$$\int_0^1 \{x^3-(2a+1)x^2+2ax\}dx=0$$

STEP3 a의 값 구하기

$$\left[\frac{1}{4}x^4-\frac{2a+1}{3}x^3+ax^2\right]_0^1=0$$

$$\frac{1}{4}-\frac{2a+1}{3}+a=0$$

$$3-4(2a+1)+12a=0, \ 4a=1$$

$$\therefore a=\frac{1}{4}$$

06-4 답 1

해결전략 | 곡선과 x축으로 둘러싸인 두 도형의 넓이가 같을 경우 정적분의 값이 0이 됨을 이용하여 미지수를 구한다.

STEP 1 곡선과 x축의 교점의 x좌표 구하기

곡선 $y=x(x+2)$와 x축의 교점의 x좌표는

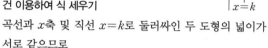

$x(x+2)=0$에서

$x=-2$ 또는 $x=0$

STEP 2 두 도형의 넓이가 같을 조건 이용하여 식 세우기

곡선과 x축 및 직선 $x=k$로 둘러싸인 두 도형의 넓이가 서로 같으므로

$$\int_{-2}^{k} x(x+2)dx=0$$

STEP 3 k의 값 구하기

$$\int_{-2}^{k} (x^2+2x)dx=0, \left[\frac{1}{3}x^3+x^2\right]_{-2}^{k}=0$$

$$\frac{1}{3}k^3+k^2-\frac{4}{3}=0, \ k^3+3k^2-4=0$$

$(k+2)^2(k-1)=0$　　∴ $k=1$ ($\because k>0$)

06-5 답 -2

해결전략 | 두 곡선으로 둘러싸인 두 도형의 넓이가 같을 경우 정적분의 값이 0이 됨을 이용하여 미지수를 구한다.

STEP 1 두 도형의 넓이가 같을 조건 이용하여 식 세우기

두 곡선으로 둘러싸인 두 도형의 넓이가 서로 같으므로

$$\int_{0}^{4} \{-x^2(x-4)-ax(x-4)\}dx=0$$

$$\int_{0}^{4} \{-x^3+(4-a)x^2+4ax\}dx=0$$

STEP 2 a의 값 구하기

$$\left[-\frac{1}{4}x^4+\frac{4-a}{3}x^3+2ax^2\right]_{0}^{4}=0$$

$$-64+\frac{4-a}{3}\times 64+32a=0$$

$$-2+\frac{8-2a}{3}+a=0, \ -6+8-2a+3a=0$$

∴ $a=-2$

06-6 답 2

해결전략 | 두 곡선으로 둘러싸인 두 도형의 넓이가 같을 경우 정적분의 값이 0이 됨을 이용하여 미지수를 구한다.

STEP 1 두 곡선의 교점의 x좌표 구하기

두 곡선 $y=x^3-2ax^2+a^2x$, $y=2x^2-2ax$의 교점의 x좌표는

$x^3-2ax^2+a^2x=2x^2-2ax$에서

$x^3-2(a+1)x^2+a(a+2)x=0$

$x(x-a)\{x-(a+2)\}=0$

∴ $x=0$ 또는 $x=a$ 또는 $x=a+2$

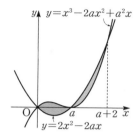

STEP 2 두 도형의 넓이가 같을 조건 이용하여 식 세우기

두 곡선으로 둘러싸인 두 도형의 넓이가 서로 같으므로

$$\int_{0}^{a+2} \{(x^3-2ax^2+a^2x)-(2x^2-2ax)\}dx=0$$

STEP 3 a의 값 구하기

$$\int_{0}^{a+2} \{x^3-2(a+1)x^2+a(a+2)x\}dx=0$$

$$\left[\frac{1}{4}x^4-\frac{2}{3}(a+1)x^3+\frac{1}{2}a(a+2)x^2\right]_{0}^{a+2}=0$$

$$\frac{1}{4}(a+2)^4-\frac{2}{3}(a+1)(a+2)^3+\frac{1}{2}a(a+2)^3=0$$

$$3(a+2)^4-8(a+1)(a+2)^3+6a(a+2)^3=0$$

$$(a+2)^3\{3(a+2)-8(a+1)+6a\}=0$$

$$(a+2)^3(a-2)=0$$

∴ $a=2$ ($\because a>0$)

필수유형 07　　305쪽

07-1 답 54

해결전략 | x축에 의하여 넓이가 이등분되므로 곡선과 직선 $y=ax$, 곡선과 x축으로 둘러싸인 부분의 넓이를 각각 S_1, S_2라고 하면 $S_1=2S_2$이다.

STEP 1 곡선과 직선의 교점의 x좌표 구하기

곡선 $y=x^2-3x$와 직선 $y=ax$의 교점의 x좌표는

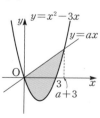

$x^2-3x=ax$에서

$x\{x-(a+3)\}=0$

∴ $x=0$ 또는 $x=a+3$

곡선 $y=x^2-3x$와 x축의 교점의 x좌표는 $x^2-3x=0$에서

$x(x-3)=0$

∴ $x=0$ 또는 $x=3$

STEP 2 곡선과 직선 $y=ax$로 둘러싸인 부분의 넓이 구하기

곡선 $y=x^2-3x$와 직선 $y=ax$로 둘러싸인 부분의 넓이를 S_1이라고 하면

$$S_1=\int_0^{a+3}\{ax-(x^2-3x)\}dx$$

$$=\int_0^{a+3}\{-x^2+(a+3)x\}dx$$

$$=\left[-\frac{1}{3}x^3+\frac{a+3}{2}x^2\right]_0^{a+3}=\frac{(a+3)^3}{6}$$

STEP 3 곡선과 x축으로 둘러싸인 부분의 넓이 구하기

곡선 $y=x^2-3x$와 x축으로 둘러싸인 부분의 넓이를 S_2라고 하면

$$S_2=-\int_0^3(x^2-3x)dx=-\left[\frac{1}{3}x^3-\frac{3}{2}x^2\right]_0^3=\frac{9}{2}$$

STEP 4 $(a+3)^3$의 값 구하기

주어진 조건에서 $S_1=2S_2$이므로

$$\frac{(a+3)^3}{6}=2\times\frac{9}{2}\qquad \therefore (a+3)^3=54$$

07-2 답 16

해결전략 ㅣ 곡선과 x축, 곡선과 직선 $y=2k$의 교점의 x좌표를 구한 다음 곡선과 x축으로 둘러싸인 도형의 넓이가 곡선과 직선 $y=2k$로 둘러싸인 도형의 넓이의 2배임을 이용한다.

STEP 1 교점의 x좌표 구하기

곡선 $y=-2x^2+8$과 x축의 교점의 x좌표는

$-2x^2+8=0$에서

$x^2-4=0$

$(x+2)(x-2)=0$

$\therefore x=-2$ 또는 $x=2$

곡선 $y=-2x^2+8$과 직선 $y=2k$의 교점의 x좌표는

$-2x^2+8=2k$에서 $x^2=4-k$

$\therefore x=\pm\sqrt{4-k}$

STEP 2 곡선과 x축으로 둘러싸인 도형의 넓이 구하기

곡선 $y=-2x^2+8$과 x축으로 둘러싸인 도형의 넓이를 S_1이라고 하면

$$S_1=\int_{-2}^2(-2x^2+8)dx$$

$$=2\int_0^2(-2x^2+8)dx$$

$$=2\left[-\frac{2}{3}x^3+8x\right]_0^2=\frac{64}{3}$$

STEP 3 곡선과 직선 $y=2k$로 둘러싸인 도형의 넓이 구하기

곡선 $y=-2x^2+8$과 직선 $y=2k$로 둘러싸인 부분의 넓이를 S_2라고 하면

$$S_2=\int_{-\sqrt{4-k}}^{\sqrt{4-k}}(-2x^2+8-2k)dx$$

$$=2\int_0^{\sqrt{4-k}}(-2x^2+8-2k)dx$$

$$=2\left[-\frac{2}{3}x^3+(8-2k)x\right]_0^{\sqrt{4-k}}$$

$$=\frac{8}{3}(\sqrt{4-k})^3$$

STEP 3 $(4-k)^3$의 값 구하기

주어진 조건에서 $S_1=2S_2$이므로

$$\frac{64}{3}=2\times\frac{8}{3}(\sqrt{4-k})^3$$

$$(\sqrt{4-k})^3=4\qquad \therefore (4-k)^3=16$$

07-3 답 2

해결전략 ㅣ 곡선과 x축, 두 곡선의 교점의 x좌표를 구한 다음 곡선 $y=x^2-2x$와 x축으로 둘러싸인 도형의 넓이가 두 곡선으로 둘러싸인 도형의 넓이의 2배임을 이용한다.

STEP 1 두 곡선의 교점의 x좌표 구하기

두 곡선 $y=x^2-2x$, $y=ax^2$의 교점의 x좌표는

$x^2-2x=ax^2$에서

$x\{(1-a)x-2\}=0$

$\therefore x=0$ 또는 $x=\dfrac{2}{1-a}$

곡선 $y=x^2-2x$와 x축의 교점의 x좌표는

$x^2-2x=0$에서 $x(x-2)=0$

$\therefore x=0$ 또는 $x=2$

STEP 2 곡선 $y=x^2-2x$와 x축으로 둘러싸인 도형의 넓이 구하기

곡선 $y=x^2-2x$와 x축으로 둘러싸인 도형의 넓이를 S_1이라고 하면

$$S_1=-\int_0^2(x^2-2x)dx=-\left[\frac{1}{3}x^3-x^2\right]_0^2=\frac{4}{3}$$

STEP 3 두 곡선으로 둘러싸인 도형의 넓이 구하기

두 곡선 $y=x^2-2x$, $y=ax^2$으로 둘러싸인 도형의 넓이를 S_2라고 하면

$$S_2=\int_0^{\frac{2}{1-a}}\{ax^2-(x^2-2x)\}dx$$

$$=\int_0^{\frac{2}{1-a}}\{(a-1)x^2+2x\}dx$$

$$=\left[\frac{a-1}{3}x^3+x^2\right]_0^{\frac{2}{1-a}}=\frac{4}{3(a-1)^2}$$

STEP 4 $(a-1)^2$의 값 구하기

주어진 조건에서 $S_1=2S_2$이므로

$$\frac{4}{3}=2\times\frac{4}{3(a-1)^2}$$

$$\therefore (a-1)^2=2$$

풍쌤의 비법

두 포물선의 교점의 x좌표가 α, β $(\alpha<\beta)$이고, 이차항의 계수가 각각 a_1, a_2일 때, 두 포물선으로 둘러싸인 도형의 넓이는 $\dfrac{|a_1-a_2|}{6}(\beta-\alpha)^3$

즉, 위의 문제 **07**-3에서

$$S_2=\frac{|a-1|}{6}\times\left(\frac{2}{1-a}\right)^3=\frac{4}{3(a-1)^2}$$

하지만 무턱대고 공식부터 적용하는 것은 금물! 계산 과정에서 생기는 결과이니 해결 과정을 잘 숙지한 다음 공식도 적용시켜 보도록 하자.

07-4 답 -16

해결전략 | 곡선과 y축, 곡선과 직선 $x=ky$의 교점의 y좌표를 구한 다음 곡선과 직선으로 둘러싸인 도형의 넓이가 곡선과 y축으로 둘러싸인 도형의 넓이의 2배임을 이용한다.

STEP 1 교점의 y좌표 구하기

곡선 $x=y^2+2y$와 y축의 교점의 y좌표는

$$y^2+2y=0,\ y(y+2)=0$$

$$\therefore y=0\ \text{또는}\ y=-2$$

곡선 $x=y^2+2y$와 직선 $x=ky$의 교점의 y좌표는

$$y^2+2y=ky\text{에서}\ y(y+2-k)=0$$

$$\therefore y=0\ \text{또는}\ y=k-2$$

STEP 2 곡선과 직선 $x=ky$로 둘러싸인 도형의 넓이 구하기

곡선 $x=y^2+2y$와 직선 $x=ky$로 둘러싸인 도형의 넓이를 S_1이라고 하면

$$S_1=\int_{k-2}^{0}\{ky-(y^2+2y)\}dy$$

$$=\int_{k-2}^{0}\{-y^2+(k-2)y\}dy$$

$$=\left[-\frac{1}{3}y^3+\frac{k-2}{2}y^2\right]_{k-2}^{0}$$

$$=-\frac{1}{6}(k-2)^3$$

STEP 3 곡선과 y축으로 둘러싸인 도형의 넓이 구하기

곡선 $x=y^2+2y$와 y축으로 둘러싸인 부분의 넓이를 S_2라고 하면

$$S_2=\int_{-2}^{0}(-y^2-2y)dy=\left[-\frac{1}{3}y^3-y^2\right]_{-2}^{0}=\frac{4}{3}$$

STEP 4 $(k-2)^3$의 값 구하기

주어진 조건에서 $S_1=2S_2$이므로

$$-\frac{1}{6}(k-2)^3=2\times\frac{4}{3}$$

$$\therefore (k-2)^3=-16$$

07-5 답 1

해결전략 | S_1, S_2를 각각 구한 다음 $S_2=2S_1$을 만족시키는 m의 값을 구한다.

STEP 1 S_1의 값 구하기

$$S_1=\int_0^4\frac{1}{8}x^2dx=\left[\frac{1}{24}x^3\right]_0^4=\frac{8}{3}$$

STEP 2 곡선과 직선 $y=mx$의 교점의 x좌표 구하기

곡선 $y=\frac{1}{8}x^2$과 직선 $y=mx$의 교점의 x좌표는

$$\frac{1}{8}x^2=mx\text{에서}\ x^2-8mx=0$$

$$x(x-8m)=0$$

$$\therefore x=0\ \text{또는}\ x=8m$$

STEP 3 S_2의 값 구하기

$$\therefore S_2=\int_4^{8m}\left(mx-\frac{1}{8}x^2\right)dx$$

$$=\left[\frac{m}{2}x^2-\frac{1}{24}x^3\right]_4^{8m}$$

$$=\frac{32}{3}m^3-8m+\frac{8}{3}$$

STEP 4 m의 값 구하기

이때 $S_2=2S_1$이므로

$$\frac{32}{3}m^3-8m+\frac{8}{3}=2\times\frac{8}{3}$$

$$4m^3-3m-1=0,\ (m-1)(2m+1)^2=0$$

$$\therefore m=1\ \left(\because m>\frac{1}{2}\right)$$

07-6 답 16

해결전략 | 넓이를 k를 이용하여 나타낸 다음 산술평균과 기하평균의 관계를 이용하여 최솟값을 구한다.

STEP 1 넓이를 k를 이용하여 나타내기

두 곡선 $y=\frac{1}{k}x^3$, $y=-4kx^3$과 직선 $x=2$로 둘러싸인 도형의 넓이는

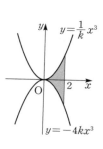

$$\int_0^2\left\{\frac{1}{k}x^3-(-4kx^3)\right\}dx$$

$$=\left(4k+\frac{1}{k}\right)\int_0^2x^3dx$$

$$=\left(4k+\frac{1}{k}\right)\left[\frac{1}{4}x^4\right]_0^2=4\left(4k+\frac{1}{k}\right)$$

이때 $4k>0$, $\dfrac{1}{k}>0$이므로 산술평균과 기하평균의 관계에 의하여

$$4\left(4k+\dfrac{1}{k}\right)\geq 4\times 2\sqrt{4k\times\dfrac{1}{k}}=16$$

$$\left(\text{단, 등호는 }4k=\dfrac{1}{k},\text{ 즉 }k=\dfrac{1}{2}\text{일 때 성립한다.}\right)$$

따라서 구하는 최솟값은 16이다.

> 🎯 풍쌤의 비법
>
> **산술평균과 기하평균의 관계**
> $a>0$, $b>0$일 때,
> $\dfrac{a+b}{2}\geq\sqrt{ab}$ (단, 등호는 $a=b$일 때 성립한다.)

필수유형 08   307쪽

08-1 답 $\dfrac{1}{3}$

해결전략 | 함수와 그 역함수의 그래프 사이의 관계를 파악하고, 함수의 그래프와 직선 $y=x$를 이용하여 넓이를 구한다.

STEP 1 함수와 그 역함수의 그래프 사이의 관계 알기

두 곡선 $y=f(x)$, $y=g(x)$는 직선 $y=x$에 대하여 대칭이므로 두 곡선 $y=f(x)$, $y=g(x)$의 교점의 x좌표는 곡선 $y=f(x)$와 직선 $y=x$의 교점의 x좌표와 같다.

STEP 2 곡선 $y=f(x)$와 직선 $y=x$의 교점의 x좌표 구하기

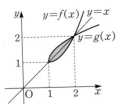

$x^2-2x+2=x$에서
$x^2-3x+2=0$
$(x-1)(x-2)=0$
$\therefore x=1$ 또는 $x=2$

STEP 3 넓이 구하기

이때 두 곡선 $y=f(x)$, $y=g(x)$로 둘러싼 도형의 넓이는 곡선 $y=f(x)$와 직선 $y=x$로 둘러싼 도형의 넓이의 2배와 같으므로 구하는 넓이는

$$2\int_{1}^{2}\{x-(x^2-2x+2)\}dx$$
$$=2\int_{1}^{2}(-x^2+3x-2)dx$$
$$=2\left[-\dfrac{1}{3}x^3+\dfrac{3}{2}x^2-2x\right]_{1}^{2}$$
$$=2\times\dfrac{1}{6}=\dfrac{1}{3}$$

08-2 답 10

해결전략 | 먼저 $\int_{1}^{4}f(x)dx$의 값을 이용하여 곡선 $y=f(x)$와 직선 $y=x$로 둘러싸인 도형의 넓이를 구하고, 두 곡선 $y=f(x)$, $y=g(x)$로 둘러싸인 도형의 넓이는 곡선 $y=f(x)$와 직선 $y=x$로 둘러싸인 도형의 넓이의 2배임을 이용한다.

STEP 1 곡선 $y=f(x)$와 직선 $y=x$로 둘러싸인 도형의 넓이 구하기

오른쪽 그림에서 곡선 $y=f(x)$와 직선 $y=x$로 둘러싸인 도형의 넓이는

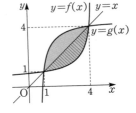

$$\int_{1}^{4}\{x-f(x)\}dx$$
$$=\int_{1}^{4}xdx-\int_{1}^{4}f(x)dx$$
$$=\left[\dfrac{1}{2}x^2\right]_{1}^{4}-\dfrac{5}{2}$$
$$=\dfrac{15}{2}-\dfrac{5}{2}=5$$

STEP 2 두 곡선 $y=f(x)$, $y=g(x)$로 둘러싸인 도형의 넓이 구하기

두 곡선 $y=f(x)$, $y=g(x)$로 둘러싸인 도형의 넓이는 빗금 친 부분의 넓이의 2배와 같으므로 구하는 넓이는

$$2\times 5=10$$

08-3 답 5

해결전략 | 먼저 함수 $f(x)=\sqrt{ax}$의 역함수를 구하고, 두 곡선 $y=f(x)$, $y=f^{-1}(x)$로 둘러싸인 도형의 넓이는 곡선 $y=f^{-1}(x)$와 직선 $y=x$로 둘러싸인 도형의 넓이의 2배임을 이용한다.

STEP 1 함수와 그 역함수의 그래프 사이의 관계 알기

두 곡선 $y=f(x)$, $y=f^{-1}(x)$는 직선 $y=x$에 대하여 대칭이므로 두 곡선 $y=f(x)$, $y=f^{-1}(x)$의 교점의 x좌표는 곡선 $y=f^{-1}(x)$와 직선 $y=x$의 교점의 x좌표와 같다.

STEP 2 역함수를 구하여 교점의 x좌표 구하기

함수 $f(x)=\sqrt{ax}$의 역함수는

$$f^{-1}(x)=\dfrac{1}{a}x^2\ (x\geq 0)$$

곡선 $y=\dfrac{1}{a}x^2$과 직선 $y=x$의 교점의 x좌표는

$$\dfrac{1}{a}x^2=x\text{에서}$$

$$x(x-a)=0$$

$$\therefore x=0 \text{ 또는 } x=a$$

STEP3 두 곡선 $y=f(x)$, $y=f^{-1}(x)$로 둘러싸인 도형의 넓이를 a에 대한 식으로 나타내기

이때 두 곡선 $y=f(x)$, $y=f^{-1}(x)$으로 둘러싸인 도형의 넓이는 곡선 $y=f^{-1}(x)$와 직선 $y=x$로 둘러싸인 도형의 넓이의 2배와 같으므로 구하는 넓이는

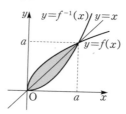

$$2\int_0^a \left(x-\frac{1}{a}x^2\right)dx$$

$$=2\left[\frac{1}{2}x^2-\frac{1}{3a}x^3\right]_0^a$$

$$=2\left(\frac{1}{2}a^2-\frac{1}{3}a^2\right)=\frac{1}{3}a^2$$

STEP4 a의 값 구하기

따라서 $\frac{1}{3}a^2=\frac{25}{3}$이므로 $a^2=25$

$$\therefore a=5 \ (\because a>0)$$

> ⊙ **풍쌤의 비법**
>
> 함수 $f(x)=\sqrt{ax}$는 무리함수이므로 적분하기가 어렵다. 따라서 다항함수의 정적분을 이용하기 위해 역함수를 구하고, 두 곡선 $y=f(x)$, $y=f^{-1}(x)$로 둘러싸인 도형의 넓이를 구할 때 곡선 $y=f^{-1}(x)$와 직선 $y=x$로 둘러싸인 도형의 넓이를 이용한다.

08-4 답 $\frac{1}{48}$

해결전략 | 주어진 두 함수의 관계를 파악하고 함수의 그래프와 직선 $y=x$를 이용하여 넓이를 구한다.

STEP1 증가하는 함수, 역함수 파악하기

$y=2x^3+x^2+x$에서

$$y'=6x^2+2x+1$$

이차방정식 $6x^2+2x+1=0$의 판별식을 D라고 하면

$\frac{D}{4}=1-6<0$이므로 모든 실수 x에 대하여 $y'>0$이다.

즉, $y=2x^3+x^2+x$는 증가하는 함수이다.

이때 $y=2x^3+x^2+x$에 x 대신 y를, y 대신 x를 대입하면 $x=2y^3+y^2+y$이므로 두 함수는 서로 역함수 관계이다.

따라서 두 곡선 $y=2x^3+x^2+x$, $x=2y^3+y^2+y$의 교점은 곡선 $y=2x^3+x^2+x$와 직선 $y=x$의 교점과 같다.

STEP2 곡선 $y=2x^3+x^2+x$와 직선 $y=x$의 교점의 x좌표 구하기

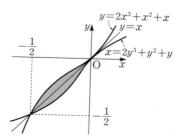

$2x^3+x^2+x=x$에서

$$2x^3+x^2=0, \ x^2(2x+1)=0$$

$$\therefore x=0(중근) \text{ 또는 } x=-\frac{1}{2}$$

STEP3 넓이 구하기

이때 두 곡선 $y=2x^3+x^2+x$, $x=2y^3+y^2+y$로 둘러싸인 도형의 넓이는 곡선 $y=2x^3+x^2+x$와 직선 $y=x$로 둘러싸인 도형의 넓이의 2배이므로 구하는 넓이는

$$2\int_{-\frac{1}{2}}^0 \{(2x^3+x^2+x)-x\}dx=2\int_{-\frac{1}{2}}^0 (2x^3+x^2)dx$$

$$=2\left[\frac{1}{2}x^4+\frac{1}{3}x^3\right]_{-\frac{1}{2}}^0$$

$$=2\times\frac{1}{96}=\frac{1}{48}$$

08-5 답 16

해결전략 | 함수와 그 역함수의 그래프 사이의 관계를 파악하여 넓이를 구한다.

STEP1 함수와 그 역함수의 그래프 사이의 관계 알기

함수 $g(x)=\sqrt{x-4}$의 역함수가 $f(x)$이므로 두 함수 $y=f(x)$, $y=g(x)$의 그래프는 직선 $y=x$에 대하여 대칭이다.

STEP2 $\int_0^2 f(x)dx$, $\int_4^8 g(x)dx$가 나타내는 부분을 그래프에서 찾기

$\int_0^2 f(x)dx=S_1$,

$\int_4^8 g(x)dx=S_2$라고 하면

S_1, S_2의 값은 오른쪽 그림에서 색칠한 부분의 넓이와 같다.

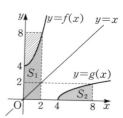

STEP3 대칭성을 이용하여 정적분의 값 구하기

이때 위의 그림에서 빗금 친 부분의 넓이는 S_2와 같으므로

$$\int_0^2 f(x)dx+\int_4^8 g(x)dx=S_1+S_2$$

$$=2\times8=16$$

08-6 답 42

해결전략 | 함수와 그 역함수의 그래프 사이의 관계를 파악하고, 일부를 대칭이동시켜 넓이를 간단히 구한다.

STEP1 함수와 그 역함수의 그래프 사이의 관계 알기

함수 $f(x)=x^3-3x^2+5x$에서

$f'(x)=3x^2-6x+5=3(x-1)^2+2>0$이므로

함수 $f(x)$는 증가하는 함수이다.

한편, 두 곡선 $y=f(x)$, $y=g(x)$의 그래프는 직선 $y=x$에 대하여 대칭으로 두 함수 $y=f(x)$와 $y=g(x)$의 그래프의 교점은 $y=f(x)$의 그래프와 직선 $y=x$의 교점과 같다.

STEP2 곡선 $y=f(x)$와 직선 $y=x$의 교점의 x좌표 구하기

교점의 x좌표는

$x^3-3x^2+5x=x$에서

$x(x^2-3x+4)=0$

$\therefore x=0 \ (\because x^2-3x+4>0)$

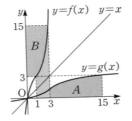

STEP3 대칭성을 이용하여 정적분의 값 구하기

$\int_3^{15} g(x)dx$의 값은 색칠한

부분 A의 넓이이고, 역함수의 성질에 의하여 직선 $y=x$에 대하여 대칭이동시킨 부분 B의 넓이와 같다.

$\therefore \int_1^3 f(x)dx + \int_3^{15} g(x)dx = (3\times15)-(1\times3)$
$$=45-3=42$$

필수유형 ⑨　　　　　　　　　　　309쪽

09-1 답 (1) $\dfrac{15}{2}$　(2) 4

해결전략 | 시각 $t=a$에서 $t=b$까지 점 P의 위치의 변화량은 $\int_a^b v(t)dt$임을 이용한다.

(1) $0+\int_0^3 (4-t)dt = \left[4t-\dfrac{1}{2}t^2\right]_0^3 = \dfrac{15}{2}$

(2) $\int_1^5 (4-t)dt = \left[4t-\dfrac{1}{2}t^2\right]_1^5 = 4$

09-2 답 3초 후

해결전략 | 시각 $t=a$에서 $t=b$까지 점 P의 위치의 변화량은 $\int_a^b v(t)dt$이고 점 P가 원점으로 다시 돌아오면 위치의 변화량이 0임을 이용한다.

STEP1 위치의 변화량이 0이 되는 식 세우기

a초 후에 점 P가 원점으로 다시 돌아온다고 하면 점 P의 위치의 변화량이 0이므로

$\int_0^a (3t^2+2t-12)dt=0$

STEP2 a의 값을 구하여 시간 구하기

$\left[t^3+t^2-12t\right]_0^a=0$

$a^3+a^2-12a=0, \ a(a+4)(a-3)=0$

$\therefore a=3 \ (\because a>0)$

따라서 점 P는 3초 후에 원점으로 다시 돌아온다.

09-3 답 6

해결전략 | 시각 t에서 점 P의 위치 x는 $x=x_0+\int_0^t v(t)dt$임을 이용한다.

원점을 출발하는 점 P의 $t=4$에서의 위치는

$0+\int_0^4 v(t)dt = \int_0^2 (-t^2+4t)dt + \int_2^4 (t^2-5t+6)dt$
$$= \left[-\dfrac{1}{3}t^3+2t^2\right]_0^2 + \left[\dfrac{1}{3}t^3-\dfrac{5}{2}t^2+6t\right]_2^4$$
$$= \dfrac{16}{3}+\dfrac{2}{3}=6$$

09-4 답 5

해결전략 | 시각 t에서 점 P의 위치 x는 $x=x_0+\int_0^t v(t)dt$이고 물체가 최고 높이에 도달할 때의 속도는 0임을 이용한다.

STEP1 3초 후의 위치 구하기

물체의 3초 후의 위치는

$30+\int_0^3 (20-10t)dt = 30+\left[20t-5t^2\right]_0^3$
$$=30+15=45$$

$\therefore h_1=45$

STEP2 최고 높이 구하기

물체가 최고 높이에 도달할 때의 속도는 0이므로

$20-10t=0$에서 $t=2$

즉, $t=2$일 때 최고 높이에 도달하므로 최고 높이는

$30+\int_0^2 (20-10t)dt = 30+\left[20t-5t^2\right]_0^2$
$$=30+20=50$$

$\therefore h_2=50$

STEP3 $|h_1-h_2|$의 값 구하기

$\therefore |h_1-h_2|=|45-50|=5$

09-5 답 $-\dfrac{8}{3}$

해결전략 | 운동 방향이 바뀌는 순간은 속도가 0인 순간과 같음을 이용한다.

STEP1 속도가 0인 순간의 시각 t 구하기

점 P의 운동 방향이 바뀌는 순간에 $v(t)=0$이므로

$t^2-5t+4=0$, $(t-1)(t-4)=0$

$\therefore t=1$ 또는 $t=4$

STEP2 4초 후의 점 P의 위치 구하기

따라서 1초, 4초 후에 점 P의 운동 방향이 바뀌고, 4초 후에 두 번째로 바뀌므로 이때 점 P의 위치를 x라고 하면

$x=\displaystyle\int_0^4 (t^2-5t+4)dt$

$\quad=\left[\dfrac{1}{3}t^3-\dfrac{5}{2}t^2+4t\right]_0^4$

$\quad=-\dfrac{8}{3}$

09-6 답 2

해결전략 | 위치의 변화량이 같을 때 서로 만난다는 것을 이용하여 시각을 구한다.

STEP1 두 점 A, B의 위치에 대한 식 세우기

두 점 A, B의 시각 a에서 위치를 각각 $x_A(a)$, $x_B(a)$라고 하면

$x_A(a)=0+\displaystyle\int_0^a (6-t)dt$

$\qquad=\left[6t-\dfrac{1}{2}t^2\right]_0^a$

$\qquad=6a-\dfrac{1}{2}a^2$

$x_B(a)=12+\displaystyle\int_0^a (2t-3)dt$

$\qquad=12+\left[t^2-3t\right]_0^a$

$\qquad=a^2-3a+12$

STEP2 만나는 시각 구하기

이때 두 점 A, B가 서로 만나는 때는 $x_A(a)=x_B(a)$인 경우이므로

$6a-\dfrac{1}{2}a^2=a^2-3a+12$

$a^2-6a+8=0$, $(a-2)(a-4)=0$

$\therefore a=2$ 또는 $a=4$

STEP3 만나는 횟수 구하기

따라서 두 점 A, B는 출발 후 $a=2$, $a=4$일 때 만나므로 서로 만나는 횟수는 2이다.

10-1 답 32

해결전략 | 위치의 변화량이 0일 때의 시각과 속도가 0일 때의 시각을 먼저 구한 다음 움직인 거리를 구한다.

STEP1 위치의 변화량이 0일 때의 시각 구하기

점 P가 원점을 출발하여 다시 원점으로 돌아오는 데 걸리는 시간을 a초라고 하면 출발한 지 a초 후의 점 P의 위치의 변화량은 0이므로

$\displaystyle\int_0^a (-2t+8)dt=0$

$\left[-t^2+8t\right]_0^a=0$

$-a^2+8a=0$, $a(a-8)=0$

$\therefore a=8 \ (\because a>0)$

STEP2 속도가 0인 시각 구하기

속도가 0인 시각은

$v(t)=-2t+8=0$에서 $t=4$

STEP3 점 P가 움직인 거리 구하기

따라서 점 P가 출발한 후 원점으로 다시 돌아올 때까지 움직인 거리는

$\displaystyle\int_0^8 |-2t+8|dt=\int_0^4 (-2t+8)dt+\int_4^8 (2t-8)dt$

$\qquad\qquad\qquad=\left[-t^2+8t\right]_0^4+\left[t^2-8t\right]_4^8$

$\qquad\qquad\qquad=16+16=32$

> 🎯 **풍쌤의 비법**
>
> 운동 방향을 한 번만 바꾸는 경우($v(t)=0$인 t의 값이 1개만 있는 경우) 점 P가 원점을 출발한 후 원점으로 다시 돌아올 때까지 움직인 거리는 원점을 출발한 후 운동 방향을 바꾸기 전까지(속도가 0이 될 때까지) 움직인 거리의 2배이다. 따라서 **10-1**번에서 다시 원점으로 돌아오는 데 걸리는 시간을 구할 필요없이 속도가 0인 시각 $t=4$만 구해도 (움직인 거리)$=2\displaystyle\int_0^4 (-2t+8)dt$임을 이용하여 문제를 풀 수도 있다.

10-2 답 225 m

해결전략 | 속도가 0일 때의 시각을 구한 다음 움직인 거리를 구한다.

STEP1 자동차가 정지할 때의 시각 구하기

자동차가 정지할 때의 속도는 0이므로

$v(t)=30-2t=0 \qquad \therefore t=15$

STEP2 이동한 거리 구하기

따라서 제동을 건 후 15초 후에 자동차가 정지하므로 자동차가 정지할 때까지 움직인 거리는

$$\int_0^{15} |30-2t|\,dt = \int_0^{15} (30-2t)\,dt$$
$$= \Big[\, 30t - t^2 \,\Big]_0^{15} = 225 \text{ (m)}$$

10-3 📋 72 m

해결전략 | 지면에 떨어질 때는 위치의 변화량이 0일 때이다. 이를 이용하여 k의 값을 구한 다음 움직인 거리를 구한다.

STEP1 k의 값 구하기

물체가 지면에 떨어질 때의 높이는 0이므로

$$\int_0^6 (-8t+k)\,dt = 0$$
$$\Big[\, -4t^2 + kt \,\Big]_0^6 = 0$$
$$-144 + 6k = 0 \qquad \therefore k = 24$$

STEP2 최고 높이에 도달한 시각 구하기

$$\therefore v(t) = -8t + 24 \text{ (m/s)}$$

물체가 최고 높이에 도달할 때의 속도는 0이므로

$$v(t) = -8t + 24 = 0 \qquad \therefore t = 3$$

STEP3 움직인 거리 구하기

즉, $t=3$일 때 이 물체는 최고 높이에 도달하고, 물체가 지면에 떨어질 때까지 움직인 거리는 최고 높이의 2배이므로

$$2\int_0^3 (-8t+24)\,dt = 2\Big[\, -4t^2 + 24t \,\Big]_0^3$$
$$= 2 \times 36 = 72$$

따라서 지면에 떨어질 때까지 움직인 거리는 72 m이다.

10-4 📋 $\dfrac{32}{3}$

해결전략 | 속도가 양이면 오른쪽으로, 속도가 음이면 왼쪽으로 움직인다. 출발할 때 속도가 음이면 왼쪽으로 움직이기 시작한 것이다.

STEP1 양의 방향으로 움직인 시각 구하기

점 P가 원점을 출발할 때의 속도는 $v(0) = -12 < 0$이므로 점 P는 음의 방향으로 출발한다.

따라서 음의 방향과 반대 방향으로 움직이는 구간은

$v(t) = -t^2 + 8t - 12 \geq 0$에서 $(t-2)(t-6) \leq 0$

$$\therefore 2 \leq t \leq 6$$

STEP2 움직인 거리 구하기

따라서 $2 \leq t \leq 6$에서 $v(t) \geq 0$이므로 점 P가 $2 \leq t \leq 6$에서 움직인 거리는

$$\int_2^6 |v(t)|\,dt = \int_2^6 (-t^2 + 8t - 12)\,dt$$
$$= \Big[\, -\frac{1}{3}t^3 + 4t^2 - 12t \,\Big]_2^6 = \frac{32}{3}$$

10-5 📋 $324\pi \text{ cm}^3$

해결전략 | 기름이 빠져나오는 속도가 0일 때의 시각을 먼저 구한 다음 빠져나온 기름의 양을 구한다.

STEP1 기름이 멈출 때 시각 구하기

$v(t) = 0$일 때 기름이 멈추므로

$6t - t^2 = 0$, $t(6-t) = 0$

$$\therefore t = 6 \ (\because t > 0)$$

STEP2 기름이 빠져나온 관의 길이 구하기

이때 6초 동안 기름이 빠져나온 관의 길이는

$$\int_0^6 |6t - t^2|\,dt = \int_0^6 (6t - t^2)\,dt$$
$$= \Big[\, 3t^2 - \frac{1}{3}t^3 \,\Big]_0^6 = 36 \text{ (cm)}$$

STEP3 빠져나온 기름의 양 구하기

따라서 6초 동안 빠져나온 기름의 양은

$$\pi \times 3^2 \times 36 = 324\pi \text{ (cm}^3)$$

10-6 📋 35 km

해결전략 | 3 km를 달린 지점은 위치의 변화량이 3 km임을 뜻하므로 위치의 변화량이 3 km인 시각을 먼저 구한다.

STEP1 위치의 변화량이 3 km일 때의 시각 구하기

3 km를 달리는 데 걸린 시간을 a분이라고 하면 열차의 a분 후의 위치가 3 km이므로

$$\int_0^a v(t)\,dt = 3$$에서
$$\int_0^a \left(\frac{3}{4}t^2 + \frac{1}{2}t \right)dt = 3$$
$$\left[\, \frac{1}{4}t^3 + \frac{1}{4}t^2 \,\right]_0^a = 3$$
$$\frac{1}{4}a^3 + \frac{1}{4}a^2 = 3, \ a^3 + a^2 - 12 = 0$$
$$(a-2)(a^2 + 3a + 6) = 0$$
$$\therefore a = 2 \ (\because a^2 + 3a + 6 > 0)$$

STEP2 10분 동안 달린 거리 구하기

즉, 열차가 3 km를 달리는 데 걸린 시간은 2분이고, 2분 후의 속도는

$$v(2) = \frac{3}{4} \times 2^2 + \frac{1}{2} \times 2 = 4 \text{ (km/m)}$$

따라서 이 열차가 출발 후 10분 동안 달린 거리는

$$3 + \int_2^{10} 4\,dt = 3 + \Big[\, 4t \,\Big]_2^{10} = 3 + 32 = 35 \text{ (km)}$$

313쪽

11-1 답 (1) 2 (2) $\dfrac{3}{2}$

해결전략 | 원점을 출발한 후 시각 $t=a$에서 점 P의 위치는

$\displaystyle\int_0^a v(t)dt$이다.

(1) 그래프에서 $t=3$, $t=6$일 때 $v(t)=0$이고, $t=3$, $t=6$의 좌우에서 $v(t)$의 부호가 바뀌므로 점 P는 출발 후 운동 방향을 2번 바꾼다.

(2) **STEP 1 위치의 변화량 알기**

시각 $t=6$에서 점 P의 위치는 $t=0$에서 $t=6$까지의 속도의 정적분 값과 같다.

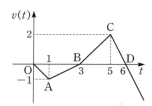

STEP 2 정적분 계산하기

시각 $t=6$에서 점 P의 위치는

$$\int_0^6 v(t)dt=\int_0^3 v(t)dt+\int_3^6 v(t)dt$$
$$=-\triangle OAB+\triangle BDC$$
$$=-\left(\frac{1}{2}\times 3\times 1\right)+\frac{1}{2}\times 3\times 2$$
$$=-\frac{3}{2}+3=\frac{3}{2}$$

11-2 답 ㄴ, ㄷ

해결전략 | 속도의 그래프와 적분값을 이용하여 참, 거짓을 판정한다.

STEP 1 $t=5$에서 $t=6$까지 $v(t)$의 그래프 해석하기

ㄱ. $t=5$에서 $t=6$까지 점 P는 속도 2로 일정하게 움직인다. (거짓)

STEP 2 $v(t)$의 값의 부호가 바뀌는 t의 값 찾기

ㄴ. $v(t)$의 값이 양에서 음으로 바뀐 t의 값은 $t=2$이고, 음에서 양으로 바뀐 t의 값은 $t=4$이므로 점 P는 운동 방향을 2번 바꾼다. (참)

STEP 3 $v(t)$ 적분하기

ㄷ. $\displaystyle\int_0^4 v(t)dt=\int_0^2 v(t)dt+\int_2^4 v(t)dt$
$$=\frac{1}{2}\times 2\times 2-\frac{1}{2}\times 2\times 2=0$$

이므로 점 P는 출발한 지 4초 후 출발점에 있다. (참)

따라서 옳은 것은 ㄴ, ㄷ이다.

11-3 답 ㄱ, ㄷ

해결전략 | 속도의 그래프와 적분값을 이용하여 참, 거짓을 판정한다.

STEP 1 $t=6$일 때, 물체의 위치 구하기

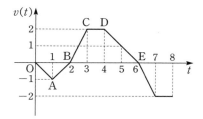

ㄱ. $t=6$일 때, 물체의 위치는

$$\int_0^6 v(t)dt=\int_0^2 v(t)dt+\int_2^6 v(t)dt$$
$$=-\triangle OAB+\square CBED$$
$$=-\left(\frac{1}{2}\times 2\times 1\right)+\frac{1}{2}\times(1+4)\times 2$$
$$=-1+5=4 \text{ (참)}$$

STEP 2 처음으로 멈추었을 때까지 물체가 움직인 거리 구하기

ㄴ. 출발 후 처음으로 멈추었을 때의 시각은 $t=2$이다. 이때 $t=2$까지 물체가 움직인 거리는

$$\int_0^2 |v(t)|dt=\triangle OAB=\frac{1}{2}\times 2\times 1=1 \text{ (거짓)}$$

STEP 3 속도가 0인 t의 값 구하기

ㄷ. 물체가 운동 방향을 바꾸는 시각은 속도 $v(t)=0$일 때이므로 출발 후 $t=2$에서 처음으로 운동 방향을 바꾸고 $t=6$에서 두 번째로 운동 방향을 바꾼다. 즉, 운동 방향을 2번 바꾼다. (참)

따라서 옳은 것은 ㄱ, ㄷ이다.

11-4 답 ㄴ, ㄹ

해결전략 | 속도의 그래프와 적분값을 이용하여 참, 거짓을 판정한다.

STEP 1 $f(8)$의 값 구하기

ㄱ. $f(t)=\displaystyle\int_0^t v(t)dt$는 점 P의 시각 t에서의 위치이므로 $f(8)=\displaystyle\int_0^8 v(t)=0$이다. (거짓)

STEP 2 $f(10)$의 값과 $f(2)$의 값 비교하기

ㄴ. $f(10)=\displaystyle\int_0^{10} v(t)dt$
$$=\int_0^2 v(t)dt+\int_2^{10} v(t)dt$$
$$=\int_0^2 v(t)dt=f(2) \text{ (참)}$$

ㄷ. 점 P가 원점을 지날 때는

$$f(t)=\int_0^t v(t)dt=0 \ (t>0)$$

일 때, 즉 $t=4$ 또는 $t=8$일 때로 출발 후 2번 지난다. (거짓)

STEP4 그래프와 t축으로 둘러싸인 도형의 넓이 구하기

ㄹ. 점 P가 10초 동안 실제로 움직인 거리는 속도 $v(t)$의 그래프와 t축으로 둘러싸인 부분의 넓이이므로 5이다. (참)

따라서 옳은 것은 ㄴ, ㄹ이다.

유형 특강 315쪽

1 답 (1) $\dfrac{1}{6}$ (2) $\dfrac{125}{6}$ (3) 108

해결전략 | 주어진 두 곡선의 교점의 x좌표를 구하고 포물선의 킬러공식을 이용하여 넓이를 구한다.

(1) **STEP1 곡선과 x축의 교점의 x좌표 구하기**

곡선 $y=x^2-5x+6$과 x축의 교점의 x좌표는

$x^2-5x+6=0$에서

$(x-2)(x-3)=0$

$\therefore x=2$ 또는 $x=3$

STEP2 넓이 구하기

닫힌구간 $[2, 3]$에서 $y \le 0$이므로 구하는 넓이는

$$\int_2^3 -(x^2-5x+6)dx = \frac{|1|}{6} \times (3-2)^3 = \frac{1}{6}$$

(2) **STEP1 곡선과 직선의 교점의 x좌표 구하기**

곡선 $y=x^2-2x-5$와 직선 $y=x-1$의 교점의 x좌표는 $x^2-2x-5=x-1$에서

$x^2-3x-4=0$, $(x+1)(x-4)=0$

$\therefore x=-1$ 또는 $x=4$

STEP2 넓이 구하기

닫힌구간 $[-1, 4]$에서 $x^2-2x-5 \le x-1$이므로 구하는 넓이는

$$\int_{-1}^4 \{(x-1)-(x^2-2x-5)\}dx$$
$$= \frac{|-1|}{6} \times \{4-(-1)\}^3 = \frac{125}{6}$$

(3) **STEP1 두 곡선의 교점의 x좌표 구하기**

두 곡선 $y=x^2+6x+9$, $y=-2x^2-6x+24$의 교점의 x좌표는 $x^2+6x+9=-2x^2-6x+24$에서

$3x^2+12x-15=0$, $(x+5)(x-1)=0$

$\therefore x=-5$ 또는 $x=1$

STEP2 넓이 구하기

닫힌구간 $[-5, 1]$에서

$x^2+6x+9 \le -2x^2-6x+24$이므로 구하는 넓이는

$$\int_{-5}^1 \{(-2x^2-6x+24)-(x^2+6x+9)\}dx$$
$$= \frac{|-2-1|}{6} \times \{1-(-5)\}^3 = 108$$

실전 연습 문제 316~318쪽

01 ③	02 1	03 ⑤	04 ⑤	05 3
06 ①	07 $\dfrac{1}{3}$	08 ②	09 $\dfrac{16}{3}$	10 $\dfrac{32}{3}$
11 $\dfrac{4}{5}$	12 ②	13 ④	14 ③	15 2
16 ①	17 30			

01

해결전략 | 곡선과 x축의 교점의 x좌표를 구한 다음 k의 값의 범위를 나누어 주어진 넓이를 만족시키는 k의 값을 구한다.

STEP1 곡선과 x축의 교점의 x좌표 구하기

곡선 $y=-x^2+kx$와 x축의 교점의 x좌표는

$-x^2+kx=0$에서

$x(x-k)=0$

$\therefore x=0$ 또는 $x=k$

STEP2 k의 값의 범위를 나누어 k의 값 구하기

(i) $k<0$일 때

닫힌구간 $[k, 0]$에서 $y \ge 0$이므로 구하는 넓이는

$$\int_k^0 (-x^2+kx)dx$$
$$= \left[-\frac{1}{3}x^3 + \frac{k}{2}x^2 \right]_k^0$$
$$= -\frac{k^3}{6}$$

$y=-x^2+kx$ ($k<0$)

즉, $-\dfrac{k^3}{6} = \dfrac{125}{6}$이므로 $k=-5$

(ii) $k>0$일 때

닫힌구간 $[0, k]$에서 $y \ge 0$이므로 구하는 넓이는

$$\int_0^k (-x^2+kx)dx$$
$$= \left[-\frac{1}{3}x^3 + \frac{k}{2}x^2 \right]_0^k = \frac{k^3}{6}$$

$y=-x^2+kx$ ($k>0$)

즉, $\dfrac{k^3}{6} = \dfrac{125}{6}$이므로 $k=5$

STEP3 k의 값의 합 구하기

(i), (ii)에 의하여 모든 k의 값의 합은
$-5+5=0$

02

해결전략 | 그래프의 개형을 그린 다음 넓이를 a에 대한 함수로 나타내고, 이 함수가 최솟값을 가질 때의 a의 값을 구한다.

STEP 1 그래프의 개형 파악하기

함수 $y=x(x-2)(x-a)$의 그래프는 오른쪽 그림과 같다.

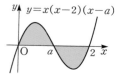

...... ❶

STEP 2 넓이 구하기

닫힌구간 $[0, a]$에서 $y \geq 0$, 닫힌구간 $[a, 2]$에서 $y \leq 0$이므로 구하는 넓이를 $S(a)$라고 하면

$S(a)$
$= \int_0^a x(x-2)(x-a)dx - \int_a^2 x(x-2)(x-a)dx$

$= \int_0^a \{x^3-(a+2)x^2+2ax\}dx$

$\qquad\qquad - \int_a^2 \{x^3-(a+2)x^2+2ax\}dx$

$= \left[\dfrac{1}{4}x^4-\dfrac{a+2}{3}x^3+ax^2\right]_0^a - \left[\dfrac{1}{4}x^4-\dfrac{a+2}{3}x^3+ax^2\right]_a^2$

$= -\dfrac{1}{6}a^4+\dfrac{2}{3}a^3-\dfrac{4}{3}a+\dfrac{4}{3}$

...... ❷

STEP 3 최솟값 구하기

$S(a)$의 양변을 a에 대하여 미분하면

$S'(a) = -\dfrac{2}{3}a^3+2a^2-\dfrac{4}{3} = -\dfrac{2}{3}(a^3-3a^2+2)$

$\qquad = -\dfrac{2}{3}(a-1)(a^2-2a-2)$

$S'(a)=0$에서 $a=1$ ($\because 0<a<2$)

함수 $S(a)$의 증가, 감소를 표로 나타내면 다음과 같다.

a	(0)	$\cdots$	1	$\cdots$	(2)
$S'(a)$		$-$	0	$+$	
$S(a)$		$\searrow$	극소	$\nearrow$	

따라서 함수 $S(a)$는 $a=1$일 때 극소이면서 최소이다.

...... ❸

채점 요소	배점
❶ 그래프의 개형 알기	20 %
❷ 둘러싸인 도형의 넓이 $S(a)$ 구하기	40 %
❸ $S(a)$가 최소인 경우 구하기	40 %

03

해결전략 | 우함수의 성질을 이용하여 구하는 부분의 넓이를 구한다.

STEP 1 함수의 그래프와 x축의 교점의 x좌표 구하기

$y=x^2-2|x|-8$에서

(i) $x \geq 0$일 때, $y=x^2-2x-8$

$x^2-2x-8=0$에서

$(x+2)(x-4)=0$

$\therefore x=4$ ($\because x \geq 0$)

(ii) $x<0$일 때, $y=x^2+2x-8$

$x^2+2x-8=0$에서

$(x+4)(x-2)=0$

$\therefore x=-4$ ($\because x<0$)

STEP 2 우함수의 성질을 이용하여 넓이 구하기

함수 $y=x^2-2|x|-8$의 그래프는 오른쪽 그림과 같이 y축에 대하여 대칭이다.

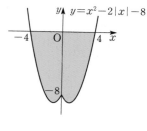

닫힌구간 $[0, 4]$에서 $y \leq 0$이므로 구하는 넓이는

$2\int_0^4 |x^2-2x-8|dx = -2\int_0^4(x^2-2x-8)dx$

$\qquad = -2\left[\dfrac{1}{3}x^3-x^2-8x\right]_0^4$

$\qquad = (-2) \times \left(-\dfrac{80}{3}\right) = \dfrac{160}{3}$

04

해결전략 | 정적분으로 나타내어진 함수를 미분하여 $f(x)$를 구하고 정적분을 이용하여 넓이를 구한다.

STEP 1 양변을 x에 대하여 미분하여 $f(x)$ 구하기

$xf(x) = \int_0^x tf'(t)dt + \dfrac{2}{3}x^3-2x^2-6x$의 양변을 x에 대하여 미분하면

$f(x)+xf'(x) = xf'(x)+2x^2-4x-6$

$\therefore f(x)=2x^2-4x-6$

STEP 2 곡선과 x축의 교점의 x좌표 구하기

곡선 $y=2x^2-4x-6$과 x축의 교점의 x좌표는

$2x^2-4x-6=0$에서

$(x+1)(x-3)=0$

$\therefore x=-1$ 또는 $x=3$

STEP 3 넓이 구하기

닫힌구간 $[-1, 3]$에서 $y \leq 0$이므로 구하는 넓이는

$$-\int_{-1}^{3}(2x^2-4x-6)dx = -2\int_{-1}^{3}(x^2-2x-3)dx$$
$$= -2\left[\frac{1}{3}x^3-x^2-3x\right]_{-1}^{3}$$
$$= (-2) \times \left(-\frac{32}{3}\right) = \frac{64}{3}$$

05

해결전략 | 넓이와 정적분 사이의 관계와 정적분의 정의를 이용한다.

STEP1 $\int_{-4}^{2} f(x)dx$의 값 구하기

두 도형 P, Q의 넓이가 각각 6, 2이므로

$$\int_{-4}^{0} f(x)dx = -6, \quad \int_{0}^{2} f(x)dx = 2$$
$$\therefore \int_{-4}^{2} f(x)dx = \int_{-4}^{0} f(x)dx + \int_{0}^{2} f(x)dx$$
$$= -6+2 = -4$$

STEP2 $F(-4)$의 값 구하기

$f(x)$의 한 부정적분이 $F(x)$이므로

$$\int_{-4}^{2} f(x)dx = \Big[F(x)\Big]_{-4}^{2} = F(2)-F(-4) = -4$$

이때 $F(2)=-1$이므로

$$-1-F(-4) = -4$$
$$\therefore F(-4) = 3$$

06

해결전략 | $y=\sqrt{x+4}$를 $x=(y$에 대한 식$)$으로 나타내어 y에 대한 정적분을 이용하여 넓이를 구한다.

STEP1 곡선의 개형 파악하기

곡선 $y=\sqrt{x+4}$와 x축, y축으로 둘러싸인 도형은 오른쪽 그림과 같다.

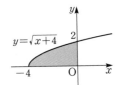

STEP2 넓이 구하기

$y=\sqrt{x+4}$에서

$$x=y^2-4 \ (y \geq 0)$$

따라서 구하는 넓이는

$$-\int_{0}^{2}(y^2-4)dy = -\left[\frac{1}{3}y^3-4y\right]_{0}^{2} = \frac{16}{3}$$

07

해결전략 | 먼저 $y=f(x)$의 식을 구하고, 두 곡선 $y=f(x)$와 $y=x^2+1$의 개형을 그려 교점의 x좌표를 구한 다음 넓이를 구한다.

STEP1 $y=f(x)$ 구하기

곡선 $y=x^2$을 x축에 대하여 대칭이동하면

$$y=-x^2$$

이를 x축의 방향으로 3만큼, y축의 방향으로 6만큼 평행이동하면

$$y=-(x-3)^2+6 \qquad \cdots\cdots ❶$$

STEP2 두 곡선의 교점의 x좌표 구하기

두 곡선 $y=x^2+1$, $y=-(x-3)^2+6$의 교점의 x좌표는 $x^2+1=-(x-3)^2+6$에서

$$2x^2-6x+4=0$$
$$x^2-3x+2=0, \ (x-1)(x-2)=0$$
$$\therefore x=1 \ \text{또는} \ x=2 \qquad \cdots\cdots ❷$$

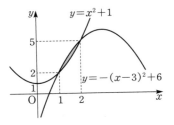

STEP3 넓이 구하기

닫힌구간 $[1, 2]$에서 $x^2+1 \leq -x^2+6x-3$이므로 구하는 넓이는

$$\int_{1}^{2}\{(-x^2+6x-3)-(x^2+1)\}dx$$
$$= \int_{1}^{2}(-2x^2+6x-4)dx$$
$$= \left[-\frac{2}{3}x^3+3x^2-4x\right]_{1}^{2} = \frac{1}{3} \qquad \cdots\cdots ❸$$

채점 요소	배점
❶ 함수 $y=f(x)$의 식 구하기	40 %
❷ 두 곡선의 교점의 x좌표 구하기	40 %
❸ 넓이 구하기	20 %

@ 풍쌤의 비법

도형의 평행이동, 대칭이동

함수 $y=f(x)$의 그래프를

(1) x축의 방향으로 a만큼, y축의 방향으로 b만큼 평행이동 ➡ x 대신 $x-a$, y 대신 $y-b$를 대입

(2) x축에 대하여 대칭이동 ➡ y 대신 $-y$를 대입

(3) y축에 대하여 대칭이동 ➡ x 대신 $-x$를 대입

(4) 원점에 대하여 대칭이동 ➡ x 대신 $-x$, y 대신 $-y$를 대입

(5) 직선 $y=x$에 대하여 대칭이동 ➡ x 대신 y, y 대신 x를 대입

08

해결전략 | 접선의 방정식을 구한 다음 포물선과 접선의 개형을 파악하고 정적분을 이용하여 넓이를 구한다.

STEP1 접선의 방정식 구하기

$f(x)=x^2+2$로 놓으면 $f'(x)=2x$

곡선 위의 점 $(2,\ 6)$에서의 접선의 기울기는 $f'(2)=4$

이므로 접선의 방정식은

$y-6=4(x-2)$ $\therefore y=4x-2$

STEP2 넓이 구하기

오른쪽 그림에서 색칠한 부분의 넓이는 곡선 $y=x^2+2$와 x축, y축 및 직선 $x=2$로 둘러싸인 도형의 넓이에서 두 직선 $y=4x-2$, $x=2$와 x축으로 이루어진 삼각형의 넓이를 뺀 것과 같다.

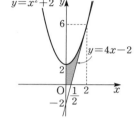

따라서 구하는 넓이는

$$\int_0^2(x^2+2)dx-\frac{1}{2}\times\left(2-\frac{1}{2}\right)\times6=\left[\frac{1}{3}x^3+2x\right]_0^2-\frac{9}{2}$$
$$=\frac{20}{3}-\frac{9}{2}=\frac{13}{6}$$

09

해결전략 | 두 접선의 방정식을 구한 다음 각각의 접점의 x좌표를 구한다.

STEP1 접선의 방정식 구하기

$f(x)=x^2+3$으로 놓으면 $f'(x)=2x$

접점의 좌표를 $(t,\ t^2+3)$이라고 하면 $x=t$에서의 기울기는 $f'(t)=2t$이므로 접선의 방정식은

$y-(t^2+3)=2t(x-t)$

$\therefore y=2tx-t^2+3$ ······ ㉠

이 접선이 점 $(-1,\ 0)$을 지나므로

$0=-2t-t^2+3$

$t^2+2t-3=0$

$(t+3)(t-1)=0$

$\therefore t=-3$ 또는 $t=1$

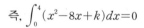

(i) $t=-3$일 때, ㉠에서

  $y=-6x-6$

(ii) $t=1$일 때, ㉠에서 $y=2x+2$

STEP2 넓이 구하기

따라서 구하는 넓이는

$$\int_{-3}^{-1}\{(x^2+3)-(-6x-6)\}dx$$
$$\qquad\qquad+\int_{-1}^1\{(x^2+3)-(2x+2)\}dx$$
$$=\int_{-3}^{-1}(x^2+6x+9)dx+2\int_0^1(x^2+1)dx$$
$$=\left[\frac{1}{3}x^3+3x^2+9x\right]_{-3}^{-1}+2\left[\frac{1}{3}x^3+x\right]_0^1$$
$$=\frac{8}{3}+2\times\frac{4}{3}=\frac{16}{3}$$

> 🎯 **풍쌤의 비법**
>
> 위의 그림에서 색칠한 부분의 넓이는 곡선 $y=x^2+3$과 x축 및 두 직선 $x=-3$, $x=1$로 둘러싸인 도형의 넓이에서 두 삼각형의 넓이를 뺀 것과 같으므로
> $$\int_{-3}^1(x^2+3)dx-\frac{1}{2}\times2\times12-\frac{1}{2}\times2\times4$$
> 로 구할 수도 있다.

10

해결전략 | 정적분과 넓이 사이의 관계를 통해 정적분의 값이 0이 되는 경우를 이용한다.

STEP1 $\int_0^2(x^2-8x+k)dx=0$임을 알기

$A:B=1:2$에서 $B=2A$

곡선 $y=x^2-8x+k$가 직선 $x=4$에 대하여 대칭이므로 오른쪽 그림에서 빗금 친 두 도형은 넓이가 같고 정적분의 값의 부호는 반대이다.

즉, $\int_0^4(x^2-8x+k)dx=0$

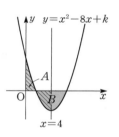

······ ❶

STEP2 k의 값 구하기

$\left[\frac{1}{3}x^3-4x^2+kx\right]_0^4=0$

$-\dfrac{128}{3}+4k=0$ $\therefore k=\dfrac{32}{3}$ ······ ❷

채점 요소	배점
❶ $\int_0^4(x^2-8x+k)dx=0$임을 알기	50 %
❷ k의 값 구하기	50 %

11

해결전략 | 함수와 그 역함수의 그래프로 둘러싸인 도형의 넓이는 함수의 그래프와 직선 $y=x$로 둘러싸인 도형의 넓이의

2배임을 이용한다.

STEP 1 $\int_0^1 f(x)dx$가 나타내는 부분 알기

닫힌구간 $[0, 1]$에서 $f(x) \geq 0$이므로

$\int_0^1 f(x)dx$는 함수 $y=f(x)$

의 그래프와 x축 및 직선

$x=1$로 둘러싸인 도형의 넓

이를 나타낸다.

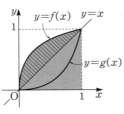

STEP 2 $\int_0^1 f(x)dx$가 나타내는

부분을 적당히 나누어 정적분의 값 구하기

이때 두 함수 $y=f(x)$, $y=g(x)$의 그래프로 둘러싸인

도형의 넓이가 $\dfrac{3}{5}$이므로 함수 $y=f(x)$의 그래프와 직선

$y=x$로 둘러싸인 도형의 넓이는

$\dfrac{1}{2} \times \dfrac{3}{5} = \dfrac{3}{10}$

$\therefore \int_0^1 f(x)dx = \dfrac{3}{10} + \dfrac{1}{2} \times 1 \times 1 = \dfrac{4}{5}$

12

해결전략 | 함수와 그 역함수의 그래프로 둘러싸인 도형의 넓
이는 함수의 그래프와 직선 $y=x$로 둘러싸인 도형의 넓이의
2배임을 이용한다.

STEP 1 증가하는 함수, 역함수 파악하기

$y=x^3-2x^2+2x$에서

$y'=3x^2-4x+2$

이차방정식 $3x^2-4x+2=0$의 판별식을 D라고 하면

$\dfrac{D}{4}=4-6<0$이므로 모든 실수 x에 대하여 $y'>0$이다.

즉, $y=x^3-2x^2+2x$는 증가하는 함수이다.

이때 $y=x^3-2x^2+2x$에 x 대신 y를, y 대신 x를 대입하

면 $x=y^3-2y^2+2y$이므로 두 함수는 서로 역함수 관계

이다.

따라서 두 곡선 $y=x^3-2x^2+2x$, $x=y^3-2y^2+2y$의 교

점은 곡선 $y=x^3-2x^2+2x$와 직선 $y=x$의 교점과 같다.

STEP 2 곡선 $y=f(x)$와 직선 $y=x$의 교점의 x좌표 구하기

$x^3-2x^2+2x=x$에서

$x^3-2x^2+x=0$, $x(x-1)^2=0$

$\therefore x=0$ 또는 $x=1$ (중근)

STEP 3 넓이 구하기

이때 두 곡선 $y=x^3-2x^2+2x$, $x=y^3-2y^2+2y$로 둘러

싸인 도형의 넓이는 곡선 $y=x^3-2x^2+2x$와 직선 $y=x$

로 둘러싸인 도형의 넓이의 2배이므로 구하는 넓이는

$2\int_0^1 \{(x^3-2x^2+2x)-x\}dx$

$=2\int_0^1 (x^3-2x^2+x)dx$

$=2\left[\dfrac{1}{4}x^4-\dfrac{2}{3}x^3+\dfrac{1}{2}x^2\right]_0^1$

$=2 \times \dfrac{1}{12} = \dfrac{1}{6}$

13

해결전략 | 함수와 그 역함수의 그래프 사이의 관계를 이용하
여 도형을 대칭이동시켜 넓이를 간단히 구한다.

STEP 1 함수와 그 역함수의 그래프 사이의 관계 알기

함수 $f(x)=\sqrt{x-1}$의 역함수가 $g(x)$이므로 두 함수

$y=f(x)$, $y=g(x)$의 그래프는 직선 $y=x$에 대하여 대

칭이다.

STEP 2 넓이가 같은 부분 찾기

$\int_1^{10} f(x)dx=S_1$, $\int_0^3 g(x)dx=S_2$라고 하면 다음 그림

에서 빗금 친 부분의 넓이는 S_1과 같다.

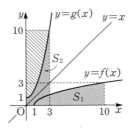

STEP 3 정적분의 값 구하기

$\therefore \int_1^{10} f(x)dx + \int_0^3 g(x)dx = S_1+S_2 = 3 \times 10 = 30$

14

해결전략 | 다시 출발점으로 돌아올 때는 위치의 변화량이 0
임을 이용하여 식을 세운다.

STEP 1 위치의 변화량이 0이 되는 식 세우기

a초 후에 점 P가 원점으로 다시 돌아온다고 하면 점 P의

위치의 변화량이 0이므로

$\int_0^a (-3t^2+6t+18)dt=0$

STEP 2 a의 값을 구하여 시간 구하기

$\left[-t^3+3t^2+18t\right]_0^a=0$

$-a^3+3a^2+18a=0$

$a(a+3)(a-6)=0$

$\therefore a=6 \ (\because a>0)$

따라서 점 P가 원점으로 다시 돌아오는 데 걸리는 시간은 6초이다.

15

해결전략 | 두 점의 위치를 구하는 식을 구한 다음 위치가 같게 되는 시각을 구한다.

STEP1 점 A, B의 a초 후의 위치 구하기

두 점 A, B의 출발점을 원점으로 하고 시각 $t=a$에서의 위치를 각각 $x_A(a)$, $x_B(a)$라고 하면

$x_A(a)=0+\displaystyle\int_0^a (6t^2-4t+4)dt$

$\quad\quad =\left[2t^3-2t^2+4t \right]_0^a =2a^3-2a^2+4a$

$x_B(a)=0+\displaystyle\int_0^a (3t^2+4t+1)dt$

$\quad\quad =\left[t^3+2t^2+t \right]_0^a =a^3+2a^2+a$

STEP2 위치가 같게 되는 a의 값 구하기

이때 두 점 A, B가 서로 만날 때는 $x_A(a)=x_B(a)$일 때이므로

$2a^3-2a^2+4a=a^3+2a^2+a$

$a^3-4a^2+3a=0$

$a(a-1)(a-3)=0$

$\therefore a=0$ 또는 $a=1$ 또는 $a=3$

STEP3 만나는 횟수 구하기

따라서 두 점 A, B는 출발 후 $a=1$, $a=3$일 때 다시 만나므로 서로 만나는 횟수는 2이다.

16

해결전략 | 속도가 같아지는 시각을 구한 다음 점의 위치를 구한다.

STEP1 속도가 같아지는 시각 구하기

두 점 P, Q의 속도가 같아지는 순간의 t의 값은

$3t^2+t=2t^2+3t$에서

$t^2-2t=0$, $t(t-2)=0$

$\therefore t=2 \ (\because t>0)$

따라서 $t=2$일 때 두 점 P, Q의 속도가 같아진다.

STEP2 $t=2$일 때 두 점의 위치 구하기

$t=2$일 때 두 점 P, Q의 위치를 구하면

$\displaystyle\int_0^2 v_1(t)dt=\int_0^2 (3t^2+t)dt$

$\quad\quad\quad\quad =\left[t^3+\dfrac{1}{2}t^2 \right]_0^2 =10$

$\displaystyle\int_0^2 v_2(t)dt=\int_0^2 (2t^2+3t)dt$

$\quad\quad\quad\quad =\left[\dfrac{2}{3}t^3+\dfrac{3}{2}t^2 \right]_0^2 =\dfrac{34}{3}$

STEP3 $9a$의 값 구하기

따라서 두 점 P, Q 사이의 거리 a는

$a=\dfrac{34}{3}-10=\dfrac{4}{3}$

$\therefore 9a=9\times\dfrac{4}{3}=12$

17

해결전략 | 속도의 그래프를 그린 다음 그래프와 x축 사이의 넓이를 구한다.

STEP1 속도의 그래프 그리기

속도 $v(t)$가 나타내는 그래프를 좌표평면 위에 나타내면 오른쪽 그림과 같다. ‥‥‥ ❶

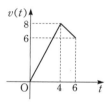

STEP2 움직인 거리 구하기

시각 $t=0$에서 $t=6$까지 움직인 거리는

$\displaystyle\int_0^6 |v(t)|dt=\int_0^4 2tdt+\int_4^6 (-t+12)dt$ ‥‥‥ ❷

$\quad\quad\quad\quad =\left[t^2 \right]_0^4 +\left[-\dfrac{1}{2}t^2+12t \right]_4^6$

$\quad\quad\quad\quad =16+14=30$ ‥‥‥ ❸

◉→ **다른 풀이**

STEP2 움직인 거리 구하기

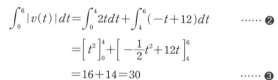

$\displaystyle\int_0^6 |v(t)|dt$

$=\displaystyle\int_0^4 2tdt+\int_4^6 (-t+12)dt$

$=\dfrac{1}{2}\times 4\times 8+\dfrac{1}{2}\times(6+8)\times 2$

$=16+14=30$

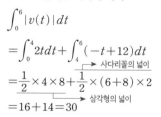

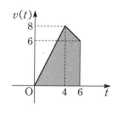

채점 요소	배점
❶ 속도의 그래프 그리기	40 %
❷ 움직인 거리를 구하는 식 세우기	40 %
❸ 움직인 거리 구하기	20 %

01 $4\sqrt{3}$	**02** ④	**03** 4	**04** $\dfrac{9}{5}$	**05** ③
06 45	**07** $\dfrac{27}{4}$			

01

해결전략 ㅣ 교점의 x좌표를 α, β로 놓고 근과 계수의 관계와 곱셈 공식의 변형을 이용하여 넓이를 간단히 나타낸다.

STEP 1 $\alpha+\beta$, $\alpha\beta$의 값 구하기

점 $(0, 3)$을 지나는 직선의 기울기를 m이라고 하면 직선의 방정식은 $y=mx+3$

곡선 $y=x^2$과 직선 $y=mx+3$의 교점의 x좌표를 α, β $(\alpha<\beta)$라고 하면 α, β는 방정식 $x^2=mx+3$,

즉 $x^2-mx-3=0$의 두 근이므로 이차방정식의 근과 계수와의 관계에 의하여

$\alpha+\beta=m$, $\alpha\beta=-3$ …… ㉠

STEP 2 넓이를 α, β로 나타내기

한편, 곡선 $y=x^2$과 직선 $y=mx+3$으로 둘러싸인 도형의 넓이를 S라고 하면

$$S=\int_{\alpha}^{\beta}(mx+3-x^2)dx=\left[\frac{m}{2}x^2+3x-\frac{1}{3}x^3\right]_{\alpha}^{\beta}$$

$$=\frac{m}{2}(\beta^2-\alpha^2)+3(\beta-\alpha)-\frac{1}{3}(\beta^3-\alpha^3)$$

$$=(\beta-\alpha)\left\{\frac{m}{2}(\beta+\alpha)+3-\frac{1}{3}(\beta^2+\alpha\beta+\alpha^2)\right\}$$

STEP 3 넓이를 m에 대한 식으로 나타내기

㉠에서 $(\beta-\alpha)^2=(\beta+\alpha)^2-4\alpha\beta=m^2+12$이므로

$\beta-\alpha=\sqrt{m^2+12}$ $(\because \alpha<\beta)$

$$\therefore S=\sqrt{m^2+12}\left\{\frac{1}{2}m^2+3-\frac{1}{3}(m^2+3)\right\}$$

$$=\sqrt{m^2+12}\left(\frac{1}{6}m^2+2\right)$$

$$=\frac{1}{6}\sqrt{m^2+12}(m^2+12)$$

$$=\frac{1}{6}\sqrt{(m^2+12)^3}$$

STEP 4 넓이의 최솟값 구하기

따라서 $m^2\geq0$이므로 구하는 넓이 S는 $m=0$일 때 최소이고 최솟값은 $4\sqrt{3}$이다.

02

해결전략 ㅣ 절댓값 기호를 포함한 함수를 x의 값의 범위에 따라 나누어 곡선과의 교점의 x좌표를 구한 다음 넓이를 구한다.

STEP 1 곡선과 직선의 교점의 x좌표 구하기

$$y=|x-1|=\begin{cases}-x+1 & (x<1)\\ x-1 & (x\geq1)\end{cases}$$

(ⅰ) $x<1$일 때

곡선 $y=x^2-2x-1$과 직선 $y=-x+1$의 교점의 x좌표는 $x^2-2x-1=-x+1$에서

$x^2-x-2=0$, $(x+1)(x-2)=0$

$\therefore x=-1$ $(\because x<1)$

(ⅱ) $x\geq1$일 때

곡선 $y=x^2-2x-1$과 직선 $y=x-1$의 교점의 x좌표는 $x^2-2x-1=x-1$에서

$x^2-3x=0$, $x(x-3)=0$

$\therefore x=3$ $(\because x\geq1)$

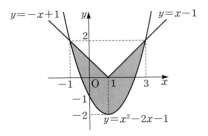

STEP 2 직선 $x=1$에 대하여 대칭임을 이용하여 넓이 구하기

곡선 $y=x^2-2x-1$과 직선 $y=|x-1|$로 둘러싸인 도형은 직선 $x=1$에 대하여 대칭이고 닫힌구간 $[-1, 1]$에서 $x^2-2x-1\leq-x+1$이므로 구하는 넓이는

$$2\int_{-1}^{1}\{(-x+1)-(x^2-2x-1)\}dx$$

$$=2\int_{-1}^{1}(-x^2+x+2)dx$$

$$=4\int_{0}^{1}(-x^2+2)dx$$

$$=4\left[-\frac{1}{3}x^3+2x\right]_{0}^{1}$$

$$=4\times\frac{5}{3}=\frac{20}{3}$$

◉→ 다른 풀이

STEP 2 넓이 구하기

$$\int_{-1}^{1}\{(-x+1)-(x^2-2x-1)\}dx$$

$$\qquad\qquad+\int_{1}^{3}\{(x-1)-(x^2-2x-1)\}dx$$

$$=\int_{-1}^{1}(-x^2+x+2)dx+\int_{1}^{3}(-x^2+3x)dx$$

$$=2\int_{0}^{1}(-x^2+2)dx+\int_{1}^{3}(-x^2+3x)dx$$

$$=2\left[-\frac{1}{3}x^3+2x\right]_{0}^{1}+\left[-\frac{1}{3}x^3+\frac{3}{2}x^2\right]_{1}^{3}$$

$$=2\times\frac{5}{3}+\frac{10}{3}=\frac{20}{3}$$

◎ 풍쌤의 비법

절댓값 기호를 포함하고 있는 함수의 정적분의 값을 구할 때는 절댓값 기호 안의 식을 0으로 하는 x의 값을 경계로 구간을 나누어 함수를 나타낸 다음 정적분의 성질 $\int_a^b f(x)dx = \int_a^c f(x)dx + \int_c^b f(x)dx$를 이용한다.

03

해결전략 | 정적분으로 주어진 함수를 미분하여 $f(x)$를 구한 다음 넓이를 구한다.

STEP 1 $f(x)$ 구하기

$\int_3^x f(t)dt = x^3 - kx^2$의 양변에 $x=3$을 대입하면

$\int_3^3 f(t)dt = 27 - 9k = 0$ $\therefore k=3$

$\int_3^x f(t)dt = x^3 - 3x^2$의 양변을 x에 대하여 미분하면

$f(x) = 3x^2 - 6x$

STEP 2 곡선과 x축의 교점의 x좌표 구하기

곡선 $f(x) = 3x^2 - 6x$와 x축의 교점의 x좌표는

$3x^2 - 6x = 0$에서 $3x(x-2) = 0$

$\therefore x=0$ 또는 $x=2$

STEP 3 넓이 구하기

따라서 구하는 넓이는

$\int_0^2 |3x^2 - 6x|\,dx = \int_0^2 (6x - 3x^2)dx$

$\qquad\qquad\qquad = \left[3x^2 - x^3\right]_0^2 = 4$

◎ 풍쌤의 비법

$\int_a^x tf(t)dt = g(x)$와 같이 적분 구간에 변수 x가 있는 경우

① 양변에 $x=a$를 대입하여 미지수의 값을 구한다.

② 양변을 x에 대하여 미분하여 $f(x)$를 구한다.

이때 적분변수가 t이면 x는 상수로 취급한다.

04

해결전략 | 먼저 곡선과 x축의 교점의 x좌표를 구한 다음 우함수인 $f(x)$의 그래프가 y축에 대하여 대칭임과 주어진 조건을 이용하여 정적분의 값이 0이 되는 경우를 찾는다.

STEP 1 곡선과 x축의 교점의 x좌표 구하기

$f(x) = (x^2 - 9)(x^2 - a) = 0$에서

$(x+3)(x-3)(x+\sqrt{a})(x-\sqrt{a}) = 0$

$\therefore x = -\sqrt{3}$ 또는 $x = -\sqrt{a}$ 또는 $x = \sqrt{a}$ 또는 $x=3$

STEP 2 $\int_0^3 f(x)dx$의 값 구하기

이때 $0 < a < 9$이므로 $0 < \sqrt{a} < 3$

따라서 함수 $y=f(x)$의 그래프는 다음 그림과 같다.

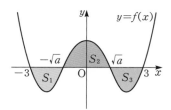

$f(-x) = \{(-x)^2 - 9\}\{(-x)^2 - a\}$

$\qquad\quad = (x^2 - 9)(x^2 - a)$

$\qquad\quad = f(x)$

이므로 $f(x)$는 우함수이다.

$\therefore \int_{-3}^3 f(x)dx = 2\int_0^3 f(x)dx$

주어진 조건에서 $S_1 - S_2 + S_3 = 0$이므로

$S_2 = S_1 + S_3$

즉, $2\int_0^3 f(x)dx = 0$이므로 $\int_0^3 f(x)dx = 0$ ······ ㉠

STEP 3 a의 값 구하기

㉠에 $f(x) = (x^2 - 9)(x^2 - a)$를 대입하면

$\int_0^3 (x^2 - 9)(x^2 - a)dx$

$= \int_0^3 \{x^4 - (a+9)x^2 + 9a\}dx$

$= \left[\frac{1}{5}x^5 - \frac{a+9}{3}x^3 + 9ax\right]_0^3$

$= -\frac{162}{5} + 18a = 0$

$\therefore a = \frac{9}{5}$

05

해결전략 | $y = -f(x-1) - 1$을 구한 다음 두 곡선의 교점의 x좌표를 구하여 넓이를 구한다.

STEP 1 $y = -f(x-1) - 1$ 정리하기

$y = -f(x-1) - 1$

$\ = -(x-1)^2 + 2(x-1) - 1$

$\ = -x^2 + 4x - 4$

STEP 2 두 곡선의 교점의 x좌표 구하기

곡선 $y = -x^2 + 4x - 4$와 곡선 $y = x^2 - 2x$의 교점의 x좌표는 $-x^2 + 4x - 4 = x^2 - 2x$에서

$2x^2-6x+4=0$

$x^2-3x+2=0$

$(x-1)(x-2)=0$

$\therefore x=1$ 또는 $x=2$

STEP 3 넓이 구하기

따라서 구하는 넓이는

$$\int_1^2 \{(-x^2+4x-4)-(x^2-2x)\}dx$$

$$=\int_1^2 (-2x^2+6x-4)dx$$

$$=\left[-\frac{2}{3}x^3+3x^2-4x\right]_1^2$$

$$=\frac{1}{3}$$

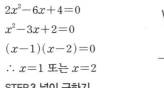

06

해결전략 | 시각 $t=0$에서 $t=a$까지 움직인 거리는 $\int_0^a |v(t)|dt$임을 이용하여 식을 세워 a의 값을 구한다.

STEP 1 $a>2$임을 알기

$v(t)=3t^2-6t=3t(t-2)$이므로

$v(t)=0$에서 $t=0$ 또는 $t=2$

점 P가 원점을 출발하여 $t=0$에서 $t=a$까지 움직인 거리가 58이므로 $a>2$

STEP 2 움직인 거리를 a에 대한 식으로 나타내기

$$\int_0^a |3t^2-6t|dt = -\int_0^2 (3t^2-6t)dt + \int_2^a (3t^2-6t)dt$$

$$= -\left[t^3-3t^2\right]_0^2 + \left[t^3-3t^2\right]_2^a$$

$$= -(-4)+(a^3-3a^2+4)$$

$$= a^3-3a^2+8=58$$

STEP 3 a의 값 구하기

$a^3-3a^2-50=0$

$(a-5)(a^2+2a+10)=0$

$\therefore a=5 \ (\because a^2+2a+10>0)$

$\therefore v(5)=75-30=45$

07

해결전략 | 정적분으로 나타내어진 함수를 결정한 다음 두 함수의 그래프로 둘러싸인 도형의 넓이를 구한다.

STEP 1 $\int_0^2 g(x)dx=a$, $\int_0^2 f(x)dx=b$로 놓고 $f(x)$, $g(x)$ 정하기

$\int_0^2 g(x)dx=a$, $\int_0^2 f(x)dx=b$라고 하면

$f(x)=3x^2+a$, $g(x)=-x^3+3bx^2$

STEP 2 $f(x), g(x)$ 구하기

$$a=\int_0^2 (-x^3+3bx^2)dx$$

$$=\left[-\frac{1}{4}x^4+bx^3\right]_0^2=8b-4$$

$$\therefore a=8b-4 \qquad \cdots\cdots \ \text{㉠}$$

$$b=\int_0^2 (3x^2+a)dx$$

$$=\left[x^3+ax\right]_0^2=2a+8$$

$$\therefore b=2a+8 \qquad \cdots\cdots \ \text{㉡}$$

㉠, ㉡을 연립하여 풀면 $a=-4$, $b=0$

$\therefore f(x)=3x^2-4$, $g(x)=-x^3$

STEP 3 두 곡선의 교점의 x좌표 구하기

두 함수 $y=f(x)$와 $y=g(x)$의 그래프를 그리면 오른쪽 그림과 같다.

두 곡선의 교점의 x좌표는

$3x^2-4=-x^3$에서

$x^3+3x^2-4=0$

$(x-1)(x+2)^2=0$

$\therefore x=-2$(중근) 또는 $x=1$

STEP 4 넓이 구하기

따라서 구하는 넓이는

$$\int_{-2}^1 \{-x^3-(3x^2-4)\}dx=\int_{-2}^1 (-x^3-3x^2+4)dx$$

$$=\left[-\frac{1}{4}x^4-x^3+4x\right]_{-2}^1=\frac{27}{4}$$